여러분의 합격을 응원하는

해커스공무원 특별 혜택

KB086640

단기 합격을 위한
해커스공무원 커리큘럼

입문

탄탄한 기본기와 핵심 개념 완성!

누구나 이해하기 쉬운 개념 설명과 풍부한 예시로 부담없이 쌩기초 다지기

TIP 베이스가 있다면 **기본 단계**부터!

기본+심화

필수 개념 학습으로 이론 완성!

반드시 알아야 할 기본 개념과 문제풀이 전략을 학습하고
심화 개념 학습으로 고득점을 위한 응용력 다지기

기출+예상 문제풀이

문제풀이로 집중 학습하고 실력 업그레이드!

기출문제의 유형과 출제 의도를 이해하고 최신 출제 경향을 반영한
예상문제를 풀어보며 본인의 취약영역을 파악 및 보완하기

동형문제풀이

동형모의고사로 실전력 강화!

실제 시험과 같은 형태의 실전모의고사를 풀어보며 실전감각 극대화

최종 마무리

시험 직전 실전 시뮬레이션!

각 과목별 시험에 출제되는 내용들을 최종 점검하며 실전 완성

PASS

**단계별 교재 확인 및
수강신청은 여기서!**

gosi.Hackers.com

* 커리큘럼 및 세부 일정은 상이할 수 있으며,
자세한 사항은 해커스공무원 사이트에서 확인하세요.

해커스공무원

마니행정학
기출 빅데이터

2권 **실력업 – 실**질적**역**량**업**그레이드

해커스공무원 마니행정학 기출 빅데이터(M3)

빅데이터 분석을 통한 행정학 기출을 체계적 수준별 완성한 독보적 문제집!

1. 왜 기출 빅데이터인가?

잡다하고 방대한 기출문제는 수험생에게 도움이 되지 않습니다. 이제 제대로 된 객관식 행정학 실전훈련을 위해, 빅데이터 분석을 통해 수준 및 레벨별 체계를 구성한 행정학 기출문제집이 바로 <해커스공무원 마니행정학 기출 빅데이터>입니다.

실전적 기출훈련이 필수인 과정에서 다수의 수험생들이 행정학 기출을 제대로 활용하지 못하고 있는 현실입니다. 이러한 수험상황을 개선시키고 진정한 실력향상과 문제 훈련이 될 수 있도록 한 연구의 결과가 '**마니행정학 기출 빅데이터(M3)**'입니다.

행정학은 그냥 '안다'라는 수준으로 마구잡이식 문제 풀기로는 실제 시험에서 자신의 점수로 만들 수가 없습니다. 제대로 된 행정학 학습이 이루어지지 않을 경우, 행정학은 비능률적이고 잡다하고 산만하며 양이 많은 힘든 과목이 되어 끝없는 악순환에 빠지게 됩니다.

수험 행정학의 이러한 문제를 해결한 독보적 대안이 바로 <해커스공무원 마니행정학 기출 빅데이터>입니다. 과거 18년간의 모든 기출문제를 '**마니행정학 기출 빅데이터 분석**'을 통해 다양한 객관식 문제훈련, 최근 경향과 트렌드의 결합, 최신 경향문제의 완벽 반영, 수험 함정의 효과적 극복 훈련이 되도록 더욱 업그레이드하였습니다.

2. <마니 행정학 기출빅데이터>의 독보적 구성

기본확인용 문제인 '**기필코**(기출 필수 코스)'와 더욱 향상된 실전 기출문제인 '**실력업**(실질적 역량 업그레이드)'의 입체적 문제집으로 구성하였습니다. 2023년 6월까지의 기출문제를 반영하여 총 2,000문제 범위에서 초급 기본부터 고급 심화까지의 다양한 기출과 중요한 행정학 내용을 모두 점검 학습할 수 있도록 다듬었습니다. 유사하게 꾸며서 따라할 수는 있겠지만, 마니행정학의 본질은 결코 따라할 수 없는 독보적인 기출문제집입니다.

<해커스공무원 마니행정학 기출 빅데이터>의 특징 및 수험 활용법은 다음과 같습니다.

1. 행정학 모든 기출문제의 '빅데이터 분석'

2023년까지 시행된 시험에 나온 모든 문제들을 철저히 분석하였습니다. 진정 기출문제의 '빅데이터' 분석을 지향하며 그 수많은 문제들의 출제경향과 최신 행정학의 방향을 가장 정확하게 반영하고 과거의 부적절한 기출문제는 배제하여, 기출 빅데이터만으로 다양한 행정학 기출문제를 정복할 수 있도록 정밀히 편성하였습니다.

2. <기필코>와 <실력업>의 체계적 구성

기출문제 전체를 기본서와 연동하여 150개의 세부테마로 선별하고, 각 테마 안에서 '기필코(기출문제 필수 코스)'와 '실력업(실질적 역량 업그레이드)'로 수준별 내용별 체계화를 이룩하였습니다.

<기.필.코.>

마니행정학 기본서 학습과 병행하여 기출문제 중 필수적으로 확인할 문제와 내용들을 스피디하고 골고루 점검해 볼 수 있도록 효율적으로 편성하였습니다.

초보자 혹은 기본이론을 익히는 과정에 추천합니다.

<실력.업.>

행정학의 이론적 심화와 실력을 향상하기 위한 엄선된 기출문제들을 체계적으로 구성하였으며, 수험생의 실력이 제대로 향상될 수 있는 커리큘럼적 과정을 완성하였습니다. 쉬운 문제를 풀면서 자기만족적인 수험이 아니라 실력이 향상되는 수험이 되어야 합니다.

심화이론의 이해와 재시생 이상의 실력점검용으로 추천합니다.

3. 독보적인 '좌문 우해'의 편성

마니행정학은 보다 실전적 수험지향 교재를 만들기 위해 어느 정도의 공간낭비가 이루어져도 '**좌문우해**'의 획기적 편성을 하였습니다. 즉, 왼쪽 페이지에 기출문제를, 오른쪽 페이지에 정밀한 해설을 편성하여 행정학 실력향상과 문제훈련의 시너지 효과를 교재 안에서 구현한 유일한 기출문제집입니다. 이러한 구성은 합격생들로부터 이미 검증과 극찬을 받은 독보적 구성입니다.

4. 모든 지문의 정밀한 해설

최신경향과 개정사항을 반영한 기출문제의 지문들에 대해 매우 정밀하고 정확한 해설을 통해 기출문제 풀이와 내용정리 학습, 복습이 동시에 실현되어 진정한 회독 반복의 '**삼중 학습 효과**'가 이루어지도록 구성하였습니다. 또한 각 문제별로 중요 정리사항을 객관식에 맞게 표로 일목요연하게 구성하고, 정리표를 통한 확장해설은 제대로 된 행정학 총정리가 될 수 있도록 하였습니다.

여기에 기존의 기출을 뛰어넘는 **마니행정학 정밀 해설강의**는 제대로 된 전공 행정학의 실력을 올리는 토대가 될 것입니다.

공무원 수험의 치열한 하루하루를 딛고 열공으로 합격을 위해 전진하는 여러분을 보며 행정학 강사인 제가 드리는 최대의 응원은 더욱 막강하게 업그레이드된 행정학 교재로 고득점 합격이 이루어지도록 하는 것이라고 생각합니다. 이제 그 노력의 결과인 '합격'은 바로 이 책을 보고 열공하는 여러분의 것이며, 마니행정학은 항상 응원합니다.

'**열공 + 열강 = 합격**'의 마니행정학 합격 공식 속에서 열공하는 여러분을 항상 응원합니다. 열공하는 여러분에게 합격은 당연한 결과입니다.

<해커스공무원 마니행정학 기출 빅데이터>가 출간되기까지 치열한 노력을 함께하는 마니행정학 연구실 및 해커스 출판 관계자 여러분들에게 감사의 마음을 전합니다.

마음속 항상 빛나는 별 하나, 둘, 셋을 향해.........

김 만 희

목차

PART 1
총론

단원 핵심 MAP

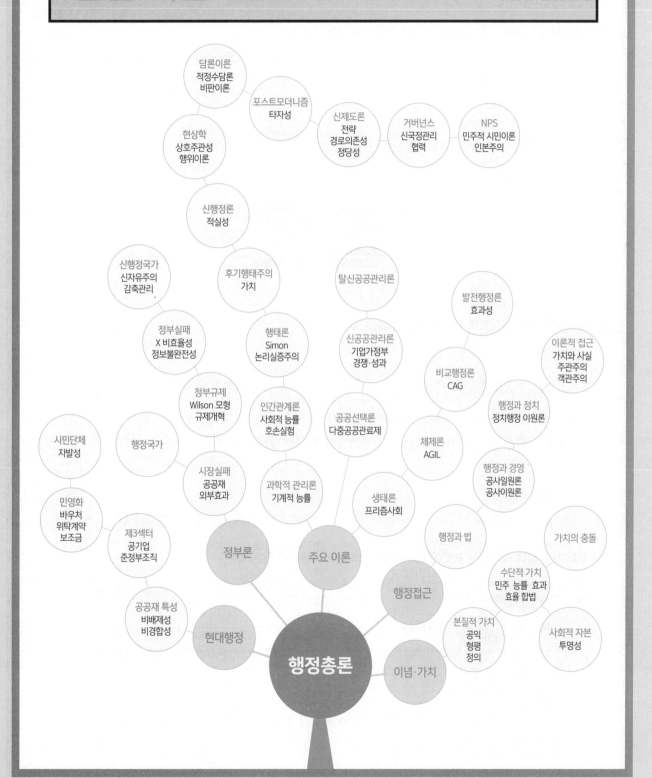

01 공유지의 비극에 대한 설명으로 가장 적절하지 않은 것은? 2018 경정승진

① 공유지의 비극이란 자신의 이익을 극대화시키려는 개인적 차원의 합리적 선택에도 불구하고 그 개인들은 하나의 집단으로서의 이익을 파괴함으로써 사회전체의 합리성을 담보하지 못하는 상태를 말한다.

② 공유지의 비극은 비용회피와 과잉소비에 의한 부정적 외부효과가 아닌 공유재의 비배제성으로 인한 무임승차 현상이 주된 요인이다.

③ A경찰서에서 자정 이후 귀가하는 여성을 버스정류장부터 집까지 순찰차로 태워다주는 안심귀가 서비스 제도를 시행할 경우, 공유지의 비극으로 인하여 해당 제도의 기계적 실행은 오히려 치안불안을 야기할 수 있다.

④ 하딘(G. Hardin)은 소유권을 명확하게 하여 공유상태를 근본적으로 제거하는 것이 가장 바람직하다고 보았다.

02 공유재에 관한 설명으로 가장 적절하지 않은 것은? 2016 경정승진

① 정당한 대가를 지불하지 않는 사람들을 이용에서 배제하기 어렵다.

② 소비의 배제는 가능하지만, 경합성이 있는 공유재는 과잉소비 내지는 고갈 등으로 '공유재의 비극' 현상이 나타나 시장실패의 요인이 된다.

③ 사적 극대화가 공적 극대화를 파괴하여 구성원 모두가 공멸하게 된다.

④ 최근 현대 시민사회에서는 구성원 간 자발적인 합의를 통해 공유재의 비극을 해결하려는 노력이 강조되고 있다.

03 다음의 분류에 해당하는 재화에 대한 정부의 역할로 적절하지 않은 것은? 2016 교행 9급

구분	배제성	비배제성
경합성	(가)	(나)
비경합성	(다)	(라)

① (가) 재화는 시장에 맡겨 두고 정부가 간섭을 하지 않아야 한다.

② (나) 재화에 대해 정부는 무분별한 사용을 막는 규칙을 설정한다.

③ (다) 재화의 상당 부분을 정부가 공급하는 이유는 자연독점에 의한 시장실패에 대응해야 하기 때문이다.

④ (라) 재화는 무임승차 문제를 야기하기 때문에 원칙적으로 정부가 직접 공급해야 한다.

정답 정밀 해설

01

정답 : ②

② 공유지의 비극은 공유재의 비배제성으로 인한 무임승차 현상 때문이 아니라, 비용회피와 과 잉소비에 의한 부정적 외부효과가 주된 요인이다.

① 공유지의 비극은 경제적·개인적 합리성이 반드시 정치적·집단적 합리성을 보장해주지 못한 다는 것으로, 개인적으로는 합리적 선택이 사회 전체적으로는 비효율을 초래하게 되는 현상 이다.

③ 안심귀가 서비스제도를 시행할 경우 이용자인 여성은 비용을 부담하지 않는 상황에서 과잉 소비가 발생할 수 있고 제한된 경찰인력이 투입됨에 따라 치안업무의 공백을 야기할 우려가 있다.

④ 하딘은 공유재를 사유화하여 시장재처럼 소유권(재산권)을 명확히 설정하는 것이 바람직하 다고 보았다.

02

정답 : ②

② 공유재는 소비의 배제는 불가능하지만, 경합성은 있는 재화로 시장에 방치할 경우 과잉소비 가 발생하게 되고 결국 고갈되는 공유재의 비극현상이 초래될 수 있다.

① 공유재는 경합성과 비배제성의 성격을 가지므로 비용부담을 하지 않는 소비자를 이용에서 배제하기 곤란하다.

③ 공유재를 시장에 맡겨두면 무임승차가 발생하고 사적 극대화와 공적 극대화가 불일치하는 공유지의 비극이 발생하게 된다.

④ 현대 시민사회에서는 구성원 간 자발적인 합의나 규칙을 통해 공유지의 비극을 해결하는 것 이 바람직하다고 본다.

03

정답 : ①

① (가) 재화는 '사적재'에 해당한다. 사적재는 원칙적으로 시장에 그 생산과 공급을 맡겨두는 것 이 가장 바람직하나, 시장 공급자(사기업)들의 독과점 등의 문제는 정부가 개입하여 규제할 수 있다.

② (나) 재화는 '공유재'에 해당한다. 공유재의 경우 무분별한 사용을 막는 규칙을 정부가 설정함 으로써 공유지의 비극의 문제가 발생하지 않도록 한다.

③ (다) 재화는 '요금재'에 해당한다. 요금재의 경우 자연독점의 문제발생 위험 때문에 상당부분 을 정부가 공급한다.

④ (라) 재화는 '순수 공공재(집합재)'에 해당한다. 순수 공공재의 경우 무임승차의 문제가 발생 할 가능성이 높기 때문에 원칙적으로 정부가 직접 공급하여야 한다.

공공재의 유형(E.Savas)

배제성 여부 경합성 여부	배제성	비배제성
경합성	사적재	공유재
비경합성	요금재	공공재

정답

01 ② 02 ② 03 ①

04 다음 중 공공서비스에 대한 설명으로 옳지 않은 것은?

① 의료, 교육과 같은 가치재(worthy goods)는 경합적이므로 시장을 통한 배급도 가능하지만 정부가 개입할 수도 있다.

② 공유재(common goods)는 정당한 대가를 지불하지 않는 사람들을 이용에서 배제하기 어렵다는 문제가 있다.

③ 노벨상을 수상한 오스트롬(E.Ostrom)은 정부의 규제에 의해 공유 자원의 고갈을 방지할 수 있다는 보편적 이론을 제시하였다.

④ 공공재(public goods) 성격을 가진 재화와 서비스는 시장에 맡겼을 때 바람직한 수준 이하로 공급될 가능성이 높다.

⑤ 어획자 수나 어획량에 대해서 아무런 제한이 없는 개방어장의 경우 공유의 딜레마 또는 공유의 비극이라는 문제가 발생한다.

05 공공서비스에 대한 설명으로 옳지 않은 것만을 모두 고른 것은?

ㄱ. 무임승차자 문제가 발생하는 근본 원인으로는 비배제성을 들 수 있다.
ㄴ. 정부가 공공서비스의 생산부문까지 반드시 책임져야 할 필요성은 약해지고 있다.
ㄷ. 전형적인 지방공공서비스에는 상하수도, 교통관리, 건강보험 등이 있다.
ㄹ. 공공서비스 공급을 정부가 담당해야 하는 이유로는 공공재의 존재 및 정보의 비대칭성 등이 있다.
ㅁ. 전기와 고속도로는 공유재의 성격을 가지는 공공서비스이다.

① ㄱ, ㄷ   ② ㄱ, ㅁ
③ ㄴ, ㄹ   ④ ㄷ, ㅁ

06 재화의 유형별 특징과 문제점에 대한 설명이 틀린 것은?

〈재화〉	〈특징〉	〈문제점〉
① 사적재	경합성과 배제성	과잉공급
② 공유재	경합성과 비배제성	고갈사태
③ 공공재	비경합성과 비배제성	무임승차
④ 유료재	비경합성과 배제성	자연독점

04

③ 오스트롬은 공유자원에 대하여 정부의 규제보다는 시장에 맡기거나 구성원들이 자발적으로 합의하고 해결하는 것이 바람직하다고 주장하였다.

① 의료, 교육과 같은 가치재의 경우 경합적이므로 시장을 통한 배급이 가능하지만, 기본적인 수요조차 충족하기 어려운 저소득층이나 영세민 배려 등을 위해 부분적으로 정부가 개입할 수 있다.

② 공유재는 정당한 대가를 지불하지 않아도 배제할 수 없는 비배제성의 특징을 지니므로 비용 회피와 과잉소비 등의 문제가 발생할 수 있다.

④ 공공재는 비경합성과 비배제성의 특징을 지니므로 비용부담에 따른 서비스의 차별화나 서비스 혜택으로부터의 배제가 불가능하고 과소공급 또는 과잉공급의 문제가 발생하며, 공공재를 정부가 아닌 시장에 맡겼을 경우 바람직한 수준 이하로 공급될 가능성이 높다.

⑤ 경합성은 있지만 배제가 불가능한 특징을 지니는 개방어장의 경우 자신의 이익을 극대화함으로써 자원이 고갈되는 공유지 비극이나 공유의 딜레마 현상이 발생한다.

포인트 정리

05

④ ㄷ, ㅁ이 옳지 않다.

ㄷ. [X] 상하수도 및 교통관리 업무는 전형적인 지방공공서비스에 해당하지만, 건강보험 등 복지정책은 중앙정부가 공급해야 할 서비스에 해당한다.

ㅁ. [X] 전기, 고속도로 등은 요금재에 해당한다.

ㄱ. [O] 비배제성은 비용을 부담하지 않아도 배제할 수 없는 특성으로 무임승차의 근본 원인이다.

ㄴ. [O] 최근에는 공급과 생산을 분리하여 생산을 민영화하는 추세이므로 정부가 공공서비스의 생산부문까지 반드시 책임져야 할 필요성은 약해지고 있다.

ㄹ. [O] 공공재의 존재 및 정보의 비대칭성은 시장실패의 원인으로 정부개입의 근거가 된다.

06

① 사적재는 경합성과 배제성을 띠므로 과잉공급이나 과소공급의 문제가 발생하지 않는다.

② 공유재는 정당한 대가를 지불하지 않는 사람들을 배제할 수 없으므로 과잉소비가 나타나며 고갈사태가 야기될 수 있다.

③ 공공재는 비경합성과 비배제성으로 인해 무임승차의 문제가 발생한다.

④ 유료재는 배제성을 띠므로 수익자부담주의가 가능하지만 자연독점의 문제가 발생한다.

소비의 특성에 따른 재화의 구분

구분	비경합성	경합성
비배제성	공공재	공유재
배제성	요금재	민간재

정답

04 ③ 05 ④ 06 ①

하딘(Hardin)은 공유의 초지에 가축을 방목할 때 방목자들이 자신의 이익을 극대화하려는 행동의 결과로서 모두가 공멸하게 될 수 있음을 지적하였다. 이러한 공멸의 결과를 가져올 개개인의 행위는 방목자들의 도덕적인 양심이나 윤리적 판단에 의하여 억제될 수 있다. 그러나 이에 대해 하딘은 대단히 회의적인 시각을 견지하였다. 첫째, 장기적으로 볼 때 도덕이나 양심을 준수하는 것은 자기 파멸적이라는 것이다. 공유의 권한에 입각한 사용의 권리를 양심이나 도덕관념에 호소하여 자제하도록 한다는 것은 장기적으로는 생존의 경쟁에서 양심적인 사람들보다 비양심적이거나 비도덕적인 사람을 선호하는 선별적인 체제를 만들어 나간다는 주장으로 연결된다. 둘째, 단기적으로 볼 때 도덕적 호소나 양심을 준수해 나간다는 것은 준수자로 하여금 심각한 심리적 모순상태에 빠져들게 하여 정신적 고통을 겪게 한다는 것이다.

양심과 도덕적 호소에 따라 행동하지 않으면 책임있는 시민으로 행동하지 않는 데 대해 공개된 비난을 받을 수 있다는 점과 다른 한편으로는 다른 사람들이 공유의 상태를 최대한 활용하여 자기 이익을 극대화시키고 있는 동안 자기는 바보처럼 그냥 있어야 한다는 점에서 정신적 갈등을 겪게 된다.

① 공유지의 비극은 행위자들이 자신의 이익을 극대화하려는 선택을 함으로써 발생한다.

② 공유지의 비극은 행위자들이 공멸로 인해 부담하는 비용보다 개인의 편익이 크다고 인식할 때 발생한다.

③ 공유지의 비극은 비용의 집중과 편익의 분산관계로 인해 발생한다.

④ 공유지에서 아무런 제약이 없다면 행위자들은 제한된 자원인 줄 알면서도 필연적으로 방목 가축의 수를 무한히 늘리게 된다.

⑤ 공유지의 비극은 개인의 이익극대화 활동의 결과가 집단 전체에는 최선의 이익이 될 수 없다는 사실을 보여주는 사례이다.

㉠ 인간은 합리적이고 이기적인 개인이라고 전제한다.
㉡ 소비의 배제는 불가능하지만, 경합성은 있는 공유재에 대한 정부의 실패를 설명해 준다.
㉢ 공유재는 비용회피와 과잉소비의 문제가 발생하지 않는다.
㉣ 사적 극대화가 공적 극대화를 파괴하여 구성원 모두가 공멸하게 된다.
㉤ 1968년에 Hardin의 논문에서 '공유지의 비극(tragedy of commons)'으로 설명되었다.

① ㉠, ㉡, ㉢

② ㉠, ㉣, ㉤

③ ㉠, ㉢, ㉣

④ ㉢, ㉣, ㉤

07

③ 제시문은 공유지의 비극에 대한 내용으로, 공유지의 비극은 비용의 분산과 편익의 집중관계로 인해 발생한다.

① 공유지의 비극은 사적 극대화의 개인을 가정한다.

② 하딘의 공유지의 비극은 '구명보트의 윤리배반' 현상과도 관련된다.

④ 죄수의 딜레마, 공유지의 비극에서 보여주는 상호경쟁과 불신으로 인한 이기주의적 상황은 합리성을 저해한다.

⑤ 개인의 이익 극대화 활동의 결과가 집단 전체에는 최선의 이익이 될 수 없는 경우가 있다. 관련 이론으로는 '공유지의 비극(tragedy of commons)', '죄수의 딜레마', '치킨게임' 등이 있다.

📝 포인트 정리

공유지의 비극 해결방안

고전적 시각	공유재의 사유화(소유권의 명확화) → 사유재산권의 확립(Coase)
행정국가	정부 개입·규제(Pigou) → 정부가 이용을 규제
현대 시민사회 (E.Ostrom)	구성원 간 자발적 합의 (사회적 자본, 신제도론 등)

08

② ㉠, ㉣, ㉤은 옳고 ㉡, ㉢은 틀린 지문이다.

㉠ [O] 행위자들이 자신의 이익을 극대화하려는 선택을 함으로써 발생한다.

㉣ [O] 개인의 합리적 선택이 사회 전체의 합리성을 담보하지 않음을 설명한다.

㉤ [O] 공유지의 비극은 비배제성과 경합성의 특징을 지닌 공유재를 시장에 맡겨두면 무임승차가 가능하여 누구도 아껴쓰려는 노력을 하지 않게 되고 결국은 자원이 고갈되어 파멸하게 된다는 이론으로 Hardin이 제시한 이론이다.

㉡ [X] 정부실패가 아니라 시장실패를 설명하는 이론이다.

㉢ [X] 공유재는 비배제성과 경합성의 특성을 지니며, 비배제성으로 인해 과잉소비와 공급비용의 귀착문제가 발생한다. 즉, 정당한 대가를 지불하지 않아도 배제할 수 없기 때문에 비용회피와 과잉소비로 인해 공유지의 비극이라는 문제가 발생한다.

정답

07 ③ 08 ②

다음 표에 제시된 공공서비스의 유형에 대한 설명으로 옳지 않은 것은?

특성		경합성 여부	
		경합성	비경합성
배제성 여부	배제성	㉠	㉡
	비배제성	㉢	㉣

① ㉠ – 기본적인 수요조차 충족하기 어려운 저소득층이나 사회적 약자를 위해 부분적인 정부개입이 필요하다.

② ㉡ – 서비스의 상당 부분이 정부에서 공급되는 이유는 부정적 외부효과로 인한 시장실패에 대응해야 하기 때문이다.

③ ㉢ – '공유재의 비극'을 초래하는 서비스로서 공급비용 부담 규칙과 무분별한 사용에 대한 규제 장치가 요구된다.

④ ㉣ – 과소 또는 과다 공급을 초래하는 만큼 원칙적으로 공공부문에서 공급해야 할 서비스이다.

사바스(E.S.Savas)의 기준에 따른 공공서비스의 유형과 특성에 대한 설명이 옳은 것은?

① 집합재(collective goods)의 비배제성과 비경합성은 민간투자의 저해요인이 될 수 있다.

② 경합성은 있지만 배제가 가능하면 공유재(common–pool goods)라고 볼 수 있다.

③ 배제성은 없지만 경합성이 있다면 그 재화나 서비스는 시장재(private goods)이다.

④ 무임승차의 문제는 요금재(toll goods)에서 가장 크게 나타난다.

'공유지의 비극'에 대한 설명 중 옳지 않은 것은?

① 사적 극대화가 공적 극대화를 파괴하여 구성원 모두가 공멸하는 비극을 말한다.

② 공공재의 기본적인 이론으로 정부의 규제나 개입이 필요하다는 것을 설명하는 이론이다.

③ 무임승차와 상반되는 이론으로 William Ouchi가 제안한 개념이다.

④ 구명보트에 너무 많은 사람이 탑승하여 결국 보트가 가라앉는 '구명보트의 윤리배반 현상'과도 관련된다.

09

② ⓒ 요금재의 경우 민간뿐만 아니라 공기업과 정부가 함께 공급하기도 하지만 서비스의 상당
부분이 정부에서 공급되는 이유는 자연독점으로 인한 시장실패에 대응해야 하기 때문이다.

① ⓐ 민간재(사적재)의 경우 일반적으로 시장에 의한 서비스 공급이 활성화될 수 있어 공공부
문의 개입이 최소화되는 영역이나, 계층 간 수직적 형평성이 강조되면서 기본적인 수요조차
도 충족하기 어려운 저소득층이나 영세민 배려를 위한 부분적인 정부개입이 발생한다.

③ ⓒ 공유재의 경우 소비는 경합되지만 정당한 대가를 지불하지 않아도 배제시킬 수 없기 때문
에 비용회피와 과잉소비로 인해 공유재의 파괴라는 비극이 초래되는 영역이다.

④ ⓓ 공공재의 경우 비경합성과 비배제성의 특징 때문에 과다공급 또는 과소공급이 초래되는
만큼 원칙적으로 공공부문에서 공급해야 할 서비스이다.

10

① 공공재는 비배제성과 비경합성으로 인해 수익을 기대하기 어려우므로 민간투자의 저해요인
이 되며, 과소공급과 과다공급의 문제가 발생할 수 있어 원칙적으로 공공부문에서 공급해야
할 필요가 있다.

② 공유재는 경합성은 있지만 배제가 불가능한 재화이다.

③ 시장재는 사적재로서 배제성과 경합성이 있는 재화를 말한다. 시장에 의한 서비스 공급이 활
성화될 수 있어 공공부문의 개입이 최소화되는 영역이다.

④ 무임승차의 문제는 배제성을 띠지 않는 공공재나 공유재에서 가장 크게 나타난다.

11

③ G.Hardin이 1968년 사이언스지에 처음 발표한 개념으로 공유재는 구성원 모두가 공유하는
자연자원으로서 배제성은 없는데 경합성이 있는 재화이므로 이러한 공유자원은 무임승차가
가능하여 누구도 아껴 쓰려는 노력을 하지 않게 되고 결국 파멸하게 된다는 이론이다.

① 공유지의 비극은 개인적 이익의 추구가 전체적 이익을 파괴하여 구성원 모두가 공멸하는 비
극적인 현상을 의미한다.

② 공유지의 비극은 죄수의 딜레마와 함께 시장의 실패를 설명하는 대표적 모형으로, 정부가 공
공재를 직접 공급하거나 공공재를 규제해야 하는 정당성을 제공하는 이론적 토대가 된다.

④ 공유지의 비극처럼 개인의 효용극대화를 위한 합리적 선택이 사회전체의 집합적 이익과 일
치하지 않을 수 있음을 설명한다.

정답

09 ② 10 ① 11 ③

01 행정과 경영은 속성상 유사하다고 주장하는 관점이 미친 영향으로 옳지 않은 것은?

2020 소방간부

① 미국 역사에서 엽관주의의 폐단을 극복하는 데 기여하였다.

② 행정관리론과 신공공관리론을 통하여 행정에 사기업관리방식을 도입하였다.

③ 행정학을 정치학으로부터 분리하여 독자적인 학문분야로 정착시켰다.

④ 과학적 관리(Scientific management)와 정부재창조(Reinventing government)에 공통된 전제를 제공하였다.

⑤ 직업공무원제를 옹호하는 행정재정립운동(Refounding movement)을 촉발하였다.

02 행정과 경영의 공통점 및 차이에 대한 설명 중 가장 잘못된 것은?

2014 경찰간부

① 행정은 정치적 성격을 갖는 반면, 경영은 정치로부터 분리되어 있어 정치적인 성격을 갖지 않는 것이 일반적이다.

② 경영은 시장실패 가능성 등의 이유로 엄격한 법적 규제를 받는 반면, 공익을 추구하는 행정은 법적 규제로부터 자유롭다.

③ 행정과 경영은 모두 관료제적 성격을 갖는 대규모 조직이라는 점에서 유사성을 갖는다.

④ 경영은 자유로운 시장진입 가능성으로 경쟁에 노출되는 반면, 행정은 공공서비스를 제공하는 과정에서 경쟁자가 존재하지 않는 것이 일반적이다.

03 행정과 경영에 대한 다음의 설명 중 옳지 않은 것은?

2007 전북 9급

① 행정과 경영은 모두 본질적으로 정치로부터 분리된다.

② 행정과 경영은 모두 관료제적 성격을 가지고 있다.

③ 행정은 엄격한 법적 규제를 받지만, 경영은 행정과 같은 직접적인 법적 규제는 받지 않는다.

④ 행정은 공익을 추구하지만, 경영은 이윤극대화를 추구한다.

⑤ 행정은 모든 국민을 대상으로 하지만, 경영은 고객 관계가 형성되어 있는 특정 범위에 한정된다.

01

정답 : ⑤

⑤ 1990년대 행정재정립운동(Refounding Movement)는 행정의 정당성 및 규범성, 전문직업주의를 강조한 운동으로, 행정은 경영이나 정치와 다르다고 보았다.

① 행정과 경영의 유사성을 주장하는 것은 공·사행정일원론으로 이는 엽관주의의 폐단을 극복하고자 하였다.

② 공사행정일원론은 행정을 정치로부터 분리하여 독자적인 학문을 갖추는데 기여하였다.

③ 행정관리론과 신공공관리론은 공·사행정일원론으로 민간의 관리기법을 행정에 도입해야 한다고 본다.

④ 1990년대 Osborne& Gabler의 정부재창조는 신공공관리론과 관련되며 신공공관리론의 이론적 배경인 신관리주의는 과학적 관리와 연관된다.

포인트 정리

행정 vs 경영

구분	행정	경영
목적	공익추구	이윤(사익) 극대화(추구)
법적 규제	강함(엄격한 법적규제)	약함
정치적 통제	강함	약함
능률의 척도	사회적 능률	기계적 능률
공개성	강함	약함
신분 보장	강함	약함
권력성	강제적 권력	공리적 권력
평등성	모든 국민이 대상(넓게 적용)	고객 범위 내에 한정(좁게 적용)

02

정답 : ②

② 행정은 공공성으로 인하여 엄격한 법적 규제를 받는 반면, 경영은 좀 더 자유롭다.

① 행정은 정치와 불가분의 관계이므로 정치적 성격을 갖지만, 경영은 정치적인 성격을 갖지 않는 것이 일반적이다.

③ 대규모 조직의 관리활동이라는 점에서 행정과 경영은 유사하다.

④ 행정의 독점성은 경영과의 차이점에 해당한다.

03

정답 : ①

① 경영은 정치로부터 분리되지만, 행정은 본질적으로 정치적 영향을 받으며 정치적 환경하에서 수행되고 광범위한 정치적 지지가 필요하므로 정치적 성격을 띤다.

② 행정과 경영 모두 계층제, 전문화, 분업화, 법적 지배 등 관료제적 성격을 띤다.

③ 행정은 법적 규제를 강하게 받지만, 경영은 법적 규제를 약하게 받는 정도에 그친다.

④ 행정은 공익 실현을 주목적으로 하지만, 경영은 이윤극대화를 주목적으로 한다.

⑤ 행정은 모든 국민을 대상으로 하지만, 경영은 특정 범위에 있는 고객들을 대상으로 한다.

01 정치 · 행정이원론에 대한 설명으로 가장 적절하지 않은 것은?

2021 경정승진

① 윌슨(W. Wilson)은 행정의 연구(The Study of Administration, 1887)라는 논문에서 정치와 행정의 분리를 주장하였다.

② 윌슨은 행정의 영역을 전문적(專門的)·기술적(技術的) 영역으로 인식한다.

③ 굿노우(F. Goodnow)도 정치와 행정의 차이를 주장하였다.

④ 능률적인 행정을 위하여 정당정치의 적극적인 개입을 촉구한다.

02 정치행정일원론에 관한 설명으로 옳지 않은 것은?

2015 행정사

① 경제대공황(Great Depression), 뉴딜정책 이후 정부의 적극적 역할이 강조된 시기에 발달되었다.

② 행정에 있어서 정책수립이라는 정치적·가치배분적 기능이 중요시된다.

③ 정치와 행정은 불가분의 관계에 있으므로 둘은 상호배타적이라기보다 서로 협조적 관계에 있다.

④ 디목(M. E Dimock), 애플비(P. H. Appleby) 등에 의해 주장되었다.

⑤ 행정에 있어서 절약과 능률을 최고 가치로 추구한다.

03 정치와 행정에 대한 다음 〈보기〉의 설명 중 옳은 것은 모두 몇 개인가?

2013 국회 8급

> **보기**
> ㄱ. 전통적으로 민주주의 정치체제에서 정치는 가치개입적 행위이며 행정은 가치중립적 행위이다.
> ㄴ. 정치는 효율성을 확보하는 과정인데 반해 행정은 민주성을 확보하는 과정이다.
> ㄷ. 정치행정 일원론에서의 행정의 정치적 기능이란 정책형성 기능을 의미한다.
> ㄹ. 1960년대 발전행정론이 대두하면서 기존의 행정우위론과 대비되는 정치우위론의 입장에서 새 일원론이 제기되었다.
> ㅁ. 사이먼(Simon) 등 행태주의 학자들은 행정의 정책결정 기능을 인정한다는 점에서 기존의 이원론과 구분된다.

① 1개   ② 2개

③ 3개   ④ 4개

⑤ 5개

01

정답 : ④

④ 능률적인 행정을 위하여 정당정치의 적극적인 개입을 추구하는 것은 정치행정 일원론에 대한 설명이다.

① 윌슨은 대표적인 정치행정 이원론의 학자로, 정치와 행정의 분리를 주장하였다.

② 정치행정 이원론은 행정을 전문적·기술적·능률적인 관점에서 인식하고 정책을 구체적으로 집행하는 객관적인 과정으로 본다.

③ 굿노우도 정치행정 이원론을 주장한 학자로, 정치는 국가 의사의 결정이고 행정은 국가 의사의 집행이라고 보았다.

02

정답 : ⑤

⑤ 행정에 있어서 절약과 능률을 최고 가치로 추구하는 것은 정치행정이원론과 관련된다.

① 정치·행정일원론은 경제대공황 등을 겪으며 정부의 적극적 역할이 강조된 시기인 1930~1940년대에 발달된 이론이다.

② 행정을 사회문제를 적극 처방하기 위한 가치판단기능으로 보고 정책의 단순한 집행뿐만 아니라, 정책결정 기능까지 포함한다고 본다.

③ 정치와 행정은 사회문제를 적극적으로 해결하려는 처방성·기술성을 갖는다고 하면서 정치와 행정을 연속적인 관계로 보았으므로, 양자는 협조적 관계라고 할 수 있다.

④ 디목과 애플비 등은 정치·행정일원론을 주장한 대표학자들이다.

03

정답 : ③

③ ㄱ, ㄷ, ㅁ이 옳다.

ㄱ. [O] 정치는 결정의 기능을, 행정은 집행의 기능을 담당한다.

ㄷ. [O] 정치·행정일원론에서 행정은 정책형성을 통해 정치적, 가치배분적 기능을 수행한다.

ㅁ. [O] 행태론은 행정의 정책결정 기능을 인정한다는 점에서 행정학 성립 초기에 행정의 정책결정 기능을 인정하지 않는 이원론과 구분되며, 새 이원론이 제기되었다.

ㄴ. [X] 정치는 민주성을 중시하고, 행정은 효율성을 중시한다.

ㄹ. [X] 1960년대 발전행정론이 대두하면서 기존의 정치우위론과 대비되는 행정우위론의 입장에서 새 일원론이 제기되었다.

정답

01 ④ 02 ⑤ 03 ③

04 정치행정이원론에 대한 설명으로 적절하지 않은 것은?

2012 국회 9급

① 행정의 전문성과 중립성 확보의 필요성을 강조한다.

② 과학적 관리론의 영향을 받아 행정을 비정치적인 관리현상으로 이해한다.

③ 독자적인 학문으로서의 행정학의 발전에 기여하였다.

④ 공사행정일원론의 성립에 기여하였다.

⑤ 행정에 내포되어 있는 정치적인 기능을 강조한다.

CHAPTER 04 정부관의 변화

실질적 력(역량) 업그레이드

---

01 정부 예산팽창이론에 대한 설명으로 옳지 않은 것은?

2023 지방 9급

① 바그너(Wagner)는 경제 발전에 따라 국민의 욕구 부응을 위한 공공재 증가로 인해 정부 예산이 증가한다고 주장한다.

② 피코크(Peacock)와 와이즈맨(Wiseman)은 전쟁과 같은 사회적 변동이 끝난 후에도 공공지출이 그 이전 수준으로 되돌아가지 않는 데에서 예산팽창의 원인을 찾고 있다.

③ 보몰(Baumol)은 정부 부문과 민간 부문 간의 생산성 격차를 통해 정부 예산의 팽창 원인을 설명하고 있다.

④ 파킨슨(Parkinson)은 관료들이 자신들의 권력 극대화를 위해 필요 이상으로 자기 부서의 예산을 추구함에 따라 정부 예산이 지속적으로 증가한다고 주장한다.

---

02 다음은 정부를 논의할 때 거론되는 다양한 설명들이다. 옳지 않은 것은?

2021 경찰간부

① 정부가 개인이나 기업에게 제한된 공공재화를 배분하거나 경제행위를 할 수 있는 인·허가 권한을 내주는 상황에서 형성된 배타적 이익을 지대(rent)라고 한다.

② 파킨슨 법칙(Parkinson's Law)에서는 공무원의 규모는 업무량에 상관없이 증가한다고 주장된다.

③ 신자유주의는 고전적 자유주의와 달리 정치, 경제, 사회 모든 분야에서 개인의 자유를 공익을 위해 제한하자는 사상이다.

④ 공유재의 비극이라는 주장에서는 효용극대화를 추구하는 합리적 인간에 대한 가정을 전제로 한다.

04

정답 : ⑤

⑤ 행정에 내포되어 있는 정치적인 기능을 강조하는 것은 정치행정일원론에 대한 설명이다.

① 정치행정이원론은 행정의 전문적인 기능과 정치로부터의 중립성 확보를 강조하였다.

② 정치행정이원론은 과학적 관리론의 영향을 받아 행정을 사람과 물자를 관리하는 관리기술의 현상으로 보았다.

③ 정치행정이원론은 정치로부터 행정을 분리하여 독자적인 행정학을 정립하고자 하였다.

④ 정치행정이원론은 행정의 관리와 기업경영의 동질성을 강조하는 공사행정이원론을 확립시켰다.

01

정답 : ④

④ 관료들의 자기의 권력을 극대화하기 위해 부서의 예산을 팽창시킨다는 것은 니스카넨의 예산극대화가설이다.

① 바그너 법칙은 경비팽창의 법칙으로서, 도시화가 진행될수록 공공재의 수요가 늘어난다는 이론이다.

② 피콕과 와이즈만의 전위효과는 위기시의 공적 지출이 사적 지출을 대신하여 재정 팽창하는 것을 설명한다.

③ 보몰의 병은 행정은 노동집약적 성격으로 인해 생산성 증대는 느리지만, 인건비등 생산비용은 빨리 증가하는 현상이다.

02

정답 : ③

③ 신자유주의는 공급 중시 경제학에 기반을 두고 자원의 효율적인 배분은 시장에서 실현하는 것이 바람직하다는 입장으로, 정부의 민간부문에 대한 간섭과 규제는 최소화 또는 합리적으로 축소·조정되어야 하며 규제완화나 민영화를 통한 구조개혁이 필요하다고 본다.

① 지대는 정부가 허가나 규제 등으로 시장에 개입함으로써 나타나는 독점적·반사적 이익(독점지대)으로, 관련 이익집단은 독점적 권한을 유지하기 위해 기술 개발보다는 정부에의 로비 등 비생산적인 일에 집중하게 되고 이로 인해 나타나는 낭비와 사회적 손실을 지대추구라고 한다.

② 파킨슨 법칙은 공무원의 수는 본질적인 업무량의 증가와는 관계없이 필연적으로 증가한다는 것으로, 상승하는 피라미드 법칙이라고도 한다.

④ 공유재의 비극은 비용이 분산되고 편익이 집중됨에 따라 개인의 합리적 선택이 사회 전체적으로는 비효율을 초래하는 현상으로, 자기이익을 극대화하려는 합리적·이기적 인간에 대한 가정을 전제한다.

정답

04 ⑤ 01 ④ 02 ③

작은 정부와 큰 정부에 대한 설명으로 가장 옳지 않은 것은?   2019 서울 7급(2월)

① 큰 정부의 등장은 대공황 등 경제위기 속에서 시장에 대한 정부의 적극적 개입을 통해 대공황을 극복해야 한다는 케인즈주의에 사상적 기반을 두고 있다.

② 시장실패에 대한 대응으로 나타난 큰 정부는 규제를 완화하고 사회보장, 의료보험 등 사회정책을 펼침으로써, 정부의 적극적 역할을 강조하였으며, 이러한 이유로 정부의 크기가 커졌다.

③ 경제 대공황 극복을 위하여 등장한 뉴딜 정책과 함께 2차 세계대전 등 전쟁은 큰 정부가 탄생하는 데 결정적인 영향을 주었다.

④ 작은 정부를 주장하는 하이에크는 케인즈의 주장을 반박하며, 정부의 시장 개입은 단기적 경기 부양에는 효과적일 수 있어도 장기적으로는 시장의 효율성을 심각하게 훼손한다고 주장하였다.

정부관에 대한 일반적인 설명으로 옳은 것은?   2017 교행 9급

① 보수주의자는 기본적으로 자유시장을 불신하지만 정부를 신뢰한다.

② 진보주의자는 조세제도를 통한 정부의 소득재분배 정책을 선호한다.

③ 신자유주의가 등장하면서 작은 정부에서 큰 정부로의 전환이 이루어졌다.

④ 1930년대 대공황을 겪으면서 최소의 정부가 최선의 정부라는 신념이 중요시되었다.

신자유주의 정부이념 및 관리수단과 연관성이 적은 것은?   2013 국가 9급

① 시장실패의 해결사 역할을 해오던 정부가 오히려 문제의 유발자가 되었다는 인식을 바탕으로 다시 시장을 통한 문제해결을 강조하며 '작은 정부'(small government)를 추구한다.

② 민간기업의 성공적 경영기법을 행정에 접목시켜 효율적인 행정관리를 추구할 뿐 아니라 개방형 임용, 성과급 등을 통하여 행정에 경쟁 원리 도입을 추진한다.

③ 케인즈(Keynes) 경제학에 기반을 둔 수요중시 거시 경제 정책을 강조하므로 공급측면의 경제정책에 대하여는 반대 입장을 견지한다.

④ 정부의 민간부문에 대한 간섭과 규제는 최소화 또는 합리적으로 축소·조정되어야 한다는 입장에서 규제완화, 민영화 등을 강조한다.

03

② 시장실패에 대한 대응으로 나타난 큰 정부는 규제를 강화하고 사회보장, 의료보험 등 사회정책을 펼침으로써 정부의 적극적 역할을 강조하였으며, 이러한 이유로 정부의 크기가 커졌다.

① 큰 정부는 세계대공황 등 경제적 위기 상황하에서 정부의 적극적인 개입을 통해 대공황을 극복해야 한다고 보는 케인스 경제학에 기반을 두고 있다.

③ 경제 대공황을 극복하기 위한 뉴딜정책과 제2차 세계대전 이후에는 정부의 기능이 확대·강화됨으로써 큰 정부가 등장하게 되었다.

④ 하이에크는 케인즈의 주장을 반박하고 작은 정부를 주장한 대표적인 학자로, 정부의 시장 개입은 경제안정화 정책으로서 별로 효과가 없으며 장기화될 경우 오히려 경제의 불안정성과 시장의 효율성을 심각하게 저해한다고 주장하였다.

04

② 진보주의자는 결과적 평등을 증진시키고 사회적 약자들의 보호를 위한 정부의 실질적인 정부의 개입을 인정하므로 누진세 등 조세제도를 통한 정부의 소득재분배 정책을 선호한다.

① 보수주의자는 기본적으로 자유시장을 신뢰하지만 정부를 불신한다.

③ 정부실패 이후의 신자유주의가 등장하면서 큰 정부에서 작은 정부로의 전환이 이루어졌다.

④ 1930년대 대공황을 겪으면서 최대의 정부가 최선의 정부라는 신념이 중요시되었고 이로 인해 행정국가가 등장하게 되었다.

05

③ 케인지안 경제학은 시장실패를 치유하기 위하여 유효수요를 창출하는 정부의 적극적 개입을 중시하는 행정국가 내지는 큰 정부를 뒷받침하는 이론이다. 정부 개입을 줄이고 시장기능을 활성화하려는 레이거노믹스 등 공급측면의 경제학이 신자유주의의 토대이다.

① 정부실패를 극복하고자 감축관리 등 작은 정부를 주장한다.

② 신관리주의를 통해 성과중심의 행정을 구현하고자 하였다.

④ 정책기능과 집행기능을 분리하여 집행기능의 민영화나 민간위탁을 통한 정부역할의 축소를 추구하였다.

🔍 포인트 정리

진보주의 정부관 vs 보수주의 정부관

구분	진보주의	보수주의
인간관	• 오류가능성의 여지가 있는 인간관 • 경제적 인간관의 부정	• 합리적이고 이기적 경제인
가치판단	• 결과의 평등 • 배분적 정의를 중시 • 자유·평등 증진을 위한 실질적 정부 개입 허용	• 정부로부터의 자유 • 교환적 정의를 중시 • 기회평등과 경제적 자유를 강조
시장과 정부 관점	• 효율과 공정, 번영과 진보에 대한 자유시장의 잠재력 인정 • 시장실패는 정부에 의해 수정 가능	• 자유시장에 대한 신념 • 정부불신

06 정부와 시장의 관계에 관한 시장주의자의 설명으로 옳은 것은?
2012 국회 8급

① 시장주의자는 경제활동의 당사자가 정부보다 정보의 획득면에서 유리하다고 보고, 정부가 경제활동에 개입하는 것을 반대한다.

② 대표적인 시장주의자는 스미스(A.Smith)와 왈도(D.Waldo)이다.

③ 시장주의자는 정책관여자가 시장참여자와는 다른 욕구를 가진다는 점을 강조한다.

④ 시장주의자는 시장이 정부보다 외부경제와 외부비경제의 문제에 더 잘 대처할 수 있다고 주장한다.

⑤ 시장주의자는 시장경제에 의한 분배가 기여에 따른 보상을 강조하므로, 소득의 공정한 분배를 촉진한다고 본다.

07 정부규모팽창에 대한 이론의 설명으로 옳은 것을 모두 고르면?
2012 경찰간부

ㄱ. 전위효과 – 사회혼란기에 공공지출이 상향 조정되며 민간지출이 공공지출을 대체하는 현상
ㄴ. 와그너 법칙(Wagner's law) – 1인당 국민소득이 증가할 때, 국민경제에서 차지하는 공공부문의 상대적 크기가 증대되는 현상
ㄷ. 예산극대화 가설 – 관료들이 권력의 극대화를 위해 자기부서의 예산극대화를 추구하는 현상
ㄹ. 파킨슨의 법칙 – 공무원의 수가 해야 할 업무의 경중이나 그 유무에 관계없이 일정 비율로 증가하는 현상
ㅁ. 보몰효과(Baumol's effect) – 정부가 생산·공급하는 서비스의 생산비용이 상대적으로 빨리 하락하여 정부지출이 감소하는 현상

① ㄱ, ㄴ, ㄷ   ② ㄱ, ㄴ, ㄹ, ㅁ
③ ㄴ, ㄷ, ㄹ   ④ ㄱ, ㄷ, ㄹ, ㅁ

08 다음 중 진보주의, 보수주의 정부관에 대한 설명으로 가장 옳은 것은?
2011 경찰간부

① 진보주의 정부관은 합리적이고 이기적인 경제인의 인간관을 전제로 한다.

② 보수주의 정부관은 자유를 옹호하며, 정부의 개입을 허용한다.

③ 진보주의 정부관은 효율성과 공정성, 번영에 대한 자유시장의 잠재력을 인정한다.

④ 보수주의자의 정의는 행복의 극대화, 공동선과 시민의 미덕을 강조한다.

06

① 시장주의는 국가의 개입을 줄이고 시장의 원리로 모든 문제를 해결할 수 있다고 보는데, 경제활동의 당사자가 정부보다 정보의 획득면에서 유리하다고 보고, 정부가 경제활동에 개입하는 것을 반대한다. 한편 진보주의자들은 시장의 한계를 인식하고 정부가 시장에 적극 개입하여 시장의 실패를 치유해야 된다고 본다.

② 전통적인 시장주의자는 시장의 보이지 않는 손을 강조한 아담 스미스(A.Smith)이며, 왈도(D.Waldo)는 1970년대 신행정론자로서 시장의 문제에 정부가 적극 개입하여 해결에 나서야 한다는 진보주의자이다.

③ 정책관여자가 시장참여자와는 다른 욕구를 가진다는 점을 강조하는 입장은 진보주의자들이다.

④ 진보주의자들은 시장주의자들이 시장의 실패나 한계를 인식하지 못한다고 비판하고 정부가 시장보다 외부경제와 외부비경제의 문제에 더 잘 대처할 수 있다고 주장한다.

⑤ 진보주의자들은 시장경제에 의한 분배는 능력과 기여도에 따른 보상만을 강조하므로, 패자나 약자에 대한 배려가 없어 소득의 공정한 분배를 보장해줄 수 없다고 주장한다.

07

③ ㄴ, ㄷ, ㄹ이 공공재의 과다공급설로 정부규모 팽창요인에 해당한다.

ㄱ. [X] 전위효과는 사회혼란기와 같은 위기 시에 공공지출이 상향 조정되며 공공지출이 민간지출을 대체하는 현상을 의미한다.

ㅁ. [X] 보몰효과(보몰병)는 행정의 노동집약적 성격으로 재정규모가 팽창하는 병리적 현상으로, 정부가 생산·공급하는 서비스의 생산비용이 상대적으로 빨리 올라 정부지출이 증가하는 현상을 의미한다.

과소공급설 vs 과다공급설

과소공급설	과다공급설
• 머스그레이브의 조세저항 • 갈브레이스의 의존효과 • 다운스의 합리적 무지 • 듀젠베리의 전시효과	• 피콕과 와이즈만의 전위효과 • 바그너의 경비팽창 법칙 • 보몰병(보몰효과) • 니스카넨의 관료예산극대화 가설 • 브라운과 잭슨의 중위투표자 선택 • 뷰캐넌의 리바이어던 가설 • 양출제입 원리 • 간접세 위주 국가재정 구조 • 할거적 예산결정구조

08

③ 진보주의 정부관은 자유·평등 증진을 위한 실질적 정부개입을 허용하며, 효율과 공정 등에 대한 자유시장의 잠재력을 인정한다.

① 진보주의 정부관은 합리적이고 이기적인 경제 인관을 부정하며, 오류의 가능성이 있는 인간을 전제한다.

② 보수주의 정부관은 자유를 옹호하며, 간섭이나 개입이 없는 정부로부터의 자유를 중시한다.

④ 행복의 극대화, 공동선과 시민의 미덕 강조는 진보주의의 정의관이다.

진보주의 정부관 vs 보수주의 정부관

구분	진보주의	보수주의
인간관	• 오류가능성의 여지가 있는 인간관 • 경제적 인간관의 부정	• 합리적이고 이기적 경제인
가치판단	• 결과의 평등 • 배분적 정의를 중시 • 자유·평등 증진을 위한 실질적 정부 개입 허용	• 정부로부터의 자유 • 교환적 정의를 중시 • 기회평등과 경제적 자유를 강조
시장과 정부관점	• 효율과 공정, 번영과 진보에 대한 자유시장의 잠재력 인정 • 시장실패는 정부에 의해 수정 가능	• 자유시장에 대한 신념 • 정부불신

다음 중 연결된 설명으로 옳지 않은 것은?

① 집단사고(group think) : 의사결정의 민주성과 타당성 훼손

② TQM(Total Quality Management) : 고객의 요구와 만족 강조

③ 대리정부(government by proxy) : 공공서비스제공의 책임과 공공성 훼손

④ 피터의 원리(the Peter Principle) : 무능력자 승진이 조직 효율성 훼손

⑤ Galbraith의 의존효과(dependence effect) : 공공재 과다공급으로 인한 정부실패 강조

전통적인 의회정치 모형에 대한 대안으로 제기되는 '분화된 정체' 모형의 특징으로 가장 거리가 먼 것은?

① 정책연결망과 정부 간의 관계

② 장관책임과 중립적 관료제

③ 공동화 국가

④ 핵심행정부

⑤ 신국정관리

정부와 행정에 대한 설명으로 잘못된 것은?

① 행정과 경영은 능률성을 추구하는 관리기술, 관료제적 성격, 협동행위 등에서 유사점을 지니지만 목적, 법적 규제, 정치권력적 성격, 평등성, 독자성, 권한 및 영향범위 등에서는 차이가 존재한다.

② 보수주의 정부는 기회의 평등을 강조하는 반면, 진보주의 정부는 결과의 평등을 강조한다.

③ 현대행정의 특징으로는 행정수요의 복잡·다양화, 정치와 행정의 일원화, 사회 변동에 적극 대응 등을 들 수 있다.

④ 자유방임 사상가들은 정부의 역할을 국방, 공공토목사업, 환경규제 등의 최소한의 분야로 한정하고 있다.

09

⑤ Galbraith의 의존효과(dependence effect)는 재화의 소비는 선전에 의존하는데 공공재는 선전이 이루어지지 않아 소비가 자극되지 않으므로 결국 과소공급된다는 이론이다.

① 집단사고는 조직 응집성이 큰 집단에서 개인들은 의사결정시 집단화된 조직의견에 개인들이 반대 등 다양한 의견을 나타내기 어려워짐에 따라 창의력이 없는 획일화된 기계적 사고를 하게 되는 것으로 의사결정의 민주성과 타당성이 훼손된다는 이론이다.

② TQM은 지속적으로 고객의 만족과 성과 향상을 모색하는 총체적인 생산성 향상 전략이다.

③ D. Kettle의 대리정부론은 정부가 결정한 정책 대부분을 준정부기관이나 민간이 대신 집행하게 될 경우 공공서비스제공의 책임과 공공성이 훼손된다고 보는 이론이다.

④ 피터의 원리는 계층제 조직 내 구성원이 승진함으로써 모든 직위가 무능력자로 채워진다는 것으로 무능력자의 승진이 조직의 효율성을 훼손된다는 이론이다.

10

정답 : ②

② 장관책임과 중립적 관료제는 전통적인 의회정체모형의 특징이다. 한편 분화된 정체모형은 신국정관리(뉴거버넌스)를 특징으로 한다.

① 정책연결망과 정부 간의 관계는 정책네트워크에 의해 정책결정이나 집행기능이 수행되는 것으로 분화된 정체모형의 특징이다.

③ 공동화국가는 내각 위주의 국가가 아닌 국제기구나 구체적인 목적을 달성하기 위한 행정단위 등 다양한 기구와 연계·분산되어 있는 형태로, 국가기능이 책임운영기관이나 지방정부 등 다양하게 분산되어 있는 네트워크형 국가를 의미한다.

④ 핵심행정부는 행정수반, 내각, 위원회, 부처 등으로 구성된 제도나 조직 등이 국가정책을 관장하는 것으로, 전략적 방향잡기의 기능을 수행하는 역할을 담당한다.

⑤ 신국정관리는 조직들 사이에 상호 의존적인 특성을 지닌 자기조직적이고 조직 간 연결망을 중시하는 형태로, 분화된 정체모형의 특징이다.

11

정답 : ④

④ 자유방임 사상가들은 정부의 역할을 국방, 외교, 치안, 공공토목사업 등의 최소한의 분야로 한정하고 있다. 한편 환경규제나 복지 등은 수정자본주의 사상가들이 강조하는 것으로 현대 행정국가와 관련된다.

① 행정과 경영의 유사점과 차이점에 대한 설명이다.

② 보수주의 정부는 기회의 평등과 경제적 자유를 강조하고, 진보주의 정부는 결과의 평등을 실현하기 위한 실질적인 정부개입의 허용을 강조한다.

③ 현대행정은 행정의 기능과 권한이 크게 확대되고 강화된 형태로 행정수요의 복잡·다양화 등 사회변동에 대한 적극적 대응을 특징으로 한다.

포인트 정리

의회정체모형 vs 분화정체모형

전통적인 의회정체모형	분화정체모형 (신행정국가)

• 단방제국가
• 의회주권
• 내각정부
• 장관책임과 중립적
  관료제
	• 공동화국가
	• 정책연결망과 정부
	  간 관계
	• 핵심행정부
	• 신국정관리

정답
09 ⑤ 10 ② 11 ④

12 공공서비스의 과소 · 과다공급설에 대한 다음 설명 중 타당한 것은?

ㄱ. 주민들은 대체로 민간재보다 공공재를 더 선호하기 때문에 과다공급한다.
ㄴ. 조세에 대한 부정적 인식으로 인하여 과소공급된다.
ㄷ. 정치적 계약이나 협상으로 인하여 과다공급된다.
ㄹ. 공공서비스의 편익에 대한 투표자의 무지 때문에 과소공급된다.
ㅁ. 다수결 투표제로 인하여 과소공급된다.
ㅂ. 조세-소비 간의 연계가 불분명하기 때문에 과다공급된다.

① ㄱ, ㄴ, ㄷ
② ㄴ, ㄷ, ㄹ
③ ㄷ, ㄹ, ㅁ
④ ㄹ, ㅁ, ㅂ

13 '작은 정부'에 대한 다음 설명 중 옳지 않은 것은?

① 신자유주의사상과 신고전학파 경제이론에 근거한다.

② 고비용구조의 탈피압력과 무결점주의에 대한 요청 등에 의해 등장하였다.

③ '작은 정부'의 판단기준으로 공무원의 수, 조직 및 예산의 규모, 기능의 범위 등이 포함되나, 국민 생활에 대한 규제의 범위나 정부와 국민 사이의 권력관계는 포함되지 않는다.

④ 정부규모의 총량에 관심을 갖고, 무절제한 정부팽창에 반대한다.

CHAPTER 05 시장실패

실질적 **력**(역량) **업**그레이드

01 시장실패(market failure)에 대한 설명으로 가장 적절하지 않은 것은?

① 외부경제의 경우 정부의 개입 없이 과소 공급되므로 정부는 부담금을 부과해 비용부담자가 비용을 스스로 부담하도록 한다.

② 규모의 경제가 적용되는 산업에서 자연적인 독점현상이 발생하는 경우 정부는 직접 경영하거나 가격규제를 통해 개입한다.

③ 완전경쟁시장이 독과점 체제로 변모할 경우 정부는 시장의 교란 활동에 대해 정부규제를 통해 개입한다.

④ 시장실패는 시장기구를 통해 자원 배분의 효율성을 달성할 수 없는 경우를 의미한다.

12

정답 : ②

② ㄴ, ㄷ, ㄹ이 옳은 설명이다.

ㄴ. [O] Musgrave의 조세저항에 대한 설명이다.

ㄷ. [O] Buchanan의 투표담합(log-rolling)에 대한 설명이다.

ㄹ. [O] Downs의 합리적 무지에 대한 설명이다.

ㄱ. [X] 주민들은 대체로 공공재보다 민간재를 더 선호하기 때문에 공공재는 과소공급된다.

ㅁ. [X] 대의민주주의나 다수결 투표제하에서 투표의 담합 등으로 인하여 과다공급된다.

ㅂ. [X] 조세-소비 간의 연계가 불분명하기 때문에 과소공급된다.

13

정답 : ③

③ '다시 작은 정부'로서의 정부개혁은 행정 내부적으로 정부규모의 축소와 문서 없는 정부, 행정 내부 절차의 개혁 등으로 나타났으며, 행정 외부적으로는 고객인 국민에 대한 행정서비스 제공으로 나타났다.

① 정부실패에 따른 비효율을 해결하고 자원배분의 효율성을 증진하기 위해 각국 정부는 '다시 작은 정부'를 지향했으며, 이에 대한 사상적 기반으로 신자유주의 사상과 신고전파의 경제학이 주류사상으로 대두하게 되었다.

②, ④ 정부개혁의 주된 대상은 행정부의 규모축소와 내부절차의 재설정이 되었다. 대표적으로 미국의 클린턴 정부의 정부재창조(NPR), 영국의 대처정부에서 메이저정부로 이어지는 시장성 테스트(market test), Next Steps 등이 있다.

01

정답 : ①

① 외부불경제의 경우 정부의 개입 없이 과다 공급되므로 정부는 부담금을 부과해 비용부담자가 비용을 스스로 부담하도록 한다. 한편 외부경제의 경우 정부의 개입 없이 과소 공급되므로 정부는 보조금을 지급하여 최적의 생산량을 장려한다.

② 규모의 경제는 생산요소의 증가율보다 산출량이 더 큰 비율로 증가함으로써 자연독점이 발생하므로 이러한 산업은 정부가 직접 경영하거나 가격규제를 하여야 한다.

③ 완전경쟁시장이 소수의 경쟁체제에 의해 독과점 체제로 변화될 경우 정부는 독과점 금지정책 등과 같은 규제를 통해 개입하여야 한다.

④ 시장실패는 파레토 비효율의 상태로 시장기구를 통해 자원배분의 효율성을 달성할 수 없는 상황을 의미한다.

포인트 정리

시장실패의 원인별 해결방법

구분	공적 공급 (조직)	공적 유도 (보조금)	정부 규제
공공재의 존재	O		
외부효과 발생		O	O
자연독점	O		O
불완전 경쟁			O
정보의 비대칭성		O	O

정답

12 ② 13 ③ 01 ①

02 시장에서 부정적 외부효과가 발생해도 소유권을 명확히 한다면 시장실패가 발생하지 않는다는 이론은?

2019 경찰간부

① 파레토 최적

② 코즈의 정리

③ 파킨스 법칙

④ 니스카넨의 가설

03 시장실패 원인에 대응하는 정부의 방식에 대한 설명으로 가장 옳지 않은 것은?

2016 서울 9급

① 외부효과 발생에 대해서는 보조금 혹은 정부규제로 대응할 수 있다.

② 자연독점에 대해서는 공적공급 혹은 정부규제로 대응할 수 있다.

③ 정보의 비대칭성에 대해서는 보조금으로 대응할 수 있다.

④ 불완전경쟁에 대해서는 보조금 혹은 공적공급으로 대응할 수 있다.

04 외부효과를 교정하기 위한 방법에 대한 설명으로 옳지 않은 것은?

2015 국가 9급

① 교정적 조세(피구세: Pigouvian tax)는 사회 전체적인 최적의 생산수준에서 발생하는 외부효과의 양에 해당하는 만큼의 조세를 모든 생산물에 대해 부과하는 방법이다.

② 외부효과를 유발하는 기업에게 보조금을 지급하여 사회적으로 최적의 생산량을 생산하도록 유도한다.

③ 코우즈(R.Coase)는 소유권을 명확하게 확립하는 것이 부정적 외부효과를 줄이는 방법이라고 주장했다.

④ 직접적 규제의 활용사례로는 일정한 양의 오염허가서(pollution permits) 혹은 배출권을 보유하고 있는 경제주체만 오염물질을 배출할 수 있게 허용하는 방식이 있다.

02

정답 : ②

② 제시문은 코즈의 정리에 대한 내용이다. 코즈의 정리는 개인의 소유권이 명확할 경우 정부의 개입이 불필요하며 당사자 간 자발적인 합의와 협상 및 외부효과의 내부화를 통한 해결방법을 제시한다.

① 파레토 최적은 최적의 자원배분이 실현되어 어느 한 사람의 효용을 증가시키려면 반드시 다른 사람의 효용감소가 필요한 상태를 의미한다.

③ 파킨슨 법칙은 공무원의 수는 본질적인 업무량의 증가와는 관계없이 부하배증과 업무배증의 법칙으로 인해 조직이 팽창하는 것으로, 공무원 수의 증가와 본질적인 업무량의 증가와는 관계가 없다고 본다.

④ 니스카넨의 가설은 관료들이 자신의 이익을 극대화하기 위하여 자기 부서의 예산 극대화를 추구하는 현상으로, 정부의 산출물은 적정 생산수준보다 높은 과잉생산이 이루어져 자원배분의 비효율을 초래하는 것이다.

03

정답 : ④

④ 불완전경쟁은 완전경쟁시장이 소수의 경쟁체제에 의한 독과점체제로 변화되고 자원배분의 효율성을 저해하는 것으로, 정부규제의 방식으로 대응할 수 있다.

① 외부효과의 발생에 대해서는 보조금이나 정부규제로 대응할 수 있다.

② 자연독점에 대해서는 공적공급이나 정부규제로 대응할 수 있다.

③ 정보의 비대칭성에 대해서는 보조금이나 정부규제로 대응할 수 있다.

04

정답 : ④

④ 오염허가서 혹은 배출권제도는 오염물질을 배출할 수 있는 일정 권리를 시장에서 매매할 수 있도록 하는 공해배출권 거래제도로, 간접적 규제의 활용사례이다.

① 교정적 조세(피구세)는 오염물질의 배출에 대해 그 오염물질로 인해 발생하는 외부효과만큼 배출세를 내도록 하는 제도이다.

② 긍정적인 외부효과를 유발하는 기업에게 세제혜택이나 보조금 등을 지원하여 최적의 생산량을 생산하도록 유도한다.

③ 코즈의 정리는 외부효과를 발생시키는 당사자들 사이에 소유권을 명확하게 하면 당사자 간 협상에 의해 외부효과의 문제가 해결될 수 있다고 보는 이론이다.

포인트 정리

정답

02 ② 03 ④ 04 ④

05 시장실패와 정부실패를 해결하기 위한 정부의 대응 방식에 대한 설명으로 옳지 않은 것은? 2010 국가 7급

① 시장실패를 극복하기 위한 정부의 역할은 공적 공급, 공적 유도, 정부 규제 등으로 구분할 수 있다.

② 공공재의 존재에 의해서 발생하는 시장실패는 공적 공급의 방식으로 해결하는 것이 적합하다.

③ 자연독점에 의해서 발생하는 시장실패는 공적 유도(보조금)의 방식으로 해결하는 것이 적합하다.

④ 파생적 외부효과로 인한 정부실패는 정부보조 삭감 또는 규제 완화의 방식으로 해결하는 것이 적합하다.

06 다음 시장실패 또는 정부실패에 관한 서술 중 옳은 것은? 2007 국회 8급

① 순수 공공재의 경우 비경합성으로 인해 똑같은 양의 공공재를 소비하고 똑같은 양의 편익을 얻게 된다.

② 이로운 외부효과(외부경제)가 존재하는 경우 완전경쟁시장의 자원배분은 비효율적으로 이루어지며, 생산과 소비가 효율적인 양보다 지나치게 많이 이루어진다.

③ 정부실패는 정부산출 측정의 곤란성, 독점적 생산 등 정부 서비스의 공급적 차원의 문제로 인해 발생하는 것이지 정부가 공급하는 재화나 서비스에 대한 수요측면과는 무관하다.

④ 선거를 의식하는 정치인의 시간할인율은 사회의 시간할인율에 비해 높아, 단기적 이익과 손해의 현재가치를 낮게 평가하는 경향이 있다.

⑤ 자연독점적 성격을 띠던 시내전화와 같은 서비스가 시장에서 경쟁이 가능하게 된 것은 기술의 발달로 생산 조건이 변했다고 보기 때문이다.

CHAPTER 06 정부규제

실질적 력(역량) 업그레이드

01 정부규제에 관한 설명으로 가장 적절한 것은? 2020 경정승진

① 정부규제를 포지티브(positive) 규제와 네거티브(negative) 규제로 구분할 경우, 포지티브 규제는 네거티브 규제에 비해 규제대상 기관의 자율성이 크다.

② 규제개혁은 규제관리 → 규제완화 → 규제품질관리 등의 단계로 진행되는 것이 일반적이다.

③ 규제의 역설은 최고의 기술을 요구하는 규제가 오히려 기술 개발을 지연시킬 수 있다고 본다.

④ 정부의 규제정책을 심의·조정하고 규제의 심사·정비 등에 관한 사항을 종합적으로 추진하기 위하여 국무총리 소속으로 규제개혁위원회를 두고 있다.

05

정답 : ③

③ 자연독점에 의해서 발생하는 시장실패는 공적 공급이나 정부규제의 방식으로 해결하는 것이 적합하다.

① 시장실패에 대응하기 위한 방법에는 공적 공급, 공적 유도, 정부 규제 등이 있다.

② 공공재의 비경합성과 비배제성으로 인해 무임승차가 발생하므로 공공재는 정부가 직접 공급하는 공적 공급의 방식으로 해결하여야 한다.

④ 파생적 외부효과는 정부실패의 원인으로, 정부의 의한 개입이 의도하지 않은 결과를 초래하는 현상이며 이를 해결하기 위해서는 정부보조 삭감이나 규제완화의 방식을 사용하는 것이 적합하다.

06

정답 : ⑤

⑤ 과거에는 기술적인 이유로 자연독점적 성격을 띠던 시내전화 등이 현재는 시장에서 경쟁이 가능하게 되었는데 이는 기술 등의 발달로 생산조건이 변화하였고, 공기업의 비효율성으로 인해 민간기업의 참여가 활성화되었기 때문이다.

① 공공재는 동일한 재화를 동시에 이용하여 등량으로 소비하지만 등량의 편익(주관적인 만족)을 얻는 것은 아니다.

② 외부경제가 존재하는 경우 정부의 개입이 없으면 과소공급이 이루어진다.

③ 정부실패는 공공재의 수요측면(비용과 수익의 절연, 정치인들의 높은 시간적 할인율, 정치적 보상체계의 왜곡 등)과도 연관된다.

④ 선거를 의식하는 정치인의 시간할인율은 사회의 시간할인율에 비해 높아 장기적 이익과 손해의 현재가치를 낮게 평가하는 경향이 있다.

01

정답 : ③

③ 규제의 역설은 규제가 실제로 집행되는 과정에서 의도와는 달리 반대의 효과가 나타나는 현상으로, 최고의 기술을 요구하는 규제가 오히려 기술 개발을 지연시킬 수 있다고 본다.

① 포지티브 규제는 네거티브 규제에 비해 규제대상 기관의 자율성이 작다.

② 규제개혁은 규제완화 → 규제품질관리 → 규제관리 순으로 진행된다.

④ 정부의 규제정책을 심의·조정하고 규제의 심사·정비 등에 관한 사항을 종합적으로 추진하기 위하여 대통령 소속으로 규제개혁위원회를 둔다.

📑 포인트 정리

시장실패 vs 정부실패

시장실패	정부실패
• 불완전경쟁 • 자연독점 • 외부효과 • 개인효용과 사회효용 부조화 • 공공재의 존재 • 경기의 불안정성 • 정보 비대칭성 • 소득분배 불공정	• 비용과 편익 절연 • 내부성 • 규제실패 • X-비효율성 • 파생적 외부효과 • 과도한 복지정책 • 정보의 비대칭성 • 권력과 특혜에 의한 불공정 • 정부관료제의 병리현상

규제의 역설 사례

- 과도한 규제는 과소한 규제가 된다.
- 새로운 위험만 규제하다 보면 사회 전체의 위험 수준은 증가한다.
- 최고의 기술을 요구하는 규제는 기술 개발을 지연시킨다.
- 소득재분배를 위한 규제가 오히려 사회적으로 가장 어려운 사람들에게 해를 끼칠 수도 있다.
- 상품에 대한 정보공개를 의무화할수록 소비자들의 실질적인 정보량은 줄어든다.

정답

05 ③ 06 ⑤ 01 ③

02 〈보기〉는 △△일보의 보도 내용 중 일부이다. 이와 같은 기사 내용을 윌슨(J. Wilson)의 규제정치 이론에 적용하면, 가장 적합한 정치적 상황은? 2019 서울 7급(2월)

> **보기**
>
> "캡슐커피 때문에 경비아저씨와 싸웠습니다. 알루미늄과 플라스틱 재질이 섞여 있어 플라스틱 전용 재활용 수거함에 넣지 않았는데, 재활용함에 넣어야 한다며 언성을 높였 습니다. 누구나 헷갈릴 수 있을 것 같아요." (김○○.여.34)
> "한 번에 마실 양을 쉽게 추출할 수 있어 캡슐커피를 애용했지만, 재활용 되지도 않고 잘 썩지도 않는다는 이야기를 듣고 이용을 자제하려고 합니다." (이□□.남. 31)
> 소비자들 사이에서 캡슐커피 사용을 제한하자는 목소리가 나오고 있다. 캡슐커피의 크기가 작은 데다 알루미늄과 플라스틱이 동시에 포함돼 있어 재활용이 실질적으로 불가, 환경오염의 주범이 될 수 있다는 이유에서다. 정부 역시 환경에 미치는 영향을 고려해 관련 규제 검토에 나설 것이라고 밝혔다.

① 고객정치(client politics) ② 이익집단정치(interest group politics)
③ 대중정치(majoritarian politics) ④ 기업가정치(entrepreneurial politics)

03 윌슨(Wilson)의 규제정치 유형과 예시를 연결한 것으로 옳지 않은 것은? 2018 지방 9급

① 고객정치 – 농산물에 대한 최저가격 규제
② 이익집단정치 – 신문·방송·출판물의 윤리규제
③ 대중정치 – 낙태에 대한 규제
④ 기업가정치 – 식품에 대한 위생규제

04 규제영향분석에 대한 설명으로 옳지 않은 것은? 2017 지방 9급(추)

① 규제의 경제·사회적 영향을 과학적으로 분석해 타당성을 평가한다.
② 정치적 이해관계의 조정과 수렴의 기회를 제공한다.
③ 규제가 초래할 사회적 부담에 대해 책임성을 가지도록 유도한다.
④ 규제의 비용보다 규제의 편익에 주안점을 둔다.

02

정답 : ④

④ 〈보기〉는 캡슐커피로 인한 환경오염을 규제해야 한다는 내용으로, 환경오염규제는 윌슨의 기업가정치에 해당한다.

① 고객정치는 불특정 다수가 비용을 부담하고 소수에게 편익이 집중되어 로비활동이 가장 강하게 나타나는 정치 상황으로, 수입품 규제, 농산물 최저가격 규제 등이 이에 해당한다.

② 이익집단정치는 쌍방이 모두 조직적인 힘을 바탕으로 각자의 이익을 위해 첨예하게 대립하는 정치상황으로, 한·약 분쟁, 노사관계 규제 등이 이에 해당한다.

③ 대중정치는 정부규제로 인해 감지된 비용과 편익이 모두 불특정 다수에게 미치는 정치 상황으로, 음란물규제, 신문·방송·출판물의 윤리규제 등이 이에 해당한다.

03

정답 : ②

② 신문·방송·출판물의 윤리규제는 대중정치와 관련된다.

① 농산물에 대한 최저가격 규제 등은 규제의 비용이 분산되고 규제의 편익이 집중되는 고객정치와 관련된다.

③ 낙태, 음란물 등에 대한 규제는 규제의 비용이 분산되고 규제의 편익이 분산되는 대중정치와 관련된다.

④ 식품에 대한 위생규제, 환경오염 규제 등 사회적 규제는 규제의 비용이 집중되고 규제의 편익이 분산되는 기업가 정치와 관련된다.

04

정답 : ④

④ 규제영향분석은 새롭게 만들어지거나 현존하는 규제의 사회적 편익과 비용을 점검하고 측정하는 체계적인 의사결정도구로, 규제의 비용과 편익 모두에 주안점을 둔다.

① 규제영향분석은 규제의 경제·사회적 영향 등을 과학적으로 분석하고 타당성을 평가하는 것으로 규제의 필요성, 규제 대안 검토, 비용편익분석 및 비교, 규제 내용의 적정성과 실효성 검토 등을 중심으로 단계적으로 이루어진다.

② 규제에 대한 비용편익분석은 이해당사자들의 상반된 주장이 조정될 수 있는 기회를 제공해주므로 정치적 이해관계의 조정과 수렴의 기회를 제공한다.

③ 관료에게 규제비용이나 규제가 초래할 사회적 부담에 대한 관심과 책임성을 갖도록 유도한다.

포인트 정리

윌슨의 규제정치모형

구분		규제의 편익	
		집중	분산
규제비용	집중	이익집단정치	기업가정치
	분산	고객정치	대중정치

정답

02 ④ 03 ② 04 ④

05 행정지도의 폐단에 해당하지 않는 것은?

2017 지방 9급(추)

① 책임소재가 불분명할 수 있다.
② 공무원의 재량이 많이 작용하기 때문에 형평성이 보장되기 어렵다.
③ 입법과정의 복잡한 절차가 필요하다.
④ 행정의 과도한 경계확장을 유도한다.

06 정부규제에 대한 설명으로 옳지 않은 것은?

2016 지방 7급

① 「행정규제기본법」은 규제 법정주의를 규정하고 있다.
② 규제개혁위원회는 위원장 2명을 포함한 20명 이상 25명 이하의 위원으로 구성한다.
③ 규제영향분석이 필요한 이유 중 하나는 관료에게 규제비용에 대한 관심과 책임성을 갖도록 유도한다는 점이다.
④ 정부의 규제정책을 심의·조정하고 규제의 심사·정비 등에 관한 사항을 종합적으로 추진하기 위하여 국무총리 소속으로 규제개혁위원회를 두고 있다.

07 규제는 해결할 수단, 관리 방식, 최종 성과를 대상으로 설계될 수 있는데, 이들을 각각 수단규제, 관리규제, 성과규제라고 한다. 그 사례를 바르게 연결한 것은?

2016 국가 7급

ㄱ. 식품안전을 위해 그 효용이 부각되는 위해요소중점관리 기준(HACCP: Hazard Analysis Critical Control Point)을 지킬 것을 요구하는 것
ㄴ. 인체건강을 위해 개발된 신약에 대해 부작용의 허용 가능한 발생 수준을 요구하는 것
ㄷ. 환경오염을 방지하기 위해 기업에 특정한 유형의 환경 통제 기술을 사용할 것을 요구하는 것

	수단규제	관리규제	성과규제
①	ㄱ	ㄴ	ㄷ
②	ㄱ	ㄷ	ㄴ
③	ㄷ	ㄴ	ㄱ
④	ㄷ	ㄱ	ㄴ

05

정답 : ③

③ 행정지도는 입법과정 및 입법조치가 탄력적이지 못할 때 활용되는 것으로 행정의 적시성 및 간편성을 제고할 수 있으며 복잡한 절차를 피함으로써 시간과 노력을 절약할 수 있다.

① 행정책임의 소재가 불분명하다.

② 행정주체가 의도하는 바를 실현하기 위해 국민의 임의적·자발적 협력을 기대하여 행하는 비권력적·비강제적 사실행위, 지도 형식에 일률적인 제한을 받지 않는 비정형적 행위이므로 공무원의 재량이 과도하게 남용될 수 있으며, 공익 및 행정의 형평성을 저해할 우려가 있다.

④ 행정지도는 행정의 과도한 팽창 및 경계가 확장할 우려가 있다.

06

정답 : ④

④ 정부의 규제정책을 심의·조정하고 규제의 심사·정비 등에 관한 사항을 종합적으로 추진하기 위하여 대통령 소속으로 규제개혁위원회를 두고 있다.

① 규제 법정주의는 규제는 법률에 근거하여야 한다는 것으로 관련 법 제4조에 명시되어 있다.

> **행정규제기본법 제4조(규제 법정주의)** ① 규제는 법률에 근거하여야 하며, 그 내용은 알기 쉬운 용어로 구체적이고 명확하게 규정되어야 한다.
> ③ 행정기관은 법률에 근거하지 아니한 규제로 국민의 권리를 제한하거나 의무를 부과할 수 없다.

② 행정규제기본법 제25조의 내용으로 규제개혁위원회는 위원장 2명을 포함한 20명 이상 25명 이하의 위원으로 구성한다.

③ 규제영향분석은 새롭게 만들어지거나 현존하는 규제의 사회적 편익과 비용을 점검하고 측정하는 체계적인 의사결정도구로, 관료들에게 규제비용에 대한 관심과 책임성을 갖도록 유도하고 정부가 합리적인 의사결정을 할 수 있도록 정보를 제공해 주는 등의 기능을 한다.

07

정답 : ④

④ ㄷ – 수단규제, ㄱ – 관리규제, ㄴ – 성과규제가 옳은 내용이다.

ㄱ. 관리규제는 규제과정과 절차를 규제하는 것으로, 식품안전을 위해 그 효용이 부각되는 위해요소중점관리 기준(HACCP: Hazard Analysis Critical Control Point)을 지킬 것을 요구하는 것 등이 이에 해당한다.

ㄴ. 성과규제는 사회문제 해결의 목표수준을 정하고 이를 달성하는지의 규제하는 것으로, 인체 건강을 위해 개발된 신약에 대해 부작용의 허용 가능한 발생 수준을 요구하는 것 등이 이에 해당한다.

ㄷ. 수단규제는 정부가 수단 자체를 규제하는 것으로, 환경오염을 방지하기 위해 기업에 특정한 유형의 환경 통제 기술을 사용할 것을 요구하는 것 등이 이에 해당한다.

포인트 정리

규제대상에 따른 분류

수단 규제	정부의 목표를 달성하기 위해 필요한 절차나 기술 및 행위 등을 사전에 규제하는 것
관리 규제	규제의 목적을 달성하기 위해 규제 과정(절차)을 규제하는 것으로 성과규제를 적용하기 어려울 때 적합함
성과 규제	정부가 특정한 사회문제 해결에 대한 목표달성의 수준을 정하고 피규제자에게 이를 달성할 것을 요구하는 것

정답
05 ③ 06 ④ 07 ④

08 윌슨(J.Q.Wilson)은 정부 규제로부터 감지되는 비용과 편익의 분포에 따라 규제정치를 아래 표와 같이 네 가지 유형으로 구분했다. ⊙~②에 들어갈 유형의 명칭과 그 사례의 연결이 가장 적합한 것은?

2015 서울 9급

구분		감지된 편익	
		넓게 분산	좁게 집중
감지된 비용	넓게 분산	⊙	ⓒ
	좁게 집중	ⓒ	②

① ⊙ 대중적 정치 – 각종 위생 및 안전 규제

② ⓒ 고객정치 – 수입 규제

③ ⓒ 기업가적 정치 – 낙태 규제

④ ② 이익집단정치 – 농산물에 대한 최저가격 규제

09 다음 중 정부규제와 관련된 설명으로 가장 옳은 것은?

2015 서울 7급

① 정부규제를 수단규제와 성과규제로 구분할 경우, 수단규제는 성과규제에 비해 규제대상기관의 자율성이 크다.

② 정부규제를 수행주체에 따라 구분할 경우, 공동규제는 정부로부터 위임을 받은 민간집단에 의해 이루어지는 규제로 자율규제와 직접규제의 중간 성격을 띤다.

③ 정부규제를 포지티브(positive) 규제와 네거티브(negative)규제로 구분할 경우, 포지티브(positive) 규제는 네거티브(negative) 규제에 비해 규제대상기관의 자율성이 크다.

④ 규제개혁은 규제관리 → 규제품질관리 → 규제완화 등의 단계로 진행되는 것이 일반적이다.

10 윌슨(J. Q. Wilson)의 규제정책을 분류하고 있는 다음 표에 의할 때 윌슨의 규제정책에 관한 추론으로 옳지 않은 것은?

2011 국회 8급

구분		편익	
		집중	분산
비용	분산	고객 정치	대중 정치
	집중	이익집단 정치	기업가적 정치

① 정책으로 인한 비용과 편익의 분포에 따라 정치상황이 다르게 발생한다.

② 비용과 편익이 분산되는 경우보다 비용과 편익이 집중되는 경우에 정치활동이 활발해진다.

③ 비용과 편익이 분산될지라도 관련 정책에 관한 공익활동을 하는 단체가 있다면 정치활동이 활발해질 수 있다.

④ 편익이 분산되고 비용이 기업에 집중되는 환경규제정책은 정책형성과 집행이 쉽지 않다.

⑤ 네 가지 유형의 정치상황 중에서 로비활동이 가장 약하게 발생하는 것은 고객 정치상황이다.

08
정답 : ②

② 감지된 비용은 넓게 분산되어 작게 느껴지고, 감지된 편익은 좁게 집중되어 크게 느껴질 때 나타나는 것은 고객정치모형으로, 수입규제나 진입규제, 택시 사업인가 등의 각종 협의의 경제적 규제가 고객정치의 사례에 해당한다.

① 감지된 비용은 넓게 분산되어 작게 느껴지고, 감지된 편익 또한 넓게 분산되어 작게 느껴질 때 나타나는 것은 대중적 정치모형으로, 낙태 규제, 독과점 규제, 음란물 규제 등이 해당된다. 한편 각종 위생 및 안전 규제는 기업가적 정치에 해당한다.

③ 감지된 비용은 좁게 집중되어 크게 느껴지고 감지된 편익은 넓게 분산되어 작게 느껴질 때 나타나는 것은 기업가적 정치 모형으로, 환경오염규제, 위생 및 안전규제 등 대부분 재분배정책이나 사회적 규제가 해당된다. 한편 낙태규제는 대중적 정치에 해당한다.

④ 감지된 비용은 좁게 집중되어 크게 느껴지고 감지된 편익 또한 좁게 집중되어 크게 느껴질 때 나타나는 것은 이익집단 정치모형으로, 노사규제나 의약분업규제와 같이 쌍방이 첨예하게 대립되는 경우가 해당된다. 한편 농산물에 대한 최저가격 규제는 고객정치에 해당한다.

09
정답 : ②

② 정부규제를 수단별로 구분할 경우 직접규제와 자율규제로 나눌 수 있으며, 공동규제는 직접규제와 자율규제의 중간 성격을 띤다.

① 수단규제가 성과규제에 비해 규제대상기관의 자율성이 낮다.

③ 포지티브(positive) 규제는 허용사항을 명시하고 나머지는 모두 규제하는 방식으로 네거티브 규제(금지사항을 명시하고 나머지는 모두 허용)보다 규제대상기관의 자율성이 낮다.

④ 규제개혁은 일반적으로 규제완화 → 규제품질관리 → 규제관리 등의 단계로 진행된다.

10
정답 : ⑤

⑤ 네 가지 유형의 정치상황 중에서 고객 정치상황은 로비활동이 강하게 발생하는 모형이다.

① 윌슨의 규제정치이론은 정부규제로부터 각각의 이익집단이 감지하는 비용과 편익의 분포에 따라 나타나는 정치상황을 4가지로 분류하였다.

② 비용과 편익이 집중되는 경우에 막강한 정치력을 발휘하는 반면 분산되는 경우에는 집단행동의 딜레마가 일어나는 경향이 높다. 그 중에서도 기업가의 정치에서 정치활동이 가장 활발하게 일어난다.

③ 비용과 편익이 분산될지라도 재난·위기의 발생이나 운동가의 활동에 의하여 정치활동이 활발해지기도 한다.

④ 환경규제정책 등 기업가적 정치에서는 다수의 수혜집단에서 집단행동의 딜레마가 발생하며, 조직화된 소수의 비용부담자 집단은 규제기관을 포획하므로 정책채택이 어렵거나, 느슨한 정책집행이 발생한다.

포인트 정리

윌슨의 규제정치 모형

구분		감지된 편익	
		넓게 분산	좁게 집중
감지된 비용	넓게 분산	대중적 정치	고객정치
	좁게 집중	기업가적 정치	이익집단 정치

정부규제의 유형

구분	목적			내용
영역	경제적 규제 (오랜 역사)	경쟁 관련	제한	진입, 퇴출규제, 가격, 생산량 규제 등
			촉진	독과점, 기업 간 불공정 행위 규제
	사회적 규제 (짧은 역사)	사회적 약자 보호, 삶의 질 향상		환경규제, 소비자보호 규제, 안전 규제 등
수단	직접 규제	이행을 강제 (명령지시적 규제)		법령 등에 기준을 설정하고 강제력 행사
	간접 규제	유인구조 영향 (시장유인적 규제)		의무부과하되, 이행 시 혜택, 미이행시 불이익
	민간자율규제	시장존중, 규제완화		거래비용 감소 및 재산권 명확화
목적	경쟁적 규제	과다경쟁 방지위해 경쟁범위 제약		독점적 권리 + 규제
	보호적 규제	대중이익 (공익) 보호		대중이익 보호 위해 사적활동 제한

정답

08 ② 09 ② 10 ⑤

11 다음은 윌슨의 규제정치 유형에 대한 설명이다. 각 유형별 사례를 옳게 짝지은 것은? 2009 지방 7급

> ㉠ 정부규제로 인해 발생하게 될 비용은 상대적으로 적지만 이질적인 불특정 다수인에게 부담되고, 편익은 대단히 크지만 동질적인 소수인에게 귀속되는 상황
> ㉡ 정부규제에 대한 감지된 비용과 편익이 모두 이질적인 불특정 다수에게 미치나 개개인으로 보면 그 크기가 작은 상황
> ㉢ 규제로부터 예상되는 비용과 편익이 모두 소수의 동질적인 집단에 국한되고 쌍방이 모두 조직적인 힘을 바탕으로 이익 확보를 위해 첨예하게 대립하는 상황
> ㉣ 피규제집단에게는 비용이 좁게 집중되지만 일반 시민들에게는 편익이 넓게 분포되는 상황

	㉠	㉡	㉢	㉣
①	환경오염규제	수입규제	한·약규제	음란물규제
②	수입규제	음란물규제	한·약규제	환경오염규제
③	한·약규제	환경오염규제	수입규제	음란물규제
④	수입규제	한·약규제	음란물규제	환경오염규제

12 정부규제에 대한 다음 설명으로 틀린 것은? 2007 부산 9급

① 예상되는 규제비용은 상대적으로 작고 이질적인 불특정 다수인에게 부담되는 한편, 규제의 편익은 동질적인 소수 기업에 귀속되는 상황에서 만들어지는 정부규제의 성격은 초반부터 엄격한 내용 및 강력한 집행이 이루어지기 쉽다.

② 사회적 규제인 환경규제와 관련하여 시장유인적 규제방식이 명령지시적 규제방식보다 효율적이지만 정치적 수용성은 낮은 것으로 알려져 있다.

③ 공정거래법은 시장경쟁의 조장을 위한 대표적 경제규제로서, 경쟁을 통해 기업의 행위를 규제한다는 점에서 가격규제나 진입규제 등의 직접규제와 차이를 보인다.

④ 가부장적 관점에서 보면, 소비자 주권론이 옹호하는 소비자의 선호는 때로는 비합리적이고 비도덕적이기 때문에 존중할 수 없다.

13 경제적 규제와 사회적 규제에 대한 다음 설명 중 틀린 것은? 2006 충남 9급

① 사회적 규제는 시장유인적인 자율적 방법이 명령지시적 방법보다 효과적이다.

② 경제적 규제는 경쟁을 촉진시키려는 규제와 경쟁을 제한하려는 규제도 있으나 규제완화의 주대상은 경쟁을 제한하려는 규제이다.

③ J.Wilson의 규제정치모형 중 고객의 정치는 경제적 규제에, 운동가의 정치는 사회적 규제에 주로 연관된다.

④ 소비자 보호론에 입각한 규제는 주로 사회적 규제와 연관된다.

11

정답 : ②

② ⊙ –수입규제, ⓒ–음란물규제, ⓒ–한·약규제 @–환경오염규제가 옳게 연결되었다.

⊙ [O] 고객정치에 대한 설명으로, 수입규제나 직업면허 등이 이에 해당한다.

ⓒ [O] 다수의 정치에 대한 설명으로, 음란물규제나 차별규제 등이 이에 해당한다.

ⓒ [O] 이익집단 정치에 대한 설명으로, 한·약규제와 같은 의약분업이나 노사규제 등이 이에 해당한다.

@ [O] 운동가정치(기업가적 정치)에 대한 설명으로, 환경오염규제나 산업안전규제 등이 이에 해당한다.

⊕ 포인트 정리

12

정답 : ②

② 사회적 규제에서는 정치적 설득력과 수용도가 높은 명령지시적 규제방식이 시장유인적 규제방식보다 효율적이다.

① Wilson의 규제정치모형에서 고객정치에 대한 설명이다.

③ 독점규제 등 공정거래에 관한 규제는 경쟁촉진규제로 가격규제나 진입규제 등 경쟁을 제한하는 규제와는 차이가 있으며, 규제완화의 대상도 아니다.

④ 소비자 주권론의 관점은 소비자의 선택을 중시하는 것이고, 소비자 보호론적 관점(가부장적 관점)은 소비자가 완전한 정보를 갖지 못하거나 다른 이유로 인해 합리적 선택을 하지 못하는 경우에 소비자의 이익을 보호하기 위하여 정부개입이 필요하다는 입장이다.

소비자주권론 vs 소비자보호론

소비자주권론	소비자보호론
• 합리적·경제적 인간관 전제	• 합리적·경제적 인간관 전제 X
• 완전한 합리성	• 제한된 합리성
• 정부개입 반대	• 정부개입 찬성
• 방임적 관점	• 가부장적 관점

13

정답 : ①

① 사회적 규제에서는 명령지시적 규제방식이 시장유인적 규제방식보다 효과적이다.

② 경제적 규제에는 경쟁제한 규제와 경쟁촉진 규제 등이 있으나, 일반적으로 경쟁제한 규제를 의미하며, 규제완화의 대상은 경쟁제한 규제이다.

③ 고객의 정치는 수입규제, 직업면허, 항공산업 허가 등을 예로 들 수 있으며 이는 경제적 규제에 해당한다. 한편 운동가의 정치는 환경오염규제, 유해물품규제 등을 예로 들 수 있으며 이는 사회적 규제에 해당한다.

④ 사회적 약자인 소비자를 보호하기 위하여 불공정 거래를 막는 소비자보호규제도 사회적 규제의 하나이다.

경제적 규제 vs 사회적 규제

경제적 규제	사회적 규제
재량(차별)규제	비재량(비차별) 규제
기업의 본원적 활동	기업의 사회적 책임
오랜 역사	짧은 역사
경쟁 제한	경쟁과는 무관
포획/지대추구 발생	포획/지대추구 없음
완화대상 (경쟁촉진, 부패방지)	강화대상 (삶의 질 향상)

정답

11 ② 12 ② 13 ①

01 시장실패와 정부실패에 대한 설명으로 옳지 않은 것은?　2020 소방간부

① 정부정책에 있어서 비용의 투입과 편익이 서로 분리되어 있기 때문에 정부실패가 일어난다.

② 정치인들의 제한된 임기로 인해 시간할인율(time discount rate)이 높기 때문에 시장실패가 일어난다.

③ 사회기반시설에 대한 대기업의 자연독점으로 인한 시장실패를 방지하기 위하여 공적 공급이 필요하다.

④ 재화의 공급자와 수요자 외에 제3자가 환경오염의 피해를 겪게 되는 경우 시장실패가 일어난다.

⑤ 예산극대화 가설에 따르면 관료들이 예산을 필요 이상으로 확보하려고 하기 때문에 정부실패가 일어난다.

02 다음 중 정부실패의 원인으로 옳지 않은 것은?　2018 국회 8급

① 권력으로 인한 분배적 불공정성

② 정부조직의 내부성

③ 파생적 외부효과

④ 점증적 정책결정의 불확실성

⑤ 비용과 편익의 괴리

03 정부의 규모와 역할에 대한 행정이론의 설명으로 옳지 않은 것은?　2017 국가 9급

① X-비효율성은 과열된 경쟁에서 나타나는 정부의 과다한 비용발생을 의미한다.

② 지대추구이론은 규제나 개발계획과 같은 정부의 시장개입이 클수록 지대추구행태가 증가하고 그에 따른 사회적 손실도 증가한다고 주장한다.

③ 거래비용이론에서는 당사자 간의 협상 및 커뮤니케이션 비용과 계약의 준수를 감시하는 비용도 거래비용으로 포함한다.

④ 대리인이론은 주인-대리인 사이에 정보비대칭성이 있고 대리인이 기회주의적으로 행동하는 경우 역선택(adverse selection) 문제가 발생할 수 있다고 주장한다.

01

정답 : ②

② 정치인들의 제한된 임기로 인해 시간할인율(time discount rate)이 높기 때문에 정부실패가 일어난다.

① 정부정책으로 인하여 편익을 누리는 집단과 비용을 부담하는 집단이 서로 다른 것을 편익과 비용 간의 절연이라고 하며 그 결과로서 정부개입에 대한 초과수요가 나타나 정부실패가 초래된다.

③ 규모의 경제에 따른 자연독점은 시장실패 원인이며 이에 대한 대응 방안으로 공적 공급이나 정부규제가 필요하다.

④ 재화의 공급자와 수요자 외에 제3자가 환경오염의 피해를 겪게 되는 경우를 외부비경제라고 하며, 이는 시장실패 원인이다.

⑤ 니스카넨의 관료이익(예산)극대화 가설에 따르면 관료들의 예산극대화 노력이 불필요한 조직이나 정책 등의 유지나 확대를 가져오므로 행정의 비효율이 초래되고 이로 인해 정부실패가 발생한다.

02

정답 : ④

④ 점증적 정책결정은 지식과 정보의 불안전성이나 미래예측이 불확실할 때 지속적인 보완·수정을 통해 불확실성을 해결해 가는 모형이다.

① 권력으로 인한 분배적 불공정성은 권력의 편재로 권력의 특혜나 남용 등 정부에 의해 오히려 분배적 불평등이 야기되는 현상으로 정부실패의 원인에 해당한다.

② 정부조직의 내부성은 관료제 내에서 공익보다 사적목표를 우선시하는 현상으로 정부실패의 원인에 해당한다.

③ 파생적 외부효과는 정부의 개입으로 발생하는 잠재적·비의도적 확산효과나 부작용을 의미하는 것으로 이는 정부실패의 원인에 해당한다.

⑤ 비용과 편익의 괴리(절연)는 수혜자와 비용부담자의 분리로 인해 비용에 대해 둔감해지고 자원이 효율적으로 활용되지 못하는 현상으로 정부실패의 원인에 해당한다.

03

정답 : ①

① X-비효율성은 방만하게 운영될 때 발생하는 관리상의 비효율성을 의미하는 것으로, 정부의 독점적 공급 구조로 인해 경쟁이 발생하지 않아서 비효율이 생긴다.

② Tullock의 지대추구이론은 규제 등으로 발생하는 독점적 이익을 지대로 규정하고 기업들이 이 지대를 놓치지 않으려고 정부에 로비활동을 전개하는 것을 의미하는 것으로, 정부의 시장개입이 클수록 로비와 같은 지대추구 행위가 증가하고 사회적 손실도 증가한다고 본다.

③ 거래비용에는 당사자 간의 협상 및 커뮤니케이션 비용, 거래조건 합의사항 작성비용 등 사전비용과 계약의 준수를 감시하는 비용, 분쟁조정비용 등 사후비용이 포함된다.

④ 대리인이론은 주인-대리인 사이에서 불완전한 정보, 비대칭적 정보의 상황이 존재하며 대리인의 기회주의적 행태로 인해 역선택과 도덕적 해이가 발생한다.

정답

01 ② 02 ④ 03 ①

04 시장실패와 정부실패에 대한 설명으로 적절하지 않은 것은? 2016 지방 9급

① 시장실패는 시장기구를 통해 자원배분의 효율성을 달성할 수 없는 경우를 의미한다.

② 비배제성과 비경합성을 가진 공공재의 존재는 시장실패의 주요 원인 중 하나이다.

③ X 비효율성으로 인해 시장실패가 야기되어 정부의 시장개입 정당성이 약화된다.

④ 정부실패는 시장실패에 대응하는 개념으로 행정서비스의 비효율성을 야기한다.

05 시장실패와 정부실패를 해결하기 위한 정부의 대응방식에 관한 설명 중 가장 적절하지 않은 것은? 2015 경정승진

① 공공재의 존재에 의해서 발생하는 시장실패는 공적 공급의 방식으로 해결하는 것이 적합하다.

② 최근 시장실패와 정부실패를 함께 교정할 수 있는 제도로서 네트워크 거버넌스가 제시되고 있다.

③ 정부실패가 발생할 경우 이를 교정하기 위한 정부의 대응방식은 공적 공급, 보조금 등 금전적 수단을 통해 유인구조를 바꾸는 공적 유도, 그리고 법적 권위에 기초한 정부규제 등이 있다.

④ 정부실패의 파생적 외부효과에 대한 방안으로 정부 보조 삭감, 규제 완화 등이 있다.

06 큰 정부론과 작은 정부론의 논쟁에 대한 설명으로 옳지 않은 것은? 2014 지방 9급

① 작은 정부론은 민영화의 확대를 주장하지만, 또다른 시장실패를 유발할 수 있다는 점에서 네트워크 거버넌스의 필요성이 제기되기도 한다.

② 공공재는 시장에서 적절하게 제공되지 못하므로 정부가 제공해야 한다는 주장은 시장에 대한 정부의 개입을 강조한다.

③ 작은 정부론은 정부의 개입이 초래하는 대표적 정부실패의 사례로 독점으로 인해 발생하는 X-비효율성을 제시한다.

④ 큰 정부론자는 "비용과 편익이 괴리되어 시장실패가 발생하는 경우, 정부가 시장에 개입해야 한다"라고 주장한다.

04

③ X 비효율성은 정부실패의 원인으로 자원배분이나 법규정으로 명시할 수 없는 행정이나 관리 상의 심리적·기술적 요인으로 인해 야기되는 비효율성을 의미하며, 이로 인해 정부실패가 야 기되어 시장에 대한 정부개입의 정당성이 약화된다.

① 시장실패는 시장에서의 자원배분이 효율적이지 못하거나 형평성이 달성되지 못하는 상태를 의미한다.

② 비배제성과 비경합성을 가지는 공공재의 경우 시장에 맡겨 두면 과소생산의 문제가 발생하 여 시장실패를 야기하게 된다.

④ 정부실패는 시장실패를 해결하기 위한 정부규제나 정책들이 오히려 자원의 효율적 배분을 왜곡시킴으로써 비효율성을 야기하는 현상이다.

05

③ 공적 공급, 보조금 등 금전적 수단을 통해 유인구조를 바꾸는 공적 유도, 정부규제 등은 시장 실패의 대응책에 해당한다.

① 공공재의 존재에 의한 시장실패는 공적 공급을 통한 방식으로 해결한다.

② 최근 시장실패와 정부실패를 함께 해결할 수 있는 제3의 존재로서 시민사회, 제3섹터, 네트 워크 거버넌스 등의 개념이 제시되고 있다.

④ 파생적 외부효과는 정부실패의 원인으로, 정부 보조 삭감이나 규제 완화 등을 통해 해결한다.

06

④ 큰 정부론자는 진보주의자들로 시장실패는 정부개입에 의해 치유될 수 있다고 주장한다. 한 편 비용과 편익이 괴리되는 것은 정부실패의 원인이다.

① 작은 정부론은 민영화의 확대를 주장하지만 이는 시장실패의 또다른 원인을 유발할 수 있다 는 점에서 최근에는 네트워크 거버넌스의 필요성이 제시되기도 한다.

② 공공재는 원칙적으로 정부가 제공해야 한다고 보는 것은 큰 정부론의 입장으로 시장에 대한 정부의 개입을 강조한다.

③ 작은 정부론은 정부개입이 정부실패를 초래하는 원인이라고 보고 대표적 사례로 X-비효율 성 등을 제시한다.

포인트 정리

시장실패에 대한 대응

구분	공적 공급 (조직)	공적 유도 (보조금)	정부 규제
공공재의 존재	○		
외부효과 발생		○	○
자연독점	○		○
불완전 경쟁			○
정보의 비대칭성		○	○

정부실패에 대한 대응

구분	민영화	정부보조 삭감	규제 완화
사적 목표 설정	○		
X-비효율, 비용체증	○	○	○
파생적 외부효과		○	○
권력의 편재	○		○

정답
04 ③ 05 ③ 06 ④

07 정부와 시장의 상호 대체적 역할분담 관계를 설명하는 시장실패와 정부실패 이론에 대한 설명으로 옳지 않은 것은?

2012 해경간부

① 정부는 시장실패를 교정하기 위해 계층제적 관리방법을 통해 자원의 흐름을 통제하게 되는데, 정부의 능력은 인적·물적·제도적 제한으로 실패할 수 있고, 이러한 정부실패의 요인으로는 내부성의 존재, 편익 향유와 비용부담의 분리, 예측하지 못한 파생적 외부효과 등이 제시되고 있다.

② 완전경쟁시장은 그 전제조건의 비현실성과 불완전성으로 인해 실패할 수 있다. 이러한 시장실패의 요인으로는 공공재의 존재, 외부효과의 발생, 정보의 비대칭성 등이 제시되고 있다.

③ 시장은 완전경쟁 조건이 충족될 경우 가격이라는 보이지 않는 손에 의한 조정을 통해 효율적인 자원배분을 달성할 수 있다.

④ 정부실패가 발생할 경우 이를 교정하기 위한 정부의 대응방식은 공적 공급, 보조금 등 금전적 수단을 통해 유인구조를 바꾸는 공적 유도, 그리고 법적 권위에 기초한 정부규제 등이 있다.

08 다음 중 정부 조직의 '내부성'을 설명한 것 중 적당하지 않은 것은?

2006 서울 9급

① 더 많은 예산의 확보
② 최신 기술에 대한 집착
③ 정보의 통제
④ 파생적 외부효과의 통제
⑤ 공익과 무관한 내부조직 목표

09 정부실패가 야기되는 요인을 정부개입의 수요 측면에서 설명한 내용 중 옳지 않은 것은?

2005 울산 9급

① 장기적 이익을 중시하는 정치인들의 성향
② 정치사회의 민주화와 민권의 신장에 따른 정책수요의 팽창
③ 문제해결의 당위성만을 강조하는 정치인들의 왜곡된 보상체계
④ 시장결함에 대한 사회적 인식의 증가에 따른 정부부문에 대한 수요 급증

07

정답 : ④

④ 공적 공급, 공적 유도, 정부 규제 등은 시장실패에 대한 정부의 대응방식이다. 한편 정부실패에 대한 정부의 대응방식으로는 민영화, 정부보조 삭감, 규제완화 등이 있다.

① 정부실패는 시장실패를 해결하기 위한 정부규제나 정책들이 오히려 자원의 효율적 배분을 왜곡시킴으로써 비효율성을 야기하는 현상으로, 원인으로는 내부성의 존재, 편익 향유와 비용부담의 분리, 파생적 외부효과 등이 있다.

② 시장실패는 시장에서의 자원배분이 효율적이지 못하거나 형평성이 달성되지 못하는 상태로, 원인으로는 공공재의 존재, 외부효과의 발생, 정보의 비대칭성 등이 있다.

③ 완전경쟁시장에서는 가격이라는 보이지 않는 손에 의해 시장기구가 자동적으로 조절하는 기능을 담당하므로 효율적인 자원배분에 기여할 수 있다고 본다.

08

정답 : ④

④ 파생적 외부효과란 정부의 개입이 의도치 않은 역작용을 초래하는 것으로, 정부실패의 원인은 되지만 내부성과는 무관하다.

①, ②, ③, ⑤ 내부성의 결과이다. 내부성은 관료제 내에서 개인이 공적 목표보다는 이익(사적 목표)을 우선시하는 현상이다.

09

정답 : ①

① 정치인들은 짧은 재임기간으로 인하여 시간적 할인율이 매우 높아 장기적 이익보다는 단기적 이익과 손해를 높게 평가한다. 따라서 재임 기간 중에 정부에 많은 요구를 하게 되고 사업의 우선순위를 왜곡시킨다.

②, ③, ④ 정부실패의 원인 중 수요측면의 특성이다.

정답
07 ④ 08 ④ 09 ①

01 다음 중 제3섹터(중간조직)의 형성배경에 대한 설명으로 가장 옳지 않은 것은? 2019 경찰간부

① 계약실패이론은 서비스의 성격상 영리기업의 서비스 양과 질을 정확하게 파악하지 못할 때 비영리성을 띤 준(비)정부조직의 서비스를 더 신뢰하게 된다는 이론이다.

② 관청형성모형은 정책위주의 참모조직을 집행위주의 계선조직으로 개편하려는 의도가 작용하여 준정부조직이 형성하게 된다는 이론이다.

③ 공공재이론은 시장에서 공급되지 못한 수요를 충족시키기 위하여 중간조직이 발생했다는 이론이다.

④ 소비자통제이론은 소비자인 시민이 국가권력을 감시하고 통제하기 위한 수단으로 발생하였다는 이론이다.

02 시민공동생산에 관한 설명 중 가장 적절하지 않은 것은? 2015 경정승진

① 시민의식이 성숙되고 시민의 참여욕구가 증대하면서 정부와 시민사회의 새로운 파트너십이 요구되고 있다.

② 시민사회가 활성화되기 위해서는 NGO·NPO 등과 같은 시민단체들 뿐만 아니라 지역사회의 역할도 중요하다.

③ 시민공동생산은 모든 공공부문의 서비스영역으로 확대해야 한다.

④ 녹색어머니회의 교통안전활동, 자율방범대의 순찰활동 등이 시민공동생산의 예이다.

03 NGO의 활동 및 재정 자율성에 관한 내용 중 다음 지문이 의미하는 것으로 가장 옳은 것은? 2014 해경간부

> 사회가 어느 정도 민주화가 진전되면서 시민단체가 조직화와 정치화를 통해 역량을 강화함에 따라 정부가 시민단체의 순응을 확보할 전략으로 명시적이거나 또는 묵시적으로 시민단체의 정책변화에 대한 요구를 수용하거나 시민단체의 유력인사를 주요 기관에 임용하는 식으로 포섭하는 방식을 의미한다. 이른바 적응적 흡수(co-optation)를 시도하는 것이다.

① 민주적 포섭형 ② 종속형
③ 협력형 ④ 자율형

04 시민사회와 행정의 관계에 관한 설명이다. 틀린 것은? 2005 경북 9급

① 현대적 의미에서 시민사회는 민주화와 시장실패에 대처하려는 노력을 통하여 부활하였다.

② 시민사회는 공공선을 실현하기 위하여 국가기구에 영향력을 행사한다.

③ 시민사회 활동을 대표하는 NGO 혹은 NPO의 공통된 특징으로 비정부성, 비영리성, 자발성 등을 들 수 있다.

④ 행정과 시민사회의 관계는 대결보다는 상호협력적 관계로 가는 것이 바람직하다.

⑤ 시민사회는 정부와 시장의 기능을 보완하며 서비스를 제공하는 기능을 담당할 수 있다.

01

정답 : ②

② 던리비(Dunleavy)의 관청형성모형은 니스카넨의 예산극대화 모형을 비판한 이론으로 집행위 주의 계선조직을 정책위주의 참모조직으로 개편하려는 의도가 작용하여 준정부조직이 형성 된다고 보는 모형이다.

① 계약실패이론은 거래비용이론에 근거한 것으로 서비스의 성격상 영리기업 서비스의 양과 질 을 정확하게 파악하지 못할 때 준비정부조직의 서비스를 더 신뢰하게 된다는 모형이다.

③ 공공재공급모형이론은 시장에서 공급될 수 없는 공공성이 강한 재화는 주로 행정기구가 공 급하여야 하나 NGO 등이 대신 공급할 수도 있다고 보는 모형이다.

④ 소비자통제이론은 소비자인 시민이 국가권력을 감시하고 통제하기 위한 수단으로 발생하였 다는 것으로 이는 중간조직의 형성배경에 해당한다.

02

정답 : ③

③ 시민공동생산은 공무원과 민간인의 협동적 생산을 의미하는 것으로, 시민공동생산이 모든 공공부문의 서비스영역으로 확대되지는 않는다.

① 시민공동생산은 시민들의 자발적이고 능동적인 참여로 이루어지므로 정부와 시민사회의 파 트너십이 요구된다.

② 시민사회가 활성화되기 위해서는 NGO·NPO·CSO 등 다양한 단체들의 참여가 중요하다.

④ 자원봉사대(자율방범, 경찰 소방 등), 경제정의실천연합, 참여민주사회시민연대 등이 그 예에 해당한다.

03

정답 : ①

① 제시문은 민주적 포섭형에 대한 설명으로, 이는 재정의 자율성은 높지만 활동의 자율성은 낮 기에 권위주의 억압형이라고도 한다.

② 종속형은 재정과 활동의 자율성이 모두 낮은 후진국 또는 권위주의(조합주의)국가의 관변단 체를 의미한다.

③ 협력형은 정부의 재정지원을 받으면서 활동은 간섭 받지 않는 유형으로 시민단체가 자발성 과 필요에 따라 정부에 협력하는 모형이다.

④ 자율형은 정부의 재정지원을 받지 않고 자유롭게 활동하는 것으로 주로 성숙한 시민사회에 서 나타난다.

활동 및 재정의 자율성에 따른 정부와 NGO의 관계모형

구분		재정의 자율성	
		강	약
활동의 자율성	강	자율형	협력형
	약	민주적 포섭형	종속형

04

정답 : ①

① NGO 등 현대적 의미의 시민사회는 행정국가화 현상의 한계로 나타난 정부실패를 해소하려는 차원에서 등장하였다.

② 시민사회는 공익추구를 목적으로 비영리활동을 하는 단체이다.

③ NGO와 NPO는 모두 비정부성, 비영리성, 자발성 등을 특징으로 한다.

④ 정부와 시민사회(NGO)는 적대적 관계보다는 서로의 존재를 인정하는 동반자적 관계가 바람 직하다.

⑤ 시민사회는 정부와 시장의 기능을 보완하며 서비스를 제공한다.

정답

01 ② 02 ③ 03 ① 04 ①

01 고용노동부의 인증을 받고 활동하고 있는 사회적 기업에 대한 설명으로 옳은 것은? 2021 경찰간부

① 사회적 기업은 취약계층에 대한 일자리 창출과 사회서비스 수요에 대한 공급확대 정책으로 시작되었다.

② 비영리단체 형태의 조직만이 사회적 기업으로 인증받을 수 있다.

③ 무급근로자로만 구성된 비영리단체라도 사회적 기업으로 인증받을 수 있다.

④ 고용노동부는 매년 사회적 기업의 활동실태를 조사하고 고용정책심의회에 통보하여야 한다.

02 민영화에 대한 문제점으로 가장 옳지 않은 것은? 2020 군무원 9급

① 공공성의 침해

② 서비스 품질의 저하

③ 경쟁의 심화

④ 행정책임확보의 곤란성

03 민간위탁 방식에 대한 설명으로 옳지 않은 것은? 2019 국회 9급

① 보조금 방식은 민간조직 또는 개인의 서비스 제공활동에 대하여 재정 또는 현물로 지원한다.

② 바우처 방식은 공공서비스의 생산을 민간부문에 위탁하면서 시민들의 구입부담을 완화시키기 위해 금전적 가치가 있는 쿠폰을 제공한다.

③ 면허 방식은 민간조직에게 일정 구역 내에서 공공서비스를 제공하는 권리를 인정한다.

④ 민간위탁 방식에는 계약 방식, 조세유인 방식, 자원봉사자 방식 등이 있다.

⑤ 자조활동 방식은 서비스 생산과 관련된 직접적 보수를 받지 않는 봉사자들이 생산을 담당한다.

01

정답 : ①

① 사회적 기업은 취약계층에게 사회서비스 또는 일자리를 제공하거나 지역사회에 공헌함으로써 지역주민의 삶의 질을 높이는 공익적 목적을 추구하는 기업으로, 고용노동부장관의 인증을 받은 기업이다.

② 사회적 기업은 비영리조직만이 인증받는 것이 아니라 민법에 따른 법인, 상법에 따른 회사 또는 비영리민간단체 등 대통령령으로 정하는 일정한 조직형태를 갖춰야 한다.

③ 사회적 기업은 유급근로자를 고용하여 영리활동을 수행한다는 점에서 자원봉사자들로만 구성된 NGO와는 구분된다.

④ 고용노동부장관은 사회적기업의 활동실태를 5년마다 조사하고, 그 결과를 고용정책심의회에 통보하여야 한다.

02

정답 : ③

③ 경쟁의 심화는 민영화에 대한 문제점이 아니라 장점에 해당한다. 민영화는 경쟁으로 인한 비용절감과 자원배분의 효율성 등을 제고한다.

① 민간기업의 이윤 추구로 인해 서비스의 공공성이 침해된다.

② 민영화 방식 중 계약방식의 경우 민간업체는 공공성보다 비용 절감에 관심을 두기 때문에 서비스의 질이 저하될 우려가 있다.

④ 공급과 생산의 주체가 다를 경우 책임 소재가 모호해짐에 따라 책임성을 확보하기 곤란해진다.

03

정답 : ⑤

⑤ 서비스 생산과 관련된 직접적 보수를 받지 않는 봉사자들이 생산을 담당하는 것은 자원봉사 방식이다. 한편 자조활동 방식은 공공서비스의 수혜자와 제공자가 같은 집단에 소속되어 서로 돕는 방식이다.

① 보조금 방식은 서비스가 기술적으로 복잡하고 목표달성이 불확실한 경우에 사용하기 유리하다.

② 바우처 방식은 공공서비스의 소비자에게 금전적 가치가 있는 쿠폰이나 현물을 제공하는 방식으로 소비자가 재화의 선택권을 가진다는 장점이 있다.

③ 면허 방식은 일정 구역 내에서 특정한 민간조직에게 공공서비스 제공권리를 인정해 주는 방식이다.

④ 민영화의 방식으로는 계약에 의한 민간위탁, 보조금, 면허, 바우처, 자원봉사, 자조활동 등이 있다.

🔍 포인트 정리

민영화의 장점 vs 단점

장점	단점
• 행정의 능률성 향상	• 형평성 저해
• 업무의 전문성 향상	• 책임성 저해
• 신축성, 대응성 증가	• 안정성 저해
• 서비스 질 향상	• 공익성 저해
• 자원의 효율적 배분	• 가격인상
• 도덕적 해이 감소	• 역대리인 문제
• 민간경제의 활성화	• 크림스키밍
• 복대리인 관계	현상

정답

01 ① 02 ③ 03 ⑤

04 다음 중 Savas의 공공서비스 제공방식에 대한 유형별 설명으로 가장 옳지 않은 것은? 2017 서울 7급

① 공공부문이 생산자(productor)인 동시에 배열자(arranger)인 경우의 예로 정부 간 협약을 통해 한 정부가 또 다른 정부의 공공서비스를 구매하는 방식이 있다.

② 공공부문이 생산자이고 민간부문이 배열자인 경우의 예로 정부응찰방식을 통해 민간부문이 정부가 생산한 공공서비스를 선별, 구매하고 대가를 지불하는 방식이 있다.

③ 민간부문이 생산자이고 정부가 배열자인 경우의 예로 민간위탁, 바우처(voucher)를 통한 서비스 제공 등이 있다.

④ 민간부문이 생산자인 동시에 배열자인 경우의 예로 임대형 민자사업(BTL), 보조금에 의한 서비스 제공 등을 들 수 있다.

05 공공서비스의 민간위탁 방식인 바우처(voucher)제도에 대한 설명으로 가장 적절하지 않은 것은? 2017 경정승진

① 구매대금의 실질 지급대상에 따라 명시적 바우처와 묵시적 바우처로 구분된다.

② 묵시적 바우처는 바우처의 활용에 대한 모니터링이 실시간으로 가능하고, 바우처의 오용가능성을 낮추는 데 매우 효과적인 방식이다.

③ 전자바우처는 수요자 중심의 서비스 전달과 바우처 관리의 투명성 및 효율성 제고에 기여한다.

④ 소비자들이 특정 재화나 서비스의 공급자를 자유롭게 선택할 수 있다는 장점이 있지만, 서비스가 타 용도로 누출된다는 단점도 있다.

06 민영화의 유형에 대한 설명으로 가장 옳지 않은 것은? 2015 서울 7급

① 민영화의 계약방식(contracting-out)은 일반적으로 경쟁 입찰을 통해 서비스 생산주체가 결정되므로 정부재정 부담을 경감시킬 수 있다.

② 민영화의 프랜차이즈(franchise) 방식은 정부가 서비스 제공자에게 서비스 비용을 직접 지불하여 이용자의 비용부담을 경감시키는 장점이 있다.

③ 전자 바우처(vouchers) 방식은 개별적인 바우처 사용행태를 분석하여 실제 이용자의 실시간 모니터링이 가능하다.

④ 자조활동(self-help) 방식은 공공서비스 수혜자와 제공자가 같은 집단에 소속되어 서로 돕는 형식이다.

04

④ 임대형 민자사업(BTL)과 보조금은 민간부문이 생산하고 공급주선자(배열자)는 공공부문이다.

① 정부 간 협약은 서로 협의를 통해 공공서비스가 제공되는 것으로 공공부문이 생산자인 동시에 배열자가 된다.

② 정부응찰방식을 통해 민간부문이 정부가 생산한 공공서비스를 선별, 구매하고 대가를 지불하는 방식인 정부판매는 공공부문이 생산자가 되고 민간부문이 배열자가 된다.

③ 민간부문이 생산자이고 정부가 배열자인 경우의 예로 민간위탁은 맞으나 바우처의 경우 민간부문이 생산하고 민간부문이 배열하는 예에 해당한다. 출제의 오류로 보이나 정답처리는 인정하지 않았으므로 주의해야 하는 지문이다.

공급과 생산주체에 따른 공공서비스 공급방법(Savas)

구분		공급(provide, 공급주선자, 배열자(arranger))	
		정부(공공부문)	민간(민간부문)
생산 (produce)	정부 (공공부문)	• 정부서비스(직접공급) • 정부 간 협약	• 정부판매
	민간 (민간부문)	• 민간계약(위탁) • 독점허가 • 보조금	• 구매권 • 시장 • 자기생산 • 자원봉사

05

② 명시적 바우처에 대한 설명이다. 한편 묵시적 바우처는 바우처의 활용에 대한 모니터링이 실시간으로 불가능하므로 바우처의 오용가능성이 높을 수 있다.

① 바우처는 구매대금의 실질적인 지급대상에 따라 명시적 바우처와 묵시적 바우처로 구분된다.

③ 전자바우처는 신용카드나 휴대폰 등 전자적 수단으로 서비스를 이용하고 지불하는 방법으로 수요자 중심의 서비스 전달이 가능하고 바우처 관리의 투명성 및 효율성 제고에 기여한다.

④ 바우처는 시민들이 소비자에게 많은 선택권을 부여하고 재분배정책의 효과가 있지만 서비스가 타 용도로 누출될 수 있다.

06

② 정부가 서비스 제공자에게 서비스 비용을 지불하여 이용자의 비용부담을 경감시키는 방식은 계약방식이다. 한편 프랜차이즈 방식은 민간조직에게 일정한 구역 내에서 공공서비스를 제공하는 권리를 인정하는 방식이다.

① 계약방식은 정부가 민간부문과 위탁계약을 맺고 비용을 지불하고 민간부문으로 하여금 공공서비스를 생산하게 하는 방식으로 기업 간 경쟁 입찰을 통해 서비스 생산 주체를 결정하므로 정부의 재정부담을 경감시킬 수 있다.

③ 전자 바우처(vouchers) 방식은 신용카드나 휴대폰 등 전자적 수단으로 서비스를 이용하고 지불하는 방식으로 개별적인 바우처 사용행태를 분석하여 실제 이용자의 실시간 모니터링이 가능하다는 장점이 있다.

④ 자조활동 방식은 공공서비스의 수혜자와 제공자가 같은 집단에 소속되어 서로 돕는 방식으로, 대표적으로 노인의 노인보조서비스 등이 있다.

포인트 정리

민영화의 유형별 특징

계약 (민간위탁) (contracting-out)	• 정부자체 내 부족한 기술을 충분히 활용 • 지나친 이윤추구로 공익 저해
보조금 (grant)	• 서비스가 기술적으로 복잡해 양과 질을 통제할 수 없을 경우 적합 • 자율적 시장가격 왜곡 우려
구매권 (voucher)	• 소비자에게 많은 선택권 부여 • 빈곤층을 위한 재분배 정책 효과 • 공급 측에서 서비스수요 파악 곤란 및 서비스 누출
지정·허가 (franchise)	• 다수업체 난립을 막고 규모의 경제 실현 • 요금재 공급에 적합
면허 (license)	• 운영권 민간 매각으로 운영의 전문화 • 공급자 간 경쟁이 미약할 경우 이용자의 비용부담 과중 우려
자원봉사 (volunteers)	• 주민의 참여의식 고취 • 관변단체화 우려 • 책임성 약화

정답

04 ④ 05 ② 06 ②

다음 중 민간위탁방식에 대한 설명으로 가장 옳지 않은 것은?

2015 해경간부

① 계약방식은 민간조직에게 일정구역 내에서 공공서비스를 제공하는 권리를 인정하는 방식이다.

② 보조금 방식은 민간부문의 서비스 제공활동에 대하여 재정 또는 현물로 지원하는 방식이다.

③ 구입증명서 방식은 시민들의 서비스 구입부담을 완화시키기 위해 금전적 가치가 있는 쿠폰을 제공하는 방식이다.

④ BOT는 사회간접자본 건설에 민간자본을 유치하여 건설 및 운영하는 방식이다.

08 공기업 민영화와 관련해 '역대리인' 이론이 제기하는 문제점으로 가장 적절한 것은?

2012 국가 7급

① '주인–대리인' 문제가 반복됨으로써 대리인 문제나 비효율의 문제가 반복된다.

② 민간이 흑자 공기업만 인수하려고 하기 때문에 적자 공기업은 매각되지 않고, 흑자 공기업만 매각된다.

③ 민영화 이후에 공공서비스가 제대로 공급되지 못하는 경우가 나타난다.

④ 민영화 과정에서 정부가 일부 지분을 계속 유지하려고 한다.

09 다음 중 계약 및 면허 방식의 공통점에 대한 설명으로 가장 적절하지 않은 것은?

2011 서울 7급

① 두 방식 모두 정부가 민간기업에 재화나 서비스의 공급권을 부여한다.

② 두 방식 모두 정부가 생산자에게 소요비용을 직접 지불한다.

③ 두 방식 모두 관련 행정업무 수행에 소요되는 경비를 절감할 수 있다.

④ 두 방식 모두 시장 논리에 의한 민간부문의 경쟁을 유도할 수 있다.

⑤ 두 방식 모두 공공서비스 공급(provision)의 책임은 정부에 귀속되어 있다.

10 〈보기〉 중 지방자치단체의 민간투자사업에 관한 설명으로 옳은 것을 모두 고르면?

2011 국회 8급

> **보기**
>
> ㄱ. BTL방식에서는 사회간접자본시설의 준공과 동시에 당해 시설의 소유권이 지방자치단체에 귀속되며, 사업시행자에게 일정 기간의 운영권을 인정한다.
> ㄴ. BTO방식에서는 사회간접자본시설의 준공 후 민간의 운영이 종료되는 시점에 시설의 소유권이 지방자치단체에 귀속된다.
> ㄷ. BTL방식에서는 최소운영수입보장제도가 적용되고 있다.
> ㄹ. BTO방식은 최종수요자에게 사용료를 부과하기 쉬운 시설에 적합하다.
> ㅁ. BTO방식에서는 일차적으로 민간이 수요 위험을 부담하게 된다.
> ㅂ. 민간투자사업의 추진 방식은 소유권, 운영권을 민간부문과 공공부문 중에서 누가 보유할 것인가에 따라 구분된다.

① ㄱ, ㄷ, ㄹ

② ㄴ, ㄷ, ㅂ

③ ㄴ, ㄹ, ㅂ

④ ㄷ, ㅁ, ㅂ

⑤ ㄹ, ㅁ, ㅂ

07
정답 : ①

① 민간조직에게 일정구역 내에서 공공서비스를 제공하는 권리를 인정하는 방식은 면허방식이다.

② 보조금 방식은 민간조직 또는 개인의 서비스 제공활동에 대한 재정 또는 현물을 지원하는 방식이다.

③ 구입증명서 방식은 저소득층에게 민간이 생산하는 서비스를 이용할 수 있는 쿠폰이나 카드 형태의 구매권 및 이용권을 지급하는 방식이다.

④ BOT는 민간기업이 사회간접시설을 건설하고 일정기간 사회간접시설을 운영하여 벌어들인 수익으로 회수한 후 정부에 소유권을 양도하는 방식이다.

08
정답 : ③

③ 공기업의 민영화와 관련하여 대리인이론을 적용할 경우 정부(주인)에서 민간기업(대리인)으로 이양된 사업은 이윤극대화를 위한 기업의 기회주의적 속성상 대리손실을 발생시키고, 오히려 공기업에 의해 제공될 때보다 민영화 이후에 공공서비스가 제대로 공급되지 못하는 경우가 나타날 우려가 있다.

① '주인–대리인' 문제가 반복되는 것은 복대리인 이론이며 이는 누적적·반복적인 대리손실로 인한 비효율성을 비판하는 것으로 민영화를 지지하는 이론이다.

② 민간이 흑자 공기업만 인수하려고 하기 때문에 적자 공기업은 매각되지 않고, 흑자 공기업만 매각되는 현상을 크림스키밍(cream skimming) 이라고 하며 이는 민영화를 저해하는 요인이다.

④ 황금주(Golden share)에 대한 설명으로, 이는 공기업의 민영화시 정부가 주식 전체를 양도하지 않고 황금주를 보유함으로써 민영화된 공기업에 대해 정부가 권한을 계속 유지하고 언제든지 개입할 수 있도록 하는 현상이다.

09
정답 : ②

② 계약(위탁)은 정부가 생산자에게 비용을 부담하지만 면허는 소비자가 생산자에게 비용을 지불한다.

① 계약과 면허방식 모두 생산이나 공급권을 민간 기업에 부여한다.

④ 계약과 면허방식 모두 시장논리에 의한 민영화 방식으로 민간부문의 경쟁을 유도할 수 있다.

⑤ 계약과 면허방식 모두 공급에 대한 책임은 정부가 지고 서비스의 생산만 민간에 의뢰하는 방식이다.

10
정답 : ⑤

⑤ ㄹ, ㅁ, ㅂ은 옳고, ㄱ, ㄴ, ㄷ은 틀리다.

ㄹ. [O] BTO와 BOT 방식은 인천대교, 주차빌딩 등 투자비 회수가 가능한 시설에 적합하다.

ㅁ. [O] BTO와 BOT 방식은 민간이 직접 운영해 투자비를 회수하고, 민간이 위험을 부담한다.

ㅂ. [O] 민간투자의 추진방식은 민간부문과 공공부문의 운영권과 소유권 보유 여부에 따라 BTO, BOT, BLT, BTL 등 다양한 방식으로 구분된다.

ㄱ. [X] 사회간접자본시설의 준공과 동시에 당해시설의 소유권이 지방자치단체에 귀속되며, 사업 시행자에게 일정기간의 운영권을 인정하는 것은 BTO 방식이다.

ㄴ. [X] 사회간접자본시설의 준공 후 민간의 운영이 종료되는 시점에 시설의 소유권이 지방자치단체에 귀속되는 것은 BOT 방식이다.

ㄷ. [X] 2009년 최소운영수입보장제도(MRG)가 폐지되었다.

정답
07 ① 08 ③ 09 ② 10 ⑤

11 다양한 정책수단 가운데, 소비자가 자유롭게 선택할 수 있는 바우처(voucher)형식을 이용하여 공공서비스를 공급하는 경우들로 구성된 것은?

2008 지방 9급

> ㄱ. 교육부의 '방과후 수업'
> ㄴ. 법무부의 '보호관찰 사업'
> ㄷ. 보건복지부의 '기초노령연금 사업'
> ㄹ. 국토교통부의 '주택장기임대 사업'

① ㄱ, ㄴ ② ㄱ, ㄹ
③ ㄴ, ㄷ ④ ㄷ, ㄹ

CHAPTER 10 행정이념(본질적 가치)

실질적 력(역량) 업그레이드

01 행정가치에 대한 설명으로 가장 옳은 것은?

2023 경찰간부

① 공익에 대해 과정설에서는 사익을 초월한 별도의 공익이 존재하며, 집단 간 상호작용을 통해 도출된다고 인식한다.
② 롤스(Rawls)에 따르면 무지의 베일에 가려진 원초적 상태에서 합리적 인간은 최대극소화(minimax) 원리에 따라 의사결정한다.
③ 사회적 능률성(social efficiency)은 디목(Dimock)이 제시한 개념으로 인간관계론의 등장과 함께 강조된다.
④ 효과성(effectiveness)은 투입 대비 산출의 비율을 의미하는 것으로 조직 내부적 관계가 강조된다.

02 롤스(Rawls)의 정의론에 대한 설명 중 옳은 것은 모두 몇 개인가?

2020 경찰간부

> 가. 자유와 평등의 조화를 추구하는 중도적 입장보다는 자유방임주의에 의거한 전통적 자유주의 입장을 취하고 있다.
> 나. 이념적·가설적 상황으로서 원초적 상태를 설정하였고 사회계약론의 입장에서 정의의 원리를 도출한다.
> 다. 정의의 두 가지 기본원리 중 제1원리는 기본적 자유의 평등원리이며, 제2원리는 차등조정의 원리이다. 제2원리 내에서 충돌이 생길 때에는 차등의 원리가 기회균등의 원리에 우선한다.
> 라. 기회균등의 원리는 결과의 공평을 중시하며 차등의 원리는 기회의 공평을 중시한다.

① 1개 ② 2개
③ 3개 ④ 4개

11

② ㄱ, ㄹ이 바우처 형식에 해당한다.

ㄱ. [O] 바우처는 공공서비스의 생산을 민간부문에 위탁하면서 시민들의 서비스 구입부담을 완화시키기 위해 금전적 가치가 있는 쿠폰을 제공하는 것으로, 교육부의 방과 후 수업은 저소득층 자녀에 대한 무료 수강권을 지급하는 것이므로 바우처 형식에 해당한다.

ㄹ. [O] 국토교통부의 주택장기임대사업은 민간이 장기임대주택을 건설하고 입주 저소득층에게 임대료를 보조하는 것이므로 주택 바우처 제도라고 볼 수 있다.

ㄴ. [X] 법무부의 보호관찰 사업은 정부의 고유 영역에 해당한다.

ㄷ. [X] 보건복지부의 기초노령연금사업은 정부에서 공급하여야 하는 고유 영역에 해당한다.

01

정답 : ③

① 공익의 실체설은 사익을 초월하는 별도의 공익이 존재한다고 본다.

② 롤스의 가정에서 무지의 베일과 원초적 상태에서 개인은 최소극대화원리(maximin)에 따라 결정한다고 본다.

④ 능률성(efficiency)은 투입 대비 산출의 비율을 의미하는 것으로 조직 내부적 관계가 강조된다. 효과성(effectiveness)은 목표달성도를 의미한다.

02

정답 : ①

① 나만 옳은 내용이다.

나. [O] 불확실한 원초적 상태에서 구성원들이 합의하는 원칙이 공정할 것이라고 전제하고 있으며 이는 곧 사회계약론과도 일치한다.

가. [X] 롤스의 정의론은 자유방임주의에 의거한 전통적 자유주의와 생산수단의 사회적 소유를 주장하는 사회주의의 양극단을 지양하고, 자유와 평등의 조화를 추구하는 중도주의적 입장을 취한다.

다. [X] 제2원리 내에서 충돌이 생길 때에는 기회균등의 원리가 차등의 원리에 우선한다.

라. [X] 기회균등의 원리는 기회의 공평을 중시하며, 차등의 원리는 결과의 공평을 중시한다.

정답

11 ② 01 ③ 02 ①

03 공익의 실체설에 대한 설명으로 옳은 것을 〈보기〉에서 모두 고른것은?

보기

ㄱ. 사회공동체나 국가의 모든 가치를 포괄하는 절대적 선의 가치가 있다.
ㄴ. 적법절차의 준수에 의해 공익이 보장된다.
ㄷ. 사회구성원이 보편적으로 공유하는 이익을 의미한다.
ㄹ. 행정의 조정자 역할이 강조된다.

① ㄱ
② ㄴ
③ ㄱ, ㄷ
④ ㄴ, ㄹ

04 행정가치에 대한 설명 중 옳은 것은?

① 공익에 대한 실체설에서는 공익을 현실의 실체로 존재하는 사익들의 총합으로 이해한다.
② 행정의 민주성이란 정부가 국민의사를 존중하고 수렴하는 책임행정의 구현을 의미하며 행정조직 내부 관리 및 운영과는 관계 없는 개념이다.
③ 수익자 부담원칙은 수평적 형평성, 대표관료제는 수직적 형평성과 각각 관계가 깊다.
④ 장애인들에게 특별한 세금감면 혜택을 부여하는 것은 모든 국민이 동등한 서비스를 제공받아야 한다는 사회적 형평성에 어긋나는 제도이다.
⑤ 가외성의 장치로는 법원의 3심제도, 권력분립, 만장일치, 계층제 등이 있다.

05 행정가치에 대한 다음 〈보기〉의 설명 중 옳은 것은 모두 몇 개인가?

보기

ㄱ. 실체설은 공익을 사익의 총합이라고 파악하며, 사익을 초월한 별도의 공익이란 존재하지 않는다고 본다.
ㄴ. 롤스(Rawls)의 사회정의의 원리에 의하면 정의의 제1원리는 기본적 자유의 평등원리이며, 제2원리는 차등조정의 원리이다. 제2원리 내에서 충돌이 생길 때에는 '차등 원리'가 '기회균등의 원리'에 우선되어야 한다.
ㄷ. 과정설은 공익을 사익을 초월한 실체적, 규범적, 도덕적 개념으로 파악하며, 공익과 사익과의 갈등이란 있을 수 없다고 본다.
ㄹ. 베를린(Berlin)은 자유의 의미를 두 가지로 구분하면서, 간섭과 제약이 없는 상태를 적극적 자유라고 하고 무엇을 할 수 있는 자유를 소극적 자유라고 하였다.

① 0개
② 1개
③ 2개
④ 3개
⑤ 4개

03

③ ㄱ, ㄷ이 실체설에 대한 설명이다.

ㄴ. [X] 과정설은 적법절차의 준수에 의해 공익이 보장된다.

ㄹ. [X] 과정설에서 국가는 국민주권원리에 입각하여 민주적 조정자 역할만을 담당한다고 본다.

04

정답 : ③

③ 수익자 부담원칙은 공공재나 공공서비스를 이용하는 국민에게 이용대가로서 사용료를 징수하는 것으로 수평적 형평성(같은 것은 같게)과 관련이 있으며, 대표관료제는 비혜택집단(여성·장애인·낙후지역·소수인종 등)을 적극적으로 우대함으로써 구조적 차별을 시정하는 수직적 형평성과 관계가 있다.

① 실체설은 공익은 사익을 초월하는 것으로서 객관적으로 명백한 내용을 갖고 있다는 개념으로 공익과 사익은 본질적 차이가 있으며 공익은 최고의 윤리기준으로서 공공선과 동일하다고 보며 공익과 사익은 기본적으로 갈등관계에 있지 않고, 사익보다 공익을 더 중시한다.

② 민주성은 대외적으로는 국민의사를 존중하여 국민의 요구를 수렴하고 이를 행정에 반영함으로써 대응성 있는 행정을 실현하고 국민에게 책임을 지는 책임행정을 구현하는 것을 말하며 대내적으로는 행정조직 내부 관리 및 운영의 민주성을 말한다.

④ 장애인들에게 특별한 세금감면 혜택을 부여하는 것은 수직적 형평성으로 인간의 가치는 개인의 능력에 관계없이 누구나 동일하기 때문에 개인의 능력이나 업적과 관계없이 동일한 대우(결과의 공평)를 받아야 한다는 개념이다.

⑤ 가외성은 남는 것, 여분, 초과분이란 뜻으로 행정의 안정성과 신뢰성을 향상시키기 위하여 기능과 구조를 중복시키는 것으로 가외성의 장치로는 법원의 3심제도, 권력분립이 해당이 되지만 만장일치와 계층제 등은 가외성의 장치에 해당하지 않는다.

05

정답 : ①

① 모두 틀리다.

ㄱ. [X] 공익을 사익의 총합이라고 파악하며, 사익을 초월한 별도의 공익이란 존재하지 않는다고 보는 것은 과정설이다.

ㄴ. [X] 롤스(Rawls)의 사회정의의 원리에 의하면 정의의 제1원리는 기본적 자유의 평등원리이며, 제2원리 내에서 충돌이 생길 때에는 차등원리보다 기회균등의 원리가 우선되어야 한다.

ㄷ. [X] 공익을 사익을 초월한 실체적, 규범적, 도덕적 개념으로 파악하며, 공익과 사익과의 갈등이란 있을 수 없다고 보는 것은 실체설이다.

ㄹ. [X] 베를린은 자유의 의미를 두 가지로 구분하면서, 국가의 간섭과 제약이 없는 상태를 소극적 자유라고 하고 무엇을 할 수 있는 자유를 적극적 자유라고 하였다.

포인트 정리

과정설 vs 실체설

구분	과정설	실체설
공익개념	소극설	적극설
사회체제	개인주의	전체주의
사익과의 관계	공익은 사익의 조정 결과	공익과 사익은 무관
정치권력	다원론	엘리트론
정책결정론	점증모형	합리모형

정답

03 ③ 04 ③ 05 ①

06 공익(公益)은 행정이 추구해야 하는 본질적인 행정가치에 해당한다. 이에 대한 학자들의 설명으로 옳지 않은 것은?

2012 인천 9급

① 공익에 대한 접근방법 가운데 실체설은 공익이 사익을 초월한 실체적·규범적·도덕적 개념으로서 공익과 사익의 갈등을 인정하지 않는 입장이라고 할 수 있다.

② 소라우프(F.Sorauf)는 공익이 특정집단의 이해관계를 합리화하는데 이용될 수 있다는 우려를 표명하였다.

③ 공익에 대한 접근방법 가운데 과정설은 사익을 초월한 별도의 공익이란 존재하지 않으며, 공익이란 사익의 총합이거나 사익 간의 타협 또는 집단 간의 상호작용의 산물이라고 보는 입장이다.

④ 공익에 대한 접근방법 가운데 실체설을 주장한 학자로는 홉스(Hobbes), 흄(Hume), 벤담(Bentham) 등이 있다.

07 최근 정부기관은 기관활동 평가를 기존의 양적 평가에서 질적 평가로 전환하는 등 국민 중심의 실질적인 공공서비스를 제공하고자 보다 많은 노력을 기울이고 있다. 이는 행정이 추구하는 이념(가치)과 밀접한 관련이 있다고 볼 수 있는데 행정의 이념(가치)에 관한 설명 중 가장 적절하지 않은 것은?

2012 경정승진

① 롤즈(J.Rawls)의 정의론에 따르면 형평성이 확보되기 위해서는 우선적으로 결과의 평등이 전제되어야만 한다.

② '사회적 형평성'이념은 1960년대 후반에 미국사회의 혼란과 더불어 제기된 신행정학의 주요 이념 중 하나이다.

③ 교육훈련을 통해서 교육생을 많이 배출하는 것은 능률성이 높은 것이지 효과성이 높다고 볼 수는 없다.

④ 민주성은 국민과의 관계와 조직 내부의 의사결정과정이라는 두 가지 측면에서 논의될 수 있다.

08 다음 중 롤스(Rawls)의 정의에 관한 설명으로 가장 옳지 않은 것은?

2011 경찰간부

① 롤스의 정의의 두 가지 기본 원리는 특수한 사실의 유불리 여부에 대한 판단이 불확실한 원초적 상태에서 구성원들이 합의하는 규칙 또는 원칙은 불공정할 것이라고 전제하고 있다.

② 롤스의 기본적 자유의 평등 원리란, 개인은 다른 사람의 유사한 자유와 상충되지 않는 한도 내에서 최대한의 기본적 자유에의 평등한 권리가 인정되어야 한다는 원리이다.

③ 저축원리란 사회 협동의 모든 산물 중 어느 정도 비율의 것을 분배나 재분배에 충당하지 않고, 설비나 기타 생산 수단 및 교육에 의 투자 등의 형태로 장래 세대의 복지를 위해 유보 내지 저축하는 것이 적절한 것인가를 규정하는 원리이다.

④ 정의의 두 가지 기본 원리 중 제1원리가 제2 원리에 우선하며 제2원리 중에서도 기회균등 의 원리가 차등조정의 원리에 우선한다.

06
정답 : ④

④ 홉스(Hobbes), 흄(Hume), 벤담(Bentham) 등은 공익의 과정설을 주장한 대표적 학자들이다.
① 공익은 사익을 초월한 실체적·규범적·도덕적 개념으로서 공익과 사익간의 갈등을 인정하지 않는 것은 실체설적 입장이다.
② 소라우프(F.Sorauf)는 공익의 과정설을 주창한 학자이지만, 공익의 과정설적 입장이 공익이라는 이름하에 특수이익을 추구하거나 특정집단의 이해관계를 합리화하는데 이용될 수 있다고 보았다.
③ 과정설은 공익을 사익의 총합이거나 사익 간의 타협 또는 집단 간의 상호작용의 산물이라고 보면서 사익을 초월한 별도의 공익이란 존재하지 않는다고 본다.

📝 포인트 정리

과정설의 특징

- 사익 간 갈등의 조정·타협의 산물
- 국가는 사익 간 갈등의 조정자(중립적) 역할을 담당
- 적법절차의 준수에 의해 공익이 보장된다고 봄
- 공익결정은 다수에 의해 민주적으로 이루어짐
- 협상과 조정과정에서 사회적 약자가 희생되는 결과를 초래할 수 있음
- 다원주의, 점증주의의 관점
- 홉스, 슈버트, 벤담, 흄, 소라우프 등이 주장함

07
정답 : ①

① 롤즈(J.Rawls)의 정의론에 따르면 형평성이 확보되기 위해서는 우선적으로 제1의 원리인 동등한 자유의 원리가 우선되어야 하며 그 다음으로 기회의 공평인 기회균등의 원리가, 마지막으로 결과의 평등이 구현되어야만 한다.
② Waldo 등 신행정론자들은 형평성을 주요 이념으로 강조하였다.
③ 능률성은 투입대비 산출이고 효과성은 목표달성 정도이다. 교육훈련은 투입에 해당하고 교육생은 산출에 해당한다.
④ 민주성은 대외적 민주성과 대내적 민주성으로 나눌 수 있다.

08
정답 : ①

① 롤스의 정의의 두 가지 기본 원리는 특수한 사실의 유·불리 여부에 대한 판단이 불확실한 원초적 상태에서 구성원들이 합의하는 규칙 또는 원칙은 공정할 것이라고 전제하고 있다.
② 각 개인은 다른 사람의 유사한 자유와 상충되지 않는 한도 내에서 기본적 자유와 평등이 인정되어야 한다고 보는 것은 동등한 자유의 원리로 정의의 제1원리에 해당한다.
③ '저축원리'란 제2의 원리 중 불리한 입장에 있는 사람들에게 편익이 많이 돌아가도록 배분하는 차등조정의 원리(maximin)를 구현함에 있어서 이익의 일정 부분은 장래세대의 복지를 위하여 저축 내지는 유보되어야 한다는 것으로 정당한(정의로운) 저축원리와 양립하는 범위 안에서 최소수혜자에게 이득이 되어야 한다고 본다.
④ 기본적 자유의 평등 원리 ⇒ 차등조정의 원리(기회균등의 원리 ⇒ 차등의 원리) 순으로 원리 간의 우선순위를 두었다.

Rawls의 정의의 원리

제1원리 (기본적 자유의 평등원리)		다른 사람의 동일한 자유와 상충되지 않는 범위 내에서 최대한으로 자유에 대하여 동등한 권리를 가진다.
제2원리 (차등조정의 원리)	기회균등의 원리	사회·경제적 불평등의 원인이 되는 모든 직무와 지위에 대해 접근의 기회는 균등하게 제공되어야 한다.
	차등의 원리	최소극대화의 원리(maxmin) : 불평등의 시정은 가장 불우한 사람들의 편익을 극대화해야 한다.

정답
06 ④ 07 ① 08 ①

□□
09 사회적 형평성에 대한 설명으로 적절한 것은? 2011 군무원

① 사회적 형평성은 동일한 것은 동일하게, 동일하지 않은 것은 동일하지 않게 대우하는 것이다.

② 사회적 형평성을 강조할 경우 경제적 약자를 우선적으로 고려해야 한다.

③ 형평성과 공정성은 엄격하게 구분하여 사용되고 있다.

④ 사회적 형평성은 신행정론에서 적극 수용되지 못하였다.

□□
10 공익을 보는 관점으로 적합하지 않은 것은? 2007 서울 9급

① 실체설에 의하면 사회나 국가는 개인과 구별되는 스스로의 인격을 가지는 것으로 본다.

② 과정설에 의하면 공익을 사익 간의 협상과 조정을 통한 집단과정의 결과로 본다.

③ 실체설은 공익을 단순히 개인들의 집합이 아니라고 보아 집단주의적 성격을 띤다.

④ 과정설에 의하면 협상과 조정과정에서 약자가 희생되는 결과를 초래할 수 있다.

⑤ 실체설에 의하면 공익결정은 다수에 의해 민주적으로 이루어지는 것으로 본다.

CHAPTER 11 행정이념(수단적 가치) 실질적 력(역량) 업그레이드

□□
01 행정 가치에 대한 설명으로 옳지 않은 것은? 2020 지방, 서울 9급

① 공익 과정설에 따르면 사익을 초월한 별도의 공익이란 존재할 수 없다.

② 롤스(Rawls)는 사회정의의 제1원리와 제2원리가 충돌할 경우 제1원리가 우선이라고 주장한다.

③ 파레토 최적 상태는 형평성 가치를 뒷받침하는 기준이다.

④ 근대 이후 합리성은 목표를 달성하는 수단과 관련된 개념이다.

□□
02 행정이 추구하는 가치에 대한 설명으로 옳지 않은 것은? 2019 지방 9급 / 교행 9급

① 합리성은 어떤 행위가 궁극적인 목표달성을 위한 최적의 수단이 되느냐를 가리키는 개념이다.

② 효과성은 투입 대비 산출의 비율을, 능률성은 목표의 달성도를 나타내는 개념이다.

③ 행정의 민주성은 대외적으로 국민 의사의 존중·수렴과 대내적으로 행정조직의 민주적 운영이라는 두 가지 측면이 있다.

④ 수평적 형평성이란 동등한 것을 동등하게 취급하는 것, 수직적 형평성이란 동등하지 않은 것을 서로 다르게 취급하는 것을 의미한다.

09
정답 : ①

① 사회적 형평은 일률적 평등이 아니라 합리적 차별이나 정당한 불평등의 개념을 포함하고 있으며, 동일한 것은 동일하게(수평적 형평) 다루되, 다른 것은 다르게(수직적 형평) 다룬다는 개념을 모두 포함한다.

② 사회적 형평은 정치적·경제적·사회적으로 불리한 입장에 있는 소외계층에게 보다 나은 행정서비스를 우선적으로 제공하고자 하는 것으로, 경제적 사회적, 정치적 등 사회 전반적으로 약자를 우선적으로 고려하여야 하면서 결과의 평등도 고려해야한다.

③ 사회적 형평은 평등, 정의, 공평 등과 유사한 의미로 사용된다.

④ 사회적 형평성은 신행정론에서 적극적으로 수용되었다.

10
정답 : ⑤

⑤ 다수에 의하면 민주적으로 공익이 결정된다는 민주적 공익관은 과정설의 입장이며, 실체설은 공익결정에 있어서 국가나 소수 엘리트들이 적극적인 역할을 수행하므로 공익결정 과정이 비민주적이다.

① 실체설은 공익의 실체가 별도로 존재한다고 본다.

② 과정설은 사익의 합으로서 공익을 이해한다.

③ 실체설은 공익을 사익을 초월한 도덕적·규범적(선험적)인 존재로 본다.

④ 과정설은 조직화되지 못한 일반시민이나 잠재집단의 이익, 약자의 이익 반영이 곤란하다.

01
정답 : ③

③ 파레토 최적 상태는 능률성 가치를 뒷받침하는 기준으로 형평성을 반영하지 못한다.

① 과정설은 사익의 총합이 공익이 된다고 본다.

④ 현재 합리성은 수단적 이념으로 분류한다.

02
정답 : ②

② 효과성은 목표의 달성도를, 능률성은 투입 대비 산출의 비율을 나타내는 개념이다.

① 합리성은 목적·수단의 연쇄관계를 전제로 어떤 행위가 궁극의 목적 달성에 최적 수단이 되는가와 관련된 이념이다.

③ 민주성은 국민의 의사를 행정에 반영하고 국민을 위한 행정을 펼치는 것으로 대외적으로는 정부가 국민의 의사를 존중하고 수렴하는 책임행정의 구현과 관련되고, 대내적으로는 행정조직 내부 관리 및 운영과 관련되는 이념이다.

④ 수평적 형평성은 공공서비스를 제공하는데 그 결정기준이 되는 특성에 비례하여 같은 양의 서비스를 받도록 하는 것으로서 동등한 것을 동등하게 취급하는 것을 의미한다. 한편 수직적 형평성은 각 개인의 특성에 정도의 차이가 있는 시민에게 공공서비스 배분의 형평성을 고려하는 기준으로 다른 것은 다르게 취급하는 것을 의미한다.

포인트 정리

실체설의 특징

- 사익을 초월한 실체로 존재
- 공익과 사익 간의 갈등은 있을 수 없음
- 행정의 목민적 역할을 강조
- 공익의 구체적 내용을 소수의 엘리트가 결정하므로 비민주적임
- 엘리트주의, 합리모형의 관점
- 플라톤, 롤스, 루소, 아리스토텔레스 등이 주장함

능률성 vs 효과성

구분	능률성	효과성
개념	산출/투입	목표달성도
성격	산출은 구체적, 양적 개념	효과는 추상적, 질적 개념
관계	조직 내의 관계	조직과 환경과의 관계
행정이론	과학적 관리론	발전행정론

정답

09 ① 10 ⑤ 01 ③ 02 ②

행정이념에 대한 설명으로 가장 옳지 않은 것은?

① 디목(Dimock)은 기술적 능률성을 대체하는 개념으로 사회적 능률성을 제시하고 있는데, 이는 행정이 그 목적 가치인 능률성을 제시하고 있는데, 이는 행정이 그 목적 가치인 인간과 사회를 위해서 산출을 극대화하고 그 산출이 인간과 사회의 만족에 기여하는 것을 의미한다.

② 1930년대를 분수령으로 하여 정치행정이원론의 지양과 정치행정일원론으로 전환과 때를 같이해서 행정에서 민주성의 이념이 대두되었다.

③ 효과성은 수단적·과정적 측면에 중점을 두는 반면에 능률성은 목표의 달성도를 중시한다.

④ 합법성은 법률적합성, 법에 의한 행정, 법에 근거한 행정, 즉 법치행정을 의미한다. 합법성을 지나치게 강조한 경우 수단가치인 법의 준수가 강조되어 목표의 전환(displacement of goal), 형식주의를 가져올 수 있다.

행정이 추구하는 가치에 대한 설명으로 옳은 것을 〈보기〉에서 모두 고른 것은?

보기

ㄱ. 효과성을 추구하는 과정에서 능률성의 희생이 발생될 수 있다.
ㄴ. 민주성은 국민과의 관계뿐만 아니라 정부 관료제 내부의 의사결정 과정의 두 가지 측면에서 논의된다.
ㄷ. 절차적 합리성은 목표에 비추어 적합한 행동이 선택되는 정도를 의미한다.
ㄹ. 투명성은 정보공개뿐만 아니라 정보에 대한 접근권까지 포함하는 개념이다.
ㅁ. 제도적 책임성은 자율적이고 적극적인 행정책임을 의미한다.

① ㄱ, ㄷ, ㅁ   ② ㄴ, ㄷ, ㅁ

③ ㄱ, ㄴ, ㄹ   ④ ㄴ, ㄷ, ㄹ

Diesing이 말하는 합리성의 유형에 관한 설명으로 옳지 않은 것은?

① 기술적 합리성이란 경쟁상태에 있는 목표를 어떻게 비교하고 선택할 것인가의 합리성을 의미한다.

② 법적 합리성이란 대안의 합법성을 나타내는 것으로서, 보편성과 공식적 질서를 통해 예측가능성을 높이는 합리성을 의미한다.

③ Diesing은 정치적 합리성을 의사결정구조의 합리성과 동일시하고, 정책결정에 있어 가장 비중이 크다고 보았다.

④ 사회적 합리성이란 사회구성원 간의 조정과 조화된 통합성을 의미하며, 이는 Diesing의 합리성 유형 중 목표·수단 분석 등으로 설명되지 않는 가장 비합리적인 유형에 해당한다.

03

③ 능률성은 투입 대비 산출의 비율로 수단적·과정적 측면에 중점을 두는 반면 효과성은 목표에 대한 산출의 비율로 목표의 달성도를 중시하며 기능적·결과적 측면에 중점을 둔다.

① 디목은 인간 가치의 충족과 사회 목적의 실현 및 다원적 이익의 통합 등을 중시하는 인간적 능률의 의미인 사회적 능률성을 제시하였는데 이는 행정이 인간과 사회를 위해 산출을 극대화하고 그 산출이 인간과 사회의 만족에 기여하는 것을 의미하는 개념이다.

② 민주성은 1930년대 인간관계론과 정치행정일원론자에 의해 제창된 것으로 사회적 능률이라는 개념이 발전된 것이다.

④ 합법성은 행정은 법에 근거를 두고 법에 의해 규제됨으로써 법을 떠난 자의적 행정이 허용되어서는 안 된다는 법치행정의 개념으로, 이를 지나치게 강조할 경우 소극적 법규만능주의, 목표전환, 경직성 등을 초래할 수 있다.

04

③ ㄱ, ㄴ, ㄹ이 옳은 지문이다.

ㄱ. [O] 능률성은 투입대비 산출의 비율을 의미하고, 효과성은 목표 달성도를 의미하는데 이를 추구하는 과정에서 양자는 서로 상충될 수 있다.

ㄴ. [O] 민주성에는 국민의 의사를 존중하는 대외적 민주성과 정부 관료제 내부의 의사결정과정에 공무원을 참여시키는 대내적 민주성이 있다.

ㄹ. [O] 투명성은 국민에 대한 정보를 공개하고 접근성을 보장하는 것을 주목적으로 삼는다.

ㄷ. [X] 내용적 합리성은 목표에 비추어 적합한 행동이 선택되는 정도를 의미한다.

ㅁ. [X] 비제도적 책임성은 자율적이고 적극적인 행정책임을 의미한다.

05

① 기술적 합리성이란 주어진 목표를 가장 잘 달성할 수 있는 수단을 찾는, 가장 고유한 의미의 합리성이다. 한편 경쟁상태에 있는 목표를 어떻게 비교하고 선택할 것인가의 합리성은 경제적 합리성이다.

② 법적 합리성은 대안들의 합법적인 정도를 의미한다.

③ Diesing은 정치적 합리성을 정책결정에 있어 가장 비중이 높으며, 영향력이 크다고 보았다.

④ 사회적 합리성이란 사회구성원 간의 조정과 조화된 통합성을 의미하는 것으로 목표·수단의 분석이나 비용·효과의 비교개념으로는 설명되지 않는 비합리적인 유형이다.

포인트 정리

P.Diesing의 합리성

기술적 합리성	최소의 노력으로 최대의 목표달성이 가능한 수단의 채택
법적 합리성	법적 논리에 적합한 의사결정과 행위
정치적 합리성	정책결정구조 및 과정의 합리성, 다수결의 원리
경제적 합리성	비용과 편익을 측정, 비교하여 대안의 우선순위를 결정
사회적 합리성	사회구성 요소 간 통합과 조정, 갈등해결 장치의 보유

정답

03 ③ 04 ③ 05 ①

06 효과성 평가모형 중 퀸과 로보그(Quinn & Rohrbaugh)의 경합가치모형에 관한 다음의 설명 중 적절하지 못한 것은?

2014 서울 7급

① 조직이 내부·외부 중 어디에 초점을 두고 있는지와 조직구조가 통제와 융통성 중 어떤 것을 강조하는지를 기준으로 조직효과성에 관한 네 가지 경쟁모형을 도출하였다.

② 조직의 내부에 초점을 두고 융통성을 강조하는 경우의 효과성 평가유형은 인간관계모형이다.

③ 개방체제모형은 조직의 외부에 초점을 두며 융통성을 강조하는 경우의 평가유형이다.

④ 조직의 외부에 초점을 두고 통제를 강조하는 경우 성장 및 자원 확보를 목표로 하게 된다.

⑤ 조직의 내부에 초점을 두고 통제를 강조하는 경우 안정성 및 균형을 목표로 하게 된다.

07 다음 중 행정의 가치에 대한 설명으로 옳지 않은 것은?

2014 국회 8급

① 능률성(efficiency)은 일반적으로 '투입에 대한 산출의 비율'로 정의된다.

② 대응성(responsiveness)은 행정이 시민의 이익을 반영하고, 그에 반응하는 행정을 수행해야 한다는 것을 뜻한다.

③ 가외성의 특성 중 중첩성(overlapping)은 동일한 기능을 여러 기관들이 독자적인 상태에서 수행하는 것을 뜻한다.

④ 사이먼(Simon)은 합리성을 목표와 행위를 연결하는 기술적·과정적 개념으로 이해하고, 내용적 합리성(substantive rationality)과 절차적 합리성(procedural rationality)으로 구분하였다.

⑤ 공익에 대한 과정설은 절차적 합리성을 강조하여 적법절차의 준수에 의해서 공익이 보장된다는 입장이다.

08 다음은 행정이념에 관한 설명이다. 옳은 것은 모두 몇 개인가?

2014 해경간부

㉠ 능률성은 오늘날 사회적 의미의 인간관계를 중시하기보다는 기계적인 의미로서 가치중립을 강조하는 쪽으로 나아가고 있다.

㉡ 롤스의 정의론에서 기본적 자유의 평등원리와 차등조정의 원리가 충돌할 때는 차등조정의 원리가 우선한다.

㉢ 공직임용에서 장애인들에게 공직 임용상 일정한 쿼터제를 적용하는 것은 수평적 형평을 확보하는 것이다.

㉣ 선례에 얽매이지 않는 태도는 행정의 수단적 가치 중의 하나인 합리성의 제약요인이다.

---

① 없음   ② 1개

③ 2개   ④ 3개

06

정답 : ④

④ 조직외부에 초점을 두고 통제를 강조하는 모형은 합리적 목표모형으로 생산성이나 능률성을 목표로 하게 된다. 한편 성장과 자원확보를 목표로 하는 모형은 조직외부에 초점을 두고 유연성을 강조하는 개방체제모형에 해당한다.

① 내부(인간)·외부(조직), 통제와 유연이라는 경쟁적 변수로 조직의 효과성모형 분류하였다.

② 인간관계모형은 인간(내부)과 유연성을 중시하였다.

③ 개방체제모형은 조직(외부)과 유연성에 초점을 두었다.

⑤ 내부와 통제를 중시하는 내부과정모형은 안정성을 중시하며 전통적인 위계문화가 나타난다.

경쟁적 가치 조직문화모형
(Quinn과 Rohrbaugh)

구분	외부	내부
통제	합리적 목표모형 • 목표: 생산성, 능률성 • 효과성 기준 : 조직의 생산성, 이윤	내부과정모형 • 목표: 안정성, 통제 • 효과성 기준 : 조직의 안정성과 균형
융통성	개방체제모형 • 목표 : 성장, 자원확보, 환경적응 • 효과성 기준 : 환경과 관계, 조직성장 여부	인간관계모형 • 목표 : 인적자원 개발 • 효과성 기준 : 조직 내 인적 자원의 개발

07

정답 : ③

③ 가외성의 특징으로 동일한 기능을 여러 기관이 공동적으로 집행하는 중첩성(overlapping), 동일한 과업을 별도의 기관에서 독립적으로 수행하는 중복성(duplication), 보조기능을 예비함으로써 주기관이 수행하지 못할 경우 보조기관이 수행하는 등전위성(equipotentiality) 등이 있다.

① 능률성은 투입 대비 산출의 비율을 극대화하는 양적 개념으로, 산출이 목표를 얼마나 충족시켰는지는 고려하지 않는다.

② 대응성 즉, 민주성은 대외적으로는 국민의사를 존중하여 국민의 요구를 수렴하고 이를 행정에 반영함으로써 대응성 있는 행정을 실현하고 국민에게 책임을 지는 책임행정을 구현하는 것이다.

④ 사이먼(Simon)은 합리성을 이성적·인지적 사고작용 판단을 통한 주관적 합리성인 절차적 합리성과 목표달성에 순기능적 행위를 하는 수단적 합리성인 내용적 합리성으로 구분하였다.

⑤ 공익에 대한 과정설은 과정, 제도, 적법절차의 준수를 통해 공익이 보장된다고 보는 입장이다.

08

정답 : ①

① ㉠, ㉡, ㉢, ㉣ 모두 틀린 내용이다.

㉠ [X] 설명이 반대로 되어있다. 능률성은 오늘날 기계적인 의미로서 가치중립의 강조에서 사회적 의미의 인간관계를 중시하는 쪽으로 나아가고 있다.

㉡ [X] 롤스의 정의론에서 기본적 자유의 평등원리와 차등조정의 원리가 충돌할 때는 '기본적 자유의 평등원리'가 우선한다.

㉢ [X] 공직임용에서 장애인들에게 공직 임용상 일정한 쿼터제를 적용하는 것은 '수직적 형평'을 확보하는 것이다.

㉣ [X] 선례에 '집착하는 태도'는 행정의 수단적 가치 중의 하나인 합리성의 제약요인이다.

가외성(redundancy)과 거리가 먼 것은 모두 몇 개인가?

2013 해경간부

가. 감축관리와의 조화 필요
나. 체제의 적응성·경제성 증대
다. 1960년대 정보과학, 컴퓨터 기술, Cybernetics 이론 발달과 함께 논의되고 M.Landau가 행정학에 도입
라. 행정의 효과성·경제성 증대
마. 불확실성에 대한 적극적 대처방안
바. 조직구성원의 정보의 수용범위 한계 극복
사. 행정의 신뢰성·안정성 증대

① 2개   ② 3개
③ 4개   ④ 5개

10 **행정이념에 대한 설명으로 옳지 않은 것은?**

2012 국가 7급

① 19세기 후반 현대 미국 행정학의 태동기에 강조되었던 이념은 민주성과 합법성이었다.
② 효과성은 발전행정론에서 강조된 행정이념으로서 과정보다는 산출 결과에 중점을 둔다.
③ 롤스(J. Rawls)의 정의관은 자유와 평등의 조화를 추구하는 입장으로서 신행정론의 등장 이후 사회적 형평성 논의에 많은 영향을 미쳤다.
④ 민주성과 능률성은 항상 상충되는 것은 아니고 상호 보완적일 수 있다.

11 **〈보기〉 중 효율성(efficiency)에 관한 설명으로 옳은 것은 모두 몇 개인가?**

2012 국회 8급

보기

ㄱ. 사이먼(H. A. Simon)은 기계적 효율성을 대차대조표적 효율성이라고 하면서 성과를 계량화하여 객관적인 기준에 따라 효율성을 평가한다고 보았다.
ㄴ. 사회적 효율성은 1960년대 말 신행정론에서 디목(M. E. Dimok)이 도입한 가치개념이다.
ㄷ. 효율성은 목표의 달성도를 나타내는 개념으로서 비용 내지 투입의 개념이 들어 있지 않다.
ㄹ. 효율성은 어떤 행위가 궁극적인 목표 달성의 최적 수단이 되느냐의 여부를 가리는 개념이다.
ㅁ. 효율성을 이론적으로 뒷받침하는 기준으로는 파레토 최적 상태를 들 수 있는데, 이는 자원배분의 효율성을 의미하지만 분배의 형평성을 확보해주는 것은 아니라는 한계를 지닌다.

① 1개   ② 2개   ③ 3개
④ 4개   ⑤ 5개

09

① 라, 마가 가외성과 거리가 먼 내용이다.

라. [X] 가외성은 행정의 남는 부분, 여분, 초과분을 의미하는 것으로 경제성이나 능률성과는 상반되는 개념이며, 가외성이 0인 상태가 가장 능률적이므로 가외성과 능률성은 서로 충돌한다.

마. [X] 가외성은 불확실한 상황에서의 오류 발생 가능성을 최소화하는 행정가치로, 불확실한 것을 확실하게 해주기보다는 불확실성을 인정하는 소극적 대처방안에 해당한다.

가. [O] 가외성을 고려한 감축관리가 추진되어야 한다.

나. [O] 가외성의 특징인 중첩과 반복은 체제의 적응성 및 대응성을 증진시키고 창조와 개혁을 가능하게 한다.

다. [O] 가외성은 Landau가 주장한 개념으로 불확실성에 대한 실패를 대비하기 위한 장치로 도입하였다.

바. [O] 정보체제의 안전성을 증진시키기 위해서는 정보수집 능력상 한계로 인한 오류를 최소화하여야 한다.

사. [O] 가외성은 위기상황이나 불확실한 상황에서 실패의 확률을 감소시키므로 행정의 신뢰성·안정성·적응성·창조성을 증진시킨다.

10

① 19C 말 고전기 행정학의 태동기에는 행정과 경영을 동일시하고 능률성(산출/투입)을 중요시하였다.

② 개도국 행정의 적극적 역할을 다룬 발전행정에서는 성장과 국가발전목표를 달성하고자 하는 효과성을 중시하였다.

③ Rawls는 공리주의가 다수효용의 극대화를 위하여 소수의 이익의 침해를 묵인하는 것을 비판하며 자유주의적 이론 체계에서 사회주의적 요구를 결합함으로써 자유주의적 평등을 실현하고자 하였다.

④ 민주성과 능률성은 일반적으로 상충 관계이나, 행정 이념들은 항상 갈등 또는 조화 관계에 있는 것이 아니라 관점에 따라 달라질 수 있다.

11

② ㄱ, ㅁ 2개만 옳은 지문이다.

ㄱ. [O] 사이먼은 기계적 효율성을 대차대조표적, 수치적, 금전적 효율성 등과 같은 의미로 보았으며 성과를 계량화하여 객관적인 기준에 따라 효율성을 평가해야 한다고 주장하였다.

ㅁ. [O] 파레토 최적 상태는 자원배분의 효율성을 의미하지만 분배의 형평성이나 목표달성을 확보해 주지 않으므로 대체로 소극적·수단적 이념에 불과하다.

ㄴ. [X] 사회적 효율성은 1940년대 통치기능설에서 디목이 도입한 가치개념이다.

ㄷ. [X] 효과성은 목표의 달성도를 나타내는 개념으로서 비용 내지 투입의 개념이 들어 있지 않다.

ㄹ. [X] 합리성은 어떤 행위가 궁극적인 목표 달성의 최적 수단이 되느냐의 여부를 가리키는 개념이다.

기계적 능률 vs 사회적 능률

구분	기계적 능률	사회적 능률
유사 개념	대차대조표적 능률, 수치적 능률, 금전적 능률, 물리적 능률, 양적 능률, 단기적 능률, 몰가치적 능률, 객관적 능률, 사실적 능률, 좁은 의미의 능률성	인간적 능률, 대내적 민주성, 상대적 능률, 장기적 능률, 발전적 능률, 가치적 능률, 질적 능률, 합목적적 능률, 넓은 의미의 능률성
행정 이론	과학적 관리론, 관료제 이론	인간관계론, 통치기능설
대표 학자	Gulick	E.Mayo, M.E.Dimock

정답

09 ① 10 ① 11 ②

다음 글의 (   ) 안에 들어갈 내용으로 옳은 것은?

2010 경정승진

> 순수합리성은 완전분석적 합리모형에서 전제하고 있는 합리성이다. 이 순수합리성이 여러 요인에 의해 제약됨으로써 합리성이 왜곡된다. 의사결정자의 인지능력상 제약으로 인해 왜곡되어 나타나는 합리성이 바로 (㉠)의 합리성이다. 인지능력의 제약에 더하여 또 다시 정치적 상황 때문에 합리성은 더 심하게 왜곡된다. 이것이 바로 (㉡)의 점증주의에서의 합리성이다. 나아가 사회의 구조적모순 때문에 나타나는 근원적 왜곡까지 더 추가된 것이 (㉢)의 합리성이다.

	㉠	㉡	㉢
①	사이먼(Simon)	에치오니(Etzioni)	엘리슨(Allison)
②	린드블럼(Lindblom)	드로어(Dror)	트루먼(Truman)
③	사이먼(Simon)	린드블럼(Lindblom)	하버마스(Habermas)
④	앨리슨(Allison)	트루먼(Truman)	에치오니(Etzioni)

13
합리성에 대한 설명으로 옳지 않은 것은?

2008 서울 9급

① Weber는 관료제를 형식적 합리성의 극치로 설명하고 있다.
② 개인적 합리성의 추구가 반드시 집단적 합리성으로 연결되는 것은 아니다.
③ 합리성은 본질적 행정가치보다는 수단적 행정가치에 포함된다.
④ Simon의 절차적 합리성은 목표에 비추어 적합한 행동이 선택되는 정도를 의미한다.
⑤ Diesing의 기술적 합리성은 목표와 수단 사이에 존재하는 인과관계의 적절성을 의미한다.

CHAPTER 12 최신 행정이념, 이념 간 조정

실질적 력(역량) 업그레이드

01
아래 두 법률 제1조(목적)의 빈칸에 공통으로 들어갈 행정이념을 차례대로 옳게 연결한 것은?

2021 군무원 7급

> **국가공무원법**
> 제1조(목적) 이 법은 각급 기관에서 근무하는 모든 국가공무원에게 적용할 인사행정의 근본 기준을 확립하여 그 공정을 기함과 아울러 국가공무원에게 국민 전체의 봉사자로서 행정의 ○○○이며 □□□인 운영을 기하게 하는 것을 목적으로 한다.
>
> **지방공무원법**
> 제1조(목적) 이 법은 지방자치단체의 공무원에게 적용할 인사행정의 근본 기준을 확립하여 지방자치행정의 ○○○이며 □□□인 운영을 도모함을 목적으로 한다.

① 합법적, 민주적   ② 합법적, 중립적
③ 민주적, 중립적   ④ 민주적, 능률적

12

정답 : ③

③ ㉠ 사이먼(Simon), ㉡ 린드블롬(Lindblom), ㉢ 하버마스(Habermas)의 입장이다.

㉠ 사이먼의 합리성은 의사결정자의 인지능력상 제약으로 인해 왜곡되어 나타나는 합리성이다.

㉡ 린드블롬의 점증주의에서의 합리성은 인지능력의 제약과 더불어 다시 정치적 상황 때문에 더 심하게 왜곡되는 합리성이다.

㉢ 하버마스의 합리성은 사회의 구조적 모순 때문에 나타나는 근원적 왜곡까지 더 추가된 합리성이다.

13

정답 : ④

④ 목표에 비추어 적합한 행동이 선택되는 정도는 Simon의 내용적 합리성에 대한 설명이다. 한편 절차적 합리성은 인간의 인지능력에 입각한 합리성을 의미한다.

① 막스 베버는 이론적 합리성, 실천적 합리성, 실질적 합리성, 형식적 합리성으로 분류하였는데, 특히 관료제를 형식적 합리성의 극치로 설명하면서 가장 이상적·합리적 조직이라고 주장하였다.

② 공유지의 비극이나 죄수의 딜레마 등 시장실패 현상과 관련되는 것으로 개인적 합리성의 추구가 반드시 집단적 합리성이나 사회전체적 합리성으로 연결되는 것은 아니다.

③ 합리성은 목적·수단의 연쇄관계를 전제로 어떤 행위가 궁극의 목적 달성에 최적 수단이 되느냐를 의미하는 것으로 목적 실현을 가능하게 하는 수단적 가치에 해당한다.

⑤ 목표와 수단 사이에 존재하는 인과관계의 적절성을 의미하는 것은 Diesing의 기술적 합리성이다.

01

정답 : ④

④ ○○○은 민주적, □□□은 능률적이 들어가야 한다.

제시문에 따르면 국가공무원법, 지방공무원법에서 인사행정을 민주적이며 능률적인 운영을 도모하는 것을 근본 목적으로 한다고 제시하고 있으므로 민주성과 능률성을 기본적인 행정가치로 삼는다고 할 수 있다.

> **국가공무원법 제1조(목적)** 이 법은 각급 기관에서 근무하는 모든 국가공무원에게 적용할 인사행정의 근본 기준을 확립하여 그 공정을 기함과 아울러 국가공무원에게 국민 전체의 봉사자로서 행정의 민주적이며 능률적인 운영을 기하게 하는 것을 목적으로 한다.
> **지방공무원법 제1조(목적)** 이 법은 지방자치단체의 공무원에게 적용할 인사행정의 근본 기준을 확립하여 지방자치행정의 민주적이며 능률적인 운영을 도모함을 목적으로 한다.

포인트 정리

Simon의 합리성

내용적 합리성	• 경제학적 개념(목표성취에의 기여 여부) • 결과적 · 객관적 합리성 • Simon은 인간의 인지능력상 한계로 인하여 내용적 합리성을 포기함
절차적 합리성	• 심리학적 개념(인지력과 결부된 합리성) • 주관적 · 과정적 · 제한적 합리성 • 결과보다는 인지적 · 지적 과정을 중시 • 만족모형에서 중시한 합리성

> **정답**
> 12 ③ 13 ④ 01 ④

퍼트남(R. Putnam)이 제시한 사회자본론과 관련하여 옳지 않은 것은?

2021 경찰간부

① 이탈리아 지방정부의 제도적 성과와 관련하여 남부의 성공하지 못한 지역과 북부의 성공적인 지역을 비교 연구한 결과이다.

② 사회자본의 구성요소로 신뢰, 사회적 네트워크, 지역 금융이 있다.

③ 사회자본은 스스로 창출되면서도 오랜 기간에 걸쳐 구축되고 나면 짧은 기간 내에 쉽게 사라지지 않는 성격을 지닌다.

④ 사회자본이란 참여자들이 공동목적을 추구하기 위해 효율적으로 일을 함께 할 수 있도록 만드는 조건을 의미한다.

03 **사회적 자본(social capital)에 대한 설명으로 옳은 것을 〈보기〉에서 모두 고른 것은?**

2019 서울 7급(2월)

> **보기**
>
> ㄱ. 퍼트남(R. Putnam)은 사회적 자본에 있어 네트워크, 규범, 신뢰를 강조하였다.
> ㄴ. 사회적 자본이 형성되는 경우 거래비용 감소의 긍정적 효과가 있다.
> ㄷ. 사회적 자본은 조정과 협동을 용이하게 만든다.
> ㄹ. 세계은행은 개발도상국 개발사업에 사회적 자본개념을 활용하고 있다.
> ㅁ. 후쿠야마(F. Fukuyama)는 한국사회에 만연한 불신은 사회적 비효율성의 원인이라고 하였다.

① ㄱ, ㄷ, ㅁ

② ㄱ, ㄹ, ㅁ

③ ㄱ, ㄴ, ㄷ, ㅁ

④ ㄱ, ㄴ, ㄷ, ㄹ, ㅁ

04 **행정이론의 패러다임과 추구하는 가치를 바르게 연결한 것은?**

2018 지방 9급

① 행정관리론 – 절약과 능률성

② 신행정론 – 형평성과 탈규제

③ 신공공관리론 – 경쟁과 민주성

④ 뉴거버넌스론 – 대응성과 효율성

02

정답 : ②

② 사회자본의 구성요소로 신뢰, 네트워크, 규범이 있으며, 사회자본은 물적·인적 자본과는 구분되는 것으로 금융이나 소득 등은 사회적 자본과 관련이 없다.

① 퍼트남은 이탈리아의 지방정부를 사례로 연구하면서 북부지방은 성공을 거둔 반면 남부지방은 사회적 자본이 취약하여 실패한 사실을 발견하였고 이를 통해 사회적 자본이 거시적 측면에서 제도적 성과나 효율성을 제고한다고 보았다.

③ 사회자본은 사회구성원들이 신뢰와 협력을 바탕으로 공동의 문제를 해결하는데 자발적·적극적으로 참여하는 것으로, 단기간에 구축되지 않으며 한번 구축되고 나면 쉽게 사라지지 않는 지속성을 특징으로 한다.

④ 사회자본은 참여자들이 공동목적을 추구하기 위해 효율적으로 일을 함께 할 수 있도록 함으로써 거시적 차원에서 구성원 모두가 공유하는 공공재적 속성을 갖는다.

03

정답 : ④

④ ㄱ, ㄴ, ㄷ, ㄹ, ㅁ 모두 옳은 내용이다.

ㄱ. [O] 퍼트남은 이탈리아 지방정부 연구를 통해 사회자본을 사회구성원 상호간의 이익을 위해 조정 및 협동을 촉진하는 규범, 신뢰, 네트워크로 정의하였다.

ㄴ. [O] 사회적 자본은 높은 수준의 신뢰를 가지므로 사회적 관계에서의 거래비용이 낮아진다는 효과가 있다.

ㄷ. [O] 사회적 자본은 사회구조와 네트워크 내에서 개인 간의 협동을 촉진하고 신뢰와 협력을 바탕으로 조정을 용이하게 한다.

ㄹ. [O] 사회적 자본은 사회구성원 간의 협력적 행위를 촉진하여 사회적 효율성을 증진시키는 효과가 있으므로 세계은행은 사회적 자본의 개념을 정의하고 이를 실증적으로 측정하기 위한 연구를 수행하고 있다.

ㅁ. [O] 후쿠야마는 사회적 자본은 사회적 신뢰에서 생성된다고 보고 이를 국가경쟁력을 좌우하는 중요한 요소라고 하였으며 한국, 중국, 프랑스 등을 사회적 자본이 모자라는 저신뢰 사회로 보았다.

04

정답 : ①

① 행정관리론은 행정과 정치를 분리하고 행정을 제정된 법령이나 이미 결정된 정책을 능률적으로 관리·집행하는 관리기술로 보았으며 기계적 능률성을 추구한다.

② 신행정론은 형평성과 참여를 중시하는 이론으로, 1960년대 말 미국 격동기의 사회혼란을 해결하기 위하여 형평성을 주장함으로써 도입되었다. 한편 탈규제는 신공공관리론이 추구하는 가치이다.

③ 신공공관리론은 경쟁과 생산성을 추구하는 이론으로, 시장의 경쟁원리와 기법을 통해 효율성과 성과를 중시하였다. 한편 민주성은 주로 통치기능설에서 중시한다.

④ 뉴거버넌스론은 정부와 기업, 시민사회의 협동을 강조하였으며 민주성과 대응성을 중시하였다.

포인트 정리

사회적 자본의 속성과 특징

- 자발적 네트워크 → 수평적·협력적·가변적·상향적
- 호혜주의
- 상호신뢰
- 친사회적 사회규범
- 공동체주의
- 정치·경제발전의 윤리적 기반

정답

02 ② 03 ④ 04 ①

05 다음의 사회적 자본이론에 대한 내용 중 가장 옳지 않은 것은? 2015 경찰간부

① 사회학적 시각에서는 사회적 자본의 출현에 필요한 조건으로서 연결이나 관계를 강조한다.

② 사회적 자본의 순기능으로는 신뢰를 통해 거래비용을 감소시키는 효과를 들 수 있다.

③ 사회적 자본은 사회적 제재 메커니즘을 제공하며, 상호간 소망스러운 행위를 유도한다.

④ 지역사회와 집단에의 참여는 반드시 동조성(conformity)에 대한 요구를 창출하고, 이로 인해 개인의 사적자유는 더 보장받게 된다.

06 사회자본의 특징에 대한 설명으로 옳지 않은 것은? 2014 서울 7급

① 사회자본은 행위자들 간의 관계 속에 존재하는 자본이다.

② 사회자본의 사회적 교환관계는 동등한 가치의 등가교환이다.

③ 사회자본은 지속적인 교환과정을 거쳐서 유지되고 재생산된다.

④ 사회자본은 거시적 차원에서 공공재의 속성을 가지고 있다.

⑤ 사회자본의 교환은 시간적으로 동시성을 전제로 하지 않는다.

07 정부는 지속가능한 사회를 구축하기 위해 사회자본(social capital)을 형성해야 하는 중요한 역할을 담당한다. 이와 같이 정부가 사회자본을 형성하기 위한 전략으로 적절하지 않은 것은? 2013 서울 7급

① 시민참여가 보다 수평적으로 이루어져야 한다.

② 정부에 대한 시민의 신뢰를 회복시키려는 노력을 해야 한다.

③ 법적 제도의 공정성과 효율성을 확립시켜야 한다.

④ 자발적 조직들 간의 연계망을 확대하기 위한 지원을 강화해야 한다.

⑤ 집단행동의 딜레마를 해결하려면 수직적 네트워크를 강화해야 한다.

05

정답 : ④

④ 사회적 자본에 의한 지역사회와 집단에의 참여는 동조성(conformity)을 유발하게 하고, 이로 인해 개인의 사적 선택의 자유는 보장받지 못하게 된다.

06

정답 : ②

② 사회적 자본의 교환관계는 등가물의 동시적 교환이 아니다. 등가물의 동시적 교환은 경제적 자본의 거래방식이다.

① 사회적 자본은 사회적 관계 속에서 형성되는 자본이다.

③ 사회적 자본은 사용하지 않으면 줄고 사용하면 할수록 늘어나기 때문에 소유주체가 이를 유지하려는 노력을 지속적으로 해야 한다.

④ 사회적 자본도 거시적으로는 공적 자원이다.

⑤ 사회적 자본은 경제적 자본처럼 동일한 가치를 지닌 물건을 동시에 맞교환하는 등가물의 동시적 교환이 아니다.

07

정답 : ⑤

⑤ 집단행동의 딜레마를 해결하려면 수평적 네트워크를 강화해야 한다.

① 사회 구성요소 간 수평적 관계가 매우 중요하므로 시민참여가 수평적으로 이루어져야 한다.

② 사회자본은 구성원 간의 신뢰를 전제로 하므로 정부에 대한 시민의 신뢰를 회복시키려는 노력이 필요하다.

③ 법, 제도의 공정성과 효율성의 확립은 국민의 정부에 대한 신뢰 수준을 높여 사회자본 형성에 기여하는 전략이 될 수 있다.

④ 자발적 조직간 연계망 또는 네트워크의 형성 그 자체가 사회자본의 형성과 관련된다.

🔍 포인트 정리

사회적 자본의 순기능과 역기능

순기능	• 참여자들의 공동 소유 자산 (배타적인 소유권 행사 불가) • 참여자들이 서로 협력(혁신적 조직발전) • 신뢰제고에 따른 거래비용 감소, 가외성 필요성 감소 • 사회적·도덕적 규범으로 제재력 발휘
역기능	• 동조성의 요구로 개인의 사적 선택 제약 • 집단결속으로 타 집단과의 관계에서 부정적 효과 초래 우려 • 거래 및 형성과정이 불확실·불투명 • 측정의 기술적 곤란

정답

05 ④ 06 ② 07 ⑤

08 사회자본(social capital)에 대한 설명으로 옳지 않은 것은? 2011 국가 7급

① 부르디외(P. Bourdieu)는 서로 알고 지내는 사이에 지속적으로 존재하는 관계의 네트워크를 통하여 얻을 수 있는 실제적이고 잠재적인 자원의 합계로 정의하였다.

② 사회자본은 물적자본 및 인적자본과는 구분되는 자본으로 사회적 관계 속에 존재하는 것이다.

③ 사회자본은 사용할수록 점차 감소하기 때문에 소유주체가 지속적으로 유지하려는 노력을 투입해야 한다.

④ 후쿠야마(F. Fukuyama)는 국가의 복지수준과 경쟁력은 사회에 내재하는 신뢰수준이 결정한다고 보았다.

CHAPTER 13 행정학 성립과 접근법

실질적 력(역량) 업그레이드

01 행정학의 기술성과 과학성에 대한 설명으로 옳지 않은 것은? 2020 군무원 9급

① 왈도(D. Waldo)가 'practice'란 용어로 지칭한 기술성은 정해진 목표를 어떻게 효율적으로 달성하는가 하는 방법을 의미한다.

② 윌슨(W. Wilson) 등 초기 행정학자들은 관리기술이나 행정의 원리 등을 발견하려는 데 초점을 두고 행정학의 기술성을 강조하였다.

③ 행태주의 학자들은 행정학 연구에서 처방보다는 학문의 과학화에 역점을 두고 가설의 경험적 검증 등을 강조했다.

④ 현실 문제의 해결은 언제나 과학에만 의존할 수 없으므로 행정학은 기술성과 과학성을 동시에 고려하여야 한다.

02 공무원 개인의 가치와 태도를 토대로 하여 공직사회 전체의 부패정도를 설명할 때 발생되는 오류는? 2019 경찰간부

① 분할의 오류   ② 표본추출 오류

③ 합성의 오류   ④ 통계적 회귀 오류

08

정답 : ③

③ 사회자본은 사용할수록 감소하는 인적·물적 자본과 달리 사용할수록 점차 증가하는 포지티브-섬의 특징을 지닌다.

① 부르디외는 사회자본을 미시적으로 접근하였으며, 행위자가 네트워크를 통해 얻을 수 있는 능력이나 실제적·잠재적 자산의 집합체로 보았다.

② 사회자본은 인적·물적 자원과 구분되는 것으로 사회적 관계 속에서 존재하는 자본이다.

④ 후쿠야마는 사회자본을 구성원 간 협력을 가능하게 하는 한 집단의 회원들 사이에 공유된 비공식적인 가치, 규범, 신뢰라고 보면서 국가의 복지수준과 경쟁력은 사회에 내재하는 사회자본이 결정한다고 주장하였다.

01

정답 : ①

① 왈도(D. Waldo)가 'art' 또는 'professional'이란 용어로 지칭한 기술성은 행정의 활동 자체를 처방하고 치료하는 행위를 의미한다. 한편 사이먼이 'practice'란 용어로 지칭한 기술성은 정해진 목표를 어떻게 효율적으로 달성하는가 하는 방법을 의미한다.

② 윌슨 등 초기 행정학자들은 관리기술이나 행정의 원리를 발견하려는데 초점을 두었고 이에 따라 기술성이 자연스레 강조되었다.

③ 행태주의 학자들은 행정학 연구에서 처방성보다는 과학성에 초점을 두고 논리실증주의와 가설의 경험적 접근 등을 강조하였다.

④ 행정학은 기술성과 과학성을 동시에 고려하여야 한다.

02

정답 : ③

③ 합성의 오류란 부분의 합이 전체와 일치하지 않는 것을 말한다. 이는 개별 공무원의 행태를 분석하여 공무원 사회 전체의 부패정도를 설명할 때 발생되는 오류이다.

① 분할의 오류(생태론적 오류)는 어떤 대상에 대하여 집단적으로 적용할 수는 있어도 이것을 그 부분이나 구성요소에 적용하면 옳지 못한 경우를 말한다. 공무원 사회의 부패를 분석하여 개별 공무원의 행태를 설명할 때 발생되는 오류이다.

정답
08 ③ 01 ① 02 ③

윌슨(W. Wilson)의 행정의 연구(The Study of Administration)에 대한 설명으로 가장 옳지 않은 것은?

2019 서울 7급(2월)

① 19세기 말엽 미국 정부의 규모가 그 이전과 비교도 안 될 정도로 커지고, 행정의 수요가 급증한 상황에서 행정학 연구의 중요성을 역설하였다.

② 19세기 말엽 미국 내 정경유착과 보스 중심의 타락한 정당정치로 인하여 부패가 극심한 상황에서 행정이 정치로부터 독립해야 한다고 주장하였다.

③ 윌슨은 행정의 전문성을 강조하면서, 정치와 행정의 분리와 함께 행정의 영역(field of administration)을 비즈니스의 영역(field of business)으로 규정하기도 하였다.

④ 윌슨은 행정의 본질을 의사결정과 이에 따른 집행의 효과성을 높이는 것으로 파악하고 있으며, 근본적으로 효율적인 정부가 되어 돈과 비용을 덜 들여야 한다고 주장하고 있다.

04 미국의 관리과학으로서 주류행정학에 대한 설명으로 가장 옳지 않은 것은?

2018 서울 7급(3월)

① 1920년대와 30년대의 미국 행정학은 능률에 기초한 관리를 주장하였다.

② 미국 태프트위원회에서 사용한 절약과 능률은 행정관리의 성과를 평가하는 가치 기준이 됐다.

③ 브라운위원회에서 제시된 능률적인 관리활동은 POSDCoRB로 집약된다.

④ 관리과학으로서 주류행정학은 대공황과 뉴딜(New Deal)정책 이후에도 미국 행정학에서 지배적인 자기 정체성을 유지했다.

05 행정학의 발달에서 〈보기 1〉의 인물과 〈보기 2〉의 주장한 내용을 바르게 연결한 것은?

2017 지방 9급(추)

보기 1

ㄱ. 리그스(F. Riggs) ㄴ. 가우스(J. Gaus)
ㄷ. 화이트(L. White) ㄹ. 사이먼(H. Simon)

보기 2

A. 행정이론은 동시에 정치이론을 의미한다.
B. 조직의 최고관리층은 기획, 조직, 인사, 지휘, 조정, 보고, 예산 기능을 담당한다.
C. 정치와 행정의 관계는 연속적이기 때문에 양자를 구별하는 것은 적절하지 않다.
D. 원리주의의 원리들은 과학적인 실험을 거치지 않은 격언(proverb)에 불과하다.

① ㄱ - A   ② ㄴ - B
③ ㄷ - C   ④ ㄹ - D

03

④ 월슨은 행정의 본질을 의사결정이 아닌 이미 형성된 법과 정책을 구체적인 상황에 적용하고 관리, 집행하는 것으로 파악하고 있으며, 근본적으로 효율적인 정부가 되어 돈과 비용을 덜 들여야 한다고 주장하고 있다.

① 월슨은 행정학 연구의 중요성을 역설하면서 유럽의 선진행정을 연구하고 도입하는데 힘써 미국 행정학의 학문적 체계를 연구하였다.

② 행정의 비능률과 부패를 초래한 정치로부터 독립된 능률적 행정을 주장하였다.

③ 행정의 본질을 '관리와 경영의 영역', '전문적·기술적 영역'으로 규정하고, 행정이란 정치가들에 의해 결정된 것을 효율적으로 집행하고 관리하는 것으로 보았다.

04

정답 : ④

④ 관리과학으로서의 주류행정학은 대공황과 뉴딜(New Deal)정책 이후에는 통치기능설(정치행정일원론)이 등장함으로써 퇴조하게 되었다.

① 1920년대와 30년대의 행정관리주의는 능률에 기초한 관리를 주장하였다.

② 미국의 Taft위원회에서는 절약과 능률에 관한 행정개혁을 강조하였다.

③ 1937년 미국의 브라운로우 위원회의 위원이었던 귤릭이 제시한 것으로 능률적인 행정의 원리를 POSDCoRB로 제시하였다.

05

정답 : ④

④ ㄹ-D가 옳은 지문이다.

D-ㄹ. [O] 행정관리설에서 주장하는 과학적 원리는 경험적 검증을 거치지 않은 격언에 불과하다고 비판하면서 원리들은 서로 모순된다고 주장한 학자는 사이먼이다.

A-ㄴ. [X] 행정이론은 동시에 정치이론을 의미한다고 주장한 학자는 가우스이다.

B. [X] 조직의 최고관리층은 기획, 조직, 인사, 지휘, 조정, 보고, 예산 기능을 담당한다(POSDCoRB)고 주장한 학자는 귤릭과 어윅이다.

C. [X] 애플비는 정치와 행정의 관계는 연속적이기 때문에 양자를 구별하는 것은 적절하지 않다고 주장한 학자는 애플비이다.

ㄱ. [X] 리그스는 농업사회와 산업사회라는 이원적 생태론을 제시하였고 이후 프리즘적 모형은 신생국(개발도상국) 행정을 연구하는데 적합한 모형이라고 주장하였다.

ㄷ. [X] 화이트는 행정은 사람과 물자를 관리하는 것이라고 주장하였다.

정답
03 ④ 04 ④ 05 ④

미국 행정이론의 발달과정에 대한 설명으로 가장 옳지 않은 것은? 2017 서울 7급

① 19세기 이후 엽관제의 비효율 극복을 위해 제퍼슨–잭슨 철학에 입각한 진보주의 운동과 행정의 탈정치화를 강조한 정치–행정이원론이 전개되었다.

② 1930년대 경제대공황 이후 행정권의 우월화 현상을 인정한 정치–행정일원론이 등장하였다.

③ 비교행정론의 대표적 학자 리그스(F.W.Riggs)의 프리즘적 모형은 농경국가도 산업국가도 아닌 제3의 국가형태인 개발도상국을 연구하는 데 적합하다.

④ 1968년 미노부르크 회의(Minnowbrook Conference)는 행정의 적실성, 사회적 형평성 등을 강조한 '신행정학'의 탄생에 영향을 주었다.

다음 중 행정학과 관련된 학자에 대한 설명으로 가장 옳지 않은 것은? 2016 서울 7급

① 굿노(F. J. Goodnow)는 행정은 국가의 의지를 실천하는 것이라고 주장하였다.

② 테일러(F. W. Taylor)는 시간과 동작에 관한 연구를 통해 최선의 방법(one best way)을 추구하였다.

③ 사이먼(H. A. Simon)은 행정 원리의 보편성과 과학성을 강조하였다.

④ 귤릭(L. H. Gulick)은 POSDCoRB를 통해 능률적인 관리 활동방법을 제시하였다.

행정학의 접근방법에 대한 설명으로 옳은 것은? 2015 국가 9급

① 법률적·제도론적 접근방법은 공식적 제도나 법률에 기반을 두고 있기 때문에 제도 이면에 존재하는 행정의 동태적 측면을 체계적으로 파악할 수 있다.

② 행태론의 접근방법은 후진국의 행정현상을 설명하는데 크게 기여했으며, 행정의 보편적 이론보다는 중범위이론의 구축에 자극을 주어 행정학의 과학화에 기여했다.

③ 합리적 선택 신제도주의는 방법론적 전체주의(holism)에, 사회학적 신제도주의는 방법론적 개체주의(individualism)에 기반을 두고 있다.

④ 신공공관리론은 기업경영의 원리와 기법을 그대로 정부에 이식하려고 한다는 비판을 받는다.

06

정답 : ①

① 19세기 이후 엽관제의 폐단을 극복하기 위해 Pendleton 법이 제정되고, Wilson 등이 진보주의 개혁운동을 주도하였다. 한편 Jackson은 엽관주의를 주장하였던 대통령이다.

② 1930년대 경제대공황을 계기로 사회문제를 해결하기 위해 행정의 적극적인 역할이 필요하다고 보는 통치기능설이 대두되었으며, 이는 행정의 우월성을 인정한 행정우위의 정치·행정일원론적 성격이다.

③ 리그스는 비교행정론의 대표학자로 프리즘적인 모형은 개발도상국을 연구하는 데 적합한 모형이라고 보았다.

④ 1968년 미노부르크 회의(Minnowbrook Conference)는 기존 행정이론의 한계와 정체성 문제를 제기하면서 적실성, 참여, 가치, 사회적 형평성 등에 기초한 행정학의 독자적 주체성을 강조하였고 이는 신행정학 이론의 배경이 되었다.

07

정답 : ③

③ 사이먼은 행정원리는 검증되지 않은 격언에 불과하다고 비판하면서, 행정원리의 보편성과 과학성은 허구에 불과하다고 보았다.

① Goodnow는 행정은 국가의 의지를 실천하는 것이라고 주장하면서, 정치행정이원론을 주장하였다.

② Taylor는 시간 및 동작연구를 통해 유일 최선의 방법을 추구할 수 있다고 주장하였다.

④ Gulick은 행정관리설에 입각하여 절약과 능률을 강조하면서 관리방안으로 POSDCoRB를 제시하였다.

08

정답 : ④

④ 신공공관리론은 시장만능주의에 입각하여 정부와 기업을 동일시하면서 정부부문에 기업경영원리와 기법을 그대로 이식하려 한다는 비판을 받는다.

① 법률적·제도론적 접근방법은 구제도론에 해당하는 것으로 구제도론은 정태적, 규범적, 도덕적 제도를 중시하는 것으로 동태적 측면을 파악하기 곤란하다.

② 후진국의 행정현상을 설명하는 데 크게 기여하고, 행정의 보편적 이론보다 중범위이론의 구축에 자극을 주어 행정학의 과학화에 기여한 이론은 생태론이다. 한편 행태론은 가치와 사실을 분리하고, 검증이 가능한 사실만을 과학적으로 연구하는 것으로 행정연구의 과학화에 기여하였으나 후진국에 적용이 곤란하다는 단점이 있다.

③ 합리적 선택 신제도주의는 방법론적 개체주의에, 사회학적 신제도주의는 방법론적 전체주의에 해당한다.

정답
06 ① 07 ③ 08 ④

행정학의 주요 접근방법과 그 내용을 연결한 것으로 옳지 않은 것은?

2013 행정사

① 뉴거버넌스론 – 로즈(R.A.W.Rhodes)–민관협력 네트워크

② 생태론 – 리그스(F.W.Riggs)–행정체제의 개방성

③ 공공선택론 – 오스트롬(V.Ostrom)–정치·경제학적 연구

④ 후기행태주의 – 이스턴(D.Easton)–가치중립적·과학적 연구 강조

⑤ 신공공관리론 – 오스본(D.Osborne)과 게블러(T.Gaebler)–기업가적 정부

10 **다음은 행정학의 접근방법 중 하나를 설명하고 있다. 아래 설명에 가장 가까운 접근방법은?**

2008 서울 9급

> • 각종 정치·행정제도의 진정한 성격과 그 제도가 형성되어온 특수한 방법을 인식하는 수단을 제공한다.
> • 그 결과 이들 연구는 일종의 사례연구가 된다.
> • 소위 발생론적 설명(genetic explanation)방식을 주로 사용하게 된다.

① 법률적·제도론적 접근방법

② 관리기능적 접근방법

③ 생태론적 접근방법

④ 역사적 접근방법

⑤ 행태론적 접근방법

11 **행정학의 접근법과 학문적 성격에서 기술성과 과학성, 특수성과 보편성, 가치판단 불가피성과 가치중립성으로 나눌 때 서로 연관된 것끼리의 조합이 올바른 것은?**

2008 경남 9급

① 기술성–보편성–가치중립성

② 과학성–특수성–가치판단 불가피성

③ 기술성–특수성–가치판단 불가피성

④ 과학성–보편성–가치판단 불가피성

09

④ 후기행태주의를 행정학에 도입한 D.Easton은 가치중립적이고 과학적인 연구를 강조하는 행태주의를 비판하였다.

① 로즈(R.A.W.Rhodes)는 새로운 거버넌스의 유형으로 최소국가, 신공공관리, 좋은 거버넌스, 사회적 인공지능체계, 자기조직화 네트워크, 기업적 거버넌스를 제시하였다.

② 리그스(F.W.Riggs)의 비교행정론(생태론적 접근방법)은 행정연구에 있어 개방적·거시적 안목을 제공하였으나 행정환경에 대한 행정의 적극적·주체적 역할을 간과하였다는 비판을 받는다.

③ 오스트롬(V.Ostrom)의 공공선택론은 정치·경제학적인 시각에서 공공선택이론을 제시하였다.

⑤ 오스본(D.Osborne)과 게블러(T.Gaebler)는 정부재창조론에서 기업가적 정부운영의 10대 원리를 제시하였다.

10

④ 역사적 접근법은 행태론 성립 이전 미국 정치학 분야에서 널리 사용되던 전통적 접근방법의 하나로 사건이나 정책의 발생과 기원을 연대기적으로 기술하는 발생론적 접근법(Genetic Explanation)이다. 이는 과거와 현재의 사건들은 상호 연결되어 있으므로 과거를 잘 이해하면 현재의 문제도 해결할 수 있다고 보는 입장이다.

① 법률적·제도론적 접근방법은 행정과 정책은 공식적 제도와 법률의 산물이라는 관점에서, 행정현상을 이해하기 위해 헌법·정부조직법·예산회계법 등 관련 법규를 분석하고자 하는 방법이다.

② 관리기능적 접근방법은 행정의 효율은 내부적인 관리기능(예산, 조직, 예산, 물자 등)에 달려있다고 보는 행정학 성립기의 전통적 입장(행정관리론, 행정원리론, 과학적 관리론 등)이다.

③ 생태론적 접근법은 행정을 살아있는 유기체로 보고 행정과 그 환경과의 인식을 통해 행정현상을 연구하는 방법이다.

⑤ 행태론적 접근방법은 기존의 공식적인 구조나 제도보다 조직 내부의 행위자인 인간의 행태를 중심으로, 사회 현상을 객관적, 실증적, 과학적으로 연구하는 방법이다.

11

③ 가치판단 불가피성이란 사회문제 해결을 위해서는 행정연구에 있어서 불가피하게 가치를 고려해야 한다는 입장으로, 이는 사회문제 처방을 중시하는 기술성, 그리고 행정현상이 특정한 역사적 상황이나 문화적 맥락 속에서 이루어지기 때문에 행정학이론이 그 나름의 독특한 성격을 갖는다는 특수성과 연관되어진다. 따라서 과학성이 보편성-가치중립성으로 연결된다면 기술성은 특수성-가치판단 불가피성으로 연결될 수 있다.

정답
09 ④ 10 ④ 11 ③

01 테일러(F. W. Taylor)의 과학적 관리론에 대한 설명으로 옳지 않은 것은?

2020 군무원 9급

① 테일러(F. W. Taylor)는 과학적 관리의 핵심을 개인적 기술에 두고, 노동자가 발전된 과학적 방법에 따라 작업이 되도록 한다.

② 어림식 방법을 지양하고 작업의 기본 요소 발견과 수행방법에 대해 과학적 방법을 발전시킨다.

③ 과업은 일류의 노동자만이 달성할 수 있는 충분한 것이어야 한다.

④ 노동자가 과업을 완수하는 경우 높은 보상, 실패하는 경우 손실을 받게 된다.

02 다음 중 과학적 관리론에 대한 설명으로 옳지 않은 것은?

2016 경찰간부

① 과학적 분석을 통해 업무수행에 적용할 '유일 최선의 방법'을 발견할 수 있다고 보았다.

② 조직 내의 인간은 경제적 유인에 의해 동기가 유발되는 타산적 존재라고 보았다.

③ F.Taylor는 이러한 접근방법을 주장한 대표적 학자이다.

④ 호손 공장의 연구(Hawthorne Studies)가 이러한 접근방법의 실증적 근거가 되었다.

03 과학적 관리론과 인간관계론에 관한 설명으로 옳지 않은 것은?

2016 행정사

① 과학적 관리론은 비공식적 집단의 역할을 강조하지만, 인간관계론은 공식적 조직의 역할을 중시한다.

② 메이요(Mayo)의 호손(Hawthorne) 실험은 인간관계론의 형성에 영향을 주었다.

③ 인간관계론은 작업환경이나 물리적 조건보다 조직구성원들의 사회심리적 요인을 중시한다.

④ 과학적 관리론과 인간관계론은 생산성 향상을 추구한다는 점에서 유사하다.

⑤ 과학적 관리론은 과업목표의 달성을 위해 체계적인 관리와 통제를 중시하는 관료제 조직에 적합하다.

01
정답 : ①

① 테일러는 과학적 관리의 핵심을 조직 구조에 두고 노동자를 선발하여 능률적인 업무를 부과하는 능률적인 원리를 발견하여 이에 따라 작업이 되도록 한다.

② 과학적 관리론은 어림식의 방법을 지양하고 작업의 기본 요소를 발견한 뒤 '동작과 시간에 관한 연구'를 통하여 작업의 과학적 수행 방법을 발전시킨다.

③ 과업은 가장 능률적으로 과업을 수행하는 일류의 노동자만이 달성할 수 있을 정도로 충분하여야 한다.

④ 노동자가 과업을 완수하는 경우 경제적으로 높은 보상을, 실패하는 경우 경제적 손실을 받게 된다.

02
정답 : ④

④ 호손 공장의 연구(Hawthorne Studies)는 과학적 관리론이 아니라 인간관계론의 실증적 근거가 되었다.

① 과학적 기준과 원리 및 엄격한 업무분담에 의해 행정의 전문화·과학화·객관화 등에 기여함으로써 유일 최선의 방법을 찾아낼 수 있다고 보았다.

② 조직 내의 인간을 경제적 보상에 따라 움직이는 피동적이고 기계적·경제적·합리적인 인간으로 가정함으로써 경제적 욕구에만 자극받는 기계부품으로 취급하였다.

③ F.Taylor는 과학적 관리론의 대표학자로서 시간연구와 동작연구에 의한 작업여건을 표준화하는 등의 과업관리 방식을 주장하였다.

03
정답 : ①

① 과학적 관리론은 공식적 조직의 역할을 강조하지만, 인간관계론은 비공식적 집단의 역할을 중시한다.

② 인간관계론은 메이요의 호손실험을 계기로 조직구성원 간의 관계가 생산성에 많은 영향을 준다고 보았다.

③ 인간관계론은 비공식적 요인인 구성원들의 사회심리적 측면을 중시한다.

④ 과학적 관리론과 인간관계론에서 조직이 추구하는 궁극적인 목표는 생산성 향상 및 성과 향상이다.

⑤ 과학적 관리론은 관료제 조직에 적합한 이론으로, 공식구조를 중시하며 기계적 관리 및 통제를 강조한다.

📝 포인트 정리

과학적 관리론과 인간관계론

구분	과학적 관리론	인간관계론
인간관	• 합리적·경제적 인간관(X이론) • 경제적, 물질적 욕구	• 사회적·동태적 인간관(Y이론) • 비경제적, 사회적 욕구
조직관	• 합리적, 기계적 조직으로 파악 • 공식구조 중시	• 비공식 구조 중시(공식구조와의 조화)
인간관리	• 기계적 관리(개인주의) • 지위와 권한을 중시하는 권위적 리더십 • 하향적 의사전달 • 직무중심의 과학적 원리를 강조 • 직무중심의 성과급	• 인간적, 민주적 관리(협동주의, 집단주의) • 참여와 동기부여를 중시하는 민주적 리더십 • 상향적 의사전달 • 과학적 원리는 중시하지 않음 • 인간중심의 생활급
능률	투입 대 산출의 기계적 능률	인간적이고 민주적인 사회적 능률
행정이념	능률성	민주성

정답
01 ① 02 ④ 03 ①

04 다음 중 테일러(Taylor)의 과학적 관리론에 대해 설명하고 있는 것은? 2007 국회 8급

① 생산성을 향상시킬 수 있는 상황에도 불구하고 생산량이 향상되면 표준작업량이 높아지면서 임률(賃率)이 하락하고 누군가는 해고된다고 인식하여 생산량의 억제를 통해 근로자의 해고를 막자는 집단의 규범에 의해 작업량을 억제하는 힘이 존재한다.

② 만족한 젖소가 더 많은 우유를 생산해 내듯 만족한 근로자들이 더욱 많은 생산을 한다는 식의 논리를 주장한다는 측면에서 '젖소 사회학'이라는 비판을 받기도 한다.

③ 조직 내부의 합리적 계획은 조직 구성원의 특성이나 외부적 환경에 의해 제약을 받거나 의도한 것과 전혀 다른 결과를 초래한다.

④ 직무를 분석하여 각 직무마다 표준화된 작업 방법을 개발하고, 노동자의 생산량을 기준으로 임금을 지불하는 새로운 보수 체계를 도입했다.

⑤ 체제는 목적을 달성하는데 유일 최고의 방법이 존재하지 않고 다양한 방법이 있을 수 있다.

CHAPTER 15 행태론

실질적 **력**(역량) **업**그레이드

01 행태론적 접근방법에 대한 설명으로 옳은 것은? 2020 국회 9급

① 인간행태의 복잡성을 강조하며 규칙성을 전제하지 않는다.

② 행정과 경영을 분리하는 경향이 강하다.

③ 가치와 사실을 일치시킨다.

④ 개인이 아닌 집단의 사회적·심리적 측면을 연구 대상으로 삼는다.

⑤ 인간이 환경의 변화를 유도하는 상황을 설명하기에는 적합하지 않다.

02 행태주의(behavioralism)의 특성에 대한 설명으로 가장 적절하지 않은 것은? 2019 경정승진

① 인간의 행태를 중심으로 한 사회현상 속에서 일정한 규칙성을 찾고자 한다.

② 모든 연구가 실천적 수준에서 즉각적으로 정책에 응용되거나 반영되어야 한다.

③ 과학적 탐구는 객관성을 유지하기 위해 가치의 개입을 철저하게 배제한다.

④ 복잡한 사회현상으로부터 분명하고 정확한 지식을 얻기 위해, 때로는 모호한 질적 정보를 양적 정보로 전환할 필요가 있다.

04

정답 : ④

④ 과학적 관리론은 시간연구와 동작연구 등의 방법으로 직무를 분석하여 각 직무마다 표준화된 작업 방법을 개발하고, 노동자의 생산량을 기준으로 임금을 지불하는 새로운 보수체계를 도입하였다.

① 인간관계론은 과학적 관리론과 달리 사회적 능력과 규범에 의해 생산성이 결정된다고 보았다.

② 인간관계론은 조직구성원을 비윤리적 조정의 대상으로 보았고, 젖소사회학이라는 비판을 받았다.

③ 과학적 관리론은 조직 외부환경문제를 경시한 폐쇄적 이론으로 조직 내부의 계획은 의도한 대로 효과를 거둔다고 보았다.

⑤ 과학적 관리론은 목적을 달성하는데 유일최선의 방법이 존재한다고 가정한다.

01

정답 : ⑤

⑤ 행태론적 접근방법은 개체주의적으로 개별 행태를 연구대상으로 하였고, 환경에 대해서는 크게 고려하지 않았으므로 인간이 환경의 변화를 유도하는 상황을 설명하기에 적합하지 않다.

① 행태론적 접근방법은 인간행태의 일관성과 객관성을 강조하며 규칙성·유형성을 전제로 한다.

② 행태론적 접근방법은 행정과 경영을 동일시하며, 주관적인 경험이나 가치영역은 의식적으로 배제하는 정치행정새이원론의 입장을 취한다.

③ 행태론적 접근방법은 가치와 사실을 분리하고 사실에 대한 과학적 연구를 중점적으로 한다.

④ 행태론적 접근방법은 집단의 고유한 특성을 인정하지 않은 방법론적 개체주의의 입장에서 집단이 아닌 개인의 사회·심리적 측면을 연구대상으로 삼는다.

02

정답 : ②

② 모든 연구가 실천적 수준에서 즉각적으로 정책에 응용되거나 반영되어야 한다고 보는 것은 후기행태주의에 대한 설명이다. 한편 행태주의는 가치와 사실을 명백히 구분하여 실질적이고 실천적인 처방보다는 과학적 설명과 보편적인 일반법칙을 더 중시하였다.

① 실제 자료의 객관적·계량적인 입증을 통해 인간행태에 대한 규칙성 및 유형성을 발견하는데 치중하였다.

③ 행태주의는 가치를 배제하고 수단의 가치중립성을 중시하며 사실문제에 대해서만 가치중립적인 입장에서 엄격한 자연과학적인 방법으로 연구해야 한다고 본다.

④ 행태주의는 객관적 사실이나 경험적으로 검증될 수 있는 사실을 중요시하며 추상적인 개념이나 목표를 수치나 지수를 이용하여 보다 계량적으로 표현하는 조작적 정의를 통한 객관적인 측정방법을 사용한다.

정답
04 ④ 01 ⑤ 02 ②

03 행태주의적 접근방법에 대한 설명으로 옳지 않은 것은?

2010 국회 9급

① 행태주의에서는 사회현상도 자연과학과 마찬가지로 엄밀한 과학적 연구가 가능하다고 본다.

② 행태주의는 명백한 자극과 반응으로 볼 수 있는 행위 또는 행동만을 연구 대상으로 삼는 심리학적 행동주의와는 달리 특정 질문에 따른 반응을 통해 파악해 볼 수 있는 태도, 의견, 개성 등도 행태에 포함시키고 있다.

③ 행태주의는 집단의 고유한 특성을 인정하지 않는 방법론적 개체주의의 입장을 취한다.

④ 행태주의는 가치평가적인 정책연구를 지향한다.

⑤ 행태주의는 사회과학이 행태에 공통된 관심을 갖고 있기 때문에 통합된다고 보고 있다.

04 사이먼(H.A.Simon)의 주장으로 옳지 않은 것은?

2005 부산 9급

① 행정현상을 의사결정과정으로 파악하였다.

② 비엔나학파에서 시도한 사회현상의 과학적 방법론 적용에 그 뿌리를 두고 있다.

③ 인접학문과의 협동연구(interdisciplinary approach)를 중요시한다.

④ 태도, 의견, 개성 등 가치가 내포된 요소들은 행태에 포함시키지 않는다.

⑤ 집단의 고유한 특성을 인정하지 않는 방법론적 개체주의의 입장을 취한다.

05 행정학의 접근방법 중 행태론에 대한 설명으로 옳지 않은 것은?

2005 국가 7급

① 행태론은 사회심리학적 접근방법을 활용한다.

② 행정현상에 대한 설명을 인간행동의 분석에 기초를 둔다.

③ 가치와 사실을 분리하고 가치문제를 연구대상에서 중시하지 않은 이론이다.

④ 후기행태주의는 논리실증주의의 부활을 통하여 행태론을 강조하였다.

03

정답 : ④

④ 행태주의는 가치중립적인 과학적·객관적 연구를 지향하였으며 정책과학은 이에 반대하여 가치평가적·실천적인 정책연구를 지향한다.

① 논리실증주의를 도입하여 가치와 사실은 분리하고, 검증이 불가능한 가치를 배제하고 검증이 가능한 사실만을 과학적으로 연구하였다.

② 면접이나 설문조사 등을 통해 확인할 수 있는 태도, 의견, 개성 등을 행태에 포함한다.

③ 인간의 사고나 의식이 그가 속한 집단의 고유한 특성에 의하여 규정되지 않고, 각자에 따라 다르다고 본다.

⑤ 행태론은 연합학문적 성격을 띠고 있다.

04

정답 : ④

④ 행태과학의 주된 연구대상은 가치가 배제된 사실과 인간의 내면세계가 아닌 외면적 행태이며, 행태(behaviour)는 '개인이나 집단의 행동양식'과 의견, 태도, 개성 등을 포함한다.

① 의사결정이 행정의 핵심이며 단순한 '절약과 능률'보다는 '합리적 결정'이 더 중요하다고 주장하였다.

② 비엔나학파에서 시도한 자연과학적 연구방법(논리실증주의)이 Simon에 의하여 체계화되었다.

③ 자료의 수집이나 입증에는 심리학, 사회학 등 여러 사회과학이 광범위하게 활용되었다.

⑤ 인간의 사고나 의식은 그가 속한 집단의 고유한 특성에 따라 결정되지 않고 각자 다르다는 방법론적 개체주의(환원주의)에 입각한다.

05

정답 : ④

④ 후기행태주의는 D.Easton에 의하여 행정학에 도입된 접근법이며 Simon의 행태론을 탈피하려는 반(反)행태론의 관점으로 신행정론의 배경이 되었다.

① 의사결정을 둘러싸고 일어나는 권위·갈등·리더십·동기부여 등에 관한 많은 과학적 이론 등을 사회 심리학적 견지에서 연구·개발하였다.

② 실제 자료의 객관적·계량적인 입증을 거쳐 인간행태에 대한 규칙성·인과성·유형성을 발견하는데 치중하였다.

③ 논리실증주의를 도입하여 가치와 사실은 분리하고, 검증이 불가능한 가치를 배제하고 검증이 가능한 사실만을 과학적으로 연구하였다.

정답

03 ④ 04 ④ 05 ④

01 행정학의 생태론적 접근방법에 대한 설명 중 가장 옳지 않은 것은?   2015 경찰간부

① 생태론적 접근방식은 기본적으로 유기체와 환경과의 상호관계를 기초로 행정학을 연구하고자 한다.

② 생태론적 접근에 따르면, 행정도 일종의 유기체로서 정치, 경제, 사회 환경과 상호의존적 존재로 본다.

③ 생태론자들은 서구의 행정제도가 후진국에 잘 적용되지 못하는 이유를 사회·문화적 환경의 이질성에 있다고 주장한다.

④ 생태론적 접근의 분석수준은 유기체로서의 개인에 초점을 맞추며, 미시적 차원에서 행정현상을 분석하고자 한다.

02 행정학의 접근방법에 관한 설명으로 옳지 않은 것은?   2015 교행 9급

① 생태론적 접근방법은 집단보다 행위자 개인을 분석단위로 한다.

② 행태론적 접근방법은 인식론적 근거로서 논리실증주의를 채택한다.

③ 체제론적 접근방법은 환류를 통한 체제의 지속적인 균형을 중시한다.

④ 공공선택론적 접근방법은 인간이 이기적임을 전제하고, 방법론적 개체주의를 채택한다.

03 체제론에 대한 설명 중 옳은 것은 모두 몇 개인가?   2012 경찰간부

> ㉠ 체제론은 정태적·보수적 이론으로 개방체제는 정태적 균형을 중시한다.
> ㉡ 개체주의적 관점을 취한다.
> ㉢ 계서적 관점을 중시한다.
> ㉣ 경험주의적 관점을 강조한다.
> ㉤ 동태적 발전을 추구한다.
> ㉥ 목적론적 관점을 지닌다.

① 1개   ② 2개

③ 3개   ④ 4개

01

정답 : ④

④ 생태론적 접근방법은 행정을 살아있는 유기체로 보고 행정과 그 환경과의 상호관계를 통해 행정현상을 연구하는 것으로 행위자 개개인보다는 집합적 행위나 제도수준에서 행정현상을 설명하며 거시적 차원에서 행정현상을 분석하고자 한다.

① 행정을 살아있는 유기체로 보고 행정과 그 환경과의 인식을 통하여 행정현상을 연구한다.

② 행정을 문화적·환경적 요인과 관련시켜 상호관련성 속에서 고찰함으로써 행정을 정치, 사회 환경과 상호적 관계로 본다.

③ 행정의 특수성을 인식하여 후진국의 행정현상을 설명하는 데 크게 기여하였다.

02

정답 : ①

① 생태론적 접근방법은 행정체제의 개방성을 강조하고, 행위자 개개인보다는 집합적 행위나 제도 수준에서 행정현상을 설명하는 거시적 차원의 분석이다.

② 사이먼의 가치중립적 연구경향에 대한 설명이다.

③ 이 밖에도 체제론적 접근은 행정학의 중범위 이론 형성에 자극을 주었다.

④ 공공선택론은 합리적 경제인 가정을 받아들이고 사익 추구적인 개인을 상정한다.

03

정답 : ②

② ㉢, ㉁만 옳다.

㉢[O] 체제론에서는 하위체제는 상위체제 속에 속해있으며 체제나 현상 간에 존재하는 관계의 배열이 계층적이라고 보는 계서적 관점을 중시한다.

㉁[O] 모든 체제는 목적을 가지며 이를 달성하기 위하여 하위체제끼리 협동한다고 보는 목적론적 관점을 강조한다.

㉠[X] 체제론은 정태적·보수적 이론이지만 개방체제는 동태적 균형을 중시한다.

㉡[X] 체제론은 전체주의적 관점을 취한다.

㉣[X] 경험주의적 관점을 강조하는 것은 행태론에 대한 설명이다.

㉃[X] 체제론은 정태적·균형적인 이론이므로 적극적인 변화나 동태적 발전을 추구하지 못하는 단점이 있다.

포인트 정리

정답

01 ④ 02 ① 03 ②

04 행정학의 주요 접근방법인 생태론적 접근방법의 특징에 대한 설명으로 옳지 않은 것은? 2010 지방 7급

① 생태론적 접근방법을 행정학에 도입한 것은 1947년 가우스(J. M. Gaus)이다.

② 행정현상을 자연·사회·문화적 환경과 관련시켜 이해하려고 한다.

③ 행정이 추구해야 할 목표나 방향을 명확히 제시하고 있다.

④ 서구 행정제도가 후진국에서 잘 작동하지 않는 이유는 사회문화적 환경이 다르기 때문이라고 본다.

05 개방체제이론에 관한 설명으로 적절하지 못한 것은? 2007 대전 7급

① 개방체제는 정(正)의 엔트로피를 증가시키려는 경향을 띠고 있다.

② 개방체제는 투입, 전환, 산출, 환류과정을 되풀이한다.

③ 개방체제는 조직을 외부환경 변화에 신축성 있게 적용하는 체제이다.

④ 개방체제 이론은 구조기능주의와 관계가 깊다.

CHAPTER 17 비교행정론과 발전행정론 실질적 력(역량) 업그레이드

01 비교행정의 한계에 대한 설명으로 옳지 않은 것은? 2016 지방 7급

① 독자적인 연구대상을 확정하기가 어렵다.

② 환경과 행정의 교류적 관계를 경시한 정태적 접근이다.

③ 처방성과 문제해결성을 강조함에 따라 행정의 비과학화를 초래하였다.

④ 행정을 지나치게 과소평가함으로써 행정의 독자성을 무시하고 행정의 종속성을 강조하고 있다.

04

③ 생태론은 환경결정론적 관점으로, 행정이 추구해야 할 목표나 방향, 가치 등을 명확히 제시하지 못하고 있다는 비판을 받는다.

① 생태론은 J.M.Gaus의 '행정에 관한 반성(1947)'에서 시작되어 F.W.Riggs가 이를 '행정의 생태학(1961)'에서 비교행정을 위한 하나의 일반모형으로 정립시키면서 발전하였다.

② 행정에 영향을 미치는 환경과의 관계를 처음으로 연구한 개방체제적 접근법이다.

④ 후진국 행정현상을 이해하는 데 크게 기여하였으며, 신생국 행정체제를 위한 별도의 이론이 필요하다는 점을 확인시켜 주었다.

05

① 개방체제는 체제의 해체와 소멸을 막으려는 부정적 환류에 의한 부정적 엔트로피를 중시한다.

② 개방체제는 투입, 전환, 산출, 환류의 과정을 반복하고, 신축적인 전환 과정을 특징으로 하므로 투입자원과 전환을 다르게 하여도 동일한 목표를 달성하는 것이 가능하다.

③ 체제와 환경 간의 균형을 확보하고 안정과 질서를 추구하는 정태적 균형이론이다.

④ 개방체제는 다양한 환경에 적응할 수 있도록 내부의 구조나 기능, 환경에 적합하게 다양성을 갖추고 특수한 기능을 수행할 수 있도록 진화한다는 구조 기능의 다양성이라는 특징을 갖는다.

01

③ 처방성과 문제해결성을 강조하는 이론은 신행정론이다.

① 각국의 행정현상을 비교하기 위한 일반적인 기준과 포괄적인 모델을 개발하는 방법인 일반체제 접근방법으로 연구함에 따라 독자적인 연구대상을 확정하기가 어렵다.

② 정태적 균형이론의 한계로써 환경을 지나치게 강조한 나머지 신생국 행정체제는 환경적 요인에 의해 결정된다고 보는 생태론의 범주를 벗어나지 못하였다.

④ 관료(행정인)를 피동적 종속변수로 파악함으로써 행정엘리트가 독립변수로서 국가발전을 주도해가는 현상을 설명하지 못하였다.

정답
04 ③ 05 ① 01 ③

02 다음 중 발전행정론의 특징과 문제점에 대한 설명이 틀린 것은? 2006 서울 5급 승진

① 선량주의(elitism)와 국가주의(statism)를 이론적 토대로 한다.

② 개도국의 경우 정부주도의 경제성장이 후진을 탈피하는 핵심적 방안이라고 보았다.

③ 실천성 및 기술성을 강조하는 정치행정일원론의 관점이었다.

④ 불균형적 접근법으로 행정권력의 비대화를 정당화시켰다는 비판이 따른다.

⑤ 이론적 과학성이 높고 투입기능을 중시했다는 평가를 받았다.

CHAPTER 18 신행정론과 현상학

실질적 력(역량) 업그레이드

01 미국에서 등장한 행정이론인 신행정학(New Public Administration)에 대한 설명으로 옳지 않은 것은? 2019 지방 9급

① 신행정학은 미국의 사회문제 해결을 추구한 반면 발전행정은 제3세계의 근대화 지원에 주력하였다.

② 신행정학은 정치행정이원론에 입각하여 독자적인 행정이론의 발전을 이루고자 하였다.

③ 신행정학은 가치에 대한 새로운 인식을 기초로 규범적이며 처방적인 연구를 강조하였다.

④ 신행정학은 왈도(Waldo)가 주도한 1968년 미노브룩(Minnowbrook) 회의를 계기로 태동하였다.

02 신행정론에 관한 사항으로 옳은 것으로만 짝지어진 것은? 2017 경찰간부

가. 계층적 조직의 강조	나. 사회적 형평성의 구현
다. 합리성의 중시	라. 실증주의에의 관심
마. 신공공관리론에 대한 비판	바. 정책지향적 행정론
사. Frank Marini	

① 가, 나, 다   ② 나, 라, 마

③ 나, 바, 사   ④ 나, 마, 사

02

⑤ 1960년대 발전행정론은 개발도상국의 관료제가 국가발전을 주도해나가는 실천적 전략을 연구하는 이론으로, 이론적 과학성이 낮고 효과성을 강조한 나머지 투입기능을 경시했다는 비판을 받았다.

① 발전행정론은 소수 엘리트가 하향식으로 기획하고 관리하는 엘리트주의의 운영방식을 따르고, 국가주의적·전체주의적 이론이다.

② 개발도상국의 경우 자원이 부족하기 때문에 정부 중심으로 선도산업을 우선 육성함으로써 발전을 파급시키려는 불균형 발전 전략을 취한다.

③ 발전행정론은 행정체제가 발전을 계획하고 유도하는 것으로서, 의회가 수행하던 정치기능을 정부에서 수행한다는 점에서 정치행정(새)일원론의 관점이다.

④ 행정의 비대화와 낭비, 부패의 발생, 형평성 저해 등의 한계점이 있다.₩

01

정답 : ②

② 신행정학은 정치행정새일원론에 입각하여 행정학의 적실성 및 실천성을 통해 사회문제의 해결을 추구하였고 가치중립적이고 정책지향적 성격을 특징으로 한다.

① 신행정학은 미국의 사회문제 해결을 지향하였고, 발전행정은 제3세계(개발도상국)의 근대화를 지원하는데 중점을 두었다.

③ 신행정학은 가치중립적인 과학적 연구보다 가치평가적인 정책연구를 지향하였고, 민주적 가치규범에 입각한 규범적·처방적인 연구와 탈권료제·분권화 등을 강조하였다.

④ 신행정학은 1968년 왈도가 주최하였던 미노브룩 회의에 참여한 젊은 학자들에 의해 주장되었고, Marini는 토의 내용을 기반으로 '신행정학을 지향하여'라는 저서를 발표하면서 본격적으로 발전하였다.

02

정답 : ③

③ 나, 바, 사만 옳다.

가. [X] 계층제의 타파와 후기관료제모형을 주장하였다.

다. [X] 신행정론은 행태론 등 전통적 이론과 달리 합리성보다는 형평성과 정의를 중시한다.

라. [X] 행태론의 논리실증주의를 비판하고 대신 현상학의 도입을 주장하였다.

마. [X] 신공공관리론(1980년대)은 신행정론(1970년대) 이후에 등장하였으며, 오히려 신공공관리론은 시장지향주의로서 정부주도적인 신행정론의 복지정책을 비판하였다.

03 현상학적 접근방법의 주요 내용으로 적절하지 않은 것은?

2012 국가 7급

① 인간의 의도된 행위와 표출된 행위를 구별하고, 관심 분야는 의도된 행위에 두어야 한다.

② 조직 내외에 있는 인간들은 자신의 행위나 다른 사람들의 행위에 의미를 부여함으로써 조직을 설계한다.

③ 객관적 존재의 서술을 위해서는 현상을 분해하여 분석할 필요가 있다.

④ 조직의 중요성은 겉으로 나타난 구조성에 있는 것이 아니라 그 안에 있는 가치, 의미 및 행동에 있다.

04 신행정학(New Public Administration)에 대한 설명으로 옳지 않은 것은?

2011 국가 9급

① 왈도(Waldo), 마리니(Marini), 프레드릭슨(Frederickson) 등이 주도하였다.

② 기업식 정부운영을 주장하면서 신자유주의적 행정개혁에 앞장섰다.

③ 행태주의의 한계를 지적하면서 가치문제와 처방적 연구를 강조하였다.

④ 고객인 국민의 요구를 중시하는 행정을 강조하고 시민참여의 확대를 주장하였다.

05 현상학적 접근 방법에 대한 설명으로 옳지 않은 것은?

2011 국회 9급

① 행정학 연구를 행정가의 일상적이고 실제적인 측면을 강조하는 미시적 관점으로 방향을 전환한 것이다.

② 현상학에 바탕을 둔 행위이론은 사회현상이 자연현상과 크게 다르지 않다고 보았다.

③ 인간 자아의 능동적·사회적 본성을 분석의 기초단위로 보고, 상호주관적 인식론을 강조하였다.

④ 현상의 본질을 대상으로 하고 그 대상을 형성하는 의식작용을 기술하려는 선험적 관념론이다.

⑤ 인간의 행위를 이해하기 위해서는 선험적 의식 또는 순수이성에 바탕을 둔 직관적 포착이 중요하다고 보았다.

03

정답 : ③

③ 객관적 존재의 서술을 위해서 현상을 분해하여 분석하는 것은 논리실증주의에 대한 설명으로, 이는 행태론적 접근방법에 해당한다. 한편 현상학은 인간의 의식이나 가치 등을 중시하며, 사실만을 분해하여 분석하는 것을 비판한다.

① 현상학에서는 인간이 의식과 의도성을 가진 능동적 존재라고 파악하면서, 인간의 행위를 정확하게 이해하기 위해서는 선험적 의식 또는 순수이성에 바탕을 둔 직관적 포착이 중요하다고 보았다.

② 사회현상에 대한 이해를 위해 외면에 대한 경험적 관찰보다는 일상생활의 상식적 생각 속에서 인간행위를 이해하고, 그 이면에 내재된 동기나 의도에 대한 해석을 중시함으로써 조직을 설계한다.

④ 현상학은 행위의 의미를 중시하며 조직의 중요성은 그 구조에 있는 것이 아니라 그 안에 있는 가치, 의미 및 행동에 있다고 보았다.

04

정답 : ②

② 기업식 정부운영은 신자유주의의 특징이다. 한편 1980년대의 신자유주의적 행정개혁은 신행정론 이후 정부실패를 치유하기 위하여 기업형 정부와 시장논리를 강조한 개혁이론으로 신공공관리론과 관련된다.

① 1968년 시라큐스 대학에서 Waldo를 중심으로 Frederickson, Marini 등 50명의 소장학자들이 참여한 미노부르크 회의를 개최하였다.

③ 1960년대까지 지배적이었던 고전적 행정학과 행태주의의 몰가치성을 비판하고, 행정의 사회적 적실성과 가치지향적·처방적 연구를 강조하며 1970년대에 새롭게 대두된 이론이다.

④ 고객의 참여와 시민에 의한 행정통제, 관료제의 대표성 등을 중시하고, 고객요구를 쉽게 수용할 수 있는 분권적, 현장중심적 관리체제를 도모한다.

- 사회적 적실성, 처방성 중시(규범주의)
- 형평성 등 가치강조(가치주의)
- 현상학적 접근론(주관주의, 인간주의, 인본주의)
- 문제지향 및 정책 지향성
- 참여의 중시, 고객지향성(민주성)
- 탈관료제 추구

05

정답 : ②

② 사회현상이 자연현상과 크게 다르지 않다고 본 것은 행태론과 관련된다. 한편 현상학에 바탕을 둔 행위이론은 사회현상과 자연현상은 크게 다르다고 보았으며 인간의 행위를 사회과학의 대상으로 보면서 사람들의 행위에 의미를 부여하였다.

① 현상학은 근본적으로 행정학 연구를 행정가의 일상적이고 실제적인 측면을 강조하는 미시적 관점으로 방향전환을 시도한 것이며 미시적 접근을 통해 거시적 사회문제를 해결할 수 있다고 본다.

③ 인간을 능동적·사회적 자아로 파악하고 상호주관적 경험을 중시하였다.

④ 현상학은 현상의 본질을 대상으로 하고 그 대상을 형성하는 의식작용을 기술하고자 하는 선험적 관념론적 성격을 갖는다.

⑤ 직관적 포착은 편견 없는 생각 속에서 인간 행위를 이해하면서 주어지는 현상을 그대로 기술하는 것으로, 인간의 행위를 이해하기 위해서는 선험적 의식 또는 순수이성에 바탕을 둔 직관적 포착이 중요하다고 보았다.

관점	주관주의(철학, 가치, 당위)
인간관	능동적·자발론적 존재, 괄호인
인식론	반실증주의, 직관적 접근
존재론	유명론
연구방법	개별사례나 문제 중심 연구
자아	능동적·사회적 자아
행정이념	형평성, 대응성, 책임성

☐☐
06 왈도(D. Waldo)의 주장이나 사상으로 옳지 않은 것은? 2011 지방 7급

① 행정에는 권위가 필요하지만 민주주의를 증진해야 한다는 전제를 배제할 수 없다고 보았다.

② 신행정학은 다양한 관점을 보이지만 대체로 규범이론, 철학, 사회적 타당성, 행동주의(activism)로 특징지을 수 있다고 하였다.

③ 행정관리론에서 개발된 행정 원리를 토대로 행정의 처방적 기능을 강조하였다.

④ 가치로부터 구분된 순수한 사실이란 존재하지 않는다고 주장하므로 사이몬(H.Simon)의 행태주의에 반대하는 입장이다.

☐☐
07 행정학의 접근방법 중 현상학적 접근방법에 관한 설명으로 옳지 않은 것은? 2009 국가 9급

① 행정현실을 이해하는 데 과학적 방법보다 해석학적 방법을 선호한다.

② 조직을 인간의 의도적인 행위에 의해 구성되는 가치함축적인 행위의 집합물로 이해한다.

③ 인간행위의 가치는 행위 자체보다 그 행위가 산출한 결과에 있다.

④ 조직 내외의 인간들은 자신 또는 다른 사람의 행위에 의미를 부여함으로써 조직을 설계한다.

☐☐
08 하몬(Harmon)의 행동이론(action theory)에 근거한 현상학적 인식관에 의한 변화로 볼 수 없는 것은? 2007 대전 7급

ㄱ. 인간관 : 원자적 인간 모형 → 능동적, 사회적 인간 모형
ㄴ. 의사결정: 합의적 의사결정 → 투표에 의한 의사결정
ㄷ. 인간연구: 객관적 사실 → 주관적 가치판단
ㄹ. 인간 집단 연구 방법: 종합학문성 → 간주관성
ㅁ. 소외관: 소외(물화)현상에 대한 경시 → 소외현상에 대한 관심

① ㄱ
② ㄴ
③ ㄷ, ㄹ, ㅁ
④ ㅁ

③ 행정관리론에서 개발된 행정원리를 토대로 한 것이 아니라 적실성과 실천을 통한 행정의 처방적 기능을 강조하였다.

① 왈도는 미노부르크 회의를 주도한 대표학자로 행정에서의 권위의 필요성을 인식하면서도 일반시민들의 요청에 대한 대응성 및 책임 있는 능동성 등 민주주의적 가치를 강조하였다.

② 신행정학은 규범이론, 철학, 사회적 타당성, 행동주의 등 행정에 철학적 사고방식을 도입하고자 하였다.

④ 신행정학자인 왈도는 실증주의적 연구를 비판하였고 가치문제를 중시하였다.

③ 인간행위의 가치는 행위 자체보다 그 행위가 산출한 결과에 있다고 보는 것은 행태론에 대한 내용이다. 한편 현상학은 인간행위의 가치는 행위가 산출한 합리적인 결과보다는 행위의 동기나 의도 자체에 있다고 본다.

① 객관적인 실재보다는 명분이나 가치를 중시하며 반실증주의를 특징으로 한다.

② 조직의 구조성보다 그 안에 있는 가치나 의미·행동을 중시하고 조직의 전체성보다 개별적인 인간행위를 중시한다.

④ 인간을 고립된 개체로 보지 않고 대면적 접촉을 통한 상호인식의 대상으로 간주한다.

② ㄴ이 틀린 내용이다.

ㄴ. [X] 현상학은 상호담론을 강조하므로 투표보다는 의사소통을 통한 합의적 결정을 중시한다.

ㄱ. [O] 현상학은 인간을 자유의지를 지닌 자발적 자아로 간주하므로 능동적·사회적 자아를 중시한다.

ㄷ. [O] 현상학은 인간의 마음이나 주관 및 의식작용을 강조하며 주관적 가치판단을 중시한다.

ㄹ. [O] 현상학은 주관적인 내면세계나 자유로운 의사소통 및 대면적 접촉을 통한 간주관성을 중시한다.

ㅁ. [O] 현상학은 소외현상에 대한 관심을 통해 인간소외의 본질을 파악하려고 한다.

정답

06 ③ 07 ③ 08 ②

01 파머(Farmer)가 주장한 포스트모더니티 행정이론의 내용으로 옳지 않은 것은?

2020 지방 7급

① 나 아닌 다른 사람을 인식적 객체가 아닌 도덕적인 타자(他者)로 인정한다.

② 관점에 따라 다양한 가능성이 허용되는 상상(imagination)보다는 과학적 합리성(rationality)이 더 중요하다.

③ 행정에서도 지식과 학문의 영역 간 경계가 사라지는 탈영역화(deterritorialization)가 나타난다.

④ '행정은 객관적으로 연구될 수 있다'는 설화는 해체(deconstruction)를 통해 더 잘 이해할 수 있다.

02 포스트모더니즘 행정이론에 관한 설명으로 옳지 않은 것은?

2017 경찰간부

① 포스트모더니즘의 세계관은 상대주의적이며 다원주의적이고 개방주의적인 경향을 지닌다.

② D. Farmer가 언급한 타자성(alterity)이란 타인을 인식적 객체로 받아들이는 것을 말한다.

③ 포스트모더니즘은 행정이론의 한계와 모순을 잘 인식하게 하고, 담론을 통한 발전 가능성을 모색하는 촉매역할을 할 수 있다는 장점이 있다.

④ 포스트모더니즘에 따르면 진리의 기준은 맥락 의존적이다.

03 행정학의 접근방법 중 포스트모더니즘의 특성이 아닌 것은?

2017 행정사

① 상상(imagination)

② 탈영역화(deterritorialization)

③ 은유(metaphor)

④ 과학주의(scientism)

⑤ 해체(deconstruction)

01

정답 : ②

② 과학적 합리성이 더 중요하다고 보는 것은 모더니티의 특징이다. 파머는 관점의 다양성을 의미하는 상상이 인간의 사고에 촉매적 역할을 대신할 수 있다고 보았다.

① 나 아닌 다른 사람을 인식적 객체가 아닌 도덕적인 타자로 인정하는 것을 타자성이라고 한다.

③ 탈영역화는 지식의 경계가 사라지는 것을 의미하며 포스트모더니티에서의 모든 지식은 성격과 조직에 있어서 고유의 영역이 해체된다.

④ 해체는 외면적인 텍스트, 즉 언어, 몸짓, 이야기, 설화, 이론 등의 근거를 파헤쳐보는 것으로, 행정은 객관적으로 연구될 수 있다는 명제를 당연한 것으로 여기지 않는다.

02

정답 : ②

② 타자성은 타인을 인식적 객체가 아닌 도덕적 타인으로 받아들이는 것을 말한다.

① 인본주의, 구성주의, 상대주의, 다원주의, 해방주의를 토대로 하며 다양한 가치와 패러다임이 공존한다고 본다.

③ 행정에서 다양성과 소통 및 시민참여를 통한 개방적인 태도를 강조하므로 담론을 통한 발전 가능성을 모색하는 촉매적 역할을 할 수 있다.

④ 포스트모더니즘은 절대유일의 보편적 가치나 진리, 메타설화는 존재하지 않고 진리의 기준을 맥락 의존적이라고 본다.

03

정답 : ④

④ 과학주의(scientism)는 모더니즘의 특징이다. 파머(Farmer)는 반관료제이론에서 전통적 관료제는 과학주의, 기술주의, 기업주의 등에 입각해 있다고 비판하였고 상상, 해체, 탈영역화, 타자성 등을 주장하였다.

① 상상은 부정적인 면에서는 규칙에 얽매이지 않는 것을, 긍정적인 면에서는 문제의 특수성을 인정하는 것을 의미한다.

② 탈영역화는 지식의 고유영역과의 경계를 타파하는 것으로 학문영역 간의 경계를 파괴히는 것을 의미한다.

③ 포스트모더니즘은 객관주의를 배척하고 현실은 내면 속에서 주관적으로 구성된다고 보며 언어의 중요성과 은유에 의한 새로운 해석을 중시한다.

⑤ 해체는 언어, 몸짓, 이야기, 설화, 이론과 같은 텍스트의 근거를 해부하는 것을 의미한다.

포인트 정리

포스트모더니즘 행정이론(D.Famer)

상상 (imagination)	부정적인 면에서는 규칙에 얽매이지 않는 것을, 긍정적인 면에서는 문제의 특수성을 인정하는 것을 의미함
해체 (deconstruction)	텍스트(언어, 몸짓, 이야기, 설화 이론)의 근거를 해부하는 것을 의미함
탈영토화 (deterritorialization)	지식의 고유영역과의 경계 및 학문영역 간의 경계를 파괴하는 것을 의미함
타자성(alterity)	타인을 인식적 객체가 아닌 도덕적 타인으로 인정하는 상호 개방적인 인간관

정답

01 ② 02 ② 03 ④

04 행정학에 있어서 포스트모더니즘적 접근법에 대한 다음 설명 중 옳지 않은 것은? 2007 대구 9급

① 이성과 합리성으로 요약되는 현대주의 사조를 전면적으로 거부한다.

② 포스트모더니즘에서 상상이란, 부정적으로 보았을 때 규칙에 얽매이지 않는 행정의 운영이며 긍정적으로 보았을 때 문제의 특수성을 인정하는 것이다.

③ 포스트모더니즘은 행정의 실무는 능률적이어야 한다는 설화를 당연한 것으로 받아들인다.

④ 포스트모더니즘적 행정윤리론은 사회와 문화에 따라서 윤리기준이 달라진다는 반근원주의적 윤리론을 취한다.

05 심의민주주의(Deliberative Democracy)에 대한 설명으로 옳은 것은? 2007 경북 9급

① 의사결정참여자들이 상호작용의 과정 중에 각자의 선호를 기꺼이 변화시킬 수 있다는 점을 전제로 한다.

② 입법적 의사결정은 가장 널리 공유된 선호의 결집을 반영한 것이다.

③ 집합(aggregative) 민주주의와 거의 동일하다.

④ 개인 간 선호의 질적 차이나 정당성의 차이를 고려하지 않는다.

06 다음 중 비판이론적 담론주의에 대한 설명으로 타당하지 않은 것은? 2006 국회 8급

① 사회관계의 지나친 합리화로부터의 인간해방을 추구한다.

② 보다 적극적으로 시민참여를 강화시키려는 주장이다.

③ 의사소통의 왜곡이나 불균형을 배제하려는 주장이다.

④ 정책공동체(policy community)나 이슈 네트워크(issue network)와 동일 개념이다.

⑤ 하버마스가 이의 발전에 주도적 역할을 하였다.

04

정답 : ③

③ 포스트모더니즘은 행정의 실무는 능률적·합리적이어야 한다는 메타설화를 당연한 것으로 받아들이지 않는다.

① 이성과 합리성은 모더니즘의 특징으로, 포스트모더니즘은 이를 전면적으로 부정한다.

② 상상은 Farmer가 주장한 것으로 부정적인 면에서는 규칙에 얽매이지 않는 것을, 긍정적인 면에서는 문제의 특수성을 인정하는 것을 의미한다.

④ 보편주의나 객관주의를 비판하면서 절대유일의 보편적 가치나 진리 등은 존재하지 않으므로 사회와 문화 등에 따라서 윤리의 기준은 얼마든지 달라진다고 본다.

05

정답 : ①

① 선호를 주어진 것으로 보는 것은 대의민주주의이고, 심의민주주의는 선호를 주어진 것으로 보지 않는다.

② 대의민주주의는 다수의 선호가 정당성을 가지는 데 반해, 심의민주주의는 시민들 간의 대화, 토론, 의사소통을 통해 자신의 선호를 계속 변화시켜 가면서 합의된 집단적 의사를 형성한다.

③ 선호의 집합이 정당성의 기준이 되는 집합민주주의는 고전적인 대의민주주의와 관련이 있다.

④ 개인 간 선호의 질적 차이나 정당성의 차이를 고려하지 않는 것은 고전적인 대의민주주의와 연관된다.

06

정답 : ④

④ 비판이론적 담론주의는 정책공동체와 적정수 담론차원에서 연관성은 있으나, 동일한 개념은 아니다. 비판이론은 적정수 담론을 지지하지만, 이것은 다양한 견해의 대규모 참석자들에 의해 특정한 쟁점이 제기될 때 형성되는 포괄적이고 경계가 약한 이슈네트워크와는 다른 개념이다.

①, ②, ③ 비판이론적 담론주의에 대한 설명이다.

⑤ 비판이론은 Habermas 등 프랑크푸르트학파에 의해 체계화되었으며, 행정학에는 Denhardt 에 의하여 본격 도입되었다.

🔍 **포인트 정리**

모더니즘 행정 vs 포스트모더니즘 행정

모더니즘	포스트모더니즘
이성, 합리성	상상, 특수성
보편성(과학주의), 객관주의	다양성, 상대주의
대상영역의 한정	탈영토화(간학문성)
대의제, 간접민주주의	직접참여, 담론 강조

정답

04 ③ 05 ① 06 ④

CHAPTER 20 공공선택론

01 니스카넨(Niskanen)의 예산극대화 이론과 던리비(Dunleavy)의 관청형성 이론에 대한 설명으로 옳지 않은 것은?

2020 국가 7급

① 니스카넨(Niskanen)에 따르면 최적의 서비스 공급 수준은 한계편익(marginal benefit)과 한계비용(marginal cost)이 일치하는 수준에서 결정된다.

② 두 이론 모두 관료를 자신의 이익과 효용을 추구하는 인간으로 가정한다.

③ 던리비(Dunleavy)에 따르면 관청형성의 전략 중 하나는 내부조직 개편을 통해 정책결정 기능과 수준을 강화하되 일상적이고 번잡스러운 업무를 분리하고 이전하는 것이다.

④ 니스카넨(Niskanen)에 따르면 예산극대화 행동은 예산유형과 직위의 관계, 기관유형, 시대적 상황 등의 측면에서 다양하게 나타날 수 있다.

02 공공선택론에 관한 다음 설명 중 옳지 않은 것으로 짝지은 것은?

2018 경찰간부

> 가. 경제학적 방법을 응용하여 정치 현상을 연구하는 접근 방법이며 방법론적 개인주의에 입각하고 있다.
> 나. 행정은 가치중립적인 것이고 효율적인 집행을 담당하기 때문에 정치의 영역 밖에 있으며, 행정기능에 관한 한 모든 정부는 구조적으로 유사성을 지닌다고 본다.
> 다. 니스카넨(Niskanen)은 예산극대화모형에서 관료는 한계편익곡선과 한계비용곡선이 교차하는 점에서 공공서비스를 공급하려 한다고 본다.
> 라. 애로우(K.J.Arrow)는 불가능성의 정리에서 바람직한 집합적 의사결정 방법의 기본조건으로 어느 누구도 집합적인 선택의 과정에 대해서 결정적인 영향력을 행사해서는 안 된다고 주장한다.

① 가, 나

② 나, 다

③ 나, 라

④ 다, 라

03 공공선택이론에 대한 설명으로 옳지 않은 것은?

2018 지방 9급

① 사회의 비시장적인 영역들에 대해서 경제학적 방식으로 연구한다.

② 시민들의 요구와 선호에 민감하게 부응하는 제도 마련으로 민주행정의 구현에도 의의가 있다.

③ 전통적 관료제를 비판하고 그것을 대체할 공공재 공급방식의 도입을 강조한다.

④ 효용극대화를 추구한다는 합리적 개인에 대한 가정은 현실 적합성이 높다고 평가받는다.

01

④ 예산유형과 직위의 관계, 기관유형, 시대적 상황 등의 측면에서 다양하게 나타날 수 있다고 보는 것은 던리비의 관청형성이론에 해당한다.

① 니스카넨에 따르면 정치인과 관료는 목적함수가 다르므로 효용극대화의 기준이 다르다고 보았는데, 정치인은 사회효용 극대화를 추구하므로 한계편익과 한계비용이 일치하는 수준에서 공급하려 하고, 관료는 자신의 효용극대화를 추구하므로 총편익과 총비용이 일치하는 지점까지 생산을 늘리려고 한다.

② 니스카넨의 예산극대화 이론과 던리비의 관청형성 이론 모두 관료를 자신의 이익과 효용의 극대화를 추구하는 인간으로 전제한다는 점에서 공통점을 갖는다.

③ 던리비의 관청형성모형의 경우 합리적인 고위관료들은 책임과 통제가 수반되는 일상적이고 번잡스러운 업무는 준정부조직이나 외부계약 등으로 떠넘기고 내부조직 개편을 통해 정책결정 기능과 수준을 강화하는 전략을 취한다.

02

② 나, 다가 옳지 않은 설명이다.

나. [X] 윌슨 패러다임에 대한 설명이다. 윌슨 패러다임에 따르면 행정을 정치영역 밖의 관리현상으로 보고 서열화된 계층제적 구조가 행정의 능률성을 극대화시킨다고 전제하면서 구조적 유사성을 강조하였다. 한편, 오스트롬은 윌슨 패러다임을 비판하며 민주적 행정모형을 제시하였다.

다. [X] 니스카넨(Niskanen)은 예산극대화모형에서 관료는 총편익곡선과 총비용곡선이 교차하는 점에서 공공서비스를 공급하려 한다고 본다.

가. [O] 공공선택론은 공공부문에 경제학적 관점을 도입하여 정치 현상을 연구하는 이론으로 개인의 선호나 개인들을 연구대상으로 하는 방법론적 개체주의를 특징으로 한다.

라. [O] 애로우의 불가능성 정리에서 최선의 투표가 되기 위한 전제조건 중 비독재성의 원리에 해당한다. 이외에도 바람직한 집합적 의사결정방법의 기본조건으로는 파레토의 원리, 이행성의 원리, 독립성의 원리, 선호의 비제한성 원리가 있다.

03

④ 공공선택론은 모든 인간이 효용극대화를 추구한다는 합리적 개인에 대한 가정 및 자유경쟁 시장원리를 공공부문에 도입하려는 것은 급진적이어서 현실적합성이 낮다고 비판받는다.

① 공공선택론은 경제학적 분석도구를 활용하여 비시장적인 의사결정부분을 연구한다.

② 시민 개개인의 선호와 선택의 존중을 주요 가치로 삼으며 선호의 반영을 통한 효율성의 구현을 추구하므로 민주행정의 구현에도 의의가 있다고 본다.

③ 전통적 관료제는 소비자의 선택과 선호를 무시한다고 비판하였으며 이를 대체할 새로운 공공재 공급방식의 도입을 강조한다.

포인트 정리

던리비의 관청형성모형

예산유형	기관유형	극대화동기
핵심예산	전달기관	O (중 · 하위관료)
관청예산	이전기관	O (고위관료)
사업예산	통제기관	X
초사업예산	–	–

정답

01 ④ 02 ② 03 ④

04 공공선택론에 대한 비판적 시각으로 가장 적절하지 않은 것은? 2016 서울 7급

① 행정은 가치중립적인 것이며 정치의 영역 밖에 있다고 가정하는데, 이는 현실적합성이 매우 떨어진다.

② 시민과 기업의 참여를 통한 서비스의 공동 공급을 주장하지만, 이는 실현 불가능한 이상향에 가깝다.

③ 현실 세계가 효용극대화를 추구하고 있으며 합리적인 개인들로 구성되어 있다고 가정하는데, 이는 현실적이지 못하다.

④ 자유경쟁시장의 논리를 공공부문에 도입하고자 하는데, 그 논리 자체가 현상유지와 균형이론에 집착하는 것이며 시장실패라는 고유한 한계 또한 가지고 있다.

05 애로우(K. J. Arrow)가 제시한 바람직한 집합적 의사결정방법의 기본조건이 아닌 것은? 2016 사복 9급

① 집단의 선택과정은 합리적이어야 한다.

② 개개인의 선택의 자유가 제한되어서는 안 된다.

③ 어느 누구도 집합적인 선택의 과정에 대해서 결정적인 영향력을 행사해서는 안 된다.

④ 두 대안에 대한 개개인의 선호 순위는 두 대안뿐 아니라 다른 제3의 대안도 고려하여 결정되어야 한다.

06 정부구조와 행정기구의 변화에 대하여 관청형성(bureau-shaping)이론이 제시하는 논리 및 내용으로 가장 옳지 않은 것은? 2015 해경간부

① 일반적으로 정부의 조직구조는 집권화된 형태로 변화하는 성향을 갖는다.

② 관료들의 효용은 소속기관이 통제하는 전체 예산액 중 일부분에만 관련된다.

③ 전달기관(delivery agency)은 전형적인 고전적 계선 관료제에 해당한다.

④ 해당 기관이 사적 부문에 직접 지불하는 모든 지출액은 관청예산에 포함된다.

07 공공선택이론에 관하여 설명한 것은? 2015 행정사

① 행정현상을 자연·사회·문화적 환경과 관련시켜 이해하며 집합적 행위나 제도를 거시적 수준에서 분석한다.

② 공공서비스의 효율적 공급을 위해 공공부문의 시장경제화를 추구하며 정치 및 행정현상에 경제학적 분석도구를 적용하여 설명한다.

③ 인간의 주관적 관념, 의식 및 동기의 의미를 이해하는 데에 초점을 맞추어 조직문제에 대한 폭넓은 사고방식과 준거의 틀을 정립한다.

④ 정책결정자가 대안들의 표면화된 가치를 비교할 수 없어 선택이 어려운 상황에서 행하는 의사결정 방법과 전략을 탐구한다.

⑤ 공공서비스 전달 및 공공문제 해결과정에서 정부와 민간부문 간의 협력적 네트워크를 적극 활용한다.

04

정답 : ②

② 시민과 기업의 참여를 통한 서비스의 '공동 공급'은 뉴거버넌스와 관련된다.
① 공공선택론은 넓게 보면 정치행정 이원론 계열에 속한다. 따라서 행정과 정치가 분리된 것이라고 가정하는 것은 현실적합성이 매우 떨어진다.
③ 정치적, 행정적인 의사결정을 개인의 이익충족만으로 논의하는데서 공공선택론은 한계를 지닌다.
④ 시장기능이 반드시 모든 상황에서 정부기능보다 낮다는 보장은 없으며, 경쟁시장의 논리는 오히려 그 자체가 현상유지적이며 시장실패라는 고유한 한계를 안고 있다.

05

정답 : ④

④ 두 대안에 대한 개개인의 선호 순위를 결정함에 있어 다른 제3의 대안은 고려하지 않아야 한다.
① 집단의 선택과정은 합리적이어야 한다고 보는 것은 파레토원리에 부합한다.
② 개개인의 선택의 자유가 제한되어서는 안 된다는 것은 개인은 어떠한 선호체계도 가질 수 있어야 한다는 선호의 비제한성 원리와 일맥상통한다.
③ 어느 누구도 집합적인 선택의 과정에 대해서 결정적인 영향력을 행사해서는 안 된다는 것은 비독재성의 원리에 해당한다.

06

정답 : ①

① 일반적으로 정부조직은 분권화된 형태로 변화하고 다양한 정부조직을 형성한다.
② 관료들의 효용은 일부예산에만 관련되며 핵심예산이나 관청예산에서만 예산극대화 동기가 나타난다.
③ 전달기관은 주로 기관자체운영비 등과 같은 핵심예산을 집행하는 고전적 계선관료제에 해당한다.
④ 관청예산은 해당기관이 민간부문에 지출하는 모든 지출액을 의미하며 예산극대화 동기가 나타나는 예산유형이다.

07

정답 : ②

② 공공선택론은 공공부문의 시장경제화를 추구하고, 정치 및 행정현상에 경제학적 분석도구를 적용하여 설명하는 것을 이론이다.
① 행정현상을 자연적·사회적·문화적 환경과 관련시켜 이해하고자 하는 연구방법은 생태론에 해당한다.
③ 행위자의 내면적인 동기나 의도를 행정현상에 적용하여 연구하는 방법은 해석학에 해당한다.
④ 정책결정을 해야 하지만 상충되는 정책대안들 가운데 어떤 것도 선택하기 어려운 상태에 해당하는 것은 정책딜레마모형이다.
⑤ 공공서비스 전달 및 공공문제 해결과정에서 정부와 민간부문 간 협력적 네트워크를 적극 활용하는 모형은 거버넌스이론에 해당한다.

정답
04 ② 05 ④ 06 ① 07 ②

포인트 정리

애로우(Arrow)의 5가지 공리

- 파레토의 원리 : 모두가 B보다 A를 원하면 A가 선택되어야 한다.
- 이행성의 원리 : A>B이고 B>C이면 A>C이어야 한다.
- 독립성의 원리 : 관련이 없는 선택대상으로부터 영향을 받지 않고 결정되어야 한다.
- 비독재성의 원리 : 다른 사람에게 자기의 선호를 강요하는 독재적 권력을 허용해서는 안 된다.
- 선호의 비제한성의 원리 : 자기가 선호하는 대안을 충분히 고려하고 선택할 수 있는 자유가 보장되어야 한다.

08 니스카넨(Niskanen)의 예산극대화모형(Budget-maximization model)에 대한 설명으로 옳지 않은 것은?

2011 지방 7급

① 정치가는 사회후생의 극대화를 추구한다고 가정한다.

② 정치가는 총편익과 총비용의 차이인 순편익이 최대가 되는 수준에서 공공서비스를 공급하려 한다고 본다.

③ 관료는 자신의 효용을 극대화하려는 합리적 경제인이라고 가정한다.

④ 관료는 한계편익곡선과 한계비용곡선이 교차하는 점에서 공공서비스를 공급하려 한다고 본다.

09 공공선택론에 대한 다음 설명 중 올바르지 않은 것은?

2011 국가전환특채

① 공공선택론에 따르면 공공부문에서도 시장에서처럼 소비자의 선호를 반영함으로써 파레토 최적을 구현하여 사회 총효용을 극대화할 수 있다고 가정한다.

② 투표의 거래모형에 따르면 대의민주주의하에서는 투표의 거래나 담합에 의하여 정부사업이 팽창하게 된다고 본다.

③ Niskanen에 따르면 합리적인 관료들은 소속부서의 예산규모를 축소하기 위해 노력한다고 본다.

④ 정치적 경기순환론에 따르면 정치인들은 선거에서 득표율을 높여 승리하기 위해 선거 직전에는 경기부양책을 펴나가고 예산도 확대시킨다고 보았다.

10 공공선택론(public choice theory)의 접근방법에 관한 설명으로 옳지 않은 것은?

2008 지방 9급

① 방법론적 개인주의에 입각하고 있으며, 인간은 철저하게 자기 이익을 추구한다고 가정한다.

② 인간은 모든 대안들에 대하여 등급을 매길 수 있는 합리적인 존재라고 가정한다.

③ 정당 및 관료는 공공재의 소비자이고, 시민 및 이익집단은 공공재의 생산자로 가정한다.

④ 뷰캐넌(J.Buchanan)과 털럭(G.Tullock)이 대표적인 학자이다.

11 지방자치가 활성화되어 분권화된 효율성을 이룰 때 발에 의한 투표(voting with the feet)가 가능한데 이때 공공선택이론이 가정하고 있지 않은 것은 무엇인가?

2007 서울 9급

① 공공재와 조세에 대한 정보가 공개되어 주민이 그 내용을 알 수 있을 것

② 각 지방정부간에 공공서비스로 인한 외부효과가 없을 것

③ 공공서비스의 최저평균의 생산을 위해 주민 유입을 계속 유인할 것

④ 공공서비스의 소비자인 주민들이 선택할 수 있는 지방정부의 수가 많을 것

⑤ 지방정부는 자신에게 맞는 최적규모의 생산 요소가 1가지 이상 존재할 것

08

정답 : ④

④ 니스카넨의 예산극대화모형에 따르면 관료는 근본적으로 정치가와 다른 행태를 보이는데, 관료는 자신의 효용극대화를 추구하며 부처의 예산극대화를 추구한다. 따라서 총편익곡선과 총비용곡선이 교차하는 점에서 공공서비스를 공급하려고 한다.

① 니스카넨의 예산극대화모형에 따르면 정치가는 사회후생의 극대화를 추구하고 관료는 개인 효용의 극대화를 추구한다고 본다.

② 정치가는 총편익과 총비용의 차이인 순편익이 최대가 되는 수준, 즉 한계편익=한계비용에서 공공서비스를 공급하려고 한다.

③ 니스카넨의 예산극대화모형에서는 관료가 자신의 효용을 극대화하려는 합리적 경제인이라고 본다.

09

정답 : ③

③ 니스카넨(Niskanen)의 예산극대화모형에 따르면 공무원은 개인의 효용을 극대화하기 위하여 필요 이상으로 소속부서의 예산을 확보하려고 하므로 정부사업이 팽창하고 과잉생산이 나타나 정부실패가 발생한다고 본다.

① 공공선택론의 기본 가정으로 옳은 지문이다.

② 투표의 거래(Log-rolling)에 해당하는 설명으로 옳은 지문이다.

④ Nordhaus의 선거경제주기이론(정치적 경기순환론)에 대한 설명으로 옳은 지문이다.

10

정답 : ③

③ 공공선택이론은 공공부문에 경제학적 접근법을 적용한 것으로 정당 및 관료는 공공재의 공급자이고, 시민 및 이익집단은 공공재의 소비자로 가정한다.

① 공공선택이론은 개인을 분석단위로 하며, 정부나 국가를 유기체적 관점으로 보지 않고 개인 선호의 집합체로 보는 방법론적 개체주의에 입각한다.

② 인간은 경제나 정치행위 모두 이기심에 따라 자기 이익을 극대화한다고 가정하고, 관료도 시민들의 선호체계나 사회효용함수보다는 관료 자신들의 선호체계를 중심으로 공공재를 산출한다고 본다.

④ Buchanan과 Tullock이 정책결정의 최적 참여수준을 찾으려는 적정참여자 모형을 주장했다.

11

정답 : ③

③ 최적규모보다 작은 지방정부는 평균비용을 감소시키기 위하여 더 많은 주민을 유입하려고 노력할 것이며 최적규모보다 큰 지방정부는 오히려 주민을 감소시키려고 노력할 것이다. 즉, 최적규모를 이루려고 노력하는 것이지 최저평균의 생산을 위하는 것이 아니다.

①, ②, ④, ⑤ 완전한 정보성, 외부효과의 부존재, 다수의 지방정부, 각 지방정부별 고정적 생산요소의 존재 등을 전제한다.

포인트 정리

티부가설의 기본가정

- 다수의 지방정부 존재
- 완전한 정보
- 완전한 이동
- 규모의 경제 작용 X, 규모수익불변
- 외부효과의 부존재
- 배당수입에 의한 소득
- 한 가지 이상의 고정적 생산요소 존재
- 최적규모의 추구

정답

08 ④ 09 ③ 10 ③ 11 ③

01 사회학적 신제도주의에 대한 설명으로 옳지 않은 것은?

2020 지방 7급

① 개인의 행위는 고립된 상태에서 선택되는 것이 아니라 사회관계에 의하여 영향을 받는다는 의미에서 '배태성(embeddedness)'이라는 개념을 사용한다.

② 조직들이 시장의 압력 속에서 생존하기 위해 경쟁력 있는 조직형태나 조직관리기법을 합리적으로 선택하는 것은 규범적 동형화(normative isomorphism)의 예이다.

③ 정부의 규제정책에 따라 기업들이 오염방지장치를 도입하거나 장애인 고용을 확대하는 것은 강압적 동형화(coercive isomorphism)의 예이다.

④ 정부의 제도개혁에 선진국의 제도를 도입하여 적용하는 것은 모방적 동형화(mimetic isomorphism)의 예이다.

02 신제도주의의 주요 분파에 대한 설명으로 옳은 것은?

2019 지방 7급

① 합리적 선택 제도주의는 개인이 합리적이며 선호는 제도와 밀접하게 연관되어 변화하는 것으로 가정한다.

② 사회학적 제도주의는 제도의 변화과정을 설명할 때 경로의존성을 강조하며, 제도의 운영 및 발전과 관련하여 권력의 비대칭성에 초점을 맞춘다.

③ 역사적 제도주의는 중범위적 제도 변수가 개별 행위자의 행동과 정치적 결과를 어떻게 연계시키는지에 대해 초점을 맞춘다.

④ 사회학적 제도주의는 사회적 딜레마를 해결하기 위해 사람들이 스스로 만드는 게임의 규칙을 제도로 본다.

01

② 사회학적 신제도주의 내용 안에서는 강압적 동형화로 볼 수 있고, 신제도주의 이론과 연관시켜 볼 때 합리적 선택 신제도주의에 대한 내용이기도 하다. 그러나 규범적 동형화와는 직접적인 관련이 없다.

① 배태성은 개인의 행위나 제도가 사회적 관계에 영향을 받는다는 것으로 사회학적 신제도주의에서의 조직은 효과와 관계없이 사회 속에서 이미 합리화되고 제도화된 절차를 채택한다.

③ 강압적 동형화는 어떤 조직이 의존하고 있는 다른 조직으로부터 공식적·비공식적 압력이나 통제에 순응하고 이에 따라 조직형태가 수렴되어 가는 과정을 의미한다.

④ 모방적 동형화는 정당성을 인정받고 있거나 성공적이라고 평가받는 조직을 모방함으로써 조직 형태가 유사해지는 경우를 의미한다.

동형화 유형

규범적 동형화	전문가직업사회에서 전문가집단의 직업적 자율성을 얻기 위한 전문화 과정을 통한 동형화
강압적 동형화	다른 조직으로부터 가해지는 공식·비공식 압력과 통제에 순응하는 과정에 의한 동형화
모방적 동형화	선진국이나 타 조직의 성공사례를 자발적으로 벤치마킹하여 모방하는 과정에 의한 동형화

02

③ 역사적 제도주의는 분석수준 면에서 방법론적 전체주의 입장을 취하며 중범위 이론에 초점을 두고 정치체제가 개인의 선호를 형성하고 제약한다고 보았다.

① 합리적 선택 제도주의는 개인은 합리적 행위자로서 자신의 이익을 극대화하고, 제도는 개인의 합리적 선택의 결과이며, 사회현상은 개인의 선호와 제도의 결합으로 인식한다.

② 역사적 제도주의는 제도의 변화과정을 설명할 때 경로의존성을 강조하며, 비효율적인 제도의 존재와 제도의 변경이 쉽지 않으며 결절된 균형에 의해 제도의 급격한 중단이나 변화가 우연적으로 일어난다고 본다.

④ 합리적 선택 제도주의는 사회적 딜레마를 해결하기 위해 사람들이 스스로 만드는 게임의 규칙을 제도로 본다.

신제도론의 유파별 비교

구분	합리적 선택 신제도론	역사적 신제도론	사회학적 신제도론
기본 관점	경제학적 접근	정치학적 접근	사회학적 접근
제도 범위	좁게 인식	넓게 인식	가장 넓게 인식
분석 수준	미시적, 개체주의 (개인간 거래행위)	거시적, 전체주의 (제도=국가, 정치체제)	거시적, 전체주의 (사회문화)
선호	외생적	내생적	내생적
강조점	전략적 행위	권력불균형, 우연성	정당성
제도의 변화	전략적 선택, 거래비용접근	결절된 균형, 경로의존성	동형화
연구 방법	연역적, 방법론적 개체주의	종단면, 사례연구(귀납적)	횡단면, 해석학(귀납적)

신제도주의에 대한 다음 설명 중 가장 옳지 않은 것은?

① 신제도주의는 행태주의에서 규명하고자 했던 개인의 선호체계와 행위결과 간의 직선적 인과관계에 의문을 제기한다.
② 합리적 선택 신제도주의 계열에는 거래비용 경제학, 공공선택이론, 공유재 이론 등이 있다.
③ 사회학적 신제도주의는 경제적 효율성이 아니라 사회적 정당성 때문에 새로운 제도적 관행이 채택된다고 주장한다.
④ 역사적 신제도주의는 경로의존적인 사회적 인과관계를 강조하므로 특정 제도가 급격한 변화에 의해 중단될 수 있는 가능성을 부정한다.

신제도주의에 대한 설명으로 옳은 것만을 모두 고른 것은?

> ㄱ. 합리적 선택 신제도주의가 형성되는 데 거래비용접근법이 많은 영향을 미쳤다.
> ㄴ. 사회학적 신제도주의는 문화가 제도의 형성에 미치는 영향을 간과한다.
> ㄷ. 역사적 신제도주의는 행위자 간의 상호작용을 제약하는 제도의 영향력과 제도적 맥락을 강조한다.

① ㄱ, ㄴ   ② ㄱ, ㄷ
③ ㄴ, ㄷ   ④ ㄱ, ㄴ, ㄷ

신제도주의에 대한 다음 설명 중 가장 옳은 것은?

① 합리적 선택의 제도주의는 사례연구와 비교연구를 통하여 효율적이지 못한 제도는 도태된다는 이론을 전개하였다.
② 역사적 신제도주의와 사회학적 신제도주의에서 개인의 선호체계는 주어진 것으로 가정한다.
③ 신제도론적 접근방법은 행정부·입법부·사법부 등 제도 간의 관계에 관해 법규를 중심으로 연구를 진행한다.
④ 역사적 제도주의가 제도의 종단면적 측면을 중시하면서 국가 간의 차이를 강조한다면 사회학적 제도주의는 횡단면적으로 국가 간 또는 조직 간 어떻게 유사한 제도의 형태를 취하는가에 관심을 갖는다.

03

정답 : ④

④ 역사적 신제도주의는 제도의 경로의존성을 강조하며, 제도의 급격한 변화에 대한 가능성도 인정한다.

① 신제도론은 사회현상 연구에 있어 공식적 제도를 정태적으로 연구하던 기존의 방법에서 탈피하여 제도와 행위자 간 동태적 관계에 초점을 두는 접근방법이다.

② 합리적 선택 신제도주의는 선호를 극대화하고자 하는 인간의 합리적 선택의 결과로 제도가 형성되고, 형성된 제도는 인간의 선호나 유인구조에 영향을 미치고 거래비용을 낮추어 주며 상호협조와 이익을 증가시킴으로써 의사결정에 있어 안정적 균형점을 형성시키는 역할을 담당한다고 보았으며, 같은 계열로 공공선택이론, 공유재 이론 등이 있다.

③ 사회학적 신제도주의는 제도의 공식적 측면보다는 규범, 문화, 상징체계, 의미 등 비공식적 측면과 인지구조에 초점을 맞추고, 제도가 제공하는 판단기준의 영향아래 개인들이 자신의 선호를 발견할 수 있게 된다고 보았다.

04

정답 : ②

② ㄱ, ㄷ만 옳다.

ㄱ. [O] 합리적 선택 신제도주의 계열에는 공공선택이론, 거래비용경제학, 대리인이론, 공유재이론 등이 있다.

ㄷ. [O] 역사적 신제도주의는 역사적 맥락으로서의 제도가 개인 간 상호작용에 영향을 준다고 본다.

ㄴ. [X] 사회학적 신제도주의는 문화가 제도의 형성과 변화에 미치는 영향을 중시한다.

05

정답 : ④

④ 역사적 제도주의는 제도의 종단면적인 측면을 중시하며 국가 간의 차이를 강조하는 것이고, 사회학적 제도주의는 제도가 횡단면적으로 국가 간 또는 조직 간 어떻게 유사한 형태인가를 연구한다.

① 사례연구와 비교 연구는 역사학적 제도주의에서 사용하는 접근법이다. 한편 합리적 선택 신제도주의는 연역적 접근법을 사용한다.

② 역사적 신제도주의와 사회학적 신제도주의에서는 개인의 선호를 주어진 것으로 가정하지 않고 내생적 선호를 전제로 한다. 한편 합리적 선택 신제도주의에서는 개인의 선호체계는 주어진 것으로 가정한다.

③ 신제도론적 접근방법은 제도를 공식적으로 표명되지 않은 조직이나 문제 해결 기제까지 포함하여 동태적으로 연구한다. 한편 구제도론적 접근방법은 행정부·입법부·사법부 등 제도 간의 관계에 관해 법규를 중심으로 연구를 진행한다.

정답
03 ④ 04 ② 05 ④

다음 중 신제도주의에 대한 설명으로 옳지 않은 것은?

① 합리적 선택의 신제도주의에서는 제도의 형성과 변화 과정에서 개인의 합리적이고 전략적인 선택을 중시하였다.

② 역사적 신제도주의는 경로의존성과 권력의 불균형성을 중시하였다.

③ 사회적 신제도주의는 제도의 형성과 변화 과정에서 사회적 동형화(isomorphism)를 중시하였다.

④ 사회적 신제도주의는 제도의 형성과 변화 과정에서 외생적 선호와 공식적인 과정을 중시하였다.

07 정치학 및 정책연구에서의 구제도주의와 신제도주의의 비교에 관한 내용으로 가장 옳은 것은?

① 신제도주의는 제도를 사회현상을 '설명'하기 위한 핵심 변수로서 설정한다.

② 구제도주의는 '분석적 틀'에 기반한 '설명'과 '이론의 발전'에 초점을 맞춘다.

③ 신제도주의는 정치체계가 공동체 구성원들에게 미치는 영향에 대해서는 무관심하였다.

④ 구제도주의는 제도의 공식적·구조적 측면을 통해 개인의 행위를 설명하려 한다.

⑤ 신제도주의는 정치체제를 둘러싼 도덕적·규범적 원칙을 논의하고 있다.

CHAPTER 22 신공공관리론

실질적 력(역량) 업그레이드

01 탈신공공관리론(Post NPM)에 대한 설명으로 옳지 않은 것은?

① 성과보다는 공공책임성을 중시하는 인사관리 강조

② 탈관료제 모형에 기반을 둔 경쟁과 분권화 강조

③ 구조적 통합을 통한 분절화의 축소와 조정의 증대

④ '통(通) 정부(whole of government)'적 접근

06

정답 : ④

④ 사회적(문화적) 신제도주의는 내생적 선호와 비공식적인 과정과 측면을 중시하였다.

① 합리적 선택의 신제도주의는 합리적 개인과 외생적 선호를 가정한다.

② 역사적 신제도주의는 경로의존성과 권력의 불균형성을 통해 제도의 변화에 대해 설명하고자 하였다.

③ 조직 또는 제도의 변화는 효율성, 경쟁, 합리성을 추구하기 위하여 일어나는 것이 아니라 사회적으로 정당하다고 인정받는 구조와 기능을 닮아가는 과정(isomorphism, 동형화)의 결과에서 찾을 수 있다고 본다.

07

정답 : ①

① 구제도주의는 제도를 단순히 '기술'하는 차원의 접근법이지만, 신제도주의는 제도를 사회현상을 '설명'하기 위한 핵심변수로서 설정한다.

② 신제도주의에 대한 설명이다.

③ 신제도주의는 제도와 행위자 간 동태적 상호관계를 통해 사회현상을 설명하고자 하였다. 구제도주의는 제도를 단순히 기술하는 차원이다.

④ 신제도주의에 대한 설명이다.

⑤ 구제도주의에 대한 설명이다.

01

정답 : ②

② 탈관료제 모형에 기반을 둔 경쟁과 분권화의 강조는 신공공관리론의 특징이다.

① 탈신공공관리론은 성과보다는 공공책임성을 중시하는 인사관리방식이다.

③ 탈신공공관리론은 구조적 통합을 통한 분절화의 축소를 지향한다.

④ 탈신공공관리론에서는 총체적이고 합체적 정부를 특징으로 한다.

📖 포인트 정리

구제도론과 신제도론의 비교

구분	구제도론	신제도론
범위	공식적, 가시적, 구체적	비공식적, 추상적, 문화적
방법	정태적 연구, 행위자 배제	동태적 연구, 제도와 행위자의 동태적 상호관계
목적	각국 제도 차이를 설명	제도와 행위자의 상호작용에 따른 정책내용과 효과
성격	정태적, 규범적, 도덕적	동태적, 경험적, 실증적, 분석적
접근법	거시적 접근	행위자 구조는 제도를 매개로 상호작용(거시 미시 연계)

정답

06 ④ 07 ① 01 ②

02 행정재정립운동(refounding movement)에 대한 설명으로 옳은 것은? 2020 군무원 7급

① 직업공무원의 재량권을 축소하고 정치적으로 임명하는 공무원의 수를 상대적으로 증가시키는 것이다.

② 기존의 정치행정이원론을 재해석하여 정책과정에서 공무원의 적극적인 역할을 옹호하였다.

③ 정부를 재구축하고 민간부분이 공공서비스 공급에 참여할 필요가 있다고 강조하였다.

④ 고객중심적 행정을 주요 대상으로 하는 새로운 연구경향이다.

03 다음 신공공관리론에 대한 설명 중 옳은 것만을 모두 고르면? 2019 지방 7급

> ㄱ. 행정서비스 공급의 경쟁 체제를 선호한다.
> ㄴ. 예측과 예방을 통한 미래지향적 정부를 강조한다.
> ㄷ. 투입 중심의 예산제도를 통해 예산을 관리한다.
> ㄹ. 행정관리의 이념으로 효율성을 강조한다.
> ㅁ. 집권적 계층제를 통해 행정의 책임성을 확보한다.

① ㄱ, ㄹ   ② ㄱ, ㄴ, ㄹ

③ ㄴ, ㄷ, ㄹ   ④ ㄴ, ㄷ, ㅁ

04 신공공관리론(NPM)에 대한 비판적 논의에 해당하지 않는 것은? 2018 국가 9급

① 공공부문은 민간부문과 다르기 때문에 민간부문의 관리 기법을 공공부문에 그대로 적용하는 데에는 한계가 있다.

② 민주적 책임성과 기업가적 재량권 간의 갈등으로 인하여 정부관료제의 효율성을 제고하기 어렵다.

③ 고객 중심 논리는 국민을 관료주도의 행정서비스 제공에 의존하는 수동적 존재로 전락시킬 우려가 있다.

④ 정치적 논리를 우선하여 내부관리적 효율성을 경시하는 경향이 있다.

02

정답 : ②

② 행정재정립운동은 1980년대 이후 행정과 직업공무원제에 대한 불신이 증가하면서 엽관주의적 요소가 확대되자 이에 대한 반작용으로 스바라(J.H.Svara)를 중심으로 1990년 초반 미국에서 발생한 것으로, 기존의 정치행정이원론을 재해석하여 정책과정에서 직업공무원의 적극적인 역할을 옹호한 운동이며, 웜슬리(Wamsley)는 '행정재정립론(1990)'을 통해 행정재정립운동을 뒷받침하였다.
① 행정재정립운동은 직업공무원의 적극적 역할을 주장하였다.
③ 정부를 재구축하고 민간부문이 공공서비스 공급에 참여할 필요가 있다고 강조한 것은 오스본과 개블러(Osborne & Gaebler)의 '정부재창조론'이다.
④ 관료제가 아닌 고객중심적 행정을 중시하는 입장은 오스본과 개블러(Osborne & Gaebler)의 '정부재창조론'이다.

03

정답 : ②

② ㄱ, ㄴ, ㄹ이 신공공관리론의 특징이다.
ㄷ. [X] 성과 중심의 예산제도를 통해 예산을 관리한다.
ㅁ. [X] 분권적 탈계층제를 통해 효율성 및 책임성을 확보한다.

신공공관리론의 특징

이론과 인식의 토대	경제이론
합리성 모형	기술적·경제적 합리성
공익에 대한 입장	개인들의 총이익
관료의 반응 대상	고객
정부의 역할	방향잡기
책임에 대한 접근	시장 지향적
행정재량	기업적 목적 달성을 위해 넓은 재량 허용
기대하는 조직구조	기본적 통제를 수행하는 분권화된 공조직
관료의 동기유발	기업가 정신

04

정답 : ④

④ 신공공관리론은 경제학적 논리를 적용하여 경쟁원리와 민간부문의 관리기법을 통해 행정의 효율성을 향상시킨다.

신공공관리론 vs 탈신공공관리론

구분	신공공관리론	탈신공공관리론
정부-시장관계	시장지향주의, 규제완화 – 탈규제·탈정치	정부 역량 강화 – 재규제, 재정치 및 정치적 통제 강조
행정가치	능률·성과 등 경제적 가치 강조	민주성·형평성 등 전통적 가치도 고려
정부규모	정부규모의 감축, 시장화·민영화	민간화·민영화의 신중한 접근
기본모형	탈관료제 모형	관료제와 탈관료제의 조화
조직구조	유기적·비계층적·임시적·분권적 구조	재집권화 및 분권과 집권의 조화
통제	결과·산출중심 통제	과정과 소통 중심
인사	경쟁적·개방적인 성과중심	공공책임성 중시
관리	자율과 경쟁	자율과 책임

정답
02 ② 03 ② 04 ④

다음 중 탈신공공관리론(post-NPM)에서 강조하는 행정개혁 전략으로 옳지 않은 것은?　　　2018 국회 8급

① 분권화와 집권화의 조화

② 민간-공공부문 간 파트너십 강조

③ 규제완화

④ 인사관리의 공공책임성 중시

⑤ 정치적 통제 강조

신공공관리론에 대한 설명으로 옳지 않은 것은?　　　2014 지방 7급

① 신공공관리론의 이면에는 공공선택론, 주인-대리인이론, 거래비용이론 등이 자리 잡고 있다.

② 신공공관리론에서는 수익자 부담 원칙의 강화, 정부부문 내 경쟁 원리 도입 등을 행정개혁의 방향으로 제시한다.

③ 관료제는 비효율적이므로 다른 수단으로 대체되어야 하며, 혁신을 통해 기업형 정부로 변화되어야 한다고 본다.

④ 신공공관리론에서는 사회적 요구에 대한 능동적 대처를 위해 구조적 통합을 통한 분절화의 축소를 지향하고 있다.

다음 중 신공공관리론에 대한 설명으로 가장 옳은 것은?　　　2013 국회 8급

① 경제적 생산활동의 결과는 경제활동과 사회를 지배하는 정치적·사회적 제도인 일단의 규칙에 달려있다.

② 행정가가 책임져야 하는 것은 행정 업무 수행에서 효율성이 아니라 모든 사람에게 더 나은 생활을 보장하는 것이다.

③ 정부의 정체성을 무시하고 정부와 기업을 동일시함으로써 기업경영 원리와 기법을 그대로 정부에 이식하려 한다는 비판이 있다.

④ 정부 주도의 공공서비스 전달 또는 공공문제 해결을 넘어 협력적 네트워크 구축 및 관리라는 대안을 제시한다.

⑤ 과정보다는 결과에 초점을 맞추고 있으며 조직 내 관계보다 조직 간 관계를 주로 다루고 있다.

05

정답 : ③

③ 신공공관리론은 규제완화를 강조하지만, 탈신공공관리론은 정부 역량 강화의 재규제 및 정치적 통제를 강조한다.

① 신공공관리론은 구조적 권한 이양 및 분권화를 강조하지만, 탈신공공관리론은 분권화와 집권화의 조화를 특징으로 하는 재집권화를 강조한다.

② 신공공관리론은 시장의 메커니즘을 주로 활용하지만, 탈신공공관리론은 민간–공공부문의 파트너십을 강조한다.

④ 신공공관리론은 경쟁적 인사관리를 중시하지만, 탈신공공관리론은 인사관리의 공공책임성을 중시한다.

⑤ 신공공관리론은 시장을 지향하고 능률성 및 경제적 가치를 강조하지만, 탈신공공관리론은 정부의 정치·행정적 역량을 강화함으로써 정치적 통제를 강조한다.

06

정답 : ④

④ 탈신공공관리론에서는 사회적 요구에 대한 능동적 대처를 위해 구조적 통합을 통한 분절화의 축소를 지향하고 있다. 한편 신공공관리론은 정책과 집행의 분리, 책임운영기관 등 행정의 분절화를 강조한다.

① 공공선택론, 주인–대리인이론, 거래비용이론 등 경제학적 관점은 시장원리를 중시하는 신공공관리론의 토대가 되었다.

② 경쟁원리, 가격원리 등 시장기법의 도입을 강조한다.

③ 정부실패를 해소하기 위하여 전통적인 관료제 방식의 탈피를 강조한다.

07

정답 : ③

③ 신공공관리론에 대한 올바른 비판이다.

① 신제도론에 대한 설명이다.

② 신공공서비스론에 대한 설명이다.

④ 거버넌스에 대한 설명이다.

⑤ 조직간 관계보다 조직 내의 문제를 더욱 중시한다.

포인트 정리

신공공관리론 vs 뉴거버넌스

구분	신공공관리	뉴거버넌스 (신국정관리)
인식론	신자유주의 · 신공공관리	공동체주의 · 참여주의
관료 역할	공공기업가	조정자
작동 원리	갈등과 경쟁 (시장메커니즘)	신뢰와 협력체제 (참여메커니즘)
서비스	민영화, 민간위탁	공동생산
분석 수준	조직내	조직간
혁신의 초점	정부재창조	시민재창조
정치성	탈정치화	재정치화

정답
05 ③ 06 ④ 07 ③

신공공관리적 행정개혁의 문제점, 성과 및 과제에 대한 설명으로 옳지 않은 것은?

① 시장유사기제의 적용에 따른 문제점으로 민간위탁은 독과점의 폐해를 야기할 수 있다.

② 분권화와 권한이양에 따른 문제점으로 정책기능과 집행기능간 기능분담의 적절성 확보가 어렵다.

③ 공공부문의 책임성, 합리성 및 민주성 확보에 기여할 수 있다.

④ 신공공관리적 개혁의 효과성에 상대적으로 중요성이 높은 변수를 개발하여 개혁수단으로 적용한다면 적실성이 높아질 수 있다.

신공공관리론의 특징으로 옳지 않은 것은?

① 효율적 감시와 통제를 위하여 측정가능한 성과목표와 기준을 제시하고 이의 달성을 중시한다.

② 관리자들에게 자율적 권한을 부여하여 혁신과 창의를 고취시키고 책임을 완화시킨다.

③ 집행적 성격의 사업기능은 전문적 책임운영기관으로 분리·이관시키고 정부는 조정 역할 및 정책능력을 강화한다.

④ 납세자가 제공하는 돈(세금)의 가치를 높이기 위하여 공공부문 내 내부공급에 대하여 가격책정을 하기도 한다.

다음 주장들 중 신공공관리론(NPM)의 특성이나 주장을 나타낸 것을 모두 모은 것은?

> ㉠ 정치·경제·사상적으로는 신자유주의적(neo-liberalism) 관점이다.
> ㉡ 정부운영에 있어 경쟁보다는 분배·참여·평등의 원리를 강조한다.
> ㉢ '일은 더 잘하고 비용은 덜 드는 정부'를 지향한다.
> ㉣ 정부는 노젓는 일보다는 방향잡는 일에 더 많은 노력을 하여야 한다.
> ㉤ 정책결정 기능과 사업적 성격이 강한 정책집행 기능은 서로 분리하여 별개의 기관들이 각각을 담당하게 하는 것이 바람직하다.

① ㉠, ㉢, ㉣, ㉤　　　　　　　　② ㉡, ㉢, ㉣, ㉤

③ ㉠, ㉣, ㉤　　　　　　　　　　④ ㉡, ㉢, ㉣

⑤ ㉠, ㉢, ㉤

08

③ 신공관리론은 공공부문에 민간기법이나 시장방식을 도입하자는 것으로 효율성과 생산성만을 강조한 나머지 공공부문의 책임성, 공익성, 형평성 및 민주성 확보에는 제약이 따른다.

① 민간위탁은 수탁업체를 선정할 때 경쟁입찰과정을 거치지만 일단 선정이 되면 독과점 형태로 운영되므로 지나친 이윤추구로 인한 공익저해 등의 문제점이 발생할 수 있다.

② 정책과 집행기능의 분리는 기술적으로 어렵거니와 가능하다 해도 집행현장의 문제점 파악 등이 곤란하고 정책의 환류기능을 차단하여 오히려 정책역량을 약화시킬 수 있다.

④ 신공공관리적 개혁의 효과성에 대한 설명이다.

09

② 신공공관리론은 민간의 경영 관리기법들을 행정에 도입하고 관리자에게 자율적 권한을 부여하여 혁신과 창의를 고취시키고 그에 따른 성과에 대한 책임을 강조한다.

① 명확한 목표의 설정과 구성원의 자율적 참여를 통해 성과를 지향한다.

③ 신공공관리론의 특성 중 분권화된 정부에 대한 내용이다.

④ 신공공관리론의 특성 중 시장지향적 정부에 대한 내용으로 규제를 과감하게 완화 또는 철폐함으로써 시장의 자생적 질서를 회복하게 한다.

10

① ㉠, ㉢, ㉣, ㉤이 신공공관리론에 대한 설명이다.

㉠ [O] 신자유주의는 시장의 확대와 국가의 축소를 통하여 자원배분의 효율성을 향상시키려는 사상으로 자본이동에 대한 대외적 개방, 국제적 기준 준수, 각종 기업규제 철폐, 공공부문의 민영화 등을 주요 내용으로 한다.

㉢ [O] Osborne과 Gaebler가 「정부재창조론」에서 주장한 내용이다. 이는 신공공관리론의 기업형정부를 설명한다.

㉣ [O] 전통적인 관료제 정부의 역할은 노젓기이고, 신공공관리론의 기업형 정부의 역할은 방향잡기이다.

㉤ [O] 정책결정기능(방향잡기)은 정부가 수행하고 정책집행기능(노젓기)은 민간에 이양할 때 효율적인 서비스 공급이 이루어질 수 있다.

㉡ [X] 정부운영에 있어 경쟁보다는 분배·참여·평등의 원리를 강조하는 것은 신공공관리론이 아닌 신행정론의 이념에 해당한다.

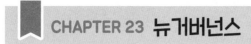

01 피터스(G. Peters)의 정부모형에 대한 설명으로 옳은 것은? 2019 국가 7급

① 참여모형에서는 조직의 고위층과 최하위층 간에 계층 수가 많지 않아야 한다.

② 유연정부모형은 변화하는 정책수요에 맞춰 탄력적으로 구성원들을 활용함으로써 이들의 조직과 업무에 대한 몰입도를 높인다.

③ 시장모형은 정치지도자들의 권력을 약화시키고 기업가적 관료들의 정책결정자로서의 역할을 제고하는 결과를 가져왔다.

④ 탈규제모형은 정부역할의 적극성 및 개입성이 높으면 공익구현이 어렵다는 인식을 전제한다.

02 신공공관리론(NPM)과 뉴거버넌스에 관한 다음 설명 중 가장 옳은 것은? 2018 경찰간부

① 신공공관리론(NPM)과 뉴거버넌스는 모두 방향잡기(steering) 역할을 중시하며, 신공공관리론(NPM)에서는 기업을 방향잡기의 중심에, 뉴거버넌스에서는 정부를 방향잡기의 중심에 놓는다.

② 신공공관리론(NPM)은 작은 정부를 중시하면서 행정과 경영을 동일시하지만, 뉴거버넌스는 큰 정부를 중시하면서 행정과 경영을 분리시킨다.

③ 신공공관리론(NPM)에서는 부문 간 협력에, 뉴거버넌스에서는 부문간 경쟁에 역점을 둔다.

④ 두 이론 모두 정부실패를 이념적 토대로 설정하여 그 대응책을 마련하고자 하며, 투입보다는 산출에 대한 통제를 강조한다.

03 피터스(B. Guy Peters)가 제시한 정부개혁모형에 대한 설명으로 옳은 것은? 2017 국가 9급(추)

① 시장모형(market model)에서는 조직의 통합을 통한 집권화를 처방한다.

② 참여정부모형(participatory model)에서는 조직 하층부 구성원이나 고객들의 의사결정 참여기회가 확대될수록 조직이 효과적으로 기능한다고 본다.

③ 신축적 정부모형(flexible government)에서는 정규직 공무원의 확대를 통하여 비용을 절감하고 공익을 증진시킬 수 있다고 본다.

④ 탈규제적 정부모형(deregulated government)에서는 경제적 규제 완화를 통한 시장 활성화를 추구하기 위하여 정부의 권한을 축소해야 한다고 본다.

01
정답 : ①

① 참여모형에서는 계층제를 기존정부의 문제점으로 보고 이를 해결하기 위한 개혁방안으로 탈계층제를 제시하므로 조직의 고위층과 최하위층 간에 계층 수가 많지 않아야 한다.

② 유연정부모형(신축모형)은 변화하는 정책수요에 맞춰 탄력적으로 구성원들을 활용함으로써 기존 조직의 경직성을 탈피하고 유연성과 융통성을 추구하지만, 임시조직을 지향하므로 조직구성원들의 조직과 업무에 대한 몰입도는 떨어진다.

③ 정치지도자들의 권력을 약화시키고 기업가적 관료들의 정책결정자로서의 역할을 제고하는 결과를 가져온 것은 탈규제모형이다.

④ 정부역할의 적극성 및 개입성이 높으면 공익구현이 어렵다는 인식을 전제하는 것은 시장모형이다.

02
정답 : ④

④ 신공공관리론과 뉴거버넌스 모두 정부실패를 배경으로 해결책을 마련하기 위해 등장하였으며 투입보다는 산출에 대한 통제를 강조하는 이론이다.

① 신공공관리론(NPM)과 뉴거버넌스는 모두 방향잡기(steering) 역할을 중시하지만, 신공공관리론(NPM)에서는 정부를 방향잡기의 중심에 둔다. 하지만 뉴거버넌스는 불평등한 관계가 아니라 평등한 관계 속에서 함께하는 것을 추구한다.

② 신공공관리론과 뉴거버넌스 모두 공공부문과 민간부문의 구분 필요성에 대해 회의적인 입장을 취하고 있다.

③ 신공공관리론(NPM)에서는 부문 간 경쟁에, 뉴거버넌스에서는 부문 간 협력에 역점을 둔다.

03
정답 : ②

② 참여정부모형에서는 구성원들의 광범위한 참여를 중시하는 모형으로 조직 하층부의 구성원들의 참여기회가 확대될수록 효과적으로 기능한다고 본다.

① 시장모형에서는 전통적 관료제에 대한 불신을 전제하고 시장의 효율성에 대한 신뢰를 기초로 하며, 정책결정과 집행의 분권화를 추구하고 공공서비스 제공에 있어서 다양한 준정부 또는 민간조직을 활용할 필요가 있다고 본다.

③ 신축적 정부모형에서는 가변조직이나 임시고용 등 행정의 유연화를 통하여 비용을 절감하고 공익을 증진시킬 수 있다고 본다.

④ 탈규제적 정부모형은 조직 내의 지나친 내부규제가 많은 문제점을 야기한다고 보면서 조직 내 중하위 관리자에게 관리적 재량을 확대할 필요가 있다고 본다.

포인트 정리

Peters의 거버넌스 모형

구분	시장형 정부 모형	참여형 정부 모형	신축형 정부 모형	규제 완화(탈규제) 정부 모형
기존 정부의 문제점	정부 독점	계층제	조직의 영속성	다수의 내부 규칙, 규제
개혁 방안	분권화	탈계층제	가상 조직, 실험	규제 완화, 과다한 규칙 제거
관리 방식	민간 부문의 관리 기법	TQM	가변적, 유연한 인사 관리	관리상 재량 증대
가치 방향	저렴한 비용	참여	조정	창의성, 활동성

신공공관리론 vs 뉴거버넌스

구분	신공공관리	뉴거버넌스 (신국정관리)
인식론	신자유주의, 신공공관리	공동체주의, 참여주의
관리 기구	시장주의	서비스연계망 (공동체)에 의한 공동생산
관리 가치	결과 (효율성, 생산성)	과정 (민주성, 정치성)
관료 역할	공공기업가	조정자
작동 원리	갈등과 경쟁 (시장메커니즘)	신뢰와 협력체제 (참여메커니즘)
서비스	민영화, 민간위탁	공동생산
분석 수준	조직내	조직간
혁신의 초점	정부재창조	시민재창조
정치성	탈정치화	재정치화

정답

01 ① 02 ④ 03 ②

04 신공공관리 이론과 뉴거버넌스 이론과의 비교로 적절하지 않은 것은?

2013 서울 7급

① 두 이론 모두 투입보다는 산출에 대한 통제를 강조한다.

② 신공공관리는 공공부문과 민간부문을 명확하게 구분하는데 비해서 뉴거버넌스는 명확하게 구분하지 않는다.

③ 신공공관리는 조직내부 문제, 뉴거버넌스는 조직간 문제를 다룬다.

④ 신공공관리는 부문간 경쟁을, 뉴거버넌스는 부문간 협력을 강조한다.

⑤ 두 이론 모두 정부실패를 이념적 토대로 설정하여 그 대응책을 마련하고자 한다.

05 피터스(B. Guy Peters)의 정부개혁모형 중 다음이 설명하는 것은?

2011 국가 7급

> ○ 정책기능수행에서 기업가적 정부의 역할이 강조된다.
> ○ 조직구조에 대한 특정적 처방은 없다.
> ○ 관리작용의 자율성이 높다.
> ○ 거버넌스의 평가기준은 창의성과 행동주의이다.

① 탈규제적 정부모형　　　　　　　② 신축적 정부모형

③ 시장적 정부모형　　　　　　　　④ 참여적 정부모형

06 다음은 레짐이론에 대한 유형을 설명한 것으로 올바르게 연결된 것은?

2011 경찰간부

> ㉠ 친밀성이 강한 소규모 지역사회에서 나타나는 유형으로 관련 행위 주체간 갈등이나 마찰이 적고 생존능력이 강한 레짐이다.
> ㉡ 구체적인 프로젝트와 관련되는 단기적인 목표에 의해 구성되며 올림픽 게임과 같은 주요한 국제적 이벤트를 유치하기 위해 구성되는 레짐이다.
> ㉢ 굳건한 사회적 결속체와 높은 수준의 합의를 특징으로 하는 레짐으로서 이들 레짐은 현상유지와 정치적 교섭에 초점을 두고 있다.

	㉠	㉡	㉢
①	현상유지레짐	도구적레짐	유기적레짐
②	현상유지레짐	상징적레짐	유기적레짐
③	유기적레짐	도구적레짐	현상유지레짐
④	유기적레짐	상징적레짐	현상유지레짐

04

정답 : ②

② 신공공관리와 뉴거버넌스는 모두 정부의 역할로서 방향잡기를 강조하며, 공공부문과 민간부문을 명확하게 구분하지 않는다는 공통점이 있다.

① 신공공관리론과 뉴거버넌스 모두 투입보다는 산출에 대한 통제를 강조한다.

③ 신공공관리는 조직 내부의 문제를, 뉴거버넌스는 조직 간의 문제를 분석한다.

④ 신공공관리는 부문 간 경쟁을, 뉴거버넌스는 부문 간 협력을 중시한다.

⑤ 신공공관리론과 뉴거버넌스는 모두 정부실패를 극복하기 위한 이론으로, 신공공관리론은 시장기제의 도입을, 뉴거버넌스론은 서비스연계망에 의한 공동생산을 대응방식으로 제시하였다.

05

정답 : ①

① 제시문은 재량이 규제보다 더 나은 결과를 가져온다는 인식에 기반하는 탈내부규제모형에 해당하는 설명이다.

② 신축적 정부모형은 공공조직의 안정성에 대한 부정적 인식을 기반으로 한다.

③ 시장적 정부모형은 시장의 효율성에 대한 신뢰를 기반으로 한다.

④ 참여적 정부모형은 담론 민주주의와 공동체주의 이념을 기반으로 한다.

06

정답 : ①

① ⊙ – 현상유지레짐, ⓒ – 도구적 레짐, ⓒ – 유기적 레짐이 옳게 연결되었다.

⊙ Stone의 현상유지레짐은 친밀성이 강한 소규모 지역사회에서 나타나는 유형으로 관련 행위주체 간 갈등이나 마찰이 적고 생존능력이 강하다.

ⓒ Stoker의 도구적 레짐은 구체적인 프로젝트와 관련되는 단기적인 목표에 의해 구성되며 올림픽 게임과 같은 주요한 국제적 이벤트를 유치하기 위해 구성되는 유형으로 구성원 간 정치적 파트너십을 관계로 하는 것이 특징이다.

ⓒ Stoker의 유기적 레짐은 굳건한 사회적 결속체와 높은 수준의 합의를 특징으로 하는 레짐으로서 현상유지와 정치적 교섭에 초점을 두고 있으며 주로 소규모 도시지역을 대상으로 한다.

포인트 정리

Peters의 거버넌스 모형

구분	시장형 정부 모형	참여형 정부 모형	신축형 정부 모형	규제 완화 (탈규제) 정부 모형
기존 정부의 문제점	정부 독점	계층제	조직의 영속성	다수의 내부 규칙, 규제
개혁 방안	분권화	탈계층제	가상 조직, 실험	규제 완화, 과다한 규칙 제거
관리 방식	민간 부문의 관리 기법	TQM	가변적, 유연한 인사 관리	관리상 재량 증대
가치 방향	저렴한 비용	참여	조정	창의성, 활동성

Stoker & Mossberger의 레짐이론 유형

구분	도구적 레짐	유기적 레짐	상징적 레짐
구성원 관계	정치적	결속과 합의	경쟁적 동의
변화	단기, 실용적 동기	현상유지	변화지향
대상	국제이벤트 유치를 위한 수단	소규모 도시	변화지향적 도시

정답

04 ② 05 ① 06 ①

07 신공공관리론(NPM)과 뉴거버넌스에 대한 설명으로 옳지 않은 것은? 2010 국회 8급

① NPM은 경쟁의 원리를 강조하지만, 뉴거버넌스는 신뢰를 기반으로 조정과 협조를 중시한다.

② NPM은 작은 정부를 중시하면서 행정과 경영을 동일시하지만, 뉴거버넌스는 큰 정부를 중시하면서 행정과 경영을 분리시킨다.

③ NPM은 국민을 공리주의에 입각하여 고객으로 보지만, 뉴거버넌스는 국민을 시민주의에 바탕을 두고 덕성을 지닌 시민으로 본다.

④ NPM은 행정의 경영화에 의한 정치행정 이원론의 성격이 강하지만, 뉴거버넌스는 담론이론 등을 바탕으로 한 행정의 정치성을 중시한다고 볼 수 있다.

⑤ NPM은 행정기능을 상당부분 민간에 이양하지만, 뉴거버넌스는 민간의 힘을 동원한 공적 문제의 해결을 중시한다.

CHAPTER 24 신공공서비스론(NPS), 기타 최신이론 실질적 력(역량) 업그레이드

01 무어(Moore)의 공공가치창출론(creating public value)적 시각에 대한 설명으로 옳지 않은 것은? 2023 지방 9급

① 행정의 정당성 위기를 극복하기 위한 대안적 접근이다.

② 전략적 삼각형 개념을 제시한다.

③ 신공공관리론을 계승하여 행정의 수단성을 강조한다.

④ 정부의 관리자들은 공공가치 실현에 힘써야 한다고 주장한다.

02 신공공서비스론의 주요 주장에 대한 설명으로 옳지 않은 것은? 2020 군무원 7급

① 책임성은 단순한 것이 아니라는 점을 인식해야 한다.

② 집합적이고 공유된 공익개념을 구축하려는 노력이 필요하다.

③ 전략적으로 생각하고 민주적으로 행동해야 한다.

④ 관료역할의 중요성은 사회의 새로운 방향을 잡고 시민을 지원하는 데 있다.

07

정답 : ②

② NPM(신공공관리론)과 뉴거버넌스 모두 정부의 독점적 통치를 비판하면서 정부의 방향잡기 강조, 정부역할의 축소, 행정과 민간구분의 상대성, 민관협력 등을 특징으로 한다.

① 신공공관리론과 뉴거버넌스는 관리가치가 다르다.

③ 신공공관리론과 뉴거버넌스는 시민관에 있어서 차이점이 있다.

④ 정치와 행정과의 관계가 신공공관리론은 상대적으로 정치행정이원론이고, 뉴거버넌스는 정치행정일원론이다.

⑤ 신공공관리는 민영화, 민간위탁 등의 방식을 선호하지만, 뉴거버넌스는 공동생산을 선호한다.

01

정답 : ③

③ 무어(Moore)의 공공가치창출론은 신공공관리론을 비판하면서 공적 영역의 가치를 강조하는 이론이다. 민주적으로 선출되어 정당성이 부여된 정부 과리자들이 공공자산을 이용해 공공가치를 창출해야 한다.

02

정답 : ④

④ 신공공서비스론에서 관료의 역할은 시민에게 봉사하는 것이며, 시민과 지역공동체 내의 이익을 협상하고 중재하여 공유가치를 창출하는 서비스 역할을 담당한다고 보았다. 한편 관료 역할을 방향잡기로 보는 것은 신공공관리론에 해당한다.

① 신공공서비스론은 책임이 단순한 것이 아니고 다면적이고 복합적인 것이라고 본다.

② 신공공서비스론에서 공익은 구성원의 공유된 인식에서 발생한다고 본다.

③ 신공공서비스론자인 덴하트(Denhardt)는 전략적으로 생각하고 민주적으로 행동하는 것이 신공공서비스론의 원칙이라고 주장하였다.

정답
07 ② 01 ③ 02 ④

03 다음 행정이론에 대한 설명으로 옳지 않은 것은?

> 변화 시작의 시간적 전후관계나 동반관계, 변화과정의 시간적 장단(長短)관계를 사회현상 연구에 적용하는 접근방법이다. 정책이 실제로 실행되는 타이밍, 정책대상자들의 학습시간, 정책의 관련요인들 간 발생순서 등이 정책효과를 다르게 할 수 있다고 주장한다.

① 원인변수와 결과변수 간 인과관계가 원인변수들이 작용하는 순서에 따라 달라지지는 않는다고 본다.

② 정책이나 제도의 도입 이후 어느 시점에서 변경을 시도해야 바람직한 결과를 낳을 것인지에 주목한다.

③ 정책이나 제도의 효과는 어느 정도 숙성기간이 지난 후에 평가하는 것이 보다 합리적이라고 본다.

④ 시차적 요소에 대해 적절하게 고려하지 않아 정부개혁의 실패가 나타난다고 본다.

04 신공공서비스론의 주장으로 보기 어려운 것은?

① 관료가 반응해야 하는 대상은 고객이 아닌 시민이다.

② 정부의 역할은 방향제시(steering)가 아닌 노젓기(rowing)이다.

③ 관료의 동기부여 원천은 보수나 기업가 정신이 아닌 공공서비스 제고이다.

④ 공익은 개인이익의 단순한 합산이 아닌 공유하고 있는 가치에 대해 대화와 담론을 통해 얻은 결과물이다.

03

정답 : ①

① 제시문은 시차이론에 대한 설명이다. 시차이론은 인과관계의 시차적 성격을 강조하므로 원인변수와 결과변수 간 인과관계가 원인변수들이 작용하는 순서에 따라 달라진다고 본다.

② 시차이론은 정책이나 제도의 도입 이후 어느 시점에서 변경이나 개혁을 시도해야 바람직한 결과를 낳을 수 있을지를 연구하는 이론이다.

③ 충분한 성숙기간이 흐르지 않은 상태에서 정책이나 제도를 섣불리 바꾸거나 평가하는 것은 성과보다 비용을 크게 지불하게 만드는 것이므로, 정책이나 제도의 효과는 어느 정도 숙성기간이 지난후에 평가하는 것이 합리적이라고 본다.

④ 시차이론은 시차적 요소에 대해 적절하게 고려하지 않아 정부개혁의 실패가 나타난다고 보므로 시간적 리더십(타이밍 관리능력)을 중시한다.

04

정답 : ②

② 신공공서비스론에서 정부의 역할은 방향제시나 노젓기가 아닌 봉사이다. 한편 정부의 역할이 노젓기인 것은 전통적 행정론이며, 방향잡기는 신공공관리론에서 주장하는 정부의 역할이다.

① 관료가 반응해야 할 대상은 시민이다.

③ 관료의 동기부여는 공공서비스나 사회에 기여하려는 욕구 및 시민정신이다.

④ 공익을 공유가치에 대한 담론의 결과물로 본다.

전통행정이론, 신공공관리론(NPM), 신공공서비스론(NPS)의 비교

구분	전통행정이론	신공공관리론(NPM)	신공공서비스론(NPS)
이론과 인식의 토대	초기의 사회과학	경제이론	민주주의 이론
공익에 대한 입장	법률로 표현된 정치적 결정	개인들의 총이익	공유가치에 대한 담론의 결과
관료의 반응 대상	유권자	고객	시민
정부의 역할	노젓기	방향잡기	서비스 제공과 봉사, 공유가치의 창출
관료의 동기유발	보수와 편익, 공무원 보호	기업가 정신	사회에 기여하려는 욕구, 시민정신
합리성	개괄적 합리성	기술 · 경제적 합리성	전략적 합리성

정답

03 ① 04 ②

05 다음 중 딜레마 이론에 대한 설명으로 옳은 것은?

2017 국회 8급

① 정부활동의 기술적·경제적 합리성을 중시하고 정부가 시장의 힘을 활용하는 촉매자 역할을 한다는 점을 강조하는 이론이다.

② 전략적 합리성을 중시하고, 공유된 가치 창출을 위한 시민과 지역공동체 집단들 사이의 이익을 협상하고 중재하는 정부 역할을 강조하는 행정이론이다.

③ 정부신뢰를 강조하고, 정부신뢰가 정부와 시민의 협력을 증진시키며 정부의 효과성을 높이는 가장 중요한 요인이 된다고 주장하는 행정이론이다.

④ 시차를 두고 변화하는 사회현상을 발생시키는 주체들의 속성이나 행태의 연구가 행정이론 연구의 핵심이 된다고 주장하고, 이를 행정현상 연구에 적용하였다.

⑤ 상황의 특성, 대안의 성격, 결과가치의 비교평가, 행위자의 특성 등 상황이 야기되는 현실적 조건하에서 대안의 선택 방법을 규명하는 것을 통해 행정이론 발전에 기여하였다.

06 행정환경 변화에 따라 보다 적실성 있는 행정이론을 형성하기 위해 다양한 새로운 이론들이 시도되고 있는 바, 이에 관한 설명으로 옳지 않은 것은?

2017 경찰간부

① 정부기관과 시민을 연결하는 협력을 증진시킴으로써 정부의 효과성을 높일 수 있다고 보는 것이 사회자본이론이다.

② 시차이론은 우리나라에서 정책집행이나 정부개혁과정이 성공을 거두지 못하는 이유를 파악하려는 데서 시작된 접근법이다.

③ 시차이론은 구성요소들 간의 내적 정합성 확보 측면은 고려하지 않으나, 충분한 성숙시간은 필요하다고 본다.

④ 사회자본이론은 신뢰관계 형성이 협동과 타협, 조정의 전제라고 본다.

07 신공공관리론적 정부혁신의 한계점을 지적하면서 제시된 신공공서비스론의 논리와 가장 맞지 않은 것은?

2014 경찰간부

① 지역공동체와 시민사회모형, 조직인본주의, 포스트 모더니즘 등에 근거하고 있다.

② 신공공서비스론은 신행정학에서 강조했던 사회적 형평성과 대응성 등을 강조하였다.

③ 신공공서비스론은 집단이나 계층, 지역의 이해관계와 결부된 정책결정 등에 대한 해결책을 찾기 힘들다.

④ 신공공서비스론은 행정의 규범적 특성과 가치가 지나치게 강조됨으로써 행정의 전문성과 효율성 등 수단적인 가치가 위축될 수 있다.

05

⑤ 딜레마이론은 상황이 야기되는 현실적 조건하에서 대안의 선택방법을 규명함으로써 행정이론 발전에 기여하였다.

① 신공공관리론에 대한 설명이다. 신공공관리론은 기술적·경제적 합리성을 중시하고 정부가 시장을 활용하여 방향을 잡는 촉매자 역할을 한다고 본다.

② 신공공서비스론에 대한 설명이다. 신공공서비스론은 전략적 혹은 공식적 합리성을 중시하고 정부가 시민과 지역집단의 이해관계를 협상하고 중재하며 공유가치를 창조하는 역할을 한다고 본다.

③ 사회적 자본이론에 대한 설명이다. 사회적 자본은 정부의 신뢰 및 구성원들 사이의 상호 신뢰와 협력을 바탕으로 하는 이론이다.

④ 시차이론에 대한 설명이다. 시차이론은 변수들 간의 선후관계 등이 영향을 미친다고 보는 것으로 시간적 차이에서 오는 정책실패 등을 줄이기 위해 변화담당자들의 능력과 시간적 리더십을 강조하는 이론이다.

06

③ 시차이론은 인과관계를 파악함에 있어서 변수들의 작동순서나 성숙기간 등을 감안해야 한다는 것으로 정책평가 등을 행함에 있어 구성요소들 간의 모순이 존재하지 않아야 한다는 내적 정합성 확보가 필요하며, 새로운 제도나 정책의 효과가 충분히 발휘될 수 있도록 충분한 성숙기간을 가져야 한다고 본다.

① 사회적 자본이론은 정부기관과 시민 간의 협력을 중요시한다.

② 시차이론은 우리나라에서 정책집행이나 개혁이 성공을 거두지 못하는 측면을 파악하는데서 시작되었다.

④ 사회적 자본이론은 신뢰와 협동, 타협을 중시한다.

07

③ 시민과의 소통이나 참여를 중시하는 신공공서비스론은 신공공관리론과 달리 집단이나 계층, 지역의 이해관계와 결부된 정책결정 등에 대한 해결책을 찾기가 용이하다.

① 신공공서비스론은 민주주의, 실증주의, 현상학, 비판이론, 신행정론 및 포스트모더니즘을 포괄하며 민주적 시민이론, 시민사회모형, 담론이론을 이론적 배경으로 삼는다.

② 신공공서비스론은 신공공관리론에 대한 비판적 입장에서 등장하였고 사회적 형평성 및 인간적 가치를 중시하였다.

④ 신공공서비스론은 새로운 규범적 가치를 구현하기 위한 구체적 처방이나 수단적·기술적 전문성을 소홀히 한다는 비판을 받는다.

포인트 정리

신공공관리론 vs 신공공서비스론

구분	신공공관리론	신공공서비스론
이론과 인식의 토대	경제이론	민주주의 이론
공익에 대한 입장	개인들의 총이익	공유가치에 대한 담론의 결과
관료의 반응 대상	고객	시민
정부의 역할	방향잡기	서비스 제공과 봉사, 공유가치의 창출
관료의 동기 유발	기업가 정신	공공서비스, 사회에 기여하려는 욕구, 시민정신
합리성	기술·경제적 합리성	전략적 합리성

정답

05 ⑤ 06 ③ 07 ③

08 덴하르트(Denhardt)의 신공공서비스이론에 대한 설명으로 옳은 것을 모두 고른 것은?

ㄱ. 공무원의 반응대상을 시민보다 고객에 두고 있고, 정부의 역할을 공유된 가치 창출을 위한 봉사활동으로 보는 점에서 뉴거버넌스이론과 유사하다.

ㄴ. 전략적 합리성보다 기술적·경제적 합리성을 추구하는 점에서 신공공관리론과 유사하다.

ㄷ. 이론적 토대는 민주주의 이론, 실증주의, 해석학, 비판이론 등 복합적이다.

ㄹ. 공익을 공유가치에 대한 담론의 결과로 보고 법, 공동체, 정치규범, 전문성, 시민이익 존중 등 다면적 책임성을 강조한다.

ㅁ. 공무원의 동기유발수단을 보수와 편익, 기업가 정신이 아닌 사회봉사 및 사회에 기여하려는 욕구에 두고 있다.

① ㄱ, ㄴ, ㄷ   ② ㄱ, ㄹ, ㅁ

③ ㄴ, ㄷ, ㄹ   ④ ㄷ, ㄹ, ㅁ

09 전통적 행정론, 신공공관리론 및 신공공서비스론의 주요 특징에 관한 설명 중 가장 옳지 않은 것은?

① 전통적 행정론에서는 정치와 행정을 구분하며, 공무원들은 중립성과 전문성을 가지고 정치권에서 결정된 정책을 집행하고 서비스를 제공하는 노젓기(rowing) 역할을 강조하고 있다.

② 신공공관리론에서는 공공부문에 경쟁을 도입하고, 공무원들은 기업가정신을 발휘하여 투입보다 성과달성에 노력하며 고객보다는 일반시민들의 요구에 대응하는 것을 강조하고 있다.

③ 신공공서비스론에서는 정부의 역할을 방향잡기(steering)보다는 시민들에게 힘을 실어주고 시민에게 봉사하는 정부의 역할을 강조하는 모형으로서 정부규모의 일방적 축소를 지양한다.

④ 신공공관리론은 공익을 개인적 이익의 집합을 반영한 것으로 보는 반면, 신공공서비스론은 공동의 가치에 대한 담론의 결과를 공익으로 본다.

08

정답 : ④

④ ㄱ, ㄴ은 틀리고 ㄷ, ㄹ, ㅁ은 옳은 지문이다.

ㄷ. [O] 신공공서비스론의 이론적·학문적 뿌리로는 시민행정학, 인간중심 조직이론, 신행정학, 포스트모더니즘 등이 있다.

ㄹ. [O] 공익을 목표로서 중시하고, 복잡하고 다원적인 행정책임을 강조한다.

ㅁ. [O] 공무원의 동기유발 수단을 보수와 편익에 두는 것은 전통행정이론, 기업가 정신에 두는 것은 신공공관리론, 사회봉사 및 사회에 기여하려는 욕구에 두는 것은 신공공서비스론이다.

ㄱ. [X] 신공공서비스론과 뉴거버넌스 모두 공무원의 반응대상을 고객보다 시민에 두고, 정부의 역할을 공유된 가치 창출을 위한 봉사활동으로 본다.

ㄴ. [X] 신공공서비스론은 기술적·경제적 합리성보다 전략적·소통적 합리성을 추구한다는 점에서 신공공관리론과는 다르다.

포인트 정리

신공공서비스론의 7원칙

- 조정보다는 봉사를 지향한다.
- 공익은 부산물이 아니라 목표이다.
- 전략적으로 생각하고 민주적으로 행동한다.
- 고객이 아니라 시민에게 봉사한다.
- 책임은 단순하지 않다(다원적 책임성).
- 사람을 존중한다.
- 시티즌십과 공공서비스를 중시한다.

09

정답 : ②

② 신공공관리론은 고객정신 및 기업가정신을 강조하므로 국민을 고객으로 보지만, 신공공서비스론에서는 시민정신을 강조하므로 국민을 고객이 아닌 국정의 주체로서 시민으로 간주한다.

① 전통적 행정론에서는 정치와 행정을 구분하고, 정부의 역할을 노젓기로 본다.

③ 신공공서비스론은 정부의 역할을 방향잡기보다는 시민에게 봉사하는 것으로 인식하고 정부 규모의 일방적 축소 등을 지양한다.

④ 신공공관리론은 공익을 개인들의 총이익으로 보고, 신공공서비스론은 공유가치에 대한 담론의 결과로 본다.

정답

08 ④ 09 ②

01 행정학의 접근 방법에 대한 설명으로 옳은 것은?

2020 국가 9급

① 법적·제도적 접근 방법은 개인이나 집단의 속성과 행태를 행정 현상의 설명변수로 규정한다.

② 신제도주의 접근 방법에서는 제도를 공식적인 구조나 조직 등에 한정하지 않고, 비공식적인 규범 등도 포함한다.

③ 후기 행태주의 접근 방법은 행정을 자연·문화적 환경과 관련하여 이해하면서 행정체제의 개방성을 강조한다.

④ 툴민(Toulmin)의 논변적 접근 방법은 환경을 포함하여 거시적인 관점에서 행정 현상을 분석하고, 확실성을 지닌 법칙 발견을 강조한다.

02 행정이론에 대한 설명으로 옳은 것은?

2019 국회 9급

① 신공공관리론과 달리 뉴거버넌스론은 신자유주의를 사상적 기초로 삼는다.

② 신공공관리론의 수정과 보완을 주장하는 탈신공공관리론에서는 시장 활성화를 위해 정부의 적극적인 규제완화를 주장한다.

③ 공공선택이론에서는 시민을 공공재의 생산자로, 관료를 공공재의 소비자로 보면서 시장실패의 원인을 분석하고자 하였다.

④ 신제도주의에서는 제도를 이해할 때 공식적인 규범에 한정하지 않고 비공식적인 제도와 규범도 포함한다는 특징이 있다.

⑤ 체제이론에서는 서구의 행정제도가 후진국에서 잘 작동되지 않는 이유를 사회문화적 환경의 차이라고 설명하면서 분석 수준을 행위자 개인으로 한정하였다.

01

정답 : ②

② 신제도주의 접근방법에서는 거시와 미시를 연계시켜 사회구성원 간 동태적인 행위규칙을 중시하며, 공식적인 구조나 조직 등에 한정하지 않고 비공식적인 규범도 포함한다.

① 법적·제도적 접근방법은 각종 제도나 직제에 대한 명확한 기술과 연구에 초점을 둔 접근법으로, 공식적인 구조나 법규 등을 행정 현상의 설명변수로 규정한다. 한편 개인이나 집단의 속성과 행태를 행정 현상의 설명변수로 규정하는 것은 행태론적 접근방법이다.

③ 후기 행태주의 접근방법은 가치평가적인 정책 연구를 지향하며, 사회적 적실성과 실천을 강조한다. 한편 행정을 자연·문화적 환경과 관련하여 이해하면서 행정체제의 개방성을 강조하는 것은 생태론적 접근방법이다.

④ 논변적 접근방법은 행정현상에서 어느 정도의 불확실성을 인정하고, 행정현상과 같은 가치측면의 규범성을 연구할 때는 결정에 대한 주장의 정당성을 갖추는 것이 중요하다고 보고 행정에서 진정한 가치는 자신들의 주장에 대한 논리성을 점검하고 상호 타협과 합의를 도출하는 민주적 절차에 있다고 본다. 한편 환경을 포함하여 거시적인 관점에서 행정 현상을 분석하고, 확실성을 지닌 법칙 발견을 강조하는 것은 자연과학적인 연구방법에 해당한다.

02

정답 : ④

④ 신제도주의는 공식적·비공식적 제도를 모두 포괄하고 규칙, 습관 등의 비공식 제도나 규범도 넓은 의미에서 제도로 규정하며 개별 행위자들의 행태를 지배하고 그에 제약을 가하는 규칙의 집합으로 정의한다.

① 신공공관리론과 달리 뉴거버넌스론은 공동체주의를 사상적 기초로 삼는다. 신자유주의는 신공공관리론의 사상적 기초이다.

② 신공공관리론에서는 시장 활성화를 위해 정부의 적극적인 규제완화를 주장한다. 한편 탈신공공관리론에서는 수정과 보완을 강조한다.

③ 공공선택이론에서는 시민을 공공재의 소비자로, 관료를 공공재의 생산자로 보면서 시장실패의 원인을 분석하고자 하였다.

⑤ 서구의 행정제도가 후진국에서 잘 작동되지 않는 이유를 사회문화적 환경의 차이라고 설명한 것은 생태론이며, 생태론은 분석수준을 집합적 행위로 본다.

정답
01 ② 02 ④

03 현대 행정학의 주요 이론에 대한 설명으로 가장 옳지 않은 것은?

① 신공공관리론은 공공선택이론의 주장과 같이 정부의 역할을 대폭 시장에 맡겨야 한다는 입장은 아니며, 기존의 계층제적 통제를 경쟁원리에 기초한 시장체제로 대체함으로써 관료제의 효율성과 성과를 높이려 한다.

② 탈신공공관리(post-NPM)는 신공공관리의 역기능적 측면을 교정하고 통치역량을 강화하며, 구조적 통합을 통한 분절화의 확대, 재집권화와 재규제의 축소, 중앙의 정치·행정적 역량의 강화를 강조한다.

③ 피터스(B. Guy Peters)는 뉴거버넌스에 기초한 정부개혁 모형으로 시장모형, 참여정부 모형, 유연조직 모형, 저통제정부 모형을 제시한다.

④ 신공공관리론이 시장, 결과, 방향잡기, 공공기업가, 경쟁, 고객지향을 강조한다면 뉴거버넌스는 연계망, 신뢰, 방향 잡기, 조정자, 협력체제, 임무중심을 강조한다.

04 행정학의 이론과 접근방법에 대한 설명 중 가장 옳지 않은 것은?

① 행태주의는 행태의 규칙성 및 인과성을 경험적으로 입증하고 설명할 수 있다고 보며 가치와 사실을 통합하고 가치중립성을 지향한다.

② 체제론에 따르면 체제의 변화나 성장은 기존의 균형 상태에서 일어나지 않고 구성요소 중 어느 하나에 변화가 생기거나 새로운 이질적 요소가 투입될 때 발생한다고 본다.

③ 생태론은 가우스(J.M.Gaus)와 리그스(F.W.Riggs) 등이 발전시킨 이론으로 행정의 보편적 이론보다는 중범위 이론의 구축에 자극을 주고, 행정학의 과학화에 기여하였다.

④ 신제도주의는 공식적인 제도뿐만 아니라 비공식적 제도나 규범에 관심을 가지며, 외생변수로 다루어졌던 정책 혹은 행정환경을 내생변수로 분석대상에 포함시켰다.

05 다음 중 미국 행정학의 특징을 시대적 순서대로 나열한 것은?

> ㄱ. 가치중립적인 관리론보다는 민주적 가치 규범에 입각한 정책연구를 지향한다.
> ㄴ. 행정학은 이론과 법칙을 정립하는 데 목적을 두어야 하며 사실판단의 문제를 연구대상으로 삼아야 한다.
> ㄷ. 과업별로 가장 효율적인 표준시간과 동작을 정해서 수행할 필요가 있다.
> ㄹ. 정부는 공공재의 생산·공급자이며 국민을 만족시킬 수 있는 최선의 제도적 장치를 설계해야 한다.
> ㅁ. 조직 구성원의 생산성은 조직의 관리통제보다는 조직 구성원 간의 관계에 더 많은 영향을 받는다.

① ㄴ - ㄷ - ㄱ - ㄹ - ㅁ

② ㄴ - ㄷ - ㅁ - ㄱ - ㄹ

③ ㄷ - ㅁ - ㄱ - ㄹ - ㄴ

④ ㄷ - ㅁ - ㄴ - ㄱ - ㄹ

⑤ ㄷ - ㅁ - ㄴ - ㄹ - ㄱ

03

정답 : ②

② 탈신공공관리(post–NPM)는 신공공관리의 역기능적 측면을 교정하고 통치역량을 강화하며, 구조적 통합을 통한 분절화의 축소, 재집권화와 재규제의 확대, 중앙의 정치·행정적 역량의 강화를 강조한다.

신공공관리론 vs 탈신공공관리론

구분	신공공관리론	탈신공공관리론
정부–시장관계	시장지향주의 규제완화–탈규제, 탈정치	정부 역량 강화–재규제, 재정치 및 정치적 통제 강화
행정가치	능률·성과 등 경제적 가치 강조	민주성·형평성 등 전통적 가치도 고려
정부규모	정부규모의 감축, 시장화·민영화	민간화·민영화의 신중한 접근
기본모형	탈관료제 모형	관료제와 탈관료제의 조화
조직구조	유기적·비계층적·임시적·분권적 구조	재집권화 및 분권과 집권의 조화
조직개편	소규모의 준자율적 조직으로 분절화	구조적 통합을 통한 분절화의 축소(총체적·합체적 정부)
통제	결과·산출중심 통제	과정과 소통 중심
인사	경쟁적·개방적인 성과중심	공공책임성 중시
재량	넓은 재량	재량 및 제약과 책임
관리	자율과 경쟁	자율과 책임

04

정답 : ①

① 행태주의는 변수들에 대해 조작적 정의, 계량적 분석, 행태의 규칙성, 인과성을 경험적으로 입증하고 설명할 수 있다고 보며, 논리실증주의를 도입하여 가치와 사실을 분리하고, 검증이 불가능한 가치를 배제하고 검증이 가능한 사실만을 과학적으로 연구하였다.

05

정답 : ④

④ ㄷ–1910년대 과학적 관리론, ㅁ–1930년대 인간관계론, ㄴ–1940년대 행정행태론, ㄱ–1960년대 신행정론, ㄹ–1970년대 공공선택론 순으로 발전하였다.

ㄷ. 1910년대 Taylor의 과학적 관리론에 대한 것으로, 과업별로 가장 효율적인 표준시간과 동작에 대한 연구를 강조하였다.

ㅁ. 1930년대 Mayo의 인간관계론에 대한 것으로, 조직 구성원의 생산성은 조직의 관리통제보다는 조직구성원 간 관계에 더 많은 영향을 받는다고 본다.

ㄴ. 1940년대 Simon의 행정행태론에 대한 것으로, 이론과 법칙을 정립하는 데 목적을 두어 사실판단의 문제를 연구대상으로 삼는다.

ㄱ. 196~70년대 Waldo의 신행정론에 대한 것으로, 가치중립적 관리론보다는 민주적 가치 규범에 입각한 정책연구를 지향한다.

ㄹ. 1970년대 Ostrom의 공공선택론에 대한 것으로, 조직 구성원의 생산성은 조직의 관리통제보다 조직 구성원 간 관계에 더 많은 영향을 받으며 정부는 공공재의 생산·공급자이며 국민을 만족시킬 수 있는 최선의 제도적 장치를 설계해야 한다고 본다.

정답

03 ② 04 ① 05 ④

06 행정학의 발전과정에 관한 설명으로 옳지 않은 것은?

① 사이먼(H. Simon)은 행정관리론에서 개발된 전문화의원리, 명령통일의 원리, 통솔범위의 원리, 부성화의 원리 등은 상호 간에 모순성이 존재한다고 지적하면서 이러한 원리들은 과학적인 실험을 거치지 않은 격언(proverb)에 불과하다고 논박하였다.

② 리그스(F. Riggs)는 후진국 행정체제에 대한 '프리즘적 사랑방 모형'을 설정하여 후진국의 행정행태를 사회문화적 맥락에서 파악하고 행정의 독자성을 인정하여 독립 변수로 취급하였다.

③ 파슨스(T. Parsons)는 사회체제가 생존하기 위한 필수적인 4가지 기능으로 적응기능, 목표달성기능, 통합기능, 체제유지기 능을 제시하였다.

④ 행위이론을 주장한 하몬(M. Harmon)은 해석사회학, 현상학, 상징적 상호주의 및 반실증주의의 입장에서 행정을 다루었다.

⑤ 1980년대에는 신보수주의가 부활하여 '작은 정부'를 구현하기 위한 공무원 인력 감축, 정부 지출 삭감, 규제 완화, 민영화 등에 대한 논의가 활발하게 진행되었고, 이러한 민영화의 흐름은 1990년대의 정부 재창조운동을 촉진하였다.

07 행정현상을 설명하는 이론 중 연결이 옳은 것은?

① 담론이론 – Fox, 구성주의, 대의민주주의 강조

② 공공선택론 – Osborne, 시장경제주의, 공공성 강조

③ 신행정론 – Frederickson, 가치·규범주의, 형평성 강조

④ 행정행태론 – Simon, 논리실증주의, 대응성 강조

⑤ 행정관리론 – Appleby, 정치·행정 분리주의, 능률성 강조

06

정답 : ②

② F.W.Riggs는 비교행정에서 사랑방모형을 통하여 후진국 행정현상을 설명하였으나, 생태론적 결정론을 벗어나지 못하고 행정을 독립변수가 아닌 종속변수로 취급하였다.

① Simon의 행정행태론은 고전적 원리주의에 대한 비판에서 출발한다.

③ T.Parsons의 AGIL 이론에 대한 설명이다.

④ Harmon은 인간행위에는 표출된 행위와 별도로 '의도된 행위'가 있기 때문에 표출된 행위를 대상으로 인간행동을 분석하고 판단하는 실증주의는 오류를 낳을 수 있다고 주장하였다.

⑤ 신공공관리론에 대한 설명이다.

07

정답 : ③

③ Frederickson은 대표적인 신행정학자이며, 신행정론은 사회적 형평성을 중시하고 가치문제를 중시한다.

① Fox & Miller는 정통이론인 대의민주주의와 그 대안인 헌정주의와 공동체주의까지도 비판하면서 최종대안으로 담론이론을 주장하였다.

② Osborne은 정부재창조에서 기업형 정부를 주장하였으며, 공공선택론은 시장경제주의를 강조하였으나, 공공성을 강조하지는 않았다.

④ Simon은 행태론에서 사회현상과 자연현상은 동일하다고 보고 자연과학적인 연구방법인 논리실증주의의 도입을 강조하였으며 행정을 합리적인 의사결정과정으로 보고 대응성이 아닌 합리성을 강조하였다.

⑤ Appleby는 정책과 행정(1949)에서 정치·행정의 연계를 강조한 정치·행정일원론자이다. 한편 Wilson은 정치행정이원론자로 정치와 행정의 분리를 주장하였고 능률성을 강조하였다.

정답

06 ② 07 ③

PART 2
정책론

단원 핵심 MAP

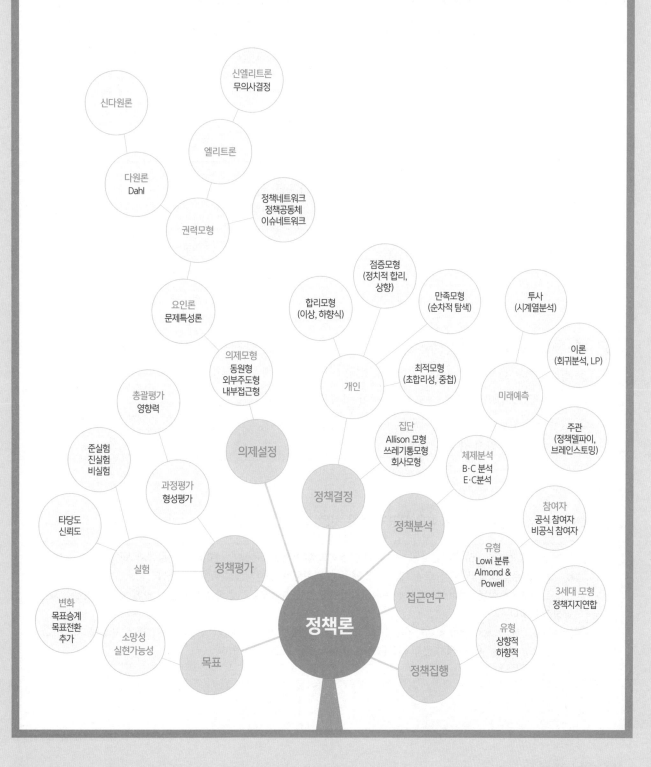

신엘리트론
무의사결정

신다원론

엘리트론

다원론
Dahl

정책네트워크
정책공동체
이슈네트워크

권력모형

점증모형
(정치적 합리,
상향)

만족모형
(순차적 탐색)

투사
(시계열분석)

합리모형
(이상, 하향식)

요인론
문제특성론

이론
(회귀분석, LP)

최적모형
(초합리성, 중첩)

의제모형
동원형
외부주도형
내부접근형

개인

미래예측

주관
(정책델파이,
브레인스토밍)

총괄평가
영향력

의제설정

집단
Allison 모형
쓰레기통모형
회사모형

체제분석
B·C 분석
E·C분석

준실험
진실험
비실험

과정평가
형성평가

정책결정

참여자
공식 참여자
비공식 참여자

타당도
신뢰도

정책분석

유형
Lowi 분류
Almond &
Powell

실험

정책평가

접근연구

3세대 모형
정책지지연합

변화
목표승계
목표전환
추가

정책론

유형
상향적
하향적

소망성
실현가능성

목표

정책집행

01 아래의 표에서 제시된 공공서비스의 성과지표와 산출방법이 올바르게 연결된 것은?

2019 경찰간부

성과지표	경찰부서의 산출방법
투입	조사활동에 투입된 경찰 및 차량 규모
과정	A
산출	B
결과	C
영향	D

가. 범죄율 감소	나. 범인 체포 건수
다. 담당 사건 수	라. 지역사회 안전성

① A–다, B–가, C–라, D–나   ② A–다, B–라, C–나, D–가

③ A–다, B–나, C–라, D–가   ④ A–다, B–나, C–가, D–라

02 라스웰(Lasswell)의 '정책지향'(policy orientation)의 내용에 대한 설명으로 가장 옳지 않은 것은?

2018 서울 7급(3월)

① 정책학은 사회문제의 해결을 지향해야 한다.

② '정책과정에 관한 지식'은 규범적, 처방적 지식을 의미한다.

③ 정책적 의사결정을 사회적 과정의 부분에 해당한다고 본다.

④ 다양한 연구방법의 사용을 장려한다.

03 현대적 정책학의 등장에 관한 다음 설명 중 옳은 것을 모두 고른 것은?

2018 경찰간부

가. 현대적 정책학은 1951년에 발표된 Lasswell의 '정책지향(Policy Orientation)'이라는 논문에서 시작되었다.

나. Lasswell은 정책학의 특성으로 문제지향성, 맥락성, 범학문성, 규범지향성 등을 들고 있다.

다. Lasswell의 주장은 1950년대 당시에 미국정치학계를 휩쓸던 행태주의에 밀려 1960년대 말에 와서야 비로소 재출발하게 되었다.

라. 행태주의(Behavioralism)에 대한 비판으로 시작된 후기행태주의(Post Behavioralism)는 과학적 방법을 지양하고 가치판단과 관련한 사회·정치 문제 해결을 위한 정책지향을 도모하게 되었다.

① 나, 다   ② 가, 나, 다

③ 가, 다, 라   ④ 가, 나, 다, 라

🔍 정답 정밀 해설

📖 포인트 정리

01
정답 : ④

④ A-다, B-나, C-가, D-라가 옳게 연결되었다.

A-다. [O] 과정은 업무처리과정에 초점을 맞추는 지표로, 원재료를 산출물로 전환하거나 고객에게 서비스하기 위해 추진된 조직 내에서 수행하는 활동을 의미하므로 담당 사건 수를 산출방법으로 하는 것이 옳다.

B-나. [O] 산출은 수행된 활동 자체보다는 생산 과정 등에서 창출된 직접적인 생산물을 의미하므로 범인 체포 건수를 산출지표로 하는 것이 옳다.

C-가. [O] 결과는 산출물이 창출한 조직환경에서 직접적인 변화를 의미하는 것으로 기업의 경우 최종목적이 성장률 등과 같은 성과물로 정의될 수 있으므로 범죄율 감소라는 직접적 변화를 산출방법으로 하는 것이 옳다.

D-라. [O] 영향은 사업의 궁극적인 사회나 경제적 효과를 의미하는 것으로 지역사회의 안정성을 산출방법으로 하는 것이 옳다.

공공서비스 성과지표

- 투입(input): 생산과정에서 사용된 것들의 명세(재원, 인력, 장비 등)를 지칭
- 업무(workload): 원재료를 산출물로 전환하거나 고객서비스를 하기 위해 조직 내에서 수행된 활동
- 산출(output): 생산과정과 활동에서 창출된 직접적인 생산물
- 결과(result): 산출물이 창출한 조직 환경에서 직접적인 변화를 의미
- 영향(impact): 사업의 궁극적인 사회·경제적 효과

02
정답 : ②

② '정책과정에 관한 지식'은 사회적 요구의 의미를 파악하고 이를 해결하려는 규범적·처방적·당위적 성격의 지식으로, 당위성과 규범지향성을 동시에 지니는 특징이 있다.

① 정책학의 문제지향성에 대한 설명이다.

③ 정책의 맥락(관련)지향성에 대한 설명으로, 정책은 사회적 과정의 일부이며 사회적·정치적 과정과 정책결정과의 밀접한 관련성 속에서 이루어지는 결정행위를 의미한다.

④ 정책의 연합학문성·범학문성에 대한 설명이다.

03
정답 : ②

② 가, 나, 다가 옳은 내용이다.

가. [O] Lasswell은 「정책지향(Policy Orientation)」에서 기존의 연구가 정치학과 관리과학 등을 중심으로 이루어지고 있다고 비판하면서 정책중심의 연구가 이루어져야 한다고 보았다.

나. [O] Lasswell은 정책학의 특성으로 문제 해결 지향성(문제지향성), 시간적·공간적 상황의 고려(맥락성), 규범적·실증적·처방적 연구(규범지향성), 다학문적·종합학문적 연구(범학문성) 등을 제시하였다.

다. [O] Lasswell의 주장은 1950년대 미국 정치학계를 휩쓸었던 행태주의의 혁명에 의해 밀려났다가 1960년대 말 미국사회 격동기 해결을 위해 재등장하였다.

라. [X] 행태주의(Behavioralism)에 대한 비판으로 시작된 후기행태주의(Post Behavioralism)는 과학적 방법을 바탕으로 하여 가치판단과 관련한 사회·정치 문제 해결을 위한 정책지향을 도모하게 되었다.

04 정책문제의 특성에 대한 설명으로 가장 옳지 않은 것은? 2017 서울 7급

① 정책문제는 당위론적 가치관의 입장에서 정의하는 것이 중요하다.

② 정책주체와 객체의 행태는 주관적이지만 정책문제는 객관적이다.

③ 특정 문제의 발생 원인이나 해결 방안 등은 다른 문제들과 상호 연관성을 갖는다.

④ 정책수혜집단과 정책비용집단이 있다는 것을 의미하는 차별적 이해성을 갖는다.

05 정책문제의 중요성과 정책연구의 필요성이 대두된 이유가 아닌 것은? 2009 경북 9급

① 후기행태주의의 후퇴

② 처방적 지식의 요구

③ 행정의 전문화와 정책결정에 역할 담당

④ 시장실패와 정부개입

06 다음 중 Anderson(1984)이 정책결정자의 행동을 인도하는 가치 범주로 제시한 것을 모두 고른 것은? 2011 서울 9급

① 정치적 가치, 사익의 가치, 집단의 가치

② 정치적 가치, 조직의 가치, 개인의 가치, 정책의 가치, 이념적 가치

③ 개인의 가치, 조직의 가치, 이념적 가치

④ 개인의 가치, 헌법적 가치, 정책의 가치, 조직의 가치

⑤ 개체의 가치, 지역적 가치, 국가적 가치, 초국적 가치, 이념적 가치

04

② 정책문제는 주관적이며 정의하는 주체와 객체에 따라 달라질 수 있다.

① 정책문제는 당위적이며 공공성을 가진다.

③ 정책문제는 일반적으로 복합적인 요인에 의해 동시다발적이고 상호의존적인 특성을 가진다.

④ 정책문제는 차별적 이해성을 특징으로 한다.

05

① 정책학은 후기행태주의의 등장과 함께 재조명되었다. 1960년대 미국 사회의 격동기를 맞아 당시의 주류 학문인 행태주의가 이에 대한 해결책을 내놓지 못하자, 후기행태주의가 등장하여 현실 적실성을 강조하였다.

06

② Anderson은 가치판단기준을 정치적 가치, 조직의 가치, 개인의 가치, 정책적 가치, 이념적 가치 다섯 가지로 유형화하였고, 특히 도덕적 신념이나 공익을 기준으로 판단하는 정책의 가치에 주목하였다.

포인트 정리

정책문제의 속성

정치성	정치적 투쟁, 협상, 타협이 전개되므로 객관적 합리성이 제약됨
주관성	이해관계, 가치관, 능력, 심리상태 등에 따라 영향을 받음
인공성	이해집단의 상호작용이 이루어지는 정치적 과정이므로 객관성이 제약됨
동태성	여러 문제와 얽혀 있고 환경에 따라 그 성격과 해결책이 달라짐 → 복잡다양성, 상호의존성
역사성	역사적 산물인 경우가 많음
공공성	공익과 직결됨

Anderson의 가치기준

정치적 가치	정치집단이나 고객집단의 이익을 고려하는 판단기준
조직의 가치	자신이 속한 조직의 생존이나 이권의 유지를 위한 가치기준
개인적 가치	자신의 이익(복지)이나 명성을 고려하는 판단기준
정책의 가치	공익이나 도덕적 신념, 윤리기준에 따른 가치기준
이념적 가치	현실의 모습을 단순하게 제시하는 논리적으로 연결된 가치나 신념체계

정답

04 ② 05 ① 06 ②

□□
01 로위(Lowi)의 정책유형과 그에 대한 설명으로 옳은 것만을 모두 고르면? 2021 국가 9급

> ㄱ. 규제정책은 특정 개인이나 집단에 대한 선택의 자유를 제한하는 유형의 정책으로 강제력이 특징이다.
> ㄴ. 분배정책의 사례에는 FTA협정에 따른 농민피해 지원, 중소기업을 위한 정책자금지원, 사회보장 및 의료보장정책 등이 있다.
> ㄷ. 재분배정책은 고소득층으로부터 저소득층으로 소득이전을 목적으로 하기 때문에 계급대립적 성격을 지닌다.
> ㄹ. 재분배정책의 사례로는 저소득층을 위한 근로장려금 제도, 영세민을 위한 임대주택 건설, 대덕 연구개발 특구 지원 등이 있다.
> ㅁ. 구성정책은 정부기관의 신설과 선거구 조정 등과 같이 정부기구의 구성 및 조정과 관련된 정책이다.

① ㄱ, ㄴ, ㄷ   ② ㄱ, ㄷ, ㅁ
③ ㄴ, ㄹ, ㅁ   ④ ㄷ, ㄹ, ㅁ

□□
02 다음 중 정책과 정책유형이 바르게 짝지어진 것은? 2019 경찰간부

> 가. 최저임금제   나. 항공노선 배정
> 다. 신공항건설   라. 실업수당

	가	나	다	라
①	경쟁적 규제정책	분배정책	재분배정책	보호적 규제정책
②	재분배정책	구성정책	분배정책	보호적 규제정책
③	보호적 규제정책	경쟁적 규제정책	분배정책	재분배정책
④	보호적 규제정책	분배정책	구성정책	재분배정책

□□
03 정부의 정책수단(policy tool)에 대한 설명으로 옳은 것을 〈보기〉에서 고른 것은? 2018 교행 9급

> **보기**
> ㄱ. 경제적 규제는 정부의 직접수단에 해당한다.
> ㄴ. 조세지출은 재정적 인센티브를 부여하는 수단에 해당한다.
> ㄷ. 바우처는 역사가 길고 가장 광범위하게 사용되는 수단이다.
> ㄹ. 전통적 삼분법에 근거하여 정책수단을 규제, 인센티브, 권위로 분류할 수 있다.

① ㄱ, ㄴ   ② ㄱ, ㄹ
③ ㄴ, ㄷ   ④ ㄷ, ㄹ

01

정답 : ②

② ㄱ, ㄷ, ㅁ이 옳은 내용이다.

ㄱ. [O] 규제정책은 개인·집단의 행동을 제약하는 정책으로 강제력을 확보하는 것이 특징이다.

ㄷ. [O] 재분배정책은 계층 간의 소득을 재분배하여 소득격차를 해소하는 정책으로 고소득층으로부터 저소득층으로의 소득이전을 목적으로 하는 계급대립적 성격의 정책이다.

ㅁ. [O] 구성정책은 정부기구의 구성 및 조정과 관련된 대내적인 정책으로 정부기관의 신설이나 선거구 조정 등이 있다.

ㄴ. [X] FTA협정에 따른 농민피해 지원, 중소기업을 위한 정책자금지원은 분배정책에, 사회보장 및 의료보장정책은 재분배정책의 사례이다.

ㄹ. [X] 저소득층을 위한 근로장려금 제도, 영세민을 위한 임대주택 건설은 재분배정책의 사례이고, 대덕 연구개발 특구 지원은 분배정책의 사례이다.

02

정답 : ③

③ 가 – 보호적 규제정책, 나 – 경쟁적 규제정책, 다 – 분배정책, 라 – 재분배정책이 옳게 연결되었다.

가. [O] 최저임금제 – 보호적 규제정책: 보호적 규제정책은 민간의 활동을 제약함으로써 일반 대중의 보호를 목적으로 하는 정책으로 소비자보호법, 산업안전법, 최저임금제 등이 여기에 해당한다.

나. [O] 항공노선 배정 – 경쟁적 규제정책: 경쟁적 규제정책은 다수의 경쟁자 중 특정한 개인 또는 집단에만 일정한 재화나 서비스를 제공할 수 있는 권리를 부여하여 경쟁을 제한하는 정책으로 항공노선 배정, 이동통신사업자 선정, 방송국 설립인가 등이 여기에 해당한다.

다. [O] 신공항건설 – 분배정책: 안정적 정책집행을 위한 제도화의 가능성이 높고 반발 및 갈등이 별로 없으므로 집행이 가장 용이한 정책으로 신공항건설, 사회간접자본 구축, 농어촌 소득증대사업, 국공립학교 운영 등이 여기에 해당한다.

라. [O] 실업수당 – 재분배정책: 고소득층으로부터 저소득층으로의 소득 이전을 목적으로 하므로 계급적 성격이 강하게 나타나고 정치적 갈등이 높아지는 정책으로 누진세제도, 임대주택 건설 등이 여기에 해당한다.

03

정답 : ①

① ㄱ, ㄴ이 옳은 지문이다.

ㄱ. [O] Salamon의 정책수단에 따르면 경제적 규제, 정부소비, 공기업 등은 직접성이 높은 정책수단에 해당한다.

ㄴ. [O] 조세지출은 조세감면에 의한 간접지출로, 재정적 인센티브를 부여하여 정책을 집행하는 간접적 수단에 해당한다.

ㄷ. [X] 바우처는 최근에 주목되고 있지만 역사가 길고 광범위하게 사용되는 수단은 아니다.

ㄹ. [X] 전통적 삼분법에 근거하여 정책수단을 규제, 유인, 정보제공으로 분류할 수 있다.

포인트 정리

Lowi의 정책유형 비교

유형	의의	예
분배정책	공공서비스 편익 배분	택지분양, 사회간접자본, 보조금 등
규제정책	활동에 제한을 가함	진입규제, 독과점규제
재분배정책	소득 이전 목적	노령연금, 임대주택 등 사회보장정책
구성정책	체제의 구성과 운영	정부기관 신설, 선거구획정

정답

01 ② 02 ③ 03 ①

다음 〈보기〉의 ㉠에 대한 설명으로 옳은 것은? 2018 국회 8급

> **보기**
>
> (㉠)이란 상대적으로 많이 가진 계층 또는 집단으로부터 적게 가진 계층 또는 집단으로 재산·소득·권리 등의 일부를 이전시키는 정책을 말한다. 이를테면 누진세 제도의 실시, 생활보호 대상자에 대한 의료보호, 영세민에 대한 취로사업, 무주택자에 대한 아파트 우선적 분양, 저소득 근로자들에게 적용시키는 근로소득보전세제 등의 정책이 이에 속한다.

① 정책 과정에서 이해당사자들 상호 간 이익이 되는 방향으로 협력하는 로그롤링(log rolling) 현상이 나타난다.

② 계층 간 갈등이 심하고 저항이 발생할 수 있어 국민적 공감대를 형성할 때 정책의 변화를 가져오게 된다.

③ 체제 내부를 정비하는 정책으로 대외적 가치배분에는 큰 영향이 없으나 대내적으로는 게임의 법칙이 발생한다.

④ 대체로 국민 다수에게 돌아가지만 사회간접시설과 같이 특정 지역에 보다 직접적인 편익이 돌아가는 경우도 많다.

⑤ 법령에서 제시하는 광범위한 기준을 근거로 국민들에게 강제적으로 특정한 부담을 지우는 것이다.

리플리와 프랭클린(Ripley & Franklin)은 정책유형에 따라 집행과정의 특징이 다르다고 주장한다. 다음과 같은 특징이 있는 정책 유형은? 2017 국가 7급

> ○ 집행과정의 안정성과 정형화의 정도가 높다.
> ○ 집행에 대한 갈등의 정도가 낮다.
> ○ 집행을 둘러싼 이념적 논쟁의 정도가 낮다.
> ○ 참여자 간 관계의 안정성이 높다.
> ○ 작은 정부에 대한 요구와 압력의 정도가 낮다.

① 분배정책

② 경쟁적 규제정책

③ 보호적 규제정책

④ 재분배정책

다음 괄호 안에 들어갈 용어를 옳게 짝지은 것은? 2017 지방 7급

> (㉠)은/는 의회에서 이권과 관련된 법안을 해당 의원들이 서로에게 이익이 되도록 협력하여 통과시키거나, 특정이익에 대한 수혜를 대가로 상대방이 원하는 정책에 동의해주는 방식으로 이루어진다. 반면, (㉡)은/는 각종 개발 사업과 관련된 법안이나 정책 교부금을 둘러싸고 의원들이 그 혜택을 서로 나누어 가지려고 노력하는 현상을 말한다.

	㉠	㉡
①	로그롤링(log rolling)	포크배럴(pork barrel)
②	로그롤링(log rolling)	지대추구(rent seeking)
③	지대추구(rent seeking)	로그롤링(log rolling)
④	포크배럴(pork barrel)	로그롤링(log rolling)

04

② ㉠은 재분배정책에 대한 설명이다. 재분배정책은 부나 권리의 편중을 해소하기 위하여 정부가 가진 자와 못 가진 자의 분포를 인위적·반강제적·집권적으로 추진하며 이해당사자 간 갈등이 발생될 가능성이 크다.

① 분배정책은 정책 과정에서 이해당사자들 상호 간 이익이 되는 방향으로 협력하는 로그롤링(log rolling) 현상이 나타난다.

③ 구성정책은 체제 내부를 정비하는 정책으로 대외적 가치배분에는 큰 영향이 없으나 대내적으로는 게임의 법칙이 발생한다.

④ 분배정책의 경우 대체로 편익이 국민 다수에게 돌아가지만 사회간접시설과 같이 특정 지역에 보다 직접적인 편익이 돌아가는 경우도 많다.

⑤ 규제정책이란 법령에서 제시하는 광범위한 기준을 근거로 국민들에게 강제적으로 특정한 부담을 지우는 것이다.

05

① 제시문은 분배정책에 해당한다. 분배정책은 정부가 국민들이 필요로 하는 재화나 서비스를 제공하는 것으로, 주요 참여자 간 관계의 안정성과 안정적인 루틴의 확립을 통한 원만한 집행의 가능성이 높으므로 집행에 대한 논쟁과 갈등의 정도는 낮고 집행을 둘러싼 논쟁에 있어서의 이데올로기의 정도 및 정부활동의 감소를 위한 압력의 정도 모두 낮다.

② 경쟁적 규제정책은 다수의 경쟁자 중 몇몇 개인이나 집단에게 일정한 재화나 용역을 공급할 수 있도록 제한하려는 정책으로 원만한 집행가능성이 보통이고 참여자들 간에 관계안정성이 낮으며, 갈등의 정도는 보통이지만 이념적 대립정도는 높다.

③ 보호적 규제정책은 사적인 활동을 제약하는 특정의 조건을 설정함으로써 다수의 대중을 보호하려는 정책으로 원만한 집행가능성과 참여자들 간의 관계안정성이 낮으며 갈등의 정도와 이념적 대립정도는 높다.

④ 재분배정책은 정부가 재산 소득 등의 가치들을 개인이나 집단에게 재분배하는 소득이전적 성격의 정책으로 집행을 둘러싼 이데올로기적 논쟁이 많고 집행과정상 저항이 강하며, 원만한 집행가능성은 낮고 참여자들 간의 관계안정성, 갈등의 정도 및 이념적 대립정도가 높다.

06

① ㉠과 ㉡에 들어갈 용어는 로그롤링과 포크배럴이다.

㉠ 로그롤링(log rolling)은 이권이 걸린 법안을 의원들이 담합하여 적극적으로 통과시키려는 행위를 말하는 것으로 의회 소속위원회에서 의원 간의 투표담합행위가 분배정책에서 많이 발생하는 현상이다.

㉡ 포크배럴(pork barrel)은 미국 정치에서 이권법안을 둘러싸고 지역주민의 인기나 선심성 사업을 위해 예산을 최대한 확보하려는 경쟁적 상황을 의미하는 것으로 분배정책의 세부 결정 과정에 이해관계자들 간에 서로 혜택을 많이 차지하려고 경쟁하는 현상이다.

포인트 정리

Repley & Franklin의 정책유형에 따른 집행과정의 비교

구분	분배 정책	경쟁적 규제 정책	보호적 규제 정책	재분배 정책
안정적 루틴 확립	높음	보통	낮음	낮음
갈등의 정도	낮음	보통	높음	높음
이데올로기의 논쟁 정도	낮음	어느 정도 높음	높음	매우 높음

정답

04 ② 05 ① 06 ①

정책유형과 사례를 바르게 연결한 것만을 모두 고른 것은? 2014 국가 7급

ㄱ. 추출정책 – 부실기업 구조조정	ㄴ. 상징정책 – 노령연금제도
ㄷ. 규제정책 – 최저임금제도	ㄹ. 구성정책 – 정부조직 개편
ㅁ. 분배정책 – 신공항 건설	ㅂ. 재분배정책 – 지방자치단체에 지원되는 국고보조금

① ㄱ, ㄴ, ㅁ ② ㄱ, ㄹ, ㅂ

③ ㄴ, ㄷ, ㅂ ④ ㄷ, ㄹ, ㅁ

08 **정책유형과 그 사례를 바르게 연결한 것은?** 2013 지방 9급

① 분배정책(distribution policy) – 사회간접자본의 구축, 환경 오염방지를 위한 기업 규제

② 경쟁적 규제정책(competitive regulatory policy) – TV·라디오 방송권의 부여, 국공립학교를 통한 교육서비스

③ 보호적 규제정책(protective regulatory policy) – 작업장 안전을 위한 기업 규제, 국민건강보호를 위한 식품위생 규제

④ 재분배정책(redistribution policy) – 누진세를 통한 사회보장 지출 확대, 항공노선 취항권의 부여

09 **다음 정책유형론에 관한 설명으로 옳은 것은 모두 몇 개인가?** 2012 경찰간부

㉠ Lowi는 정책유형에 따라 정책집행과정이 달라진다고 주장하였다.
㉡ Lowi는 정책의 유형을 분배정책, 경쟁적 규제정책, 보호적 규제정책, 재분배정책으로 분류하였다.
㉢ Ripley & Franklin은 정책유형에 따라 정책결정과정이 달라진다고 주장하였다.
㉣ Lowi가 말하는 배분정책에서는 게임의 법칙이 일어나며, 총체적 기능과 권위적 성격을 특징으로 한다.
㉤ Salisbury는 정책을 분배정책, 재배분정책, 규제정책, 자율규제정책으로 분류하였다.

① 1개 ② 2개

③ 3개 ④ 4개

07

정답 : ④

④ ㄷ, ㄹ, ㅁ이 옳게 연결되었다.

ㄷ. [O] 최저임금제도는 근로자를 보호하려는 사회적 규제의 일종으로 규제정책에 해당한다.

ㄹ. [O] 정부조직 신설 및 선거구역 획정 등은 구성정책에 해당한다.

ㅁ. [O] 공항, 항만, 도로 등의 사회간접자본(SOS) 건설은 모두 분배정책에 해당한다.

ㄱ. [X] 부실기업 구조조정은 강제퇴출의 성격을 지니므로 규제정책에 해당한다. 한편 추출정책은 징병과 관련된다.

ㄴ. [X] 노령연금제도는 사회적 약자에 대한 배려로서 이는 재분배정책에 해당한다.

ㅂ. [X] 지방자치단체에 지원되는 국고보조금 등 자치단체나 기업에 대해 지원금 등은 모두 분배정책에 해당한다.

포인트 정리

공식적 참여자 vs 비공식적 참여자

공식적 참여자	비공식적 참여자
• 입법부 • 대통령과 행정수반 • 행정부처 • 사법부 • 지방정부	• 정당 • 이익집단 • 시민단체 • 언론 • 전문가집단 (정책공동체) • 시민

08

정답 : ③

③ 작업장 안전을 위한 기업규제와 국민건강보호를 위한 식품위생 규제는 일반대중을 보호하기 위한 보호적 규제정책의 예이다.

① 환경오염방지를 위한 기업규제는 보호적 규제정책의 예이다.

② 국공립학교를 통한 교육서비스는 분배정책의 예이다.

④ 항공노선 취항권의 부여는 경쟁적 규제정책의 예이다.

09

정답 : ①

① ⓶만 옳은 내용이다.

⓶ [O] Salisbury는 정책의 유형을 분배정책, 재분배정책, 규제정책, 자율규제정책으로 분류하였다.

㉠ [X] 로위(Lowi)는 '정책이 정치를 결정한다'는 관점에서 정책의 유형에 따라 정책의 결정과정 및 집행과정이 달라진다고 보았다.

㉡ [X] Lowi는 정책의 유형을 분배정책, 규제정책, 재분배정책, 구성정책으로 분류하였다.

㉢ [X] Ripley & Franklin은 정책유형에 따라 정책집행과정이 달라진다고 주장하였다.

㉣ [X] Lowi의 정책유형 중 게임의 법칙이 일어나며 총체적 기능과 권위적 성격을 특징으로 하는 것은 구성정책에 해당한다.

학자별 정책유형 분류

Almond & Powell	분배정책, 규제정책, 추출정책, 상징정책
Lowi	분배정책, 규제정책, 재분배정책, 구성정책
Salisbury	분배정책, 규제정책, 재분배정책, 자율규제정책
Ripley & Franklin	분배정책, 경쟁적 규제정책, 보호적 규제정책, 재분배정책

정답

07 ④ 08 ③ 09 ①

다음 설명 중 옳은 것은 모두 몇 개인가?

2012 해경간부

> ㄱ. Ripley & Franklin의 경쟁적 규제정책은 분배정책과 보호적 규제정책의 양면성을 지닌다.
> ㄴ. 재분배정책은 엘리트론적 정치과정에서 정상 간의 제휴에 의해 정책이 결정되며, 정책결정구조는 불안정적인 상태를 나타낸다.
> ㄷ. Lowi는 정책유형을 추출정책, 규제정책, 분배정책, 상징정책으로 나누었다.
> ㄹ. Lowi의 정책유형론 중 분배정책의 경우에는 정책과정에 전문가나 관계기관의 역할은 미미하고, 의회위원회의 역할이 결정적인 반면, 재분배정책의 결정과정은 대통령 지향적이어서 대통령과 막료들의 역할이 적극적이다.
> ㅁ. 구성정책은 헌정수행에 필요한 운영규칙에 관련된 정책으로, 주로 정부기구의 조정과 관련된 정책을 의미하며, Almond와 Powell이 제시한 정책유형에 속한다.

① 1개　　　　　　　　　　② 2개
③ 3개　　　　　　　　　　④ 4개

11 살라몬(L. M. Salamon)의 정책수단분류에서 직접성의 정도가 낮은 유형에 속하는 것끼리 묶은 것은? 2011 국가 7급

> ㄱ. 경제규제(economic regulation)　　ㄴ. 보조금(grant)
> ㄷ. 바우처(voucher)　　　　　　　　　ㄹ. 공기업(government corporations)

① ㄱ, ㄷ　　　　　　　　　② ㄱ, ㄹ
③ ㄴ, ㄷ　　　　　　　　　④ ㄴ, ㄹ

12 Lowi의 정책분류에 대한 설명으로 올바르지 않은 것은? 2008 서울 소방

① 구성정책은 '게임의 법칙'이 일어나며, 총체적 기능과 권위적 성격을 특징으로 한다.
② 배분정책은 불특정 다수인에게 이익이 분산되는 개별화된 정책이다.
③ 규제정책은 개인이나 집단의 행동을 제약하는 정책이다.
④ 재분배정책은 환경으로부터 인적·물적 자원의 추출을 통해서 확보하는 정책이다.

10

정답 : ②

② ㄱ, ㄹ이 옳은 설명이다.

ㄱ. [O] Ripley & Franklin의 정책분류에서 분배정책과 보호적 규제정책의 양면성을 갖는 것은 경쟁적 규제정책이다.

ㄹ. [O] Lowi의 분배정책은 의회가 주도하므로 의회위원회의 역할이 결정적이지만, 재분배정책은 엘리트집단이 주도하므로 대통령과 막료들의 역할이 적극적이다.

ㄴ. [X] 재분배정책은 엘리트의 참여에 의해 정책이 결정되므로 정책결정구조는 집권적·안정적·독자적인 상태를 나타낸다.

ㄷ. [X] Lowi는 정책유형을 분배정책, 규제정책, 재분배정책, 구성정책으로 나누었다. 한편 정책유형을 추출정책, 규제정책, 분배정책, 상징정책으로 나눈 학자는 Almond & Powell이다.

ㅁ. [X] 구성정책은 헌정수행에 필요한 운영규칙에 관련된 정책으로, 주로 정부기구의 조정과 관련된 정책을 의미하며, Lowi가 제시한 정책유형에 속한다.

11

정답 : ③

③ ㄴ, ㄷ이 직접성의 정도가 낮은 유형에 속한다.

ㄴ. [O] 보조금은 직접성의 정도가 낮은 수단이다.

ㄷ. [O] 바우처는 직접성의 정도가 낮은 수단이다.

ㄱ. [X] 경제규제는 직접성의 정도가 높은 수단이다.

ㄹ. [X] 공기업은 직접성의 정도가 높은 수단이다.

Salmon의 정책수단 유형

직접성	행정수단
높음	정부소비, 직접대출, 공기업, 경제적 규제, 정보제공, 보험
중간	조세지출, 계약, 사회적 규제, 벌금
낮음	손해책임법, 보조금, 대출보증, 정부출자기업, 바우처

12

정답 : ④

④ 환경으로부터 인적·물적 자원의 추출을 통해 확보하는 정책은 Almond & Powell의 추출정책이다. 한편 Lowi의 재분배정책은 고소득층으로부터 저소득층으로의 소득 이전을 목적으로 하는 정책이다.

① 구성정책은 체제의 구성과 운영에 관련된 정책으로 게임의 법칙이 일어나며 총체적 기능과 권위적 성격의 특징이 있다.

② 배분정책은 정부가 특정한 개인, 기업체, 조직, 지역사회에 공공서비스와 편익을 배분해 주는 정책을 말한다.

③ 규제정책은 특정 개인이나 집단에 대한 선택의 자유를 제한하는 정책 유형으로 규제를 따르지 않을 경우 강제력을 행사할 수 있으므로 관료의 재량권이 개입되는 정책이다.

정답
10 ② 11 ③ 12 ④

□□
01 우리나라 정책과정 참여자에 대한 설명으로 옳지 않은 것은?   2017 지방 9급

① 대통령은 국회와 사법부에 대한 헌법상의 권한을 통하여 영향력을 행사하며, 행정부 주요 공직자에 대한 임면권을 통하여 정책과정에서 주도적 역할을 수행한다.

② 행정기관은 법률 제정과 사법적 판단을 통하여 정책집행과정에서 실질적인 영향력을 행사한다.

③ 국회는 국정조사나 예산 심의 등을 통하여 행정부를 견제하고, 국정감사나 대정부질의 등을 통하여 정책집행과정을 평가한다.

④ 사법부는 정책집행으로 인한 사회적 갈등상황이 야기되었을 때 판결을 통하여 정책의 합법성이나 정당성을 판단한다.

□□
02 정책과정에의 다양한 참여자에 대한 설명으로 옳은 것은?   2013 교행 9급

① 행정부는 입법부에 비해 상대적으로 사회문제에 신속히 대응하기 어렵다고 평가된다.

② 위임입법과 자유재량의 확대는 정책과정에서 입법부의 기능이 강화되고 있음을 암시한다.

③ 이익집단은 이익을 표출하고 정당은 이익의 결집을 통해 정책의제화 기능을 수행한다.

④ 강력한 이익집단이 매개체가 되어 정책에 영향을 미치는 현상을 설명한 '철의 삼각'과 달리 '하위정부론'은 정책 행위자들의 관계가 항상 안정적인 것은 아니라고 본다.

□□
03 다양한 이해관계가 충돌하는 복잡한 정책상황에서 정책중재자의 중요성은 더욱 높아져 가고 있다. 정책중재자에 대한 설명으로 옳지 않은 것은?   2012 지방 7급

① 다원주의 정책상황에서 상대적으로 더 필요한 정책행위자이다.

② 갈등상황에 있는 정책이해관계자들의 상호정책학습을 촉진하는 역할을 한다.

③ 강력한 권위를 바탕으로 이해관계자들에게 압력을 가하는 중재방식을 사용하기도 한다.

④ 정부는 공식적 권위를 지닌 정책중재자로서 가장 민주적인 역할을 한다.

01

② 법률 제정은 국회(입법부)의 권한이고, 사법적 판단은 법원(사법부)의 권한이다.

① 대통령은 국가원수로서의 지위와 행정부 수반으로서의 지위가 모두 부여되어 있으므로 입법부나 사법부에 대한 상대적 우월성이 인정된다.

③ 입법부(국회)는 국민의 뜻을 반영하는 국가기관으로 입법권을 통해 법률의 제정·개폐, 예산심의권 등의 행사를 통해 주요 정책을 결정짓는 권한을 갖는다.

④ 사법부는 입법부와 행정부의 행위에 대한 위헌여부를 결정하고 법률의 해석이나 판례 등을 통해 정책과정에 영향을 미친다.

02

정답 : ③

③ 이익집단은 구성원들의 공통된 이익을 증진하는 것을 목적으로 하는 결사체로 주로 이익을 표출하고, 정당은 정권 획득을 목적으로 구성된 결사체로 주로 이익의 결집을 표출함으로써 정책의제화의 기능을 수행한다.

① 행정부는 입법부에 비해 상대적으로 사회문제에 신속히 대응하기 용이하다.

② 위임입법과 자유재량의 확대는 정책과정에서 행정부의 기능이 강화되고 있음을 암시한다.

④ 강력한 이익집단이 매개체가 되어 정책에 영향을 미치는 현상을 설명한 '철의 삼각'은 '하위정부론'과 동일한 의미로서 정책 행위자들의 관계가 매우 안정적이라고 본다.

03

정답 : ④

④ 정책중재자는 정책목표를 달성하는 것보다 체계 안정성에 더 많은 관심을 기울이는 행위자를 의미하는 것으로 정부는 공식적 권위를 지닌 정책중재자에 해당하긴 하나 가장 민주적인 역할을 한다고 볼 수는 없다.

① 정책중재자는 정책에 영향을 미치는 개인이나 집단을 의미하는 것으로 다원주의 정책상황에서 상대적으로 더 필요하며 주로 다원화된 사회에서 활동을 보장받는 시민단체 등을 들 수 있다.

② 정책중재자는 정책지지 연합들 간의 경쟁적인 전략이나 갈등을 줄여 타협점을 찾도록 하는 역할을 담당하므로 갈등상황에 있는 이해관계자들 간의 상호정책학습을 촉진하는 역할을 하기도 한다.

③ 정책중재자는 일반적으로 정책결정권을 가진 입법부나 정부공무원들이 담당하므로 정부에 의한 정책중재가 필요한 경우 강력한 권위를 바탕으로 이해관계자들에게 압력을 가하는 방식을 사용하기도 한다.

정답
01 ② 02 ③ 03 ④

04 정책과정에서 사법부의 역할에 대한 설명으로 옳지 않은 것은?

2009 국가 9급

① 「공직선거 및 선거부정방지법」의 1인1표제가 헌법의 비례대표제 정신을 반영하지 못한다고 한 헌법재판소의 판례는 사법부가 정책과정에 실질적인 영향을 미친다는 것을 보여주는 주요한 사례이다.

② 헌법재판소는 주로 국가적 정책결정과 관련된 판결을 통해 국민생활에 영향을 미친다.

③ 국민은 국가정책이 헌법상 보장된 권리를 침해한다고 판단할 때, 헌법소원을 통해 정책변경을 모색할 수 있다.

④ 사법부의 판결은 기존의 제도나 정책에 대한 사후적 판단의 성격을 띠고 있으나, 그 자체가 정책결정을 의미하는 것은 아니다.

CHAPTER 04 정책의제 설정

실질적 력(역량) 업그레이드

01 정책의제설정모형에 대한 설명으로 가장 옳은 것은?

2020 경찰간부

① 동원형은 공중의제화 과정을 거치기 때문에 행정부의 영향력이 작고 민간부문이 발전된 선진국에서 많이 나타나는 모형이다.

② 올림픽이나 월드컵 유치 등 국민들이 적극적인 관심을 보인 사례는 외부집단이 주도한 외부주도형이다.

③ 포자모형은 정책문제가 제기되어 정의되는 환경보다는 정책문제 자체의 성격이 갖는 중요성에 주목한다.

④ 동형화모형은 정부 간 정책전이(policy transfer)가 모방, 규범, 강압을 통해 이뤄진다고 본다.

02 정책의제 설정에 대한 설명 중 가장 옳지 않은 것은?

2019 경찰간부

① 일반적으로 정책의제는 정치성, 주관성, 동태성을 지닌다.

② 정책효과가 있는데 없다고 판단하는 경우를 2종오류라 한다.

③ 정부 내 정책결정자들이 주도하여 정책의제화를 하는 경우를 허쉬만은 '강요된 정책문제'라 하였다.

④ 일반대중이 정부가 해결방안을 강구해야 한다고 공감하는 문제를 체제의제라 한다.

04

정답 : ④

④ 사법부도 법률의 해석과 판단을 통해 공식적 결정자로서 실질적인 정책결정을 담당하고 있다. 따라서 사법부의 판결은 기존의 제도나 정책에 대한 사후적 판단의 성격을 띠고 있으나, 그 자체가 정책결정을 의미하는 경우도 있다.

01

정답 : ④

④ 정책전이 현상은 정부들 간의 동형화로 사회적으로 정당성을 인정받는 정책을 채택하는 것이며 모방, 규범, 강압 등을 통해 이루어진다.
① 동원형은 공중의제화 과정을 거치기 때문에 행정부의 영향력이 크고 민간부문이 발전되지 못한 후진국에서 많이 나타나는 모형이다.
② 올림픽이나 월드컵 유치 등 국민들이 적극적인 관심을 보인 사례는 동원형이다.
③ 포자모형은 정책문제 자체의 성격보다는 정책문제가 제기되어 정의되는 환경의 중요성에 주목한다.

02

정답 : ③

③ 허쉬만이 '강요된 정책문제'라고 하였던 유형은 외부주도형이다. 한편 정부 내 정책결정자들이 주도하여 정책의제화를 하는 경우는 동원형으로, 허쉬만은 이를 '채택된 문제'라 하였다.
① 정책의제는 정치성, 주관성, 인공성, 동태성, 역사성, 공공성의 성격을 갖는다.
② 2종오류란 정책효과가 있는데 없다고 판단하는 오류를 말한다.
④ 체제의제는 일반대중의 주목을 받을 가치가 있으며 정부가 문제해결을 하는 것이 정당한 것으로 일반국민이 인정하는 문제이다.

📖 포인트 정리

공식적 참여자 vs 비공식적 참여자

공식적 참여자	비공식적 참여자
대통령과 행정수반, 행정기관과 관료, 국회, 사법부, 지방정부 등	정당, 언론, 시민단체, 정책전문가, 일반시민 등

Dimaggio와 Powell의 동형화(Isomorphism) 유형

- 모방적 동형화: 보다 성공적인 조직을 모방하는 결과로 동형화가 이루어짐
- 규범적 동형화: 서로 다른 조직의 구성원들을 전문적으로 교육시킴으로써 동형화가 이루어짐
- 강압적 동형화: 압력의 결과로 조직이 변화함

정답
04 ④ 01 ④ 02 ③

03 정책의제설정 과정에 대한 설명으로 가장 옳지 않은 것은?

2018 서울 7급(3월)

① 정책문제에 대한 통계지표의 오류는 바람직한 의제설정을 어렵게 한다.

② 크렌슨(Crenson)은 선출직 지도자들이 공장공해 등 전체적인 문제에 민감하게 반응하여 이를 정책의제화한다고 한다.

③ 우리나라의 1960년대 경제제일주의는 많은 노동문제를 정부의제로 공식 검토되지 않게 하였다.

④ 정치체제의 가용자원 한계는 정책의제에 대한 적극적 탐색을 어렵게 하기도 한다.

04 메이(May)는 정책의제설정의 주도자와 대중의 관여 정도에 따라 정책의제설정과정을 네 가지 유형(A~D)으로 구분하였는데, 이에 대한 설명으로 옳지 않은 것은?

2016 지방 7급

대중의 관여 정도 정책의제설정의 주도자	높음	낮음
민간	A	B
정부	C	D

① A는 외부집단이 주도하여 정책의제 채택을 정부에게 강요하는 경우로 허쉬만(Hirschman)이 말하는 '강요된 정책문제'에 해당된다.

② B의 경우 정책결정에 영향력을 가진 집단은 대중들에게 정책을 공개하여 지지를 획득하려고 한다.

③ C에서는 이미 민간집단의 광범위한 지지가 형성된 이슈에 대하여 정책결정자가 지지의 공고화(consolidation)를 추진한다.

④ D는 정부의 힘이 강하고 이익집단의 역할이 취약한 후진국에서 일반적으로 많이 나타난다.

05 정책의제 설정과정 모형에 관한 설명으로 가장 옳지 않은 것은?

2016 경찰간부

① 외부주도모형 : 민간집단에 의해 이슈가 제기되어 공중의제화한 이후 정책 결정자의 관심을 끌게 되면 정부의제로 전환된다.

② 동원모형 : 정책결정자가 주도하여 정책의제를 미리 결정한 후 이것을 일반대중에게 이해, 설득하는 활동을 한다.

③ 내부접근형 : 최고 통치자나 고위정책결정자에 의해 정부의제가 채택되고, 정책집행을 원활하게 하기 위해 공중의제화를 시도한다.

④ 굳히기형 : 대중의 지지가 높은 정책문제에 대하여 정부가 그 과정을 주도하여 해결을 시도한다.

03   정답 : ②

② 크렌슨(Crenson)의 문제특성론(대기오염의 비정치화)은 이슈, 편익, 비용이 전체적인가 부분적인가를 기준으로 분석하는 것으로, 선출직 지도자들은 공장공해 등 전체적인 문제에 민감하게 반응하지 못하므로 의제채택이 힘들다고 보았다.

① 제3종 오류에 대한 설명이다.

③ 무의사결정은 사회문제에 대한 정책과정이 진행되지 못하도록 막는 것으로 인권, 노동, 복지 등의 문제는 의도적으로 정부에 의해 방치·기각되며, 우리나라의 경우 1960년대 경제성장에 걸림돌이 되는 노동 문제 등을 의도적으로 막음으로써 정부의제로 검토되지 않게 하였다.

④ 정치체제의 가용자원 한계는 정책의제를 저해하는 요인에 해당한다.

04   정답 : ②

② B-내부주도형의 경우 정부활동 등을 통한 정책의 대중확산을 시도하지 않고 행정관료가 의제설정을 주도하는 모형이다.

① A-외부주도형은 외부집단이 주도하여 정책의제 채택을 정부에게 강요하는 경우로, 허쉬만은 이를 강요된 정책문제라고 하였다.

③ C-굳히기형은 이미 민간집단의 광범위한 지지가 형성된 이슈에 대하여 정책결정자가 지지의 공고화를 추진하는 것으로, 대중의 지지가 높으며 정부 내 최고 의사결정권자들이 주도하여 의제를 채택하는 모형이다.

④ D-동원형은 정부의 힘이 강하고 이익집단의 역할이 취약한 후진국에서 일반적으로 많이 나타난다.

05   정답 : ③

③ 내부접근형은 정부 내부에서 정부의제가 먼저 이루어지는 것으로서 정부홍보활동 등을 통한 정책의 대중 확산(공중의제화)을 시도하지 않는다.

① 외부주도형은 외부집단이 주도하여 사회문제에 대하여 정부가 해결해 줄 것을 요구하여 이를 공중의제로 전환시켜 결국 정부의제로 채택하도록 하는 과정이다.

② 동원형은 정부가 정책의제를 미리 설정하고 난 다음, 정책의 중요성을 일반 대중에게 이해·설득시키는 공중의제화 과정을 거치는 모형을 말한다.

④ 굳히기형은 P. May의 모형 중 하나로 대중지지가 높기 때문에 정부 내 의사결정자들이 주도하여 정부의제로 채택하는 것을 말한다.

📑 포인트 정리

May의 정책의제설정 모형

구분		대중적 지지도	
		높음	낮음
논쟁의 주도자	사회적 행위자	외부 주도형	내부 주도형
	국가	굳히기형 (공고화형)	동원형

콥과 로스(Cobb&Ross)의 정책의제설정 모형

구분	외부 주도형	동원형	내부 접근형
공개성 및 참여도	높음	중간	낮음
공중의제 성립여부	구체화, 확산단계	확산단계	불성립
정부의제 성립	진입단계	주도단계	주도단계
사회적 배경	평등사회 (주로 선진국)	계층사회 (주로 후진국)	불평등 사회(선·후진국)
형성방향	외부 → 내부	내부 → 외부	내부 → 내부

정답

03 ② 04 ② 05 ③

06 다음 중 정책의제 설정에 관한 설명으로 옳지 것은? 2012 서울 7급

① 정책의제란 정책담당자가 공식적으로 논의하기로 결정한 정책문제를 말한다.

② 정책문제의 해결 가능성이 낮을수록 정책의제화가 용이하다.

③ 문제를 인지하는 집단의 규모가 크고 응집력이 강할수록 정책의제화가 용이하다.

④ 무의사결정론은 의제설정 과정은 다원론적이지 않고 특정 엘리트나 정치집단에 의해 조정·통제된다고 주장한다.

⑤ 다원론적 관점에서 볼 때 정책문제는 무수히 많은 사회문제 중에서 무작위로 채택되는 것이다.

07 아이스톤(Eyestone)이 제시한 정책의제 형성과정에 대한 설명으로 옳지 않은 것은? 2012 지방 7급

① 사회문제(social problem)는 개인의 문제가 다수로부터 공감을 얻게 되어 많은 사람들의 문제로 인식된 상태를 말한다.

② 공공의제(public agenda)는 일반대중의 주목을 받을 가치는 있으나, 아직 정부가 문제해결을 하는 것이 정당한 것으로 인정되지 않는 상태를 말한다.

③ 사회논제(social issue)는 사회문제가 여러가지 다른 견해를 갖는 다수의 집단들로 하여금 논쟁을 야기하며, 일반인의 관심을 집중하고 여론을 환기시키는 상태를 말한다.

④ 공식의제(official agenda)는 여러 가지 공공의제들 중에서 정부가 그 해결을 위하여 심각하게 관심과 행동을 집중하는 정부의제로 선별되는 상태를 말한다.

08 제3종 오류에 관한 설명으로 옳지 않은 것은? 2012 국회 8급

① 제3종 오류는 가치중립적인 판단은 비현실적이라는 관점에서 출발한다.

② 기술적인(technical) 접근의 무비판적인 수용을 비판하는 측면이 있다.

③ 문제구성 자체가 잘못된 경우의 오류를 의미한다.

④ 주로 대안 선정 및 제시의 단계에서 나타난다.

⑤ 제3종 오류를 줄이기 위한 방법으로는 경계분석, 복수관점분석 등이 사용된다.

06

정답 : ②

② 정책문제의 해결 가능성이 낮을수록 정책의제화가 곤란하다.

① 정책의제(Policy agenda)는 정책담당자가 공식적으로 다루기로 결정한 정책문제로, 정책적 해결 필요성이 높아진 사회문제를 의미한다.

③ 문제를 인지하는 집단의 규모가 클수록, 응집력이 강할수록 정책의제화의 가능성이 높다.

④ 무의사결정론은 모든 사회문제는 자동으로 정책의제화된다는 다원론에 대한 반발로 등장하였으며, 의제설정과정은 다원적이지 않으며 지배엘리트의 이해관계와 일치하는 사회문제만 정책의제화된다고 본다.

⑤ 다원론은 이익집단의 자유로운 협상과 타협을 통해 정책문제가 채택된다고 보는 이론으로, 다원론적 입장에 따르면 어떠한 사회문제든지 정치체제로 침투할 수 있으며 정책문제는 특정세력의 의도와는 무관하게 무작위적으로 채택된다고 본다.

07

정답 : ②

② 공공의제(public agenda)는 일반대중의 주목을 받을 가치가 있으며 정부가 문제를 해결하는 것이 정당한 것으로 인정되는 상태를 말한다.

① 사회문제(social problem)는 불특정 다수인이 어떤 사안에 대해 불만족스럽다고 느끼는 상태가 지속되는 것이다.

③ 사회논제(social issue)는 어떤 사회문제의 성격·해결방법에 대해서 집단 간의 견해차이와 논쟁이 발생되고 많은 사람들의 주목을 받게 되는 사회문제로, 일반인의 관심이 집중되고 여론이 환기되는 상태를 말한다.

④ 공식의제(official agenda)는 정부가 공식적인 의사결정에 의하여 그 해결을 고려하기로 명백히 밝힌 문제를 의미한다.

08

정답 : ④

④ 제3종 오류는 주로 의제채택과정에서 나타난다.

① 제3종 오류는 문제를 잘못 정의하는 것이므로 가치중립적인 정책집행은 비현실적이라고 본다.

② 제3종 오류는 문제나 목표가 명확하다는 전제하에 최적의 수단을 탐색하는 수단적·기술적 기획관은 한계가 있다고 보고 규범적 기획관이 필요하다고 전제한다.

④ 문제를 잘못 인지하거나 구성 자체를 잘못한 경우에 나타나는 오류이다.

⑤ 정책문제 구조화를 통해 제3종 오류를 방지하고 정책문제를 올바르게 정의하려는 방법으로 경계분석, 복수관점분석 등이 사용된다.

정책오류 유형

오류 유형	특징
제1종 오류	옳은 귀무가설을 기각하는 오류
	틀린 대립가설을 채택하는 오류
제2종 오류	틀린 귀무가설을 인용하는 오류
	옳은 대립가설을 기각하는 오류
제3종 오류	정책문제를 잘못 인지하여 정책 문제가 해결되지 못하는 근원적인 오류

정답

06 ② 07 ② 08 ④

09 공중의제 설명으로 올바른 것을 모두 고르시오.

> (가) 일반 대중이 정부가 해결방안을 강구해야 한다고 공감하는 일련의 이슈를 의미한다.
> (나) 문서화되거나 공식화되지 않은 의제를 말한다.
> (다) 사회문제의 성격이나 그 해결방안에 대하여 논란이 벌어지면 공중의제가 된다.
> (라) 일단 공중의제가 되면 그 사회문제는 해결될 가능성이 매우 높아진다.

① (가), (나) ② (가), (다)
③ (가), (나), (다) ④ (가), (나), (라)
⑤ (가), (나), (다), (라)

10 다음 중 콥과 로스(Cobb & Ross)가 주장한 정책의제 설정의 과정이 순서대로 바르게 나열된 것은?

① 이슈의 제기 → 구체화 → 확장 → 진입
② 이슈의 제기 → 확장 → 구체화 → 진입
③ 구체화 → 확장 → 이슈의 제기 → 진입
④ 구체화 → 이슈의 제기 → 확장 → 진입

11 주도집단에 따른 정책의제 설정 유형에 관한 설명으로 옳지 않은 것은?

① 내부접근형은 행정관료가 의제설정을 주도하는 유형이다.
② 동원형은 정부의제화한 후 구체적인 정책 결정을 하면서 공중의제화한다.
③ 내부접근형에서 정부의제는 정부PR을 통해 공중의제화된다.
④ 외부주도형은 이익집단이 발달하고 정부가 외부의 요구에 민감하게 반응하는 정치체제에서 주로 나타난다.
⑤ 동원형은 정부의 힘이 강하고 민간부문의 힘이 취약한 후진국에서 주로 나타나는 유형이다.

12 의제설정이론에 관한 설명으로 옳지 않은 것은?

① 킹던(Kingdon)은 문제, 정책, 정치라는 세 변수가 각기 다른 맥락에서 흐르다가 어떤 기회가 주어지면 서로 만나게 되는데, 이 때 정부의제가 정책의제로 전환하게 된다고 본다.
② 콥과 그 동료들(Cobb, Ross & Ross)에 따르면 공식의제가 성립되는 단계는 외부주도모형의 경우에는 진입단계, 동원모형과 내부접근모형의 경우에는 주도단계이다.
③ 콥(Cobb)과 엘더(Elder)가 언급한 '체제의제'는 특정 쟁점에 대해 정책대안이나 수단을 모색할 수 있을 정도로 구체적이다.
④ 존스(Jones)는 정책의제 설정과정을 크게 문제의 인지와 정의, 문제에 대한 결집과 조직화, 대표, 의제 설정으로 구분하고 있다.

09

정답 : ①

① 가, 나만 옳고 다, 라는 틀리다.

가. [O] 공중의제에 대한 설명이다.

나. [O] 공중의제는 문제 특성만을 포괄적으로 나타나기 때문에 구체적인 해결책을 제시하지 않는다. 반면 정부의제가 되면 문서화·공식화된다.

다. [X] 사회문제의 성격이나 그 해결방안에 대하여 논란이 벌어지면 사회적 이슈가 된다.

라. [X] 일단 정부의제가 되면 그 사회문제는 해결될 가능성이 매우 높아진다.

10

정답 : ①

① Cobb & Ross는 이슈의 제기 → 구체화 → 확장 → 진입 순으로 의제채택이 이루어진다고 주장하였다.

11

정답 : ③

③ 내부접근형은 사회문제가 바로 정부의제화되는 유형으로 정부PR을 통한 정책의 대중 확산을 시도하지 않는다.

① 내부접근형은 정부 내부에서 정부의제가 먼저 이루어지는 것으로 행정관료가 의제설정을 주도하는 유형이다.

② 동원형은 정부가 정부의제를 미리 설정한 후 정책의 중요성과 유용성을 일반대중에게 이해·설득시키는 공중의제화 과정을 거치는 모형이다.

④ 외부주도형은 외부집단의 주도로 사회문제에 대해 정부가 해결해 줄 것을 요구하고 이를 공중의제로 전환시켜 결국 정부의제로 채택하도록 하는 것으로 강요된 정책문제라고 한다.

⑤ 동원형은 채택된 정책문제라고도 하며 정부의 힘이 강하고 이익집단이 발달하지 못한 후진국이나 권위주의적 정부에 해당하는 모형이다.

12

정답 : ③

③ 콥(Cobb)과 엘더(Elder)가 언급한 의제 중에서 특정 쟁점에 대해 정책대안이나 수단을 모색할 수 있을 정도로 구체적인 것은 제도의제이다. 한편 체제의제는 구체화되지 않은 거시적 차원의 의제이다.

① Kingdon의 흐름창(정책창)모형에 대한 설명으로 문제의 흐름, 정책의 흐름, 정치적 흐름이라는 세 가지 변수가 서로 아무 관계없이 독자적으로 흘러 다니다가 어떤 사건이 발생하여 우연히 만나 정책의제로 전환된다고 본다.

② Cobb & Ross에 따르면 외부주도형은 진입단계, 동원모형과 내부접근모형은 주도단계에서 공식의제가 성립된다.

④ Jones의 의제설정이론에 대한 것으로 Jones는 의제설정과정을 문제의 인지, 문제의 정의, 집결, 조직화, 대표, 정책의제화로 구분한다.

포인트 정리

Cobb & Ross의 정책의제설정 과정

이슈의 제기	문제나 고충이 표출되거나 발생함
구체화	제기된 불만이나 고충이 좀 더 구체적인 방법으로 표출됨
확장	일반공중에게 확산되어 이슈화 되는 단계로 이 단계를 거쳐 사회문제가 공중의제화 됨
진입	공중의제가 정부에 의해 공식의제로 채택되는 과정

정답

09 ① 10 ① 11 ③ 12 ③

01 엘리트이론과 다원주의이론에 대한 설명으로 옳지 않은 것은?
2023 지방 9급

① 고전적 엘리트이론에서 엘리트들은 다른 계층에 대해 책임을 지지 않는다.

② 밀즈(Mills)는 명성접근법을 사용하여 엘리트들을 분석한다.

③ 달(Dahl)은 권력이 분산되어 있음을 전제로 다원주의론을 전개한다.

④ 바흐라흐와 바라츠(Bachrach & Baratz)는 무의사결정이 의제설정과정뿐만 아니라 정책결정과정에서도 발생할 수 있다고 주장한다.

02 ㉠, ㉡에 해당하는 권력모형을 옳게 짝지은 것은?
2019 지방 7급

○ (㉠)은 전국적 차원이 아니라 지역사회의 지배구조에 초점을 맞추면서, 소수 엘리트가 강한 응집성을 가지고 정책을 결정하고 정치에 무관심한 일반대중들은 비판 없이 이를 수용한다고 설명한다.

○ (㉡)은 정치권력에 두 얼굴(two faces of power)이 있음을 주장하는 입장으로부터 권력의 어두운 측면이 갖는 영향력에 대해 관심을 가지지 않았다는 점을 비판받았다.

	㉠	㉡
①	밀즈의 지위접근법	달의 다원주의론
②	밀즈의 지위접근법	바흐라흐와 바라츠의 무의사결정론
③	헌터의 명성접근법	달의 다원주의론
④	헌터의 명성접근법	바흐라흐와 바라츠의 무의사결정론

03 다원주의론은 기본적으로 집단과정이론과 다원적 권력이론으로 크게 구분되는데, 이들 이론에 공통된 다원주의의 주요 특성으로 가장 옳지 않은 것은?
2019 서울 7급(2월)

① 이익집단들 간의 경쟁은 정치체제의 유지에 순기능적이라고 본다.

② 권력의 원천이 특정 세력에 집중되어 있는 것이 아니고 각기 분산된 불공평성을 띤다.

③ 이익집단들 간에 상호 경쟁적이지만 기본적으로는 게임의 규칙을 준수해야 하는 데 합의를 하고 있다고 본다.

④ 다양한 이익집단은 정부의 정책과정에 동등한 접근기회를 가지고 있으며 이익집단들 간의 영향력에 차이가 있음을 인정하지 않는다.

01

정답 : ②

② 1950년대 미국 엘리트론중 Mills는 지위접근법, Hunter는 명성접근법을 사용하였다.

고전적 엘리트이론	1950년대 미국의 이론		신엘리트이론
• Mosca(모스카), Pareto(파레토), Michels(미헬스) • 과두제의 철학론 제시 • 고전적 엘리트이론	• Mils(밀즈) • 지위접근법(미국 전국적 차원의 정책과 정분석)	• Hunter(헌터) • 명성접근법(미국 애틀란타 시의 정책과 정분석)	• Bachrach(바흐라흐) • Baratz(바라츠) • 다원주의에 대한 비판적 관점
• 사회를 지배계급-피지배계급으로 구분 • 엘리트들은 동질적이고 폐쇄적 • 엘리트들은 자율적이며 다른 구성원에 대해 책임을 지지 않음	미국사회 권력엘리트: 정부-군-기업복합체(military-industry complex)	애틀란타에서 가장 영향력 있는 40명을 뽑아내어 분석. 이들이 여러가지 모임을 통해 애틀란타시의 정책의 기본방향을 결정. 이들보다 하위층에 있는 자들이 이를 뒷받침하고 집행	무의사결정론이란 정책의 전과정(특히 정책문제 채택단계)에서 지배적인 엘리트집단의 이해관계와 부합하는 문제만 논의할 목적으로, 지배집단의 이익에 명시적 · 잠재적으로 도전이 될 수 있는 문제를 거론조차 못하게 억압하고 방해하는 결정을 의미

02

정답 : ③

③ ㉠은 헌터의 명성접근법이고 ㉡은 달의 다원주의론에 대한 설명이다.

㉠ 헌터의 명성접근법은 지역사회의 권력구조에 대한 연구로, 조지아주 아틀란타시를 대상으로 명성이 있는 40명을 선정하여 이들의 성분을 조사하였다. 헌터에 따르며 응집력과 동료의식이 강한 기업엘리트들이 지역사회를 지배한다고 보았으며 일반대중은 이들이 결정한 정책을 그대로 받아들인다고 보았다.

㉡ 달의 다원주의론은 권력의 두 얼굴에서 권력의 밝은 얼굴 측면만을 연구대상으로 삼았으며, 바흐라흐와 바라츠는 달의 다원주의는 권력의 어두운 측면을 보지 못했다고 비판하였다.

03

정답 : ④

④ 다양한 이익집단은 정부의 정책과정에 동등한 접근기회를 가지고 있으며 이익집단들 간의 영향력에 차이가 있음을 인정한다.

① 이익집단 상호간은 경쟁적이지만 이는 정치체제 유지에 순기능적 역할을 한다고 본다.

② 다원론에서는 서구 민주주의 체제에서 권력이 다양한 세력에게 분산되어 있지만 균등하게 배분되어 있지 않고 분산된 불공평의 형태를 띠고 있다.

③ 다원론에서 이익집단들 간에는 상호경쟁이 발생하지만 기본적으로 게임의 규칙을 준수하는 데 합의하고 있다.

포인트 정리

지위접근법 vs 명성접근법

구분	미국의 엘리트이론	
	Mills의 지위접근법	Hunter의 명성접근법
공통점	계급이나 능력이 아닌 지위나 능력만으로 엘리트들의 권력을 설명함	
권력	사회적 지위	사회적 명성
주도세력	정치엘리트 (군-산업엘리트 복합체)	기업엘리트
연구범위	전국단위	지역단위 (아틀란타 시)

정답

01 ② 02 ③ 03 ④

04 정책과정을 설명하는 이론의 내용으로 옳은 것은?

2017 지방 9급(추)

① 현대 엘리트이론은 국가가 소수의 지배자와 다수의 피지배자로 구분되기 어렵다고 본다.

② 공공선택론은 사적 이익보다는 집단 이익을 위한 합리적 선택에 초점을 둔다.

③ 다원주의이론은 정부정책을 다양한 행위자들 간의 협상과 경쟁의 결과로 본다.

④ 조합주의이론은 정책과정에서 국가의 역할이 소극적·제한적이라고 본다.

05 엘리트이론의 내용으로 가장 옳지 않은 것은?

2016 경찰간부

① Michels는 사회조직을 지배하는 가설로 '과두지배의 철칙'을 주장하였다.

② Mosca는 엘리트 통제의 핵심이 소수집단의 조직화 능력에 있다고 본다.

③ Pareto는 엘리트계층의 구성원이 사회적 유동성에 의해 바뀔 수 있다고 본다.

④ Mills는 현대 미국사회의 권력은 계급, 개인의 능력에서 나온다고 주장하였다.

06 정책의제설정과 관련된 이론과 설명이 바르게 연결된 것은?

| A. 사이먼(H. Simon)의 의사결정론 | B. 체제이론 |
| C. 다원주의론 | D. 무의사결정론 |

ㄱ. 조직의 주의 집중력은 한계가 있어 일부의 사회문제만이 정책의제로 선택된다.
ㄴ. 문지기(gate-keeper)가 선호하는 문제가 정책의제로 채택된다.
ㄷ. 이익집단들이나 일반 대중이 정책의제설정에 상당한 영향력을 행사한다.
ㄹ. 대중에 대한 억압과 통제를 통해 엘리트들에게 유리한 이슈만 정책의제로 설정된다.

	A	B	C	D
①	ㄱ	ㄴ	ㄷ	ㄹ
②	ㄱ	ㄷ	ㄴ	ㄹ
③	ㄹ	ㄴ	ㄷ	ㄱ
④	ㄹ	ㄷ	ㄴ	ㄱ

04

정답 : ③

③ 다원주의이론은 정책을 다양한 행위자들 간의 협상 및 경쟁·합의의 결과로 본다.
① 엘리트이론에 따르면 국가는 권력을 가진 소수 지배자인 엘리트와 권력을 가지지 못한 다수의 피지배자인 일반대중으로 구분된다고 보았다.
② 공공선택론은 경제학적 관점을 도입하여 공익이나 집단의 이익보다는 사적 이익을 위한 합리적 선택에 초점을 둔다.
④ 조합주의이론은 정책과정에서 국가의 역할이 적극적·능동적이라고 본다.

05

정답 : ④

④ Mills는 지배적인 엘리트들이 공통의 사회적 배경과 이념 및 상호 관련된 이해관계를 공유하고 있다고 주장하였다.
① Michels는 「정당론」(1912)에서 독일 사회민주주의 정당의 내부구조에 대한 연구를 통해 엘리트에 의한 통제를 부인하는 사회주의정당에서조차도 민주적인 조직으로 출발했지만 불가피하게 과두제의 방식으로 조직화됨을 보여주면서 모든 조직은 소수에 의하여 지배되고 비민주적 결정구조를 지니는 경향이 있다고 주장하였다(과두제의 철칙).
② Mosca의 지배계급론은 지배하는 소수와 지배되는 다수가 존재하는 것은 필연적 법칙이라고 보았다.
③ Pareto는 엘리트 순환론을 주장하며 엘리트는 시간이 지남에 따라 양적·질적으로 감퇴의 길을 걷기 때문에 계층 간의 순환과정이 자연스럽게 이루어진다고 보았다.

06

정답 : ①

① A-ㄱ, B-ㄴ, C-ㄷ, D-ㄹ이 옳게 연결되었다.
A. [O] 사이먼의 의사결정론에 따르면 조직의 인지능력의 한계로 모든 문제가 다 정책의제가 되지는 않는다.
B. [O] D.Easton의 체제론은 체제의 문제해결능력의 한계로 문지기가 선호하는 일부 문제만 정책의제로 채택된다.
C. [O] 다원론은 엘리트들 간의 경쟁(선거), 대중요구에 대한 민감성으로 인해 대중의 이익이 반영된다고 본다.
D. [O] 무의사결정론은 기존 엘리트세력의 이익옹호나 보호를 위하여 엘리트들에게 유리한 이슈만을 논의하고 불리한 문제는 봉쇄함으로써 일반대중이나 약자의 이익과 의견을 무시하는 것이다.

07 다음 중에서 엘리트이론에 상대되는 정책이론모형으로서의 다원주의이론의 특성에 해당하는 것으로 묶인 것은?

2013 경찰간부

> 가. 권력은 대중의 요구에 민감하게 반응한다.
> 나. 권력을 가진 사람들 간에는 응집성이 강하다.
> 다. 이익집단들 간에는 영향력의 차이는 있지만 전체적으로 균형을 유지하고 있다.
> 라. 정부는 정책과정에서 주도적인 역할을 수행한다.
> 마. 권력은 다수에게 분산되어 있다.

① 가, 다, 마   ② 라, 마

③ 가, 나, 다   ④ 나, 다, 라

08 정책참여자들 간의 권력모형에 대한 설명으로 옳은 것은 모두 몇 개인가?

2011 지방 7급

> 가. 신엘리트론자인 바흐라흐(Bachrach)와 바라츠(Baratz)는 정책문제 정의와 의제설정과정에 관한 엘리트론의 관점을 무의사결정론으로 설명하고자 하였다.
> 나. 다원주의와 신다원주의는 집단 간 경쟁의 중요성을 인정하는 점에서 같은 입장을 취하고 있다.
> 다. 다원주의는 정책결정에 있어서 정부의 이해관계와 영향력을 간과하고 있다고 비판을 받는다.
> 라. 하위정부모형은 공식적 비공식적 참여자들 간의 상호작용과 영향력 관계를 동태적으로 묘사하고 있다.

① 1개   ② 2개

③ 3개   ④ 4개

09 다음 중 밑줄 친 것 가운데 옳지 않은 것은?

2008 서울 7급

> R.Dahl은 미국 ① New Haven의 조사를 기초로 민주주의에서 권력이 특정한 사회집단에게 ② 독점되고 있음을 지적했다. P.Bachrach와 ③ M. Baratz는 핵심적 권력을 갖는 집단이나 사람들에게 부정적 영향을 끼치는 정책의제는 의사결정의 대상이 되지 않는 현상을 강조하면서 ④ 무(無)의사결정이론을 주장하였다. 이것은 A.Gramsci가 ⑤ hegemony라는 개념을 통해 지배계급이 물리적 강제력을 동원하지 않고도 지배를 해나간다고 지적한 바와 맥락을 같이한다.

07

정답 : ①

① 가, 다, 마가 다원주의의 특성이다.

가. [O] 다원론에서는 엘리트가 일반대중을 지배하지 못한다.

다. [O] 다원론에서는 각종 이익집단은 정책과정에의 영향력의 차이는 있지만 동등한 접근기회를 갖는다고 본다.

마. [O] 권력이 사회의 다양한 주체에게 널리 분산되어 있다는 입장이다.

나. [X] 권력을 가진 사람들 간 응집성이 강하다고 보는 입장은 엘리트론에 해당하며, 다원주의에서는 구성원 간의 권력이 분산되어 있다고 전제한다.

라. [X] 다원주의에서 정책과정의 주도자는 이익집단이며, 정부는 갈등적 이익을 조정하는 중개인(브로커) 또는 게임규칙의 준수를 독려하는 심판자의 역할을 한다.

08

정답 : ④

④ 가, 나, 다, 라 4개 모두 옳다.

가. [O] 신엘리트론자인 바흐라흐와 바라츠는 「권력의 두 얼굴」에서 엘리트론의 관점을 무의사결정론으로 설명하였다.

나. [O] 다원주의와 신다원주의는 집단 간의 경쟁을 강조했다.

다. [O] 다원주의는 중립적인 정부관으로 인해 정부의 능력과 영향력을 간과했다는 비판을 받는다.

라. [O] 하위정부모형은 정책네트워크 모형 중 하나로 정책공동체, 이슈네트워크 등과 함께 공식적·비공식적 정책과정의 동태성을 설명하였다.

09

정답 : ②

② 다원론은 권력이 특정한 사회집단에게 독점되기보다는 다양한 이익집단에 분산되어 있다고 보았다.

① Dahl은 뉴 헤이븐 시를 대상으로 연구하였다.

③ 바흐라흐와 바라츠는 지배엘리트의 이해관계와 일치하는 사회문제만 정책의제화된다는 무의사결정론을 주장하였다.

④ 무의사결정론은 의사결정자의 가치나 기득권에 대한 잠재적인 도전을 억압하고 방해하는 결과를 초래하는 의도적인 무결정을 의미한다.

⑤ 헤게모니이론에 따르면 지배계급은 물리적인 억압이 아니라 도덕적·지적 리더십을 통해 사회를 지배해 나간다고 주장한다.

정답

07 ① 08 ④ 09 ②

01 무의사결정론에 대한 설명으로 옳지 않은 것은?

① 정치체제 내의 지배적 규범이나 절차가 강조되어 변화를 위한 주장은 통제된다고 본다.

② 엘리트들에게 안전한 이슈만이 논의되고 불리한 이슈는 거론조차 못하게 봉쇄된다고 한다.

③ 위협과 같은 폭력적 방법을 통해 특정한 이슈의 등장이 방해받기도 한다고 주장한다.

④ 조직의 주의집중력과 가용자원은 한계가 있어 일부 사회문제만이 정책의제로 선택된다고 주장한다.

02 〈보기〉는 정책과정에 대한 이론적 관점들 중 하나를 제시한 것이다. 다음 중 〈보기〉에 대한 설명으로 옳은 것은?

> **보기**
>
> 사회의 현존 이익과 특권적 분배 상태를 변화시키려는 요구가 표현되기도 전에 질식·은폐되거나, 그러한 요구가 국가의 공식 의사결정 단계에 이르기 전에 소멸되기도 한다.

① 정책은 많은 이익집단의 경쟁적 타협의 산물이다.

② 연구의 초점이 정부의 공식적 기구와 제도에 맞추어져 있고 이익집단과 언론기관과 같은 비공식적 조직은 연구에서 배제된다.

③ 실제 정책과정은 기득권의 이익을 수호하려는 보수적인 성격을 나타낼 가능성이 높다.

④ 정부가 단독으로 정책을 결정·집행하는 것이 아니라 시장(market) 및 시민사회 등과 함께한다.

⑤ 후기 산업화 단계에서 고용주연합과 노동조합은 더 이상 사회집단의 일원으로 남아 있지 않고 국가와 함께 지배 기구로 편입되어 국가 정책을 만드는 데 큰 영향을 끼쳤다.

03 정책과정에 대한 설명으로 옳지 않은 것은?

① 콥(R. W. Cobb)은 주도집단에 따라 정책의제설정 유형을 외부주도형, 동원형, 내부접근형으로 분류하였다.

② 바흐라흐(P. Bachrach)와 바라츠(M. Baratz)는 신다원론(neopluralism) 관점에서 정치권력의 두 개의 얼굴 중 하나인 무의사결정을 주장하였다.

③ 킹던(J. Kingdon)은 어떤 중요한 시점에서 문제, 정책, 정치 등 세 가지 흐름(streams)의 결합에 의하여 정책의제가 설정된다고 주장하였다.

④ 달(R. Dahl)은 다원론(Pluralism) 관점에서 미국은 민주주의 국가이기 때문에 특정한 어느 개인이나 집단도 주도권을 행사하기 어렵다고 주장하였다.

01

정답 : ④

④ 조직의 주의집중력과 가용자원의 한계가 있다고 보는 것은 무의사결정과 관련이 없다. 한편 조직의 주의집중력과 가용자원은 한계가 있어 일부 사회문제만이 정책의제로 선택된다고 보는 것은 사이먼의 의사결정론에 해당한다.

① 정치체제 내의 지배적 규범이나 절차가 강조되어 변화를 위한 주장은 통제된다고 보는 것은 무의사결정에서 말하는 편견의 동원이다.

② 무의사결정은 엘리트들에게 안전한 이슈만이 논의되고 불리한 것은 거론조차 못하게 한다.

③ 무의사결정에서는 폭력적 방법을 통해 특정한 이슈를 방해하기도 한다.

02

정답 : ③

③ 〈보기〉는 무의사결정에 대한 내용이다. 무의사결정은 지배엘리트의 특권이나 이익 등에 대한 잠재적이고 현재적인 도전을 억압하고 방해하는 결과를 초래하는 의도적 무결정으로, 정책 과정은 기득권의 이익을 수호하려는 보수적 성격을 띠게 된다.

① 정책을 많은 이익집단의 경쟁적 타협의 산물로 보는 것은 다원주의에 대한 설명이다.

② 무의사결정은 연구의 초점이 정부의 공식적 기구와 제도뿐 아니라 이익집단과 언론기관과 같은 비공식적 조직에서도 발생한다.

④ 정부가 단독으로 정책을 결정·집행하는 것이 아니라 시장(market) 및 시민사회 등과 함께한다고 보는 것은 뉴거버넌스에 대한 설명이다.

⑤ 후기 산업화 단계에서 고용주연합과 노동조합은 더 이상 사회집단의 일원으로 남아 있지 않고 국가와 함께 지배 기구로 편입되어 국가 정책을 만드는 데 큰 영향을 끼친 것은 조합주의에 대한 설명이다.

03

정답 : ②

② 바흐라흐와 바라츠는 신엘리트론 관점에서 정치권력의 두 개의 얼굴 중 하나인 어두운 측면을 무의사결정으로 설명한다.

① Cobb & Ross는 외부주도형, 동원형, 내부접근형으로 분류하였다.

③ 킹던은 문제의 흐름, 정책의 흐름, 정치적 흐름이라는 세 가지 변수가 서로 아무 관계없이 독자적으로 흘러 다니다가 어떤 계기로 인해 서로 결합함으로써 새로운 정책의제로 형성된다고 보았다.

④ 달의 다원론의 관점에서 다원적 체제를 가진 미국은 엘리트 간의 정치적 경쟁으로 인해 일반 대중의 선호가 정책에 반영되고, 엘리트집단은 대중의 요구에 민감하게 반응하는 민주주의 국가이므로 어느 개인이나 집단도 주도권을 행사하기 어렵다고 보았다.

포인트 정리

무의사결정의 사용방법(수단)

폭력 (테러)	가장 직접적 방법
권력의 사용	변화주창자에게 현재 부여되고 있는 혜택을 박탈·위협 or 새로운 혜택(이익)으로 매수하는 행위 or 적응적 흡수 → 직접적 방법이나 폭력보다 온건함
편견의 동원	정치체제 내의 지배적 규범(규칙, 미신)이나 제도적 과정(절차)을 강조하여 변화를 위한 주장을 억압하는 행위 → 간접적 방법
편견의 수정	지배 엘리트들이 규범이나 규칙, 절차 자체를 조작하여 정책의 요구를 봉쇄하거나 자신에게 유리한 상황을 만들어 내는 행위 → 가장 간접적·우회적 방법

정답

01 ④ 02 ③ 03 ②

04 Bachrach와 Baratz의 무의사결정이론(non-decision making theory)에 대한 설명으로 옳지 않은 것은?

2011 국회 9급

① Dahl의 다원론을 비판하면서 제시한 이론이다.

② 무의사결정이론은 신엘리트론에 해당한다.

③ 넓은 의미의 무의사결정은 정책의제설정 과정뿐만 아니라 정책결정 과정, 그리고 정책집행 과정에서도 발생한다.

④ 무의사결정의 수단으로 폭력, 권력, 편견의 동원과 정치체제의 규범·규칙·절차의 조작 등을 들 수 있다.

⑤ 무의사결정이론은 엘리트들의 무관심이나 무능력으로 인해 일반 대중이나 사회적 약자의 이익과 의견이 무시되는 것을 밝혀낸 이론이다.

CHAPTER 07 정책네트워크, 이슈네트워크

실질적 **력**(역량) **업**그레이드

01 정책네트워크에 대한 설명으로 옳지 않은 것은?

2019 국가 9급

① 정책네트워크의 참여자는 정부뿐만 아니라 민간부문까지 포함한다.

② 정책공동체(policy community)에 비해서 이슈네트워크(issue network)는 제한된 행위자들이 정책과정에 참여하며 경계의 개방성이 낮은 특성이 있다.

③ 헤클로(Heclo)는 하위정부모형을 비판적으로 검토하면서 정책이슈를 중심으로 유동적이며 개방적인 참여자들 간의 상호작용 현상을 묘사하기 위한 대안적 모형을 제안하였다.

④ 하위정부(sub-government)는 선출직 의원, 정부관료, 그리고 이익집단의 역할에 초점을 맞춘다.

02 로즈(Rhodes) 등을 중심으로 논의된 정책네트워크 모형의 특징으로 가장 옳지 않은 것은?

2018 서울 7급(3월)

① 정책공동체는 비교적 폐쇄적이고 안정적이며 지속적인 네트워크이다.

② 이슈네트워크의 행위자는 매우 유동적이고 불안정하며, 이슈의 성격에 따라 주요 행위자가 수시로 변할 수 있다.

③ 정책네트워크를 구성하는 행위자들 간의 관계 형성 동기는 소유 자원의 상호의존성에 기인한다.

④ 정책네트워크를 통한 정책산출은 처음 의도한 정책내용과 유사하며, 정책산출에 대한 예측이 용이하다.

04

정답 : ⑤

⑤ 무의사결정이론은 엘리트들의 무관심이나 무능력이 아니라 엘리트가 자신들의 기득권에 도전하는 주장과 이익을 의도적으로 기각 내지는 방치하는 의도적 무결정현상이다.

① 바흐라흐 & 바라츠는 다원론자인 다알이 권력의 어두운 모습을 간과했다고 비판한 데서 비롯된 것으로 「권력의 두 얼굴」을 통하여 설명하였다.

② Bachrach와 Baratz의 무의사결정 이론은 Dahl의 다원주의를 비판하며 나온 이론으로 신엘리트론에 해당한다.

③ 무의사결정은 주로 의제채택과정에서 나타나지만, 넓은 의미에서 보면 정책결정·집행·평가등 정책과정 전반에 걸쳐 나타난다.

④ 무의사결정이론에서 의사결정자들이 사용하는 방법으로는 폭력(가장 강도가 높음), 권력, 편견의 동원, 편견의 수정·강화 등이 있다.

01

정답 : ②

② 이슈네트워크는 정책공동체에 비해서 다양한 행위자들이 정책에 참여하며 경계의 개방성이 높은 특성이 있다.

① 정책네트워크는 정부와 민간의 공식적·비공식적인 참여자를 모두 포함한 다양한 참여자들로 구성된다.

③ 헤클로는 하위정부모형을 비판하면서 정책을 다양한 참여자들 간의 상호작용 현상으로 보았고, 이에 대한 대안적 모형으로 이슈네트워크 모형을 제시하였다.

④ 하위정부모형은 정부관료, 의회 상임위원, 이익집단 대표로 구성된 삼자연합이 특정 정책영역에서 정책결정을 지배한다고 보는 이론이다.

이슈네트워크 vs 정책네트워크

구분	이슈네트워크	정책공동체
정책 행위자	• 다양한 행위자 → 개방적·불 안정적·유 동적 • 경계의 개방성 높음	• 공식적·조직 화된 행위자 에 한정 → 폐쇄적· 안정적· 지속적 • 경계의 개방성 낮음
상호 관계	• 상호 경쟁적, 상호 의존성 약함 • 권력의 편차 가 심함, 갈등 의 존재 • negative- sum 게임	• 상호 협력적, 상호 의존성 강함, 비교적 균등한 권력 • positive-sum 게임

02

정답 : ④

④ 정책네트워크 모형에서의 정책산출 예측은 전반적으로 볼 때 각종 이해관계자나 참여자들간 상호작용에 의해 처음 의도했던 정책내용과 달라질 수 있으므로 정책산출에 대한 예측이용이하지 않다.

① 정책공동체는 공식적·조직화된 행위자에 한정되며, 폐쇄적·안정적·지속적인 네트워크 모형이다.

② 이슈네트워크의 행위자는 다양하고 이슈에 따라 수시로 변동할 수 있으며 개방적·불안정적·유동적인 네트워크 모형이다.

③ 정책네트워크 모형은 정책을 다양한 공식(정부), 비공식(민간) 참여자들 간의 상호작용으로보며 이들 간의 관계 형성은 소유자원의 상호의존성에 기인한다고 본다.

03 정책네트워크모형에 대한 설명으로 가장 적절하지 않은 것은?

2015 경정승진

① 정책네트워크는 참여자와 비참여자를 구분하는 경계가 존재한다.

② 하위정부모형(철의 삼각)은 소수 엘리트들이 연대를 형성, 폐쇄적 관계를 강조하고 다른 이익집단의 참여를 배제한다.

③ 이슈네트워크(issue network)는 정부부처의 관료, 의원, 기업가, 학자, 언론인 등을 포함하는 특정영역에 이해관계나 관심 있는 사람은 누구나 참여할 수 있는 의사소통 네트워크이다.

④ 이슈네트워크(issue network)는 정책공동체(policy community)에 비해 참여자들이 기본가치를 공유하며 그들 간의 접촉빈도가 높다.

04 정책네트워크의 유형 중 하위정부(sub-government) 모형에 대한 설명으로 옳지 않은 것은?

2012 지방 9급

① 상대적으로 자율성과 안정성이 높다.

② 폐쇄적 관계를 강조하고 다른 이익집단의 참여를 배제한다.

③ 행정수반의 관심이 약하거나 영향력이 적은 재분배정책 분야에서 주로 형성된다.

④ 헤클로(Heclo)는 이익집단이 늘어나고 다원화됨에 따라 적용의 한계가 있다고 지적한다.

05 정책결정의 참여자에 관한 주요 이론 중에서 '이슈연결망(Issue Network)'을 설명하고 있는 것은?

2018 국회 8급

① 의회스태프, 타 행정기관의 관료, 사회과학자 등 다양한 관련 행위자들이 비제도권적인 통로를 통해 유동적이고 불안정하게 상호작용한다.

② 정책결정이 부문별 행정관료, 이익집단, 의회위원회 간의 연대에 의해 배타적으로 주도되는 현상을 지칭한다.

③ 특정 이익보다는 다수의 이익에 기여하는 주장을 하는 집단의 의견이 정책결정에 반영된다.

④ 관료와 군부 그리고 기업엘리트를 권력의 세 축으로 보는 권력엘리트 모형의 견해와 흡사하다.

⑤ 정책결정의 참여자 중 정부의 역할을 강조하고, 정부와 이익집단 간의 상호협력을 중시한다.

03

④ 참여자들이 기본가치를 공유하며 그들 간의 접촉빈도가 높은 것은 정책공동체의 특징에 해당한다.

① 정책네트워크에는 공식적 참여자와 비공식적 참여자를 구분하는 경계가 존재한다.

② 하위정부모형은 이익집단, 의회 상임위원회, 행정부처의 3자가 은밀하게 결탁하여 하위체제를 형성함으로써 다른 참여세력의 개입을 저지하고 상호 이익을 추구한다.

③ 이슈네트워크는 다양한 견해를 가진 대규모 참여자들이 모여 특정한 쟁점을 제기할 때 형성되는 개방적·유동적 네트워크로서, 느슨하고 일시적 관계와 유동적 참여자를 특징으로 한다.

04

③ 하위정부모형은 대통령의 관심이 덜하거나 영향력이 비교적 적은 분배정책 분야에서 주로 형성된다.

① 하위정부는 정부관료, 의회상임위원회, 이익집단 간의 이해관계가 일치하므로 하위체제 내의 자율성과 안정성은 상대적으로 높은 편이다.

② 하위정부모형은 다른 이익집단의 참여를 배제하고 폐쇄적 관계를 강조한다.

④ 헤클로는 사회가 고도로 다원화됨에 따라 정책 및 환경이 복잡해지고 이익집단이 수적으로 크게 늘어나면서 기존 하위정부식 정책결정에 한계가 있음을 지적하였다.

05

① 이슈연결망(이슈네트워크)는 다양한 견해의 대규모 참여자들이 특정한 쟁점이 제기될 때 형성되는 개방적·유동적·불안정한 네트워크로서, 느슨하고 일시적인 관계를 특징으로 한다.

② 중요한 국가정책이 행정부처, 이익집단, 국회상임위원회로 구성된 하위정부에서 은밀하게 결탁하여 결정되는 것은 철의 삼각이다.

③ 이익집단론에 대한 반론인 공공이익집단론에 대한 내용이다.

④ 미국의 엘리트론 모형 중 하나인 밀즈(Mills)의 지위접근법에 대한 내용이다.

⑤ 조합주의의 이론으로 정책결정 참여자 중 국가가 일방적으로 정책을 형성하고, 이익집단은 국가의 보조기관에 해당된다고 본다.

🔎 포인트 정리

정책네트워크(정책망) 모형 특징

- 정책문제별 형성: 사안별로 형성
- 다양한 참여자: 정부와 민간의 공식적·비공식적 개인 또는 조직
- 연계의 형성: 교호작용을 통한 연계 형성
- 경계의 존재
- 참여자들의 상호작용을 규정하는 공식적·비공식적 규칙의 총체
- 정책과정 전반을 지배하는 거시적·동태적 현상

정답

03 ④ 04 ③ 05 ①

06 정책네트워크(policy network)의 유형에 관한 설명으로 옳지 않은 것은? 2005 국가 7급

① 정책커뮤니티(policy community)란 정책결정에 참여하는 집단이 비교적 제한적이고 정책결정이 비교적 안정적이며 계속성을 지니는 경우이다.

② 하위정부는 모든 정책분야에 걸쳐서 가능한 것이 아니라 대통령의 관심이 덜하거나 영향력이 비교적 적은 분배정책 분야에서 주로 형성되고 있다.

③ 철의 삼각(Iron triangle)은 하위정부와 같은 뜻으로 사용되는 개념으로서 의회 상임위원회(분과위원회), 행정부처와 이익집단 간의 관계가 통합성이 지극히 높으며, 일종의 동맹 관계를 형성하고 있다고 하여 사용되는 개념이다.

④ 이슈네트워크는 Heclo가 하위정부나 철의 삼각을 비판하기 위하여 제기한 개념으로서 미국에서 이익집단이 수적으로 크게 늘어나고 다원화됨에 따라 하위정부식 정책결정이 용이해졌다고 주장한다.

CHAPTER 08 권력모형 – 기타 국가주의, 조합주의 실질적 력(역량) 업그레이드

01 국가권력 이론에 관한 설명으로 가장 적절하지 않은 것은? 2020 경정승진

① 베버주의(Weberism)는 국가나 정부관료제의 독자성(절대적 자율성)과 지도적·개입적 역할을 강조한다.

② 조합주의는 이익집단 간 경쟁을 통해 정책이 결정된다고 본다.

③ 마르크스주의(Marxism)는 사회를 지배계급과 피지배계급으로 나누는데 경제적 부를 소유한 지배계급(자본가계급)이 정치엘리트로 변하게 되어 결국 정부 또는 정책의 기능은 지배계급(자본가계급)을 위한 봉사수단이라고 본다.

④ 엘리트주의는 정책은 동질적이고 폐쇄적인 엘리트들의 자율적인 가치배분에 의해 결정된다고 본다.

02 정책참여자의 권력관계 모형에 대한 설명으로 옳지 않은 것은? 2020 지방 7급

① 국가조합주의는 국가가 민간부문의 집단들에 대하여 강력한 주도권을 행사한다고 보는 모형이다.

② 다원주의는 주로 개발도상국가에서 경제개발과정에서의 이익집단에 대한 통제를 설명하기 위한 이론으로 활용되었다.

③ 사회조합주의는 사회경제체제의 변화에 순응하려는 이익집단의 자발적 시도로부터 생성되었다.

④ 다원주의는 이익집단 간의 영향력 차이를 인정하지만 전반적으로 균형이 유지되고 있다는 입장을 지닌다.

06

정답 : ④

④ 이슈네트워크는 Heclo가 하위정부나 철의 삼각을 비판하기 위하여 제기한 모형으로서 미국에서 이익집단이 크게 늘어나고 사회가 고도로 다원화됨에 따라 하위정부식 정책결정이 어려워졌다고 주장한다.

① 정책커뮤니티는 참여자의 범위는 제한적·폐쇄적이고, 정책결정은 안정적이고 지속적이다.

② 재분배정책은 대통령 등 엘리트들이 주도하므로 엘리트이론이 나타나고, 분배정책은 이익의 분배와 관련되므로 하위정부모형, 포크배럴, 로그롤링 등의 정치행태가 나타난다.

③ 철의 삼각(Iron triangle)은 정책분야별로 이익집단, 의회상임위원회, 해당 관료조직으로 구성된 실질적 정책결정권을 공유하는 네트워크가 존재하며, 이들이 특정 정책영역에서 정책결정을 지배한다고 보는 이론이다.

01

정답 : ②

② 조합주의는 정부와 이익집단 간의 상호협력을 중시하며 정부의 주도적인 역할을 강조하는 이론으로, 이익집단들 간의 관계는 경쟁적이라기보다 협력적이며, 비경쟁적이다. 한편 이익집단 간 경쟁을 통해 정책이 결정된다고 보는 것은 다원주의에 대한 설명이다.

① 베버주의는 정부관료제의 절대적 자율성을 강조한다.

③ 마르크스주의는 지배계급이 정책엘리트로 변하게 되면서 결국 국가는 자본가계급의 이익을 반영하는 도구에 불과하다고 본다.

④ 엘리트주의는 사회지배계급에 의하여 정책문제가 일방적으로 채택된다는 것으로 동질적이고 폐쇄적인 엘리트들의 가치와 선호에 부합하게 정책결정이 이루어진다.

02

정답 : ②

② 다원주의는 선진국의 정책과정을 설명하는 데 적합한 이론이다.

포인트 정리

국가론의 유형

다원주의	이익집단이 의제 주도, 국가는 수동적 심판관
엘리트주의	엘리트들이 일반대중 지배
마르크스주의	국가는 자본가계급의 도구 (K.Marx)
국가주의 (베버주의)	정부관료제의 절대적 자율성(M.Weber)
조합주의	국가가 이익집단 지배·억압

조합주의 유형

국가조합주의	제3세계 및 후진자본주의에서 나타나는 형태
사회조합주의	이익집단의 자발적 시도에 의해 등장한 자유주의적 조합주의
신조합주의	다국적 기업과 같은 중요산업조직들이 국가와 긴밀한 동맹관계를 형성하여 경제정책 및 산업정책을 만들어 낸다고 보는 이론

정답

06 ④ 01 ② 02 ②

조합주의(corporatism)에 대한 설명으로 가장 적절하지 않은 것은? 2019 경정승진

① 각 사회의 구성단위인 이익집단은 단일성·강제성·비경쟁성을 띤다.

② 각 구성단위는 제한된 범주 내에서 계서적인 위상을 가지며, 전체 체계는 위계적으로 조직화된다.

③ 각 구성단위는 지도자의 선출과 요구 표명에 있어 국가의 통제를 수용하는 대가로 해당 범위 내에서 이익대표권을 독점한다.

④ 정부의 역할은 개인과 집단의 이익을 중립적인 입장에서 조정하는 역할을 담당하는 것이며, 이러한 과정을 통해 정책이 만들어지고 집행된다.

조합주의(corporatism)에 대한 설명으로 옳지 않은 것은? 2016 국가 7급

① 정부활동은 다양한 이익집단 간 이익의 소극적 중재자 역할에 한정된다.

② 이익집단은 단일적·위계적인 이익대표체계를 형성한다.

③ 정부는 사회적 공동선을 달성하기 위해 중요 이익집단과 우호적 협력관계를 유지한다.

④ 이익집단은 상호 경쟁보다는 국가에 협조함으로써 특정 영역에서 자신의 요구를 정책과정에 투입한다.

정책결정과정에 대한 다음 〈보기〉의 설명 중 옳은 것은 모두 몇 개인가? 2014 국회 8급

> **보기**
>
> ㄱ. 다원주의에서는 다양한 집단들의 선호를 반영하여 정책이 결정된다.
> ㄴ. 바흐라흐(Bachrach)등이 제시한 무의사결정론은 고전적 다원주의를 비판하며 등장한 신다원론에 해당한다.
> ㄷ. 밀스(Mills)의 지위접근법은 사회적 명성이 있는 소수자들이 결정한 정책을 일반대중이 수용한다는 입장이다.
> ㄹ. 조합주의는 국가의 독자성, 지도적·개입적 역할을 강조한다.
> ㅁ. 다원주의는 사회중심적 접근방법이다.

① 1개   ② 2개

③ 3개   ④ 4개

⑤ 5개

03

정답 : ④

④ 정부의 역할은 개인과 집단의 이익을 중립적인 입장에서 조정하는 역할을 담당하는 것이며, 이러한 과정을 통해 정책이 만들어지고 집행된다고 보는 것은 다원주의에 대한 설명이다.

① 이익집단은 단일적·비경쟁적인 성격을 띤다.

② 기능적으로 제한되고 분화된 범주를 가지고 있으며 위계적이고 계서적으로 조직화되어 있다.

③ 정부는 단순히 집단 간 이익의 중재에 머물지 않고 사회의 공동선이나 이익을 달성하기 위해 주도적이고 적극적인 역할을 하며 이익집단의 활동을 포섭·억압하는 독자성을 갖는다.

04

정답 : ①

① 정부활동은 다양한 이익집단 간 이익의 소극적 중재자 역할에 한정된다고 보는 것은 다원주의에 대한 설명이다.

② 이익집단은 기능적으로 분화된 범주를 가지고 있으며 단일의 강제적·비경쟁적·위계적으로 조직되어 있다.

③ 정부와 이익집단간의 공식합의(상호협력)를 중시하므로 이익집단의 자율성은 제약되지만, 정부는 사회적 공동선을 달성하기 위해 중요 이익집단과 우호적 관계를 유지한다.

④ 이익집단의 결성은 상호 경쟁적이라기보다는 국가에 협조함으로써 자신의 요구를 정책과정에 투입하려는 의도를 갖는다.

05

정답 : ③

③ ㄱ, ㄹ, ㅁ이 옳은 설명이다.

ㄱ. [O] 다원주의는 다양한 이익집단이 결정의 주체가 된다.

ㄹ. [O] 조합주의는 국가주의의 일종으로 국가가 이익집단을 억압하며 결정의 권위적 주체가 된다.

ㅁ. [O] 다원주의, 마르크스주의, 엘리트주의는 사회중심의 접근법에 해당하고, 국가주의와 조합주의는 국가중심의 접근법에 해당한다.

ㄴ. [X] 바흐라흐(Bachrach) 등이 제시한 무의사결정론은 R.Dahl의 다원주의를 비판하며 등장한 신엘리트이론이다.

ㄷ. [X] 사회적 명성이 있는 소수자들이 결정한 정책을 일반대중이 수용한다는 입장은 Hunter의 명성접근법에 해당한다.

📝 포인트 정리

다원주의 vs 조합주의

구분	다원주의	조합주의
구조	다양한 이익집단 간 상호경쟁	독점적인 이익집단의 형태로서 존재하며, 비경쟁적인 구조
정부 역할	중립적· 소극적 역할	비중립적·지도·개입적·주도적 역할
정책 형성 과정	이익집단 간의 경쟁의 결과	국가와 이익집단 간의 제도화된 합의

06 다음 중 정책결정의 권력모형에 대한 설명으로 옳지 않은 것은? 2012 경찰간부

> ㉠ 신마르크스주의에 속하는 Krasner에 의하면, 국가가 다른 나라와의 경제관계에 관한 정책결정을 할 때 기업의 이익이 아니라 국가의 이익을 옹호하는 결정을 내렸다고 한다.
> ㉡ Bentley와 Truman으로 대표되는 이익집단론에 의하면, 정치과정의 핵심은 이익집단 활동이며, 정책과정에서 관료들의 소극적인 역할을 상정하고 있다.
> ㉢ 정책네트워크모형에 의하면, 국가는 자신의 정책이해를 가지고 이를 정책과정에서 관철시키고자 하는 하나의 행위자이다.
> ㉣ 이슈네트워크모형에 의하면, 국가와 이익집단을 포함한 다양한 행위자 간에 빈번한 상호작용이 발생하고, 이러한 상호작용은 안정적이고 협력적이라고 본다.

① ㉠, ㉡   ② ㉡, ㉢

③ ㉢, ㉣   ④ ㉠, ㉣

CHAPTER 09 정책목표 및 정책변동

실_{질적} 력_(역량) 업_{그레이드}

01 정책변동의 유형과 그 예시를 연결한 것으로 가장 적절한 것은? 2021 경정승진

① 정책혁신(policy innovation) – 야간통행금지의 철폐
② 정책유지(policy maintenance) – 저소득 자녀에 대한 교육비 보조를 직상위계층 자녀로 확대
③ 정책승계(policy succession) – 사이버 범죄에 대한 대응책으로 사이버 수사대 창설
④ 정책종결(policy termination) – 과속운전 단속을 교통경찰관에서 감시카메라 설치로 대체

02 정책변동에 대한 설명으로 옳지 않은 것은? 2020 국가 9급

① 킹던(Kingdon)의 정책흐름이론에 따르면 정책변동은 정책문제의 흐름, 정치의 흐름, 정책대안의 흐름이 결합하여 이루어진다.
② 무치아로니(Mucciaroni)의 이익집단 위상변동모형에서 이슈 맥락은 환경적 요인과 같이 정책의 유지 혹은 변동에 영향을 미치는 정책요인을 말한다.
③ 실질적인 정책내용이 변하더라도 정책목표가 변하지 않는다면 이를 정책유지라 한다.
④ 정책목표를 달성하기 위한 전반적인 정책수단을 소멸시키고 이를 대체할 다른 정책을 마련하지 않는 것을 정책종결이라 한다.

06

④ ㉠, ㉢이 틀린 내용이다.

㉠ [X] 신베버주의에 속하는 Krasner에 의하면, 국가가 다른 나라와의 경제관계에 관한 정책결정을 할 때 기업의 이익이 아니라 국가의 이익을 옹호하는 결정을 내렸다고 한다.

㉢ [X] 이슈네트워크모형은 구성원 간 인식에 대한 공유나 책임감이 없고 제로섬 게임이 나타나므로 경쟁적·갈등적이며 매우 유동적·일시적인 불안정한 관계망이다.

㉡ [O] Bentley와 Truman은 이익집단론을 통해 이익집단들의 요구에 따라 정책을 결정하고 집행하는 것이 가장 민주적이라고 주장하였다.

㉢ [O] 정책네트워크모형은 정부와 정책을 다양한 공식(정부), 비공식(민간) 참여자들 간의 참여와 상호작용으로 보고 국가를 하나의 행위자로 인정한다.

01

② 정책유지는 정책수단의 기본 골격이 달라지지 않으며 정책대상집단의 범위가 변동된다거나 정책의 수혜수준이 달라지는 경우로, 저소득 자녀에 대한 교육비 보조를 직상위계층 자녀로 확대하는 것이 대표적 예시이다.

① 야간통행금지의 철폐는 정책종결의 예시에 해당한다.

③ 사이버 범죄에 대한 대응책으로 사이버수사대를 창설하는 것은 정책혁신의 예시에 해당한다.

④ 과속운전 단속을 교통경찰관에서 감시카메라 설치로 대체하는 것은 정책대체의 예시에 해당한다.

정책변동 유형

구분	정책목표 수정	정책의 기본성격 변경	정책수단 변경
정책 혁신	○	○	○
정책 승계	×	○	○
정책 유지	×	×	△
정책 종결	○	○	○

02

③ 실질적인 정책내용이 변하더라도 정책목표가 변하지 않는다면 이를 정책승계라고 한다.

정책유지 vs 정책승계

구분	정책유지	정책승계
정책의 기본적 성격	변화 없음	변화 있음
정책목표	변화 없음	변화 없음
정책수단	• 구체적인 요소나 내용상 부분적이고 완만한 대체 or 변동 • 집행절차, 예산액, 사업내용, 정책투입, 대상집단 범위, 정책산출에의 일부 변화	• 정책수단의 근본적인 수정 또는 대체 • 조직, 예산, 사업내용, 기구, 인력 등과 같은 정책수단의 중대한 변화

정답

06 ④ 01 ② 02 ③

03 다음과 같은 내용을 모두 포괄하는 정책변동의 유형은? 2017 국가 7급(추)

> ○ 정책수단의 기본 골격이 달라지지 않으며, 주로 정책산출 부분이 변한다.
> ○ 정책 대상집단의 범위가 변동된다거나 정책의 수혜수준이 달라지는 경우와 관련이 있다.
> ○ 저소득층 자녀에 대한 교육비 보조를 그 바로 위 계층의 자녀에게 확대하는 사례에 해당한다.

① 정책통합(policy consolidation)
② 정책 분할(policy splitting)
③ 선형적 승계(linear succession)
④ 정책 유지(policy maintenance)

04 혹우드(Hogwood)와 피터스(Peters)가 제시한 정책변동의 유형에 대한 설명 중 옳지 않은 것은? 2006 선관위 9급

① 정책승계는 정책목표는 변화되지 않지만 정책수단인 사업이나 사업을 담당하는 조직, 예산 항목에서 중대한 변화가 일어난다는 점에서 정책유지와 다르다.

② 정책혁신은 사회문제가 처음으로 정책문제로 전환되고 이것을 해결하기 위해 정부가 정책을 결정하는 것으로서, 현재의 정책이나 활동이 없고, 담당조직도 없으며 예산이나 사업 활동도 없는 '무'에서 새로운 것을 만드는 것이다.

③ 정책유지는 정책의 기본적 특성을 그대로 유지시키는 것으로서, 정책의 집행과정에서 일어나는 변화와 현재의 특수사정 등에 적응하기 위해서 일어나는 경우가 많다.

④ 정책종결은 현존하는 정책의 기본적 성격을 바꾸는 것으로서, 정책의 근본적인 수정을 필요로 하는 경우 정책을 없애고 새로이 완전히 대체하는 경우 등을 포함한다.

 CHAPTER 10 정책문제 구조화, 정책분석 유형 실질적 력(역량) 업그레이드

01 정책분석에 있어서 문제구조화에 대한 설명으로 옳지 않은 것은? 2017 지방 9급

① 던(Dunn)은 정책문제를 구조화가 잘된 문제(well-structured problem), 어느 정도 구조화된 문제(moderately structured problem), 구조화가 잘 안된 문제(ill-structured problem)로 분류한다.

② 구조화가 잘된 문제의 해결을 위해서 분석가는 전통적인(conventional) 방법을 사용하기도 한다.

③ 문제구조화는 상호 관련된 4가지 단계인 문제의 감지, 문제의 정의, 문제의 추상화, 문제의 탐색으로 구성되어 있다.

④ 문제구조화의 방법으로는 경계분석, 분류분석, 가정분석 등이 있다.

03

정답 : ④

④ 정책 유지에 대한 설명이다. 정책 유지는 정책의 기본적 성격은 유지한 채 정책수단인 사업이나 담당조직을 바꾸는 경우로 기본골격은 유지하면서 정책의 구체적인 구성 요소(사업내용. 예산액수. 집행절차)들을 완만하게 대체·변경하는 것을 의미한다.

① 정책통합은 둘 이상의 정책들을 전부 또는 부분적으로 종결하고 이를 대체하도록 유사한 목적을 추구할 단일의 정책을 새로 채택하는 것을 말한다.

② 정책 분할은 하나의 정책이 둘 이상으로 나누어지는 것을 말한다.

③ 선형적 승계는 기존의 정책을 완전히 종결하고 같은 정책 영역에서 기존 정책과 같거나 유사한 목적을 가진 정책을 채택하는 것을 말한다.

04

정답 : ④

④ 현존하는 정책의 기본적 성격을 바꾸는 것으로서. 정책의 근본적인 수정을 필요로 하는 경우 정책을 없애고 새로이 완전히 대체하는 경우 등을 포함하는 것은 정책승계이다.

한편 정책종결은 정책목표가 완전히 달성되어 문제가 소멸되었거나 달성 불가능한 경우 정책을 완전히 소멸시키는 유형으로, 새로운 정책도 결정하지 않으며 정책수단도 완전히 사라지는 유형이다.

① 정책승계는 정책의 목표는 그대로 유지하되 정책수단인 사업. 조직. 예산에 중대한 변화가 일어나는 유형으로 정책평가로부터 얻은 정보가 정책채택 단계에서 다시 활용되기도 한다.

② 정책혁신은 완전히 새로운 정책을 결정하는 것으로 현재의 정책이나 활동이 없고 이를 담당하는 정책수단도 없는 '무'에서 새로운 정책을 만드는 것이다.

③ 정책유지는 정책목표는 그대로 유지하되 정책의 구성요소나 구체적인 내용(사업내용. 예산액수. 집행절차)에 부분적인 대체나 완만한 변동이 일어나는 유형이다.

01

정답 : ③

③ 문제구조화는 정책문제를 정의하기 위해 문제상황을 검증하는 과정을 의미하는 것으로, 문제의 감지 → 문제의 탐색 → 문제의 정의 → 문제의 구체화의 과정을 거친다.

① 던(Dunn)은 정책문제를 복잡성과 상호의존성에 따라 구조화가 잘된 문제, 어느 정도 구조화된 문제, 구조화가 잘 안된 문제로 분류한다.

② 구조화가 잘된 문제는 대안의 결과도 명확하게 알 수 있으며 예측이 가능하므로 전통적인 방법을 사용할 수 있다.

④ 문제 구조화의 방법에는 경계분석. 분류분석. 가정분석. 유추분석. 계층분석 등이 있다.

포인트 정리

정책변동 유형

정책혁신	완전히 새로운 정책을 결정하는 유형
정책유지	정책수단의 기본골격은 달라지지 않고 정책투입. 대상집단의 범위와 같은 정책의 구체적 내용에 있어 부분적인 대체나 완만한 변동이 일어나는 유형
정책승계	정책의 기본적 성격을 바꾸는 것으로서 기본 정책을 없애고 새로운 정책으로 완전히 대체하는 경우를 포함하지만. 정책유지처럼 정책목표는 변동되지 않고 정책이나 정책수단을 근본적으로 수정하거나 대체하는 유형
정책종결	정책목표가 완전히 달성되어 문제가 소멸되었거나 달성 불가능한 경우 정책을 완전히 소멸시키는 것으로, 다른 정책에 의해 기존에 존재하던 정책을 폐지하는 유형

문제구조화기법의 종류

기법	의미	특징
경계분석	메타문제의 경계 추정	포화표본추출. 문제도출. 축적
분류분석	개념의 명료화	개념의 논리적 분할 및 분류
계층분석	가능하고 개연적이고. 행동 가능한 원인의 식별	원인의 논리적 분할 및 분류
가정분석	갈등있는 가정들의 창조적 통합	이해관련자 식별. 가정도출. 도전 등
시네틱스	문제들 사이의 유사성 인식	개인적·직접적·상징적·환상적 유추의 구성

정답

03 ④ 04 ④ 01 ③

02 정책문제의 구조화기법과 설명이 바르게 연결된 것은?

2014 국가 9급

A. 경계분석(boundary analysis)
C. 계층분석(hierarchy analysis)
B. 가정분석(assumption analysis)
D. 분류분석(classification analysis)

ㄱ. 정책문제와 관련된 여러 구조화되지 않은 가설들을 창의적으로 통합하기 위해 사용하는 기법으로 이전에 건의된 정책부터 분석한다.
ㄴ. 간접적이고 불확실한 원인으로부터 차츰 확실한 원인을 차례로 확인해 나가는 기법으로 인과관계 파악을 주된 목적으로 한다.
ㄷ. 정책문제의 존속기간 및 형성과정을 파악하기 위해 사용하는 기법으로 포화표본추출(saturation sampling)을 통해 관련 이해당사자를 선정한다.
ㄹ. 문제상황을 정의하기 위해 당면문제를 그 구성요소들로 분해하는 기법으로 논리적 추론을 통해 추상적인 정책문제를 구체적인 요소들로 구분한다.

	A	B	C	D			A	B	C	D
①	ㄱ	ㄷ	ㄴ	ㄹ		②	ㄱ	ㄷ	ㄹ	ㄴ
③	ㄷ	ㄱ	ㄴ	ㄹ		④	ㄷ	ㄱ	ㄹ	ㄴ

03 정책분석(PA: Policy Analysis)과 체제분석(SA: System Analysis)의 차이점에 관한 설명 중 가장 적절하지 않은 것은?

2014 경찰간부

① 정책분석은 비용과 효과의 사회적 배분을 중시하지만 체제분석은 자원배분의 효율성을 중시한다.
② 정책분석은 대안의 평가기준에서 정치적 합리성을 강조하지만 체제분석은 경제적 합리성에 주안점을 둔다.
③ 정책분석은 비용편익분석의 양적 분석에 치중하지만 체제분석은 질적 분석을 중요시한다.
④ 정책분석에 활용되는 기본과학은 정치학, 행정학, 사회학 등이지만 체제분석에서는 경제학과 응용과학 등이다.

04 던(W. Dunn)의 정책문제 구조화방법에 관한 설명으로 가장 옳지 않은 것은?

2011 경찰간부

① 계층분석은 문제상황의 발생에 영향을 줄 수 있는 다양한 원인들을 식별하기 위한 기법이다.
② 경계분석은 문제상황을 정의하고 분류하기 위해 개념을 명백하게 하는 기법이다.
③ 브레인스토밍은 문제상황을 식별하고 개념화 하는데 도움을 주는 아이디어, 목표, 전략을 끌어내기 위한 방법이다.
④ 유추분석은 과거에 다루어 본 적이 있는 문제와의 관계 분석을 통해 문제를 정의하는 기법이다.

02

정답 : ③

③ A-ㄷ, B-ㄱ, C-ㄴ, D-ㄹ이 옳게 연결되었다.

ㄱ. [O] 가정분석은 정책문제와 관련된 여러 구조화되지 않은 가설들을 창의적으로 통합하기 위해 사용하는 기법으로 이전에 건의된 정책부터 분석한다.

ㄴ. [O] 계층분석은 간접적이고 불확실한 원인으로부터 차츰 확실한 원인을 차례로 확인해 나가는 기법으로 인과관계 파악을 주된 목적으로 한다.

ㄷ. [O] 경계분석은 정책문제의 존속기간 및 형성과정을 파악하기 위해 사용하는 기법으로 포화표본추출을 통해 관련 이해당사자를 선정한다.

ㄹ. [O] 분류분석은 문제상황을 정의하기 위해 당면문제를 그 구성요소로 분해하는 기법으로 논리적 추론을 통해 추상적인 정책문제를 구체적인 요소들로 구분한다.

03

정답 : ③

③ 정책분석은 비용편익분석의 정치적·사회적·질적 분석에 치중하지만, 체제분석은 경제적·양적 분석을 중요시한다.

① 정책분석은 형평성을 고려하는 자원의 사회적 배분을 중시하지만 체제분석은 능률성을 고려하는 자원배분의 효율성을 중시한다.

② 정책분석은 정치적 합리성이나 공익 등을 고려하지만 체제분석은 경제적 합리성을 고려한다.

④ 정책분석은 정치학·행정학·심리학을 활용하지만 체제분석은 경제학·응용조사 등을 활용한다.

04

정답 : ②

② 문제상황을 정의하고 분류하기 위해 개념을 명백하게 하는 기법은 분류분석이다.

📖 포인트 정리

정책분석(PA) vs 체제분석(SA)

구분	정책분석(PA)	체제분석(SA)
고려요인	정치적 합리성	경제적 합리성
분석방법	비계량적·질적 분석 중심	계량적·양적 분석 중심
자원배분	자원배분의 형평성	자원배분의 효율성(능률성)
분석수준	가치까지 고려 (목적 분석)	가치는 고려하지 않음 (수단 분석)
최적화	정책목표의 최적화	정책목표의 부분적 최적화

정답
02 ③ 03 ③ 04 ②

05 정책문제의 구조화에 이용되는 기법 중 연결이 옳지 않은 것은?

① 경계분석 – 문제의 경계추정

② 분류분석 – 개념의 명료화

③ 계층분석 – 가능성 있는 원인 식별

④ 가정분석 – 갈등의 선후관계 판별

⑤ 유추분석 – 유사한 관계 인지

06 다음 내용이 설명하고자 하는 개념과 가장 가까운 것은?

> ㉠ 어느 한 사람에게도 손실을 끼치지 않고는 다른 사람들을 더 좋게 만들 수 없는 상황이다.
>
> ㉡ 이것은 형평성에 대해서는 어떠한 기준을 제시해 줄 수 없다.
>
> ㉢ "칼도어-힉스(Kaldor-Hicks)"는 어떠한 변화가 사회 전체적으로 손실보다 이득을 많이 가져올 경우 바람직한 것으로 보면서 이것의 한계를 보완하고 있다.

① 목표 효율성(Goal Efficiency)

② 합리모형(Rational Model)

③ 파레토 최적(Pareto Optimum)

④ 베이지언 모형(The Baysian Model)

CHAPTER 11 불확실성과 미래예측기법(1)

실질적 력(역량) 업그레이드

01 정책 환경의 불확실성을 극복하는 대처방안 중 소극적인 방법에 해당하는 것은?

① 상황에 대한 정보의 획득

② 정책실험의 수행

③ 협상이나 타협

④ 지연이나 회피

05

④ 가정분석이란 상충(대립)되는 여러 가정을 창조적으로 통합하여 문제를 정의하는 방법이다.

06

③ 제시문은 파레토최적(Pareto Optimum) 기준을 설명하고 있다.

01

④ 소극적 대처방안은 불확실성을 주어진 것으로 전제하고 이를 감안하여 정책을 결정하는 것으로 정책결정의 회피와 지연이 대표적이다.

①, ②, ③ 상황에 대한 정보의 획득, 정책실험의 수행, 모형 개발 및 협상이나 타협 등은 불확실성을 발생시키는 상황 자체를 통제하는 적극적 대처방안에 해당한다.

불확실성에의 대처방안

적극적 대처방안	• 환경이나 상황의 통제(제어) • 모형이나 이론 개발 · 적용 • 정보의 충분한 획득 • 정책실험, 직관적 예측 등
소극적 대처방안	• 최악의 불확실성을 가정하고 대안 모색 • 가외성 설치(복수의 대안 마련) • 민감도 분석 • 상황의존도 분석 • 악조건 가중분석 • 분기점분석 • 결정 회피, 시간 지연 등

02 정책분석기법에 대한 설명으로 옳지 않은 것은?

2017 국가 7급(추)

① 교차영향분석(cross-impact analysis)은 불완전한 정보를 가지고 있는 모형 내의 파라미터의 변화에 따라 대안의 결과가 어떻게 반응하는지를 분석하는 기법이다.

② 칼도-힉스(Kaldor-Hicks criterion)는 전통적인 비용편익분석(cost-benefit analysis)의 기초가 된다.

③ 추세 연장에 의한 예측에서 가장 표준적인 방법은 선형 경향 추정(linear trend estimation)이다.

④ 의사결정나무(decision tree)를 활용한 분석모형에서는 상황의 불확실성을 고려한다.

03 미래에 대한 불확실성을 주어진 조건으로 보고 그 안에서 결과를 예측하는 분석기법에 관한 설명 중 가장 적절하지 않은 것은?

2016 경정승진

① 악조건 가중분석은 최선의 대안은 최악의 상황을, 다른 대안은 최선의 상황을 가정해 보는 분석이다.

② 민감도분석은 정책대안의 결과들이 여러 가지 가능한 값에 따라 대안의 결과가 어떻게 달라지는지를 분석하는 기법이다.

③ 최악의 불확실성을 전제하고 정책대안의 결과를 예측하는 것은 보수적 결정이다.

④ 분기점 분석은 정책상황의 변화 등에 따라 정책결과가 어떻게 영향을 받는지 분석하는 기법이다.

04 정책분석활동의 핵심은 정책대안의 결과에 대한 예측이다. 다음 중 이론적 미래예측에서 사용하는 분석기법으로 거리가 먼 것은?

2013 국회 9급

① 이론지도 작성
② 인과관계모델링
③ 구간추정
④ 시계열분석
⑤ 회귀분석

02

① 민감도 분석은 불완전한 정보를 가지고 있는 모형 내의 파라미터의 변화에 따라 대안의 결과가 어떻게 반응하는지를 분석하는 기법이다. 한편 교차영향분석(cross-impact analysis)은 사건 간의 상호관련성 식별에 도움을 주는 기법으로 연관 사건의 발생유무에 기초하여 미래의 어떤 사건이 일어날 확률에 대하여 식견 있는 판단을 이끌어내는 직관적 기법이다.

② 칼도-힉스(Kaldor-Hicks criterion) 기준은 공공사업으로 인한 수혜집단의 사회효용 증가분이 피해집단의 사회비용보다 클 때 이러한 증가된 편익으로 그 피해를 보상해 줄 수 있기 때문에 사업을 실시하는 것이 타당하다고 보는 기준으로 이는 비용편익분석의 기초가 된다.

③ 추세 연장에 의한 예측은 연장적 방법으로 과거로부터의 경향치를 보고 이를 통해 미래까지의 경향을 예측하는 귀납적 방법으로 여기에는 선형경향추정, 시계열분석 등이 있다.

④ 의사결정분석은 의사결정에서 나무의 가지를 가지고 목표와 상황과의 상호 관련성을 나타내어 최종적인 의사결정을 하는 불확실한 상황 하의 의사결정 분석 방법을 의미한다.

03

④ 분기점 분석은 최선 및 차선으로 예상되는 몇몇 대안들을 대상으로 하여 이 대안들이 동등한 결과를 산출하기 위해서는 불확실한 요소들에 대하여 어떠한 가정들을 해야 하는지를 파악하는 방법이다.

① 악조건 가중분석은 예비분석 등을 통하여 가장 우수하다고 판단되는 정책대안에 대하여 결과를 좌우하는 요인에 불확실한 요소가 있을 경우 우수한 정책대안에 대해서는 최악의 상태가 나타난다고 가정하고 나머지 다른 정책대안들은 최선의 상태가 나타난다고 가정한 후에도 최초에 가장 우수하다고 판단한 대안이 여전히 가장 우수한 대안으로 판명될 때 그 대안을 선택하는 기법이다.

② 미래예측에 있어서 파라미터값(변수값)의 변화에 따라 비용이나 편익, 대안의 결과나 최적값이 얼마나 민감하게 달라지는가를 계량적으로 분석하는 것이 민감도 분석(sensitivity analysis)이다.

③ 불확실한 것을 주어진 것으로 보고 이에 대처하는 것은 소극적 대처방안으로 최악의 불확실성을 가정하고 대안을 모색하는 보수적 결정이 이에 해당한다.

04

④ 시계열분석은 연장적 예측(투사)에 해당한다.

① 이론지도 작성은 이론적 미래예측기법으로, 이론적 가정의 인과관계를 지도로 표시하는 분석법이다.

② 인과관계모델링은 이론적 미래예측기법으로, 회귀분석의 일종인 인과분석법이다.

③ 구간추정은 이론적 미래예측기법으로, 통계적 확률이 적용될 수 있는 신뢰구간 추정법이다.

포인트 정리

불확실성 극복을 위한 미래예측 유형 (W.Dunn)

연장적 예측 -투사	시계열분석, 선형경향추정, 최소자승경향추측, 지수가중치법, 자료전환법, 격변방법 등
이론적 예측 -예견	선형계획, 투입산출분석, 회귀분석, 상관분석, 경로분석, 구간추정, PERT 등
직관적 예측 -추측	전통적 델파이, 정책델파이, 브레인스토밍, 교차영향분석, 실현가능성 분석 등

정답

05 다음은 정책분석과정에서 직면하게 되는 불확실성을 최소화하기 위해 적용되는 분석기법에 대하여 설명한 것이다. 잘못 설명되고 있는 것은? 2007 국가 7급

① 민감도분석은 정책대안의 결과들이 모형상의 파라미터 변화에 얼마나 민감한지를 알아보려는 분석기법이다.

② 델파이분석은 전문가 집단으로부터 반복된 설문지를 통하여 어떤 문제에 대한 개연성이 높은 것을 추정하여 불확실성을 극복하고자 하는 방법이다.

③ 분기점분석은 가장 두드러진 대안에 불리한 값을 대입하여 우선순위의 변화를 통해 종속변수의 불확실성을 해결하기 위한 것이다.

④ 상황분석은 정책 환경에 대한 불확실성을 최소화하기 위한 것으로 상이한 조건하에서의 우선순위 변화를 통해 분석한다.

06 선형계획법에 관한 설명으로 옳지 않은 것은? 2012 국회 8급

① 의사결정에 제약이 있는 상황하에서 최선의 대안을 찾는 기법이다.

② 최선의 결정은 목적함수로 표현된다.

③ 제약조건 하의 결과와 최적 상황의 결과와의 차이를 고려해야 한다.

④ 모형 작성자의 철학과 가치관에 따라 중요한 변수가 누락될 수 있다.

⑤ 선형계획법 모형에 필요한 자료를 구하기 어려운 경우가 많다.

CHAPTER 12 미래예측기법(2) – 직관적 예측

실질적 력(역량) 업그레이드

01 집단적 문제해결기법에 대한 설명으로 옳은 것은? 2020 국회 9급

① 명목집단기법에서는 전통적인 회의방법과는 달리 의견교환을 하는 것이 항상 허용된다.

② 델파이기법을 쓰면 지배적 성향을 가진 사람의 독주와 다수의견의 횡포 등을 피할 수 있다.

③ 브레인스토밍에서는 다른 사람의 아이디어에 자기 의견을 첨가해 새로운 아이디어로 꾸미는 것이 제한된다.

④ 집단적 문제해결은 개인적 문제해결보다 시간과 비용이 더 적게 든다.

⑤ 변증법적 토론기법은 토론집단을 의견이 유사한 두 개의 팀으로 나누어 토론을 진행하여 합의를 도출해내는 기법이다.

05

정답 : ③

③ 가장 불리한 값을 대입하여 우선순위의 변화를 통해 종속변수의 불확실성을 해결하기 위한 것은 악조건 가중분석에 해당한다. 한편 분기점분석이란 악조건 가중분석의 결과 대안의 우선순위 결과가 달라질 경우 대안들이 동등한 결과를 가져오기 위해서는 어떤 가정이 필요한지를 밝히는 분석이다.

① 민감도분석은 선형계획의 분석결과 파라미터값(변수값)들의 불확정성의 정도에 따라 크게 영향을 받게 되는데 파라미터값들의 변화에 따라 결과가 어떻게 영향을 받는지를 계량적으로 분석하는 것을 말한다.

② 델파이분석은 전문가 직관에 의한 분석으로 전문가 집단으로부터 반복된 설문지를 통하여 어떤 문제에 대한 개연성이 높은 것을 추정하여 불확실성을 극복하고자 하는 방법이다.

④ 상황분석(상황의존도분석)은 정책 환경에 대한 불확실성을 최소화하기 위한 것으로 상이한 조건하에서 우선순위 변화를 통해 분석한다.

06

정답 : ③

③ 제약조건하의 결과와 최적 상황하의 결과의 차이를 고려하는 과정을 거치므로 상충되는 복수 목표들간의 우선순위의 가중치를 통하여 밝히는 방법인 목적계획법에 해당한다.

① 선형계획법은 관리과학의 기법으로 의사결정에 제약조건하에서 최선의 대안을 찾는 기법이다.

② 최선의 결정은 목적(목표)함수로 표현되며 극대화 또는 극소화함수로 표현된다.

④ 모형작성자의 가치관이나 주관 등이 개입됨에 따라 중요한 변수 등이 누락될 수 있다.

⑤ 선형계획법에 필요한 자료를 구하기 어렵다.

01

정답 : ②

② 델파이 기법은 대면토론 시 나타날 수 있는 성격마찰, 지배적 성향을 가진 사람의 독주, 다수 의견의 횡포, 집단사고를 방지할 수 있다.

① 명목집단기법에서는 전통적인 방법과는 달리 모든 아이디어가 제시된 이후 제한된 토의를 거쳐 투표로 의사결정을 하는 기법이다.

③ 브레인스토밍에서는 다른 사람의 아이디어를 결합·수정·모방해서 새로운 아이디어를 산출하는 편승기법의 사용이 가능하다.

④ 집단의 문제해결은 개인적 문제해결보다 시간과 비용이 훨씬 더 많이 든다.

⑤ 변증법적 토론기법은 작위적으로 의견이 다른 두 개의 팀으로 토론집단을 나눠 이들이 제기하는 반론과 이에 대한 제안자의 옹호 과정을 통해 의사결정을 유도하는 방식이다.

정답
05 ③ 06 ③ 01 ②

02 집단의사결정 기법에 대한 설명으로 옳지 않은 것은? 2017 국회 9급

① 델파이 기법(delphi method)은 미래 예측을 위해 전문가 집단을 활용하는 방법이다.

② 전통적 델파이 기법 하에서는 참여자들의 익명성이 보장되는 것을 원칙으로 한다.

③ 브레인스토밍(brainstorming)은 여러 사람에게 하나의 주제에 대한 아이디어를 무작위로 제시하도록 하여 좋은 아이디어를 발굴하는 방법이다.

④ 교차영향분석은 한 사건의 발생 확률이 다른 사건에 종속적이라는 전제 하에 조건 확률을 이용한다.

⑤ 명목집단 기법(nominal group technique)은 관련자들이 의사결정에 참여하지 않은 채 서면으로 대안에 대한 아이디어를 제출하도록 하고, 모든 아이디어가 제시된 이후 최고 의사결정자가 단독으로 결정하는 기법이다.

03 다음 집단의 의사결정 기법에 대한 설명 중 가장 옳은 것은? 2016 서울 7급

① 델파이(Delphi) 기법은 미래 예측을 위해 전문가가 아닌 일반인 다수를 활용하는 의사결정 기법이다.

② 브레인스토밍(brainstorming)은 아이디어가 많은 소수에게 여러 개 주제에 대해 아이디어를 제시하도록 해 좋은 아이디어를 발굴하는 기법이다.

③ 지명반론자 기법(devil's advocate method)은 작위적으로 특정 조직원들 또는 집단을 반론을 제기하는 집단으로 지정해 반론자 역할을 부여하고 이들이 제기하는 반론과 이에 대한 제안자의 옹호 과정을 통해 의사결정을 유도하는 기법이다.

④ 명목집단기법(nominal group technique)은 관련자들이 의사결정에 직접 참여하여 대안에 대한 아이디어를 제출하도록 하고 충분한 토의를 거쳐 투표로 의사결정을 하는 기법이다.

04 다음 중 정책문제의 구조화 방법의 일종인 브레인스토밍(brainstorming)에 대한 설명으로 옳지 않은 것은? 2014 국회 8급

① 브레인스토밍 집단은 조사되고 있는 문제상황의 본질에 따라 구성되어야 한다.

② 아이디어 평가의 마지막 단계에서 아이디어에 우선순위를 부여한다.

③ 아이디어 평가는 첫 단계에서 모든 아이디어가 총망라된 다음에 시작되어야 한다.

④ 아이디어 개발단계에서의 브레인스토밍 활동의 분위기는 개방적이고 자유롭게 유지되어야 한다.

⑤ 아이디어 개발과 아이디어 평가는 동시에 이루어져야 한다.

02

정답 : ⑤

⑤ 명목집단 기법(nominal group technique)은 관련자들이 의사결정에 참여하지 않은 채 서면으로 대안에 대한 아이디어를 제출하도록 하고, 모든 아이디어가 제시된 이후 투표로 의사결정을 하는 집단의사결정기법이다.

① 델파이 기법은 미래예측을 위해 관련 분야의 전문지식을 가진 전문가들을 활용하는 의사결정기법이다.

② 전통적 델파이 기법에서는 참여자들의 익명성을 보장한다.

③ 브레인스토밍은 다수 참여자들의 자유분방한 의견표출을 통해 좋은 아이디어를 발굴하는 기법이다.

④ 교차영향분석은 사건 간의 상호관련성 식별에 도움을 주는 기법으로 조건 확률을 이용하여 선행사건의 발생이 다른 특정사건의 발생가능성을 주관적 판단하에 예측하는 기법이다.

03

정답 : ③

③ 지명반론자기법은 찬·반 두 팀으로 나누어 토론을 진행하여 대안의 장단점을 도출하는 기법으로 변증법적 토론 방식이다.

① 델파이 기법은 미래 예측을 위해 전문가 집단을 활용하는 방법이다.

② 브레인스토밍에서는 소수의 참여자가 아닌 다수 참여자들의 자유분방한 의견표출을 강조한다.

④ 명목집단기법에서는 충분한 토의가 아니라 제한된 집단토론을 통해 토론이 방만하게 진행되는 것을 예방하는 장점이 있다.

04

정답 : ⑤

⑤ 아이디어 개발단계에서는 비판과 평가를 금지한다.

① 브레인스토밍 집단은 조사되고 있는 문제 상황의 본질에 따라 구성되어야 하며 보통 10명 내외의 전문가로 구성하나 식견 있는 사람들이 포함되기도 한다.

② 아이디어 평가 단계 끝에 집단은 아이디어에 우선순위를 부여하고 문제의 개념화와 잠정적 해결방안을 포함하는 제안서에 그러한 아이디어를 포함하여야 한다.

③ 아이디어 평가는 격렬한 집단토의는 시기상조의 비판과 토론에 의하여 방해받을 수 있으므로 모든 아이디어가 총망라된 다음에 시작되어야 한다.

④ 브레인스토밍은 규격화되지 않은 집단토론 상황에서 구성원들이 자유롭게 토론하고 다양한 아이디어를 도출해야 하므로 브레인스토밍의 분위기는 개방적이고 자유로워야 한다.

정답

02 ⑤ 03 ③ 04 ⑤

05 델파이 기법에 대한 설명으로 옳은 것을 모두 고르면?

> ㄱ. 문제해결의 아이디어를 제공하는 사람들 간에 서로 대면접촉을 하지 않는다.
> ㄴ. 익명성이 유지되는 사람들이 각각 독자적으로 형성한 판단을 종합, 정리한다.
> ㄷ. 다른 사람의 아이디어에 자기 의견을 첨가해 새로운 아이디어를 도출한다.
> ㄹ. 익명성이 보장되도록 개인의 의견을 컴퓨터를 통하여 입력하고 각 개별 의견에 대하여 컴퓨터를 통하여 표결한다.
> ㅁ. 구성원 간의 성격마찰, 감정대립, 지배적 성향을 가진 사람의 독주, 다수의견의 횡포 등을 피할 수 있다.

① ㄱ, ㄴ, ㅁ   ② ㄱ, ㄷ, ㄹ

③ ㄴ, ㄷ, ㄹ   ④ ㄷ, ㄹ, ㅁ

CHAPTER 13 비용편익분석, 비용효과분석   실질적 력(역량) 업그레이드

01 비용·편익분석에 대한 설명으로 옳지 않은 것은?

2020 지방, 서울 9급

① 분야가 다른 정책이나 프로그램은 비교할 수 없다.

② 정책대안의 비용과 편익을 모두 가시적인 화폐 가치로 바꾸어 측정한다.

③ 미래의 비용과 편익의 가치를 현재가치로 환산하는데 할인율(discount rate)을 적용한다.

④ 편익의 현재가치가 비용의 현재가치를 초과하면 순현재가치(NPV)는 0보다 크다.

02 비용편익분석과 비용효과분석에 대한 설명 중 가장 옳지 않은 것은?

2019 경찰간부

① 비용효과분석에서 효과는 물건이나 용역의 단위 또는 측정 가능한 효과로 나타내어진다.

② 비용편익분석은 경제적 합리성을 강조하지만 비용효과분석은 기술적 합리성을 강조한다.

③ 비용효과분석은 총효과가 총비용을 초과하는지의 여부에 대한 직접적 증거는 제시하지 못한다.

④ 비용효과분석은 측정대상이 이질적이어도 효과성만으로 비교분석이 가능하다.

05

① ㄱ, ㄴ, ㅁ이 델파이 기법에 대한 설명이다.

ㄱ. [O] 델파이 기법은 참여자들의 익명성을 철저히 보장하며 대면접촉을 하지 않는다.

ㄴ. [O] 델파이 기법은 관련 분야의 전문가들의 의견을 종합·정리하는 질적 미래예측기법이다.

ㅁ. [O] 델파이 기법은 대면토론을 하지 않으므로 구성원 간의 성격마찰이나 감정대립, 다수의 견의 횡포 등을 방지할 수 있다.

ㄷ. [X] 다른 사람의 아이디어에 자기 의견을 첨가해 새로운 아이디어를 도출하는 것은 브레인스토밍에 해당한다.

ㄹ. [X] 익명성을 철저히 보장하며, 개별적인 의견과 투표 모두 컴퓨터를 통하여 진행되는 것은 전자적 회의 방법으로, 명목집단기법에 컴퓨터 기술을 접목시킨 집단의사결정 방법이다.

01

① 다양한 공공사업에 대한 정책대안의 편익과 비용을 계량적으로 비교·평가하여 가장 합리적이고 경제적인 대안을 선택하는 것으로 동일한 사업뿐 아니라 다른 사업 및 여러 분야의 프로그램에도 적용할 수 있다.

② 비용과 편익을 모두 공통단위인 화폐가치로 계량화하여 측정한다.

③ 할인율은 미래에 발생하는 비용과 편익을 현재가치로 환산할 때 사용하는 비율을 의미한다.

④ 순현재가치는 편익의 현재가치에서 비용의 현재가치를 뺀 것으로, 편익의 현재가치가 비용의 현재가치보다 크면 순현재가치는 0보다 크게 되므로 사업의 타당성이 있다고 본다.

02

④ 비용효과분석은 측정대상이 유사하거나 동일한 목적들을 가진 프로그램들만이 비교될 수 있다.

① 비용효과분석에서 효과는 측정 가능한 '산출물 단위'로 나타내어진다.

② 비용편익분석은 경제적 합리성을 강조하는 반면 비용효과분석은 기술적 합리성을 강조한다.

③ 비용효과분석에서는 비용과 효과가 서로 다른 단위로 측정되기 때문에 총효과가 총비용을 초과하는지의 여부에 대한 직접적인 증거는 제시하지 못한다.

포인트 정리

전통적 델파이 vs 정책델파이

구분	전통적 델파이	정책델파이
적용	일반문제(기술적인 문제)에 대한 예측	정책문제(정책적인 문제)에 대한 예측
응답자	동일영역의 일반전문가	이해관계자 등 식견 있는 다양한 창도자
익명성	철저한 격리성과 익명성 보장	선택적 익명성 보장
통계처리	의견의 대푯값·평균치(중윗값) 중시	의견차이나 갈등을 부각시키는 양극화된 통계처리
합의	합의(근접된 의견) 도출	구조화된 갈등(극단적이거나 대립된 견해의 존중·유도)
토론	없음	컴퓨터를 통한 회의 및 대면토론

비용편익분석 vs 비용효과분석

구분	비용편익분석	비용효과분석
표현방식	비용·편익 → 금전적 가치	비용 → 금전적 가치, 편익 → 금전외 산출물
성격	• 양적 분석 • 형평성·주관적 가치문제 다루지 못함	• 질적 분석 • 외부효과, 무형적·질적 가치분석에 적합
중점	경제적 합리성	도구적·기술적 합리성

03 서울시가 도심 재개발 후보지로 강남구, 동작구, 성북구를 검토하고 있으며 각 비용 및 편익의 흐름을 동일 시점의 현재가치로 총합 환산한 값이 아래 표처럼 나타났다고 하자. 대안들 중 서울 시장이 성북구를 선정하였다면 이는 어떠한 대안선정 기준에 근거한 의사결정인가?

2018 경정승진

구분	비용	편익
강남구	75	90
동작구	60	90
성북구	20	36

① 비용효과분석   ② 순현재가치

③ 비용편익비율   ④ 내부수익률

04 비용편익분석과 비용효과분석에 대한 설명으로 옳지 않은 것은?

2016 지방 9급

① 순현재가치(NPV)는 할인율의 크기에 따라 그 값이 달라지지만, 편익·비용 비(B/C ratio)는 할인율의 크기에 영향을 받지 않는다.

② 내부수익률은 공공프로젝트를 평가하는 데 적절한 할인율이 알려져 있지 않을 경우 유용하게 사용할 수 있다.

③ 비용효과분석은 비용과 효과가 서로 다른 단위로 측정되기 때문에 총효과가 총비용을 초과하는지의 여부에 대한 직접적 증거는 제시하지 못한다.

④ 비용효과분석은 산출물을 금전적 가치로 환산하기 어렵거나, 산출물이 동일한 사업의 평가에 주로 이용되고 있다.

05 A사업을 집행하기 위하여 소요된 총비용은 80억 원이고, 1년 후의 예상총편익은 120억 원일 경우에, 내부수익률은 얼마인가?

2014 서울 9급

① 67%   ② 50%   ③ 40%

④ 25%   ⑤ 20%

03

정답 : ③

③ 서울시장이 성북구를 선정하였다고 하였으므로 순현재가치와 비용편익비율을 계산하여 비용편익비율의 값이 큰 것을 선정한다.

① 비용효과분석은 정책결정 기획 과정에서 정부 지출의 목적은 구체적으로 명확히 이해되고 있으나 그 성과를 화폐가치로 측정하기 어려운 경우에 활용된다.

② 순현재가치의 방법을 적용하게 되면 동작구가 최선의 대안이 되므로 동작구를 선정하여야 하나 설문에서 성북구를 선정하였다고 했으므로 순현재가치 방법은 정답이 될 수 없다.

④ 내부수익률은 순현재가치가 0이 되도록 하는 할인율이 큰 대안을 선택하는 것으로 할인율을 몰라 현재가치를 계산할 수 없을 때 쓰이는 방법이다.

순현재가치와 B/C 비율 적용사례

구분	비용	편익	순현재가치	비용편익비율
강남구	75	90	15	90/75=1.2
동작구	60	90	30 (선택)	90/60=1.5
성북구	20	36	16	30/20=1.8 (선택)

04

정답 : ①

① 순현재가치뿐만 아니라 편익·비용비 또한 할인율의 크기에 영향을 받는다.

② 내부수익률은 비용의 현재가치와 편익의 현재가치를 동일하게 만드는 할인율이다.

③ 비용효과분석은 비용과 효과가 서로 다른 단위로 측정되기 때문에 총효과가 총비용을 초과하는지 여부에 대한 직접적인 증거는 제시하지 못한다.

④ 비용효과분석은 비용과 편익이 화폐가치로 표현될 수 없거나 서로 다른 척도로 표현될 경우에 매우 유용하다.

05

정답 : ②

② 내부수익률(IRR)은 NPV= 0, B/C Ratio= 1이 되도록 하는 할인율을 말한다. 80억과 편익 120억의 현재가치를 같게 만들어주는 할인율을 구하면 120/(1+i) − 80 = 0, 80(1+i) =120이 되므로 내부수익률(i)은 0.5(50%)이다.

〈보기〉 중 비용—편익분석에 관한 설명으로 옳지 않은 것은 모두 몇 개인가?

> **보기**
>
> ㄱ. 거시경제학 이론의 응용이며 실무적 분석이다.
> ㄴ. 공공투자사업에 따른 모든 비용과 편익을 현재가치로 산정한 화폐단위로 환산하여 비교·평가하는 기법이다.
> ㄷ. 공공투자사업의 대안을 평가할 때 편익이 비용보다 크면 경제적 타당성이 있다고 판단한다.
> ㄹ. 비용—편익분석 결과 순현재가치가 1보다 크면 경제적 타당성이 있다고 판단한다.
> ㅁ. 공공투자사업의 편익이 발생하는 기간은 물리적 수명보다는 경제적 수명으로 설정한다.
> ㅂ. 편익과 관계되는 소비자 잉여는 지불할 용의가 있는 가격과 실제 지불한 가격을 합한 값이다.

① 1개 ② 2개 ③ 3개
④ 4개 ⑤ 5개

정책대안의 비교평가기준 중 내부수익률(IRR: Internal Rate of Return)에 대한 설명으로 옳지 않은 것은?

① 여러 가지 정책대안들을 비교할 때, 내부수익률이 낮은 대안일수록 좋은 대안이다.
② 정책대안의 순현재가치를 0으로 만드는 할인율을 의미한다.
③ 사업이 종료된 후 또다시 투자비가 소요되는 변이된 사업유형에서는 복수의 내부수익률이 존재할 수 있다.
④ 내부수익률에 의한 사업의 우선순위는 사회적 할인율을 적용한 순현재가치에 의한 사업의 우선순위가 다를 수 있다.

다음 중 비용편익분석에서 순현재가치 기법에 대한 설명이 틀린 것은?

① 높은 시간적 할인율은 장기투자에 유리하다.
② 순현재가치가 0보다 클 때 그 사업은 추진할 가치가 있다.
③ 순현재가치가 큰 값을 가질수록 우수한 대안이다.
④ 편익의 총현재가치에서 비용의 총현재가치를 뺀 것이다.
⑤ 내부수익률법보다 순현재가치법이 오류가 적다.

06

정답 : ③

③ ㄴ, ㄷ, ㅁ만 옳은 내용이고, ㄱ, ㄹ, ㅂ은 틀린 내용이다.

ㄱ. [X] 비용편익분석은 공공경제를 미시경제학 이론을 응용한 실무적 분석이다.

ㄹ. [X] 순현재가치(편익의 현재가치-비용의 현재가치)가 0보다 커야 타당성이 인정된다.

ㅂ. [X] 소비자 잉여는 소비자가 지불해도 좋다고 생각하는 금액과 실제 지불한 가격의 차이를 말한다.

ㄴ. [O] 비용편익분석은 공공투자사업에 따른 모든 비용과 편익을 현재가치로 산정한 화폐단위로 환산하여 비교·평가하는 기법이다.

ㄷ. [O] 공공투자사업의 대안을 평가할 때 편익이 비용보다 크면 경제적 타당성이 있다고 판단한다.

ㅁ. [O] 공공투자사업의 수명은 물리적 수명이 아니라 비용과 편익이 발생하는 경제적 수명으로 설정한다.

07

정답 : ①

① 할인율이 주어져 있지 않아 현재가치를 계산할 수 없을 때 사용하는 기준으로 내부수익률이 클수록 우수한 사업이다.

② 내부수익률이란 순현재가치를 0으로 만드는 할인율 또는 편익비용비를 1로 만드는 할인율을 의미한다.

③ 내부수익률을 도출하는 데 사용한 방정식은 몇 개의 해를 가질 수 있으므로 사업이 종료된 후 또다시 투자비가 소요되는 변이된 사업에서는 복수의 내부수익률이 존재할 수 있다.

④ 동일한 상황에서 어떤 기준 (B-C, B/C)을 적용하느냐에 따라 사업의 채택여부는 달라지지 않지만 사업의 우선순위는 달라진다.

08

정답 : ①

① 순현재가치는 투자사업의 전 기간에 걸쳐 발생하는 순편익의 합계를 현재가치로 환산한 것으로 할인율이 클수록 현재가치는 낮아지고 단기투자에 유리하다.

② 순현재가치가 0보다 크면 경제적 타당성이 있다고 판단한다.

③ 순현재가치는 클수록 좋은 대안이라고 판단한다.

④ 순현재가치는 편익의 현재가치에서 비용의 현재가치를 뺀 값이다.

⑤ 내부수익률을 할인율을 몰라 현재가치를 계산할 수 없을 때 쓰이는 기법으로 사업의 성격이나 당시 경제여건 등을 감안하여 그때그때 결정하므로 순현재가치보다 상대적으로 객관성이 떨어진다.

📝 포인트 정리

비용편익분석의 평가기준

평가기준	특징
순현재가치	B-C>0이면 타당성 있음
비용편익비율	B/C>1이면 타당성 있음
내부수익률	내부수익률>기준할인율 타당성 있음
자본회수기간	짧을수록 좋음

정답

06 ③ 07 ① 08 ①

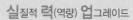

01 정책결정모형에 대한 설명으로 옳지 않은 것은? *2019 지방 9급*

① 린드블롬(Lindblom)같은 점증주의자들은 합리모형이 불가능한 일을 정책결정자에게 강요함으로써 바람직한 정책결정에 도움을 주지 못한다고 주장한다.

② 사이먼(Simon)의 만족모형은 합리모형에 대한 심각한 도전이자, 인간의 인지능력이라는 기본적인 요소에서 출발했기에 이론적 영향이 컸다.

③ 에치오니(Etzioni)는 합리모형과 점증모형의 단점을 극복하기 위하여 최적모형을 주장하였다.

④ 스타인부르너(Steinbruner)는 시스템 공학의 사이버네틱스 개념을 응용하여 관료제에서 이루어지는 정책결정을 단순하게 묘사하고자 노력하였다.

02 다음 중 정책결정과 관련하여 드로(Dror)가 제시한 최적모형에서 메타정책결정 단계(meta-policy making stage)에 해당하지 않는 것은? *2016 국회 8급*

① 정책결정전략의 결정

② 정책결정체제의 설계·평가 및 재설계

③ 정책집행을 위한 동기부여

④ 문제·가치 및 자원의 할당

⑤ 자원의 조사·처리 및 개발

03 정책결정모형 중 사이먼(Simon)의 만족모형에 관한 설명으로 가장 옳지 않은 것은? *2016 경찰간부*

① 합리모형에서 가정하는 의사결정자는 경제인이고, 만족모형에서 가정하는 의사결정자는 합리성의 제약을 받는 행정인이다.

② 경제인은 목표달성의 극대화를 도모하여 모든 가능한 대안 중 최선의 대안을 선택하지만, 행정인은 만족할 만한 대안의 선택에 그친다.

③ 경제인은 불확실성이나 불충분한 정보 등으로 대안의 결과를 예측하지 못하나, 행정인은 동태적 상황을 고려하여 대안의 결과예측을 시도한다.

④ 실제의 의사결정자는 모든 대안을 탐색하지 않고 몇 개의 대안만을 탐색하며, 대안의 탐색은 무작위적이고 순차적으로 이루어진다.

01

③ 드로어(Dror)는 합리모형과 점증모형의 단점을 극복하기 위하여 최적모형을 주장하였다. 한편 에치오니는 합리모형과 점증모형을 절충한 혼합주사모형을 주장하였다.

① 린드블롬과 윌다브스키 등은 현실에서의 정책은 실제 점증적으로 결정될 뿐만 아니라 더 나아가 점증적 결정이 바람직하다고 보았고, 합리모형은 완전한 합리성을 가정하므로 현실적으로 불가능한 일을 정책결정자에게 강요하기 때문에 바람직한 정책결정에 도움을 주지 못한다고 비판하였다.

② 사이먼은 정책담당자들은 시간과 공간 및 재정적 측면 등 여러 요인을 고려해 볼 때 만족할 만한 수준에서 정책을 결정하게 되고 의사결정자의 심리적 측면에 초점을 두고 연구하였으므로 합리모형에 많은 영향을 받았으며, 만족모형의 경우 실제 의사결정을 설명하는 데 있어 합리모형보다 더 적합한 모형이라고 평가받는다.

④ 스타인부르너는 시스템 공학의 사이버네틱스 개념을 응용하여 한정된 범위와 변수에만 초점을 두고 정책결정을 단순하게 묘사하고자 하였다.

02

③ 최적모형의 정책결정 4단계는 '메타정책결정 – 정책결정 – 정책결정 이후 – 의사전달과 환류'로 구성되며, 정책집행을 위한 동기부여는 '정책결정 이후' 단계에 속한다.

03

③ 경제인(합리모형)은 모든 대안의 결과를 예측하나, 행정인(만족모형)은 중요한 요소만 고려하여 결과를 예측한다.

① 합리모형에서는 의사결정자를 완전한 합리성을 가지는 경제인으로 보며, 만족모형에서는 제한된 합리성을 가진 행정인으로 본다.

② 경제인은 목표달성을 극대화하기 위한 모든 대안을 광범위하게 탐색하여 최적의 대안을 선택하지만, 행정인은 주관적인 합리성에 따라 만족할 만한 대안을 선택한다.

④ 만족모형에서는 만족할 만한 대안을 찾을 때까지 무작위적이고 순차적으로 대안을 탐색하며 합리모형처럼 모든 대안을 탐색하지 않는다.

포인트 정리

메타정책결정의 단계

- 가치의 처리
- 현실의 처리
- 문제의 처리
- 자원의 조사 · 처리 및 개발
- 정책체제시스템의 설계 · 평가 및 재설계
- 문제 · 가치 및 자원의 할당
- 정책결정 전략의 결정

합리모형 vs 만족모형

구분	합리모형	만족모형
합리성	완전한 합리성	제한된 합리성
인간관	경제인	행정인
대안선택	최적의 (optimum) 대안 선택 – 전체최적화, 목표극대화	만족할만한 (satisficing) 대안 선택 – 부분최적화, 심리적만족 추구
대안탐색	모든 대안을 광범위하게 탐색	무작위적 · 순차적 탐색
접근	규범적 · 이상적 접근	현실적 · 실증적 접근

정답

01 ③ 02 ③ 03 ③

04 정책결정요인론 중 도슨과 로빈슨(R. Dawson & J. Robinson)이 주장한 '경제적 자원모형'의 내용으로 옳지 않은 것은?

2014 국가 9급

① 소득, 인구 등의 사회·경제적 요인이 정책내용을 결정한다.

② 정치적 변수는 정책에 단독으로 영향을 미치지 못한다.

③ 정치체제는 환경변수와 정책내용 간의 매개변수가 아니다.

④ 사회경제적 변수, 정치체제, 정책은 순차적 관계에 있다.

05 정책결정모형에 대한 설명으로 옳은 것만을 모두 고른 것은?

2014 국가 7급

ㄱ. 점증모형은 기존 정책을 토대로 하여 그보다 약간 개선된 정책을 추구하는 방식으로 결정하는 것이다.
ㄴ. 만족모형은 모든 대안을 탐색한 후 만족할 만한 결과를 도출하는 것이다.
ㄷ. 사이버네틱스모형은 설정된 목표달성을 위해 정보제어와 환류과정을 통해 자신의 행동을 스스로 조정해 나간다고 가정하는 것이다.
ㄹ. 엘리슨모형은 정책문제, 해결책, 선택기회, 참여자의 네 요소가 독자적으로 흘러 다니다가 어떤 계기로 교차하여 만나게 될 때 의사결정이 이루어진다고 보는 것이다.

① ㄱ, ㄴ   ② ㄱ, ㄷ

③ ㄴ, ㄹ   ④ ㄷ, ㄹ

06 정책결정모형인 최적모형의 설명 중 가장 적절하지 못한 것은?

2014 경찰간부

① 현실주의와 이상주의를 절충할 수 있는 모형이다.

② 합리적·종합적 분석에 의한 정책결정이 달성하기 어려운 조건과 상황에서 순수한 합리성에 대한 현실적인 차선책(second bests)을 제시한다.

③ 점증주의적 정책의 개선으로 합리적 종합적 모형(rational-comprehensive model)이 아니라 규범적 최적모형(normative optimum model)을 제시한다.

④ 직관, 판단, 창의 등과 같은 초합리적 요소(extrarational factors)를 강조하지 않는다.

04

정답 : ④

④ 도슨과 로빈슨은 사회경제적 변수, 정치체제, 정책의 순차적 관계를 부정하고 사회경제적 변수가 정치체제와 정책의 모든 부분에 영향을 미치고 있으므로 정치체제와 정책은 허위의 상관관계라고 주장하였다.

① 소득, 인구 등의 사회·경제적 요인이 정책내용을 결정하는 요인이다.

② 정치적 변수는 정책에 단독으로 영향을 주지 못하므로 독립변수가 아니다.

③ 정치체제는 사회경제적 변수, 정치체제, 정책과 관련이 없으며 환경변수와 정책내용 사이의 매개변수에 해당하지 않는다.

05

정답 : ②

② ㄱ, ㄷ이 옳은 내용이다.

ㄱ. [O] 점증모형은 현상을 유지하고 약간씩 가감하는 모형으로 기존 정책을 토대로 하여 약간 개선된 정책을 추구한다.

ㄷ. [O] 사이버네틱스모형은 자동적이고 지속적으로 정보를 제어하고 환류를 통해 목표를 달성해 나가는 자기 조절적·점진적 적응모형이다.

ㄴ. [X] 만족모형은 한정된 대안을 순차적으로 검토한 후 만족할 만한 대안을 선택하는 것이다.

ㄹ. [X] 쓰레기통 모형은 정책문제, 해결책, 선택기회, 참여자의 네 요소가 독자적으로 흘러 다니다가 어떤 계기로 교차하여 만나게 될 때 의사결정이 이루어진다고 보는 것이다.

06

정답 : ④

④ 최적모형은 정책결정의 성과를 최적화하기 위하여 기존 모형에서 연구되지 못한 '초합리성'과 '초정책결정'이란 개념이 도입된 포괄적이고 광범위한 결정모형으로, 초합리적 요소를 강조한다.

① 최적모형은 '이상'과 '현실'을 통합한 것으로 메타정책결정을 중시하는 모형이다.

② 최적모형은 선례가 없는 불확실한 상황하에서 순수합리모형의 한계를 보완한 모형이다.

③ 최적모형은 지나치게 이상적인 합리모형과 지나치게 현실적인 점증주의를 비판한 규범적 최적모형을 제시한다.

📖 포인트 정리

정책결정요인론

구분	정치적 변수의 영향
도슨(Dawson)과 로빈슨(Robinson)의 경제적 자원모형	정치적 요인은 정책에 영향을 미치지 못함(허위변수)
크누드(Crudde)와 맥클론(Mccrone)의 혼합모형	정치적 요인이 정책에 독립적인 영향을 미침(혼란변수)

정답

04 ④ 05 ② 06 ④

07 다음 설명 중에서 Lindblom과 Wildavsky가 주장한 점증주의 의사결정이론의 내용을 옳게 고른 것은? 2013 경찰간부

> 가. 정책목표를 먼저 선택하고 그에 상응하는 정책대안을 선택하는 것이 아니라 정책대안을 고려하면서 정책목표를 설정하게 된다.
> 나. 정책결정은 한 번에 전체가 결정되기보다는 조금씩 수정·보완하는 방법으로 이루어진다.
> 다. 매몰비용의 존재는 전혀 새로운 정책대안을 받아들이지 못하는 주요한 원인이 될 수 있다.
> 라. 점증주의 의사결정은 정치적 갈등을 높이기도 하지만 혁신적인 정책대안 발굴에 도움이 된다.
> 마. 과거의 정책 혹은 다른 정부의 정책대안도 점증주의 정책대안의 주요한 원천들이다.

① 가, 다, 라, 마   ② 나, 다, 라, 마

③ 가, 나, 다, 마   ④ 가, 나, 다, 라

08 정책결정 이론의 하나인 혼합탐사모형에 대한 설명으로 옳은 것은? 2012 서울 9급

① 정책결정자가 추구하는 가치들은 중요도에 따라 분류되고 서열화된다.

② 복잡한 상황을 단순화시켜 대안의 중요한 결과만을 예측한다.

③ 조직 내 하위조직 사이의 상이한 목표로 인한 갈등은 협상을 통해 해결한다.

④ 정책결정은 근본적인 결정과 세부적인 결정의 지속적인 상호작용에 의해 이루어진다.

⑤ 조직화된 무정부 상태를 긍정적인 측면에서 체계적으로 분석하고자 한다.

09 정책결정요인론 연구에 대한 설명으로 옳지 않은 것은? 2012 해경간부

① 초기 연구에서는 정치적 요인보다 사회경제적 요인이 정책내용에 더 큰 영향을 미치는 것으로 나타났다.

② 후기 연구에서는 사회경제적 요인과 함께 정치적 요인도 정책내용에 영향을 미치는 것으로 나타났다.

③ 정책환경이 정책의 주요한 내용을 규정한다는 것을 규명해 주었다는 점에서 정책 연구에 큰 기여를 하였다.

④ 정책결정과정을 연구함으로써 정책유형을 도출하는 데 커다란 기여를 하였다.

07

정답 : ③

③ 가, 나, 다, 마가 옳은 설명이다.

가. [O] 점증주의 의사결정은 합리모형과 달리 수단에 의해 목표가 수정될 수 있음을 인정하고 정책대안을 고려하면서 정책목표를 설정하게 된다.

나. [O] 점증주의 의사결정은 대폭적인 변화보다는 기존정책을 토대로 하여 그보다 약간 수정된 내용의 정책을 수정하며 소폭적·점진적 변화를 추구한다.

다. [O] 점증주의 의사결정은 매몰비용을 인정하므로 혁신에 소극적이다.

마. [O] 점증주의 의사결정은 기존의 정책을 토대로 약간 수정을 하는 것으로 과거의 정책뿐만 아니라 다른 정부의 정책대안도 주요 대안이 된다.

라. [X] 점증주의 의사결정은 정치적 갈등을 줄여주지만 보수적인 성격을 가지므로 혁신적인 정책대안 발굴에 도움이 되지 못한다.

08

정답 : ④

④ 혼합탐사 모형은 Etzioni가 제시한 모형으로 정책결정을 근본적 결정과 세부적 결정으로 나누고 전자는 합리모형, 후자는 점증모형을 탄력적으로 투사·적용하여 두 가지 모형이 상호작용하는 것으로 보는 모형이다.

① 정책결정자가 추구하는 가치들은 중요도에 따라 분류되고 서열화된다고 보는 것은 합리모형에 대한 설명이다.

② 복잡한 상황을 단순화시켜 대안의 중요한 결과만을 예측하는 것은 만족모형에 해당한다.

③ 조직 내 하위조직 사이의 상이한 목표로 인한 갈등을 협상을 통해 해결하는 것은 회사모형이다.

⑤ 조직화된 무정부 상태를 긍정적인 측면에서 체계적으로 분석하고자 하는 것은 쓰레기통모형이다.

09

정답 : ④

④ Lowi의 정책유형론을 의미하는 것으로 정책결정요인론과는 무관하다.

① 정책결정요인론에서 초기에는 정치적인 요인보다 사회경제적인 요인을 더 중시하였다.

② 후기에는 사회경제적인 요소와 정치적인 요소가 함께 정책내용에 영향을 미치는 것으로 설명하였다.

③ 정책결정요인론에서는 정치변수인 정치체제보다 정책환경이 정책의 주요한 내용을 규정하는데 더 중요한 역할을 한다고 보았다.

📑 **포인트 정리**

정답

07 ③ 08 ④ 09 ④

10 정책결정모형에 관한 설명으로 적절하지 않은 것은?
2008 지방 7급

① 점증모형: 합리모형의 의사결정은 당위적으로는 바람직하지만, 합리적 의사결정에 필요한 정보와 분석 능력의 부족으로 현실적으로 불가능하다고 비판한다.

② 합리모형: 정책결정의 기준이 되는 목표와 가치는 그 중요성에 따라 분명히 제시되고 서열화될 수 있다.

③ 만족모형: 정책결정의 합리성을 제약하는 요인들을 고려할 때 한정된 대안의 비교분석을 통해 최선을 모색하는 선에서 만족하는 것이 합리적이다.

④ 혼합주사모형: 근본적 결정과 세부적 결정으로 나누어 근본적 결정의 경우 합리모형을, 세부결정의 경우 점증모형을 선별적으로 적용하는 것이 합리적이다.

11 정책결정모형에 관한 다음 설명 중 틀린 것은?
2007 서울 7급

① 쓰레기통 모형은 복잡한 갈등이나 혼란이 존재한다는 전제에 입각한 모형이다.

② 최적모형은 직관적인 판단이나 육감 등의 초합리성을 강조한다.

③ 혼합주사모형에서 점증적 결정이란 나무보다는 숲을 개괄적으로 파악하는 유형의 결정을 말한다.

④ 점증모형은 다원주의 사회를 배경으로 하며 정치적 합리성을 중시하는 모형이다.

⑤ 합리모형은 비용편익분석을 통해 대안을 도출한다.

12 점증주의(incrementalism) 이론에 대한 설명으로 옳지 않은 것은?
2006 선관위 9급

① 정책결정자가 분석력 및 시간이 부족하고 정보도 제약되어 있기 때문에 현재의 정책에서 소폭적인 변화만을 대안으로 고려하여 정책을 결정하는 것을 의미한다.

② 의사결정은 마치 사람이 진흙 속을 비비적거리면서 간신히 헤쳐 나가는 것과 같다고 하여 'muddling through model'이라고 불리기도 한다.

③ 점증주의는 조금씩 상황에 따라 적응하면서 결정하는 것이므로 현실적인 측면에서의 합리적 결정이론과는 무관하다.

④ 다양한 이해관계가 서로 복잡하게 얽혀 있는 사회에서 상호 이해관계의 조정은 점진적으로 이루어질 수밖에 없기 때문에 '분할적 점증주의'라고 불리기도 한다.

10

정답 : ①

① Lindblom과 같은 점증주의자들은 합리모형이 현실적으로 불가능할 뿐만 아니라 분석에 소요되는 시간과 비용이 과다하고 대폭적인 변화를 추구하기 때문에 바람직하지도 않다고 비판하였다. 따라서 Lindblom은 점증모형이 실증적인 동시에 규범적이라고 주장한다.

② 합리모형은 의사결정이 인간의 이성과 합리성에 근거하여 합리적으로 이루어진다고 가정하는 이상적·규범적·연역적 의사결정모형으로 문제를 명확히 인식하고 가치, 목표는 명확히 설정되어 있다고 본다.

③ 만족모형은 의사결정자 개인의 관습적인 행태와 심리적 만족 여부에 따라서 만족할 만한 대안을 선택한다는 개인적·현실적·실증적·귀납적 의사결정모형이다.

④ 혼합주사모형은 규범적·이상적인 합리모형과 현실적·실증적인 점증모형을 절충한 모형으로 근본적 결정은 합리모형을, 세부적 결정은 점증모형을 적용하는 것을 합리적으로 보았다.

11

정답 : ③

③ 혼합주사모형에서 나무보다는 숲(모든 대안)을 개괄적(한정된 결과)으로 파악하는 유형의 결정은 합리적 결정이고, 반대로 점증적 결정은 숲보다는 나무(한정된 대안)를 자세하게(모든 결과) 파악하는 결정이다.

① 쓰레기통모형은 조직화된 무정부상태 속에서 조직이 어떠한 결정행태를 나타내는가에 연구의 초점을 둔 모형으로 조직화된 무정부상태의 긍정적 측면을 체계적으로 분석하는 모형이다.

② 최적모형은 불확실한 상황하에서 선례가 없는 복잡한 문제에 대해서는 초정책결정에 중점을 두어 초합리성을 중시한다.

⑤ 합리모형은 대안에 대한 과학적·체계적 분석을 통해 합리성의 저해요인을 밝혀준다.

12

정답 : ③

③ 점증주의는 현실적·실증적 모형으로 현실의 정책결정에 있어서는 합리모형처럼 대폭적인 변화를 추구할 수 없다고 보고 조금씩 상황에 따라 적응하면서 결정하는 점증주의가 '현실적인 측면'에서는 가장 합리적 결정이론이라 할 수 있다.

① 점증주의는 정책대안을 몇 가지만으로 한정시켜 분석·비교하며 현재 정책에서 소폭적인 변화만을 가감한 것을 정책대안으로 삼는다.

② 점증모형에서는 정책결정과정을 진흙 속을 힘겹게 헤쳐 나가는(muddling through) 과정, 이전투구 또는 진흙탕 싸움 과정으로 파악한다.

④ 다원적 정치사회에서 정책결정 자체가 분할적으로 이루어진다는 의미이다.

포인트 정리

합리모형 vs 점증모형

구분	합리모형	점증모형
합리성	경제적 합리성	정치적 합리성
목표·수단 분석	실시	미실시
최적화	전체적·포괄적 최적화	부분적 최적화
정책결정 방식	• 근본적·쇄신적 결정 • 분석적·합리적 결정 • 포괄적·일회적 결정	• 지엽적·개량적 결정 • 부분적·분산적 결정 • 연속적·순차적 결정
결정방향	하향식(top-down)	상향식(bottom-up)
적용국가	불안정한 사회에 적합(개도국)	안정된 사회에 적합(선진국)
접근방식	연역적 접근, 이론에 의존	귀납적 접근, 이론에 의존하지 않음
배경이론	엘리트론	다원론

정답

10 ① 11 ③ 12 ③

실질적 력(역량) 업그레이드

01 앨리슨(Allison)의 관료정치모형(모형 Ⅲ)에 대한 설명으로 옳은 것은?

2023 국가 9급

① 정책결정은 준해결(quasi-resolution)적 상태에 머무르는 경우가 많다.

② 정책결정자들은 국가 전체의 이익이나 전략적 목표를 극대화하기 위한 결정을 한다.

③ 정책결정에 참여하는 구성원들 간의 목표 공유 정도와 정책결정의 일관성이 모두 매우 낮다.

④ 정부는 단일한 결정주체가 아니며 반독립적(semi-autonomous) 하위조직들이 느슨하게 연결된 집합체이다.

02 킹던(John Kingdon)의 정책창 모형과 관련된 내용으로 옳은 것만을 〈보기〉에서 모두 고르면?

2019 국회 8급

> **보기**
>
> ㄱ. 방법론적 개인주의 ㄴ. 쓰레기통 모형
> ㄷ. 정치의 흐름 ㄹ. 점화장치
> ㅁ. 표준운영절차

① ㄱ, ㄴ, ㄷ ② ㄱ, ㄴ, ㄹ

③ ㄱ, ㄹ, ㅁ ④ ㄴ, ㄷ, ㄹ

⑤ ㄴ, ㄷ, ㅁ

03 앨리슨(Allison) 모형에 대한 설명으로 옳은 것은?

2019 국가 9급

① 합리적 행위자 모형에서는 국가전체의 이익과 국가목표 추구를 위해서 개인의 이익을 고려하지 않는 것을 경계하며 국가가 단일적인 결정자임을 부정한다.

② 조직과정모형에서 조직은 불확실성을 회피하기 위하여 정책결정을 할 때 표준운영절차(SOP)나 프로그램 목록(program repertory)에 의존하지 않는다.

③ 관료정치모형은 여러 다양한 문제에 관심을 갖는 다수의 행위자를 상정하며 이들의 목표는 일관되지 않는다.

④ 외교안보문제 분석에 있어서 설명력을 높이기 위한 대안적 모형으로 조직과정모형을 고려하지는 않는다.

01

정답 : ③

③ 관료정치모형에서는 의사결정에 참여하는 구성원들 간 목표의 공유도는 현저히 낮고 정책결
정의 일관성도 매우 낮다.

①, ④ 조직과정모형에 대한 설명이다.

② 합리모형에 대한 설명이다.

02

정답 : ④

④ ㄴ, ㄷ, ㄹ이 정책창 모형과 관련되는 내용이다.

ㄴ. [O] 정책창 모형은 정책과정 중 정책의제설정 단계에 초점을 맞춘 모형으로 쓰레기통 모형
의 기본 아이디어를 발전시켜 적용한 모형이다.

ㄷ. [O] 정책창 모형은 정책문제, 정책대안, 정치의 흐름이 아무 연관성 없이 흘러다니다가 우연
히 만나서 의사결정이 이루어진다고 보는 모형이다.

ㄹ. [O] 정책창 모형은 문제, 정책대안, 정치의 세 가지 흐름이 정권교체 같은 정치적 사건이나
사회적 사건에 의해 결합되는데 이를 점화장치 혹은 극적인 사건이라고 한다.

ㄱ. [X] 방법론적 개인주의는 개인차원의 의사결정모형과 관련된다. 한편 정책창 모형은 집단차
원의 의사결정모형이므로 방법론적 개인주의라고 할 수 없다.

ㅁ. [X] 표준운영절차는 효율적인 업무처리를 위해 만든 표준화된 업무 절차와 세세한 규칙을
의미하는 것으로, 정책창 모형은 극적사건을 계기로 우연히 만나 의사결정이 이루어지므로
정해진 루틴이나 표준운영절차와 관련 없다. 한편 표준운영절차는 회사모형의 특징에 해당
한다.

앨리슨(Allison) 모형 간 비교 정리

구분	합리적 행위자모형 (model Ⅰ)	조직과정 모형 (model Ⅱ)	관료정치 모형 (model Ⅲ)
조직관	조정과 통제가 잘되는 유기체	느슨하게 연결된 하위조직들의 연합체	독립적 · 개별적 집합체
집단 응집력	강함	약함	매우 약함
의사 결정권 위치	최고 결정권자	반독립적인 하위 조직들	독립적인 개별적 행위자
정책 결정 일관성	강함	약함	매우 약함
조직 내 적용 계층	조직 전체 계층	하위 계층	상위 계층

03

정답 : ③

③ 관료정치모형은 조직 상층부에서 의사결정을 설명하는 모형으로 국가정책을 결정하는 주체
는 참여자들 개개인으로서 이들은 정책결정의 일관성이 매우 약한 것이 특징이며 다양한 권
력들 간의 정치적 타협에 의해 정책결정이 좌우된다.

① 합리적 행위자 모형에서는 국가전체의 이익과 국가목표 추구를 위해서 개인의 이익을 고려
하지 않는 것을 경계하며 국가가 단일적인 결정자임을 인정한다.

② 조직과정모형에서 조직은 불확실성을 회피하기 위하여 정책결정을 할 때 표준운영절차
(SOP)나 프로그램 목록(program repertory)에 의존한다.

④ 외교안보문제 분석에 있어서 설명력을 높이기 위한 대안적 모형으로 합리적 행위자모형을
고려한다.

정답

01 ③ 02 ④ 03 ③

04 사이버네틱스(cybernetics) 의사결정 모형에 대한 설명으로 옳지 않은 것은? 2018 국가 9급

① 주요 변수가 시스템에 의하여 일정한 상태로 유지되는 적응적 의사결정을 강조한다.

② 문제를 해결하고 목표를 달성하기 위해 정보와 대안의 광범위한 탐색을 강조한다.

③ 자동온도조절장치와 같이 사전에 프로그램된 메커니즘에 따라 의사결정이 이루어진다.

④ 한정된 범위의 변수에만 관심을 집중함으로써 불확실성을 통제하려는 모형이다.

05 조직의 의사결정과정에서 나타나는 특성에 대한 개념을 바르게 연결한 것은? 2016 국가 7급

A. 시간과 능력의 제약 때문에 정책결정자들은 모든 상황을 고려하기보다 특별히 관심을 끄는 부분에 대해서만 고려한다.
B. 정책결정에서는 관련 집단들의 요구가 모두 성취되기 보다는 서로 나쁘지 않을 정도의 수준에서 타협점을 찾는 경향이 있다.
C. 반복적인 의사결정의 경험이 전수되며 시간의 흐름에 따라 결정수준이 개선되고 목표달성도가 높아지게 된다.
D. 정책결정자들의 경험이 축적됨에 따라 가장 효율적이라고 판단되는 정책결정절차와 방식을 마련하게 되고 이를 활용한 정책결정이 증가한다.

ㄱ. 조직의 학습　　　　　　　　ㄴ. 표준운영절차 수립
ㄷ. 갈등의 준해결　　　　　　　ㄹ. 문제중심의 탐색

	A	B	C	D
①	ㄱ	ㄴ	ㄷ	ㄹ
②	ㄱ	ㄷ	ㄹ	ㄴ
③	ㄹ	ㄴ	ㄷ	ㄱ
④	ㄹ	ㄷ	ㄱ	ㄴ

06 정책결정모형의 하나인 쓰레기통모형(garbage can model)에 관한 설명으로 옳지 않은 것은? 2015 행정사

① 조직화된 무정부상태(organized anarchy)에서 이루어지는 의사결정을 설명한다.

② 코헨(M. Cohen), 마치(J. March), 올슨(J. Olson)이 정립한 모형이다.

③ 의사결정의 네 가지 요소인 정책문제, 해결방안, 참여자, 선택기회가 초기부터 서로 상호작용을 통하여 나타나는 의사결정이다.

④ 고도로 불확실한 조직상황에서 이루어지는 의사결정과정을 기술하고 설명하는 모형이다.

⑤ 상하위 계층적 관계를 지니지 않은 참여자들에 의하여 의사결정이 이루어지는 경우에도 적용할 수 있다.

04

② 문제를 해결하고 목표를 달성하기 위해 정보와 대안의 광범위한 탐색을 강조하는 것은 합리모형에 대한 설명이다. 한편 사이버네틱스 모형은 미리 설정해둔 주요 변수에 대한 정보만을 중심으로 제한된 탐색을 한다.

① 사이버네틱스 모형은 결과예측이 어려운 복잡한 문제를 표준운영절차에 의해 단순화시켜 주요 변수를 바람직하고 일정한 상태로 유지시키려는 적응적·비목적적 의사결정 모형이다.

③ 사이버네틱스 모형은 실내자동온도조절장치와 같이 의사결정이 사전에 프로그램된 메커니즘에 따라 이루어진다.

④ 사이버네틱스 모형은 대안이 가져올 결과의 불확실성을 문제삼지 않고 한정된 범위의 변수에만 관심을 집중함으로써 불확실성을 통제하려고 한다.

사이버네틱스모형의 특징

- 적응적·습관적 의사결정
- 집단적 의사결정
- 도구적·적응적 학습
- 불확실성의 통제
- 하위단위 맥락과 순차적 해결

05

④ A-ㄹ, B-ㄷ, C-ㄱ, D-ㄴ은 모두 회사모형에 대한 설명으로 옳게 연결되었다.

A. [O] 시간과 능력의 제약 때문에 정책결정자들은 모든 상황을 고려하기보다 특별히 관심을 끄는 부분에 대해서만 고려하는 것은 문제중심의 탐색과 관련된다.

B. [O] 정책결정에서는 관련 집단들의 요구가 모두 성취되기 보다는 서로 나쁘지 않을 정도의 수준에서 타협점을 찾는 경향이 나타나는 것은 갈등의 준해결과 관련된다.

C. [O] 반복적인 의사결정의 경험이 전수되며 시간의 흐름에 따라 결정수준이 개선되고 목표달성도가 높아지는 것은 조직의 학습과 관련된다.

D. [O] 정책결정자들의 경험이 축적됨에 따라 가장 효율적이라고 판단되는 정책결정절차와 방식을 마련하게 되고 이를 활용한 정책결정의 증가는 표준운영절차 수립과 관련된다.

06

③ 쓰레기통 모형은 문제의 흐름, 해결책의 흐름, 참여자의 흐름, 의사결정 기회의 흐름이 서로 아무 관계없이 독자적으로 흘러 다니다가 어떤 사건에 의해 우연히 한 곳에 모여지게 될 때 의사결정이 이뤄진다고 본다.

① 쓰레기통모형은 조직화된 무정부상태를 전제한다.

② 코헨, 마치, 올슨이 1970년대 제시한 모형이다.

④ 극히 복잡하고 혼란스런 상황 하에서 응집성이 매우 약한 조직이 어떤 의사결정 행태를 나타내는가를 분석한 모형으로 극도로 불합리한 집단적 의사결정에 대한 대표적 모형이다.

⑤ 쓰레기통 모형은 계층제적 권위가 없고 상하관계가 분명하지 않은 대학조직이나 연구소에 잘 적용된다.

정답

04 ② 05 ④ 06 ③

PART 2 정책론 **211**

07 하이예스(M.Hayes)는 정책결정 상황을 참여자들 간 목표 합의여부, 수단적 지식 합의 여부에 따라 아래 표와 같이 구분한다. 다음 설명 중 옳지 않은 것은?

2013 지방 7급

구분	목표 갈등	목표 합의
수단적 지식 갈등	I	II
수단적 지식 합의	III	IV

① 상황 I 에서는 점증주의적 결정이 불가피하며, 점증적이지 않은 대안은 입법과정에서 제외될 수밖에 없다.

② 상황 II 에서는 사이버네틱스(cybernetics)모형에 따라 정책이 결정된다.

③ 상황 III 에서는 수단에 대한 합의로 인하여 합리적 의사결정이 이루어진다.

④ 상황 IV 에서는 비교적 기술적이고 행정적인 문제가 포함되어 큰 변화가 일어날 수 있다.

08 다음 중 정책결정과 관련된 이론에 대한 설명으로 옳지 않은 것은?

2013 국회 8급

① 쿠바 미사일 사태에 대한 사례 분석인 앨리슨(Allison)모형은 정부의 정책결정과정은 합리모형보다는 조직과정모형과 정치모형으로 설명하는 것이 더 바람직하다고 주장한다.

② 드로(Dror)가 주장한 최적모형은 기존의 합리적 결정 방식이 지나치게 수리적 완벽성을 추구해 현실성을 잃었다는 점을 지적하고 합리적 분석뿐만 아니라 결정자의 직관적 판단도 중요한 요소로 간주한다.

③ 쓰레기통모형은 문제, 해결책, 선택기회, 참여자의 네 요소가 독자적으로 흘러다니다가 어떤 계기로 만나게 될 때 결정이 이루어진다고 설명한다.

④ 에치오니(Etzioni)의 혼합탐사모형에 의하면 결정은 근본적 결정과 세부적 결정으로 나누어질 수 있으며 합리적 의사결정모형과 점진적 의사결정모형을 보완적으로 사용할 수 있다.

⑤ 사이먼(Simon)의 만족모형에 의하면 정책담당자들은 경제인과 달리 최선의 합리성을 추구하기보다는 시간과 공간, 재정적 측면에서의 여러 요인을 고려해 만족할 만한 수준에서 정책을 결정하게 된다.

09 킹던(Kingdon)이 주장한 '정책 창문(policy window)이론'에 대한 설명으로 옳지 않은 것은?

2011 국가 9급

① 정책 창문은 문제의 흐름, 정치적 흐름, 정책적 흐름 등이 함께 할 때 열리기 쉽다.

② 정책 창문은 문제의제설정에서부터 최고의사결정에 이르기까지 필요한 여러 가지 여건이 성숙될 때 열린다.

③ 정책 창문은 한번 열리면 문제에 대한 대안이 도출될 때까지 상당한 기간 동안 열려있는 상태로 유지된다.

④ 정책 창문은 한번 닫히면 다음에 다시 열릴 때까지 많은 시간이 걸리는 편이다.

07

정답 : ③

③ 상황 Ⅲ에서는 수단은 합의되어 있으나 목표는 합의가 안 된 순수한 가치갈등의 문제가 제기되는 영역이다. 사회보장 개혁 등이 여기에 해당한다.

① 목표와 수단에 대한 불합의로 목표 수단분석이 불가능하여 점증주의가 불가피하다.

② 수단에 대한 불합의로 사이버네틱스 모형 등에 의해 정보의 지속적 분석이 중요하다.

④ 목표와 수단에 대한 합의가 되어 있으므로 합리주의에 의한 대폭적인 변화가 가능하다.

08

정답 : ①

① Allison은 의사결정의 세 가지 모형(합리모형, 조직모형, 관료정치모형)이 하나의 조직이나 정책에 모두 적용될 수 있다고 주장하였다.

② 최적모형은 경제적 합리성과 초합리성을 고려한 규범적 정책결정모형으로 기존의 합리모형이 질적 측면을 간과하고 있음을 비판하며 의사결정의 최적화를 실현하기 위해 드로어(Dror)가 제시한 모형이다.

③ 쓰레기통 모형은 조직의 구성원 간 응집성이 아주 약한 혼란상태에서 이루어지는 의사결정의 특징을 강조한 모형으로 조직화된 혼란상태에서는 문제, 해결책, 선택기회, 참여자가 독자적으로 흘러다니다가 어떤 계기로 인하여 한 곳에 모이게 됨으로써 정책 결정이 이루어진다.

④ 혼합탐사모형은 Etzioni가 합리모형과 점증모형을 절충한 통합모형으로, 정책결정을 근본적 결정과 세부적 결정으로 나누고 전자는 합리모형, 후자는 점증모형에 적용한다.

⑤ 만족모형은 사이먼과 마치에 의해 주장된 이론으로 인간은 제한된 합리성을 가진 존재라는 점을 전제로 모든 대안의 탐색이 아닌, 몇 개의 대안만을 탐색하여 만족할만한 결과를 가져오는 대안이 나타나면 의사결정을 종료한다.

09

정답 : ③

③ 킹던의 정책 창문은 한번 열리면 대안이 도출될 때 까지 계속 열려 있는 것이 아니라 아주 짧은 시간동안만 열리게 되는 것이다.

① 정책 창문은 정책문제의 흐름, 정치의 흐름, 정책대안의 흐름의 세 가지 요소가 함께 할 때 열리기 쉽다.

② 정책 창문은 정책주창자들이 그들의 관심대상인 정책문제에 주의를 집중시키고 그들이 선호하는 대안을 관철시키기 위해 열리는 기회로 정의된다.

④ 정책 창문은 한번 닫히면 다시 열리기까지 많은 시간이 걸리는 편이다.

포인트 정리

정책결정상황 분류

구분	목표 갈등	목표 합의
수단적 지식 갈등	정상적 점증주의	순수한 지식 기반 문제
수단적 지식 합의	순수한 가치 갈등 문제	합리적 의사결정

정답

07 ③ 08 ① 09 ③

정책결정모형에 대한 설명 중 옳은 것을 모두 고른 것은?

> ⊙ 점증주의 모형에 따르면 합리적 방법에 의한 쇄신보다는 기존의 상태에 바탕을 둔 점진적 변동을 시도한다고 본다.
> ⓛ 공공선택 모형은 관료들의 자기이익 추구를 배제한 공익차원의 집단적 의사결정 방식이다.
> ⓒ 엘리슨 모형은 정책결정 모형을 합리모형, 조직과정모형, 관료정치모형 관점에서 정리한 것이다.
> ⓔ 쓰레기통 모형에 따르면 문제 흐름, 선택기회 흐름 및 참여자 흐름이 만나 무의사결정을 하게 된다고 본다.

① ㉠, ㉡

② ㉠, ㉢

③ ㉡, ㉣

④ ㉢, ㉣

다음 중 정책결정의 주요 모형에 대한 설명이 잘못된 것은?

① 마치, 코펜, 올센 등이 연구한 쓰레기통모형에서는 문제, 정치, 정책의 흐름이 독자적으로 흘러 다니다가 어떤 계기로 모일 때 결정이 이루어진다고 한다.

② 사이어트와 마치가 주장한 회사모형은 느슨하게 연결된 조직의 결정을 다루는 연합모형으로 갈등의 준해결, 불확실성의 회피, 문제 중심의 탐색, 조직의 학습을 특징으로 한다.

③ 엘리슨의 관료정치모형은 현실적인 결정이 결정과정에 참여하는 관료들의 흥정, 타협, 연합, 대결에 의해 이루어진다고 보았다.

④ 뷰케넌과 털록 등이 주장한 공공선택모형은 공공재의 결정이 정치적 표결에 의해 이루어짐을 설명하고 있으며 결정참여자들은 자신의 이익을 극대화하는 방향으로 결정에 참여한다고 주장한다.

⑤ 잘못된 정책에 대한 악순환이 일어날 소지가 많은 모형은 점증모형이다.

10

정답 : ②

② ㉠, ㉢은 옳고 ㉡, ㉣이 틀린 설명이다.

㉡ [X] 공공부문에 경제학적 관점을 도입한 공공선택 모형은 의사결정에 참여하는 모든 사람 즉 관료, 정치인, 시민, 이익집단 모두가 자기 이익을 추구한다고 가정한다.

㉣ [X] 쓰레기통 모형에 따르면 의사결정에 필요한 4가지 요소(문제의 흐름, 해결책의 흐름, 선택기회 흐름 및 참여자 흐름)가 만나서 의사결정이 이루어진다고 보았다.

11

정답 : ①

① 쓰레기통모형이 아니라 Kingdon의 흐름창 또는 정책창 모형을 설명하는 것이다. 한편 쓰레기통모형에서 의사결정에 필요한 네 가지 흐름의 요소는 문제, 해결책, 참여자, 선택기회의 흐름이다.

② 회사모형은 정책을 결정하는 주체는 구성원 개개인이 아니라 느슨하게 연결된 반독립적인 하위조직들의 연합체로 갈등의 준해결, 불확실성의 회피, 문제 중심의 탐색, 조직의 학습을 특징으로 한다.

③ 엘리슨의 관료정치모형은 참여자들은 독립된 개인이며 정치적 자원과 참여자 간 정치적 게임에 따라 다양한 권력들 간 정치적 해결에 의해 정책결정이 좌우되는 모형이다.

④ 공공선택모형은 이기적인 개인들(투표자, 관료, 이익집단, 정치인)이 자신들의 이익을 위해 어떻게 정치적, 경제적으로 행동하는지 연구하여 정부실패를 설명하는 모형으로 결정참여자들은 자신의 이익을 극대화하는 방향으로 결정에 참여한다고 본다.

⑤ 점증모형의 한계는 사회 내 약자계층의 이익을 간과할 우려가 있고 눈덩이 굴리기식의 정책결정으로 인하여 자원의 낭비를 초래할 가능성이 커 잘못된 정책에 대한 악순환이 일어날 소지가 많다.

포인트 정리

정답

10 ② 11 ①

01 정책결정요인론에 대한 설명으로 옳은 것은?

2022 국가 7급

① 정책의 내용에 영향을 미치는 요인이 무엇인가를 밝히는 이론으로, 사회경제적 요인의 중요성을 과소평가했다는 비판을 받고 있다.

② 도슨-로빈슨(Dawson-Robinson) 모형은 사회경제적 변수가 정치체제와 정책 모두에 영향을 미친다는 모형으로, 사회경제적 변수로 인해 정치체제와 정책의 상관관계가 유발된다고 설명한다.

③ 키-로커트(Key-Lockard) 모형은 사회경제적 변수가 정책에 직접적으로 영향을 미친다는 모형으로, 예를 들면 경제발전이 복지지출 수준에 직접 영향을 준다고 본다.

④ 루이스-벡(Lewis-Beck) 모형은 사회경제적 변수가 정책에 영향을 주는 직접효과가 있고, 정치체제가 정책에 독립적 영향을 주지 않는다고 설명한다.

02 혼돈이론(chaos theory)에 대한 설명으로 가장 적절하지 않은 것은?

2019 경정승진

① 조직의 자생적 학습능력과 자기조직화 능력을 전제로 한다.

② 혼돈을 통제와 회피의 대상으로 이해하고, 부정적 활용대상으로 인식한다.

③ 현실의 복잡성과 불확실성을 극복하기 위해 단순화하지 않고, 있는 그대로 파악한다.

④ 대상체제인 행정조직은 질서와 무질서, 구조화와 비구조화가 공존하는 복잡한 체제로 인식한다.

03 위기상황에서 의사결정의 일반적 특성에 대한 설명으로 가장 적절하지 않은 것은?

2019 경정승진

① 위기관리시 상향적·하향적 커뮤니케이션의 양이 감소한다.

② 위기관리시 정보의 내용보다 정보의 출처에 우선순위를 둔다.

③ 위기관리시 빠른 의사결정이 요구되어 상황 재정의의 시간적 여유가 없다.

④ 위기관리시 조직의 판단능력이 저하되는 현상인 집단사고(group-think)의 우려가 있다.

01

정답 : ②

② 도슨과 로빈슨은 사회경제적 변수, 정치체제, 정책의 순차적 관계를 부정하고 사회경제적 변수가 정치체제와 정책의 모든 부분에 영향을 미치고 있으므로 정치체제와 정책은 허위의 상관관계라고 주장하였다.
① 정책결정요인론은 정책을 결정하거나 좌우하는 환경적 요인(정치적 요인, 사회경제적 요인)이 무엇인가를 밝히려는 이론으로, 정치적 요인은 과소평가되었고, 사회경제적 요인은 과대평가되었다는 비판을 받고 있다.
③ 키-로커트 모형은 정치적 요인만이 직접적으로 영향을 미친다고 보았다.
④ 루이스-백 모형은 사회경제적 변수와 정치적 요인 모두가 정책에 영향을 미친다고 보았다.

정책론

PART 2

해커스공무원 마니행정학 기출 빅데이터 실전역

02

정답 : ②

② 혼돈을 통제와 회피의 대상으로 이해하고, 부정적 활용대상으로 인식하는 것은 전통적 과학에 대한 설명이다. 한편 혼돈이론은 혼돈을 발전의 기회로 인식하고 긍정적인 요소로 본다.
① 혼돈이론은 자생적 학습능력과 조직의 자기조직화 능력을 전제로 한다.
③ 현실의 불확실하고 복잡한 관계를 단순화·정형화하려고 하지 않는다.
④ 혼돈이론은 행정조직을 개인, 집단, 환경적 세력이 교호작용하는 복잡한 체계로 보고 이를 해결하기 위해 통합적 접근을 중시한다.

카오스 이론의 특징

- 통합적 연구와 인식
- 대상체제의 복잡성
- 발전의 전제조건
- 자기조직화
- 초기 조건에의 민감성(초기치 민감성)
- 경로의존성
- 공진화
- 비선형순환고리모형

03

정답 : ①

① 위기관리시에는 고도로 집권화된 의사결정이 이루어져야 하므로 상향적·하향적 커뮤니케이션의 양이 증가한다.
② 위기관리시 의사결정자는 정보의 내용보다 정보의 소스(출처)에 더 우선순위를 둔다.
③ 위기관리시에는 빠른 의사결정이 요구되므로 의사결정자는 상황을 재정의 하는데 어려움을 겪게 된다.
④ 위기관리시에는 의사결정이 집권화되어 이루어지므로 조직의 판단능력이 저하되는 집단사고에 빠질 우려가 높다.

위기상황에서의 의사결정 특징

- 의사결정의 집권화
- 비공식적 결정
- 관료정치의 성행
- 의사소통의 증가
- 정보의 소스에 의존
- 상황의 재정의 곤란
- 집단사고의 우려

정답

01 ② 02 ② 03 ①

04 다음 중 정책과정의 특성에 관한 설명으로 옳지 않은 것은?

2012 군무원

① 정책과정은 계속적이고 순환적인 과정이다.

② 정책과정은 참여자들 간에 갈등과 타협이 존재하는 정치과정이다.

③ 정책과정에서는 상이한 성격의 집단 간의 연대가 어렵다.

④ 정책과정은 예측하기 힘든 매우 역동적인 과정이다.

05 정책모형에 대한 다음 설명 중 옳지 않은 것은?

2006 국가 9급

① 정책모형은 정책문제의 발생원인을 제거 · 통제하기 위한 정책대안을 탐색할 때 도움을 준다.

② 정책모형은 정책대안이 가져올 결과를 예측할 때 도움을 준다.

③ 정책모형의 예측능력은 모형의 타당성과 모형 속에 포함된 변수들의 상태에 관한 자료의 정확성 여부에 달려있다.

④ 정책모형에 나타난 원인변수와 결과변수를 조작하여 정책대안을 만든다.

CHAPTER 17 정책집행론, 일선관료제

실질적 력(역량) 업그레이드

01 정책집행에 대한 설명으로 옳은 것은?

2020 국회 8급

① 버만(Berman)의 적응적 집행이란 명확한 정책목표에 의거하여 다수의 참여자들이 협상과 타협을 통해 정책을 수정하고 구체화하면서 집행하는 것을 말한다.

② 엘모어(Elmore)의 전방향적 접근법은 정책결정자가 집행과정과 정책결정의 결과에 영향을 행사하고자 한다고 가정한 반면, 후방향적 접근법은 그렇지 않다고 가정한다.

③ 하향식 접근방법에서는 공식적 정책목표가 중요한 변수로 취급받지 않으므로 이에 근거한 집행실적의 객관적 평가가 어렵다.

④ 나카무라와 스몰우드(Nakamura & Smallwood)의 정책집행모형 중 재량적 실험가형은 정책집행자들이 대부분의 권한을 갖고 정책과정 전반에 영향력을 행사하면서 실질적인 정책결정 및 집행과정을 주도한다고 본다.

⑤ 엘모어(Elmore)는 통합모형에서 정책결정자들이 정책설계단계에서는 하향적으로 정책목표를 결정하고, 정책수단을 강구할 때에는 상향적 접근법을 수용하여 가장 집행가능성이 높은 수단을 선택해야 한다고 주장한다.

04

정답 : ③

③ 정책문제는 정책대상 집단 간에 수혜의 극대화 및 피해의 극소화를 위한 고도의 정치적 투쟁, 협상, 타협이 전개되므로 정치적 성격을 가지며, 상이한 성격의 집단 간에도 연대가 이루어질 수 있다.

① 정책문제는 여러 문제와 얽혀있고 환경변화에 따라 그 성격과 해결책이 달라지므로 계속적이고 순환적인 과정을 거친다.

② 정책과정은 참여자들 간에 갈등과 타협 및 협상이 존재하는 정치적인 과정이다.

④ 정책과정은 예측하기 힘든 역동적·동태적인 과정이다.

05

정답 : ④

④ 정책모형은 변수 간의 인과관계를 통하여 탐색하거나 주로 대안의 결과를 예측하게 해주는 정책분석적 목적을 위하여 작성하는 것으로 정책모형에 나타난 원인변수는 독립변수이므로 조작·통제가 가능하지만 결과변수는 종속변수로서 조작대상이 아니다.

01

정답 : ⑤

⑤ Elmore의 통합모형에 대한 옳은 설명이다. Elmore는 처음에 상향식 집행(후향적 집행)을 주장하다가 나중에 통합모형을 주장하였는데 그는 통합모형에서 정책목표는 하향적으로 설계하고, 정책수단은 상향적으로 강구하는 것이 바람직하다고 주장하였다.

① Berman의 적응적 집행은 일종의 상향적 집행으로 명확한 정책목표를 전제로 하지 않는다.

② Elmore의 전향적 집행은 결정자가 정책과정에 영향을 행사하려고 가정한다기보다는 집행연구 자체가 집행현장 파악이 아닌 정책결정자의 의도를 파악하는데서 시작된다는 것이다.

③ 하향식 집행이 아니라 상향식 집행에 대한 설명이다.

④ 재량적 실험가형이 아니라 관료적 기업가형에 대한 설명이다.

정답

04 ③ 05 ④ 01 ⑤

02 정책집행의 접근방법에 대한 설명으로 옳은 것은?

2020 국가 7급

① 하향식 접근방법에서는 정책목표의 신축적 조정이 효과적인 정책집행을 가져온다고 하였다.

② 사바티어(Sabatier)와 매즈매니언(Mazmanian)은 상향식 접근방법의 대표적인 모형을 제시하였다.

③ 엘모어(Elmore)가 제안한 전방향적 연구(foward mapping)는 상향식 접근방법과 유사하다.

④ 고긴(Goggin)은 통계적 연구설계의 바탕 위에서 이론의 검증을 시도하는 제3세대 집행 연구를 주장하였다.

03 나카무라(Nakamura)와 스몰우드(Smallwood)의 정책결정자와 정책집행자의 관계 유형 중 다음 설명에 해당하는 것은?

2019 국가 9급

> ○ 정책집행자는 공식적 정책결정자로 하여금 자신이 결정한 정책목표를 받아들이도록 설득 또는 강제할 수 있다.
> ○ 정책집행자는 목표를 달성하기 위한 수단을 획득하기 위해 정책결정자와 협상한다.
> ○ 미국 FBI의 국장직을 수행했던 후버(Hoover) 국장이 대표적인 예이다.

① 지시적 위임형 ② 협상형

③ 재량적 실험가형 ④ 관료적 기업가형

04 사바티어(Sabatier)의 통합모형에 대한 설명으로 가장 옳지 않은 것은?

2019 서울 7급

① 정책변화 이해에 가장 유효한 분석 단위는 정책하위시스템이다.

② 정책하위시스템에는 서로 다른 목표를 가진 지지연합이 있다.

③ 정책하위시스템 참여자의 활동에 영향을 미치는 요소는 상향식 접근방법으로 도출하였다.

④ 정책집행을 한 번의 과정이 아니라 연속적인 정책변동으로 보았다.

02

정답 : ④

④ 제3세대 집행연구자인 고긴, 오툴 등은 앞선 연구들이 정책집행의 정치성을 간과했다고 비판하면서 정책집행의 복잡성·역동성·다양성을 바탕으로 하여 이론의 검증을 시도하였다.

① 정책목표의 신축적 조정이 효과적인 정책집행을 가져온다고 보는 것은 상향식 접근방법이다.

② 사바티어는 통합모형을 제시하였다.

③ 엘모어가 제안한 전방향적 연구는 하향식 접근방법과 유사하다.

03

정답 : ④

④ 제시문은 관료적 기업가형에 대한 설명이다. 관료적 기업가형은 정책집행자가 정책결정자의 결정권을 장악하고 정책과정 전반을 통제하는 유형이다.

① 지시적 위임형은 정책집행자에게 행정적 권한을 위임하는 유형으로 집행자 상호간에 협상하고 교섭을 벌인다.

② 협상형은 결정자가 목표를 설정하고 목표달성을 위한 수단에 대해 정책결정자와 집행자가 협상하는 유형이다.

③ 재량적 실험가형은 정책의 대략적인 방향을 정책결정자가 정하고 정책집행자들은 구체적 집행에 필요한 폭넓은 재량을 위임받아 정책을 집행하는 유형이다.

Nakamura & Smallwood의 정책집행모형

유형	정책결정자	정책집행자
고전적 기술자형	• 구체적인 목표 설정 • 집행자에게 기술적 권한을 위임	• 정책결정자의 목표를 지지하고 그 목표를 달성하기 위한 기술적 권한 행사
지시적 위임자형	• 구체적인 목표 설정 • 집행자에게 행정적 권한을 위임	• 행정적 권한을 행사하고, 집행자 상호간에 협상하고 교섭을 벌임
협상자형	• 결정자가 목표 설정 및 제시 • 집행자가 목표의 바람직성에 대해 무조건 동의하지는 않음 • 목표와 수단에 관하여 정책결정자와 집행자가 협상함	
재량적 실험가형	• 일반적·추상적 목표를 지지 • 집행자가 목표달성을 구체화 시킬 수 있도록 광범위한 재량권 위임	• 정책결정자를 위해 목표와 수단을 명백히 하고, 목표와 수단을 재정의
관료적 기업가형	• 집행자가 설정한 목표와 목표달성 수단을 지지	• 집행자는 목표달성을 위한 수단을 획득하기 위해 정책결정자와 협상(흥정)함

04

정답 : ③

③ 정책하위시스템 참여자의 활동에 영향을 미치는 사회경제적 조건 및 법적수단은 하향식 접근방법으로 도출하였다.

① 정책변화를 이해하기 위한 분석단위로 정책하위체제에 중점을 둔다.

② 정책하위시스템 안에는 신념체계를 공유하는 정책지지연합이 있으며, 서로 상이한 정책목표를 가진 정책지지연합들이 자신의 신념을 정책에 반영하기 위하여 경쟁한다.

④ 정책변화과정을 이해하기 위해서는 10년 이상의 장기간의 시간이 필요하며 점진적으로 정책변동이 일어난다고 본다.

정답

02 ④ 03 ④ 04 ③

05 버먼(Berman)의 '적응적 집행'에 대한 설명으로 옳은 것은?

2018 지방 9급

① 미시집행 국면에서 발생하는 정책과 집행조직 사이의 상호적응이 이루어질 때 성공적으로 집행된다.

② 거시적 집행구조는 동원, 전달자의 집행, 제도화의 세 단계로 구분된다.

③ '행정'은 행정을 통해 구체화된 정부프로그램이 집행을 담당하는 지방정부의 사업으로 받아들여지는 것을 의미한다.

④ '채택'은 지방정부가 채택한 사업을 실행사업으로 변화시키는 것을 의미한다.

06 정책학습(policy learning)에 대한 설명으로 옳지 않은 것은?

2017 국가 7급

① 버크랜드(Birkland)가 제안한 '사회적 학습'은 하울렛과 라메쉬의 '외생적 학습'과 비슷한 의미로 이해할 수 있다.

② 하울렛과 라메쉬(Howlett & Ramesh)의 '내생적 학습'은 정책문제의 정의 또는 정책목적 자체에 대한 의문제기를 포함한다.

③ 로즈(Rhodes)의 '교훈얻기(도출) 학습'은 다른 지역의 효과적인 프로그램을 조사·연구하여 창도자의 관할지역에 도입할 경우 어떠한 결과가 나올지 미리 평가하는 것이다.

④ 정책학습의 주체는 정책집행의 대상이 되는 개인이나 조직일 수도 있고 정책을 결정하거나 집행하는 개인, 조직 또는 정책창도연합체(advocacy coalition)일 수도 있다.

07 정책집행모형에 관한 설명으로 옳지 않은 것은?

2017 경찰간부

① Berman은 체제관리모형, 관료적 과정모형, 조직발전모형, 갈등협상모형 등 정책집행의 거시적 환경에 대한 4가지 연계모형을 제시하였다.

② Elmore는 초기에 상향적 접근법을 주장하다가, 이후 통합모형을 제시하였다.

③ Sabatier의 통합모형은 정책의 변동을 중시하는 정책학습 모형의 성격이 강하게 나타난다.

④ Pressman & Wildavsky의 공동행동의 복잡성 모형에서는 정부사업의 집행이 참여자와 의사결정점의 수가 늘어나면서 집행하기 어려운 복잡한 과정으로 변한다는 점을 설명하였다.

05

정답 : ①

① 버먼은 정책집행을 정형적 집행과 적응적 집행으로 구분하고 적응적 집행이 중요하다고 보았는데, 미시집행 국면에서 발생하는 정책과 집행조직 사이의 상호적응이 이루어질 때 성공적으로 집행된다고 보았다. 또한 미시집행 국면에서 발생하는 정책과 집행조직 사이의 상호적응 자체가 성공적 집행이며 정책집행의 성과는 미시집행과정에서 결정된다고 보았다.
② 미시적 집행구조는 동원, 전달자의 집행, 제도화의 세 단계로 구분되고 거시적 집행구조의 단계(통로)는 행정, 채택, 미시적 집행, 기술적 타당성으로 구성된다.
③ '채택'은 행정을 통해 구체화된 정부프로그램이 집행을 담당하는 지방정부의 사업으로 받아들여지는 것을 의미한다.
④ '미시적 집행'은 지방정부가 채택한 사업을 실행사업으로 변화시키는 것을 의미한다.

06

정답 : ②

② 하울렛과 라메쉬(Howlett & Ramesh)의 '외생적 학습'은 정책문제의 정의 또는 정책목적 자체에 대한 의문제기를 포함한다. 한편 '내생적 학습'은 정책의 환경 또는 정책의 수단들에 대한 학습을 의미한다.
① 버크랜드(Birkland)는 메이(May)와 유사하게 정책학습을 수단적, 사회적, 정치적 정책학습으로 구분하였으며 '사회적 학습'은 하울렛과 라메쉬의 '외생적 학습'과 비슷한 의미로 이해할 수 있다.
③ 로즈(Rhodes)의 '교훈얻기(도출) 학습'은 다른 지역에서 운영 중인 프로그램 및 프로그램들에 대한 행위지향적 결론으로 다른 지역의 효과적인 프로그램을 조사·연구하여 창도자의 관할 지역에 도입할 경우 어떤 결과가 나올지 미리 평가하는 학습이다.
④ 정책학습의 주체는 정책집행의 대상이 되는 개인, 조직일 수도 있고, 정책을 결정하거나 집행을 담당하는 개인, 조직, 정책창도연합체일 수도 있다.

07

정답 : ①

① Elmore는 체제관리모형, 관료적 과정모형, 조직발전모형, 갈등협상모형 등 정책집행에 영향을 주는 핵심요인을 기준으로 분류하였다. 또한 Winter는 정책결정과 집행과정을 연계하여 정책집행의 거시적 환경에 관한 4가지 연계모형을 제시하였다.
② Elmore는 초기에 후방향적(상향적) 접근법을 주장하다가 이후 통합모형을 제시하였다.
③ Sabatier의 통합모형은 정책집행보다는 정책학습에 초점을 둔 이론으로 정책집행모형이라기보다 정책학습모형의 성격이 강하다고 평가받는다.
④ Pressman & Wildavsky의 공동행동의 복잡성 모형에서는 정부사업의 집행이 참여자와 의사결정점의 수가 늘어나면서 집행하기 어려운 복잡한 과정으로 변한다는 점을 설명하면서 공동행동의 복잡성 공식을 도출하였다.

포인트 정리

버먼의 거시적 집행구조의 단계(통로)

행정	정책결정을 구체적인 정부 프로그램으로 전환하는 것을 의미함
채택	행정을 통해 구체화된 정부프로그램이 집행을 담당하는 지방정부 사업으로 받아들여지는 것을 의미함
미시적 집행	지방정부가 채택한 사업을 실행사업으로 변화시키는 것을 의미함
기술적 타당성	정책성과가 산출되기 위한 마지막 단계로 정책목표와 정책수단 간의 인과관계를 의미함

정책학습 유형

수단적 학습	정책개입이나 집행설계의 실행 가능성을 의미하며 수단이나 기법에 집중함
사회적 학습	문제의 원인에 대한 학습을 의미하는 것으로 사회적 학습이 성공적으로 적용되면 정책문제에 내재된 인과관계를 더 잘 이해하게 됨
정치적 학습	주어진 정책 아이디어나 문제를 옹호하는 전략에 대한 학습을 의미하는 것으로 정치적 변화에 대한 찬성과 반대의 주장을 통해 새로운 정치적 정보를 받아들이고 스스로 전략과 전술을 변화시킴

하울렛과 라메쉬(Howlett & Ramesh)의 분류

구분	외생적 학습	내생적 학습
학습 대상	문제에 대한 인지, 정책목적과 아이디어	정책의 환경 또는 정책의 수단
유사 개념	사회적 학습	수단적 학습

정답

05 ① 06 ② 07 ①

08 정책변동 모형 중에서 정책 과정 참여자의 신념체계(belief system)를 가장 강조하는 모형은? 2016 국가 9급

① 단절균형(punctuated equilibrium) 모형

② 정책 패러다임변동(paradigm shift) 모형

③ 정책 지지연합(advocacy coalition) 모형

④ 제도의 협착(lock-in) 모형

09 홀(Hall)에 의해 제시된 정책변동모형으로 정책목표, 정책수단, 정책환경의 세 가지 변수 중 정책목표와 정책수단에 급격한 변화가 발생하는 정책변동모형은? 2016 지방 9급

① 쓰레기통모형

② 단절균형모형(Punctuated Equilibrium)

③ 정책지지연합모형(Advocacy Coalition Framework)

④ 정책 패러다임 변동모형

10 정책집행연구의 하향식 접근에서 효과적인 정책집행의 조건이 아닌 것은? 2016 사복 9급

① 정책목표와 정책수단 사이에 타당한 인과관계가 있어야 한다.

② 일선공무원의 재량과 자율을 확대하여야 한다.

③ 정책과 관련된 이익집단, 주요 입법가, 행정부의 장 등으로부터 지속적인 지지를 받아야 한다.

④ 정책이 집행되는 동안 정책목표의 우선순위가 변하지 않아야 한다.

08

정답 : ③

③ 정책 지지연합모형은 정책하위체제 내부에 신념체계를 공유하는 정책지지연합이 있으며, 이 지지연합들이 신념체계에 입각한 정책을 추진하기 위해 노력하는 과정에서 정책변동이 발생한다고 본다.

① 단절균형모형은 기존의 균형이 파괴되면서 급격한 변화가 일어나는 비점증적 정책변동을 말한다.

② 정책 패러다임 변동모형은 패러다임의 변동에 의해 정책변동이 일어나는 모형이다.

④ 제도의 협착(lock-in)모형은 정책변동 현장에서 발생하는 정책갈등 현상은 정책 공급자의 관점이 아닌 이해관계자 전체·대상집단의 관점에서 접근해야 한다고 보는 모형으로 한번 결정된 제도나 정책은 변동하기가 매우 힘들다고 본다.

09

정답 : ④

④ 정책패러다임 변동모형은 Hall이 제시한 것으로 정책형성을 정책목표, 수단(기술), 정책환경의 3가지 변수를 포함하는 과정으로 간주하고 정책목표와 정책수단에 있어 근본적·급진적 변동이 나타나는 모형이다.

① 쓰레기통 모형은 조직화된 무정부상태 속에서 조직이 어떤 정책결정을 내리는가에 연구의 초점을 두는 모형이다.

② 단절균형모형은 예산 배분 형태가 항상 일정하게 유지되는 것이 아니라, 특정 사건이 상황에 따라 균형상태에서 급격한 변화가 발생하는 단절 현상이 발생한 후 다시 균형을 지속한다는 예산이론으로, 점증주의 예산 결정이론의 한계를 비판하며 등장하였다.

③ 정책지지연합모형은 행위자들은 신념체계에 따라 단순화하여 지지연합이라는 행위자 집단에 초점을 두어 이들의 정책학습을 살펴보는 모형이다.

10

정답 : ②

② 상향식 접근에서 일선공무원의 재량과 자율을 확대하여야 한다. 한편 하향식 접근에서는 집행자의 재량을 인정하지 않으며 집행자의 결정자에 대한 순응 및 결정자의 통제가 강조된다.

① 하향식 접근에서는 집행과정의 자세한 기술이나 인과론적 설명보다는 정책목표와 수단 간의 타당한 인과관계를 전제로 한다.

③ 하향적 접근은 결정자의 의도 실현, 공식적인 목표달성도 및 집행의 충실성 등을 중시하므로 정책과 관련된 이익집단, 주요 입법가 등으로부터 지속적인 지지를 필요로 한다.

④ 하향적 접근은 집행을 결정된대로 집행되는 비정치적이고 기계적 과정으로 이해하고, 결정과 집행의 단일방향적 과정을 중시하므로 정책목표의 우선순위가 변하지 않아야 한다고 본다.

🔍 포인트 정리

정책지지 연합모형(Sabatier)

- 정책변화를 이해하기 위해서는 10년 이상의 장기간이 필요함
- 다양한 활동행위자를 포함한 정책하위체제에 초점을 둠
- 정책하위체제 안에 신념체계를 공유하는 정책지지연합 간 경쟁이 정책변동을 초래함
- 단발적·기계적 과정이 아니라 연속적·장기적·점진적으로 변동되는 과정이므로 정책과정전반에 걸친 정책학습 모형임

하향적 접근방법 vs 상향적 접근방법

구분	하향적 접근방법	상향적 접근방법
정책 상황	안정적·구조화된 상황	유동적·동태화된 상황
정책 목표 수정	목표가 명확해 수정 필요성 적음	수정 필요성 높음
결정과 집행	정책결정과 집행의 분리 (이원론)	정책결정과 집행의 통합 (일원론)
관리자 참여	참여 제한, 충실한 집행의 중시	참여 필요
집행자 재량	집행자의 재량 불인정	집행관료의 재량 인정
정책 평가 기준	집행의 충실성과 성과	환경에의 적응성 중시, 정책성과는 2차적 기준
방향 흐름	집권적, 기계적	분권적, 역동적

정답

08 ③ 09 ④ 10 ②

11 립스키(Lipsky)가 주장하는 일선행정관료들의 특징에 관한 설명 중 가장 적절하지 않은 것은? 2016 경정승진

① 일선행정관료들의 업무상황은 다양하거나 복잡하지 않아 정형화시키기 쉽다.

② 일선행정관료들은 고객의 요구와 필요에 민감하지 않은 경향을 보인다.

③ 일선행정관료들은 서비스 제공에 있어서 상당한 재량권을 보유한다.

④ 일선행정관료들은 서비스의 기준, 양과 질 등에서 정책고객을 범주화하여 재량적으로 선별한다.

12 나카무라(Nakamura)와 스몰우드(Smallwood)가 정책결정자와 정책집행자와의 관계를 중심으로 정책집행을 유형화한 설명으로 가장 옳지 않은 것은? 2015 경찰간부

① 고전적 기술관료형 : 정책결정자와 정책집행자를 엄격히 구분하여 정책집행자는 정책결정자가 결정한 정책내용을 충실히 집행하는 유형을 말한다.

② 지시적 위임가형 : 정책결정자들에 의해 목표가 수립되고 대체적인 방침만 정해진 뒤 나머지 부분은 집행자들에게 위임되지만 목표 달성을 위해 필요한 범위 내에서 행정적, 기술적, 협상적 권한은 여전히 정책결정자들이 보유한다.

③ 재량적 실험가형 : 정책결정자는 구체적인 정책이나 목표를 설정하지 못해 막연하고 추상적인 정책목표를 결정하고 정책집행자에게 정책목표와 수단선택을 위임한다.

④ 관료적 기업가형 : 정책집행 담당 관료들이 큰 권한을 보유하고 정책과정 전체를 좌지우지하며, 결정권까지 행사한다.

13 매틀랜드(Matland)가 모호성(ambiguity)과 갈등(conflict)이라는 두 차원에 따라 분류한 네 가지 정책집행상황 중에서, 모호성이 낮고 갈등이 높은 상황에 대한 설명으로 옳지 않은 것은? 2015 지방 7급

① 갈등은 매수(side payment)나 담합(logrolling)등과 같은 방식으로 해결되기도 한다.

② 순응을 확보하기 위해서는 강압적 또는 보상적 수단이 중요해진다.

③ 정책집행과정은 대립적 이해관계를 가진 집행조직 외부의 행위자에 의해 영향을 많이 받는다.

④ 정책목표가 명확하지 않기 때문에 집행과정은 목표의 해석 과정으로 이해될 수 있다.

11

정답 : ①

① 일선관료는 시간과 자원이 부족하여 과도한 업무량에 시달리게 되며, 업무가 다양하고 복잡하여 정형화시키기 곤란하다.

② 일선관료는 시민과 직접 대면 접촉하고 상호작용하면서 정부에 대한 이미지를 결정하며 업무집행 시에 실질적인 재량권을 행사하는 공무원이다.

③ 정책과정의 최종적인 과정에서 대상 집단과 직접적으로 상호작용하며 업무수행 중 상당한 재량을 보유하는 일선기관이나 자치단체의 하급 공무원이나 집행요원을 일선관료라고 한다.

④ 서비스제공 기준이 애매하거나 고객의 특징이나 요구가 불확실한 경우가 많기 때문에 일선관료는 재량권을 가지고 고객을 분류함으로써 시민들의 삶과 기회를 결정하는 역할을 하게 된다(조직권위로부터 상대적 자율성).

12

정답 : ②

② 지시적 위임가형은 정책결정자들에 의해 목표가 수립되고 대체적인 방침만 정해진 뒤 나머지 부분은 집행자들에게 위임되고, 집행자들은 기술적·행정적 권한을 보유한다. 한편 목표달성을 위해 필요한 범위 내에서 행정적·기술적·협상적 권한을 정책결정자들이 보유하고 있는 것은 고전적 기술자형이다.

13

정답 : ④

④ 모호성이 낮고 갈등이 높은 상황은 정치적 집행으로, 매수, 담합, 날치기 통과 등이 일어난다. 한편 정책목표가 명확하지 않아 집행과정이 목표의 해석과정으로 이해될 수 있는 상황은 상징적 집행과 관련된다.

① 정치적 집행에서는 갈등을 매수나 담합, 날치기 통과 등의 방식으로 해결하려고 한다.

② 정치적 집행은 정책목표가 명확한 상태에서 갈등이 높게 나타나므로 순응을 확보하기 위해서는 강압적·보상적 수단 등이 동원되어야 한다.

③ 정치적 집행의 경우 대립적 이해관계를 가진 조직 외부의 행위자에 영향을 많이 받는다.

🔍 포인트 정리

매틀랜드의 통합모형

구분		갈등	
		낮음	높음
정책목표의 모호성	낮음	관리적 집행	정치적 집행
	높음	실험적 집행	상징적 집행

정답

11 ① 12 ② 13 ④

14 다음 중 정책집행의 하향식 접근과 상향식 접근에 대한 설명으로 옳지 않은 것은?

2015 국회 8급

① 상향식 접근은 정책문제를 둘러싸고 있는 행위자들의 동기, 전략, 행동, 상호작용 등에 주목하며 일선공무원들의 전문지식과 문제해결능력을 중시한다.

② 상향식 접근은 집행이 일어나는 현장에 초점을 맞추고 그 현장을 미시적이고 현실적이며 상호작용적인 차원에서 관찰한다.

③ 하향식 접근은 하나의 정책에만 초점을 맞추므로 여러 정책이 동시에 집행되는 경우를 설명하기 곤란하다.

④ 하향식 접근의 대표적인 것은 전방향접근법(forward mapping)이며 이는 집행에서 시작하여 상위계급이나 조직 또는 결정단계로 거슬러 올라가는 방식이다.

⑤ 하향식 접근은 정책결정을 정책집행보다 선행하는 것이고 상위의 기능으로 간주한다.

15 정책집행연구의 접근방법에 대한 설명으로 옳은 것은?

2012 국가 7급

① 나카무라(R.T. Nakamura)와 스몰우드(F. Smallwood)의 관료적 기업가(bureaucratic entrepreneur) 모형에 따르면 정보, 기술, 현실 여건들 때문에 정책결정자들은 구체적인 정책이나 목표를 설정하지 못하고 추상적인 수준에 머문다.

② 사바티어(P. Sabatier)의 정책지지 연합모형(advocacy coalition framework)은 하향식 접근방법의 분석단위를 채택하고, 여기에 영향을 미치는 요인으로 상향식 접근방법의 여러 가지 변수를 결합한다.

③ 일선집행관료이론을 주장한 립스키(M. Lipsky)는 일선의 문제성 있는 업무환경으로 자원부족, 권위에 대한 도전, 정책 담당자의 보수성 등 세 가지를 제시하였다.

④ 버먼(P. Berman)의 상황론적 집행모형에 따르면 거시적 집행구조는 실질적인 집행이 가능하고 의도한 효과가 발생되도록 프로그램을 어느 정도 구체화하는 것을 의미한다.

16 정책집행에 대한 연구방법 중 상향적 접근방법(bottom-up approach 또는 backward mapping)에 대한 설명으로 옳지 않은 것은?

2010 국가 9급

① 분명하고 일관된 정책목표의 존재가능성을 부인하고, 정책목표 대신 집행문제의 해결에 논의의 초점을 맞춘다.

② 집행의 성공 또는 실패의 판단기준은 '정책결정권자의 의도에 얼마나 순응하였는가'가 아니라 '일선집행관료의 바람직한 행동이 얼마나 유발되었는가'이다.

③ 말단집행계층부터 차상위계층으로 올라가면서 바람직한 행동과 조직운용절차를 유발하기 위하여 필요한 재량과 자원을 파악한다.

④ 일선집행관료의 재량권을 축소하고 통제를 강화한다.

14

정답 : ④

④ Elmore의 전방향적 접근법은 정책결정의 결정권자에 따라 하향적으로 집행하는 것을 강조한다. 한편 집행에서 시작하여 상위계급이나 조직 또는 결정단계로 거슬러 올라가는 방식은 후방향적 접근법에 해당한다.

① 상향식 접근은 행위자에 주목하는 미시적 접근방법이며, 집행문제의 해결을 중시하고 정책집행에서 재량과 자율을 강조한다.

② 상향식 접근은 정책결정자의 지침보다는 집행현장에서 일어나는 문제상황에 초점을 둔다.

③ 하향식 접근은 하나의 정책에만 초점을 두기 때문에 여러 정책이 동시에 집행되는 경우를 설명하기가 곤란하다는 한계를 가지고 있다.

⑤ 하향식 접근은 정책결정이 정책집행보다 앞서 일어나며, 보다 상위의 기능이라 본다.

15

정답 : ④

④ 버먼의 상황론적 집행모형은 상향적 접근의 특징을 가지는 것으로, 거시적 집행구조는 실질적인 집행이 가능하고 의도한 효과가 발생하도록 하위집행구조를 설계하고 프로그램을 어느정도 구체화하는 것을 포함한다.

① 정보, 기술, 현실 여건들 때문에 정책결정자들은 구체적인 정책이나 목표를 설정하지 못하고 추상적인 수준에 머무는 것은 재량적 실험가형에 해당한다.

② 사바티어의 정책지지 연합모형은 상향식 접근방법의 분석단위를 채택하고, 여기에 미치는 요인으로 하향식 접근방법의 법적, 사회경제적 변수 등 여러 가지 변수를 결합한다.

③ 립스키는 일선의 문제성 있는 업무환경으로 자원부족, 권위에 대한 도전, 그리고 정책담당자의 보수성이 아닌 모호하고 대립되는 기대 등 세 가지를 제시하였다.

16

정답 : ④

④ 일선집행관료의 재량권을 축소하고 통제를 강화하는 것은 하향적 접근방법의 특징이다.

① 정책결정자의 지침보다는 집행현장에서 일어나는 문제 상황에 초점을 맞추는 상향적 접근방법의 특징이다.

② 정책집행의 성공기준이 '일선관료의 바람직한 행동이 얼마나 유발되었는가'에 해당하는 상향적 접근방법의 특징이다.

③ 집행현장에서 일어나는 문제 상황에 초점을 맞추기 때문에 정책집행에서 일선관료에게 재량과 자율을 주는 것은 하향적 접근방법의 특징이다.

포인트 정리

버먼의 거시적 집행구조의 단계(통로)

행정	정책결정을 구체적인 정부 프로그램으로 전환하는 것을 의미함
채택	행정을 통해 구체화된 정부프로그램이 집행을 담당하는 지방정부 사업으로 받아들여지는 것을 의미함
미시적 집행	지방정부가 채택한 사업을 실행사업으로 변화시키는 것을 의미함
기술적 타당성	정책성과가 산출되기 위한 마지막 단계로 정책목표와 정책수단 간의 인과관계를 의미함

하향적 접근방법 vs 상향적 접근방법

구분	하향적 접근방법	상향적 접근방법
정책 상황	안정적·구조화된 상황	유동적·동태화된 상황
정책 목표 수정	목표가 명확하여 수정 필요성 적음	수정 필요성 높음
결정과 집행	정책결정과 집행의 분리(이원론)	정책결정과 집행의 통합(일원론)
관리자 참여	참여 제한, 충실한 집행의 중시	참여 필요
집행자 재량	집행자의 재량 불인정	집행관료의 재량 인정
정책 평가 기준	집행의 충실성과 성과	환경에의 적응성 중시, 정책성과는 2차적 기준
방향 흐름	집권적, 기계적	분권적, 역동적

정답

14 ④ 15 ④ 16 ④

17 정책집단의 규모 및 조직화 정도와 정책집행의 용이성 정도 간의 관계에 대한 설명으로 옳지 않은 것은?

2008 선관위 9급

① 수혜집단이 희생집단보다 크고 양 집단의 조직화 정도가 강할 경우에는 정책집행이 용이하다.
② 희생집단이 수혜집단보다 크고 양 집단의 조직화 정도가 약할 경우에는 정책집행이 곤란하다.
③ 수혜집단과 희생집단의 규모가 비슷하고 양 집단의 조직화 정도가 강할 경우에는 정책집행이 곤란하다.
④ 수혜집단과 희생집단의 규모에 관계없이 각 집단의 조직화 정도가 약할 경우 정책집행이 용이하다.

18 정책을 성공적으로 설계하기 위한 구성요소에 대한 진술 중 나머지 것과 관련 없는 것은?

2007 서울 7급

① 정부가 달성하고자 하는 정책의 목표가 분명해야 한다.
② 정부가 정책목적을 달성하기 위해 사용하는 통제방법을 선택해야 한다.
③ 정책문제를 야기한 원인과 그 원인을 제거할 수 있는 수단에 대한 인과모형 이론을 정립해야 한다.
④ 정책의 집행방법을 구체화하고, 집행체계를 마련할 주체를 정해야 한다.
⑤ 가능한 한 이해당사자의 주관과 가치를 배제하고, 과학적 분석의 효과를 극대화시킬 수 있어야 한다.

CHAPTER 18 정책평가

실질적 **력**(역량) **업**그레이드

01 정책평가의 유형에 대한 설명으로 옳지 않은 것은?

2016 국가 7급

① 총괄평가(summative evaluation)는 정책집행이 종료된 후에 그 성과나 효과를 평가하는 것이다.
② 형성평가(formative evaluation)는 정책집행 도중에 과정의 적절성과 수단·목표 간 인과성 등을 평가하는 것이다.
③ 총괄평가는 주로 내부 평가자에 의해 수행되며, 평가결과를 환류하여 최종안을 개선하는 것이 목적이다.
④ 형성평가는 주로 내부 평가자 및 외부 평가자의 자문에 의해 평가를 진행하며, 정책집행 단계에서 정책 담당자 등을 돕기 위한 것이다.

17

② 희생집단이 수혜집단보다 크더라도 양 집단의 조직화 정도가 약할 경우에는 정책집행이 용이하다.

① 수혜집단이 희생집단보다 크고 두 집단의 조직화 정도가 강할 경우에는 정책집행이 용이하다.

③ 수혜집단과 희생집단의 규모가 비슷하고 두 집단의 조직화 정도가 강할 경우에는 정책집행이 곤란하다.

④ 수혜집단과 희생집단의 규모에 관계없이 두 집단의 조직화 정도가 약할 경우 정책집행이 용이하다.

18

⑤ 정책설계(policy design)란 정책목표를 달성하기 위하여 일련의 정책수단을 조합하는 것으로 성공적 정책집행을 위해서는 과학적 분석만으로는 불충분하며, 집행현장 이해당사자의 다양한 가치와 의견을 고려하여야 한다.

①, ②, ③, ④ 정책을 성공적으로 설계하기 위한 요소들이다.

01

③ 총괄평가는 주로 외부 평가자에 의해 수행되며, 정책집행이 완료된 후에 프로그램의 일반적 효과성에 대해 요약된 언명을 산출하는 것으로, 최종안을 개선하는 것과는 관련이 없다.

① 총괄평가는 정책이 집행되고 난 후에 의도했던 정책효과가 발생하였는지 평가하는 활동으로 Dunn의 소망성을 기준으로 평가할 수 있으며 정책이 사회에 미친 영향으로 긍정적 효과도 있고 부정적 효과도 있다.

② 형성평가는 정책집행 도중에 과정의 적절성과 수단·목표 간 인과성 등을 평가하는 것으로 프로그램모니터링과 성과모니터링이 실시되며, 정책집행과정에서 나타난 문제점을 해결함으로써 집행전략이나 집행설계를 수정하고 보완하는데 도움을 준다.

④ 형성평가는 정책이 의도했던 집행계획이나 집행설계에 따라 집행이 되었는지를 평가·점검 및 모니터링하는 것으로, 효율적인 집행전략을 수립하고 정책내용을 수정하고 변경하며, 주로 내부 평가자 및 외부 평가자의 자문에 의해 평가를 진행한다.

🔍 포인트 정리

정책집단 규모 및 조직화 정도와 정책집행

구분	규모 및 조직화 정도	
	강	약
수혜집단 > 희생집단	집행용이	집행용이
수혜집단 = 희생집단	집행곤란	집행용이
수혜집단 < 희생집단	집행곤란	집행용이

정답

17 ② 18 ⑤ 01 ③

02 정책평가는 그 시기와 방법 등에 따라 다양한 유형이 있다. 정책평가의 본질과 유형에 대한 다음 설명 중 올바르지 않은 것은?

2013 5급 승진

① 정책평가의 목적은 정책결정과 집행에 필요한 정보를 얻고 정책과정상 책임 확보, 이론구축에 의한 학문적 기여를 위해서이다.

② 총괄평가는 능률성, 효과성 또는 형평성에 입각하여 정책의 영향을 평가하는 것이지만 일반적으로는 효과성 평가를 의미한다.

③ 협의(좁은 의미)의 과정평가는 총괄평가의 완성을 위해서 이루어지며, 정책수단이 구체적으로 어떠한 경로를 거쳐서 정책효과를 발생시켰는지 파악하려는 것으로 정책수단과 정책효과 사이에 개입될 수 있는 매개변수도 확인함으로써 인과경로를 검증·확인하는 것이다.

④ 집행분석 또는 집행과정평가는 협의의 형성평가로 정책이 의도대로 집행이 되었는지를 확인하고 점검(monitoring)하는 것이다.

⑤ 평가성 사정(검토)은 사이비 평가를 걸러내기 위해서 본격적인 평가를 하고 나서 사후에 평가의 가능성과 소망성을 평가하는 것이다.

03 정책평가에 대한 설명으로 옳지 않은 것은?

2011 지방 7급

① 형성평가(formative evaluation)는 정책집행과정에서 나타난 문제점을 해결함으로써 집행전략이나 집행설계를 수정·보완하는데 도움을 준다.

② 인과관계 추론의 조건으로 연관성(association), 시간적 선후성(time order), 비허위성(non-spuriousness)을 들 수 있다.

③ 메타분석(meta analysis)은 경험적 연구뿐만 아니라 이론적 연구에도 다양하게 적용할 수 있는 장점이 있다.

④ 크리밍효과(creaming effect)는 어떤 요인이 내적 타당성과 외적 타당성을 모두 저해할 수 있다는 것을 보여준다.

04 정책평가의 방법에 대한 설명으로 옳지 않은 것은?

2009 국가 9급

① 착수직전분석(front-end-analysis)은 주로 새로운 프로그램 평가를 기획하기 위하여 평가를 착수하기 직전에 수행되는 평가작업이다.

② 평가성사정(evaluation assessment)은 여러 가지 가능한 평가로부터 얻을 수 있는 정보수요를 사정하고, 실행가능하고 유용한 평가설계를 선택하도록 함으로써 평가의 공급과 수요를 합치시키도록 도와준다.

③ 집행에 있어 과정평가(process evaluation)는 정책집행 및 활동을 분석하여 이를 근거로 보다 효율적인 집행전략을 수립하거나 정책내용을 수정·변경하는데 도움을 준다.

④ 총괄평가(summative evaluation)는 정책이 집행되고 난 후에 인과관계의 경로를 검증·확인하고 정책이 사회에 미친 영향(impact)을 추정하는 판단활동이다.

02

정답 : ⑤

⑤ 평가성 사정은 본격적인 평가를 실시하기 전에 평가의 유용성, 평가의 성과증진 효과 등을 미리 평가하는 일종의 예비평가로, 이를 통해 사이비 평가를 방지할 수 있다.

① 정책평가는 정책이 집행된 다음 정책의 효과를 평가하는 것으로 정책담당자의 정치적, 법적, 관리적 책임을 확보하기 위한 것이다.

② 정책목표 달성 여부를 판단하는 것은 집행이 완료된 이후에 정책이 의도했던 효과나 사회에 미친 영향·충격을 평가하는 총괄평가(효과평가, 영향평가)에서 이루어진다.

③ 과정평가에는 정책이 의도했던 대로 집행되었는지를 확인·점검하는 협의의 형성평가(집행 과정평가)와 총괄평가의 완성을 위한 보완적 수단으로서 정책효과 발생의 인과관계 경로를 검증·확인하는 협의의 과정평가(인과관계 경로평가)가 있다.

④ 협의의 형성평가는 집행분석 또는 집행과정평가로, 정책이 의도했던 집행계획이나 집행설계에 따라 집행되었는지를 평가·점검하고 모니터링하는 것이다.

03

정답 : ③

③ 메타분석이란 '평가에 대한 평가'로서 계량적이고 통계적인 분석방법으로 경험적 연구 적용에 가능할 뿐 이론적 연구에는 적용하는데 어려움이 있다.

① 형성평가는 정책이 집행과정 도중에 수행되는 평가로서 정책집행과정에서 나타나는 문제점을 해결함으로써 집행전략인 집행설계를 수정·보완하는데 도움을 준다.

② 인과관계의 설립조건으로는 시간의 선행성, 공동변화, 경쟁가설 배제(비허위적 관계)가 있다.

④ 크리밍 효과는 효과가 크게 나타날 사람만 의도적으로 실험집단에 배정한 경우 그 결과를 일반화하는 것이 곤란한 경우를 의미하는 것으로, 인과적 추론의 정확성을 저해하는 경우 선발요소와 관련된다.

04

정답 : ④

④ '인과관계의 경로를 검증·확인'하는 것은 협의의 과정평가(인과관계의 경로평가)에 해당한다. 한편 총괄평가는 정책이 사회에 미친 영향을 알아보려는 것이다.

① 착수직전분석은 새로운 프로그램의 평가를 기획하기 위하여 본 평가를 착수하기 직전에 수행하는 조망적 차원의 평가기획작업이다.

② 평가성 사정이란 정책에 대한 전면적인 평가를 시작하기 전에 실시하는 것으로 실현가능성과 소망성을 검토하는 것이다.

③ 과정평가는 정책집행 및 활동을 분석하여 효율적인 집행전략을 수립하거나 정책내용을 수정·변경하는데 도움을 준다.

포인트 정리

인과관계의 세 가지 조건

시간적 선행성	정책(독립변수)은 목표 달성(종속변수)보다 시간적으로 선행해야 함
공동변화	정책과 목표 달성은 모두 일정한 방향으로 변화해야 함
경쟁가설 배제 (비허위적 관계)	그 정책 이외의 다른 요인이 목표 달성에 영향을 미치지 않았음을 입증해야 함

정답

02 ⑤ 03 ③ 04 ④

05 메타평가의 유용성으로 옳지 않은 것은?

① 공공부문에서의 서비스가 갖는 다면적 특성을 반영할 수 있다는 장점이 있다.

② 정책 엘리트 중심의 평가 방법으로서 비민주적이라는 비판을 받는다.

③ 메타평가의 구체적인 지표구성은 타당성과 신뢰성을 균형 있게 확보해야 한다.

④ 평가대상의 특성을 표준화시켜 지표를 구성하는 기존의 측정방식에 대한 보완적 방법이다.

CHAPTER 19 정책실험, 타당도, 신뢰도

실질적 **력**(역량) **업**그레이드

01 정책평가를 위한 사회실험에 대한 설명으로 옳지 않은 것은?

① 통제집단 사전·사후 설계는 검사효과를 통제할 수 있다.

② 준실험은 진실험에 비해 실행 가능성이 높다는 장점이 있다.

③ 회귀불연속 설계는 구분점(구간)에서 회귀직선의 불연속적인 단절을 이용한다.

④ 솔로몬 4집단 설계는 통제집단 사전·사후 설계와 통제집단 사후 설계의 장점을 갖는다.

02 정책평가와 관련하여 실험결과의 외적 타당성을 저해하는 요인으로 옳지 않은 것은?

① 연구자의 측정기준이나 측정도구가 변화되는 경우

② 표본으로 선택된 집단의 대표성이 약할 경우

③ 실험집단 구성원 자신이 실험대상임을 인지하고 평소와 다른 특별한 반응을 보일 경우

④ 실험의 효과가 크게 나타날 것으로 예상되는 집단만을 의도적으로 실험집단에 배정하는 경우

05

② 메타평가는 정책 엘리트 중심의 평가가 아니라 정책에 관계되지 않은 외부인에 의한 다면평가를 의미한다. 또한 '평가에 대한 평가'로서 평가기획, 진행 중인 평가, 완료된 평가를 다른 평가자가 평가하는 것으로 상급자나 제3의 독립된 외부전문가에 의해 이루어진다.

01

① 통제집단 사전사후측정설계는 검사요인의 효과를 통제할 수 없다.
② 준실험은 실험집단과 통제집단의 동질성을 확보하지 못한 상태에서 실시하게 되지만, 현실적으로 가장 많이 이용된다.
③ 회귀불연속 설계는 실험집단과 통제집단을 구분할 때 분명하게 알려진 기준을 적용사용한다.
④ 솔로몬 4집단설계는 통제집단 사후측정설계와 통제집단 사전·사후 설계를 결합한 것이다.

02

① 연구자의 측정기준이나 측정도구가 변화되는 경우는 도구요인으로 이는 내적 타당성을 저해하는 요인이다.
② 표본으로 선택된 집단의 대표성이 약할 경우는 표본의 대표성 부족에 해당하는 것으로, 이는 외적 타당성을 저해하는 요인이다.
③ 실험집단 구성원 자신이 실험대상임을 인지하고 평소와 다른 특별한 반응을 보일 경우는 호손효과에 해당하는 것으로, 이는 외적 타당성을 저해하는 요인이다.
④ 실험의 효과가 크게 나타날 것으로 예상되는 집단만을 의도적으로 실험집단에 배정하는 경우는 크리밍 효과로, 이는 외적·내적 타당성 모두를 저해하는 요인이다.

외적타당도 저해요인 vs 내적타당도 저해요인

외적타당도 저해요인	• 추출과 시도의 상호작용 • 호손효과 • 설정과 시도의 상호작용 • 역사와 시도의 상호작용 • 상이한 실험집단과 통제집단의 선택 • 다수적 처리에 의한 간섭 • 실험조작과 측정의 상호작용	
내적타당도 저해요인	표본의 구성 및 대표	선정효과, 상실효과, 회귀요인
	대상집단의 특성 변화	성숙효과, 사건효과
	관찰 및 측정	검사요인, 측정수단 요인
	요소 간 상호작용	선발과 성숙의 상호작용, 처리와 상실의 상호작용
	집단 간 상호접촉 및 통제불능	확산효과(오염현상), 부자연스러운 변이
	연구자의 개입	피그말리온 효과, 플라시보 효과

정답
05 ② 01 ① 02 ①

03 실험설계에 대한 설명으로 옳지 않은 것은?

① 특정 정책의 효과성 판단을 위한 인과관계 입증에 활용될 수 있다.

② 진실험(true experiment)과 준실험(quasi-experiment)의 차이는 실험집단과 통제집단의 무작위배정에 의한 동질성 확보여부이다.

③ 회귀-불연속 설계나 단절적 시계열 설계는 과거지향적(retrospective)인 성격을 갖는 진실험설계(true experiment)에 해당된다.

④ 짝짓기(matching)를 통하여 제3의 요인에 관하여 실험집단과 통제집단을 동등화시킬 수 있다.

04 정책변수에 대한 설명으로 옳은 것만을 모두 고르면?

> ㄱ. 매개변수 – 독립변수의 원인인 동시에 종속변수의 원인이 되는 제3의 변수
> ㄴ. 조절변수 – 독립변수와 종속변수 간에 상호작용 효과를 나타나게 하는 제3의 변수
> ㄷ. 억제변수 – 독립변수와 종속변수 간에 상관관계가 없는데도 있는 것으로 나타나게 하는 제3의 변수
> ㄹ. 허위변수 – 독립변수와 종속변수 모두에게 영향을 미치며 이들 사이의 공동변화를 설명하는 제3의 변수

① ㄱ, ㄷ   ② ㄱ, ㄹ

③ ㄴ, ㄷ   ④ ㄴ, ㄹ

05 정책평가에서 내적 타당성에 대한 설명으로 옳지 않은 것은?

① 준실험설계보다 진실험설계를 사용할 때 내적 타당성의 저해 요인이 다양하게 나타난다.

② 정책의 집행과 효과 사이에 존재하는 인과관계의 추론이 가능한 평가가 내적 타당성이 있는 평가이다.

③ 허위변수나 혼란변수를 배제할 수 있다면 내적 타당성을 높일 수 있다.

④ 선발요인이나 상실요인을 통제하기 위해서는 무작위배정이나 사전측정이 필요하다.

03

정답 : ③

③ 회귀-불연속 설계나 단절적 시계열 설계는 준실험설계에 해당한다.

04

정답 : ④

④ ㄴ, ㄹ이 옳은 내용이다.
ㄴ. [O] 조절변수는 독립변수와 종속변수 사이의 이론적 관계가 성립되는 변수로 독립변수와 종속변수 간에 상호작용 효과를 나타나게 하는 제3의 변수이다.
ㄹ. [O] 허위변수는 독립변수와 종속변수간에 실제로는 전혀 상관관계가 없는데도 있는 것처럼 완전히 왜곡되게 나타나는 것으로 독립변수와 종속변수 모두에 영향을 주는 제3의 변수이다.
ㄱ. [X] 매개변수는 독립변수와 종속변수의 사이에서 두 변수를 매개하여 독립변수의 결과인 동시에 종속변수의 원인이 되는 제3의 변수를 말한다.
ㄷ. [X] 억제변수는 독립변수와 종속변수가 서로 상관관계가 있는데도 없는 것으로 나타나게 하는 제3의 변수이다.

05

정답 : ①

① 진실험설계보다 준실험설계를 사용할 때 내적 타당성의 저해 요인이 다양하게 나타난다. 한편 진실험설계는 무작위배정을 통해 실험집단과 통제집단을 동질적으로 구성한 뒤에 실험을 진행하므로 내적타당도가 높다.
② 내적타당도는 정책과 그 결과 사이에 존재하는 인과적 추론의 정확도를 의미하는 것으로 정책의 집행과 효과 사이에서 인과관계의 추론이 가능한 평가는 내적 타당성이 있다고 볼 수 있다.
③ 내적타당도는 두 집단 간 동질성이 확보되지 못했거나 실험이 진행되는 동안 두 집단간 동질성이 파괴되는 경우에 저해될 수 있으며, 허위변수나 혼란변수를 배제함으로써 내적타당도를 높일 수 있다.
④ 선발요소를 통제하기 위해서는 주로 무작위 배정 등 진실험 설계방식을, 상실요인을 통제하기 위해서는 주로 사전측정을 실시한다.

포인트 정리

정책변수

독립변수	어떠한 결과(정책효과)를 가져오게 한 원인이 되는 변수
종속변수	원인변수에 의하여 나타난 변화나 효과, 즉 결과변수
허위변수	두 변수가 관계가 없음에도 불구하고 서로 관계가 있게끔 보이도록 하는 제3의 매개변수
혼란변수	두 변수 간의 관계를 과대 또는 과소평가하게 만드는 제3의 매개변수
매개변수	독립변수와 종속변수 사이를 매개하는 변수
선행변수	독립변수에 선행하여 작용함으로써 독립변수에 영향을 미치는 변수
억제변수	독립·종속변수가 실제로는 인과관계가 있는데도 관계가 없는 것으로 나타나게 하는 제3의 변수
왜곡변수	독립·종속변수 사이의 관계를 정반대의 관계로 나타나게 하는 제3의 변수

내적 타당도를 저해하는 외재적 요인과 내재적 요인

구분	개념	해당요소
외재적요인	집단 구성 시 발생(서로 다른 개인들을 할당함으로써 발생하는 편견)	선발요소
내재적요인	실험(정책)이 진행(집행)되는 동안 평가과정에 스며들어 나타나는 변화	역사요소(사건효과), 성숙효과(성장효과), 상실요소, 회귀·인공요소, 측정요소, 오염효과, 누출(이전)효과, 측정도구의 변화, 선발과 성숙의 상호작용, 처치와 상실의 상호작용

정답

03 ③ 04 ④ 05 ①

06 준실험과 진실험에 관한 다음 설명 중 옳지 않은 것으로 짝지은 것은?

2018 경찰간부

> 가. 진실험이 준실험 보다 내적 타당성 면에서는 우수하나, 준실험이 실행가능성 면에서는 진실험 보다 우수하다.
> 나. 진실험설계의 주요 형태 중 하나인 단일집단 사전사후측정설계는 동일한 정책대상집단에 대한 사전측정과 사후측정을 통해 정책효과를 추정하는 방식이다.
> 다. 준실험에서 외적 타당도의 문제 가운데 가장 전형적인 것이 크리밍 효과(Creaming effect)이다.
> 라. 준실험은 자연과학 실험과 같이 대상자들을 격리시켜 실험하기 때문에 호손효과(Hawthorne effect)를 강화시킨다.

① 가, 나
② 나, 다
③ 나, 라
④ 다, 라

07 다음 중 정책평가에서 인과관계의 타당성을 저해하는 여러 가지 요인들에 대한 설명으로 옳지 않은 것은?

2018 국회 8급

① 성숙효과: 정책으로 인하여 그 결과가 나타난 것이 아니라 그냥 가만히 두어도 시간이 지나면서 자연스럽게 변화가 일어나는 경우
② 회귀인공요소: 정책대상의 상태가 정책의 영향력과는 관계없이 자연스럽게 평균값으로 되돌아가는 경향
③ 호손효과: 정책효과가 나타날 가능성이 높은 집단을 의도적으로 실험집단으로 선정함으로써 정책의 영향력이 실제보다 과대평가되는 경우
④ 혼란변수: 정책 이외에 제3의 변수도 결과에 영향을 미치는 경우 정책의 영향력을 정확히 평가하기 어렵게 만드는 변수
⑤ 허위변수: 정책과 결과 사이에 아무런 인과관계가 없으나 마치 정책과 결과 사이에 인과관계가 존재하는 것처럼 착각하게 만드는 변수

08 다음 중 정책평가의 타당성 검토에 대한 설명으로 가장 옳지 않은 것은?

2017 서울 7급

① '청렴'이라는 이론적 구성요소에 대한 측정지표가 성공적으로 조작되어 있는가를 살펴본다.
② '까마귀 날자 배 떨어진다'는 속담에서처럼 정책의 효과가 우연한 것은 아닌지, 다시 말해서 오직 정책에 기인한 것인지를 살펴본다.
③ 서울특별시를 대상으로 시범실시하여 효과적으로 나타난 A사업을 전국 광역시를 대상으로 확대 실시한 경우에도 효과적인지를 검토한다.
④ 정책의 대상집단과 내용 등이 동질적이나 정책평가시기를 달리하는 경우 각 시기별 정책결과 측정값의 상관관계를 분석한다.

06

정답 : ③

③ 나, 라가 틀린 지문이다.

나. [X] 비실험설계의 주요 형태 중 하나인 단일집단 사전사후측정설계는 동일한 정책대상집단에 대 한 사전측정과 사후측정을 통해 정책효과를 추정하는 방식이다.

라. [X] 진실험은 자연과학 실험과 같이 대상자들을 격리시켜 실험하기 때문에 호손효과(Hawthorne effect)를 강화시킨다.

07

정답 : ③

③ 정책효과가 나타날 가능성이 높은 집단을 의도적으로 실험집단으로 선정함으로써 정책의 영향력이 실제보다 과대평가되는 경우는 크리밍효과에 대한 설명이다.

① 시간의 흐름에 따라 자연스럽게 나타나는 실험 전과 실험 후 상태의 차이를 정책효과로 잘못 평가하는 경우에 발생하는 것은 성숙효과에 해당한다.

② 회귀요인은 실험대상이 극단적인 값을 갖기 때문에 재측정시 평균으로 회귀하려는 경향 때문에 나타나는 경우에 발생하는 것을 의미한다.

08

정답 : ④

④ 정책의 대상집단과 내용 등이 동질적인 정책평가시기를 달리하는 경우 각 시기별 정책결과 측정값의 상관관계를 분석하는 것은 신뢰도에 해당한다.

① 구성적 타당성에 대한 설명이다. 구성적 타당성은 이론적 구성요소들에 대한 측정지표가 성공적으로 조작화되어 있는 정도를 살펴보는 것이다.

② 내적 타당성에 대한 설명이다. 내적 타당성은 정책의 효과가 우연히 나타난 것은 아닌지, 정책에 기인한 것인지를 살펴보는 것이다.

③ 외적 타당성에 대한 설명이다. 외적 타당성은 특정한 상황에서 얻은 정책평가가 다른 상황에도 그대로 적용될 수 있는 일반화 정도를 의미한다.

포인트 정리

정책실험의 종류

구분			내용
비실험적 방법	실험집단만 선정	대표적 비실험	실험집단에게 처리를 가한 후 결과분석
		통계적 비실험	통계적 분석
실험적 방법	실험집단과 비교집단을 선정	준실험	실험집단과 비교집단의 동질성 미확보
		진실험	실험집단과 비교집단의 동질성 확보

내적 타당성 저해요인

표본의 구성 및 대표	선정효과, 상실효과, 회귀요인
대상집단의 특성 변화	성숙효과, 사건효과
관찰 및 측정	검사요인, 측정수단 요인
요소 간 상호작용	선발과 성숙의 상호작용, 처리와 상실의 상호작용
집단 간 상호접촉 및 통제불능	확산효과(오염현상), 부자연스러운 변이
연구자의 개입	피그말리온 효과, 플라세보 효과

정답

06 ③ 07 ③ 08 ④

09 정책평가방법에 대한 설명으로 옳지 않은 것은?

① 진실험설계는 정책을 집행하는 실험집단과 집행하지 않는 통제집단을 구성하되, 두 집단이 동질적인 집단이 되도록 한다.

② 정책의 실험과정에서 실험대상자와 통제대상자들이 서로 접촉하는 경우에는, 모방효과가 나타날 수 있다.

③ 준실험설계는 짝짓기(matching) 방법으로 실험집단과 통제집단을 구성하여 정책영향을 평가하거나, 시계열적인 방법으로 정책영향을 평가한다.

④ 준실험설계는 자연과학 실험과 같이 대상자들을 격리시켜 실험하기 때문에, 호손효과(Hawthorne effects)를 강화시킨다.

10 다음이 설명하는 연구방법은?

> 준실험설계방법 중에서 실험집단과 통제집단에 실험대상을 배정할 때 분명하게 알려진 자격기준(eligibility criterion)을 적용하는 방법으로, 투입자원이 희소하여 오직 대상집단의 일부에게만 희소자원이 공급될 수밖에 없는 경우에 정책효과를 파악하기 위한 연구에 적합하다.

① 비동질적 통제집단설계(non-equivalent control group design)

② 회귀 – 불연속설계(regression discontinuity design)

③ 단절적 시계열설계(interrupted time-series design)

④ 통제 – 시계열설계(control-series design)

11 정책평가에 대한 설명으로 가장 옳은 것은?

① 선발요인은 정책평가에서 내적 타당성을 저해하는 외재적 요소이다.

② 정책평가 결과를 일반화할 수 있는 정도를 통계적 결론의 타당성이라고 한다.

③ 평가의 신뢰성은 측정이나 절차가 그 효과를 얼마나 정확하게 평가하는가를 의미한다.

④ 정책평가를 위한 진실험 방법은 다른 방법에 비해 실행 가능성 문제가 심각하게 발생하지 않는다.

⑤ 두 사건 간에 시간적 선행성, 공동변화라는 두 가지 조건만 있으면 인과관계가 있는 것으로 인정된다.

09

④ 진실험설계는 실험집단과 통제집단의 동질성을 강조하는 방법으로 호손효과나 대표성이 저해되므로 일반화의 가능성이 낮은 편이다.

① 진실험설계는 실험대상을 서로 동질성을 지닌 실험집단과 통제집단으로 사전에 구분하고 실험집단에만 정책처리를 하여 일정시간이 지난 후 양 집단에서 나타나는 결과의 차이를 정책처리의 효과로 판단하는 방법이다.

② 모방효과는 통제집단이 실험집단을 따라함으로써 나타나는 현상으로 실험대상자와 통제대상자들이 서로 접촉하는 경우에 나타날 수 있다.

③ 짝짓기의 방법은 축조에 의한 설계를 의미하는 것으로 이는 실험집단과 통제집단을 구성하거나 시계열적인 방법으로 정책영향을 평가한다.

10

② 제시문은 준실험설계방법 중 회귀불연속설계에 해당한다. 이는 실험집단과 통제집단 모두에 대하여 유자격기준(명확한 기준)을 적용하여 집단간 회귀분석의 결과를 비교하는 것으로, 가령 장학금 지급 여부가 사회에서의 소득에 미친 영향을 파악하고자 할 때 사용할 수 있다.

① 비동질적 통제집단설계는 사전측정을 한 뒤에 유사한 점수를 받는 대상자를 짝을 지어 실험집단과 통제집단에 배정한 후 실험집단에만 실험을 실시하고 통제집단에는 실험을 실시하지 않은 채 비교하는 방법이다.

③ 단절적 시계열설계는 통제집단이나 비교집단을 설계하기 어려운 경우에 사용하는 방법으로 프로그램 실시 시점을 기준으로 전과 후의 시계열 자료를 비교하는 방법이다.

④ 통제시계열설계는 단절적 시계열설계와 비동질적 통제집단설계를 조합한 것으로 비동질적인 비교집단의 시계열 자료와 실험집단의 시계열자료를 비교하되 실시 시점을 기준으로 전과 후의 자료를 비교하는 방법이다.

11

① 선발요인은 정책평가에서 두 집단 간 선발상(구성상) 차이에 기인한 것으로 내적 타당성을 저해하는 외재적 요인이다.

② 외적 타당성이라고 한다.

③ 평가의 타당성이다.

④ 진실험 방법은 실행가능성 문제가 심각하게 발생한다.

⑤ 인과관계의 세 가지 조건에는 시간적 선행성, 공동변화, 비허위적 관계(경쟁가설 배제)가 있다.

📌 포인트 정리

인과관계의 세 가지 조건

시간적 선행성	정책(독립변수)은 목표 달성(종속변수)보다 시간적으로 선행해야 함
공동변화	정책과 목표 달성은 모두 일정한 방향으로 변화해야 함
경쟁가설 배제 (비허위적 관계)	그 정책 이외의 다른 요인이 목표 달성에 영향을 미치지 않음을 입증해야 함

정답

09 ④ 10 ② 11 ①

12 정책평가에 대한 설명으로 옳지 않은 것은?

2009 서울 7급

① 정책평가의 타당성에는 구성적 타당성, 통계적 결론의 타당성, 내적 타당성, 외적 타당성이 있다.

② 내적 타당성이란 처치와 결과 사이의 관찰된 관계로부터 도달하게 된 인과적 결론의 적합성 정도를 나타내는 것이다.

③ 외적 타당성은 어떤 특정한 상황에서 내적 타당성을 확보한 정책평가가 다른 상황에도 적용될 수 있는 정도를 의미한다.

④ 내적 타당성을 저해하는 요소에는 역사적 요소, 성숙효과, 측정요소, 측정도구 변화, 통계적 회귀 요소 등이 있다.

⑤ 외적 타당성을 저해하는 요소에는 실험 조작의 반응효과, 다수적 처리에 의한 간섭, 선발과 성숙의 상호작용 등이 있다.

13 실험집단과 통제집단(비교집단)을 동질적으로 구별하여 실험을 실시했을 경우에 나타나는 효과에 대한 설명이 틀린 것은?

2008 군무원

① 역사적 효과와 성숙효과의 차이로 인한 영향이 줄어든다.

② 성숙효과와 선발효과의 영향이 줄어든다.

③ 회귀-인공요소가 일어날 가능성이 없어진다.

④ 내적 타당도는 다소 높아질 수 있다.

CHAPTER 20 정부업무평가 및 기타

실질적 력(역량) 업그레이드

01 정부업무평가에 대한 설명으로 옳지 않은 것은?

2020 군무원 7급

① 정부업무평가위원회는 대통령 직속 하에 설치한다.

② 행정안전부 장관은 평가의 객관성 및 공정성을 위해서 지방자치단체의 평가를 지원한다.

③ 중앙행정기관장은 성과관리 전략계획에 기초하여 연도별 시행계획을 수립 및 시행한다.

④ 중앙행정기관장과 지방자치단체장은 매년 자체평가위원회를 통해 자체평가를 실시한다.

12

⑤ 선발과 성숙의 상호작용은 내적타당도 저해요인에 해당한다. 외적 타당성을 저해하는 요인으로는 추출과 시도의 상호작용, 호손효과, 실험조작과 측정의 상호작용, 다수적 처리에 의한 간섭 등이 있다.

① 정책평가의 타당성의 유형으로는 구성적 타당성, 통계적 결론의 타당성, 내적 타당성, 외적 타당성이 있다.

② 내적 타당성은 다른 요인들이 작용한 효과를 제외하고 오로지 정책 때문에 발생한 순수한 효과를 정확히 추출해 내는 것으로 처치와 결과 사이의 관계로부터 도달하게 된 인과적 결론의 적합성 정도를 의미한다.

③ 어떤 특정한 상황에서 내적 타당성을 확보한 정책평가가 다른 상황에도 적용될 수 있는 정도를 외적 타당성이라고 한다.

④ 내적 타당성을 저해하는 요인으로는 역사요인, 성숙효과, 측정요소, 측정도구의 변화, 선발과 성숙의 상호작용, 누출효과 등이 있다.

외적타당도 저해요인 vs 내적타당도 저해요인

외적타당도 저해요인	• 추출과 시도의 상호작용 • 호손효과 • 설정과 시도의 상호작용 • 역사와 시도의 상호작용 • 상이한 실험집단과 통제집단의 선택 • 다수적 처리에 의한 간섭 • 실험조작과 측정의 상호작용	
내적타당도 저해요인	표본의 구성 및 대표	선정효과, 상실효과, 회귀요인
	대상집단의 특성 변화	성숙효과, 사건효과
	관찰 및 측정	검사요인, 측정수단 요인
	요소 간 상호작용	선발과 성숙의 상호작용, 처리와 상실의 상호작용
	집단 간 상호접촉 및 통제불능	확산효과(오염현상), 부자연스러운 변이
	연구자의 개입	피그말리온 효과, 플라시보 효과

13

③ 회귀 – 인공요소란 실험 직전 극단적인 점수를 받은 사람이 실험이 진행되는 동안 원래 자신의 성향으로 돌아가는 현상으로 이는 진실험에서도 발생한다.

①, ②, ④ 동질성이 확보될 경우 사건효과, 성숙효과, 선발효과의 영향이 완화되어 내적타당도가 높아질 수 있다.

01

① 정부업무평가위원회는 국무총리 소속이다.

② 행정안전부 장관은 평가의 객관성 및 공정성을 높이기 위하여 평가지표, 평가방법, 평가기반의 구축 등에 관하여 지방자치단체를 지원할 수 있다.

③ 중앙행정기관장은 성과관리의 전략계획에 기초하여 연도별 시행계획을 수립 및 시행한다.

④ 중앙행정기관장과 지방자치단체장은 매년 자체평가위원회를 통해 자체평가를 실시한다.

정답
12 ⑤ 13 ③ 01 ①

02 「정부업무평가기본법」상 평가결과의 환류 및 활용에 대한 설명으로 옳지 않은 것은? 2020 국회 8급

① 행정안전부장관은 평가제도의 운영실태를 확인·점검하고, 그 결과에 따라 제도개선방안의 강구 등 필요한 조치를 할 수 있다.

② 중앙행정기관의 장은 평가결과를 다음 연도의 예산요구시 반영하여야 한다.

③ 기획재정부장관은 평가결과를 중앙행정기관의 다음 연도 예산편성시 반영하여야 한다.

④ 중앙행정기관의 장은 전년도 정책 등에 대한 자체평가결과를 지체 없이 국회 소관 상임위원회에 보고하여야 한다.

⑤ 평가를 실시하는 기관의 장은 평가결과를 전자통합평가체계 및 인터넷 홈페이지 등을 통하여 공개하여야 한다.

03 「정부업무평가 기본법」상 정책평가제도에 대한 설명으로 옳지 않은 것은? 2019 국가 9급

① 지방자치단체의 장은 정부업무평가시행계획에 기초하여 자체평가계획을 매년 수립하여야 한다.

② 국무총리는 2 이상의 중앙행정기관 관련 시책, 주요 현안시책, 혁신관리 및 대통령령이 정하는 대상부문에 대하여 특정평가를 실시하고, 그 결과를 공개하여야 한다.

③ 중앙행정기관 또는 지방자치단체의 소속기관이 행하는 정책은 정부업무평가의 대상에 포함된다.

④ 정부업무평가위원회는 위원장 1인과 14인 이내의 위원으로 구성한다.

04 「정부업무평가 기본법」상 정부업무평가제도에 대한 설명으로 옳지 않은 것은? 2019 국가 7급

① 공공기관도 정부업무평가의 대상에 포함된다.

② 중앙행정기관뿐만 아니라 지방자치단체도 자체평가를 실시하여야 한다.

③ 재평가는 이미 실시된 평가의 결과, 방법 및 절차에 관하여 그 평가를 실시한 기관 외의 기관이 다시 평가하는 것이다.

④ 국가위임사무에 대하여 평가가 필요한 경우에는 행정안전부장관이 중앙행정기관의 장과 함께 특정평가를 실시할 수 있다.

02

① 평가제도의 운영실태를 확인·점검하고, 그 결과에 따라 제도개선방안의 강구 등 필요한 조치를 할 수 있는 사람은 국무총리이다.

03

정답 : ④

④ 정부업무평가위원회는 위원장 2인을 포함한 15인 이내의 위원으로 구성한다.

① 지방자치단체의 자체평가를 위해 지자체장은 자체평가조직 및 자체평가위원회를 구성·운영하여야 하며 정부업무평가시행계획에 기초하여 성과를 높일 수 있도록 자체평가계획을 매년 수립하여야 한다.

② 정부업무평가 중 특정평가에 대한 설명으로 국무총리가 중앙행정기관을 대상으로 하는 평가에 해당한다.

③ 중앙행정기관, 지방자치단체, 중앙행정기관 또는 지방자치단체의 소속기관 및 공공기관에서 행하는 정책은 정부업무평가의 대상이다.

04

정답 : ④

④ 특정평가는 국무총리가 실시하는 것이다. 한편 국가위임사무에 대한 합동평가는 행정안전부장관과 중앙행정기관의 장이 함께 실시하는 것이다.

> **정부업무평가 기본법 제21조(국가위임사무등에 대한 평가)** ① 지방자치단체 또는 그 장이 위임받아 처리하는 국가사무, 국고보조사업 그 밖에 대통령령이 정하는 국가의 주요시책 등(이하 이 조에서 "국가위임사무등"이라 한다)에 대하여 국정의 효율적인 수행을 위하여 평가가 필요한 경우에는 행정안전부장관이 관계중앙행정기관의 장과 합동으로 평가(이하 "합동평가"라 한다)를 실시할 수 있다.

① 정부업무평가는 중앙행정기관, 지방자치단체, 공공기관 모두를 대상으로 실시한다.

② 지방자치단체의 경우 지방자치단체장이 주체가 되어 정부업무평가시행계획에 기초한 소관 정책 등의 성과를 높일 수 있도록 자체평가를 실시한다.

③ 재평가는 이미 실시한 자체평가결과를 확인하고 점검한 뒤에 평가의 객관성 및 신뢰성에 문제가 있어 다시 평가할 필요가 있다고 판단되는 때에 실시하는 것으로 상위평가의 성격을 지닌다.

포인트 정리

정부업무평가의 종류

중앙행정기관 평가	자체평가, 필요시 재평가 (국무총리)
지방자치단체 평가	자체평가, 필요시 평가지원 (행안부장관)
특정평가	국정의 통합적 관리가 필요한 정책평가(국무총리)
공공평가	외부평가(자체평가 불인정)

정답

02 ① 03 ④ 04 ④

정부에서 실시하고 있는 분석 및 평가제도에 대한 설명으로 옳은 것만을 모두 고르면?

2018 지방 9급

ㄱ. 규제영향분석 – 「행정규제기본법」상 규제를 신설·강화할 때, 규제를 받는 집단과 국민이 부담해야 할 비용과 편익
   도 비교·분석해야 한다.
ㄴ. 지방공기업평가 – 「지방공기업법」에 근거를 두고 있으며, 원칙적으로 지방자치단체장이 실시하되 필요 시 행정안
   전부장관이 실시할 수 있다.
ㄷ. 정부업무평가 – 「정부업무평가 기본법」상 국무총리는 중앙행정기관의 자체평가 결과에 대해 필요 시 정부업무평가
   위원회의 심의·의결을 거쳐 재평가를 할 수 있다.
ㄹ. 환경영향평가 – 2003년 「환경영향평가법」에 처음으로 근거가 명시된 후 발전해 온 평가제도이다.

① ㄱ, ㄷ ② ㄱ, ㄹ
③ ㄴ, ㄷ ④ ㄴ, ㄹ

---

06 다음은 소득분배기준에 대한 설명이다. 옳지 않은 것으로만 짝지어진 것은?

2014 해경간부

㉠ 빈도함수는 현재의 사회후생수준을 가져다 줄 수 있는 평균소득이 얼마인가를 주관적으로 판단하는 것이며, 완전균
   등분배는 0, 완전불균등분배는 1이다.
㉡ 엣킨슨 지수는 소득계층별 인구 특성이 비선형이고 저소득층에 비하여 고소득층이 적은 상황에서 인구와 소득수준
   간의 관계를 설명하는데 유용한 분석기법이다.
㉢ 지니계수가 1인 경우 완전한 소득균등배분이 이루어지고 있음을 의미한다.
㉣ 지니계수는 빈부격차와 계층간 소득분포의 불균형정도를 나타내는 수치로, 소득이 어느 정도 균등하게 분배되어 있
   는지를 평가하는데 주로 이용되며, 로렌츠 곡선이 나타내는 소득분배상태를 계수화한 지표이다.

① ㉠ ② ㉠, ㉡
③ ㉠, ㉡, ㉢ ④ ㉠, ㉡, ㉢, ㉣

---

07 다음 중 정부조직의 미션, 비전, 핵심가치에 관한 설명 중 가장 적절하지 않은 것은?

2014 경정승진

① 미션은 '왜 우리조직이 존재해야 하는지?' 또는 '우리조직이 없으면 무엇이 문제인지?'에 대한 답을 담고
   있으며 미션선언문은 무엇은 할 일이고 무엇은 할 일이 아닌지에 대한 지침 내지 기준을 제공한다.
② 비전은 조직의 미래의 모습에 대한 '머리 속의 그림'이자 '언어로 그린 그림'이다. 미션이 조직의 존재이
   유에 대한 답이라면 비전은 조직의 미래상이 무엇인지 보여준다.
③ 핵심가치(core value)는 미션과 비전을 달성하는 과정에서 '어떻게 행동하여야 하는가'에 대한 기준을
   말한다. 이는 의사결정 등 업무수행 전 과정에서 중요한 규범요소가 된다.
④ 비전의 설정은 행정에 방향성과 목표성을 제공한다. 따라서 비전의 설정은 리더가 갖추어야 할 중요한
   역량의 하나이므로 리더의 판단으로 비전을 세우는 것이 바람직하다.

05

정답 : ①

① ㄱ, ㄷ이 옳은 지문이다.

ㄱ. [O] 규제영향분석은 규제를 신설 또는 강화하고자 할 때 현존하는 규제의 사회적 편익과 비용을 점검하고 측정하는 체계적인 의사결정도구로, 「행정규제기본법」상 규제를 신설·강화할 때 규제영향분석서를 작성하여야 한다.

ㄷ. [O] 「정부업무평가 기본법」상 재평가는 국무총리가 중앙행정기관의 자체평가 결과에 대해 재평가가 필요하다고 판단되면 정부업무평가위원회의 심의·의결을 거쳐 재평가를 할 수 있다.

ㄴ. [X] 「지방공기업법」에 근거를 두고 있으며, 원칙적으로 행정안전부장관이 실시한다.

ㄹ. [X] 환경영향평가는 1977년 「환경보전법」에 처음으로 근거가 명시된 후 발전해 온 평가제도로 현재는 「환경영향평가법」에 규정되어 있다.

06

정답 : ③

③ ㄹ만 옳다.

㉠ [X] 빈도함수가 아니라 엣킨슨 지수에 대한 설명이다.

㉡ [X] 엣킨슨 지수가 아니라 빈도함수에 대한 설명이다.

㉢ [X] 지니계수가 0인 경우가 로렌츠곡선이 45도선과 일치하며 이때 완전한 소득균등배분이 이루어지고 있음을 의미한다.

07

정답 : ④

④ 비전은 구성원과 공유해야 할 가치와 지향으로 리더와 구성원이 함께 세우는 것이 바람직하다.

① 미션은 기관의 존재이유로 결정과 행동의 방향을 제시하고 불확실성의 감소와 동기부여 및 조직의 존립과 활동에 대한 정당성의 근거이다.

② 비전은 임무를 달성하기 위한 전략적 방향과 핵심가치로 구성원과 함께 설정한 미래에 대한 언어적 그림 또는 청사진이다.

③ 핵심가치는 미션과 비전을 어떻게 달성해야 하는가에 대한 기준이다.

정답
05 ① 06 ③ 07 ④

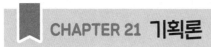

01 다음 중 제시된 보기에서 설명하고 있는 것은?

2015 해경간부

> **보기**
>
> 가. 점증주의 전략에 입각하여 계획적 이상과 현실을 조화시키려는 것이다.
> 나. 일종의 계속적인 계획으로서 장기계획과 단기계획을 결합시키는데 이점이 있다.
> 다. 방대한 인적자원과 물적자원이 요구된다.
> 라. 계획 집행상의 신축성을 유지하기 위해 매년 계획 내용을 수정·보완하여 계획기간을 계속적으로 1년씩 늦추어 가면서 동일한 연한의 계획기간을 가진다.
> 마. 목표를 명확하게 부각시키기가 어려워 선거공약으로는 적합하지 않다.

① 정책기획(Policy Planning)

② 연동계획(Rolling Plan)

③ 고정계획(Fixed Plan)

④ 운영기획(Program Planning)

02 다음 중 기획의 과정 나열이 올바르게 이루어진 것은?

2011 군무원

① 목표설정 – 상황분석 – 기획전제의 설정 – 대안 탐색 및 평가 – 최적안 선택

② 상황분석 – 기획전제의 설정 – 목표설정 – 대안 탐색 및 평가 – 최적안 선택

③ 상황분석 – 목표설정 – 기획전제의 설정 – 대안 탐색 및 평가 – 최적안 선택

④ 목표설정 – 기획전제의 설정 – 상황분석 – 대안 탐색 및 평가 – 최적안 선택

01

정답 : ②

② 보기는 연동계획에 대한 설명이다.

연동계획은 장기 또는 중기계획을 집행하는 동안 수정·보완해 나가면서 계획기간을 지속적으로 유지해 나가는 기획으로, 장기계획과 단기계획을 통합하는데 유리하다.

③ 고정계획은 계획의 조건과 적용이 안정화된 계획이다.

④ 운영계획은 실무적 운영을 위한 계획이다.

02

정답 : ①

① 목표설정 – 상황분석 – 기획전제의 설정 – 대안 탐색 및 평가 – 최적안 선택 순이 맞다.

상황분석은 현실여건에 대한 정보 수집·분석이고, 기획전제 설정은 상황분석을 토대로 미래를 가정하고 전망하는 것이며, 대안의 탐색과 평가는 현실 상황분석과 미래에 대한 기획전제를 바탕으로 이루어지는 것이다.

포인트 정리

기획의 과정

1. 기획의제 설정
2. 기획결정(수립)
   (1) 문제인지 : 기획문제의 정의
   (2) 목표설정 : 목표의 제시
   (3) 정보의 수집분석(상황분석)
   (4) 기획전제(planning premise)의 설정
   (5) 대안(기획안)의 탐색과 작성
   (6) 대안의 결과 예측
   (7) 대안의 비교평가
   (8) 최종 대안의 선택
3. 기획집행
4. 기획평가

정답

01 ② 02 ①

PART 3
조직론

단원 핵심 MAP

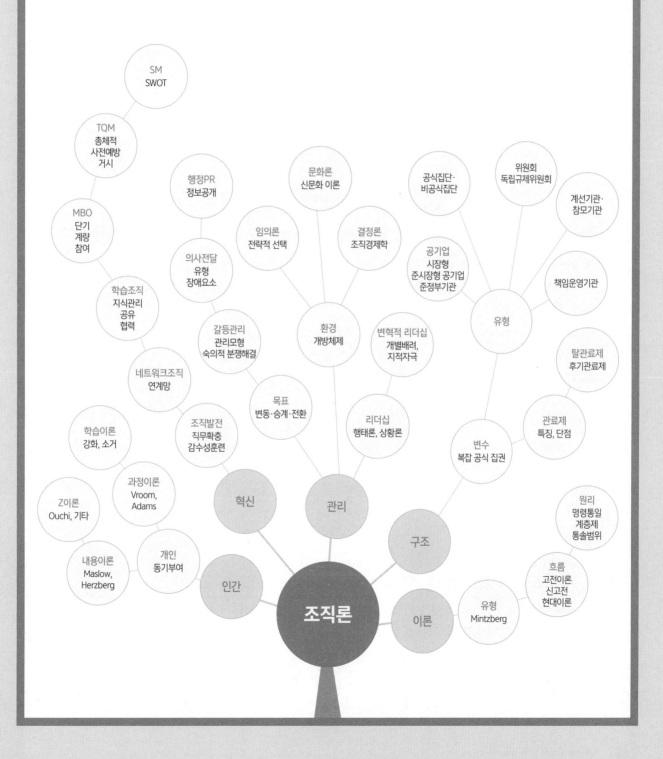

SM
SWOT

TQM
총체적
사전예방
거시

MBO
단기
계량
참여

행정PR
정보공개

문화론
신문화 이론

공식집단·
비공식집단

위원회
독립규제위원회

계선기관·
참모기관

임의론
전략적 선택

결정론
조직경제학

공기업
시장형
준시장형 공기업
준정부기관

책임운영기관

의사전달
유형
장애요소

학습조직
지식관리
공유
협력

갈등관리
관리모형
숙의적 분쟁해결

환경
개방체제

변혁적 리더십
개별배려,
지적자극

유형

탈관료제
후기관료제

네트워크조직
연계망

목표
변동·승계·전환

리더십
행태론, 상황론

관료제
특징, 단점

학습이론
강화, 소거

조직발전
직무확충
감수성훈련

변수
복잡 공식 집권

Z이론
Ouchi, 기타

과정이론
Vroom,
Adams

혁신

관리

원리
명령통일
계층제
통솔범위

내용이론
Maslow,
Herzberg

개인
동기부여

구조

흐름
고전이론
신고전
현대이론

인간

조직론

이론

유형
Mintzberg

□□
01 에치오니(A. Etzioni)의 조직목표 유형으로 옳지 않은 것은?   2020 군무원 9급

① 질서 목표   ② 문화적 목표

③ 경제적 목표   ④ 사회적 목표

□□
02 민츠버그(Mintzberg)가 제시한 조직(구조)을 구성하는 기본 부문들에 대한 설명으로 옳지 않은 것은? 2020 국회 9급

① 전략부문(strategic apex)은 최고관리층이 있는 곳이다.

② 핵심운영부문(operating core)은 조직의 제품이나 서비스를 생산해 내는 기본적인 일들이 발생하는 곳이다.

③ 중간부문(middle line)은 핵심운영부문과 전략부문을 연결하는 기능을 한다.

④ 핵심운영부문(operating core)은 조직을 가장 포괄적인 관점에서 관리한다.

⑤ 기술구조부문(technostructure)은 업무의 표준화를 추구한다.

□□
03 조직의 유형구분에 대한 설명으로 가장 옳지 않은 것은?   2019 서울 7급

① 블라우(Blau)와 스콧(Scott)은 기능을 중심으로 조직의 유형을 분류하였다.

② 블라우와 스콧은 병원, 학교 등을 봉사조직으로 분류한다.

③ 파슨스(Parsons)는 경찰조직을 사회통합기능을 수행하는 통합조직으로 분류한다.

④ 에치오니(Etzioni)는 민간기업체를 공리적 조직으로 분류한다.

정답 정밀 해설

01

정답 : ④

④ 사회직 목표는 에치오니가 분류한 조직목표 유형에 해당하지 않는다.

①, ②, ③ 에치오니는 조직이 개인을 통제하는 수단인 권력과 개인이 권한을 받아들이는 복종의 유형에 따라 강제적 조직(질서목표), 공리적 조직(경제목표), 규범적 조직(문화목표)으로 분류하였다.

에치오니(A. Etzioni)의 조직유형

구분	조직구성원 관여(복종)	사례
강제적 조직	소외적(굴종적) 관여	교도소, 경찰서, 전투부대 등
공리적 조직	타산적 · 계산적 관여	민간기업체, 평상시 군대, 노동조합 등
규범적 조직	도의적 · 도덕적 관여	종교집단, 정당, 대학교, 자발적 사회단체 등

02

정답 : ④

④ 조직을 가장 포괄적인 관점에서 관리하는 것은 전략부문이다.

① 전략부문(최고관리층)은 조직에 관한 전반적 책임을 지는 부분으로 최고관리층을 말한다.

② 핵심운영부문(작업계층)은 생산 업무에 직접 종사하는 작업 부문을 말한다. 핵심운영부문은 작업 부문으로 조직에서 서비스가 제공되거나 제품의 공급이 이뤄지는 곳이다.

③ 중간부문은 최고관리층과 핵심운영 부문을 연계시켜 주며 계선에 위치한 중간관리층으로 구성된다.

⑤ 기술구조부문은 조직 내 업무 처리 과정과 산출물의 표준화를 담당한다.

Mintzberg의 조직유형 정리

구분	환경	조직규모	권력	조정기제	공식화
단순구조	단순, 동적	소규모	최고관리자에 집중	직접감독	낮음
기계적 관료제	단순, 안정	대규모	조직적 분화	과정의 표준화	높음
전문적 관료제	복잡, 안정	중 · 소규모	수평적	기술의 표준화	낮음
사업부제	단순, 안정	대규모 조직 내 중 · 소규모	하부단위, 준자율적	산출의 표준화	높음
애드호크라시	복잡, 급변	소규모	수평적	상호조정	낮음

Blau와 Scott의 조직유형

조직유형	예	수혜자
호혜(상호)조직	정당, 노조	구성원
기업(사익)조직	민간기업체, 은행	소유주
봉사조직	병원, 학교	고객
공익조직	행정기관, 경찰	일반 국민

03

정답 : ①

① 블라우(Blau)와 스콧(Scott)은 수혜자를 중심으로 조직의 유형을 분류하였다.

정답

01 ④ 02 ④ 03 ①

04 민츠버그가 분류한 다섯 가지 조직유형에 대한 설명으로 가장 옳지 않은 것은?

2017 해경간부

① 사업부제구조는 중간관리층을 핵심 부문으로 하는 대규모 조직에서 나타나는데 관리자간 영업 영역의 마찰이 일어날 수 있다.

② 단순구조는 집권화되고 유기적인 조직구조로 단순하고 동태적인 환경에서 주로 발견된다.

③ 전문적 관료제 구조는 전문성 확보에 유리한 반면, 수직적 집권화에 따른 환경변화에 영합하는 속도가 빠르다는 문제가 있다.

④ 애드호크라시는 창의성을 바탕으로 불확실한 업무에 적합하나 책임소재가 불분명하여 갈등과 혼동을 유발할 수 있다.

05 파슨스(Parsons)가 제시한 사회적 기능, 각 기능을 수행하는 조직유형, 그리고 각 조직유형별 예시를 모두 바르게 연결한 것은?

2015 지방 7급

① 적응(adaptation) 기능 - 교육조직 - 학교

② 목표 달성(goal attainment) 기능 - 정치조직 - 행정기관

③ 통합(integration) 기능 - 통합조직 - 종교단체

④ 잠재적 형상유지(latent pattern maintenance) 기능 - 경제조직 - 민간기업

06 민츠버그(Mintzberg)는 조직을 단순구조, 기계적 관료제, 전문적 관료제, 할거적 양태(사업부제, 임시체제 등으로 구분하였다. 이 중 전문적 관료제의 특징으로 가장 옳지 않은 것은?

2015 서울 7급

① 높은 수평적 분화 수준

② 복잡하고 불안정적인 환경

③ 낮고 불명확한 공식화 수준

④ 높은 연결·연락 수준

04

정답 : ③

③ 전문적 관료제 구조는 전문성 확보에 유리하며 기술적 표준화에 따른 환경변화에 영합하는 속도가 느리다는 문제가 있지만, 수평적·수직적 분권화를 추진한다.

① 사업부제구조는 조직 내 중간관리층을 핵심 부문으로 하는 대규모 조직에서 나타나지만, 관리자 간 영역과 권한의 마찰이 발생한다.

② 단순구조는 분화와 공식화 수준이 낮아 집권화되는 유기적 구조이며, 신생조직이나 소규모 조직에서 주로 나타난다.

④ 애드호크라시는 가장 복잡하고 융통성이 큰 구조로 창의적 업무 수행에 적합하지만, 모호한 업무규정으로 책임혼란이 발생한다.

포인트 정리

05

정답 : ②

② 정치조직과 행정기관과 관련 있는 것은 목표달성기능이다.

① 적응기능에 해당하는 것은 경제적 생산조직으로 기업과 은행 등이 해당된다.

③ 통합기능에 해당하는 것은 통합조직으로 정당, 법원, 경찰서 등이 해당된다.

④ 잠재적 형상유지기능은 체제유지적 조직과 관련이 있으며 교육기관, 종교단체 등이 해당된다.

Parsons의 조직분류

사회적 기능	예
적응기능(A)	기업, 은행 등의 사기업체
목표달성기능(G)	정당, 행정기관
통합기능(I)	법원, 경찰 등 사법기관
잠재적형상 유지기능(L)	교육기관(학교), 종교기관(교회)

06

정답 : ②

② Mintzberg의 조직유형 중 전문적 관료제의 경우 복잡·안정된 환경하에서 높은 전문성을 지니는 작업계층이 중요 역할을 하며, 공식화가 낮고 민주적·분권적 의사결정과정을 지니며, 수평적 분업(전문성)이 높고 작업기술의 표준화를 중시한다.

정답

04 ③ 05 ② 06 ②

07 민츠버그(H.Mintzberg)의 조직유형론에 관한 설명 중 가장 적절하지 않은 것은? 2012 경정승진

① 전문적 관료제(Professional Bureaucracy)는 수평·수직적으로 분권화된 조직형태로 작업 과정의 표준화를 조정기제로 한다.

② 사업부제 조직(Divisionalized Form)은 중간관리층을 핵심부문으로 하는 대규모 조직에서 나타나는데 관리자간 영업영역의 마찰이 일어날 수 있다.

③ 단순구조(Simple Structure)는 집권화되고 유기적인 조직구조로서 장기적인 전략결정을 소홀히 할 수 있다.

④ 기계적 관료제(Machine Bureaucracy)는 단순·안정적인 환경하의 대규모 조직으로서 Weber의 관료제와 가장 유사하다.

08 민츠버그(H. Mintzberg)가 제시한 조직구조 유형에 대한 설명으로 옳은 것은? 2011 지방 9급

① 기계적 관료제(machine bureaucracy)는 막스 베버의 관료제와 유사하다.

② 임시조직(adhocracy)은 대개 단순하고 반복적인 문제를 해결하기 위해 생성된다.

③ 폐쇄체계(closed system)적 관점에서 조직이 수행하는 기능을 기준으로 유형을 분류하였다.

④ 사업부 조직(divisionalized organization)은 기능별, 서비스별 독립성으로 인해 조직전체 공통관리비의 감소효과가 크다.

09 학자와 조직유형 간 관계를 연결한 것으로 옳지 않은 것은? 2010 지방 7급

① Parsons – 강압적조직, 공리적조직, 규범적조직

② Mintzberg – 단순구조, 기계적 관료제, 전문적 관료제, 할거적 구조, 임시체제

③ Blau & Scott – 호혜적조직, 기업조직, 봉사조직, 공익조직

④ Cox, Jr. – 획일적 조직, 다원적조직, 다문화적조직

07

정답 : ①

① 전문적 관료제(Professional Bureaucracy)는 수평·수직적으로 분권화된 조직형태로 작업과정이 아니라 기술의 표준화를 조정기제로 한다.

Mintzberg의 조직유형 정리

구분	환경	조직규모	조정기제
단순 구조	단순, 동적	소규모	직접감독
기계적 관료제	단순, 안정	대규모	과정의 표준화
전문적 관료제	복잡, 안정	중·소규모	기술의 표준화
사업 부제	단순, 안정	대규모 조직 내 중·소규모	산출의 표준화
애드호 크라시	복잡, 급변	소규모	상호조정

08

정답 : ①

① 민츠버그의 기계적 관료제는 단순하고 안정적인 환경에 적합한 오래된 조직의 전형적인 모습으로 막스베버의 관료제와 유사하며, 행정부, 교도소 등을 들 수 있다.

② 임시조직은 복잡하고 동태적 환경에 적합한 조직으로 대개 복잡하고 비정형적인 문제를 해결하기 위해 생성된다.

③ 민츠버그는 개방체제적 관점에서 분류하였다.

④ 사업부제 조직은 산출물별 생산라인의 중복으로 인해 규모의 경제 실현이 곤란해지므로 조직전체의 공통관리비의 감소는 어렵게 된다.

09

정답 : ①

① 조직유형을 강압적 조직, 공리적 조직, 규범적 조직으로 구분한 학자는 Parsons가 아니라 A.Etzioni이다. 한편 Parsons는 체제의 4대 기능에 따라 경제조직, 정치조직, 통합조직 및 형상유지 조직으로 구분하였다.

② Mintzberg는 조직구조를 주요구성부분, 조정기제, 상황요인이라는 복수국면적 접근법에 의하여 다섯 가지 범주의 조직형태를 제시하였다.

③ Blau & Scott는 수혜자가 누구인가에 따라 분류하였다.

④ Cox, Jr.는 문화적 다양성에 따라 분류하였다.

에치오니(A. Etzioni)의 조직유형

구분	권력	조직구성원 관여(복종)
강제적 조직	강제적 권력	소외적(굴종적) 관여
공리적 조직	보상적 권력	타산적·계산적 관여
규범적 조직	규범적 권력	도의적·도덕적 관여

정답

07 ① 08 ① 09 ①

□□
01 **스콧(Scott)의 조직이론 분류에 대한 설명으로 가장 옳지 않은 것은?**

2015 해경간부

① 폐쇄합리적 조직이론은 조직을 외부 환경과 단절된 폐쇄체제로 보면서 조직구성원들이 합리적으로 사고하고 행동하는 것으로 간주하는 이론이다.

② 조직화 이론과 과학적관리론은 개방합리적 조직이론에 속한다.

③ 인간관계론과 환경유관론은 폐쇄개방적 조직이론에 속한다.

④ 개방합리적 조직이론은 조직환경의 중요성을 강조하면서 조직이나 인간의 합리성 추구를 강조한다.

□□
02 **조직이론에 대한 설명 중 옳지 않은 것은?**

2014 국가 9급

① 고전적 조직이론에서는 조직 내부의 효율성과 합리성이 중요한 논의 대상이었다.

② 신고전적 조직이론은 인간에 대한 관심을 불러 일으켰고 조직행태론 연구의 출발점이 되었다.

③ 신고전적 조직이론은 인간의 조직 내 사회적 관계와 더불어 조직과 환경의 관계를 중점적으로 다루었다.

④ 현대적 조직이론은 동태적이고 유기체적인 조직을 상정하며 조직발전(OD)을 중시해 왔다.

□□
03 **조직이론에 대한 다음 〈보기〉의 설명 중 옳은 것은 모두 몇 개인가?**

2013 국회 8급

> **보기**
>
> ㄱ. 과학적 관리론은 운동이라기보다 하나의 이론으로 출발하였다.
> ㄴ. 테일러(Taylor)는 과학적 조사, 연구, 실험 등을 통해 관리업무의 능률성을 극대화시킬 수 있다고 믿었다.
> ㄷ. 베버(Weber)는 조직을 사회관계의 특수한 형태로 간주하였으며 조직 운영에 필요한 명령을 구성원들이 수행하도록 보장하기 위한 권위의 계층제를 주장했다.
> ㄹ. 메이요(Mayo)의 호손실험은 과학적 관리론을 뒷받침하고 있다.
> ㅁ. 아지리스(Argyris)는 조직이 개인의 심리적 성공 경험을 중시하여 인간의 자아가 미성숙 상태에서 성숙 상태로 변화하는 데 도움을 준다고 주장하였다.

① 1개   ② 2개   ③ 3개

④ 4개   ⑤ 5개

01

정답 : ②

② Scott는 합리와 자연, 통제와 유연을 기준으로 조직이론을 4가지로 구분하였는데, 개방·합리적 조직이론에는 개방체제론, 구조적상황론(상황적응론), 조직경제학(거래비용이론) 등이 포함된다. 한편 조직화이론(자기조직화이론=혼돈이론)은 개방·자연적 이론, 과학적 관리론은 폐쇄·합리적 이론에 속한다.

① 폐쇄합리적 조직이론에 대한 옳은 지문이다. 고전적 조직이론과 같은 맥락이다.

③ 인간관계론과 환경유관론은 신고전적 조직이론으로 폐쇄자연적 조직이론에 속한다.

④ 개방합리적 조직이론에 대한 옳은 지문이다. 개방체제론, 구조적 상황론, 조직경제학(거래비용이론) 등이 이에 포함된다.

02

정답 : ③

③ 신고전적 조직이론은 인간의 조직 내 사회적 관계에는 관심이 높았으나, 조직과 환경의 관계를 중점적으로 다루지 못하면서 폐쇄체제이론에 그쳤다.

① 고전적 조직이론에서는 기계적 효율성과 합리성 등 경제적 목표가 중요한 논의 대상이었다.

② 신고전적 조직이론은 인간을 중점적으로 연구하였고 이러한 관심은 행태론의 성립에 영향을 주었다.

④ 현대적 조직이론은 개방체제적·동태적이고 유기체적인 특성을 지니며 민주적·참여적 관리를 통해 구성원의 자아실현 등을 중시하였다.

03

정답 : ②

② ㄴ, ㄷ만 옳다.

ㄴ. [O] 테일러는 대립하는 기업가와 근로자 모두에게 이익을 가져다준다는 신념하에 과학적 조사, 연구, 실험 등을 통해 능률을 지향하는 관리방안을 제시하였다.

ㄷ. [O] 베버는 조직운영에 필요한 명령을 구성원들이 수행하기 위해서는 그 명령을 타당한 것으로 받아들이게 하는 권위가 필요하다고 보았으며 이념형 관료제는 가장 합리적이고 작업능률을 극대화시키는 이상적인 조직을 상정한 것이라고 보았다.

ㄱ. [X] 과학적 관리론은 최소의 비용으로 최대의 성과를 달성하고자 하는 민간기업의 경영합리화 운동으로서 출발하였다.

ㄹ. [X] 메이요의 호손실험은 인간관계론을 뒷받침하고 있다.

ㅁ. [X] 아지리스(Argyris)는 조직이 개인의 심리적 성공 경험을 무시하여 인간의 자아가 미성숙 상태에서 성숙 상태로 변화하는 데 도움을 주지 못함으로써 조직과 개인 간에 갈등이 악순환된다고 주장하였다.

정답

01 ② 02 ③ 03 ②

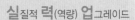

01 공공봉사동기이론(public service motivation)에 대한 설명으로 옳지 않은 것은? 2021 국가 9급

① 공사부문 간 업무 성격이 다르듯이, 공공부문의 조직원들은 동기구조 자체도 다르다는 입장에 있다.

② 정책에 대한 호감, 공공에 대한 봉사, 동정심(compassion) 등의 개념으로 구성되어 있다.

③ 공공봉사동기가 높은 사람을 공직에 충원해야한다는 주장의 근거가 될 수 있다.

④ 페리와 와이스(Perry & Wise)는 제도적 차원, 금전적 차원, 감성적 차원을 제시하였다.

02 페리(Perry)의 공공서비스동기(public service motivation)에 대한 설명으로 옳지 않은 것은? 2020 국회 9급

① 공공서비스동기는 공공기관이나 공공조직에서 특별히 나타나는 특성을 지닌다.

② 합리적(rational) 동기는 공공부문 종사자가 정책과정에 참여하기를 원하는 것과 관련 있다.

③ 규범적(normative) 동기의 예로 공익에 대한 봉사 및 사회적 형평의 추구가 있다.

④ 정서적(affective) 동기의 예로 특정 집단의 이익을 옹호하는 정책에 대한 헌신이 있다.

⑤ 공공서비스동기는 금전적 보상보다 지역 공동체나 국가에 대한 봉사에 무게를 둔다.

03 동기이론에 대한 설명으로 가장 옳은 것은? 2019 서울 7급(2월)

① 머슬로(A. Maslow)는 욕구를 하위 욕구부터 상위 욕구까지 총 5단계로 분류하면서, 하위욕구를 충족하게 되면 상위욕구를 추구하게 되나, 하위욕구인 생리적 욕구와 안전 욕구는 충족되더라도 필수적 욕구로 동기 유발이 지속된다고 주장하였다.

② 허즈버그(F. Herzberg)의 욕구충족요인 이원론은 불만요인(위생요인)은 개인의 불만족을 방지하는 효과를 가져오는 요인으로 충족이 되지 않으면 심한 불만을 일으키지만 충족이 되면 강한 동기요인이 되기 때문에 개인의 불만에 대하여 관심을 갖고 관리 해야 한다고 주장하였다.

③ 앨더퍼(C. Alderfer)의 ERG 이론은 머슬로의 욕구 5단계이론과 달리, 욕구 추구는 분절적으로 일어날 수도 있지만, 두 가지 이상의 욕구를 동시에 추구하기도 한다고 주장하였다.

④ 매클랜드(D. McClelland)는 성취동기이론에서 공식 조직이 개인의 행태에 미치는 영향 연구를 통하여 미성숙 상태에서 성숙 상태로 발전하는 성격 변화의 경험이 성취동기의 기본이 된다고 주장하였다.

01

정답 : ④

④ 페리와 와이스는 합리적 차원, 규범적 차원, 정서적 차원을 제시하였다.

① 공공봉사동기이론에서는 관료들은 민간부문 종사자와 달리 공공기관이나 공공조직에서 비롯되어 나타나는 고유한 직업동기인 공직동기가 존재한다고 본다.

② 공공봉사동기이론은 정책에 대한 호감, 공공에 대한 봉사, 동정심 등으로 구성된다.

③ 공공봉사동기이론은 공공봉사동기가 높은 사람을 공직에 충원해야한다는 주장의 근거가 될 수 있다.

02

정답 : ④

④ 정서적 동기의 예로 특정집단에 대한 이익 옹호가 아닌 국민에 대해 적극적으로 희생하고 사회적 약자를 보호하는 정책에 대한 헌신이 있다.

① 공공서비스동기는 민간부문 종사자와 달리 공공부문 종사자들에게 특수하게 나타나는 것으로, 공공기관이나 공공조직에서 비롯되어 나타나는 고유한 직업동기이다.

② 합리적 동기는 공직자의 효용극대화는 사익추구가 아니라 적극적 정책참여를 통해 사회적 효용과 개인의 효용을 극대화하는 전략과 관련된다.

③ 규범적 동기는 공익에 대한 봉사와 정부에 대한 충성을 특징으로 한다.

03

정답 : ③

③ 앨더퍼의 ERG이론은 머슬로의 욕구 5단계이론과 달리 욕구를 3단계로 통합하고 욕구 추구는 분절적으로 나타날 수 있으며 두 가지 이상의 욕구를 동시에 추구하기도 한다고 보았다.

① 머슬로는 하위 욕구가 어느 정도 충족이 된 경우 동기부여의 힘이 약해지고 다음단계로 진행된다고 보았다.

② 허즈버그는 불만요인이 충족되더라도 동기요인으로 작용하지 않는다고 보았다.

④ 아지리스는 미성숙·성숙이론에서 공식 조직이 개인의 행태에 미치는 영향 연구를 통하여 미성숙 상태에서 성숙 상태로 발전하는 성격변화의 경험이 성취동기의 기본이 된다고 보았다.

포인트 정리

공공봉사동기이론(PSM)의 구성

합리적 차원	공직자의 효용극대화는 사익추구가 아니라 적극적 정책참여를 통해 사회적 효용과 개인의 효용을 극대화하는 전략 → 공공정책에 대한 일체감·호감도, 특정한 이해관계지지, 정책과정에의 참여
정서적 차원	국민에 대해 적극적으로 희생하며 사회적 약자를 보호하고 사회 형평성을 추구하는 적극적 표현으로 나타남 → 선의의 애국심, 사회적으로 중요한 정책에 대한 몰입 등의 정서적 차원
규범적 차원	공익에 대한 봉사와 정부에 대한 충성심을 특징으로 함 → 공익에 대한 봉사요구, 의무감, 정부전체에 대한 충성도, 사회적 형평 등

정답

01 ④ 02 ④ 03 ③

04 다음 설명에 해당하는 조직의 인간관은?

2019 국가 9급

> ○ 인간을 자신의 이익을 극대화하기 위해 행동하는 존재로 본다.
> ○ 인간은 조직에 의해 통제·동기화되는 수동적 존재이며, 조직은 인간의 감정과 같은 주관적 요소를 통제할 수 있도록 설계돼야 한다.

① 합리적·경제적 인간관　　　　　② 사회적 인간관
③ 자아실현적 인간관　　　　　　　④ 복잡한 인간관

05 매슬로우(Maslow)와 앨더퍼(Alderfer)의 동기이론에 대한 설명으로 가장 적절하지 않은 것은?

2019 경정승진

① 매슬로우(Maslow)의 자아실현욕구는 앨더퍼(Alderfer)의 성장 욕구와 유사하다.

② 매슬로우(Maslow)는 인간의 동기가 다섯 가지 욕구의 계층에 따라 순차적으로 유발된다고 보았다.

③ 앨더퍼(Alderfer)에 따르면 개인의 행동을 동기화시키는 잠재력을 지니고 있는 욕구는 학습되는 것이므로 개인마다 욕구의 계층에 차이가 있다고 보았다.

④ 앨더퍼(Alderfer)는 매슬로우(Maslow)의 다섯 단계 욕구범위를 세 가지로 수정하여 욕구좌절에 따른 후진적·하향적 퇴행을 제시하였다.

06 직원 A의 동기 특성은 직원 B의 동기 특성과 구분된다. 직원 A의 동기 특성을 고려한 인사관리 방식으로 옳은 것을 〈보기〉에서 모두 고른 것은? (단, 두 가지 동기는 상충관계로 전제함)

2018 교행 9급

> 직원 A : 이번에 인사평가 결과를 잘 받아서 기분이 좋아. 인사평가 항목에 잘 맞춰야 평가를 잘 받을 수 있으니까 참고해.
> 직원 B : 평가결과가 좋다니 축하해. 그런데 나는 인사평가 결과보다는 일할 때 스스로 발전한다는 느낌이 드는 것이 좋아.

> **보기**
>
> ㄱ. 성과급제도의 전면 실시　　　　　ㄴ. 직무태만, 규정위반에 대한 처벌강화
> ㄷ. 평가실적과 승진제도의 연계성 확대　　ㄹ. 흥미도를 반영한 직무충실화

① ㄱ, ㄷ　　　　　　　　　　　② ㄴ, ㄹ
③ ㄱ, ㄴ, ㄷ　　　　　　　　　　④ ㄴ, ㄷ, ㄹ

04

① 제시문은 Schein의 합리적·경제적 인간관에 대한 설명으로 테일러의 과학적 관리론 등과 같은 고전적 조직모형의 인간관이다.

② 사회적 인간관은 인간을 사회적 욕구를 지닌 존재로 보고 조직 내 인간은 집단의 구성원으로 행동하므로 관리자는 집단구성원의 교호작용 및 동료의 사회적 통제 등에 중점을 둔 관리전략을 처방한다.

③ 자아실현적 인간관은 직무수행을 통해 자기실현의 보람을 찾는 능동적 존재로 직무수행동기는 내재적으로 유발된다.

④ 복잡한 인간관은 구성원이 조직에서 맡은 역할과 근무조건에 따라 다른 욕구를 지닐 수 있으므로 개인차를 존중하는 진단가적 관리전략을 처방하여야 한다.

05

③ 개인의 행동을 동기화시키는 잠재력을 지니고 있는 욕구는 학습되는 것이므로 개인마다 욕구의 계층에 차이가 있다고 주장한 사람은 맥클리랜드로, 그는 성취욕구(동기)이론을 제시하였다.

① 매슬로우의 자아실현욕구는 앨더퍼의 ERG 이론에서 성장욕구와 유사하다.

② 매슬로우는 욕구를 5단계로 분류하였고 점진적이고 순차적으로 유발된다고 보았다.

④ 앨더퍼는 매슬로우의 욕구를 5단계에서 3단계로 수정하였고 후진적이고 하향적인 퇴행을 제시하였다.

06

③ 직원 A와 B의 동기 특성은 맥그리거의 X·Y이론과 관련된다. A는 X이론으로 인간의 하급욕구에 착안한 권위적 통제에 의한 관리전략을 처방하고, B는 Y이론으로 인간의 고급욕구에 착안한 통합형의 관리전략을 처방한다.

ㄱ. [O] 성과급제도의 전면 실시는 경제적 보상에 관한 것으로 X이론에 해당한다.

ㄴ. [O] 직무태만, 규정위반에 대한 처벌강화는 X이론에 해당한다.

ㄷ. [O] 평가실적과 승진제도의 연계성 확대는 실적과 보상의 연계로 X이론에 해당한다.

ㄹ. [X] 흥미도를 반영한 직무충실화는 Y이론에 해당한다.

포인트 정리

Maslow 이론 vs Alderfer 이론

Maslow의 욕구 계층이론	Alderfer의 ERG 이론
• 만족 → 진행 • 욕구의 미충족시 계속 추구(단계적 진행) • 욕구의 중첩×	• 좌절 → 퇴행, 중첩ㅇ • 욕구의 미충족시 좌절하고 하위욕구로 회귀 (후진적 진행)

조직론

PART 3

해커스공무원 민나행정학 기출 빅데이터 실력업

07 다음 내용이 설명하는 인간관에 부합하는 조직관리 전략은? 2015 지방 9급

> 대부분의 사람들은 본질적으로 일을 싫어하는 것이 아니다. 사람들에게 일이란 작업조건만 제대로 정비되면 놀이를 하거나 쉬는 것과 같이 극히 자연스러운 것이며, 인간이 물리적·사회적 환경에 도전하는 여러 방법 중의 하나이다.

① 업무 지시를 정확하게 하고 엄격한 상벌 원칙을 제시해야 한다.

② 업무 평가 하위 10%에 해당하는 직원에 대한 20%의 급여 삭감 계획은 더욱 많은 업무 노력을 이끌어 낼 수 있는 방법이다.

③ 의사결정 시 부하직원을 참여시키고 자율적으로 업무를 수행할 수 있도록 해야 한다.

④ 관리자가 조직구성원에게 적절한 업무량을 부과하여 수행하게 해야 한다.

08 조직구성원의 인간관에 따른 조직관리와 동기부여에 관한 이론들로서 바르게 설명한 것을 모두 고른 것은? 2014 서울 9급

> ㉠ 허즈버그의 욕구충족요인 이원론에 의하면, 불만요인을 제거해야 조직원의 만족감을 높이고 동기가 유발된다는 것이다.
> ㉡ 로크의 목표설정이론에 의하면, 동기유발을 위해서는 구체성이 높고 난이도가 높은 목표가 채택되어야 한다는 것이다.
> ㉢ 합리적·경제적 인간관은 테일러의 과학적 관리론, 맥그리거의 X이론, 아지리스의 미성숙인 이론의 기반을 이룬다.
> ㉣ 자아실현적 인간관은 호손실험을 바탕으로 해서 비공식적 집단의 중요성을 강조하며, 자율적으로 문제를 해결하도록 한다.

① ㉠, ㉡, ㉢, ㉣

② ㉠, ㉡, ㉢

③ ㉠, ㉡, ㉣

④ ㉡, ㉢

⑤ ㉢, ㉣

09 동기부여 이론가들과 그 주장에 바탕을 둔 관리 방식을 연결한 것이다. 이들 중 동기부여 효과가 가장 낮다고 판단되는 것은? 2013 국가 9급

① 매슬로우(Maslow) – 근로자의 자아실현 욕구를 일깨워 준다.

② 허즈버그(Herzberg) – 근로 환경 가운데 위생요인을 제거해 준다.

③ 맥그리거(McGregor)의 Y이론 – 근로자들은 작업을 놀이처럼 즐기고 스스로 통제할 줄 아는 존재이므로 자율성을 부여한다.

④ 앨더퍼(Alderfer) – 개인의 능력개발과 창의적 성취감을 북돋운다.

07

③ 제시문은 맥그리거의 X · Y이론 중 Y이론의 인간관에 대한 내용이다. Y이론에 따르면 인간은 자율적인 업무수행과 참여를 통해 본인을 표현하고 행동방식을 스스로 정하며 책임 있는 행동을 하는 존재로, 의사결정 시 부하직원을 참여시키고 자율적으로 업무를 수행할 수 있도록 하는 관리전략이 필요하다.

① 정확한 업무지시 및 상벌원칙은 X이론 인간관에 부합한다.

② 차별적 성과급은 경제적 보상과 명령체계를 통한 관리전략으로, X이론 인간관에 해당한다.

④ 표준과업량에 의한 과업관리는 권위적 리더십에 입각한 관리자의 구체적 통제로, X이론 인간관에 해당한다.

08

정답 : ④

④ ㉡, ㉢이 옳은 설명이다.

㉡ [O] 로크의 목표설정이론에 따르면 구체성이 높고 난이도가 높은 목표일수록 동기유발에 유리하다.

㉢ [O] 과학적 관리론, X이론, 아지리스 미성숙인은 합리적 · 경제적 인간관에 부합한다.

㉠ [X] 허즈버그의 욕구충족요인 이원론에 의하면 불만요인을 제거한다고 해서 동기가 유발되지 않으며 욕구가 충족되어도 만족감을 갖게 되지 않는다고 본다.

㉣ [X] 사회적 인간관은 호손실험을 바탕으로 해서 비공식집단의 중요성을 강조하고, 자아실현적 인간관은 자율적으로 문제를 해결하도록 한다.

09

정답 : ②

② 허즈버그의 위생요인은 불만요인으로서 제거되어도 불만만 없애줄 뿐, 만족이나 동기부여를 가져다주지는 못한다.

① 매슬로우의 욕구단계이론에 의하면 자아실현욕구는 최상위단계의 욕구에 해당한다.

③ Y이론적 인간관은 자기발전을 원하며 변화를 추구한다고 보기 때문에 자율성을 부여하여 권한을 위임하는 것이 동기부여에 효과적이라고 할 수 있다.

④ 창조적으로 자기발전을 이루려고 하는 성장욕구에 해당한다.

내용이론

Maslow	생리적 욕구	안전 욕구	사회적 욕구	존경 욕구	자아실현 욕구
Alderfer	생존욕구(E)		관계욕구(R)		성장욕구(G)
Herzberg	위생요인(불만요인)			동기요인(만족요인)	
McGregor	X이론			Y이론	
Argyris	미성숙인			성숙인	
Likert	권위형			민주형	
	착취적(체제Ⅰ)	온정적(체제Ⅱ)		협의적(체제Ⅲ)	참여적(체제Ⅳ)
Ramos	작전인			반응인	

X이론 vs Y이론

구분	X이론 (theory X)	Y이론 (theory Y)
인간관	• 본질적으로 일을 하기 싫어 하고 게으름 • 명령과 지시를 받으려 함 • 자기중심적이며 조직목표에 대해 무관심 • 안전을 원하고 변화에 저항적	• 본질적으로 일을 하는 것을 싫어하지 않음 • 책임 있는 일을 맡기를 원함 • 자율적으로 행동함 • 자기발전을 원하고 변화를 추구
관리전략	직무의 엄격한 통제, 금전적 보상체계의 강화, 권위주의적 리더십	자아실현적 직무개선, 분권화와 권한위임, 민주적 리더십

조직론

해커스공무원 민지행정학 기출 빅데이터 실전동형

정답

07 ③ 08 ④ 09 ②

PART 3 조직론 265

10 동기부여이론에 관한 설명으로 옳은 것으로만 묶은 것은?

2012 경찰간부

㉠ Hackman & Oldham은 직무특성이론에서 다섯 가지 직무특성 중에서 직무정체성과 자율성이 동기부여에 가장 많은 영향을 미친다고 주장하였다.

㉡ E. H. Schein에 의하면 인간은 다양한 욕구와 잠재력을 가진 복잡한 존재로서 개인별로 복잡 성의 유형도 다르다고 보았다.

㉢ D. Lawless는 무정부상태와 같은 방임형 관리를 강조하였다.

㉣ V. H. Vroom은 성과에 영향을 미치는 요인으로 노력 이외에도 직무수행의 능력과 직무수행에 필요한 여러 가지 환경 요인을 들고 있다.

① ㉠, ㉡　　　　　　　　　　　② ㉡, ㉢

③ ㉡, ㉣　　　　　　　　　　　④ ㉢, ㉣

11 해크먼(J. Hackman)과 올드햄(G. Oldham)의 직무특성모델에 대한 설명으로 옳지 않은 것은?

2011 지방 9급

① 잠재적 동기지수(Motivating Potential Score : MPS) 공식에 의하면 제시된 직무특성들 중 직무정체성과 직무중요성이 동기부여에 가장 중요한 역할을 한다.

② 허즈버그의 욕구충족요인이원론보다 진일보한 것으로 이해할 수 있다.

③ 직무정체성이란 주어진 직무의 내용이 하나의 제품 혹은 서비스를 처음부터 끝까지 완성시킬 수 있도록 구성되어 있는지에 관한 것이다.

④ 이 모델은 기술다양성, 직무정체성, 직무중요성, 자율성, 환류 등 다섯 가지의 핵심 직무특성을 제시한다.

12 다음 중 윌리엄 오우치(William G. Ouchi)가 Z이론으로 설명한 조직형의 특징에 해당하는 것은 모두 몇 개인가?

2011 경찰간부

㉠ 신속한 평가와 빠른 승진　　　　　　㉡ 직원에 대한 전인격적 관심
㉢ 집단적 의사결정과 개인적 책임　　　㉣ 빈번하고 공식적인 평가의 강조
㉤ 장기적인 고용관계　　　　　　　　　㉥ 일반가(generalist) 양성중심의 인사관리

① 2개　　　　　　　　　　　　② 3개

③ 4개　　　　　　　　　　　　④ 5개

10

정답 : ③

③ ㉡, ㉣만 옳다.

㉡ [O] Schein의 복잡인 모형에 대한 설명이다.

㉣ [O] Vroom은 동기만이 유일한 요인은 아니고 뒷받침할 능력이 있어야 하며, 직무수행에 필요한 환경적 요인도 중요하다고 주장하였다.

㉠ [X] Hackman & Oldham은 직무특성이론에서 다섯 가지 직무특성 중에서 자율성과 환류가 동기부여에 가장 많은 영향을 미친다고 주장하였다.

㉢ [X] D.Lawless의 Z이론은 상황적응적 관리를 강조하였다. 한편 방임형 관리는 Lundstedt의 Z이론이다.

11

정답 : ①

① 해크만과 올드햄의 직무특성이론에서 잠재적 동기지수 공식에 따르면 자율성과 환류의 중요성을 가장 강조한다.

② 직무수행자의 성장욕구 수준이라는 개인적 차이를 고려하고 직무의 특성, 성과변수 등의 관계를 제시했다는 측면에서 허즈버그의 이원론보다 진일보한 이론이다.

③ 직무정체성은 직무의 완결성의 정도를 의미한다.

④ 해크먼과 올드햄은 직무특성요소로 기술다양성, 직무정체성, 직무중요성, 자율성, 환류 5가지를 제시하였다.

12

정답 : ③

③ ㉡, ㉢, ㉤, ㉥이 옳은 내용이다.

㉠ [X] 신속한 평가와 빠른 승진이 아니라 엄격한 평가와 느린 승진이다.

㉣ [X] 빈번하고 공식적인 평가가 아니라 비공식적이고 암묵적인 평가를 강조한다.

Hackman & Oldham의 직무특성요인

직무 정체성	주어진 직무의 내용이 하나의 제품 혹은 서비스를 처음부터 끝까지 완성시킬 수 있도록 구성되어 있는지에 관한 것
기술 다양성	직무를 수행하는데 요구되는 기술 종류의 다양성 정도
직무 중요성	직무가 다른 사람들의 삶과 일에 대한 영향력의 정도
자율성	업무결과에 대한 책임성 인식을 제고하는 직무설계의 측면, 책임감 정도
환류	직무수행 성과에 대한 정보의 유무 정도

정답

10 ③ 11 ① 12 ③

13 다음 중 Likert의 4가지 관리체제모형이 아닌 것은?

2005 충남 7급

① 착취적 권위형

② 온정적 권위형

③ 혁신적 참여형

④ 협동적 참여형

CHAPTER 04 동기부여 이론(과정이론)

실질적 력(역량) 업그레이드

01 동기이론의 하나인 '강화이론(학습이론)'에 대한 설명 중 가장 옳지 않은 것은?

2020 경찰간부

① 고정간격 강화는 부하의 행동이 발생하는 빈도에 따라 일정한 간격으로 강화 요인을 제공하는 것이다.

② 팀의 주요사업에 기여도가 약한 사람에게는 팀에 주어지는 성과 포인트를 배정하지 않음으로써 성실한 참여를 유도하는 방법은 스키너(Skinner)의 강화유형 중 '소거'에 해당한다.

③ 조직의 강화일정 중 초기단계의 학습에서 바람직한 행동의 빈도를 늘리는데 효과적인 방법은 '연속적 강화'이다.

④ 변동비율 강화는 불규칙적 빈도 또는 비율의 성과에 따라 강화요인을 제공하는 것이다.

02 동기이론에 대한 설명으로 가장 옳지 않은 것은?

2019 서울 7급

① 브룸(Vroom)의 기대이론 – 개인은 투입한 노력 대비 결과의 비율을 준거 인물의 그것과 비교하여 불균형이 발생했을 때 이를 조정하려 한다.

② 엘더퍼(Alderfer)의 ERG이론 – 개인의 욕구 동기는 생존욕구, 관계욕구, 성장욕구 세 단계로 구분된다.

③ 맥클랜드(McClelland)의 성취동기이론 – 개인의 욕구는 성취욕구, 친교욕구, 권력욕구로 구분되며, 성취욕구의 중요성을 강조한다.

④ 허즈버그(Herzberg)의 2요인이론 – 개인은 서로 별개인 만족과 불만족의 감정을 가지는데, 위생요인은 개인의 불만족을 방지해주는 요인이며, 동기요인은 개인의 만족을 제고하는 요인이다.

13

정답 : ③

③ 혁신적 참여형은 Likert의 관리체제모형에 해당하지 않는다.

① 착취적 권위형은 부하를 불신하고 의사결정과정에서 배제하는 유형이다.

② 온정적 권위형은 다소 온정을 베풀고 부하가 부분적으로 참여하는 유형이다.

④ 협동적 참여형은 협의적 참여형으로 부하를 부분적으로 신뢰하고 구체적인 결정은 하급자에 게 위임하는 유형이다.

01

정답 : ①

① 간격강화는 시간·주기와 관련되고 비율강화는 빈도·횟수와 관련되는 것으로, 부하의 행동이 발생하는 빈도에 따라 일정한 간격으로 강화요인을 제공하는 것은 고정비율강화에 해당한다. 한편 고정간격강화는 일정한(규칙적) 시간적 간격에 따라 강화요인을 제공하는 것이다.

② 바람직한 결과를 제거(성과포인트 배정하지 않음)함으로써 결국 바람직하지 않은 행동을 제 거(참여 유도)하는 것은 소거에 해당한다.

③ 연속적 강화는 바람직한 행동이 나올 때마다 강화요인을 제공하는 것으로 초기 단계의 학습 에서 바람직한 행동의 빈도를 늘리는 데 효과적이다.

④ 변동비율강화는 불규칙적인 빈도에 바람직한 행동이 나타났을 때 강화요인을 제공하는 것이다.

02

정답 : ①

① 개인은 투입한 노력 대비 결과의 비율을 준거 인물의 그것과 비교하여 불균형이 발생했을 때 이를 조정하려 하는 것은 아담스의 형평성 이론이다.

② 엘더퍼는 개인의 욕구를 생존욕구, 관계욕구, 성장욕구 세 단계로 분류하였다.

③ 맥클랜드는 개인의 욕구를 성취욕구, 친교욕구, 권력욕구로 구분하였고, 이 중에서도 성취욕 구를 가장 강조하였다.

④ 허즈버그는 개인의 불만족을 방지해 주는 위생요인과 개인의 만족을 제고하는 동기요인으로 분류하였고 동기요인(만족요인)과 위생요인(불만족요인)은 상호 독립되어 있다고 보았다.

포인트 정리

Likert의 관리체제모형

권위형	착취적 (체제 I)	조직의 최고 책임자가 단독으로 결정권 행사, 구성원의 이익을 고려 안 함
	온정적 (체제 II)	주요 정책은 고위층에서 결정, 하급자는 정해진 지침 내에서 결정을 내릴 수 있으나 상급자의 동의가 필요함
민주형	협의 (협동)적 (체제 III)	주요 정책은 상급자가 결정하나 한정된 범위의 특정 상황에 관한 결정은 하급자가 할 수 있음
	참여적 (체제 IV)	조직구성원이 결정에 광범위하게 참여할 수 있음. 가장 이상적임

강화 일정

연속적 강화			성과(바람직한 행동)가 나올 때마다 강화
단속적 강화	간격 강화	고정 간격 강화	바람직한 행동에 관계 없이 규칙적인 시간 간격으로 강화
		변동 간격 강화	불규칙적인 시간 간격으로 강화
	비율 강화	고정 비율 강화	일정한 빈도나 비율의 성과에 따라 강화
		변동 비율 강화	불규칙적인 빈도나 비율의 성과에 따라 강화

Skinner의 강화이론

적극적 강화	바람직한 결과의 제공
소극적(부정적) 강화(회피)	바람직하지 않은 결과의 제거
소거(중단)	바람직한 결과의 제거
처벌(제재)	바람직하지 않은 결과의 제공

정답

13 ③ 01 ① 02 ①

조직론

PART 3

해커스공무원 미니행정학 기출 빅데이터 실력업

03 Porter와 Lawler의 성과(업적)–만족이론에 관한 다음 설명 중 옳은 것으로만 짝지어진 것은? 2019 경찰간부

가. 직무성과는 내재적·외재적 보상을 가져오며, 이 관계는 불완전하게 연결될 가능성이 있다.
나. 내재적·외재적 보상이 있더라도 그것이 불공평하다고 지각되면 개인에게 만족을 줄 수 없다.
다. 외재적 보상은 조직의 통제 하에 있는 보상으로 보수·승진 등을 예로 들 수 있다.
라. 내재적 보상은 직무성과에 대해 개인이 스스로 얻는 보상으로 근무환경·안전 등이 포함된다.
마. 개인이 기대하는 보상의 양은 만족에 영향을 주지 않으며, 개인이 실제로 받는 보상의 양만 만족에 영향을 미친다.

① 가, 나, 다
② 가, 다, 마
③ 가, 나, 라
④ 다, 라, 마

04 공정성(형평성) 이론에서 자신(A)과 준거인물(B)을 비교하여 보상이 불공정하다고 느낄 때, 이를 해소하기 위한 자신(A)의 전략적 대응에 대한 추론으로 가장 옳지 않은 것은? 2018 서울 7급

① 일을 열심히 하지 않는다.
② 준거인물(B)의 업무 방식을 참고하여 배울점을 찾는다.
③ 준거인물(B)이 자신(A)보다 훨씬 더 많은 시간을 일했을 것이라고 생각을 바꾼다.
④ 다른 비교대상을 찾는다.

05 조직구성원들의 동기이론에 대한 설명 중 옳은 것만을 모두 고르면? 2014 국가 9급

ㄱ. ERG이론: 앨더퍼(C. Alderfer)는 욕구를 존재욕구, 관계욕구, 성장욕구로 구분한 후 상위욕구와 하위욕구 간에 '좌절–퇴행' 관계를 주장하였다.
ㄴ. X·Y이론: 맥그리거(D. McGregor)의 X이론은 매슬로우(A. Maslow)가 주장했던 욕구계층 중에서 주로 상위욕구를, Y이론은 주로 하위욕구를 중요시하였다.
ㄷ. 형평이론: 아담스(J. Adams)는 자기의 노력과 그 결과로 얻어지는 보상을 준거인물과 비교하여 공정하다고 인식할 때 동기가 유발된다고 주장하였다.
ㄹ. 기대이론: 브룸(V. Vroom)은 보상에 대한 매력성, 결과에 따른 보상, 그리고 결과발생에 대한 기대감에 의해 동기유발의 강도가 좌우된다고 보았다.

① ㄱ, ㄷ
② ㄱ, ㄹ
③ ㄴ, ㄷ
④ ㄷ, ㄹ

03

정답 : ①

① 가, 나, 다가 옳은 지문이다.

가. [O] 직무성과는 내재적 보상과 외재적 보상을 가져오는데, 실제로는 직무성취의 수준이 직무만족의 원인이 된다고 보면서 보상과 그 보상에 대한 인지가 만족을 가져온다고 보았다. 따라서 직무성과와 보상의 연결은 불완전할 가능성이 높다.

나. [O] 보상의 공평성에 대한 지각이 개인의 만족에 영향을 주는 것이므로 불공평하다고 인지하면 내재적·외재적 보상의 구별 없이 개인에게 만족을 줄 수 없다.

다. [O] 외재적 보상은 개인의 외부환경으로부터 나오는 보상으로 임금 인상, 승진 등과 관련된다.

라. [X] 내재적 보상은 직무성과에 대해 개인이 얻는 보상으로 직무자체에서 오는 자아실현 욕구나 성장 욕구와 같은 성취감 등이 포함된다. 한편 근무환경이나 안전은 외재적 보상과 관련된다.

마. [X] 보상의 공평성에 대한 지각이 개인의 만족에 영향을 주기 때문에 개인이 실제로 받는 보상의 양뿐만 아니라 기대하는 보상의 양이 클수록 만족이 커진다.

04

정답 : ②

② 형평성 이론은 자신과 준거인을 비교하여 보상이 불공정하다고 느낄 때 불공정을 제거하는 방향으로 행동한다는 이론이다. 불공정을 제거하는 방법으로는 투입·산출의 변경, 투입과 지각에 대한 산출 변경, 준거인물의 변경 등이 있으며, 준거인물의 업무 방식을 참고하여 배울 점을 찾는 것은 불공정을 제거하는 방법에 해당하지 않는다.

① 투입(노력)에 대한 변경으로 불공정을 제거하기 위한 방법에 해당한다.

③ 투입이나 산출에 대한 지각 변경으로 불공정을 제거하기 위한 방법에 해당한다.

④ 준거인물의 변경에 대한 설명으로 불공정을 제거하기 위한 방법에 해당한다.

05

정답 : ②

② ㄱ, ㄹ이 동기이론에 대한 설명으로 옳은 내용이다.

ㄱ. [O] 앨더퍼(C. Alderfer)의 ERG이론은 Maslow의 욕구계층이론을 보완하여 나온 것으로, 욕구를 존재욕구, 관계욕구, 성장욕구로 구분한 후 상위욕구와 하위욕구 간에 '좌절-퇴행' 관계를 주장하였다.

ㄹ. [O] Vroom은 동기유발은 결과에 대한 기대감(E), 결과에 따른 보상인 수단성(I), 보상의 유의미성(V)에 의해 결정된다고 주장하였다.

ㄴ. [X] 맥그리거의 X·Y이론에서 X이론은 매슬로우가 주장했던 욕구계층 중에서 주로 하위욕구를, Y이론은 주로 상위욕구를 중요시한다.

ㄷ. [X] 아담스(J. Adams)의 형평이론에 따르면 자기의 노력과 그 결과로 얻어지는 보상을 준거인물과 비교하여 불공정하다고 인식할 때 동기가 유발된다고 주장하였다.

정답
03 ① 04 ② 05 ②

다음 중 조직에서의 강화 일정에 관한 설명으로 가장 적절치 않은 것은? 2014 경찰간부

① 연속적 강화는 학습의 어떤 단계에서도 바람직한 행동의 비율을 높이는 데 매우 효과적이어서 관리자에게 큰 도움이 된다.

② 매월 20일에 봉급을 주는 것은 고정 간격 강화의 한 예이다.

③ 생산량에 비례하여 임금을 지급하는 성과급제는 고정 비율 강화의 한 예이다.

④ 변동 비율로 강화 요인을 제공할 때에는 강화 요 인을 제공하는 사이의 시간 간격을 너무 길게 하지 않게 해서 부하들의 사기가 떨어지지 않도록 배려할 필요가 있다.

동기부여이론과 그 활용이 적절하게 연결된 것은? 2013 국회 9급

① A부서는 Vroom의 기대이론에 따라 선택적 복지 제도를 도입하여 조직원들의 기대감(expectancy)을 높였다.

② Herzberg의 2요인이론에 따르면 동기요인인 보수보다는 위생요인인 성취와 인정이 동기부여에 효과적이므로 B부서는 모든 직급과 연령대의 구성원들에게 보수의 향상보다는 성취와 인정을 느끼는 방안을 도입했다.

③ C부서는 Hackman과 Oldham의 직무특성이론에 따라 직무분석 프로그램을 운영하여 동기부여를 향상시켰다.

④ D부서는 Adams의 공정성이론에 따라 준거인물을 설정할 수 없도록 재택근무제도를 도입했다.

⑤ E부서는 Herzberg의 직무확충이론에 따라 표준운영절차(SOP)를 강화했다.

다음 중 조직론에서 주장되는 동기이론의 하나인 브룸(V.H.Vroom)의 기대이론에 대한 설명에 해당되지 않는 것은? 2007 국회 8급

① 일정한 노력을 기울이면 근무성과를 가져올 수 있으리라는 가능성에 대한 인간의 주관적인 확률과 관련된 믿음을 기대감이라 한다.

② 브룸은 성과에 영향을 미치는 요인으로 노력 이외에도 직무수행의 능력과 직무수행에 필요한 여러 가지 환경요인을 들고 있다.

③ 개인이 지각한 투입과 산출의 비율이 불균형 상태에 있을 때 이것이 동기유발에 미치는 영향에 관심을 갖는다.

④ 개인이 지각하기에 어떤 특정한 수준의 성과를 달성하면 바람직한 보상이 주어지리라고 믿는 정도를 수단성이라고 한다.

⑤ 어느 개인이 원하는 특정한 보상에 대한 선호의 강도를 유의성이라고 하며, 유의성은 직무상에서 받을 수 있는 보상에 대하여 그 개인이 느끼는 보상의 매력 정도를 의미한다.

06

정답 : ①

① 연속적 강화는 초기학습단계에 효과적이다. 그러나 강화의 효과가 빨리 소멸되어 관리자에게 큰 도움이 되지 않는다.

② 고정간격강화는 규칙적인 시간 간격으로 강화하는 것이다.

③ 고정비율강화는 일정한 빈도나 비율의 성과에 따라 강화하는 것이다.

④ 불규칙적 빈도나 비율의 성과에 따라 강화하는 것은 변동비율강화에서 고려해야 할 요인이다.

07

정답 : ③

③ 직무특성이론은 직무의 특성을 파악하고 조직구성원으로 하여금 개인의 성장욕구 수준과 직무특성이 부합할 때 동기가 유발되므로, 직무분석 프로그램을 통해 동기부여를 향상시킨다.

① 기대감(E)은 노력(행동)이 산출(성과)을 가져다 줄 것이라는 주관적 확률로, 선택적 복지제도는 기대감과 직접적 관련이 없다.

② 보수는 위생요인이고, 성취와 인정감은 동기요인이다.

④ Adams의 공정성이론은 노력과 보상 간 비율을 준거인과 비교하여 일치하지 않을 때 행동이 유발된다는 이론으로, 준거인물이 필수적인 요소이다.

⑤ Herzberg의 직무확충이론은 직무를 양적으로 다양화하는 직무확대와 질적으로 직무의 자율과 책임을 심화시키는 직무 충실(풍요화)을 강조하는 직무재설계(탈전통적 직무설계)를 통한 현대적 동기부여이론으로, 표준운영절차(SOP) 등을 통하여 기계적 구조를 확립하려는 전통적 직무설계와 다른 내용이다.

08

정답 : ③

③ 개인이 지각한 투입과 산출의 비율이 불균형 상태에 있을 때 이것이 동기유발에 미치는 영향에 관심을 갖는 이론은 Adams의 형평성 이론이다.

① 일정한 노력을 기울이면 근무성과를 가져올 수 있으리라는 가능성에 대한 인간의 주관적인 확률과 관련된 믿음은 기대감에 대한 설명이다.

② 브룸은 동기만이 유일한 요인이 아니라 이를 뒷받침할 능력이 있어야 하며 직무수행에 필요한 환경적 요인도 중요하다고 보았다.

④ 개인이 지각하기에 어떤 특정한 수준의 성과를 달성하면 바람직한 보상이 주어지리라고 믿는 정도는 수단성에 대한 설명이다.

⑤ 어느 개인이 원하는 특정한 보상에 대한 선호의 강도, 즉 직무상에서 받을 수 있는 보상에 대하여 개인이 느끼는 보상의 매력정도는 유의성에 대한 설명이다.

🔍 포인트 정리

강화 일정

연속적 강화			성과(바람직한 행동)가 나올 때마다 강화
단속적 강화	간격 강화	고정 간격 강화	바람직한 행동에 관계없이 규칙적인 시간 간격으로 강화
		변동 간격 강화	불규칙적인 시간 간격으로 강화
	비율 강화	고정 비율 강화	일정한 빈도나 비율의 성과에 따라 강화
		변동 비율 강화	불규칙적인 빈도나 비율의 성과에 따라 강화

정답

06 ① 07 ③ 08 ③

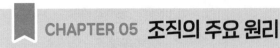

CHAPTER 05 조직의 주요 원리

실질적 력(역량) 업그레이드

□□
01 조직구조의 설계에 있어서 '조정의 원리'에 대한 설명으로 옳지 않은 것은?

2018 국가 9급

① 수직적 연결은 상위계층의 관리자가 하위계층의 관리자를 통제하고 하위계층 간 활동을 조정하는 것을 목적으로 한다.

② 수직적 연결방법으로는 임시적으로 조직 내의 인적·물적 자원을 결합하는 프로젝트 팀(project team)의 설치 등이 있다.

③ 수평적 연결은 동일한 계층의 부서 간 조정과 의사소통을 목적으로 한다.

④ 수평적 연결방법으로는 다수 부서 간의 긴밀한 연결과 조정을 위한 태스크포스(task force)의 설치 등이 있다.

□□
02 굴릭(Gulick)의 조직 설계의 고전적 원리에 대한 설명으로 옳지 않은 것은?

2016 국가 7급

① 전문화의 원리란 전문화가 되면 될수록 행정능률은 올라간다는 것을 의미한다.

② 명령통일의 원리는 명령을 내리고 보고를 받는 사람이 한 사람이어야 한다는 것을 의미한다.

③ 통솔범위의 원리는 부하들을 효과적으로 통솔하기 위해 부하의 수가 한정되어야 한다는 것을 의미한다.

④ 부서편성의 원리는 조직편성의 기준을 제시하며, 그 기준은 목적, 성과, 자원 및 환경의 네 가지이다.

□□
03 조직의 통합 및 조정 방법에 대한 설명으로 옳지 않은 것은?

2016 국가 9급

① 민츠버그(Mintzberg)에 의하면 연락 역할 담당자는 상당한 공식적 권한을 부여받아 조직 내 부문 간 의사전달 문제를 처리한다.

② 태스크포스는 여러 부서에서 차출된 직원들로 구성되며 특정 과업이 해결된 후에는 해체된다.

③ 리커트(Likert)의 연결핀 모형에 의하면 관리자는 연결핀으로서 자신이 관리하는 집단의 구성원인 동시에 상사에게 보고하는 관리자 집단의 구성원이다.

④ 차관회의는 조직 간 조정방법 중 하나이다.

01

정답 : ②

② 수평적 연결방법으로는 임시적으로 조직 내의 인적·물적 자원을 결합하는 프로젝트 팀 (project team)의 설치 등이 있다.

① 수직적 연결은 조직의 상하 간 활동을 조정하는 연결장치로 상위계층이 하위계층을 통제하고 하위계층 간의 활동을 조정하기도 한다.

③ 수평적 연결은 동일한 계층의 부서 간 수평적인 조정과 의사소통을 목적으로 한다.

④ 태스크포스는 각 부서대표로 구성된 일시적 임시위원회로, 이는 수평적 연결방법에 해당한다.

포인트 정리

수직적 연결기제 vs 수평적 연결기제

수직적 연결기제	• 계층제 • 규칙과 계획 • 계층직위의 추가 • 수직정보시스템
수평적 연결기제	• 정보시스템 • 직접접촉 • 태스크포스(임시작업단) • 프로젝트 매니저 • 프로젝트 팀

02

정답 : ④

④ 부서편성의 원리는 조직편성의 기준을 제시하며, 그 기준은 목적, 과정, 수혜 및 지역의 네 가지이다.

① 전문화의 원리란 능률적인 업무추진을 위하여 한 가지의 주된 업무를 분담시켜 반복적으로 수행하는 것을 말한다.

② 명령통일의 원리란 모든 구성원은 한 명의 상관으로부터 명령을 받고 한 명의 상관에게 보고해야 한다는 원리를 말한다.

③ 통솔범위의 원리란 한 명의 상관이 효과적으로 통솔할 수 있는 적정한 부하의 수를 말한다.

03

정답 : ①

① 연락 역할 담당자는 부문 간 일이나 정보의 흐름을 촉진시켜 주는 개인 또는 집단을 의미하는데, 민츠버그(Mintzberg)에 의하면 연락 역할 담당자는 공식적인 권한은 없으나 비공식적인 권한을 부여받아 업무를 수행하는 것으로 이에 필요한 전문지식을 가지고 있느냐에 따라 업무수행의 성공여부가 결정된다고 본다.

② 태스크포스는 여러 집단에서 차출된 대표들이 모여 과업을 수행하고 나면 해체되는 공식 또는 비공식 임시기구를 의미한다.

③ 리커트의 연결핀 모형은 모든 관리자는 자신이 관리하는 집단의 구성원인 동시에 상사에게 보고하는 집단의 구성원이 되는 것을 의미한다.

④ 차관회의는 조직 간 수평적 조정방법에 해당한다.

정답

01 ② 02 ④ 03 ①

04 계층제에 대한 설명으로 옳지 않은 것은?
2016 지방 9급

① 조직의 수직적 분화가 많이 이루어졌을 때 고층구조라 하고 수직적 분화가 적을 때 저층구조라 한다.

② 조직 내의 권한과 책임 및 의무의 정도가 상하의 계층에 따라 달라지도록 조직을 설계하는 것을 말한다.

③ 조직에서 지휘명령 등 의사소통, 특히 상의하달의 통로가 확보되는 순기능이 있다.

④ 엄격한 명령계통에 따라 상명하복의 관계 유지를 위해서는 통솔범위를 넓게 설정한다.

05 조직의 원리에 관한 설명 중 가장 적절하지 않은 것은?
2016 경정승진

① 직무를 권한과 책임의 정도에 따라 등급화하고 상하계층 간에 지휘·명령복종관계를 확립하는 계층제는 필연적으로 통솔범위를 넓게 한다.

② 전문화의 원리는 전문가적 편협성과 할거주의로 인하여 조직 내의 각 단위의 통합과 조정을 저해한다.

③ 명령통일의 원리는 한 사람에게만 보고하고 지시를 받아야 한다는 원리를 말한다.

④ 조정의 원리는 공동목적을 달성하기 위하여 구성원의 행동 통일을 기하도록 집단적 노력을 질서 있게 배열하는 과정으로 할거주의, 비협조 등을 해소하는 기능을 가진다.

06 조직에 관한 원리를 설명한 것 중에서 옳지 않은 것은?
2012 경정승진 / 2009 지방 7급

① 계층제의 원리는 직무를 권한과 책임의 정도에 따라 등급화하고 상하계층 간에 지휘와 명령복종관계를 확립하여 구성원의 귀속감과 참여감을 증진시키는 순기능을 가지고 있다.

② 전문화(분업)의 원리는 업무를 종류와 성질별로 구분하여 구성원에게 가급적 한 가지의 주된 업무를 분담시켜 조직의 능률을 향상시키려는 것이나 업무수행에 대한 흥미상실과 비인간화라는 역기능을 가지고 있다.

③ 조정의 원리는 공동목적을 달성하기 위하여 구성원의 행동 통일을 기하도록 집단적 노력을 질서있게 배열하는 과정이며 전문화에 의한 할거주의, 비협조 등을 해소하는 순기능을 가지고 있다.

④ 통솔범위의 원리는 1인의 상관 또는 감독자가 효과적으로 직접 감독할 수 있는 부하의 수에 관한 원리로서 계층의 수가 많아지면 통솔범위가 축소된다.

04

④ 계층제와 통솔범위는 역의 관계이다. 엄격한 명령계통에 따른 상명하복의 관계를 유지하기 위해서는 통솔범위를 좁게 설정하여야 한다.

① 수직적 분화가 심화되면 상층부와 하층부 사이의 계층의 수가 증가하여 수직적인 고층구조가 형성되고, 반대로 수직적 분화가 완화되면 계층의 수가 감소하여 수평적인 저층구조가 형성된다.

② 계층제의 원리란 권한과 책임의 정도에 따라 직무를 조직구성원들 간에 수직적으로 등급화하는 것을 말한다.

③ 계층제는 조직 상층부와 하층부 간의 의사소통 역할을 수행한다.

05

① 계층제와 통솔범위는 반비례 관계이다. 통솔범위가 넓을수록 계층 수가 줄어들어 수평적인 저층구조가 형성되고, 통솔범위가 좁을수록 계층 수가 늘어나 수직적인 고층구조가 형성된다.

② 전문화의 원리는 업무를 성질별로 구분하고 한 가지의 주된 업무를 분담시켜 반복적으로 수행하도록 하는 것으로, 전문가적 편협성과 할거주의로 인하여 각 단위 간의 통합과 조정이 곤란하다는 단점이 있다.

③ 명령통일의 원리는 조직의 모든 구성원은 한 명의 상관으로부터 명령을 받고 한 명의 상관에게 보고해야 한다는 것이다.

④ 조정의 원리는 공동의 목적을 달성하기 위해 행동에 통일을 기하도록 집단적 노력을 배열하는 것으로, 할거주의, 비협조 등을 해소하는 기능을 가진다.

06

① 계층제는 직무를 권한과 책임의 정도에 따라 등급화하고 상하계층 간에 지휘와 명령복종관계를 확립한 것으로, 구성원의 의사결정에서의 참여가 낮아지므로 귀속감과 참여감을 저해한다.

② 전문화(분업)의 원리는 단순 반복적 업무수행으로 인해 일의 흥미를 상실시키고 소극성과 의존성을 조장하여 적극성이나 상대적 독립성, 개성 등을 무시하게 된다는 단점이 있다.

③ 조정의 원리는 공통목적을 달성하기 위해 행동의 통일을 기하도록 집단적 노력을 배열하는 과정으로, 할거주의나 비협조 등을 해소한다.

④ 통솔범위의 원리는 한 명의 상관이 효과적으로 통솔할 수 있는 적정 부하의 수를 말하며 통솔범위가 좁으면 계층이 많아지고, 계층이 적으면 통솔범위가 넓어지는 역의 관계에 있다.

01 **조직구조에 대한 설명으로 옳지 않은 것은?**

2020 국회 8급

① 일반적으로 단순하고 반복적 직무일수록, 조직의 규모가 클수록 그리고 안정적인 조직환경일수록 공식화가 높아진다.

② 조직구조의 구성요소 중 집권화란 조직 내에 존재하는 활동이 분화되어 있는 정도를 말한다.

③ 지나친 전문화는 조직구성원을 기계화하고 비인간화시키며, 조직구성원 간의 조정을 어렵게 하는 단점이 있다.

④ 공식화의 정도가 높을수록 조직적응력은 떨어진다.

⑤ 유기적인 조직일수록 책임관계가 모호할 가능성이 크다.

02 **집권화와 분권화의 형성요인에 대한 설명으로 가장 적절하지 않은 것은?**

2019 경정승진

① 조직의 규모가 확대되면 문제가 복잡해져 집권화의 필요성이 높아진다.

② 하급자나 하급기관의 역량이 부족한 경우 집권화의 필요성이 높아진다.

③ 다수의 유능한 관리자가 있는 경우 분권화의 필요성이 높아진다.

④ 개인의 창의성 발휘가 요구될 때 분권화의 필요성이 높아진다.

03 **조직구조의 상황요인에 대한 설명으로 〈보기〉에서 모두 고른 것은?**

2018 서울 7급

> **보기**
>
> ㄱ. 비일상적 기술일 경우 공식화가 높아질 것이다.
> ㄴ. 조직 규모가 커짐에 따라 공식화가 높아질 것이다.
> ㄷ. 환경의 불확실성이 높을수록 집권화가 높아질 것이다.
> ㄹ. 비일상적 기술일수록 집권화가 낮아질 것이다.
> ㅁ. 환경의 불확실성이 높을수록 공식화가 낮아질 것이다.

① ㄱ, ㄷ, ㄹ   ② ㄴ, ㄹ, ㅁ

③ ㄷ, ㄹ, ㅁ   ④ ㄱ, ㄴ, ㅁ

01

정답 : ②

② 조직구조의 구성요소 중 조직 내에 존재하는 활동이 분화되어 있는 정도를 분권화라고 한다. 한편 집권화는 조직계층 상하 간의 권한 배분과 의사결정의 수준을 의미한다.

① 일반적으로 단순·반복된 직무일수록, 조직의 규모가 클수록, 안정적인 환경일수록 공식화가 높아진다.

③ 지나친 전문화는 조직구성원 간의 조정을 어렵게 한다.

④ 공식화는 업무의 표준화 정도로, 불확실한 상황에서는 환경에 대한 탄력성 및 조직적응력이 떨어진다.

⑤ 유기적 구조는 모호한 책임관계를 특징으로 한다.

02

정답 : ①

① 조직의 규모가 확대되면 문제가 복잡해져 집권화의 필요성이 낮아진다.

② 하급자나 하급기관의 역량이 필요한 경우 집권화가 촉진된다.

③ 다수의 유능한 관리자가 존재하는 경우 분권화가 촉진된다.

④ 개인의 창의성 발휘가 요구되는 경우 분권화가 촉진된다.

03

정답 : ②

② ㄴ, ㄹ, ㅁ이 옳은 지문에 해당한다.

ㄴ. [O] 조직의 규모가 커지면 구성원의 수와 업무량이 늘어나기 때문에 공식화는 높아지게 된다.

ㄹ. [O] 비일상적 기술일수록 분권화가 높아진다.

ㅁ. [O] 환경이 불확실할수록 공식화가 낮아진다.

ㄱ. [X] 비일상적 기술일수록 공식화가 낮아진다.

ㄷ. [X] 환경이 불확실할수록 집권화가 낮아진다.

포인트 정리

집권화 촉진요인 vs 분권화 촉진요인

집권화 촉진요인	• 역사가 짧은 소규모 신설조직인 경우 • 교통·통신의 발달 • 경쟁의 격화와 조직의 위기일 경우 • 의사결정의 중요성이 높은 경우 • 하급자나 하급기관의 역량이 부족한 경우 • 규칙과 절차의 발달(높은 공식성) • 권위주의적 문화일 경우 • 분업의 심화 및 기능분립적 구조 설계
분권화 촉진요인	• 조직의 규모 확대 • 변화의 격동성 및 복잡성 • 신속한 의사결정 필요성의 증가 • 다수의 유능한 관리자(인적전문화) 존재 • 개인의 창의성 발휘가 요구되는 경우

조직구조변수 간 관계

구분	복잡성	공식성	집권성
규모(확대)	+	+	−
기술(일상적)	−	+	+
환경(불확실)	−	−	−

정답
01 ② 02 ① 03 ②

04 다음 상황론적 조직이론(contingent theory)에 대한 설명 중 가장 옳은 것은? 2016 서울 7급

① 우드워드(J. Woodward)는 제조업체의 생산기술에 따라 조직이 사용하는 기술의 유형을 구분하고, 대량 생산 기술에는 관료제와 같은 기계적 구조가 효과적이지 않다고 주장하였다.

② 톰슨(V. A. Thompson)은 업무 처리 과정에서 일어나는 조직 간·개인 간 상호의존도를 기준으로 기술을 분류하고, 종합병원처럼 집약기술이 필요한 조직은 수직적 조정이 중요하다고 주장하였다.

③ 페로우(C. Perrow)는 조직원이 업무를 처리하는 과정에서 발생하는 예외적인 사건의 정도와 업무 처리가 표준화된 절차에 의해 수행되는 정도를 기준으로 조직의 기술을 장인기술, 비일상적 기술, 일상적 기술, 공학적 기술로 유형을 구분하였다.

④ 상황론적 조직이론에서는 정책결정자가 환경에 대해 충분한 정보를 갖지 못하므로 환경이 조직구조에 영향을 미치지 않는다고 본다.

05 조직구조 및 유형의 특성에 대한 설명으로 옳은 것은? 2014 국가 7급

① 애드호크라시는 공식화 정도가 높고 분권화되어 있으며, 수직적 분화가 심한 특징을 보여주고 있다.

② 공식화는 자원배분을 포함한 의사결정 권한이 조직의 상하 직위 간에 어떻게 분배되어 있는가를 의미한다.

③ 복잡성은 조직이 얼마나 나누어지고 흩어져 있는가의 분화 정도를 말하며, 수평적·수직적·공간적 분화 등으로 세분화할 수 있다.

④ 집권화는 업무수행 방식이나 절차가 표준화되어 있는 정도를 의미하며 직무기술서, 내부규칙, 보고체계 등의 명문화 정도로 측정할 수 있다.

06 수평적 전문화와 수직적 전문화에 대한 설명으로 옳지 않은 것은? 2013 국가 7급

① 전문가적 직무는 수평적 전문화와 수직적 전문화의 수준이 모두 높은 경우에 효과적이다.

② 직무확장(job enlargement)은 기존의 직무에 수평적으로 연관된 직무요소 또는 기능들을 추가하는 수평적 직무재설계의 방법으로서, 수평적 전문화의 수준이 낮아지는 것이다.

③ 고위관리직무는 수평적 전문화와 수직적 전문화의 수준이 모두 낮은 경우에 효과적이다.

④ 직무 풍요화(job enrichment)는 직무를 맡은 사람의 책임성과 자율성을 높이고, 직무수행에 관한 환류가 원활히 이루어지도록 직무를 재설계하는 방법으로서, 수직적 전문화의 수준이 낮아지는 것이다.

04

③ 페로우는 과제의 다양성(예외적 사건의 발생빈도)과 문제의 분석가능성이라는 2가지 차원에서 기술의 유형을 크게 4가지(기예적 기술, 비일상적 기술, 일상적 기술, 공학적 기술)로 분류하였다.

① 우드워드는 제조업체의 생산기술에 따라 조직이 사용하는 기술을 소량생산기술, 대량생산기술, 연속공정기술로 분류하였고, 대량생산 기술은 표준화된 제품을 생산하고 관료제와 같은 기계적 구조에 효과적이라고 보았다.

② 톰슨은 업무 처리 과정에서 일어나는 조직 간·개인 간 상호의존도를 기준으로 중개적 기술, 길게 연결된 기술, 집약적 기술로 분류하였고, 종합병원처럼 집약적 기술이 필요한 조직은 부정기적 회의 등을 통한 상호적응에 의한 조정이 중요하다고 주장하였다. 한편 수직적 조정이 중요한 유형은 중개적 기술이다.

④ 상황론적 조직이론에서는 정책결정자가 환경에 대한 충분한 정보를 갖지 못하므로 환경이 조직구조에 영향을 미친다고 본다.

포인트 정리

페로우(Perrow)의 기술 유형론

구분		과제의 다양성	
		낮음	높음
문제의 분석 가능성	낮음	기예적 기술	비일상적 기술
	높음	일상적 기술	공학적 기술

05

③ 복잡성은 조직의 분화 정도를 의미하는 것으로, 조직이 얼마나 흩어져 있는가에 따라 수평적·수직적·공간적 분화로 구분한다.

① 애드호크라시는 공식화 정도가 낮고 분권화되어 있다.

② 집권화는 자원배분을 포함한 의사결정 권한이 조직의 상하 직위 간에 어떻게 분배되어 있는가를 의미한다.

④ 공식화는 업무수행 방식이나 절차가 표준화되어 있는 정도를 의미하며 직무기술서, 내부규칙, 보고체계 등의 명문화 정도로 측정할 수 있다.

06

① 전문가적 직무는 수평적 전문화가 높고 수직적 전문화가 낮은 경우에 효과적이다.

② 직무확장(job enlargement)은 직무의 수평적(횡적) 분담의 폭을 확대하는 것으로 기존 직무에 수평적으로 연관된 직무요소나 기능들을 첨가해 직무범위를 넓혀 줌으로써 직무수행의 지루함과 피로를 줄이고 생산활동의 질을 높이는 기법이다.

③ 고위관리직무는 수평적 전문화와 수직적 전문화가 모두 낮은 경우에 효과적이며 조직의 정책과 전략을 결정하는 유형이다.

④ 직무충실(job enrichment)은 수직적으로 연관된 기능들을 책임이 더 큰 하나의 기능으로 재설계하여 담당자의 책임성과 자율성을 높이는 기법이다.

정답

04 ③ 05 ③ 06 ①

07 조직 내에서 직무의 범위와 깊이는 과제의 성격에 따라 달라져야 한다. 아래는 직무전문화와 과제 성격과의 관계를 나타낸 표이다. (가), (나), (다), (라)에 들어갈 내용이 옳게 연결된 것은? 2011 국회 8급

		수평적 전문화	
		높음	낮음
수직적 전문화	높음	(가)	(나)
	낮음	(다)	(라)

	(가)	(나)	(다)	(라)
①	일선관리직무	비숙련직무	전문가적직무	고위관리직무
②	일선관리직무	비숙련직무	고위관리직무	전문가적직무
③	고위관리직무	전문가적직무	일선관리직무	비숙련직무
④	비숙련직무	일선관리직무	고위관리직무	전문가적직무
⑤	비숙련직무	일선관리직무	전문가적직무	고위관리직무

08 페로우(C.Perrow)는 과제의 다양성과 문제의 분석가능성이라는 두 가지 차원을 이용해서 조직의 기술을 네 가지로 구분하였다. 이와 관련된 설명 중 옳지 않은 것은? 2005 대구 7급

① 과제의 다양성이란 과제가 수행되는 과정에서 발생하는 예외적 사건의 빈도를 말한다.

② 일상적 기술을 사용하는 부서의 경우 의사결정의 대부분이 관리자에게 집권화된다.

③ 비일상적 기술을 사용하는 부서의 경우 과제를 해결하기 위한 방법을 탐색하는 절차가 매우 복잡하다.

④ 장인적 기술을 사용하는 부서의 경우 과제의 다양성은 높고 문제의 분석가능성은 낮아 문제 해결이 어렵다.

⑤ 공학적 기술을 사용하는 부서의 경우 과제의 다양성과 문제의 분석가능성이 모두 높게 나타나 직무수행이 복잡하다.

CHAPTER 07 공식조직, 비공식조직

실질적 력(역량) 업그레이드

01 조직은 성립과정이 인위적인지 여부에 따라 공식적 조직과 비공식적 조직으로 분류할 수 있다. 행정조직 내 비공식적 조직에 관한 설명 중 가장 적절하지 않은 것은? 2012 경정승진

① 비공식적 조직은 사회적 욕구충족을 위해 어디까지나 공식적 조직 내에서 발생하는 조직을 말한다.

② 비공식적 조직은 각 구성원이 지켜야 할 행동규범을 확립하여 사회적 통제의 기능을 수행한다.

③ 비공식적 조직을 파악하는 데는 연결망 분석의 일종인 소시오메트리(Sociometry) 기법이 유용할 수 있다.

④ 비공식적 조직은 비밀정보망으로 기여하게 되며 이는 공식조직의 응집력을 높이는 작용을 한다.

07

⑤ (가)-비숙련직무, (나)-일선관리직무, (다)-전문가적직무, (라)-고위관리직무가 옳게 연결되었다.

(가) 생산부서의 비숙련직무와 같은 단순한 직무는 수평적 전문화와 수직적 전문화가 모두 높은 것이 효과적이다.

(나) 일선관리직무는 수평적 전문화는 낮고 수직적 전문화는 높은 것이 효과적이다.

(다) 전문가적 직무는 수평적 전문화는 높고 수직적 전문화는 낮은 것이 효과적이다.

(라) 조직의 전략과 정책 등을 결정하는 고위관리직무는 수평적 전문화와 수직적 전문화가 모두 낮은 것이 효과적이다.

08

④ 장인적 기술은 기능에 해당하는 기술로서 분석가능성이 낮은 반면, 예외가 적은 기술로서 도 자기를 생산하는 기술 등이 이에 해당한다.

① 과제의 다양성에 대한 설명이다.

② 일상적 기술은 분석 가능한 탐색과 소수의 예외가 결합된 기술이다. 집권화를 초래하고 기계 적 구조가 적합하다.

③ 비일상적 기술은 분석 불가능한 탐색과 다수의 예외가 결합된 기술로 직무수행이 복잡하고 문제해결도 복잡하다.

⑤ 공학적 기술은 분석가능한 탐색과 다수의 예외가 결합된 기술로 직무수행은 복잡하지만 문 제해결은 용이하다.

01

④ 비공식적 조직은 공식목표와는 무관한 비밀정보망으로 기여하게 되며 이는 공식조직의 응집 력을 저하시키는 작용을 한다.

① 공식조직 내에 존재하는 부분적 질서로서 복합적·다기능적 기능을 수행한다.

② 행동규범의 공유와 사회적 통제라는 순기능이 있다.

③ 소시오메트리 기법이란 집단 내 행위자에게 지시와 질문을 통하여 수집한 자료를 활용하여 행위자들 간의 견인, 반발, 무관심의 심리적 행태를 분석하고 그 강도와 빈도를 측정함으로 써 개인의 관계위치, 그리고 집단 자체의 구조나 상태를 연구하는 것이다.

포인트 정리

수평적 전문화와 수직적 전문화

구분		수평적 전문화	
		높음	낮음
수직적 전문화	높음	비숙련 직무	일선 관리 직무
	낮음	전문가적 직무	고위 관리 직무

페로우(Perrow)의 기술 유형론

구분		과제의 다양성	
		낮음	높음
문제의 분석 가능성	낮음	기예적 기술	비일상적 기술
	높음	일상적 기술	공학적 기술

공식집단 vs 비공식집단

공식집단	비공식집단
조직의 목표달성을 위하여 존재	감정·욕구의 충족을 위하여 존재
인위적 조직	자연발생적 조직 (자생적 집단)
비인격적·제도적 관계, 명문화	인격적·비제도적 관계, 대면관계
전체적 질서	부분적 질서
가시적 조직	비가시적 조직
수직적 관계	수평적 관계
권한이 상층부로 부터 위임됨	권위가 구성원들로 부터 부여됨

정답

07 ⑤ 08 ④ 01 ④

01 보조기관과 보좌기관에 대한 설명으로 가장 옳지 않은 것은?

2020 해경승진 / 2014 지방 7급

① 보조기관은 위임·전결권의 범위 내에서 의사결정과 집행의 권한을 가진다.

② 보좌기관은 정책에 대한 최종적인 책임을 지지 않는 경우가 많으며 보조기관과 갈등을 유발할 수도 있다.

③ 보좌기관이 보조기관보다는 더 현실적이고 보수적인 속성을 가질 가능성이 높다.

④ 보좌기관은 목표달성 및 정책수행에 간접적으로 기여한다.

02 행정기관에 대하여 관계법령에 규정된 내용으로 옳은 것은?

2018 국가 9급

① 부속기관이란 행정권의 직접적인 행사를 임무로 하는 기관에 부속하여 그 기관을 지원하는 행정기관을 말한다.

② 보조기관이란 행정기관이 그 기능을 원활하게 수행할 수 있도록 그 기관장을 보좌함으로써 행정기관의 목적달성에 공헌하는 기관을 말한다.

③ 하부기관이란 중앙행정기관에 소속된 기관으로서, 특별지방행정기관과 부속기관을 말한다.

④ 방송통신위원회, 공정거래위원회, 소청심사위원회 등은 행정기관의 소관 사무에 관하여 자문에 응하거나 조정, 협의, 심의 또는 의결 등을 하기 위해 복수의 구성원으로 이루어진 합의제 기관으로서 행정기관이 아니다.

03 행정조직구조에서 계선조직과 참모조직에 대한 설명으로 가장 옳지 않은 것은?

2013 경찰간부

① 계선조직은 계층적 구조를 갖는 수직적 조직이며, 참모조직은 횡적지원을 하는 수평적 조직이다.

② 계선조직의 장점으로는 권한과 책임의 한계가 명확한 점, 조직의 안정성 확보, 높은 전문성의 확보로 인한 업무수행의 능률성을 들 수 있다.

③ 참모조직의 단점으로는 조직 내의 불화의 가능성, 계선과 참모 간 책임 전가의 우려, 의사전달의 경로가 혼선을 빚을 가능성 등이 있다.

④ 계선과 참모 간의 갈등을 해결하기 위하여 책임한계를 분명히 하여야 한다.

04 행정농도에 대한 설명으로 옳지 않은 것은?

2004 서울 7급

① L.Pondy가 사용한 말로 조직에 있어서 직접인력에 대한 간접인력의 비율을 나타낸다.

② 참모의 비율이 클수록, 비관리직 비율이 작을수록 행정농도는 높다고 본다.

③ 행정농도가 높은 것은 행정의 민주화가 높은 것으로 볼 수도 있다.

④ 후진국의 경우 행정농도가 낮고 선진국의 경우 행정농도가 높다.

⑤ 행정농도는 측정하기가 불가능하며, 행정조직 개혁의 자료로 사용되고 있지 않다.

01

③ 보조기관은 현실적이고 보수적이지만 보좌기관은 개혁적이고 이상적인 속성을 가질 가능성이 높다.

① 보조기관은 계선의 하부조직으로, 행정기관의 의사 또는 판단의 결정이나 표시를 보조하며 위임의 범위 내에서 직접 결정하기도 한다.

② 보좌기관은 행정기관이 그 기능을 원활하게 수행할 수 있도록 그 기관장이나 보조기관을 보좌하는 것으로, 정책에 대한 최종적인 책임을 지지 않는 경우가 많다.

④ 보좌기관은 행정기관의 목적 달성에 간접적으로 공헌한다.

02

정답 : ①

① 부속기관은 교육훈련기관, 시험연구기관, 문화기관 등 부수적 업무를 담당하는 기관으로 행정권의 직접적인 행사를 임무로 하는 기관에 부속되어 그 기관을 지원하는 행정기관이다.

② 보좌기관에 대한 설명이다. 보조기관은 행정기관의 의사나 판단의 결정이나 표시를 보조하는 기관으로 행정기관의 목적달성에 공헌하는 기관을 말한다.

③ 소속기관에 대한 설명이다. 하부기관은 보조기관과 보좌기관을 의미한다.

④ 방송통신위원회, 공정거래위원회, 소청심사위원회는 합의제 기관으로 행정기관에 해당한다.

03

정답 : ②

② 계선조직의 장점으로 권한과 책임의 한계가 명확한 점, 조직의 안정성 확보를 들 수 있다. 한편 높은 전문성의 확보로 인한 업무수행의 능률성은 참모조직의 장점에 해당한다.

① 계선기관은 조직의 전체적 목적달성에 직접적으로 기여하는 기관으로 수직적 관계에 있는 운영조직에 해당되며, 참모기관은 횡적지원을 하는 수평적 조직에 해당한다.

③ 참모기관은 계선과 참모 간 책임에 대한 갈등이 유발되며, 의사소통의 경로가 혼선을 빚을 우려가 있다.

④ 계선과 참모 간의 갈등을 해결하려면 인사교류를 통해 서로 입장이나 견해를 이해시키고 서로의 권한과 책임을 명확하게 하여야 한다.

04

정답 : ⑤

⑤ 행정농도는 측정이 가능하며, 행정농도가 높을 경우 동태적·개혁적·민주적 조직으로 간주할 수 있으므로 행정농도는 행정조직 개혁의 자료로 사용될 수 있다.

① 행정농도의 개념이다.

② 유지관리인력을 간접인력(막료기관)으로 파악하는 입장으로 보면 참모의 비율이 클수록 행정농도는 높아진다.

③, ④ 행정농도를 막료가 차지하는 비율로 정의할 때, 대체적으로 후진국은 행정농도가 낮은 편이며 조직농도가 높은 선진국은 조직이 보다 민주적이고 동태적이다.

포인트 정리

계선(보조)기관 vs 참모(보좌)기관

계선(보조)기관	참모(보좌)기관
• 권한과 책임의 한계 명확	• 기관장의 통솔범위 확대
• 신속하고 능률적	• 업무조정 및 전문지식의 활용
• 소규모 조직에 적합	• 대규모 조직에 적합
• 조직의 안정성 확보	• 조직의 신축성 및 동태성 확보
• 결정·명령·집행권	• 합리적 결정
• 계층제 형태	• 인격적 보완체
• 강력한 통솔력	• 기관간 조정
• 현실적 조직	• 개혁적 조직

정답
01 ③ 02 ① 03 ② 04 ⑤

□□
01 재니스(Janis)의 집단사고(groupthink)의 특성에 해당하지 않는 것은?　　2023 국가 9급

① 토론을 바탕으로 한 집단지성의 활용

② 침묵을 합의로 간주하는 만장일치의 환상

③ 집단적 합의에 대한 이의 제기에 대한 자기 검열

④ 집단에 대한 과대평가로 집단이 실패할 리 없다는 환상

□□
02 베버(Weber)가 주장했던 이념형 관료제의 특징으로 옳은 것만을 〈보기〉에서 모두 고르면?　　2020 국회 8급

> **보기**
>
> ㄱ. 지도자 개인의 카리스마가 아니라 성문화된 법령이 조직 내 권위의 원천이 된다.
> ㄴ. 엄격한 계서제에 따라 상대방의 지위를 고려하여 법규를 적용한다.
> ㄷ. 관료는 업무 수행에 대한 대가로 정기적으로 일정한 보수를 받는다.
> ㄹ. 모든 직무수행과 의사전달은 구두가 아니라 문서로 이루어지는 것이 원칙이다.
> ㅁ. 권한은 사람이 아니라 직위에 부여되는 것이다.

① ㄱ, ㄴ　　　　　　② ㄴ, ㅁ　　　　　　③ ㄱ, ㄷ, ㄹ

④ ㄱ, ㄷ, ㄹ, ㅁ　　　⑤ ㄴ, ㄷ, ㄹ, ㅁ

□□
03 막스 베버(Max Weber)가 말하는 관료제의 이념형(ideal type)에 대한 설명으로 가장 옳은 것은?　　2018 서울 7급

① 조직의 목표를 효율적으로 달성하기 위해서 순환근무를 강조한다.

② 법적/합리적 권위에 근거한 조직구조이다.

③ 도덕적 이상을 지닌 관료제의 형태를 말한다.

④ 문서화된 법규집보다 전문직업적 판단을 강조한다.

01

정답 : ①

① 재니스(Janis)가 제안한 집단사고는 집단응집성과 합의에 대한 압력으로 인해 비판적인 사고가 억제되고 대안들에 대한 찬성과 반대가 충분히 검토되지 못한 채 의사결정이 이루어지는 것을 나타낸다.

02

정답 : ④

④ ㄱ, ㄷ, ㄹ, ㅁ이 옳은 내용이다.

ㄱ. [O] 베버의 관료제는 개인의 카리스마가 아니라 합법적 권력을 그 원천으로 한다.
ㄷ. [O] 규칙적으로 급료를 지불받는 직업관료제를 전제로 한다.
ㄹ. [O] 권한과 책임한계를 분명히 하기 위해 문서위주의 행정을 원칙으로 한다.
ㅁ. [O] 권한은 사람이 아니라 직위에 부여되는 것으로, 점직자(직위를 점한 사람)가 바뀌어도 그 직위에 부여된 권한은 변함이 없다.
ㄴ. [X] 상대방(민원인)의 지위나 신분, 여건 등을 무시하고 법규와 규정에 따라 업무를 객관적으로 처리하는 비개인화를 특징으로 한다.

03

정답 : ②

② 막스베버의 관료제 이념형은 권위의 3가지 유형인 전통적 권위, 카리스마적 권위, 법적·합리적 권위 중에서 법적/합리적 권위에 근거한 구조이다.

① 이념형 관료제는 조직의 목표를 효율적으로 달성하기 위해서 한 가지 일만 반복적·전문적으로 수행하는 엄격한 분업의 원리를 강조한다.
③ 이념형 관료제는 도덕적 이상보다는 다양한 현실세계의 일정부분을 이해하기 위한 수단으로 제시된 형태를 말한다.
④ 전문직업적 판단보다는 문서화된 법규집을 강조한다.

포인트 정리

베버(M.Weber)의 이념형 관료제

관료제	특징
가산관료제 (전통적 지배)	권력을 장악한 자의 신분에 의하여 유지되므로 공적·사적 구분미비
카리스마적 관료제 (카리스마적 지배)	위기나 재난이 발생할 시 지배자의 특성에 따라 관리
근대 관료제 (합법적·합리적 지배)	관료의 전문화와 전임화, 문서화, 계서제적 구조, 법규에 의한 지배, 임무수행의 비개인화

정답

01 ① 02 ④ 03 ②

다음 중 〈보기〉의 가상 사례를 가장 잘 설명하고 있는 것은? 2018 국회 8급

> **보기**
>
> 요즘 한 지방자치단체 공무원들 사이에는 민원 관련 허가를 미루려는 A국장의 기이한 행동이 입방아에 오르내리고 있다. A국장은 자기 손으로 승인여부에 대한 결정을 해야 하는 상황을 피하기 위해 자치단체장에 대한 업무보고도 과장을 시켜서 하는 등 단체장과 마주치지 않기 위해 피나는 노력을 하고 있다고 한다. 최근에는 해외일정을 핑계로 아예 장기간 자리를 뜨기도 했다. A국장이 승인여부에 대한 실무진의 의견을 제대로 올리지 않자 안달이 난 쪽은 다름 아닌 바로 단체장이다. 단체장이 모든 책임을 뒤집어써야 하는 상황이 될 수도 있기 때문이다. A국장과 단체장이 책임을 떠넘기려는 웃지 못할 해프닝이 일어나고 있는 것이다. 한 공무원은 "임기 말에 논란이 될 사안을 결정할 공무원이 누가 있겠느냐"고 말했다.
>
> 이런 현상은 중앙부처의 정책결정 과정이나 자치단체의 일선행정 현장에서 모두 나타나고 있다. 그 사이에 정부 정책의 신뢰는 저하되고, 신뢰를 잃은 정책은 표류할 수밖에 없다.

① 업무수행지침을 규정한 공식적인 법규정만을 너무 고집하고 상황에 따른 유연한 대응을 하지 않는 행태를 말한다.

② 관료제의 구조적 특성인 권위의 계층적 구조에서 상사의 명령까지 절대적으로 추종하는 행태를 말한다.

③ 관료들이 위험 회피적이고 변화 저항적이며 책임 회피적인 보신주의로 빠지는 행태를 말한다.

④ 관료제에서 공식적인 규칙이나 절차가 본래의 목적을 상실하여 조직과 대상 국민에게 순응의 불편이나 비용을 초래하는 것을 말한다.

⑤ 기관에 대한 정서적 집착과 같은 귀속주의나 기관과 자신을 하나로 보는 심리적 동일시 현상을 말한다.

베버(Weber)의 관료제 모형에 대한 설명으로 옳지 않은 것은? 2015 국가 7급

① 관료에게 지급되는 봉급은 업무수행 실적에 대한 평가에 따라 결정된다.

② 관료제 모형은 계층제의 원리를 근간으로 한다.

③ 베버(Weber)는 정당성을 기준으로 권위의 유형을 전통적 권위, 카리스마적 권위, 법적·합리적 권위로 나누었는데 근대적 관료제는 법적·합리적 권위에 기초를 두고 있다고 주장한다.

④ 관료제 모형은 '전문화로 인한 무능(trained incapacity)' 등 역기능을 초래할 수도 있다.

관료제의 병리와 역기능에 대한 설명으로 옳지 않은 것은? 2015 국회 8급

① 셀즈닉(P. Selznick)에 따르면 최고관리자의 관료에 대한 지나친 통제가 조직의 경직성을 초래하여 관료제의 병리현상이 나타난다.

② 관료들은 상관의 권위에 무조건적으로 의존하는 경향이 있다.

③ 관료들은 보수적이며 변화와 혁신에 저항하는 경향이 있다.

④ 파킨슨의 법칙은 업무량과는 상관없이 기구와 인력을 팽창시키려는 역기능을 의미한다.

⑤ 굴드너(W. Gouldner)는 관료들의 무사안일주의적 병리현상을 지적한다.

04

③ 〈보기〉의 사례는 관료들이 자기유지에 대한 불안감 때문에 본질적으로 변동이나 혁신에 적극적으로 저항하고 책임질 일을 회피한다는 책임회피성에 관한 내용으로, 보신주의로 빠지는 행태와 일맥상통한다.

① 법규만능주의는 업무수행지침을 규정한 공식적인 법 규정만을 너무 고집하고 상황에 따른 유연한 대응을 하지 않는 행태를 말한다.

② 권위주의는 관료제의 구조적 특성인 권위의 계층적 구조에서 상사의 명령까지 절대적으로 추종하는 행태를 말한다.

④ 형식주의는 관료제에서 공식적인 규칙이나 절차가 본래의 목적을 상실하여 조직과 대상 국민에게 순응의 불편이나 비용을 초래하는 것을 말한다.

⑤ 할거주의는 기관에 대한 정서적 집착과 같은 귀속주의나 기관과 자신을 하나로 보는 심리적 동일시 현상을 말한다.

05

① 베버의 관료제 모형은 직업관료제에 바탕을 두는 모형으로, 관료에게 지급되는 봉급은 연공서열에 따라 정해진 금전적 보수와 연금을 받는다.

② 관료제 모형은 엄격한 수직적 업무 배분으로 수직적·계층제적 권위 구조에 의한 상하 간 지배복종체계의 성격을 띠며, 계층제의 원리를 특징으로 한다.

③ 베버는 정당성을 기준으로 전통적 권위, 카리스마적 권위, 법적·합리적 권위로 구분하였고, 근대적 관료제는 법과 합리주의가 지배하는 관료제로 법적·합리적 권위에 기반한다고 보았다.

④ 전문화로 인한 무능은 한 가지의 지식 등에 관하여 훈련 받고 기존규칙을 준수하도록 길들여진 경우 변동된 새로운 조건에 적응하지 못하는 것으로, 이는 관료제의 병리현상에 해당한다.

06

① 최고관리자의 관료에 대한 지나친 통제가 조직의 경직성을 초래하여 관료제의 병리현상이 나타난다고 주장한 학자는 머튼이다. 한편 셀즈닉은 권한위임과 전문화로 인해 전체목표보다는 하위목표에 집착하여 관료제의 병리현상이 나타난다고 주장하였다.

② 관료들은 상급자의 권위에 지나치게 의존하는 경향이 있다.

③ 관료제는 본질적으로 보수주의적·현상유지적 속성을 띠기 때문에 변화에의 적응력이 떨어지고 변화와 혁신에 저항하게 된다.

④ 파킨슨의 법칙은 공무원의 수는 본질적인 업무량의 증가와 관계없이 자기보존 및 세력확장이라는 두 가지 심리적 요인(부하배증과 업무배증)의 악순환으로 인하여 필연적으로 증가한다는 법칙이다.

⑤ 굴드너는 부하를 통제하기 위한 규칙이 통제 위주의 관리를 초래한다고 주장하며 관료들의 무사안일주의적 병리현상을 지적하였다.

포인트 정리

베버(Weber)의 이념형 관료제 형태

권위	관료제	내용
전통적 권위	가산관료제	인격적 지배, 관직의 사유화
카리스마적 권위	카리스마적 관료제	지배자의 개인적 특성에 의존
합법적·합리적 권위	합법적·합리적 관료제	계층제, 문서주의, 공사구분, 몰인격성 등

관료제의 병리에 대한 학자들의 주장

M.Janowitz	관료가 민주적 합의에 기초하지 않고 균형을 잃을 경우 전제적이거나 굴종적 관료제가 됨
Bennis	'관료제 너머'에서 관료제의 종언을 예고
S.Claire	관료제는 시민의 자유를 침해할 위험이 있는 행정통치 초래
Merton	규칙의 엄수가 동조과잉(목표의 전환) 초래
Blau & Thompson	조직 내 사회적 관계에서 개인심리의 불안정성이 병리의 원인(인간적 유대 저해)
Selznick	권한위임과 전문화가 전체목표보다는 하위목표에 집착하는 병리의 원인
Gouldner	부하를 통제하기 위한 규칙이 통제 위주의 관리 초래

정답

04 ③ 05 ① 06 ①

〈보기〉 중 관료제의 병폐에 관한 설명으로 옳은 것은 모두 몇 개인가?

> **보기**
>
> ㄱ. 과잉동조(overconformity)는 관료들의 권한행사영역이 계속 확장되는 것을 의미한다.
> ㄴ. 국지주의(parochialism)는 한 가지 지식 또는 기술에 대해 훈련받고 기존 규칙을 준수하도록 길들여진 사람이 다른 대안을 생각하지 못하는 것을 의미한다.
> ㄷ. 번문욕례(red tape)는 쇄신과 발전에 대해 수용적이며 고객과 환경의 요청에 적절히 대응하는 관료적 행태를 의미한다.
> ㄹ. 훈련된 무능(trained incapacity)은 관료들의 편협한 안목을 의미하며 직접적인 고객의 특수이익에 묶여 전체이익을 망각하는 경향을 의미한다.
> ㅁ. 제국건설(empire building)은 기술적으로 필요한 정도를 넘어서 법규의 엄격한 적용과 준수가 강요되는 것을 의미하며 목표와 수단의 대치현상을 일으키기도 한다.

① 4개   ② 3개   ③ 2개

④ 1개   ⑤ 없음

베버(M.Weber)가 주장한 관료제의 기술적 우월성에 대한 설명으로 옳지 않은 것은?

① 관료제는 법적·합리적 권한에 의해 구조화된 조직이므로 보편성에 근거한 객관적 업무 수행이 용이하다.

② 관료제를 합리적 대규모 조직체로 봄으로써 공식적·비공식적 집단의 참여가 허용되는 참여형 관료제의 운용이 가능하다.

③ 관료제 내의 직위를 계서적으로 배열함으로써 업무능률을 향상시키고 조정을 용이하게 한다.

④ 전문적 관료들이 업무를 계속해서 수행하므로 업무가 신속·정확하고 장기적으로 보면 업무수행의 비용이 적게 든다.

CHAPTER 10 탈관료제

실질적 력(역량) 업그레이드

블랙스버그 선언(Blacksburg Manifesto)과 행정재정립운동(refounding movement)에 대한 설명으로 옳지 않은 것은?

① 블랙스버그 선언은 행정의 정당성을 침해하는 정치·사회적 상황을 비판했다.

② 행정재정립운동은 직업공무원제를 옹호했다.

③ 행정재정립운동은 정부를 재창조하기보다는 재발견해야 한다고 주장했다.

④ 블랙스버그 선언은 신행정학의 태동을 가져왔다.

07

정답 : ⑤

⑤ 모두 틀리다.

ㄱ. [X] 관료들의 지속적 권한 확장은 파킨슨의 법칙 내지는 관료제국주의에 해당한다.

ㄴ. [X] 국지주의가 아니라 훈련된 무능이다.

ㄷ. [X] 번문욕례는 문서와 형식에 얽매여 쇄신과 발전에 저항적인 행태를 보이는 것이다.

ㄹ. [X] 훈련된 무능이 아니라 국지주의 내지 할거주의를 말한다.

ㅁ. [X] 제국건설이 아니라 과잉동조를 의미한다.

08

정답 : ②

② 베버는 관료제를 실적제, 직업공무원제에 입각한 중립적이고 합리적인 대규모 조직체로 보고 상하 위계질서에 의한 의사결정을 중시하므로 폐쇄적이고 집권화된 체제를 중시한다. 따라서 공식적·비공식적 집단의 참여가 허용되는 참여형 관료제의 운용은 곤란하다.

① 비개인화·몰인간성·비정의성 및 공평성을 특징으로 한다.

③ 수직적·계층제적 권위 구조에 의한 상하 간 지배복종체계의 성격을 띠므로 상하 간의 조정이 용이하다.

④ 전문화와 분업으로 능률성을 추구할 수 있다.

01

정답 : ④

④ 블랙스버그 선언은 1980년대 신공공관리론에 대한 반발로 등장하였으며, 행정의 정당성 회복을 목적으로 한다. Waldo의 규범이론을 계승한 것으로, 신행정학의 정신을 계승하고 있다.

조직론

PART 3

해커스공무원 마니행정학 기출 빅데이터 실전팩

정답
07 ⑤ 08 ② 01 ④

02 커크하트(Larry Kirkhart)는 연합적 이념형이라고 하는 반관료제적 모형을 제시하였는데, 이 모형이 강조하는 조직구조 설계원리의 처방에 해당하지 않는 것은?

2019 서울 7급(2월)

① 컴퓨터 활용
② 사회적 층화의 억제
③ 고용관계의 안정성·영속성
④ 권한체제의 상황적응성

03 탈관료제 모형에 관한 다음 설명 중 옳은 것은 몇 개인가?

2018 경찰간부

가. 매트릭스 조직은 잦은 대면과 회의를 통해 과업조정이 이루어지기 때문에 신속한 결정이 가능하다.
나. 네트워크조직은 업무처리의 신속성과 유연성을 확보하는 데 유리하며, 응집력 있는 조직문화를 만드는 데 유리하다.
다. 계서제 없는 조직은 소집단의 연합체 형성, 책임과 권한에 따른 보수의 차등화, 집단 내 또는 집단 간 협동적 과정을 통한 의사결정, 모호하고 유동적인 집단과 조직의 경계 등을 특징으로 한다.
라. 견인이론(Pull Theory)은 기능의 동질성과 일의 흐름을 중시하며, 권한의 흐름을 하향적·일방적인 것이 아니라 상호적인 것으로 생각한다.
마. 정보화 사회에서는 삼엽조직이나 공동화조직이 확대되고 기획 및 조정기능의 위임과 위탁을 통해 업무가 간소화되기도 한다.

① 없음
② 1개
③ 2개
④ 3개

04 테이어(F.C.Thayer)가 주장하는 '계서제 없는 조직'의 특징으로 옳지 않은 것은?

2011 국가 7급

① 소집단의 연합체 형성
② 책임과 권한에 따른 보수의 차등화
③ 집단 내 또는 집단 간 협동적 과정을 통한 의사결정
④ 모호하고 유동적인 집단과 조직의 경계

05 다음 중 전통적 관료제의 역기능을 극복하기 위해 매커디 등이 제시한 후기관료제모형의 특징으로 볼 수 없는 것은?

2010 군무원

① 후기관료제에서는 문제해결 능력을 가진 사람이 권한을 행사한다.
② 업무수행의 규정과 절차는 상황적응적 원리에 따른다.
③ 문제해결과 의사결정은 집단사고나 집단과정보다는 분업화의 원리에 의존한다.
④ 관료제의 구조적 배열은 항구적인 것이 아닌 임시적인 것으로 간주한다.

02

③ 커크하트의 연합적 이념형은 탈관료제 모형으로 고용관계는 기존의 경직적·안정적·영속적인 특징에서 환경변화에 신속하게 대응하고 임무중심 위주의 한시성·잠정성 및 조직 간의 자유로운 이동 등을 특징으로 한다.

①, ②, ④ 컴퓨터 활용, 사회적 층화의 억제, 권한체제의 상황적응성, 구조의 점정성, 고객의 참여, 업무처리기술과 사회적 기술 강조 등을 특징으로 한다.

03

① 가, 나, 다, 라, 마 모두 틀린 지문이다.

가. [X] 매트릭스 조직은 잦은 대면과 회의를 통해 과업조정이 이루어지기 때문에 시간과 노력의 낭비가 발생하고 신속한 결정이 곤란하다.

나. [X] 네트워크조직은 업무처리의 신속성과 유연성을 확보하는 데 유리하지만, 응집력 있는 조직문화를 만드는 데 불리하다.

다. [X] 계서제 없는 조직은 소집단의 연합체 형성, 보수차등 철폐, 집단 내 또는 집단 간 협동적 과정을 통한 의사결정, 모호하고 유동적인 경계 등을 특징으로 한다.

라. [X] 견인이론(Pull Theory)은 기능의 동질이 아닌 일의 흐름을 중시하며, 권한의 흐름을 하향적·일방적인 것이 아니라 상호적인 것으로 생각한다.

마. [X] 정보화 사회에서는 삼엽조직이나 공동화조직이 확대되고 기획 및 조정 이외의 기능의 위임과 위탁을 통해 업무가 간소화되기도 한다.

04

② Thayer의 비계서적 구조는 계층적 서열을 띠지 않는 후기 관료제모형으로 집단 간 경계를 유동화하고 협동적이고 집단적인 문제해결을 추구하는 대신 승진개념 및 보수차등의 철폐를 추구한다.

① 조직사회를 개방성·상호신뢰·긴밀한 대인관계 등을 특징으로 하는 소규모의 다양한 대면적 집단으로 구성하고 집단 간 연계를 도모한다.

③, ④ 조직 경계의 개방, 의사결정권의 이양, 작업과정의 개편 등을 통해 계서제를 소멸시키고, 그 자리에 집단적 의사결정 장치의 설치를 처방한다.

05

③ 후기관료제모형에서는 고전적인 계층제의 원리나 분업화의 원리에 집착하기보다는 구조의 유연성, 절차의 비정형성, 환경변화에 대한 적응의 신속성을 특징으로 하며, 문제해결과 의사결정에 의존한다.

① 임무와 문제해결능력을 중시한다.

② 표준화를 거부하고 상황적응적 관리를 처방한다.

④ 구조나 역할의 배열은 유동적·잠정적인 것이어야 한다고 주장한다.

정답
02 ③ 03 ① 04 ② 05 ③

06 관료제의 역기능과 관련된 주요 이론으로 옳지 않은 것은?

2007 부산 9급

① Merton의 동조과잉 모형

② P.Blau의 비공식집단 모형

③ White의 유기적·적응적 모형

④ Thayer의 비계서적 모형

CHAPTER 11 위원회

실질적 력(역량) 업그레이드

01 다음 중 위원회조직에 대한 설명으로 옳지 않은 것은?

2017 국회 8급

① 의결위원회는 의사결정의 구속력과 집행력을 가진다.

② 자문위원회는 의사결정의 구속력이 없다.

③ 토론과 타협을 통해 운영되기 때문에 상호 협력과 조정이 가능하다.

④ 위원 간 책임이 분산되기 때문에 무책임한 의사결정이 발생할 수 있다.

⑤ 다양한 정책전문가들의 지식을 활용할 수 있으며 이해관계자들의 의견 개진이 비교적 용이하다.

02 우리나라 행정기관 소속 위원회에 대한 설명으로 옳지 않은 것은?

2015 지방 9급

① 행정위원회와 자문위원회 등으로 크게 구분할 수 있다.

② 방송통신위원회, 금융위원회, 국민권익위원회는 행정위원회에 해당된다.

③ 관련분야 전문지식이 있는 외부전문가만으로 구성하여야 한다.

④ 자문위원회의 의사결정은 일반적으로 구속력을 갖지 않는다.

06
정답 : ③

③ 유기적·적응적 모형은 Bennis가 제시한 후기관료제 모형이며, White는 변증법적 조직모형을 주장하였다.

① Merton & Gouldner는 동조과잉을 주장하였다.

② Blau는 비공식집단모형에서 관료제가 공식적인 측면만 고려하고 비공식적인 측면은 고려하지 못했다고 비판하였다.

④ Thayer의 비계서적 모형은 계서제와 경계의 소멸을 주장한 후기관료제모형이다.

01
정답 : ①

① 의결위원회는 자문위원회와 행정위원회의 중간적 성격을 가진 위원회로 의사결정의 구속력은 있지만 집행권은 없다.

② 자문위원회는 특정 개인 또는 조직 전체에 대한 자문을 목적을 설치된 일종의 참모기관·보조기관적 성격을 지닌 위원회로 의사결정의 구속력이 없다.

③ 많은 경험이나 지식 등을 모아 결정함으로 합리적이고 창의성 있는 결정이 가능하며 이견의 조정과 통합이 가능하다.

④ 구성원이 복수이므로 위원간의 책임이 분산되며 책임전가의 현상이 발생할 수 있다.

⑤ 다양한 전문지식과 기술을 활용할 수 있으며 다양한 의견을 반영하여 결정하는데 비교적 용이하다.

02
정답 : ③

③ 행정기관 소속위원회는 관련분야 전문지식이 있는 외부전문가뿐 아니라 내부 공무원도 참여하므로 민간위원과 공무원위원으로 구성하여야 한다.

① 우리나라는 소속을 기준으로 자문위원회와 행정위원회로 구분할 수 있다.

② 방송통신위원회는 대통령 소속의 행정위원회에, 금융위원회와 국민권익위원회는 국무총리 소속의 행정위원회에 해당한다.

④ 자문위원회는 자문에 응하기 위해 설치된 참모기관적 성격의 위원회로, 의사결정에 법적 구속력을 갖지 않는다.

🔎 포인트 정리

위원회의 장단점

장점	• 결정의 신중성 및 공정성 • 합리적이고 창의적인 결정 • 행정의 안정성 및 계속성 확보 • 이견의 조정과 통합
단점	• 경비·시간·노력 낭비 • 타협적 결정 및 기밀의 누설 우려 • 정책결정의 정당화 수단 • 책임의 분산 및 사무기구의 우월화

위원회 유형

자문 위원회	관청적 성격과 구속력 없음. 대통령령으로 설치 가능
조정 위원회	자문적 성격의 위원회, 의결적 성격의 위원회
행정 위원회	준사법적 의결기능, 관청적 성격, 구속력 있음, 법적 근거에 의해 설치
독립 규제 위원회	1887년 미국 주간통상위원회가 시초, 1·2차 Hoover 위원회에서 개편건의

정답
06 ③ 01 ① 02 ③

03 국무총리 직속의 위원회가 아닌 것은?

2014 서울 9급

① 공정거래위원회
② 금융위원회
③ 국민권익위원회
④ 원자력안전위원회
⑤ 방송통신위원회

04 다음 중 미국의 독립규제위원회에 대한 설명이 맞지 않는 것은?

2005 인천 9급

① 준사법적 기능을 수행한다.
② 독립성을 가진다.
③ 경제사회적 규제기능을 주로 수행하였다.
④ Brownlow 위원회는 미국의 독립규제위원회를 '머리 없는 제4의 정부'라 하여 그 활성화를 촉구했다.

CHAPTER 12 책임운영기관

실질적 력(역량) **업**그레이드

01 우리나라 책임운영기관에 관한 설명으로 가장 적절하지 않은 것은?

2020 경정승진

① 소속책임운영기관은 기관의 사업성과를 평가하기 위해 소속된 중앙행정기관에 심의회를 둔다.
② 책임운영기관의 조직이나 정원 운영은 신축적이기 때문에 총정원은 행정안전부령으로 정한다.
③ 책임운영기관의 장은 공개모집을 통해 충원하고, 직원의 임용시험은 책임운영기관의 장이 담당한다.
④ 소속 중앙행정기관과 소속책임운영기관 소속 공무원 간의 전보, 개인별 상여금 차등 지급 등이 가능하다.

03

정답 : ⑤

⑤ 방송통신위원회는 대통령 소속의 행정위원회이다.

①, ②, ③, ④ 공정거래위원회, 금융위원회, 국민권익위원회, 원자력안전위원회는 국무총리 소속의 행정위원회이다.

우리나라 위원회 유형별 소속구분

구분	대통령 소속	국무총리 소속
자문위원회	• 4차산업혁명위원회 • 경제사회발전노동위원회 • 자치분권위원회 • 일자리위원회	• 정부업무평가위원회
행정위원회	• 방송통신위원회 • 규제개혁위원회	• 개인정보보호위원회 • 국민권익위원회 • 공정거래위원회 • 금융위원회 • 원자력안전위원회

04

정답 : ④

④ Brownlow 위원회(1937)는 미국의 독립규제위원회를 '머리 없는 제4의 정부'라 하여 그 폐지를 건의하였다.

①, ②, ③ 19C 말 미국에서 자본주의의 발달에 따라 야기된 경제 및 사회문제를 규제하기 위해 행정부로부터 독립하여 준입법권·준사법권을 가지고 특수한 업무를 수행 또는 규제하기 위하여 설치된 합의제 행정기관이다.

01

정답 : ②

② 소속책임운영기관의 총정원은 대통령령으로 정하고, 종류별·계급별 정원 또는 고위공무원단에 속하는 공무원의 정원은 총리령·부령으로 정한다.

① 기관의 사업성과를 평가하기 위해 중앙행정기관에 소속책임운영기관운영심의회를 둔다.

③ 소속중앙행정기관의 장은 공개모집 절차에 따라 행정이나 경영에 관한 지식·능력 또는 관련 분야의 경험이 풍부한 사람 중에서 기관장을 선발하고, 소속책임운영기관 소속 공무원의 임용시험은 기관장이 실시한다.

④ 소속책임운영기관과 소속중앙행정기관 및 그 소속 기관 간 공무원의 전보(轉補)가 필요하다고 인정되는 경우에는 소속중앙행정기관의 장이 기관장과 협의하여 실시할 수 있으며 기관장은 대통령령으로 정하는 바에 따라 사업의 평가 결과에 따라 소속 기관별, 하부조직별 또는 개인별로 상여금을 차등 지급할 수 있다.

정답

03 ⑤ 04 ④ 01 ②

02 「책임운영기관의 설치·운영에 관한 법률」상 책임운영기관에 대한 설명으로 옳지 않은 것은? 2019 국가 9급

① 책임운영기관은 기관장에게 재정상의 자율성을 부여하고 그 운영성과에 대해 책임을 지도록 하는 행정기관의 특성을 갖는다.

② 소속책임운영기관에 두는 공무원의 총 정원 한도는 총리령으로 정하며, 이 경우 고위공무원단에 속하는 공무원의 정원은 부령으로 정한다.

③ 소속책임운영기관 소속 공무원의 임용시험은 기관장이 실시함을 원칙으로 한다.

④ 기관장의 근무기간은 5년의 범위에서 소속중앙행정기관의 장이 정하되, 최소한 2년 이상으로 하여야 한다.

03 다음 중 우리나라 소속책임운영기관에 대한 설명으로 옳지 않은 것은? 2016 국회 8급

① 기관의 사업성과를 평가하기 위해 소속된 중앙행정기관에 심의회를 둔다.

② 기관의 하부조직과 분장사무는 기본운영규정으로 정한다.

③ 소속 중앙행정기관과 소속책임운영기관 소속 공무원 간의 전보, 개인별 상여금 차등 지급 등이 가능하다.

④ 기관 운영의 독립성과 자율성을 강조한다.

⑤ 기관장은 임기를 정하지 않고 임명된다.

04 책임운영기관에 대한 설명으로 옳지 않은 것은? 2013 서울 9급

① 책임운영기관은 집행기능 중심의 조직이다.

② 책임운영기관의 성격은 정부기관이며 구성원은 공무원이다.

③ 책임운영기관은 융통성과 책임성을 조화시킬 수 있다.

④ 책임운영기관은 공공성이 강하고 성과관리가 어려운 분야에 적용할 필요가 있다.

⑤ 책임운영기관은 정부팽창의 은폐수단 혹은 민영화의 회피수단으로 사용될 가능성이 있다.

05 우리나라 책임운영기관의 예산 및 회계에 관한 설명으로 옳지 않은 것은? 2008 국가 7급

① 책임운영기관의 장에게 기관운영의 자율성을 보장하고 그 성과에 대하여 책임을 지도록 하고 있다.

② 책임운영기관 특별회계의 예산 및 결산은 소속책임운영기관의 조직별로 구분할 수 있다.

③ 책임운영기관 특별회계는 계정별로 책임운영기관의 장이 운용하고, 기획재정부장관이 이를 통합하여 관리한다.

④ 자체의 수입만으로는 운영이 곤란한 책임운영기관에 대하여는 경상적 성격의 경비를 일반회계 등에 계상하여 책임운영기관 특별회계에 전입할 수 있다.

02
정답 : ②

② 소속책임운영기관에 두는 공무원의 총 정원 한도는 대통령령으로 정하며, 이 경우 고위공무원단에 속하는 공무원의 정원은 총리령 혹은 부령으로 정한다.

① 책임운영기관은 정부기능을 정책결정과 집행기능으로 구분하고 집행 분야를 대상으로 자율적 운영을 통해 성과와 책임성을 확보하는 제도로, 기관장에게 인사, 재무, 조직상의 많은 재량을 부여하고 그 운영성과에 대해 책임을 지도록 하는 행정기관으로서의 성격을 지닌다.

③ 소속책임운영기관 소속 공무원의 임용시험은 책임운영기관의 장이 담당한다.

④ 책임운영기관장은 5년의 범위에서 최소한 2년 이상 근무하여야 한다.

03
정답 : ⑤

⑤ 기관장은 소속책임운영기관의 장이 공직 내외 전문가 중에서 공개모집절차에 따라 5년 범위 내에서(최소 2년 이상) 임기제 공무원으로 채용한다.

① 사업성과의 평가 등을 심의하기 위하여 중앙행정기관의 장 소속으로 책임운영기관 운영심의회를 둔다.

② 책임운영기관은 대통령령이 정하는 바에 따라 소속기관을 둘 수 있으며, 그 하부조직의 설치와 분장사무와 직급별 정원은 기본운영규정으로 정한다.

③ 책임운영기관장은 사업의 평가 결과에 따라 소속 기관별, 하부조직별 또는 개인별로 상여금을 차등 지급할 수 있으며, 소속책임운영기관과 소속중앙행정기관 및 그 소속 기관 간 공무원의 전보가 필요하다고 인정되는 경우에는 소속중앙행정기관의 장이 기관장과 협의하여 실시할 수 있다.

④ 성과지향적인 운영을 위하여 관리자에게 인사상·예산상 폭넓은 자율성을 부여하고 있다.

04
정답 : ④

④ 책임운영기관은 전문성이 있어 성과관리를 강화할 필요가 있는 사무에 대해 기관운영상의 자율성을 부여하고 성과에 대하여 책임을 지도록 설치된 기관이므로 성과관리가 용이한 분야에 적용할 필요가 있다.

①, ③ 책임운영기관은 정부가 수행하는 집행적 사무 중 공공성을 유지하면서도 경쟁원리에 따라 운영하는 것이 바람직한 사무에 대해 기관운영상의 자율성을 부여하고 성과에 대하여 책임을 지도록 설치된 행정기관이다.

② 책임운영기관의 성격은 정부조직이며, 구성원도 공무원이다.

⑤ 책임운영기관은 자칫 정부기관이 직접적으로 규모를 늘리기 어려울 때 팽창의 은폐수단이나 민영화의 회피수단으로 사용될 가능성이 있다.

05
정답 : ③

③ 책임운영기관 특별회계는 계정별로 '책임운영기관의 장'이 아닌 '소속중앙행정기관장'이 운용하고, 기획재정부장관이 이를 통합하여 관리한다.

① 책임운영기관은 융통성(자율성)과 책임을 조화시킨다.

② 책임운영기관 특별회계로 운영하되, 소속책임운영기관별로 계정을 구분한다.

④ 책임운영기관 특별회계기관은 일반회계로부터 전입을 인정하고 있다.

정답
02 ② 03 ⑤ 04 ④ 05 ③

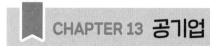

01 공공서비스의 공급 주체 중 정부 부처 형태의 공기업에 해당하는 것은?

2019 국가 9급

① 한국철도공사
② 한국소비자원
③ 국립중앙극장
④ 한국연구재단

02 우리나라 공공기관에 대한 설명으로 옳은 것은?

2019 국회 8급

① 정부기업은 정부가 소유권을 가지고 운영하는 공기업으로서 정부조직에 해당되지 않는다.
② 국가공기업과 지방공기업은「공공기관의 운영에 관한 법률」의 적용을 받는다.
③ 준정부기관은 총수입 중 자체수입의 비율이 50% 이상인 공공기관을 의미한다.
④ 위탁집행형 준정부기관의 사례로는 도로교통공단이 있다.
⑤ 공기업의 기관장은 인사 및 조직운영의 자율성이 없으며 관할 행정부처의 통제를 받는다.

03 「공공기관의 운영에 관한 법률」의 내용에 대한 설명으로 옳지 않은 것은?

2017 국가 7급

① 공공기관의 자율경영 및 책임경영체제의 확립, 경영합리화, 투명성 제고를 목적으로 한다.
② 기획재정부장관은 매년 직원 정원 100인 이상의 공공기관 중에서 공기업과 준정부기관을 지정한다.
③ 공기업은 시장형과 준시장형으로, 준정부기관은 위탁집행형과 기금관리형으로 구분한다.
④ 공기업과 준정부기관은 신규 지정된 해를 제외하고 매년 경영실적 평가를 받는다.

01

③ 공기업 분류에 대해 학설의 대립은 있지만 조직형태상 분류에서 '정부 부처 형태의 공기업'
은 정부기업을 의미한다. 정부기업은 대표적으로 우편, 우체국예금, 양곡, 조달사업이 있으며
책임운영기관이 포함된다. 국립중앙극장의 경우 2000년부터 책임운영기관으로 전환되었다.

①, ②, ④ 공공기관에 해당한다.

02

정답 : ④

④ 도로교통공단은 준정부기관 중 위탁집행형 준정부기관에 해당한다.

① 정부기업은 정부부처형 공기업을 의미하는 것으로 이는 정부가 소유권을 가지고 운영하는
공기업으로서 정부조직에 해당한다.
② 국가공기업은 「공공기관의 운영에 관한 법률」의 적용을 받고, 지방공기업은 「지방공기업법」
의 적용을 받는다.
③ 공기업과 준정부기관은 총수입액 중 자체수입액이 차지하는 비중이 대통령령으로 정하는 기
준 이상인 기관은 공기업으로 지정하고, 공기업이 아닌 공공기관은 준정부기관으로 지정한다.
⑤ 공기업의 기관장은 관할 행정부처의 감독과 통제를 받지만 이사회의 의결로 예산이 확정되
는 등 인사 및 조직운영에 있어서 일정한 자율성이 부여된다.

03

정답 : ②

② 기획재정부장관은 직원 정원, 수입액 및 자산규모가 대통령령으로 정하는 기준(직원 정원 300명
이상, 총수입액 200억원 이상, 자산규모 30억원 이상)에 해당하는 공공기관을 공기업·준정
부기관으로 지정한다.

① 공공기관운영법은 공공기관의 운영에 관한 기본적인 사항과 자율경영 및 책임경영체제의 확
립, 경영의 합리화, 운영의 투명성을 제고함으로써 공공기관의 대국민 서비스 증진에의 기여
를 목적으로 한다.
③ 공기업은 시장형과 준시장형으로, 준정부기관은 기금관리형과 위탁집행형으로 세분하여 지
정한다.
④ 기획재정부장관은 공기업·준정부기관의 경영실적을 매년 평가하되, 신규 지정된 해는 경영
실적을 평가하지 않는다.

동법 제5조(공공기관의 구분) ④ 기획재
정부장관은 제1항 및 제3항의 규정에
따른 공기업과 준정부기관을 다음 각
호의 구분에 따라 세분하여 지정한다.
1. 공기업
　가. 시장형 공기업 : 자산규모와 총수
　　　입액 중 자체수입액이 대통령령
　　　으로 정하는 기준 이상인 공기업
　나. 준시장형 공기업 : 시장형 공기업
　　　이 아닌 공기업
2. 준정부기관
　가. 기금관리형 준정부기관 : 「국가
　　　재정법」에 따라 기금을 관리하
　　　거나 기금의 관리를 위탁받은
　　　준정부기관
　나. 위탁집행형 준정부기관 : 기금
　　　관리형 준정부기관이 아닌 준정
　　　부기관

동법 제48조(경영실적 평가) ① 기획재
정부장관은 제24조의2제3항에 따른
연차별 보고서, 제31조제3항 및 제4항
의 규정에 따른 계약의 이행에 관한
보고서, 제46조의 규정에 따른 경영목
표와 경영실적보고서를 기초로 하여
공기업·준정부기관의 경영실적을 평
가한다. 다만, 제6조의 규정에 따라 공
기업·준정부기관으로 지정(변경지정
은 제외한다)된 해에는 경영실적을 평
가하지 아니한다.

정답

01 ③ 02 ④ 03 ②

04 공기업 민영화 과정에서 발생할 수 있는 문제점에 대한 설명으로 옳지 않은 것은? 2015 국가 7급

① 민영화 과정에서 특혜, 정경유착 등의 부패가 발생할 수 있다.

② 공기업에서 제공하던 공공서비스가 사적 서비스로 변환되기 때문에 서비스 배분의 형평성 문제가 제기될 수 있다.

③ 민영화를 통해 정부의 지분이 다수 국민에게 지나치게 분산되면 대주주는 없고 다수의 소액주주만 있어서 공기업에 대한 효과적인 감시가 어려워질 수 있다.

④ 시장성이 큰 서비스를 다루는 공기업을 민영화하게 되면 지나친 경쟁체제에 노출되기 때문에 민영화의 실익이 없다.

05 「공공기관의 운영에 관한 법률」에 따른 기관유형과 그 사례가 바르게 연결된 것은? 2014 서울 9급

① 시장형 공기업 – 한국조폐공사

② 준시장형 공기업 – 한국마사회

③ 기금관리형 준정부기관 – 한국농어촌공사

④ 위탁집행형 준정부기관 – 국민연금공단

⑤ 기타공공기관 – 한국연구재단

06 〈보기〉 중 준정부기관에 관한 설명으로 옳은 것을 모두 고르면? 2012 국회 8급

보기

ㄱ. 준정부기관은 내용과 형태의 측면에서 모두 일반행정기관에 속해있다.

ㄴ. 준정부기관은 영리추구가 아닌 공익실현의 목표를 가진다.

ㄷ. 준정부기관의 권력은 민간이나 제3영역으로부터 비롯된 것이다.

ㄹ. 준정부기관은 사안에 따라 정부의 대리인 역할을 수행하면서 면허나 인·허가 검사 및 검정의 규제업무를 수행하기도 한다.

ㅁ. 공기업은 자체수입액이 총수입액의 2분의 1 이상인 공공기관 중에서 지정하고, 준정부기관은 공기업이 아닌 공공기관 중에서 지정한다.

ㅂ. 준정부기관은 시장형과 비시장형으로 구분할 수 있다.

① ㄱ, ㄴ, ㄷ   ② ㄴ, ㄷ, ㄹ   ③ ㄴ, ㄹ, ㅁ

④ ㄷ, ㄹ, ㅂ   ⑤ ㄹ, ㅁ, ㅂ

04

④ 시장성이 큰 공기업의 민영화는 자본참여를 유도하여 민간자본시장에 활력을 불어넣어 줌으로써 침체된 민간경제를 활성화시키는 계기가 된다.

①, ③ 민간부문의 속성상(비밀성) 정보격차가 더욱 심화되어 대리손실이 더욱 커지고 느슨한 감독을 위한 뇌물이 제공되므로 관료부패가 발생하기 쉽다.

② 민영화의 문제점으로 영리를 추구하는 민간기업 속성상 저소득층에게는 서비스제공을 기피하거나 차별적으로 제공하는 현상이 발생됨으로써 형평성이 저해될 수 있다.

05

② 한국마사회는 준시장형 공기업에 해당한다.

① 한국조폐공사는 준시장형 공기업에 해당한다.
③ 한국농어촌공사는 위탁집행형 준정부기관에 해당한다.
④ 국민연금공단은 기금관리형 준정부기관에 해당한다.
⑤ 한국연구재단은 위탁집행형 준정부기관에 해당한다.

06

ㄴ, ㄹ이 옳은 지문이다.

ㄴ. [O] 준정부기관은 정부대리인으로서 공익실현을 목표로 한다.
ㄹ. [O] 준정부기관은 정부의 대리인 역할을 수행하면서 면허나 인·허가 같은 규제업무를 수행하기도 한다.
ㄱ. [X] 준정부기관은 내용과 형태의 측면에서 공공기관에 속한다.
ㄷ. [X] 준정부기관의 권력은 정부의 위임에서 비롯된 것이다.
ㅁ. [X]

> **동법 제5조(공공기관의 구분)** ① 기획재정부장관은 공공기관을 다음 각 호의 구분에 따라 지정한다.
> 1. 공기업·준정부기관: 직원 정원, 수입액 및 자산규모가 대통령령으로 정하는 기준에 해당하는 공공기관
> 2. 기타공공기관: 제1호에 해당하는 기관 이외의 기관
> ② 제1항제1호에도 불구하고 기획재정부장관은 다른 법률에 따라 책임경영체제가 구축되어 있거나 기관 운영의 독립성, 자율성 확보 필요성이 높은 기관 등 대통령령으로 정하는 기준에 해당하는 공공기관은 기타공공기관으로 지정할 수 있다.
> ③ 기획재정부장관은 제1항의 규정에 따라 공기업과 준정부기관을 지정하는 경우 총수입액 중 자체수입액이 차지하는 비중이 대통령령으로 정하는 기준 이상인 기관은 공기업으로 지정하고, 공기업이 아닌 공공기관은 준정부기관으로 지정한다.

ㅂ. [X] 공기업은 시장형과 준시장형으로 구분되고, 준정부기관은 기금관리형과 위탁집행형으로 구분된다.

> **동법 시행령 제7조(공기업 및 준정부기관의 지정기준)** ① 기획재정부장관은 법 제5조제1항제1호에 따라 다음 각 호의 기준에 해당하는 공공기관을 공기업·준정부기관으로 지정한다.
> 1. 직원 정원: 300명 이상
> 2. 수입액(총수입액을 말한다): 200억 원 이상
> 3. 자산규모: 30억원 이상
> ② 기획재정부장관은 법 제5조제3항에 따라 총수입액 중 자체수입액이 차지하는 비중이 100분의 50(「국가재정법」에 따라 기금을 관리하거나 기금의 관리를 위탁받은 공공기관의 경우 100분의 85) 이상인 공공기관을 공기업으로 지정한다.
> ③ 기획재정부장관은 법 제5조제4항제1호에 따라 다음 각 호의 기준에 해당하는 공기업을 시장형 공기업으로 지정한다.
> 1. 자산규모: 2조원
> 2. 총수입액 중 자체수입액이 차지하는 비중: 100분의 85

시장형 공기업 → 기타 공공기관

- 부산항만공사
- 인천항만공사

정답

04 ④ 05 ② 06 정답없음

---

01 조직목표 변동에 관한 설명으로 옳지 않은 것은?

2020 행정사

① 원래의 목표가 다른 목표로 전환되는 것이 목표의 대치 또는 전환이다.

② 목표가 달성되었거나 달성이 불가능한 경우 본래의 목표를 새로운 목표로 교체하는 것이 목표의 승계이다.

③ 동종목표의 수 또는 이종목표가 늘어나는 것이 목표의 추가이다.

④ 동종 또는 이종 목표의 수나 범위가 줄어드는 것이 목표의 축소이다.

⑤ 미헬스(R. Michels)의 과두제 철칙(iron law of oligarchy)은 목표의 추가 현상을 설명한 것이다.

02 더글라스(Douglas)의 문화이론에 대한 설명으로 가장 적절하지 않은 것은?

2019 경정승진

구분		집단성(응집성)	
		약	강
사회역할 (규칙성)	약	㉠	㉡
	강	㉢	㉣

① ㉠ - 자아추구적, 경제적 인간관에 입각하여 경쟁, 개인책임을 중시하는 유형이다.

② ㉡ - 타인배려적, 협동적 인간관에 입각하여 결과의 평등을 중시하는 유형이다.

③ ㉢ - 인간에 대한 의구심으로 인하여 의무, 규율, 복종을 중시하는 유형이다.

④ ㉣ - 최고층의 권한 집중과 개인의 자율적 결정 배제를 중시하는 유형이다.

03 조직문화의 일반적 기능에 관한 설명으로 가장 옳지 않은 것은?

2018 서울 9급

① 조직문화는 조직구성원들에게 소속 조직원으로서의 정체성을 제공한다.

② 조직문화는 조직구성원들의 행동을 형성시킨다.

③ 조직이 처음 형성되면 조직문화는 조직을 묶어 주는 접착제 역할을 한다.

④ 조직이 성숙 및 쇠퇴 단계에 이르면 조직문화는 조직혁신을 촉진하는 요인이 된다.

01

⑤ 미헬스의 과두제의 철칙은 조직이 계서적 구조 속에서 소수의 지도자에 의해 지배당하게 되는 것으로 목표대치 현상에 해당한다.

① 본래 설정한 목표를 고려하지 않고, 수단적 가치에 집착하는 것을 목표의 대치라고 한다.

② 조직의 본래 목표가 달성되었거나 달성이 불가능한 경우 조직이 다른 목표를 내세워 정통성을 확보하는 것을 목표의 승계라고 한다.

③ 기존의 목표에 새로운 목표가 보태지는 것을 목표의 추가라고 한다.

④ 동종 또는 이종 목표의 수나 범위가 줄어드는 것을 목표의 축소라고 한다.

02

④ 최고층의 권한 집중과 개인의 자율적 결정 배제를 중시하는 유형은 더글라스의 문화이론과 관계없는 내용이다.

한편 ② 계층주의(위계주의)는 제도와 규제에 대한 신뢰, 계층제 내의 불평등 구조와 중앙집권적 의사결정체제의 인정 등을 중시한다.

① ㉠ 개인주의 문화는 자아추구적이고 경제적인 인간관에 입각하여 경쟁 및 개인의 책임을 중시한다.

② ㉡ 평등주의 문화는 타인을 배려하는 협동적 인간관에 입각하여 결과의 평등을 중시한다.

③ ㉢ 전체주의(운명주의) 문화는 인간에 대한 의구심에 따른 의무나 규율 등을 중시하는 유형이다.

더글라스(Douglas)의 문화이론

구분		집단성(응집성)	
		약	강
사회역할 (규칙성)	약	개인주의	평등주의
	강	전체주의	계층주의

03

④ 조직문화는 지속성과 안정성을 특징으로 하며, 조직이 성숙 및 쇠퇴 단계에 이르면 조직문화는 조직혁신을 제약하는 요인으로 작용한다.

① 조직문화는 조직의 경계를 설정함으로써 조직의 정체성을 제공하고 구성원을 통합함으로써 동질감 및 일체감을 제고시킨다.

② 조직문화는 규범의 공유로 조직의 생산성으로 높이고 조직에 대한 충성심 등을 유도함으로써 구성원의 행동을 촉진시킨다.

③ 조직이 처음 형성되면 조직문화는 조직을 묶어주는 접착제 역할을 통해 조직의 안정성과 계속성을 유지시켜 준다.

정답

01 ⑤ 02 ④ 03 ④

우리나라의 관료문화에 관한 설명으로 옳은 것을 〈보기〉에서 고른 것은?

> **보기**
>
> ㄱ. 권위주의는 집권주의적 조직 운영을 강화하고, 의사결정의 폐쇄화·밀실화한다.
> ㄴ. 집단주의는 집단 내 구성원들 간의 소속감과 심리적 안정 욕구를 충족하여 할거주의적 태도를 감소시킨다.
> ㄷ. 온정주의는 따뜻한 공동체적 조직 분위기를 조성하여 행정의 공평성과 합리성을 증진시킨다.
> ㄹ. 형식주의는 행정의 목표나 실적보다 형식과 절차를 더 중요시하는 목표대치를 조장한다.

① ㄱ, ㄴ   ② ㄱ, ㄹ

③ ㄴ, ㄷ   ④ ㄷ, ㄹ

조직시민행동(organizational citizenship behavior)에 대한 설명으로 옳지 않은 것은?

① 공식적인 보상 시스템에 의하여 직접적으로 또는 명시적으로 인식되지 않는 직무역할 외 행동이다.

② 구성원들의 역할모호성 지각은 조직시민행동에 긍정적 영향을 미친다.

③ 구성원들의 절차공정성 지각은 조직시민행동에 긍정적 영향을 미친다.

④ 작업장의 청결을 유지하는 것은 조직시민행동 유형 중 양심행동에 속한다.

조직목표의 모호성에 대한 설명 중 가장 옳지 않은 것은?

① 사명 이해 모호성(mission comprehension ambiguity)은 목표가 모호해 조직원이 어떤 조직의 사명을 이해하고 설명하고 의사소통하는 과정에서 자신의 업무가 무엇인지를 각자 다르게 이해하는 것을 의미한다.

② 지시적 모호성(directive ambiguity)은 어떤 조직의 사명이나 일반적 목표들을 그 사명을 달성하기 위한 구체적 행동지침으로 전환하는 데 발생하는 다양하고 경쟁적인 해석의 정도를 의미한다.

③ 평가적 모호성(evaluative ambiguity)은 다수의 조직목표 중 우선순위를 선정하고 평가하는 데 발생하는 경쟁적 해석의 정도를 의미한다.

④ 목표 모호성은 공공조직과 기업조직 모두에서 발견되지만 공공조직의 목표는 기업조직의 목표보다 일반적으로 더 추상적이다.

04

② ㄱ, ㄹ이 옳은 지문이다.

ㄱ. [O] 권위주의는 위계질서와 지배 복종의 관계를 중요시하는 문화로 집권주의적 조직 운영을 강화하고 의사결정을 폐쇄화·밀실화한다.

ㄹ. [O] 형식주의는 외형과 실질이 괴리되는 문화로 목표–수단의 대치 현상이 나타난다.

ㄴ. [X] 집단주의는 집단 내 구성원들 간의 소속감과 심리적 안정 욕구를 충족하여 할거주의적 태도를 강화시킨다.

ㄷ. [X] 온정주의는 직무를 수행하는데 개인의 감정, 정서, 의리 등에 더 우선적 가치를 두는 것으로 따뜻한 공동체적 분위기를 조성하여 행정의 공평성과 합리성을 저해한다.

05

② 역할모호성은 역할을 수행하는 사람이 자신의 역할에 대해 확실하게 알지 못하고 다른 사람들이 자신에게 기대하는 것을 분명하게 알지 못할 때 발생하므로 조직시민행동에 부정적 영향을 미친다.

① 조직시민행동은 조직 구성원 스스로 조직의 효과성을 위해 행하는 자발적인 행동으로, 공식적인 보상시스템에 의해 직접적이고 명확하게 보상받지 않지만 전체적으로는 조직의 효과적인 기능을 증진시키는 개인의 직무역할 외의 행동을 의미한다.

③ 절차공정성은 성과나 보상에 대한 결정 절차가 공정하다고 지각하는 것으로 조직시민행동에 긍정적 영향을 미친다.

④ 작업장의 청결을 유지하는 것은 조직에 이익이 되는 행동으로 양심적 행동에 해당한다.

개인 차원의 조직시민행동 (OCB–I)	동료를 위한 마음에서 비롯되는 이타적 행동, 예의성과 관련됨
	• 이타적 행동(이타주의): 타인을 도와주려는 친사회적이고 친밀한 행동 • 예의적 행동(문제 예방적 행동): 자신 때문에 남이 피해보지 않도록 미리 배려하는 것으로, 사전에 정보를 공유하여 문제를 예방하려는 행동
조직 차원의 조직시민행동 (OCB–O)	조직을 위한 차원에서 동료를 지원하는 것으로 양심적 행동, 스포츠맨십, 시민행동과 관련됨
	• 신사적 행동(스포츠맨십): 정정당당히 행동하는 것으로 스스로 문제를 해결하는 행동 • 양심적 행동(성실성): 양심에 따라 조직이 요구하는 이상의 봉사나 노력을 하려는 행동 예) 작업장 청결 유지나 쓰레기를 줍는 행동 등 • 공익적 · 참여적 행동(시민 덕목): 조직활동에 책임을 갖고 적극적으로 참여하는 행동

06

③ 다수의 조직목표 중 우선순위를 선정하고 평가하는 데 발생하는 경쟁적 해석의 정도는 우선순위 모호성에 대한 설명이다. 평가적 모호성은 어떤 조직의 사명을 얼마나 달성했는지 그 진전을 평가하는 데 있어 발생할 수 있는 다양하고 경쟁적인 해석의 정도를 의미한다.

① 사명 이해 모호성은 어떤 조직의 사명을 이해하고 설명하고 의사소통함에 있어 발생하는 다양하고 경쟁적인 해석의 정도를 의미한다.

② 지시적 모호성은 어떤 조직의 사명이나 일반적 목표들을 그 사명을 달성하기 위한 구체적 행동지침으로 전환하는데 발생하는 다양하고 경쟁적인 해석의 정도를 의미한다.

④ 목표 모호성은 공·사조직을 불문하고 공통적으로 발견되지만, 특히 공공부문의 무형성 때문에 사기업 조직의 목표보다 일반적으로 공공조직의 목표가 더 추상적이라는 특징을 지닌다.

포인트 정리

선진국의 행정문화 vs 후진국의 행정문화

선진국의 행정문화	후진국의 행정문화
• 전문주의	• 가족주의
• 합리주의	• 권위주의
• 중립주의	• 형식주의
• 실적주의	• 연고주의
• 상대주의	• 온정주의, 정의주의
• 사실정향주의	• 일반주의
• 개인주의	• 총괄주의
• 성취주의	• 운명주의

조직목표 모호성의 유형

사명이해 모호성	어떤 조직의 사명을 이해하고 설명하고 의사소통함에 있어 발생하는 다양하고 경쟁적인 해석의 정도
지시적 모호성	어떤 조직의 사명이나 일반적 목표들을 그 사명을 달성하기 위한 구체적 행동지침으로 전환하는데 발생하는 다양하고 경쟁적인 해석의 정도
평가적 모호성	어떤 조직의 사명을 얼마나 달성했는지 그 진전을 평가하는 데 있어 발생할 수 있는 다양하고 경쟁적인 해석의 정도
우선순위 모호성	다수의 조직목표들 가운데 우선순위를 결정하는 데 있어 발생하는 경쟁적인 해석의 정도

정답

04 ② 05 ② 06 ③

조직론

07 조직문화의 접근방법에 대한 설명으로 옳지 않은 것은?

2014 서울 7급

① 특성론적 접근방법은 조직효과성을 향상시킬 수 있는 특정한 문화 특성이 존재한다고 여긴다.

② 문화강도적 접근방법은 조직 효과성을 향상시키기 위해서는 강한 문화가 필요하다는 견해이다.

③ 특성론적 접근방법은 긍정적인 문화를 가진 조직이 그렇지 못한 조직보다 효과성이 높다고 간주한다.

④ 상황론적 접근방법은 구성원들이 가치를 강하게 공유하고 있는 조직의 효과성이 높다고 전제한다.

⑤ 문화유형론적 접근방법은 문화 유형의 특성에 따라 조직 효과성이 각각 달라진다고 여긴다.

CHAPTER 15 리더십(1) - 리더십 발달

실질적 **력**(역량) **업**그레이드

---

01 리더십이론에 대한 설명으로 옳지 않은 것은?

2020 국회 9급

① 피들러(Fiedler)의 상황론이 제시하는 상황변수에는 리더와 부하와의 관계, 리더가 지닌 공식적 권한의 정도, 부하의 성숙도가 있다.

② 리더십이론은 자질론(특성론)에서 출발하였다.

③ 허쉬와 블랜차드(Hersey &Blanchard)의 리더십 상황이론에 따르면 지시형, 설득형, 참여형, 위임형이 있다.

④ 레딘(Reddin)의 3차원 모형에서 헌신형은 과업을 중시한다.

⑤ 미시간대학교의 리더십 연구에서는 직원중심적(employee centered) 리더가 효과적인 것으로 나타났다.

---

02 리더십이론에 대한 설명으로 가장 적절하지 않은 것은?

2019 경정승진

① Lewin, Lippit, White는 리더십 유형을 직원중심형과 생산중심형의 두 가지로 분류하였다.

② 피들러(Fiedler)는 리더십 유형을 과업지향적 리더와 인간관계 지향적 리더의 두 가지로 분류하였다.

③ 하우스와 에반스(House & Evans)는 리더십 유형을 지시적, 지원적, 성취지향적, 참여적 리더십의 네 가지로 분류하였다.

④ 블레이크와 머튼(Blake & Mouton)은 리더십 유형을 무관심형, 친목형, 과업형, 타협형, 단합형의 다섯 가지로 분류하였다.

07
정답 : ④

④ 구성원들이 가치를 강하게 공유하고 있는 조직의 효과성이 높다고 전제하는 것은 Saffold의 문화강도적 접근법에 해당한다.

① 특성론적 접근방법은 특정한 조직문화의 특성을 중시한다.

② 문화강도적 접근방법 조직의 효과성은 문화강도에 비례한다는 모형이다.

③ 특성론적 접근방법은 긍정적인 문화특성을 가지고 있는 조직이 그렇지 못한 조직에 비해 효과성이 높다고 본다.

⑤ 문화유형론적 접근방법은 문화유형의 특성에 따라 조직효과성이 달라진다는 것이다.

01
정답 : ①

① 피들러의 상황론이 제시하는 상황변수에는 리더와 부하와의 관계, 임무(과업)구조, 리더의 직위권한(직위에 부여된 권력)이 있다. 한편 부하의 성숙도를 상황변수로 본 것은 허쉬와 블랜차드의 생애주기이론이다.

② 리더십이론은 자질론(특성론, 속성론)에서 출발하여 행태론, 상황론, 신속성론(통합론)으로 발달하였다.

③ 허쉬와 블랜차드의 리더십 상황이론(생애주기이론)은 부하의 성숙도에 따라 리더십유형을 지시형, 설득형, 참여형, 위임형으로 분류하였다.

④ 레딘(Reddin)의 3차원 모형은 리더행동의 기본유형을 분리형(과업·인간관계 모두 경시), 헌신형(과업만 중시), 관계형(인간관계만 중시), 통합형(과업·인간관계 모두 중시)으로 분류하였다.

⑤ 미시간대학교의 리더십 연구에서는 직원중심형과 생산중심형으로 구분하고, 직원중심형을 효과적인 리더십유형으로 보았다.

02
정답 : ①

① Lewin, Lippit, White는 리더십 유형을 권위형, 민주형, 방임형의 세 가지로 분류하였다. 한편 미시건 대학은 리더십의 유형을 직원중심형과 생산중심형으로 분류하였다.

② 피들러는 리더십의 효율성은 상황변수에 따라 결정된다고 주장하고 LPC 척도에 의하여 관계지향적 리더와 과업지향적 리더로 나누어 비교·연구하였다.

③ 하우스와 에반스는 원인변수로서 리더의 행동유형을 지시적 리더십, 지원적 리더십, 참여적 리더십, 성취지향적 리더십으로 구분하였다.

④ 블레이크와 머튼은 관리그리드에 따라 리더십 유형을 무관심형, 친목형, 타협형, 과업형, 단합형의 5가지로 제시하였다.

📑 포인트 정리

Saffold의 조직문화접근법

특성론적 접근방법	조직효과성을 향상시킬 수 있는 특정한 문화특성이 존재한다는 것, 긍정적인 문화특성을 가지고 있는 조직이 그렇지 못한 조직에 비하여 효과성이 높다는 것
문화 강도적 접근방법	조직효과성을 향상시키기 위해서는 강한 문화가 필요하다는 견해. 조직구성원들이 가치를 강하게 공유하고 있는 조직의 효과성이 높다는 것
상황론적 접근방법	조직문화 특성과 상황요인들 간의 적합성에 따라 조직효과성이 달라질 수 있다는 것
문화 유형론적 접근방법	각각의 문화유형의 특성에 따라 조직효과성이 달라진다는 것

정답
07 ④ 01 ① 02 ①

03 다음 중 리더십에 대한 설명으로 옳지 않은 것은?

① 행태론적 접근법은 효과적인 리더의 행동은 상황에 따라 다르다는 사실을 간과한다.

② 특성론적 접근법은 성공적인 리더는 그들만의 공통적인 특성이나 자질을 가지고 있다고 전제한다.

③ 상황론적 접근법은 리더의 어떠한 행동이 리더십 효과성과 관계가 있는가를 파악하고자 하는 접근법이다.

④ 거래적 리더십은 합리적 과정이나 교환 과정의 중요성을 강조한다.

⑤ 변혁적 리더십은 카리스마, 개별적 배려, 지적 자극, 영감(inspiration) 등을 강조한다.

04 리더십에 관한 다음 설명 중 가장 옳지 않은 것은?

① 특성론적 접근법은 주로 업무의 특성과 리더십 스타일 사이의 관계에 초점을 맞춘다.

② 행태론적 접근법은 리더의 행동과 효과성 사이의 관계에 관심을 갖는다.

③ 상황론적 접근법에 기초한 이론의 예로 피들러(F. Fiedler)의 상황적합적 리더십이론, 하우스(R. J. House)의 경로-목표 모형 등을 들 수 있다.

④ 변혁적(transformational) 리더십이 거래적(transactional) 리더십보다 늘 행정에 유용한 것은 아니다.

05 피들러(Fiedler)의 상황적응 리더십유형에 대한 설명이 잘못된 것은?

① 리더십의 효과성여부는 특정상황이 리더에게 유리한가의 여부에 의해 결정된다.

② 상황이 매우 유리할 때에는 인간관계중심적 리더십이 효과적이다.

③ 상황의 유리성이 중간 정도일 때에는 인간관계중심적 리더십이 효과적이다.

④ 상황이 매우 불리할 때에는 과업중심적 리더십이 매우 효과적이다.

06 리더십의 3차원이론에 대한 설명 중 틀린 것은?

① House & Evans의 통로목표이론(path-goal theory of leadership)에 의하면 리더는 부하가 바라는 보상(목표)을 받게 해 줄 수 있는 행동(통로)을 명확하게 해주어야 부하의 성과를 높일 수 있다.

② Hersey와 Blanchard의 3차원 리더십이론에 의하면 참여형, 지원형, 지시형, 성취형 네 가지가 있다.

③ Reddin은 과업(구조설정)을 지향하는가, 인간관계(배려)를 지향하는가에 따라 리더행동의 기본 유형을 4개로 분류하고 이를 효과성 차원에 접목시켰다.

④ 리더행동의 효율성은 상황요인에 따라 달라진다는 입장을 취한다.

03

정답 : ③

③ 행태론적 접근법에 대한 설명이다. 한편 상황론적 접근법은 어떤 상황에서나 효과적인 단일의 리더십은 없다라는 전제하에 리더십의 유효성을 연구하는 이론이다.

① 행태론적 접근법은 리더의 자질보다 리더의 행태적 특성이 조직성과 효과성에 영향을 미친다고 보는 이론으로 리더의 행동은 상황에 따라 다를 수 있다는 사실을 간과한다.

② 특성론적 접근법은 신체, 지능, 성격, 사회적 배경 등에서 리더로서의 특성이 선천적으로 나타난다는 이론이다.

④ 거래적 리더십은 합리적·공리적 교환관계를 설정하여 추종자에게 영향력을 행사하는 리더십으로 합리적 과정이나 교환의 중요성을 강조한다.

⑤ 변혁적 리더십은 조직의 노선과 문화를 변동시키려 노력하는 변화 추구적·개혁적 리더십으로 카리스마, 개별적 배려, 영감적 리더십, 지적자극 등을 구성요소로 한다.

04

정답 : ①

① 업무의 특성과 리더십 스타일 사이의 관계에 초점을 맞추는 것은 상황론적 접근법에 해당한다. 한편 특성론적 접근법은 리더는 선천적으로 타고난다는 것을 전제로 하여 리더만의 독특한 특성이나 자질을 파악하는 이론이다.

② 행태론적 접근법은 리더의 어떠한 행동이 추종자의 욕구를 만족시켜 집단의 성과를 높이는가(리더십의 효과성)에 대하여 연구한 이론이다.

③ 피들러의 상황적합적 리더십이론과 하우스의 경로–목표 모형은 상황론적 접근법에 속한다.

④ 관료제 조직에는 변혁적 리더십보다 거래적 리더십이 더 적합하다.

05

정답 : ②

② 상황이 매우 유리할 때에는 과업중심적 리더십이 효과적이다.

① Fiedler(1967)는 리더십의 효율성은 상황변수에 따라 결정된다고 주장하고 '가장 좋아하지 않는 동료'라는 척도(LPC)에 의하여 관계지향적 리더와 과업지향적 리더로 나누어 비교·연구하였다.

③ 상황의 유리성이 중간일 때는 인간관계중심적 리더십이 효과적이다.

④ 상황이 불리할 때는 과업중심적 리더십이 효과적이다.

06

정답 : ②

② Hersey와 Blanchard는 기존의 관계지향적 행태와 과업지향적 행태에 부하의 성숙도를 상황변수로 사용한 3차원적 리더십 이론을 제시하였고 지시형, 설득형, 참여형, 위임형으로 나누었다.

① 리더의 역할을 '부하로 하여금 자기목표를 달성하게 하고 그 목표에 이르는 통로(수단)를 명확하게 해주는 것'이라고 주장한 House & Evans의 경로–목표이론이다.

③ 레딘(Reddin)의 3차원 모형(효과성 리더십 이론)은 관계지향적 행태(배려)와 과업지향적 행태(구조설정)에 상황의 효과성이라는 차원을 추가하여 3차원의 리더십 이론을 제시하였으며 리더십의 유형은 분리형, 관계형, 헌신형, 통합형으로 구분한다.

④ 리더의 행동 및 특성과 리더십 효과성의 관계는 주어진 상황에 따라 변한다는 상황론적 접근법에 해당한다.

📝 포인트 정리

행태론적 리더십 연구

아이오와大	권위형, 민주형, 방임형 (Lippitt&White)
오하이오大	구조설정과 배려를 기준으로 4가지 유형 제시
미시건大	직원(부하)중심형, 업무중심형(Likert)
Blake &Mouton	관리그리드모형에 의한 대표적인 리더십유형 5가지 제시

리더십 연구의 발달 과정

특성론 (속성론)	리더의 개인적 특성 및 자질에 초점
행태론	리더와 부하 간의 관계에 초점
상황론	리더의 행태 외에 상황적 요건에 초점
신속성론	속성론에 대한 기존 연구의 보완

정답

03 ③ 04 ① 05 ② 06 ②

01 리더십에 대한 설명으로 옳지 않은 것은?

2020 국가 7급

① 변혁적(transformational) 리더십의 특성에는 영감적 동기부여, 자유방임, 지적 자극, 개별적 배려 등이 있다.

② 진성(authentic) 리더십의 특성은 리더가 경직성, 가치의식, 도덕성을 바탕으로 팔로워들의 믿음을 이끌고, 팔로워들이 리더의 윤리성과 투명성을 믿으며 긍정적 감정을 느낀다는 것이다.

③ 서번트(servant) 리더십은 자기 자신보다는 다른 사람에게 초점을 두고, 부하들의 창의성과 잠재력을 발휘할 수 있도록 봉사하는 리더십이다.

④ 거래적(transactional) 리더십은 적극적 보상이나 소극적 보상을 통해 영향력을 행사한다.

02 '변혁적 리더십(transformaional leadership)'에 대한 설명으로 옳지 않은 것은?

2019 지방 9급

① 조직참여의 기대가 적은 경우에 적합하며 예외관리에 초점을 두고 있다.

② 리더가 부하에게 특별한 관심을 보이거나 자긍심과 신념을 심어준다.

③ 리더가 부하들의 창의성을 계발하는 지적 자극(intellectual stimulation)을 중시한다.

④ 리더가 인본주의, 평화 등 도덕적 가치와 이상을 호소하는 방식으로 부하들의 의식수준을 높인다.

03 변혁적 리더십에 관한 설명이다. 옳은 것을 모두 고른 것은?

2017 경찰간부

가. 리더는 부하로부터 존경심을 이끌어내는 카리스마를 가져야 한다.
나. 자신감과 영감을 불어넣으며, 조직에 대한 팀 스피리트 (team spirit)를 고무시킨다.
다. 기존의 가정이나 인식에서 벗어나 혁신적이고 창조적인 관점에서 문제를 재구성하고 해결책을 구하도록 자극하고 변화를 유도한다.
라. 리더가 부하에게 특별한 관심을 보이고 각 부하의 특정한 요구를 이해해 줌으로써 부하에 대해 개인적으로 존중한다는 것을 전달한다.

① 나, 다, 라   ② 가, 나, 다
③ 가, 다, 라   ④ 가, 나, 다, 라

01

정답 : ①

① 변혁적 리더십은 1980년대 경제 불황 등의 상황을 해결하기 위해 전면적 변혁의 성공을 위한 변혁적 리더가 필요하다는 인식에서 대두된 것으로 영감적 동기부여, 지적 자극, 개별적 배려 등을 특징으로 한다. 한편 자유방임은 변혁적 리더십의 특징에 해당하지 않는다.

② 진성 리더십은 리더가 경직성, 가치의식, 도덕성에 기반하여 부하들을 이끌고 부하들은 리더의 윤리성·투명성을 신뢰하며 긍정적 감정을 느끼는 리더십이다.

③ 서번트 리더십은 구성원을 섬김의 대상으로 보고, 인간존중을 바탕으로 구성원들이 업무수행에서 잠재력과 역량을 충분히 발휘할 수 있도록 지원해주는 리더십이다.

④ 거래적 리더십은 합리적·타산적 교환관계를 특징으로 하며, 적극적·소극적 보상을 통해 영향력을 행사한다.

포인트 정리

거래적 리더십 vs 변혁적 리더십

구분	거래적 리더십	변혁적 리더십
지향구조	관료제조직	탈관료제 조직
관리층	하위·중간 관리층	최고관리층
변화·시간에 대한 태도	소극적, 폐쇄적, 단기적	변화지향적, 장기적
관리전략	합리적·타산적 교환관계	비전제시, 자발적 동기 유발

02

정답 : ①

① 거래적 리더십은 조직참여의 기대가 적은 경우에 적합하며 예외관리에 초점을 두고 있다. 한편 변혁적 리더십은 자발적 동기 유발에 입각한 변화지향적이고 장기적·개혁적이며, 조직참여의 기대가 큰 경우에 적합하다.

② 개별적 배려 및 카리스마적 리더십에 대한 설명이다.

③ 지적자극은 리더가 부하로 하여금 형식적 관례와 사고를 다시 생각하게 함으로써 새로운 관념을 촉발시킨다.

④ 변혁적 리더십은 물질적 보상보다는 도덕적 가치나 이상에 영향을 주어 의식수준을 높이는 전략을 사용한다.

03

정답 : ④

④ 가, 나, 다, 라 모두 변혁적 리더십에 관한 설명으로 옳은 지문이다.

가. [O] 카리스마적 리더십에 대한 설명으로 리더는 부하로부터 존경심을 이끌어내는 카리스마를 가져야 한다고 본다.

나. [O] 영감적 리더십에 대한 설명으로 리더는 구성원에게 자신감과 영감을 불어넣으며 조직에 대한 팀 스피리트를 고무시키고 부하로 하여금 도전적 목표와 임무 등을 열정적으로 받아들이고 계속 추구하도록 격려해야 한다고 본다.

다. [O] 지적자극에 대한 설명으로 형식적 사고와 관례에서 벗어나 혁신적이고 창조적인 관점에서 문제를 재구성하고 해결책을 구하도록 자극하고 변화를 유도해야 한다고 본다.

라. [O] 개별적 배려에 대한 설명으로 리더가 부하에게 특별한 관심을 보이고 각 부하의 특정한 요구를 이해해 줌으로써 개인적으로 존중한다는 것을 전달하고 구성원 니즈에 관심을 가지며 잠재력 개발을 돕는다고 본다.

04 다음 대화에서 요구되는 과장의 리더십은?

국회 국정감사가 종료된 후 ○○부 ○○과의 국정감사 수감 결산 간담회가 열렸다. A과장이 다른 업무로 불참한 상황에서 직속 상급자인 A과장의 리더십에 대해 과원들의 의견이 표출되었다.
B과원: "과장님이 부하직원들을 좀 더 존중하고 배려하여 주시면 좋겠습니다. 일전에 제가 심한 몸살로 고생하며 근무했는데도 과장님이 한마디 위로도 안하셔서 서운했습니다."
C과원: "일방적으로 지시만 하지 마시고 우리들이 창의성을 발휘하도록 지적인 자극을 주시면 좋을텐데..."
D과원: "무엇보다도 과장님이 우리 과의 새로운 비전을 제시하고 우리가 그것을 공유하여 성취하도록 지도하시어 더욱 발전하였으면 합니다."

① 번스(Burns)와 바스(Bass)의 변혁적 리더십
② 블레이크(Blake)와 머튼(Mouton)의 관리망 이론 리더십
③ 피들러(Fiedler)의 상황적응적 리더십
④ 허쉬(Hersey)와 블랜차드(Blanchard)의 삼차원적 리더십
⑤ 유클(Yukl)의 다중연결모형 리더십

05 커와 저미어(S. Kerr & J. Jermier)가 주장한 '리더십 대체물 접근법'에 대한 설명으로 옳은 것만을 모두 고른 것은?

ㄱ. 구조화되고, 일상적이며, 애매하지 않은 과업은 리더십의 대체물이다.
ㄴ. 조직이 제공하는 보상에 대한 무관심은 리더십의 대체물이다.
ㄷ. 부하의 경험, 능력, 훈련 수준이 높은 것은 리더십의 중화물이다.
ㄹ. 수행하는 과업의 결과에 대한 환류(feedback)가 빈번한 것은 리더십의 대체물이다.

① ㄱ, ㄷ
② ㄱ, ㄹ
③ ㄴ, ㄷ
④ ㄴ, ㄹ

04

정답 : ①

① B과원은 리더가 부하에게 특별한 관심을 보이고 특정한 요구를 이해해줌으로써 존중하는 개별적 리더십을, C과원은 혁신적이고 창조적인 관점에서 문제를 재구성하는 촉매적 리더십을, D과원은 조직이 나아갈 비전을 제시하고 미래에 대한 비전을 열정적으로 받아들이도록 추구하는 영감적 리더십을 요구하고 있으므로 이는 변혁적 리더십과 관련된다.

② 블레이크와 머튼은 조직발전 또는 관리발전에 활용할 목적으로 관리유형도라는 개념적 도구를 만들었으며 생산에 대한 관심과 인간에 대한 관심을 중심으로 리더십의 유형을 빈약형, 친목형, 임무중심형, 절충형, 단합형으로 나누었다.

③ 피들러의 상황적응적 리더십은 리더와 부하의 관계, 과업구조, 리더의 직위권한의 세 요소의 결합이 리더에 대한 상황적 호의성을 결정하게 된다는 것으로 LPC점수를 활용하여 평가하였다.

④ 허쉬와 블랜차드는 부하의 성숙도에 따라 리더의 역할이 달라져야 한다고 주장하였다.

⑤ 유클은 리더십의 상황론적 접근법을 기반으로 한 이론을 집대성하였으며 리더의 행위는 6가지 매개변수와 3가지 상황변수를 통해 결과로 나타나게 된다고 보았다.

05

정답 : ②

② ㄱ, ㄹ이 옳은 설명이다.

ㄱ. [O] 대체물은 리더십을 불필요하게 만드는 요인으로, 구조화되고 일상적이며 애매하지 않은 과업은 대체물에 해당한다.

ㄹ. [O] 수행하는 과업의 결과에 대한 환류는 과업의 특성으로 대체물이다.

ㄴ. [X] 중화물은 리더십의 필요성을 감소시키는 요인으로 조직이 제공하는 보상에 대한 무관심은 중화물에 해당한다.

ㄷ. [X] 부하의 경험, 능력, 훈련 수준이 높은 것은 리더십의 대체물이다.

Kerr & Jermier의 리더십대체물이론

부하의 특성	경험 · 능력 · 훈련	대체물 (리더십을 불필요하게 만듦)
	전문가적 지향	
과업의 특성	애매하지 않고, 구조화된 일상적인 과업	
	과업에 의해 제공되는 피드백	
	내적으로 만족되는 과업	
조직의 특성	응집력이 높은 집단	
	공식화된 구조(명확한 계획 · 목표 · 책임)	
부하의 특성	조직의 보상에 대한 무관심	중화물 (리더의 필요성을 감소시킴)
조직의 특성	리더가 통제할 수 없는 보상	
	비유연성(엄격한 규칙과 절차)	
	리더와 부하간 긴 공간적 거리	

정답

04 ① 05 ②

01 갈등관리에 대한 설명으로 옳지 않은 것은? 2020 국회 8급

① 갈등은 해결과정에서 조직의 문제해결능력, 창의력, 융통성 등이 향상되는 순기능도 있다.

② 관계갈등을 해결하기 위해서는 의사전달의 장애요소를 제거하고 직원 간 소통의 기회를 제공해 줄 필요가 있다.

③ 직무갈등을 해결하기 위해서는 조직의 자원 증대, 공식적 권한을 가진 상사의 명령 및 중재, 그리고 상호타협의 방법이 있을 수 있다.

④ 과정갈등은 상호 의사소통 증진이나 조직구조의 변경을 통하여 해결할 수 있다.

⑤ 갈등은 조직 구성원의 사기를 저하시키고 부서 간의 위화감을 조성할 수 있다.

02 갈등의 조성전략에 대한 설명으로 옳지 않은 것은? 2019 국회 8급

① 표면화된 공식적 및 비공식적 정보전달통로를 의식적으로 변경시킨다.

② 갈등을 일으킨 당사자들에게 공동으로 추구해야 할 상위목표를 제시한다.

③ 상황에 따라 정보전달을 억제하거나 지나치게 과장한 정보를 전달한다.

④ 조직의 수직적·수평적 분화를 통해 조직구조를 변경한다.

⑤ 단위부서들 간에 경쟁상황을 조성한다.

01

③ Timorthy & Judge가 갈등의 대상을 기준으로 분류한 모형에 따르면 직무갈등(과업갈등)은 업무의 내용이나 목표에 관련된 갈등으로 이를 해결하기 위해서는 업무의존성을 줄여주거나 상위목표의 제시, 계층제적 권위 등이 필요하다.

① 갈등을 해결하는 과정에서 조직의 문제해결능력이나 창의력 등이 향상될 수 있다.

② 관계갈등은 대인관계에 관련된 갈등으로 의사전달 장애요소를 제거하거나 의사소통의 기회를 제공함으로써 해결할 수 있다.

④ 과정갈등은 업무수행방법과 절차에 관련된 갈등으로 의사소통 증진이나 조직구조의 변경 및 자원의 증대 등을 통하여 해결할 수 있다.

⑤ 소모적 갈등은 조직 구성원의 사기를 저하시키고 부서 간의 위화감을 조성할 수 있다.

Timorthy & Judge의 갈등 유형(대상 기준)

갈등 유형	개념 및 갈등 원인	갈등 해소방안
관계갈등	• 대인관계에서 발생하는 갈등 • 원인: 가치관, 문화, 소통 부족 등의 인적요인	• 가치관 및 태도의 변화 • 의사전달 장애요소 제거 • 의사소통 기회 제공
직무(업무) 갈등	• 직무의 내용이나 목표와 관련하여 발생하는 갈등 • 원인: 지나친 분업, 업무의존성 등의 과업(직무)요인	• 상위목표 제시 • 공식적 권한을 가진 상사의 명령 및 중재 • 권한과 책임의 명확화 • 접촉필요성 감소
과정갈등	• 업무수행방법 및 과정(절차)에 의해 발생하는 갈등 • 원인: 자원부족, 할거주의 등의 구조적 요인	• 조직구조 변경 • 조직자원의 증대 • 의사소통의 증진

02

② 갈등을 일으킨 당사자들에게 공동으로 추구해야 할 상위목표를 제시하는 것은 갈등의 해소 전략에 대한 설명이다.

① 정보나 권력의 재분배를 통해 의사전달통로를 의도적으로 변경시키는 것은 갈등의 조성전략에 해당한다.

③ 정보전달을 억제하거나 정보를 과다하게 제공하는 방식을 통해 정보전달의 흐름을 의도적으로 조정하는 것은 권력의 재분배를 초래하므로 갈등이 조장된다.

④ 수평적 분화를 통해 조직구조를 변경함으로써 갈등을 조성할 수 있다.

⑤ 기능적 조직단위나 조직 내부의 계층 수를 늘려 경쟁상황에 노출시키고 견제하도록 함으로써 갈등을 조성할 수 있다.

03 다음 중 갈등관리에 대한 설명으로 옳지 않은 것은? 2017 국회 8급

① 갈등해소 방법으로는 문제 해결, 상위 목표의 제시, 자원 증대, 태도 변화 훈련, 완화 등을 들 수 있다.

② 적절한 갈등을 조성하는 방법으로 의사전달 통로의 변경, 정보 전달 억제, 구조적 요인의 개편, 리더십 스타일 변경 등을 들 수 있다.

③ 1940년대 말을 기점으로 하여 1970년대 중반까지 널리 받아들여졌던 행태주의적 견해에 의하면 갈등이란 조직 내에서 필연적으로 발생하는 현상으로 보았다.

④ 마치(March)와 사이먼(Simon)은 개인적 갈등의 원인 및 형태를 비수락성, 비비교성, 불확실성으로 구분했다.

⑤ 유해한 갈등을 해소하기 위해 갈등상황이나 출처를 근본적으로 변동시키지 않고 거기에 적응하도록 하는 전략을 사용하기도 한다.

04 프렌치와 라벤(French & Raven)이 주장한 권력에 대한 설명으로 옳지 않은 것은? 2017 국회 9급

① 전문적 권력은 다른 사람이 필요로 하는 전문적 기술이나 지식에 기반할 때 발생한다.

② 직위적 권력은 직무를 가지고 있는 사람과는 관계없이 그 직위자체로 인해 부여받은 권력이므로 보상적 권력, 강압적 권력 등과는 상호 독립적이다.

③ 보상적 권력은 다른 사람에게 보상을 제공할 수 있는 능력을 가진 경우에 발생한다.

④ 강압적 권력은 인간의 공포에 기반을 둔 것으로 다른 사람을 처벌할 수 있는 능력을 가진 경우에 발생한다.

⑤ 준거적 권력은 어떤 사람이 자신보다 뛰어나다고 생각하는 사람을 닮고자 할 때 발생한다.

05 조직의 의사전달(communication)에 관한 설명으로 옳지 않은 것은? 2015 교행 9급

① 조직구조상 지나친 계층화는 수직적 의사전달을 저해한다.

② 지나친 전문화와 할거주의는 수평적 의사전달을 저해한다.

③ 비공식적 의사전달은 공식적 의사전달에 비해 조정과 통제가 곤란하다.

④ 공식적 의사전달은 비공식적 의사전달에 비해 신속하지만 책임 소재는 불명확하다.

03

정답 : ②

② 구조적 요인의 개편은 갈등 해소 전략에 해당하지만, 의사전달 통로의 변경, 정보 전달 억제, 리더십 스타일 변경 등은 갈등 조성 전략에 해당한다.

① 갈등해소 방법으로는 문제의 해결, 상위목표의 제시, 자원 증대, 태도변화 훈련, 상호작용의 촉진, 공동의 경쟁대상 설정 등이 있다.

③ 갈등 행태주의적 관점에서 갈등은 자연적이고 불가피한 것으로 간주하며 갈등의 순기능을 인정하였다고 해서 갈등불가피론이라고 하기도 한다.

④ 마치(March)와 사이먼(Simon)은 개인적 갈등의 원인 및 형태를 비수락성(결정자가 여러 대안이 가져올 결과는 알지만 그것들이 만족스럽지 못해 받아들일 수 없는 경우), 비비교성(결정자가 대안들의 결과는 알지만 서로 비교하는 것이 불가능한 경우), 불확실성(결정자가 대안들의 결과를 예측할 수 없는 경우)으로 구분하였다.

⑤ 갈등 상황이나 출처를 근본적으로 변동시키지 않고 오히려 적응하도록 하는 전략 뿐 아니라 갈등 당사자에게 공동의 적을 확인시키고 이를 강조하는 전략 등 여러 전략이 있다.

04

정답 : ②

② 직위적 권력은 직무를 가지고 있는 사람과는 관계없이 그 직위 자체로 인해 부여받은 권력으로 보상적 권력, 강압적 권력 등과는 상호 보완적이다.

① 전문적 권력은 다른 사람이 필요로 하는 전문적인 기술이나 지식을 어떤 사람이 가지고 들 때 발생하는 권력으로, 가치 있는 정보나 전문성에 대한 신뢰를 근거로 한다.

③ 보상적 권력은 다른 사람들에게 보상을 제공할 수 있는 능력에 기반을 둔 권력으로 합리적 지시를 하고 제공할 수 있는 보상만을 제시한다.

④ 강압적 권력은 인간의 공포에 기반을 둔 것으로 어떤 사람이 다른 사람을 처벌할 수 있는 능력을 가지거나 육체적 또는 심리적으로 다른 사람에게 위해를 가할 수 있는 능력을 가진 경우에 발생한다.

05

정답 : ④

④ 공식적 의사전달은 책임 소재가 명확하며 의사전달이 편리하고 확실하나 융통성과 신속성이 낮다. 반면 비공식적 의사전달은 신속성과 상황에의 융통성과 적응력이 높고, 배후사정을 자세히 전달할 수 있으나 책임 소재가 불분명하고 정보의 오류가능성이 있다.

① 수직적 의사전달은 상관과 부하 간에 이루어지는 의사전달로 계층이 지나치게 많으면 수직적 의사전달을 저해하게 된다.

② 수평적 의사전달은 동료 간·부서 간·계선과 참모 간에 이루어지는 의사전달로 지나친 전문화와 할거주의는 수평적 의사전달을 저해하게 된다.

③ 비공식적 의사전달은 자생적으로 발생하는 의사전달로서 전달이 신속하고 상황에의 융통성과 적응력이 높으나 책임소재가 불분명하고 조정·통제가 곤란하다.

포인트 정리

권력의 원천(기초)에 의한 권력의 유형(French & Raven)

보상적 권력 (Reward power)	복종의 대가로 타인이 원하는 것을 줄 수 있을 때 성립하는 권력
강요적 권력 (Coercive power)	상대방을 처벌할 수 있을 때 성립하는 권력
정통적 권력 (Legitimate power)	계층상의 위계에 비추어 권력행사자가 정당한 권력을 행사할 수 있는 권리를 가지고 있다고 인정되는 경우에 성립하는 권력 (M.Weber의 합법적 권력과 유사)
준거적 권력 (Referent power)	복종자가 지배자와 일체감·유사성을 가지고 자기의 행동모형을 권력행사자로부터 찾으려고 하는 역할모형화에 의한 권력으로 어떤 사람이 자신보다 월등하다고 느끼는 무언가의 매력이나 카리스마에 의한 권력
전문가적 권력 (Expert power)	전문기술이나 지식·정보에 기반한 권력

공식적 의사전달 vs 비공식적 의사전달

구분	공식적 의사전달	비공식적 의사전달
장점	• 책임소재가 명확 • 편리하고 객관적인 의사전달 • 상관의 권위 유지 • 정보나 근거 보존 용이	• 신속한 전달 • 관리자에 대한 조언 • 상황에의 융통성과 적응력이 높음 • 배후사정을 자세히 전달 가능
단점	• 경직적이며 형식주의에 빠지기 쉬움 • 변동하는 사태에 적응력이 낮음	• 책임소재 불분명 • 기밀 유지가 곤란 • 정보의 오류 가능성 • 공식적 의사전달 마비

정답

03 ② 04 ② 05 ④

06 조직 내의 갈등관리에 대한 설명으로 옳지 않은 것은?　　　2015 사복 9급

① 고전적 갈등관리 이론에서는 갈등의 유해성에 주목하고 그 해소방법을 처방하는 데 몰두하였다.

② 행태주의 관점의 갈등관리 이론에서는 갈등이 조직 발전의 원동력이 된다고 주장하였다.

③ 갈등관리 전략으로서 조성전략은 갈등의 순기능적 측면에 입각해 있다.

④ 로빈스(Robbins)는 갈등관리를 전통주의자, 행태주의자, 상호 작용주의자의 관점으로 구분하여 접근한다.

07 토머스(K.Thomas)가 제시하고 있는 대인적 갈등관리 방안에 대한 설명으로 옳지 않은 것은?　　2012 지방 9급

① 자신의 이익과 상대방의 이익을 만족시키려는 정도라는 두 가지 차원으로 구분하여 설명한다.

② 경쟁이란 상대방의 이익을 희생하여 자신의 이익을 추구하는 방안이다.

③ 순응이란 자신의 이익은 희생하면서 상대방의 이익을 만족시키려는 방안이다.

④ 타협이란 자신과 상대방의 이익 모두를 만족시키려는 방안이다.

CHAPTER 18 정보공개 및 행정참여(행정PR)　　실질적 력(역량) 업그레이드

01 「공공기관의 정보공개에 관한 법률」의 내용으로 옳은 것은?　　2016 사복 9급

① 지방자치단체는 그 소관 사무에 관하여 법령의 범위에서 정보공개에 관한 조례를 정할 수 있다.

② 모든 국민은 정보의 공개를 청구할 권리를 가지며, 외국인의 정보공개 청구에 관하여는 법률로 정한다.

③ 공공기관은 예산집행의 내용과 사업평가 결과 등 행정 감시에 필요한 정보가 다른 법률에서 비밀이나 비공개사항으로 규정되었더라도 이를 공개하여야 한다.

④ 공공기관은 정보공개의 청구를 받으면 부득이한 사유가 있더라도 그 청구를 받은 날부터 연장 없이 10일 이내에 공개 여부를 결정하여야 한다.

06

정답 : ②

② 갈등이 조직발전의 원동력이 된다고 주장한 것은 상호작용적 관점이다. 행태주의 관점에서는 갈등은 조직 내에서 자연스럽게 일어나는 불가피한 현상으로서 이를 완전히 제거할 수 없다고 보았다.

① 고전적 갈등관리 이론에서는 모든 갈등은 파괴와 비능률을 가져오는 역기능적 존재로 인식하여 갈등의 원인을 찾아서 제거하는 것만이 조직의 성과를 향상시킨다고 보았다.

③ 상호작용적 관점에서는 갈등이 조직 내에서 하나의 추진력으로 작용할 수도 있다는 것을 제시하면서 긍정적 갈등은 조장하고, 부정적 갈등은 제거해야 한다고 본다.

④ 로빈스는 갈등에 대한 관점을 전통적 관점, 행태적 관점, 상호작용적 관점으로 구분하였다.

07

정답 : ④

④ 타협이란 자신과 상대방의 이익의 중간정도를 만족시키려는 행태를 의미한다. 한편 자신과 상대방의 이익 모두를 만족시키려는 것은 협동이다.

① 토마스는 자신의 이익과 상대방의 이익을 만족시키려는 정도를 기준으로 분류하였다.

② 경쟁은 자신의 이익을 추구하고 상대방의 이익은 희생시키는 경우이다.

③ 순응은 자신의 이익은 희생하고 상대방의 이익은 만족시키는 경우이다.

01

정답 : ①

① 지방자치단체는 그 소관 사무에 관하여 법령의 범위에서 정보공개에 관한 조례를 정할 수 있다(동법 제4조 제2항).

② 모든 국민은 정보공개를 청구할 권리를 가지며, 외국인의 정보공개 청구에 관하여는 대통령령으로 정한다.

③ 예산집행의 내용과 사업평가 결과 등 행정 감시에 필요한 정보가 다른 법률에서 비밀이나 비공개사항으로 규정되었다면 공개하지 아니할 수 있다.

> **동법 제7조(정보의 사전적 공개 등)** ① 공공기관은 다음 각 호의 어느 하나에 해당하는 정보에 대해서는 공개의 구체적 범위, 주기, 시기 및 방법 등을 미리 정하여 정보통신망 등을 통하여 알리고, 이에 따라 정기적으로 공개하여야 한다. 다만, 제9조제1항 각 호의 어느 하나에 해당하는 정보에 대해서는 그러하지 아니하다.
> 3. 예산집행의 내용과 사업평가 결과 등 행정감시를 위하여 필요한 정보
>
> **제9조 (비공개 대상 정보)** ① 공공기관이 보유·관리하는 정보는 공개 대상이 된다. 다만, 다음 각 호의 어느 하나에 해당하는 정보는 공개하지 아니할 수 있다.
> 1. 다른 법률 또는 법률에서 위임한 명령(국회규칙·대법원규칙·헌법재판소규칙·중앙선거관리위원회규칙·대통령령 및 조례로 한정한다)에 따라 비밀이나 비공개 사항으로 규정된 정보

④ 공공기관은 정보공개의 청구를 받으면 그 청구를 받은 날부터 10일 이내에 공개 여부를 결정하여야 하지만, 부득이한 사유가 있는 경우 청구 기간이 끝나는 날의 다음 날부터 10일의 범위에서 연장할 수 있다.

> **동법 제11조(정보공개 여부의 결정)** ① 공공기관은 제10조에 따라 정보공개의 청구를 받으면 그 청구를 받은 날부터 10일 이내에 공개 여부를 결정하여야 한다.
> ② 공공기관은 부득이한 사유로 제1항에 따른 기간 이내에 공개 여부를 결정할 수 없을 때에는 그 기간이 끝나는 날의 다음 날부터 기산(起算)하여 10일의 범위에서 공개 여부 결정기간을 연장할 수 있다. 이 경우 공공기관은 연장된 사실과 연장 사유를 청구인에게 지체 없이 문서로 통지하여야 한다.

포인트 정리

갈등 관점

전통적 관점	갈등은 언제나 부정적으로 인식
행태론 관점	조직 내의 갈등은 필연적이고 정상적인 것으로 인식. 갈등의 완전한 제거는 불가능하며, 순기능적 측면을 인식
상호작용적 관점	갈등의 형태에 따라 긍정·부정적인 것으로 구분하며 긍정적 갈등은 조장하고 부정적 갈등은 제거를 주장

토마스(Thomas)의 2차원 갈등관리방안

회피	자신의 이익과 상대방의 이익 모두 무관심한 갈등전략
경쟁	자신의 이익을 추구하고 상대방의 이익은 희생시키는 갈등전략
순응	자신의 이익은 희생하고 상대방의 이익은 만족시키는 갈등전략
협동	자신과 상대방 이익 모두 만족시키는 갈등전략
타협	자신과 상대방 이익의 중간 정도를 만족시키는 갈등전략

> **정답**
> 06 ② 07 ④ 01 ①

행정기관이 보유하고 있는 정보를 외부인에게 제공하는 행위인 공공기관의 정보공개에 대한 설명으로 가장 옳지 않은 것은? 2011 경찰간부

① 「공공기관의 정보공개에 관한 법률」에는 정보공개를 활성화하기 위하여 이 법 또는 다른 법률의 규정에 의해서만 비공개대상정보를 정하도록 되어 있다.

② 정보공개의 목적은 투명한 정부를 구현하고, 국민의 알 권리를 보장하며, 행정에 대한 국민과 고객의 참여를 확대하는 데 있다.

③ 정보공개에는 국민 개개인의 청구에 의한 의무적인 정보공개는 물론, 행정기관 스스로의 결정에 의한 자발적 공개도 포함한다.

④ 국민청구에 의한 공개는 청구를 받은 날로부터 10일 이내에 공개 여부를 결정하고, 그렇지 못하면 10일을 더 연장하여 결정할 수 있다.

다음은 우리나라의 「공공기관의 정보공개에 관한 법률」에 대한 설명이다. 옳은 것으로 짝지어진 것은? 2010 지방 9급

ㄱ. 헌법상의 '알 권리'를 구체화하기 위하여 1996년에 제정되었다.
ㄴ. 공공기관에 의한 자발적, 능동적인 정보제공을 주된 내용으로 하고 있다.
ㄷ. 외국인은 행정정보의 공개를 청구할 수 없다.
ㄹ. 직무를 수행한 공무원의 성명·직위는 공개할 수 있다.
ㅁ. 공공기관은 부득이한 사유가 없는 한 정보공개 청구를 받은 날부터 10일 이내에 공개여부를 결정해야 한다.

① ㄱ, ㄴ, ㅁ   ② ㄱ, ㄹ, ㅁ

③ ㄴ, ㄷ, ㄹ   ④ ㄷ, ㄹ, ㅁ

정부는 새로운 의사소통수단으로 대두된 트위터, 카카오톡 등 SNS(Social Network Service)를 활용하여 행정과 관련된 사항을 국민들에게 적극적으로 알리고 있다. 이와 관련하여 행정의 PR(Public Relation)에 관한 설명 중 가장 적절하지 않은 것은? 2012 경정승진

① 행정의 민주성 증진을 목표로 하며 공개행정 및 주민참여를 구현하기 위한 필수요소이다.

② 행정에 대한 국민의 호의적 반응을 얻기 위해 일방적으로 활동을 홍보하는 것이다.

③ 행정 PR의 필요성으로는 국민의 의견을 사전에 반영하여 행정의 효율성 제고에 기여할 수 있다는 점을 들 수 있다.

④ 행정 PR의 내용은 사회적 책임이나 공익과 일치되어야 한다.

02

① 비공개대상 정보는 다른 법률 또는 법률에서 위임한 명령에 의해서만 정할 수 있다.

② 정보공개법은 국민의 알권리를 보장하고 국정에 대한 국민의 참여와 국정운영의 투명성의 확보를 목적으로 한다.

③ 정보공개는 국민 개개인의 청구에 의한 공개뿐 아니라 공공기관 스스로 결정에 의한 자발적 공개도 포함된다.

④ 공공기관은 정보공개의 청구를 받으면 그 청구를 받은 날부터 10일 이내에 공개 여부를 결정하여야 하고, 부득이한 사유가 있는 경우에는 10일의 범위에서 연장할 수 있다.

03

정답 : ②

② ㄱ, ㄹ, ㅁ이 옳은 지문이다.

ㄱ. [O] 우리나라는 1996년 헌법상의 알권리를 보장하고 투명한 정부를 구현하기 위하여 「공공기관의 정보공개에 관한 법률」을 제정·공포하였다.

ㄹ. [O] 이름 및 주민번호 등 개인의 사생활의 비밀 또는 자유를 침해할 우려가 있는 정보 등은 비공개 대상 정보에 해당하지만 직무를 수행한 공무원의 성명과 직위는 공개대상으로 한다.

ㅁ. [O] 공개청구를 받은 날로부터 10일 이내에 공개 여부를 결정하여야 하며 부득이한 경우 10일의 범위에서 연장이 가능하다.

ㄴ. [X] 정보공개는 행정PR과 달리 자발적·능동적 공개가 아니라 청구에 의한 공개를 원칙으로 한다.

ㄷ. [X] 정보공개청구권자는 모든 국민이 그 대상이며 등록된 외국인을 포함하므로, 외국인은 행정정보의 공개를 청구할 수 있다.

04

정답 : ②

② 행정PR은 행정조직의 활동에 대한 공중의 태도를 평가하고 정부의 시책이나 사업에 대한 국민의 동의와 협조를 얻기 위한 적극적·계획적 활동으로, 국민의 호의적 반응을 얻기 위해 일방적으로 활동을 홍보하는 것은 행정PR의 본질과 거리가 멀다.

① 행정PR은 공개행정 및 주민참여를 구현하기 위한 필수요소로 정보공개와 함께 민주행정의 필수사항이다.

③ 행정PR은 국민의 의견을 사전에 반영함으로써 집행의 효율성을 제고하고 다수의 의견을 수렴하여 행정의 민주화를 구현할 수 있다는 점에서 필요하다.

④ 행정PR은 사회적 책임이나 공익성에 부합되어야 한다.

포인트 정리

비공개 대상 정보

1. 다른 법률 또는 법률에서 위임한 명령(국회규칙·대법원규칙·헌법재판소규칙·중앙선거관리위원회규칙·대통령령 및 조례로 한정한다)에 따라 비밀이나 비공개 사항으로 규정된 정보
2. 국가안전보장·국방·통일·외교관계 등에 관한 사항
3. 국민의 생명·신체 및 재산의 보호에 현저한 지장을 초래할 우려가 있다고 인정되는 정보
4. 진행 중인 재판에 관련된 정보와 범죄의 예방, 수사, 공소의 제기 및 유지, 형의 집행, 교정(矯正), 보안처분에 관한 사항으로서
5. 감사·감독·검사·시험·규제·입찰계약·기술개발·인사관리에 관한 사항이나 의사결정 과정 또는 내부검토 과정에 있는 사항 등으로서 공개될 경우 업무의 공정한 수행이나 연구·개발에 현저한 지장을 초래한다고 인정할 만한 상당한 이유가 있는 정보.
6. 해당 정보에 포함되어 있는 성명·주민등록번호 등 사생활의 비밀 또는 자유를 침해할 우려가 있다고 인정되는 정보.
7. 법인·단체 또는 개인(이하 "법인등"이라 한다)의 경영상·영업상 비밀에 관한 사항으로서
8. 공개될 경우 부동산 투기, 매점매석 등으로 특정인에게 이익 또는 불이익을 줄 우려가 있다고 인정되는 정보

행정PR의 원칙(이념)

공익성	사회적 책임이나 공익에 부합되어야 함
교육성 (계몽성)	국민형성 등과 같은 계몽적·교육적 성격을 가짐
객관성 (진실성)	사실을 과장하거나 왜곡시켜서는 안됨(∴선전과 다름)
수평성	행정PR의 주체와 객체는 언제나 대등한 위치에 있음
의무성	국민의 알 권리에 대응하는 정부의 의무를 가짐
교류성	행정PR은 알리고 듣는 상호 간 의사전달의 과정을 가짐

정답

02 ① 03 ② 04 ②

PART 3

해커스공무원 미니행정학 기출 빅데이터 실전문제

PART 3 조직론 **323**

CHAPTER 19 조직과 환경

01 다음 상황과 관련 있는 이론은?

> ○ A 보험회사는 보험 가입 대상자의 건강 상태 및 사고 확률에 대한 특수정보를 가지고 있지 않다.
> ○ A 보험회사는 질병 확률 및 사고 확률이 높은 B를 보험에 가입시켜 회사의 보험재정이 약화되었다.

① 카오스 이론　　　　　　　　　　　② 상황조건적합 이론

③ 자원의존 이론　　　　　　　　　　④ 대리인 이론

02 거시조직이론에 대한 설명 중 옳은 것으로 짝지어진 것은?

> 가. 구조적 상황론에 따르면 환경의 영향에 대한 조직관리자의 역할이 수동적이다.
> 나. 자원의존이론에 따르면 조직은 주도적·능동적으로 환경에 대처하며 그 환경을 조직에 유리하도록 관리하려는 존재이다.
> 다. 대리인 이론에 따르면 정보의 비대칭으로 인해 도덕적 해이와 역선택이 발생할 수 있다.
> 라. 거래비용이론에 따르면 시장의 자발적인 교환행위에서 발생하는 거래비용이 관료제의 조정비용보다 클 경우 거래를 외부화하는 것이 효율적이다.
> 마. 전략적 선택이론에 따르면 조직구조의 변화가 외부환경 변수보다는 조직 내 정책결정자의 상황판단과 전략에 의해 결정된다고 본다.

① 가, 나, 다, 라　　　　　　　　　② 가, 나, 다, 마

③ 가, 다, 라, 마　　　　　　　　　④ 나, 다, 라, 마

03 다음 중 거시조직이론에 관한 다음 설명 중 가장 옳지 않은 것은?

① 구조적 상황이론(상황적응론)에서는 조직이 처해있는 상황이 다르면 효과적인 조직설계 및 관리방법도 달라져야 한다고 주장한다.

② 전략적 선택이론, 자원의존이론, 공동체 생태학 이론은 임의론적 관점을 채택하고 있다.

③ 조직군생태이론에서는 조직변화는 종단적 분석에 의해서만 검증 가능하다고 전제한다.

④ 자원의존이론은 조직이 생존과 발전에 필요한 자원을 환경에 의존하기 때문에 조직을 환경과의 관계에서 피동적 존재로 본다.

01
정답 : ④

④ 대리인 이론은 주인과 대리인 관계에서 주인이 대리인에 비해 전문지식과 정보가 부족하기 때문에 대리인이 주인의 이익을 충실하게 대변하지 못하는 것으로, A보험회사(주인)은 보험 가입 대상자의 특수정보가 없는 상태에서 B를 가입시킴으로써 회사의 보험재정이 약화되었음을 알 수 있다.

02
정답 : ②

② 가, 나, 다, 마는 옳고 라는 틀린 내용이다.
가. [O] 구조적 상황론은 환경에 대한 결정론으로 관리자의 역할은 수동적이다.
나. [O] 자원의존이론은 환경에 대한 임의론으로 조직은 능동적으로 환경에 영향을 미치려고 한다.
다. [O] 대리인 이론에 따르면 주인과 대리인 사이의 정보 비대칭성으로 인해 도덕적 해이와 역선택이 발생할 수 있다.
마. [O] 전략적 선택이론에 따르면 조직구조의 변화가 외부환경 변수보다는 재량을 지닌 관리자들(정책결정자들)의 전략적 선택에 의해 결정된다.
라. [X] 거래비용이론에 따르면 거래비용이 조정비용보다 클 경우 거래비용 최소화를 위해 거래의 내부화(조직화)가 효과적이라고 본다.

03
정답 : ④

④ 자원의존이론은 조직이 생존과 발전에 필요한 자원을 환경에 의존하기 때문에 조직을 환경과의 관계에서 능동적이고 주도적인 존재로 보는 임의론적 성격을 갖는다.
① 구조적 상황이론(상황적응론)은 환경의 영향에 대한 조직관리자의 역할이 수동적이며 상황과 조직특성 간의 적합 여부가 조직의 효과성을 결정한다고 보는 이론으로, 처해있는 상황에 따라 구조 및 전략이 달라져야 효과성이 높아진다고 본다.
② 전략적 선택이론, 자원의존이론, 공동체 생태학이론은 조직의 행동을 환경에 대한 독립변수로 보는 임의론적 입장이다.
③ 조직군생태이론에서는 조직과 환경의 관계는 환경에 의해 결정된다는 극단적 결정론으로 조직의 변화는 종단적 분석에 의해서만 검증 가능하다고 본다.

포인트 정리

조직환경이론

분석 수준	(환경)결정론	임의론
조직군	• 조직경제학 • 조직군 생태학 이론	• 공동체 생태학이론
개별 조직	• 구조적 상황이론	• 전략적 선택이론 • 자원의존이론

정답

01 ④ 02 ② 03 ④

04 현대 조직이론에 대한 설명으로 옳지 않은 것은?
2017 국가 7급(추)

① 거래비용이론 − 탐색·거래·감시비용 등을 포함하는 거래비용의 절감을 위해 외부화 전략뿐만 아니라 내부화 전략도 가능하다.

② 조직군생태론 − 조직군을 분석단위로 하며, 개별 조직은 외부 환경의 선택에 좌우되는 수동적인 존재이다.

③ 상황론 − 조직구조를 상황요인으로 강조하면서 이러한 상황에 적합한 조직의 기술과 전략 등을 처방한다.

④ 제도적 동형화론 − 조직의 장이 생성되어 구조화되면, 내부 조직뿐만 아니라 새로 진입하려는 조직들도 유사해지는 경향을 나타낸다.

05 주인−대리인이론(principal−agent theory)에 대한 설명으로 가장 옳지 않은 것은?
2017 서울 7급

① 주인(principal)과 대리인(agent) 모두를 자신의 효용을 극대화시키는 합리적인 인간으로 가정하며 주인이 대리인보다 전문적인 지식이 부족하다고 간주한다.

② 주인이 대리인을 통제하고 감시하는 데 발생하는 비용을 거래비용(transaction cost)이라고 한다.

③ 대리인에 의한 도덕적 해이(moral hazard)는 대리인에게 지급한 성과급이 거래비용보다 클 때 나타난다.

④ 주인과 대리인 간의 정보의 비대칭(information asymmetry)으로 인하여 역선택(adverse selection)이 발생한다.

06 상황론적 조직이론과 자원의존이론에 대한 다음 설명 중 가장 옳지 않은 것은?
2015 서울 9급

① 자원의존이론은 어떤 조직도 필요로 하는 자원을 모두 획득할 수는 없다는 것을 전제로 삼는다.

② 상황론적 조직이론은 모든 상황에 적합한 최선의 조직화 방법은 존재하지 않는다고 존재한다.

③ 자원의존이론은 조직이 생존과 발전에 필요한 자원을 환경에 의존하기 때문에 조직을 환경과의 관계에서 피동적 존재로 본다.

④ 상황론적 조직이론은 효과적인 조직 설계와 관리 방법은 조직환경에 달려 있다고 주장한다.

07 행정연구에서 혼돈이론적 접근에 대한 설명으로 옳지 않은 것은?
2012 경찰간부

① 복잡한 사회문제에 대한 통합적 접근을 시도한다.

② 행정조직은 개인과 집단 그리고 환경적 세력이 상호작용하는 복잡한 체제이다.

③ 행정조직은 혼돈상황을 적절히 회피하고 통제할 수 있는 능력이 요구된다.

④ 행정조직의 자생적 학습능력과 자기조직화 능력을 전제로 한다.

04

③ 상황론은 환경이 기술, 규모 등 다양한 상황변수를 고려하면서 유일한 최선의 대안이 존재한다는 것을 부정하고, 조직이 처해 있는 상황에 따라 조직설계 및 관리방법도 달라져야 한다고 주장한다.

① 거래비용이론은 환경에서 자원을 교환하는데 드는 비용과 조직 내에서 교환을 관리하는 비용을 최소하기 위해 거래의 내부화를 통한 계층제의 조직화를 주장한다.

② 조직군생태론은 조직군을 분석단위로 하고 환경결정론에 해당하므로 조직을 수동적인 존재로 본다.

④ 제도적 동형화이론은 조직은 환경에 순응하면서 정당성 획득을 주요기능으로 보고, 조직이 사회 속에서 널리 합리화되고 정당화된 관행과 절차를 채택하여 조직의 공식구조로 설치하는 것을 의미한다.

05

③ 주인–대리인 이론에서 주인이 대리인에게 지급한 성과급이 대리인을 감시하는 거래비용보다 적을 때 도덕적 해이가 나타나므로 거래비용보다 많은 인센티브를 대리인에게 지급할 필요가 있다.

① 주인과 대리인 모두를 조직 내 합리적인 이기주의자로 가정하고 주인이 대리인보다 전문적인 지식이 부족하여 정보격차로 인한 대리손실이 있다고 가정한다.

② 거래비용은 조직들이 함께 일을 할 때 그들의 활동을 통제하는 데 필요한 모든 비용을 의미하며, 주인이 대리인을 통제하고 감시하는 데 발생하는 비용을 의미한다.

④ 주인과 대리인 간의 정보비대칭 등으로 인한 역선택이 발생하며 주인의 불리한 선택으로 인한 문제해결에 초점을 둔다.

06

③ 자원의존이론은 조직이 상황에 반응하는 것이 아니라, 임의론 관점에서 조직이 환경에 능동적으로 대응한다고 본다.

① 자원의존이론은 조직의 필요자원들에 대해 자급적일수가 없어 조직외부의 다양한 조직들과 상호의존적 거래관계를 형성하게 되고 어떤 조직도 필요로 하는 자원을 모두 획득할 수 없다고 본다.

② 상황론적 조직이론은 조직을 구성하고 관리하는 데 있어 유일최선의 방법이 없다고 전제한다.

④ 상황론적 조직이론은 환경에의 적합성이 조직의 생존에 관건이라는 환경의 절대성을 강조한다.

07

③ 혼돈이론은 혼돈과 무질서를 통제와 회피의 대상으로 생각하지 않고 발전의 불가결한 조건이나 기회로 이해하고 이를 적극 활용하여 더 나은 동태적 질서로 나아가려는 적극적인 현대조직이론이다.

① 부정적 환류와 긍정적 환류 등 복잡한 사회문제에 대한 통합적 접근을 시도한다.

② 대상체제인 행정조직은 질서와 무질서, 구조화와 비구조화가 공존하는 복잡한 체제로 인식한다.

④ 행정조직의 자생적 학습능력과 자기조직화 능력을 특징으로 한다.

PART 3

해커스공무원 미니행정학 기출 빅데이터 실전동형

정답
04 ③ 05 ③ 06 ③ 07 ③

08 거래비용이론(transaction cost theory)에 관한 설명으로 옳은 것을 모두 고르면? 2009 국회 8급

> ㉠ 조직은 경제 활동에서 재화나 용역의 거래비용을 줄이기 위해 만들어지는 장치이다.
> ㉡ 대리인이론과 함께 신제도주의 경제학 이론에 해당된다.
> ㉢ 공공분야의 민영화, 민간위탁, 계약제 등에 응용되고 있다.
> ㉣ 조직은 능률성을 높일 수 있는 유일한 방안이다.
> ㉤ 행정의 효율성뿐만 아니라 민주성이나 형평성도 적절히 고려한다.

① ㉠, ㉡, ㉢   ② ㉠, ㉡, ㉤   ③ ㉠, ㉢, ㉣

④ ㉡, ㉢, ㉤   ⑤ ㉢, ㉣, ㉤

09 Hannan & Freeman은 거시조직이론으로서 조직군 생태학이론을 제시하였다. 다음 중 거리가 먼 것은? 2004 국가 7급

① 조직은 자체적인 관성으로 인해 변하기가 쉽지 않다.

② 조직변화에 대한 내적 제약요인으로 매몰비용, 정보부족, 주어진 정치적 구조 및 오래된 조직역사 등을 들 수 있다.

③ 조직군 생태학이론의 분석단위는 개인, 하위조직, 조직, 조직군, 지역사회의 조직 등의 분석이 가능하다.

④ 조직변화가 곤란하므로 조직환경을 자신에게 유리하게 만들기 위해 정부지원을 이끌어 내려고 노력한다.

CHAPTER 20 조직발전

실질적 **력**(역량) **업**그레이드

01 조직발전(OD)에 대한 설명으로 가장 적절하지 않은 것은? 2019 경정승진

① Y이론의 인간관에 바탕을 둔 성장이론(growth theory)을 가정하고 있다.

② 감수성훈련, 관리망훈련, 팀 빌딩기법, 과정상담과 개입전략 등의 주요 기법이 있다.

③ 행태과학의 지식이나 기법을 활용하게 되며, 이 분야에 전문가의 도움이 요청된다.

④ 인간행태, 조직구조, 기술, 업무에 초점을 두어 조직 전반의 변화를 모색하고자 한다.

08

① ㉠, ㉡, ㉢만 옳고 나머지는 틀리다.

㉣ [X] 거래비용 경제학은 계서조직이 시장조직보다 능률적이라고 주장하지만, 조직이 능률성을 높일 수 있는 유일한 방안은 아니며, 계서제적 조직 또한 비능률적인 요인을 내포하고 있다는 비판이 있다.

㉤ [X] 거래비용경제학은 거래비용을 최소화하기 위한 시장논리나 효율성의 논리만을 중시하므로 상대적으로 공공행정의 민주성이나 형평성을 적절히 고려하기 어렵다.

09

④ 조직생태론은 조직은 환경변화에 적응해 나갈 능력이 없으며 조직의 생멸은 환경적소가 결정한다는 극단적인 결정론으로 능동적인 노력에 대해 회의적이다.

① 조직의 구조적 타성 및 관성(매몰비용이나 관행)으로 인하여 환경에 적응하는 능력에 근본적으로 한계가 있음을 인식하고 조직환경의 절대성을 강조한다.

② 매몰비용, 정보부족, 오래된 역사 등 조직 내적제약 요인에 의해 변화가 일어나기 어렵다고 본다.

③ 비교적 동질적인 조직들의 집합인 조직군의 생성과 소멸 과정에 초점을 둔 이론이다.

01

④ 조직발전은 인간에 초점을 두기 때문에 조직구조나 기술적 요인을 간과하거나 무시하는 경향이 있다.

① 자아실현의 욕구를 증진하는 Y이론적 인간관에 바탕을 두고 성장이론에 기반한 후기인간관계론의 일종이다.

② 주요기법으로는 감수성훈련, 관리망훈련, 팀 빌딩기법, 과정상담, 개입전략 등이 있다.

③ 행태과학적인 지식의 응용과 계획적인 개입을 통해 조직문화의 기능을 개혁하려는 기법으로, 조직발전의 전 과정에서 변화관리자인 전문상담가가 참여하게 된다.

정답
08 ① 09 ④ 01 ④

02 조직발전(OD)에 대한 설명으로 가장 옳은 것은?

2017 서울 7급

① 조직 전체의 변화를 추구하는 계획적·의도적인 개입방법이다.

② 감수성훈련은 동료 간·동료와 상사 간의 상호작용을 진작시키기 위한 실제 근무상황에서 실시하는 기법이다.

③ 블레이크와 머튼(Blake & Mouton)은 과업형리더를 가장 효과적인 관리유형으로 꼽았다.

④ 변화관리자의 도움으로 단기간에 급진적 조직변화를 추구한다.

03 조직발전(OD)에 대한 설명으로 가장 옳지 않은 것은?

2017 해경간부

① 조직발전은 구조, 형태, 기능 등을 바꾸고 조직의 환경 변화에 대한 대응 능력과 문제 해결 능력을 향상시키려는 관리 전략이다.

② 심리적 요인에 치중한 나머지 구조적, 기술적 요인을 경시할 우려가 있다.

③ 외부의 전문가들이 참여하는 하향적 개혁 관리 방식이다.

④ 감수성 훈련은 조직발전의 주요 기법 중 하나이다.

04 조직발전에 대한 기술 중 잘못된 것으로만 묶인 것은?

2008 지방 7급

ㄱ. 조직발전은 조직의 실속, 효과성, 건강성을 높이기 위한 조직전반에 걸친 계획된 노력을 의미한다.
ㄴ. 조직발전은 조직구성원의 행태변화를 통하여 조직의 생산성과 환경에의 적응능력을 향상시키는 것을 목표로 한다.
ㄷ. 조직발전에서 인간에 대한 가정은 맥그리거의 X이론이다.
ㄹ. 조직발전에서 가정하는 조직은 폐쇄체제 속에서 복합적 인과관계를 가진 유기체이다.
ㅁ. 조직발전에서 추구하는 변화는 조직문화의 변화를 포함한다.

① ㄱ, ㄴ, ㄷ, ㄹ   ② ㄴ, ㄷ, ㄹ

③ ㄷ, ㄹ   ④ ㄹ, ㅁ

02

정답 : ①

① 조직발전이란 행태과학적 지식을 이용하여 조직과정에 계획적·의도적으로 개입하여 조직의 목표와 개인의 성장욕구를 결부시켜 조직의 효율성과 건전성을 증진시키려는 것으로, 조직 전체의 변화를 추구하려는 개입방법이다.

② 감수성훈련은 소수인원으로 구성된 집단을 대상으로 인위적이고 다른 사회와 고립된 장소에서 실시하는 훈련으로, 참여자들의 자기 태도와 행동을 반성하고 타인에게 미치는 영향력을 검토하도록 유도하는 훈련이다.

③ 블레이크와 머튼은 관리유형도 모형에서 생산에 대한 관심과 인간에 대한 관심이 모두 높은 단합형이 가장 이상적이라고 보았다.

④ 조직발전은 일시적·급진적인 변화가 아니라 장기간에 걸쳐 변화를 지속시키려는 행태변화 기법이다.

03

정답 : ①

① 조직발전(OD)은 구성원의 행태를 바람직한 방향으로 변화시켜 조직의 환경변화에 대한 대응능력과 문제해결능력을 향상시키려는 관리전략이다.

② 조직발전은 인간적·사회적 측면을 중시하므로 업무관계, 구조적 배열, 기술 등은 경시될 우려가 있다.

③ 조직발전은 행태과학적 지식에 조예가 깊은 상담자로 하여금 개혁추진자의 역할을 하게 하는 것으로 상담자·고급관리자·조직구성원의 적극적 참여와 협력을 활용하는 하향적 관리 방식이다.

④ 감수성훈련은 10~20명으로 구성된 소집단을 대상으로 1~2주 동안 외부환경과 격리된 상황에서 실시하는 대표적인 조직발전기법이다.

04

정답 : ③

③ ㄷ, ㄹ은 틀리고, ㄱ, ㄴ, ㅁ은 옳은 설명이다.

ㄷ. [X] 조직발전에서 인간에 대한 가정은 맥그리거의 Y이론이다.

ㄹ. [X] 조직발전은 조직을 환경과 상호작용하는 개방체제적 유기체로 간주한다.

ㄱ, ㄴ, ㅁ. [O] 조직발전은 조직의 효과성과 건전성을 높이기 위하여 조직 구성원의 가치관, 신념, 태도 등의 행태와 문화를 변화시켜 조직의 환경변화에 대한 대응능력과 문제해결능력을 향상시키려는 계획적·복합적인 관리전략이다.

포인트 정리

조직발전 특징

- 행태과학을 응용함
- 맥그리거의 Y이론적 인간관에 입각함
- 외부 변동담당자의 개입과 하향적인 변화
- 지속적·전반적인 변화를 추구함
- 조직을 개방체제적 유기체로 강조

정답
02 ① 03 ① 04 ③

01 조직구조의 유형에 대한 설명으로 옳지 않은 것은?

2023 국가 9급

① 사업(부)구조는 조직의 산출물에 기반을 둔 구조화 방식으로 사업(부) 간 기능 조정이 용이하다.

② 매트릭스구조는 수직적 기능구조에 수평적 사업구조를 결합시켜 조직운영상의 신축성을 확보한다.

③ 네트워크구조는 복수의 조직이 각자의 경계를 넘어 연결고리를 통해 결합 관계를 이루어 환경 변화에 대처한다.

④ 수평(팀제)구조는 핵심업무 과정 중심의 구조화 방식으로 부서 사이의 경계를 제거하여 의사소통을 원활하게 한다.

02 학습조직에 대한 설명으로 옳지 않은 것은?

2020 국가 7급

① 개방체제와 자아실현적 인간관을 바탕으로 새로운 지식을 창출하고자 한다.

② 연결된 체계 간의 상호작용을 이해하고, 이를 효과적으로 활용하기 위한 체계적 사고(system thinking)를 강조한다.

③ 조직구성원들의 비전 공유를 중시한다.

④ 조직구성원의 합이 조직이 된다는 점에서, 조직 내 구성원 각자의 개인적 학습을 강조한다.

03 네트워크 조직의 특성에 관한 설명으로 옳은 것을 모두 고른 것은?

2020 경찰간부

> 가. 네트워크 조직은 조직의 자체 기능은 핵심역량 위주로 합리화하고, 여타 기능은 외부기관들과의 계약관계를 통해 수행하는 방식이다.
> 나. 조직의 유연성과 자율성 강화를 통해 환경 변화에 신속히 대응하고 창의력을 발휘할 수 있다.
> 다. 잦은 대면과 회의를 통해 과업조정이 이루어져야 하기 때문에 신속한 결정이 곤란하다.
> 라. 유동적이고 모호한 조직경계에 따라 조직의 정체성이 약해 응집력 있는 조직문화를 가지기 어렵다는 단점이 있다.
> 마. 기능부서의 기술적 전문성과 사업부서의 신속한 대응성이 동시에 요구되면서 등장한 조직형태이다.

① 가, 나, 다   ② 나, 다, 라

③ 가, 나, 라   ④ 나, 다, 마

01

정답 : ①

① 사업부제는 기능간의 중첩(규모의 불경제)이 발생한다.

② 수직적 기능구조와 수평적 사업부의 결합이 매트릭스조직이다.

③ 네트워크는 분권과 집권의 조화를 통해 환경변화에 유연하게 대응한다.

④ 팀제는 핵심업무를 중심으로 유연하게 결합한 조직이다.

02

정답 : ④

④ 학습조직은 개인의 학습이 아닌 집단적 학습을 강조한다.

① 학습조직은 개방체제와 자아실현적 인간관을 바탕으로 한다.

② 체계적 사고는 P. Senge의 제5수련의 한 요소로, 부분적인 현상을 보기보다는 전체를 본다는 것으로 학습조직에서는 이를 강조한다.

③ 비전공유는 P. Senge의 제5수련의 한 요소로, 조직의 추구하는 목표와 방향, 가치와 사명에 대해 모든 조직구성원들이 공감대를 형성하는 것으로 학습조직에서는 이를 강조한다.

03

정답 : ③

③ 가, 나, 라가 네트워크 조직에 대한 옳은 내용이다.

가. [O] 네트워크 조직은 조직의 자체 기능은 핵심역량 위주로 합리화하고, 여타 기능은 외부와 계약관계를 통해 수행하는 방식이다.

나. [O] 네트워크 조직은 환경변화에 따른 유연성과 신속성의 특성을 갖으며, 조직이 유연함에 따라 조직 구성원이 창의력을 발휘할 수 있다.

라. [O] 네트워크 조직은 정체성이 약해 응집력 있는 조직문화를 갖기 어려울 수 있다는 단점을 갖는다.

다. [X] 매트릭스 조직의 특성이다. 매트릭스 조직은 이중권한체계를 가지고 있어 잦은 대면과 회의를 통해 과업조정이 이루어진다.

마. [X] 기능부서의 기술적 전문성과 사업부서의 신속한 대응성이 동시에 요구되면서 등장한 조직형태는 매트릭스 조직이다.

📖 포인트 정리

네트워크(Network) 조직

- 시장과 계층제조직의 중간형태의 조직
- 상호신뢰를 전제로 한 자발적·수평적·분권적 연결
- 의사결정이 분권적이며 동시에 집권적
- 정보교환으로 조직학습 촉진
- 조직 간 네트워크를 관리하는 연계자의 역할 강조
- 수평적·공개적 의사전달 강조

정답

01 ① 02 ④ 03 ③

04 조직유형에 대한 설명으로 옳지 않은 것은?

① 태스크포스(task force)는 특수한 과업 완수를 목표로 기존의 서로 다른 부서에서 사람들을 선발하여 구성한 팀으로서, 본래 목적을 달성하면 해체되는 임시조직이다.

② 프로젝트 팀(project team)은 전략적으로 중요하거나 창의성이 요구되는 프로젝트를 진행하기 위하여 여러 부서에서 적합한 사람들을 선발하여 구성한 조직이다.

③ 매트릭스 조직(matrix organization)은 기능 중심의 수직조직과 프로젝트 중심의 수평조직을 결합한 구조로서, 명령통일의 원리에 따라 책임과 권한의 한계가 명확하다.

④ 네트워크 조직(network organization)은 핵심기능을 수행하는 소규모의 조직을 중심에 두고 다수의 협력업체를 네트워크로 묶어 과업을 수행한다.

05 학습조직(Learning Organization)에 대한 설명으로 옳은 것은?

① 관계 지향성과 집합적 행동을 장려하며, 학습은 공동참여와 공동생산에 기반을 둔다.

② 조직의 자기 정체성 및 안정적 상태를 가정하며, 개인적 권력보다 조직적 권력을 증진시킨다.

③ 외부의 특정 전문가를 중시하며, 비공식적 학습활동보다 공식적인 교육·훈련활동에 초점을 둔다.

④ 단일 분야에 대한 전문성을 강조하며, 지식창출의 담당 주체는 중간 관리자이다.

06 지식정보사회의 조직구조에 대한 설명으로 가장 적절하지 않은 것은?

① 그림자국가는 정부가 직접 모든 서비스를 공급하기보다는 준정부조직이나 민간조직 등을 이용하는 네트워크형 국가를 말한다.

② 공동(空洞)조직은 정부기능의 일부를 민간에게 위임·위탁하여 정부기능을 기획·조정·통제 등 핵심적인 것에만 국한시키려는 네트워크조직을 말한다.

③ 후기기업가조직은 직원의 수를 소규모로 유지하는 한편, 산출의 극대화가 가능하도록 설계된 조직으로서, 조직구조는 계층수가 적은 날씬한 조직을 말한다.

④ 혼돈조직은 혼돈이론, 비선형동학, 복잡성 이론 등을 적용한 조직 형태이다.

04

③ 매트릭스 조직은 기능구조와 사업구조가 화학적으로 결합된 이중구조로 이원적 명령계통으로 인한 갈등과 권한·책임의 불명확성이 나타난다.

① 태스크포스는 특정 과업을 수행하기 위하여 편성되는 임시조직인 전문가조직으로, 특정한 문제를 해결하는 것을 목표로 하며 본래 목표를 달성하면 해체되는 임시조직이다.

② 프로젝트 팀은 특정 사업을 추진하거나 과제를 해결하기 위하여 전문가나 이해관계자로 구성되는 임시적·동태적 조직으로 새로운 프로그램이나 사업계획을 수행하기 위해 기존 조직 내의 여러 부서에서 관련자들을 차출하여 형성하고 목표가 달성되거나 과제가 해결되면 해체되는 조직이다.

④ 네트워크 조직은 전통적 조직의 경계를 초월하여 수평적 조정과 협력의 개념을 적용함으로써 조직의 다양한 부분을 외부의 파트너에게 아웃소싱하는 느슨한 연계적 구조를 취하며, 조직 자체 기능은 핵심역량 위주로 하고 여타 기능은 외부계약관계를 통해서 수행하는 조직이다.

05

① 학습조직은 문제해결과 의사소통을 핵심가치로 두고 구성원의 자발적이고 주체적인 학습을 위해 관계지향성과 집합적 행동을 장려하며, 자아실현적 인간관을 바탕으로 하여 공동참여와 공동생산에 학습기반을 두는 조직모형이다.

② 학습이론은 안정된 상태가 상실되어 변화가 일어나고, 조직적 권력보다는 지식기반의 전문적이고 개인적 권력을 증진시킨다. 한편 조직의 자기 정체성 및 안정적 상태를 가정하고 조직적 권력을 증진시키는 것은 관료조직의 특징이다.

③ 학습이론은 외부의 특정 전문가뿐 아니라 조직 구성원 모두가 학습주체라는 인식에 공식적인 교육·훈련활동보다는 비공식적인 접촉에 초점을 둔다.

④ 학습이론은 집단적이고 종합적인 학습을 통해 구성원 모두가 학습주체가 되어 지식을 창출하고 불확실한 환경에 요구되는 창조적인 변화를 촉진하고, 공유·환류를 통해 문제를 해결해 나가는 조직이다.

06

③ 후기기업가조직이 아닌 삼엽조직에 대한 설명이다. 한편 후기기업가조직은 거대한 규모를 유지하면서도 날렵하게 움직일 수 있는 유연성을 강조하는 조직으로 신속성, 창의성, 신축성 및 직원과 고객의 밀접한 관계를 강조하는 조직구조이다.

① 그림자국가는 법적으로 민간부문의 조직형태를 취하면서도 공공부문에 해당하는 공적인 기능을 수행하는 기관을 의미하는 준정부조직과 유사하게 사용되는 것으로 정부가 모든 서비스를 직접 공급하기보다는 준정부조직이나 민간조직 등이 서비스를 공급하는 네트워크형 국가를 의미한다.

② 공동조직은 정부는 기획, 조정, 통제, 감독과 같은 중요한 업무만을 수행하고 서비스의 생산과 공급 업무를 제3자에게 위임 또는 위탁하여 책임이 불분명해지는 부정적 의미의 조직에 해당한다.

④ 혼돈조직은 카오스이론을 조직에 적용한 것으로 정부조직의 혼돈 속의 질서를 발견하고, 조직변동 과정의 분석을 중시하는 조직을 의미한다.

◎ 포인트 정리

관료조직과 학습조직의 비교

구분	관료조직	학습조직
권력	조직적 권력 (계층적 권력)	지식에 기반한 전문적 권력
지향	효율성	문제해결
업무 배분	원자적 구조	관계적 접근
의사결 정의 틀	개인적 학습	조직적 학습
업무의 기초	독점적 권한	공동생산

정답

04 ③ 05 ① 06 ③

07 조직구조의 유형 중에서 기능별 구조(functional structure)와 비교하여 사업별 구조(divisional structure)가 가지는 장점으로 보기 어려운 것은?

2015 서울 7급

① 사업부서 내의 기능 간 조정이 용이하고 변화하는 환경에 신속하게 대응할 수 있다.

② 성과책임의 소재가 분명해 성과관리 체제에 유리하다.

③ 특정 산출물별로 운영되기 때문에 고객만족도를 제고할 수 있다.

④ 중복과 낭비를 예방하고 기능 내에서 규모의 경제를 구현할 수 있다.

08 네트워크 조직에 대한 설명으로 옳은 것만을 모두 고른 것은?

2015 국가 9급

> ㄱ. 구조의 유연성이 강조된다.
> ㄴ. 조직 간 연계장치는 수직적인 협력관계에 바탕을 둔다.
> ㄷ. 개방적 의사전달과 참여보다는 타율적 관리가 강조된다.
> ㄹ. 조직의 경계는 유동적이며 모호하다.

① ㄱ, ㄴ   ② ㄱ, ㄹ

③ ㄴ, ㄷ   ④ ㄷ, ㄹ

09 우리나라 공공조직의 팀제에 관한 설명으로 옳지 않은 것은?

2014 행정사

① 조직의 인력을 신축적으로 운영하고, 실무 차원에서 팀장 및 팀원의 권한을 향상시킨다.

② 조직구성원들의 신속한 의사결정을 저해시킨다.

③ 팀제를 통해 조직구성원의 참여를 제고시키고 개인적 의견 반영이 용이하다.

④ 조직의 경직성을 탈피하고 팀 내 전문능력 및 기술을 활용하게 한다.

⑤ 종전 수직적 조직을 수평적 조직으로 전환해 전략적 업무를 수행하는 조직에 적합하다.

10 매트릭스 구조에 대한 설명으로 옳지 않은 것은?

2012 지방 7급

① 기능부서의 신속한 대응성과 사업부서의 전문성에 대한 필요에 의해 결합된 조직이다.

② 기능부서 통제 권한의 계층은 수직적으로 흐르고, 사업부서 간 조정 권한의 계층은 수평적으로 흐르게 된다.

③ 조직구성원은 동시에 두 명의 상관에게 보고하는 체계를 가진다.

④ 개인들이 다양한 경험을 할 수 있기 때문에 전문기술의 개발과 더불어 넓은 시야를 갖출 수 있는 기회가 된다.

07

정답 : ④

④ 사업구조는 산출물에 기반을 두었으며 모든 기능이 부서 내로 배치된 자기완결적 단위방식으로 산출물별 중복에 따른 비효율성으로 규모의 불경제가 초래된다. 한편 중복과 낭비를 예방하고 기능 내에서 규모의 경제를 구현할 수 있는 것은 기능구조에 해당한다.

① 환경변화에 신축적으로 대응할 수 있는 사업구조의 장점에 해당한다.

② 사업구조는 사업부별 성과에 따라 책임소재가 분명하며 성과관리체제에 유리하다.

③ 산출물별로 운영되기 때문에 다양한 고객만족도를 제고할 수 있다는 장점이 있다.

08

정답 : ②

② ㄱ, ㄹ이 옳다.

ㄴ. [X] 네트워크 조직은 상호 신뢰를 전제로 자발적·수평적·분권적·협력적·지속적인 연결을 한다.

ㄷ. [X] 타율적 관리보다는 상하 간 의사결정 참여를 통해 수평적·지리적 통합을 지향하는 개방적 의사전달과 참여를 강조한다.

09

정답 : ②

② 팀제는 특정한 업무과정에서 일하는 개인을 팀으로 모아 구성한 조직이므로 조직구성원들의 참여가 제고되고 의사소통 및 의사결정에 개인의 의견을 개진할 수 있다.

① 팀제는 팀장에 대한 권한위임으로 팀의 자율성이 보장되며 개인의 창의력 및 효율성을 높인다.

③ 팀조직은 소통과 참여 및 조정이 용이한 조직으로 구성원의 참여를 제고시킨다.

④ 팀제는 환경변화에 신속히 적응할 수 있는 동태적이고 유연한 조직을 의미한다.

⑤ 팀제는 단순 집행업무보다는 전략적 업무가, 분업보다는 협업이 필요한 조직에 적합하다.

10

정답 : ①

① 매트릭스 구조는 기능부서의 전문성과 사업부서의 신속한 대응성에 대한 필요에 의해 결합된 조직구조이다.

② 일상적 행정기능은 기능부서의 수직적 지휘·명령을 받고, 문제과업은 사업부서의 수평적 지휘·명령을 받는다.

③ 다원적 보고체계, 이원적 귀속이 조직의 구조적 융통성을 부여한다.

④ 구성원의 자아실현을 용이하게 한다.

포인트 정리

기능구조와 사업구조 비교

구분	기능구조	사업구조
장점	• 일의 중복과 낭비를 막아 규모의 경제 실현 • 직업전문주의에 의한 합리적 직무분업과 구조설계 가능 • 높은 공식화로 예측가능성이 높음	• 자기완결적 기능단위로 환경변화에 신축적 대응 • 사업부별 성과에 따른 책임소재가 분명하며 성과관리체제에 유리 • 산출물별 운영으로 다양한 고객만족도 제고 • 자율적 운영으로 각 기능 조정은 부서 내에서 이루어짐
단점	• 동기부여에 적합하지 않음 • 의사결정이 집권적 구조로 업무의 빠른 대응 불가 • 부서별로 상이한 기능을 수행하면서 부서 간 조정 곤란	• 산출물별 중복에 따른 비효율성으로 규모의 불경제 초래 • 부서 간 경쟁, 갈등 등 부서 간 조정 곤란 • 전문지식과 기술 발전 곤란

네트워크(Network) 조직 장단점

장점	• 위계보다 탄력적이면서 시장보다 안정적 • 지식의 효율적 공유를 통한 정보 비대칭성 극복 • 조직의 네트워크화를 통한 거래비용과 환경에 대한 불확실성 감소 • 가치사슬의 통합과 지속적 학습을 통해 조직은 경쟁력 배양
단점	• '비대칭적 학습' 현상이 나타날 수 있음 • 조정 및 감시비용 증가 • 조직 정체성과 안정성 한계

팀제의 특징

• 상황적응적 업무분장과 동태적 조직운영으로 관료화 방지
• 팀장에 대한 권한위임으로 팀의 자율성 보장
• 개인의 창의력 및 효율성을 높임
• 능력과 성과·책임 중심의 조직관리
• 팀 중심의 보상 선호
• 통솔범위(관리범위)의 확대·다양화

정답

07 ④ 08 ② 09 ② 10 ①

11 조직의 이중 순환고리 학습(Double-loop learning)에 대한 설명으로 옳은 것은?

2011 지방 7급

① 모건(G. Morgan)의 홀로그래픽(holographic) 조직설계를 위해 개발된 '학습을 위한 학습 원칙' 과 관련성이 높다.

② 학습과정의 안정성이 필요하므로 개방적인 조직보다는 폐쇄적인 조직 하에서 발생할 가능성이 높다.

③ 학습과정에서 높은 수준의 통찰력을 요구하지만 학습효과는 빠르고 국소적으로 나타난다.

④ 기존의 운영규범 및 지식체계 하에서 오류를 발견하고 수정해나가는 것이다.

12 조직구조의 모형에 대한 설명으로 바르게 연결된 것은?

2012 국가 9급

> ㄱ. 수평적 조정의 필요성이 낮을 때 효과적인 조직구조로서 규모의 경제를 제고할 수 있다.
> ㄴ. 자기완결적 기능을 단위로 기능간 조정이 용이하여 환경변화에 대한 대응이 신축적이다.
> ㄷ. 조직구성원을 핵심 업무과정 중심으로 조직화하는 방식이다.
> ㄹ. 조직 자체 기능은 핵심역량 위주로 하고 여타 기능은 외부계약관계를 통해서 수행한다.

① ㄱ - 사업구조

② ㄴ - 매트릭스구조

③ ㄷ - 수직구조

④ ㄹ - 네트워크구조

13 어떠한 조직도 배타적으로 기계적 또는 유기적 구조에 해당되는 것은 아니다. 두 가지 구조의 양 극단 사이에 대안적 구조들이 위치하고 있다. 이들 대안적 구조에 대한 설명으로 가장 적절하지 않은 것은?

2011 서울 9급

① 기능구조 - 기본적으로 수평적 조정의 필요가 낮을 때 가장 효과적이다.

② 사업구조 - 기능 간 조정이 극대화될 수 있는 조직구조이다.

③ 매트릭스구조 - 각 부서는 자기완결적 기능단위로 기능 간 조정이 용이하다.

④ 팀구조 - 조직 구성원을 핵심업무과정 중심으로 조직하는 방식이다.

⑤ 네트워크구조 - 유기적 조직유형의 하나로 정보통신기술의 확산으로 채택된 새로운 조직구조 접근법이다.

11

정답 : ①

① 이중순환고리학습은 학습을 위한 학습으로, 부정적 환류와 긍정적 환류의 통합적 인식을 중시한다.

② 학습과정의 안정성이 필요하여 개방적인 조직보다 폐쇄적 조직하에서 발생할 가능성이 높은 단일고리학습은 고전적 조직에서 나타난다.

③ 이중순환고리는 학습과정에서의 높은 수준의 통찰력을 요구하지만 학습효과는 장기적으로 천천히 그리고 광범위하게 나타난다. 한편 학습효과가 빠르고 국소적으로 나타나는 것은 단일고리학습의 특징이다.

④ 기본 규범 내에서 오류를 발견하고 수정해 나가는 것은 전통적 단일고리학습이다.

포인트 정리

단일고리학습 vs 이중고리학습

단일고리학습	이중고리학습
• 기본 규범 내에서 오류 수정	• 규범이나 기준의 수정
• 부정적 환류	• 긍정적 환류
• 즉각적, 국소적 학습효과	• 장기적, 전반적 학습효과
• 기능적 합리성	• 전략적 합리성

12

정답 : ④

④ ㄹ-네트워크구조에 대한 설명이다.

ㄹ. [O] 네트워크구조는 조직 자체 기능은 핵심역량 위주로 하고 여타 기능은 외부계약관계를 통해 수행하는 조직구조이다.

ㄱ. [X] 수평적 조정의 필요성이 낮을 때 효과적인 조직구조로서 규모의 경제를 제고할 수 있는 것은 기능구조의 특징이다.

ㄴ. [X] 자기완결적 기능을 단위로 기능간 조정이 용이하여 환경변화에 대한 대응이 신축적인 것은 사업구조의 특징이다.

ㄷ. [X] 조직구성원을 핵심 업무과정 중심으로 조직화하는 방식은 수평구조에 대한 설명이다.

13

정답 : ③

③ 각 부서는 자기완결적 기능단위로 기능 간 조정이 용이한 것은 사업구조에 대한 설명이다.

① 기능구조는 조직의 전체업무를 공동기능별로 부서화한 방식이다.

② 사업구조는 산출물에 기반한 사업부서화 방식이다.

④ 팀구조는 조직 구성원을 핵심업무과정 중심으로 조직하는 방식이다.

⑤ 네트워크구조는 조직의 자체기능은 핵심역량 위주로 합리화하고, 여타 기능은 외부와 계약관계를 통해 수행하는 구조이다.

정답

11 ① 12 ④ 13 ③

14 사업구조(divisional structure)에 대한 설명과 가장 거리가 먼 것은?

2010 서울 9급

① 산출물에 기반한 사업부서화방식이다.

② 사업부서들은 자율적으로 운영되므로 각 기능의 조정은 부서 내에서 이루어진다.

③ 규모의 경제에 따른 효율성을 확보할 수 있다.

④ 기능구조보다 환경변화에 신축적이고 대응적일 수 있다.

⑤ 성과에 대한 책임성의 소재가 분명해져 성과관리에 유리하다.

15 '이음매 없는 행정서비스(seamless service)'에 관한 설명으로 옳지 않은 것은?

2008 국가 7급

① 린덴(Linden)의 '이음매 없는 조직'과의 관련성이 높다.

② 전통적 조직에 비하여 조직 내 역할 구분이 비교적 명확하지 않다.

③ BSC(Balanced Score Card)를 비롯한 신공공관리적 성과관리방식과는 지향성에 있어서 차이가 있다.

④ 행정조직의 구성원들은 시민에게 보다 향상된 서비스를 직접 제공한다.

CHAPTER 22 목표관리제(MBO)

실질적 **력**(역량) **업**그레이드

01 목표관리제(MBO)와 성과관리제를 비교한 〈보기〉의 설명 중 옳은 것을 모두 고르면?

2019 서울 9급

> **보기**
>
> ㄱ. 목표관리제는 개인이나 부서의 목표를 조직의 관리자가 제시한다는 측면에서 조직목표 달성을 위한 하향식 접근이다.
> ㄴ. 목표관리제와 성과관리제 모두 성과지표별로 목표달성수준을 설정하고 사후의 목표달성도에 따라 보상과 재정지원의 차등을 약속하는 계약을 체결한다.
> ㄷ. 성과평가에서는 평가의 타당성, 신뢰성, 객관성을 확보하는 것이 중요하다.
> ㄹ. 성과관리는 조직의 비전과 목표로부터 이를 달성하기 위한 부서단위의 목표와 성과지표, 개인단위의 목표와 지표를 제시한다는 점에서 상향식 접근이다.

① ㄷ

② ㄴ, ㄷ

③ ㄱ, ㄴ, ㄷ

④ ㄴ, ㄷ, ㄹ

14

정답 : ③

③ 사업구조는 산출물별 중복에 따른 비효율성으로 규모의 불경제를 초래한다. 한편 규모의 경제에 따른 효율성을 확보할 수 있는 것은 기능별 구조이다.

① 사업구조는 산출물에 기반을 두고 각 사업부서들은 산출물별로 자율적으로 운영되는 형태이다.

② 자기완결적 기능단위로 부서 내 기능 간 조정이 용이하다.

④ 기능구조보다 더 분권화된 구조를 가지고 있어 환경변화에 신축적이다.

⑤ 산출물별로 운영되므로 고객만족도를 제고할 수 있으며, 성과에 대한 책임성 소재가 분명하여 성과관리에 유리하다.

15

정답 : ③

③ 이음매 없는 조직은 성과와 소비자 중심의 유기적 조직으로 균형성과관리(BSC)를 비롯한 신공공관리적 성과관리방식과 밀접하게 연관되어 있다.

① 린덴(Linden)은 근본적인 정부 조직개편의 목표 상태로 '이음매 없는 조직(SO: seamless organization)'을 처방하였다.

②, ④ 이음매 없는 행정서비스란, 엄격한 분업과 절차를 통합, 간소화하여 투입과 절차보다는 성과를 향상시키기 위한 성과중심의 조직설계 방법으로 시민들에게 향상된 품질의 서비스를 제공한다.

01

정답 : ②

② ㄴ, ㄷ이 옳은 설명이다.

ㄴ. [O] 목표관리제, 성과관리제 모두 목표달성수준을 명확히 설정하고 중간평가 등을 활용하여 목표달성수준을 평가하여 차등보상을 제공한다. 또한 성과관리제는 직무분석을 통해 도출된 성과책임을 바탕으로 성과목표를 설정 및 평가하고 그 결과를 보수 등에 적용하는 과정을 거친다.

ㄷ. [O] 성과평가는 타당성, 신뢰성, 객관성 및 공정성을 확보하는 것이 중요하므로 평적 목적 및 용도를 명확히 제시할 필요가 있다.

ㄱ. [X] 목표관리제는 상하간의 참여적 관리로 하급자 및 구성원들의 참여 속에 목표를 명확하게 설정하여 활동하고 그 결과를 측정 및 평가하는 상향식 접근이다.

ㄹ. [X] 성과관리는 조직의 비전과 목표로부터 이를 달성하기 위한 부서단위의 목표와 성과지표, 개인단위의 목표와 지표를 제시한다는 점에서 하향식 접근이다.

조직론

PART 3

해커스공무원 미니행정학 기출 빅데이터 실력업

정답
14 ③ 15 ③ 01 ②

02 목표관리제(MBO)에 대한 설명으로 옳지 않은 것은?

2019 국회 9급

① 조직의 목표와 조직원의 목표를 통합하여 조직의 목표 달성을 유도한다.

② 목표관리제는 조직문화가 권위주의적일수록 효과적이다.

③ 목표관리제를 운영하는 과정에서 지나치게 쉬운 목표가 채택되거나 중요하지 않은 목표가 채택될 수 있다는 한계가 있다.

④ 산출물에 대한 평가와 환류를 통해 조직과 개인을 통제하고 관리한다.

⑤ 목표와 산출을 연계하여 조직원이 직무에 몰입하도록 유도한다.

03 다음 중 목표관리제(MBO)가 성공하기 쉬운 조직은?

2010 지방 9급

① 집권화되어 있고 계층적 질서가 뚜렷하다.

② 성과와 관련 없이 보수를 균등하게 지급한다.

③ 목표를 계량적으로 측정하기가 용이하다.

④ 업무환경이 가변적이고 불확실성이 크다.

04 목표관리제(MBO)에 관한 설명으로 가장 옳은 것은?

2008 국가 7급

① 개별 또는 팀별로 구체적인 목표를 세워놓고 이를 달성할 수 있는지의 여부에 초점이 맞추어져 있으며, 장기적이고 거시적인 관점에서 가시적 또는 비가시적인 성취여부를 보여줄 수 있다.

② 구체적인 목표는 대부분 사업 자체로 나타나며, 목표 달성 이후에 얻어지는 기대효과를 평가할 수 있다.

③ 조직단위 또는 개인의 활동에 이르기까지 조직의 하부층과 상부층이 다같이 참여하여 공동으로 목표를 결정하고 그 업적을 측정, 평가하는 방법으로서 하나의 목표 성취를 위해 조직의 구성요소들이 상호의존적인 입장에서 팀워크를 이루면서 활동한다.

④ 어떤 지방자치단체의 도로교통과에서 외곽순환도로 건설사업을 추진하려고 하는 경우, 목표관리제는 그 도로 건설의 궁극적인 목표인 주민의 교통편의성을 높이는 데 관심을 가진다.

02

정답 : ②

② 목표관리제는 조직문화가 자발적이고 참여적일수록 효과적이다.

① 목표관리제는 조직구성원의 참여 속에 목표를 명확하게 설정하고 그 결과를 측정·평가함으로써 조직의 목표달성을 유도한다.

③ 목표관리제는 특정 가능한 목표에 치중하므로 목표의 전환소지가 있고 기본적·장기적·질적 목표보다 단기적·양적 목표에 치중될 수도 있다.

④ 목표설정과 달성에 대해 객관적인 기준과 책임한계를 명확하게 하여 평가 및 환류되므로 조직과 개인을 동시에 통제·관리할 수 있다.

⑤ 조직목표와 개인의 목표를 조화함으로써 통합적인 관리가 일어나고 팀워크와 협동적 노력의 극대화를 통해 직무에 대한 성취감 및 도전정신을 유도한다.

03

정답 : ③

③ MBO는 가시적·계량적·미시적 목표를 중시하므로 목표를 계량화할 수 있어야 한다.

① 분권화된 비계층제적 조직에 더 적합하다.

② MBO하에서는 목표달성결과에 따른 보상이 이루어져야 한다.

④ 폐쇄모형이므로 가변적이고 불확실한 환경에는 적용가능성이 낮아진다.

04

정답 : ③

③ MBO는 참여적·협동적 관리를 강조한다.

① MBO는 장기적이고 거시적인 관점보다는 단기적·가시적·미시적 관점의 목표를 중시한다.

② MBO에서의 구체적인 목표는 사업 자체 혹은 부서별 활동으로 나타나며, 평가 대상은 목표달성 이후에 얻어지는 최종효과가 아닌 일차적 산출이다.

④ 목표관리제는 고객만족이나 서비스의 품질 등 정책이나 사업의 궁극적인 목표보다는 조직 내 부서별 단기목표의 달성을 양적으로 추구한다.

포인트 정리

목표관리제 특징

- 목표설정, 참여, 환류를 기본적인 구성요소로 봄
- Y이론적·참여적·분권적·동태적·상향적 관리
- 미시적·결과적·계량적·단기적·개별적 목표

정답

02 ② 03 ③ 04 ③

01 총체적 품질관리(Total Quality Management)에 대한 설명으로 옳은 것만을 모두 고르면?　2020 국가 9급

> ㄱ. 고객의 요구를 존중한다.
> ㄴ. 무결점을 향한 지속적 개선을 중시한다.
> ㄷ. 집권화된 기획과 사후적 통제를 강조한다.
> ㄹ. 문제해결의 주된 방법은 집단적 노력에서 개인적 노력으로 옮아간다.

① ㄱ, ㄴ　　　　　　　　　　② ㄱ, ㄷ
③ ㄴ, ㄹ　　　　　　　　　　④ ㄷ, ㄹ

02 전통적 관리와 TQM(Total Quality Management)에 대한 설명으로 가장 옳지 않은 것은?　2018 서울 9급

① 전통적 관리체제는 기능을 중심으로 구조화되는 데 비해 TQM은 절차를 중심으로 조직이 구조화된다.
② 전통적 관리체제는 개인의 전문성을 장려하는 분업을 강조하는 데 비해 TQM은 주로 팀 안에서 업무를 수행할 것을 강조한다.
③ 전통적 관리체제는 상위층의 의사결정을 위한 정보체제를 운영하는 데 비해 TQM은 절차 내에서 변화를 이루는 사람들이 적시에 정확한 정보를 소유하는 데 초점을 둔다.
④ 전통적 관리체제는 낮은 성과의 원인을 관리자의 책임으로 간주하는 데 비해 TQM은 낮은 성과를 근로자 개인의 책임으로 간주한다.

03 총체적 품질관리(TQM)에 관한 설명으로 옳은 것을 모두 고르면?　2009 국회 8급

> ㄱ. 생산성 제고와 국민에 대한 대응적 책임성을 확보하기 위한 전략적 관리방식이다.
> ㄴ. TQM은 상하 간의 참여적 관리를 의미하며 조직의 목표설정에서 책임의 확정, 실적 평가에 이르기까지 상관과 부하의 합의로 이루어진다.
> ㄷ. 공공부문의 비시장성과 비경쟁성은 TQM의 필요성 인식을 약화시킨다.
> ㄹ. 조직의 환경변화에 적절히 대응하기 위해 투입 및 과정보다 결과가 중시된다.
> ㅁ. 공공서비스의 품질 향상을 통한 고객만족을 목표로 하기 때문에 공무원들의 행태를 고객중심적으로 전환할 수 있다.

① ㄱ, ㄴ, ㄷ　　　　　② ㄱ, ㄴ, ㄹ　　　　　③ ㄱ, ㄷ, ㅁ
④ ㄴ, ㄷ, ㅁ　　　　　⑤ ㄷ, ㄹ, ㅁ

01

① ㄱ, ㄴ이 옳은 내용이다.

ㄱ. [O] TQM은 고객 중심의 관리로서 고객의 요구를 중시하고 고객만족을 지향한다.

ㄴ. [O] TQM은 실책과 결점을 용납하지 않으며 결점이 없어질 때까지 개선활동을 지속적으로 되풀이한다.

ㄷ. [X] TQM은 분권적 기획과 사전적 관리를 강조한다. 한편 사후적 통제를 강조하는 것은 MBO이다.

ㄹ. [X] TQM은 조직 구성원 간 협력을 중시하므로 집단적 노력을 중시한다. 한편 집단적 노력에서 개인적 노력으로 옮아가는 것은 MBO이다.

MBO와 TQM의 비교

구분	MBO	TQM
시계	단기적·미시적	장기적·거시적
지향	대내적 관리지향	대외적 고객지향(고객만족도 중시)
초점	결과(수량적 목표의 달성도)	과정(행정서비스의 품질개선)
관리중점	사후적 관리(평가 및 환류 중시)	사전적 관리(예방적 통제 중시)
계량화	중시	중시하지 않음
보상방법	개별적 보상	팀 보상 및 구성원 보상

02

④ 전통적 관리체제는 낮은 성과를 근로자 개인의 책임으로 간주하는 데 비해 TQM은 낮은 성과의 원인을 근로자에 대한 동기유발과 팀워크 관리를 책임지는 관리자 책임으로 간주한다.

① 전통적 관리체제는 기계적 구조를 기반으로 하는데 비해 TQM은 팀제를 기반으로 한다.

② 전통적 관리체제는 개인의 분업을 강조하는데 비해 TQM은 팀별 협업을 중시한다.

③ 전통적 관리체제는 상위층에 의한 일방적·집권적 의사결정을 위한 정보체제를 운영하는데 비해 TQM은 구성원 간 정보의 공유에 의한 의사결정을 중시한다.

전통적 관리와 TQM의 비교

구분	전통적 관리	TQM
고객의 욕구 측정	고객의 요구를 전문가들이 규정	고객의 요구를 고객의 입장에서 규정
품질 관리	관찰 후 사후 수정	문제점에 대한 예방적 관리
조직 관리	수직적 명령계통에 의한 통제	내·외부 관련 구성원들에 의한 참여관리
조직 구조	수직적·집권적 구조	수평적·분권적 구조
의사 결정	불확실한 가정과 직감에 의한 결정	통계적 자료와 과학적 절차에 준거한 결정

03

③ ㄱ, ㄷ, ㅁ이 옳은 지문이다.

ㄱ. [O] TQM은 정부 생산성을 제고하기 위해 도입된 경영기법으로, 고객중심주의를 지향하므로 국민에 대한 대응적 책임성이 높다.

ㄷ. [O] 경쟁과 고객중심 마인드가 약한 공공부문의 비시장성 및 비경쟁성은 TQM 도입의 필요성에 대한 인식을 약화시킨다.

ㅁ. [O] TQM은 고객만족을 위한 서비스 품질제고를 1차적 목표로 삼으며, 고객의 참여, 고객의 선택, 고객에의 책임 등을 중시하므로 공무원들의 행태를 고객중심적으로 전환할 수 있다.

ㄴ. [X] 상하 간의 참여적 관리를 의미하며 조직의 목표설정에서 책임의 확정, 실적 평가에 이르기까지 상관과 부하의 합의로 이루어지는 것은 MBO이다.

ㄹ. [X] TQM은 조직의 환경변화에 적절히 대응하기 위해 결과보다 투입 및 과정을 중시한다. 한편 투입 및 과정보다 결과를 중시하는 것은 MBO이다.

정답

01 ① 02 ④ 03 ③

조직론

PART 3 해커스공무원 미니행정학 기출 빅데이터 실전암

PART 3 조직론　**345**

04 총체적 품질관리(TQM)에 대한 설명 중 옳은 것만으로 이루어진 것은?

2010 국회 9급

> 가. TQM은 고객의 요구를 존중한다.
> 나. TQM은 단기적 관점을 강조한다.
> 다. TQM은 팀워크 중심의 조직관리이다.
> 라. TQM은 서비스 제공 이후의 품질관리 체계를 강조한다.
> 마. TQM은 기능적 조직에 적합하다.

① 가, 다   ② 다, 마   ③ 가, 다, 라

④ 나, 다, 마   ⑤ 다, 라, 마

05 다음 중 TQM에 대한 설명 중 적절하지 않은 것은?

2008 5급 승진

① TQM이란 궁극적 목적인 고객만족과 경영개선을 위하여 고객지향적인 서비스 품질에 초점을 두고 전직원이 참여를 통하여 지속적 서비스 개선을 도모해 나가는 관리체계이다.

② TQM은 MBO와 유사하지만 조직의 개별구성원에 대한 목표를 설정하고 그것의 측정을 중시하는 점에서 MBO와 다르다.

③ TQM의 개념을 발전시킨 Deming은 TQM을 위해서 MBO의 폐지를 주장하였다.

④ BPR(Business Processing Reengineering)은 혁신적 개혁을 추구하고 과정 자체의 재구축을 하며 해당 분야의 조직에 국한한 점에서 TQM과 구별된다.

CHAPTER 24 최신 조직혁신론(BPR, SM 등)

실질적 력(역량) 업그레이드

01 목표관리제(MBO), 조직발전(OD), 총체적 품질관리(TQM), 리엔지니어링(RE)에 관한 다음 설명 중 가장 옳지 않은 것은?

2018 경찰간부

① 목표관리제(MBO)는 역할모호성 및 역할갈등을 감소시키고 일과 사람의 조화수준을 높인다.

② 조직발전(OD)은 외부의 전문가들이 참여하는 하향적 관리 방식으로 문제해결역량을 개선하려는 지속적이고 장기적인 노력이다.

③ 총체적 품질관리(TQM)는 기능적 조직에 적합하며 개인의 성과평가를 위한 도구로 도입되었다.

④ 리엔지니어링(RE)은 프로세스의 변화뿐만 아니라 조직구조나 문화 등 다양한 측면에서 변화가 요구된다.

04

① 가. 다가 총체적 품질관리에 대한 설명이다.

나. [X] TQM은 장기적 관점을 강조한다.

라. [X] TQM은 서비스 제공 후 품질에 대한 고객의 반응을 중시하는 사후적 관리가 아니라 산출 초기에 품질이 정착되는 예방적 관리를 강조한다.

마. [X] TQM은 통제에 기초를 두는 집권적·계층적인 기능적 조직보다는 수평적이고 분권적인 유기적 조직구조에 적합하다.

05

정답 : ②

② 조직의 개별구성원에 대한 목표를 설정하고 그것의 측정을 중시하는 것은 MBO의 특징이다. 한편 TQM은 개인보다는 집단, 팀 단위의 활동을 더 중시한다.

① 궁극적 목적인 고객만족과 경영개선을 위하여 고객지향적인 서비스 품질에 초점을 두고 전 직원이 참여를 통하여 지속적 서비스 개선을 도모해 나가는 관리체계를 TQM이라고 한다.

③ Deming은 MBO가 수량적 목표달성에 치중하기 때문에 품질이 저하될 수 있고 관리상의 비효율이 은닉될 수 있다며 MBO의 폐지를 주장하였다.

④ BPR과 TQM은 고객지향적 관리라는 점에서는 유사하나 TQM이 기존의 절차를 그대로 두고 구성원의 태도 및 조직문화의 변화를 강조한다면, BPR은 태도·문화보다는 절차의 개선을 강조한다.

01

정답 : ③

③ 총체적 품질관리(TQM)는 분권적 조직에 적합하며 고객의 요구에 부응하는 서비스 품질향상 및 달성을 위한 도구로 도입되었다.

① 목표관리제(MBO)는 조직구성원들의 참여 속에 목표를 명확하게 설정하고 그 결과를 측정·평가하는 생산성 향상기법이며, 상하 간의 참여적 관리 등으로 인해 조직 내의 역할모호성 및 역할갈등을 감소시키는 데 유리하다.

② 조직발전(OD)은 구성원의 행태변화를 통해 환경변화에 대한 조직의 대응성 등을 향상시키려는 관리기법으로 외부의 전문가들이 참여하고 하향식 관리방식을 중시하며 지속적·장기적·계획적·의도적인 노력이다.

④ 리엔지니어링(RE)은 핵심절차를 중시하는 조직개혁기법으로 업무절차를 간소화하고 분업의 구조를 최소화함으로써 조직 및 인력의 감축이 아닌 절차를 줄이는 절차의 축소재설계를 지향한다.

포인트 정리

TQM의 특징

- 장기적·거시적
- 대외적 고객지향(고객만족도 중시)
- 과정(행정서비스의 품질개선)
- 사전적 관리(예방적 통제 중시)
- 계량화를 중시하지 않음
- 팀 보상 및 구성원 보상

BPR vs TQM

구분	BPR	TQM
초점	업무 절차의 효율적 개선	행정서비스의 품질 향상과 고객만족도
접근법	합리적 접근	규범적 접근
대상	해당 업무 분야	조직전체
개선방법	혁신적 개선, 과정자체의 재구축	점진적 개선, 기존 과정 내에서 새로운 가치도입

정답

04 ① 05 ② 01 ③

PART 3 조직론 **347**

SWOT분석에 대한 설명으로 옳지 않은 것은?

① 조직 내적 특성과 외부 환경의 조합에 따른 맞춤형 대응전략 수립에 도움이 된다.

② 조직 외부 환경은 기회와 위협으로, 조직 내부 자원·역량은 강점과 약점으로 구분한다.

③ 다양화 전략은 조직의 강점을 활용하여 위협을 회피하거나 최소화하는 전략이라고 볼 수 있다.

④ 기존 프로그램의 축소 또는 폐지는 약점-기회를 고려한 방어적 전략이라고 볼 수 있다.

03 행정개혁으로서의 리엔지니어링(BPR)에 대한 설명으로 가장 옳은 것은?

① 조직의 점진적 변화가 필요할 때 사용되며, 조직 문화는 개혁의 대상이 아니다.

② 조직 개선을 위한 논의는 구조, 기술, 형태 등과 같은 변수를 중심으로 이루어진다.

③ 공공부문과 민간부문의 리엔지니어링 환경은 차이가 없다.

④ 고객만족 가치를 창출하는 프로세스 개선에 초점을 둔다.

04 공공조직 업무개선을 위해 정보통신기술을 활용한 리엔지니어링에 관한 설명으로 옳지 않은 것은?

① 조직 내 부서별 고도 분업화에 따른 폐단을 극복하기 위한 방안으로 등장하였다.

② 리엔지니어링의 궁극적인 목적은 성과 향상과 고객만족의 극대화에 있다.

③ 리엔지니어링에는 조직 및 인력감축이 필수적이다.

④ 리엔지니어링은 프로세스의 변화뿐만 아니라 조직구조나 문화 등 다양한 측면에서 변화가 요구된다.

⑤ 공공서비스의 비분할성 및 비경합성 등과 같은 특징으로 인해 리엔지니어링 추진이 쉽지 않다.

05 코터(J.P.Kotter)의 변화관리 모형의 8단계를 순서대로 배열한 것은?

① 위기감 조성 → 변화추진팀 구성 → 비전 개발 → 비전 전달 → 임파워먼트 → 단기성과 달성 → 지속적 도전 → 변화의 제도화

② 위기감 조성 → 비전 개발 → 비전 전달 → 임파워먼트 → 단기성과 달성 → 변화의 제도화 → 변화추진팀 구성 → 지속적 도전

③ 단기성과 달성 → 위기감 조성 → 변화추진팀 구성 → 비전 개발 → 비전 전달 → 임파워먼트 → 지속적 도전 → 변화의 제도화

④ 변화추진팀 구성 → 비전 개발 → 비전 전달 → 임파워먼트 → 단기성과 달성 → 지속적 도전 → 위기감 조성 → 변화의 제도화

⑤ 위기감 조성 → 변화추진팀 구성 → 단기성과 달성 → 비전 개발 → 비전 전달 → 임파워먼트 → 지속적 도전 → 변화의 제도화

02
정답 : ④

④ 기존 프로그램의 축소 또는 폐지는 약점 – 위협을 고려한 방어적 전략이라고 볼 수 있다.
① SWOT는 대내적으로 조직의 강점 및 약점과 대외적으로는 환경으로부터의 위협 및 기회를 분석·확인하여 조직 내적 특성과 외부환경의 조합에 따른 최적의 대응전략을 수립하는데 도움을 준다.
② 조직 외부환경은 기회와 위협으로 구분하며, 조직의 역량 및 내부의 자원은 강점과 약점으로 구분한다.
③ 다양화 전략은 조직의 강점 – 위협전략으로 강점을 가지고 위협을 회피하거나 최소화하는 전략이다.

03
정답 : ④

④ 리엔지니어링은 조직 내 부서들이 고도로 분업화되면서 발생한 폐단을 극복하기 위해 등장한 행정개혁기법으로 조직의 업무절차를 급진적으로 고쳐서 고객만족을 창출하고 극대화한다.
① 리엔지니어링은 조직의 급진적·근본적 변화가 필요할 때 사용되며, 궁극적으로 조직 문화도 개혁의 대상에 해당한다.
② 리엔지니어링은 구조, 기술, 형태 등과 같은 변수를 중심으로 이루어지는 것이 아니라 업무 절차를 중심으로 조직개선을 논의한다.
③ 공공부문은 서비스의 성격상 리엔지니어링을 적용하기가 민간부문보다 용이하지 않다.

04
정답 : ③

③ 리엔지니어링은 조직 및 인력을 감축하는 것이 아니라 절차의 축소·재설계이다.
① 리엔지니어링은 절차를 축소·재설계하려는 것으로 문서절차 폐단주의 등을 극복하기 위한 방안이다.
② 리엔지니어링은 신공공관리론의 산물로서 궁극적인 목적은 성과의 향상과 고객 만족의 극대화에 있다.
④ 리엔지니어링은 프로세스의 변화도 중시하지만 조직구조나 문화 등 다양한 측면의 변화도 중시한다.
⑤ 공공재의 특성상 리엔지니어링의 추진이 쉽지 않다.

05
정답 : ①

① 존 코터의 변화관리 모형 8단계는 위기감 조성 → 변화추진팀 구성 → 비전 개발 → 비전 전달 → 임파워먼트 → 단기성과 달성 → 지속적 도전 → 변화의 제도화 순서로 제시하였다.

📖 포인트 정리

SWOT 분석

구분		환경	
		위협(T)	기회(O)
역량	약점(W)	WT전략 : 방어적 전략	WO전략 : 방향전환 전략
		약점을 보완하면서 위협을 회피하거나 최소화하는 전략	약점을 보완하여 기회를 살리려는 전략
	강점(S)	ST전략 : 다양화 전략	SO전략 : 공격적 전략
		강점을 가지고 위협을 회피하거나 최소화하는 전략	장점을 가지고 기회를 살리는 전략

존 코터(J.P.Kotter)의 변화관리 8단계

1단계	위기감을 고조시켜라.
2단계	변화선도팀을 구성하라.
3단계	올바른 비전을 정립하라.
4단계	참여를 이끌어내는 의사소통을 전개하라.(비전전달)
5단계	구성원을 비전에 따라 행동하도록 하는 권한을 부여하라.
6단계	단기간에 눈에 보이는 성공을 이끌어 내라.
7단계	변화 속도를 늦추지 마라. (달성된 성과 향상의 통합과 후속 변화의 창출)
8단계	변화를 정착시켜라. (새로운 접근 방법의 제도화)

정답

02 ④ 03 ④ 04 ③ 05 ①

06 전략적 관리(Strategic Management : SM)의 특성으로 보기 어려운 것은?

① 환경의 변화가 급격히 이루어지기 때문에 단기적인 관점에서 계획기간을 설정한다.

② 환경변화에 대한 이해를 강조하기 때문에 현재의 환경과 계획기간 중에 일어날 환경변화를 체계적으로 분석한다.

③ 목표지향적인 개혁적 관리기법이다.

④ 조직의 환경 분석뿐만이 아니라 조직역량 분석 역시 필수적이다.

CHAPTER 25 한국 조직론 현실

실질적 **력**(역량) **업**그레이드

01 「정부조직법」상 우리나라 정부조직 체계에 대한 설명으로 옳은 것만을 〈보기〉에서 모두 고르면?

> **보기**
>
> ㄱ. 행정기관에는 그 소관사무의 일부를 독립하여 수행할 필요가 있는 때에는 법률로 정하는 바에 따라 행정위원회 등 합의제 행정기관을 둘 수 있다.
> ㄴ. 과학기술정보통신부·문화체육관광부에는 차관 2명을 둔다.
> ㄷ. 행정각부의 장은 국무위원이다.
> ㄹ. 각 부(部) 밑에 처(處)를 둔다.
> ㅁ. 각 위원회 밑에 청(廳)을 둔다.

① ㄱ, ㄹ   ② ㄱ, ㄴ, ㄷ   ③ ㄱ, ㄴ, ㅁ

④ ㄴ, ㄷ, ㅁ   ⑤ ㄷ, ㄹ, ㅁ

02 2016년 이후 정부조직의 변화에 대한 설명으로 옳지 않은 것은?

① 중소기업, 벤처기업 등에 관한 사무를 관장하는 중소벤처기업부를 신설하였다.

② 행정안전부의 외청으로 소방청을 신설하였다.

③ 국가보훈처가 차관급에서 장관급으로 격상되었다.

④ 한국수자원공사에 대한 관할권을 환경부에서 국토교통부로 이관하였다.

06

정답 : ①

① 전략적 관리는 환경의 변화를 고려하나 장기적인 관점에서 계획기간을 설정하고 대응책을 마련한다.

② 현재와 장래의 환경 모두 체계적으로 분석하고 평가한다.

③ 보다 나은 상태로 진전해 가려는 목표지향적·개혁적 관리이다.

④ 조직역량분석(SWOT)을 강조한다.

01

정답 : ②

② ㄱ, ㄴ, ㄷ이 옳은 내용이다.

ㄱ. [O] 행정위원회 등 합의제 행정기관은 그 소관사무의 일부를 독립하여 수행할 필요가 있는 때에 법률에 따라 행정기관에 둘 수 있다.

> **동법 제5조(합의제행정기관의 설치)** 행정기관에는 그 소관사무의 일부를 독립하여 수행할 필요가 있는 때에는 법률로 정하는 바에 따라 행정위원회 등 합의제행정기관을 둘 수 있다.

ㄴ. [O] 과학기술정보통신부·문화체육관광부는 복수차관을 둘 수 있는 부처로 차관 2명을 둔다. 한편 현재 복수차관을 두고 있는 부처는 기획재정부, 과학기술정보통신부, 외교부, 문화체육관광부, 산업통상자원부, 보건복지부, 국토교통부 모두 7개이다.

> **동법 제26조(행정각부)** ② 행정각부에 장관 1명과 차관 1명을 두되, 장관은 국무위원으로 보하고, 차관은 정무직으로 한다. 다만, 기획재정부·과학기술정보통신부·외교부·문화체육관광부·산업통상자원부·보건복지부·국토교통부에는 차관 2명을 둔다.

ㄷ. [O] 장관(행정각부의 장)은 모두 국무위원에 해당한다.

ㄹ. [X] 처는 모두 국무총리 소속하에 둔다.

ㅁ. [X] 청은 행정각부 소속하에 둔다.

02

정답 : ④

④ 2018년 정부조직법의 개정으로 기존의 국토교통부 관할이었던 수자원 보전·이용 및 개발 기능을 환경부로 이관하면서 물관리 체계를 일원화하였다. 따라서 한국수자원공사에 대한 관할권도 환경부로 이관되었다.

> **정부조직법 제39조(환경부)** ① 환경부장관은 자연환경, 생활환경의 보전, 환경오염방지, 수자원의 보전·이용·개발 및 하천에 관한 사무를 관장한다.

① 기존의 중소기업청을 중소벤처기업부로 승격 및 신설하였다.

② 행정안전부의 외청으로 소방청을 신설하였다.

③ 국가보훈처가 2023년 국가보훈부로 승격하였다.

03 현재 행정 각부와 그 소속 행정기관으로 옳은 것만을 〈보기〉에서 모두 고르면?

> **보기**
>
> ㄱ. 산업통상자원부 – 관세청　　　　　　ㄴ. 행정안전부 – 경찰청
> ㄷ. 중소벤처기업부 – 특허청　　　　　　ㄹ. 환경부 – 산림청
> ㅁ. 기획재정부 – 조달청　　　　　　　　ㅂ. 해양수산부 – 해양경찰청

① ㄱ, ㄴ, ㅁ　　　　　　　　　　　② ㄱ, ㄷ, ㄹ

③ ㄱ, ㄹ, ㅁ　　　　　　　　　　　④ ㄴ, ㄷ, ㅁ

⑤ ㄴ, ㅁ, ㅂ

04 문재인 정부에서 이루어진 조직개편의 내용에 해당하는 것을 〈보기〉에서 모두 고른 것은?

> **보기**
>
> ㄱ. 중소기업청을 중소벤처기업부로 승격·신설하였다.
> ㄴ. 국민안전처를 해체하고 소방청과 해양경찰청 조직은 외청으로 독립시켜 행정안전부 산하에 두었다.
> ㄷ. 미래창조과학부는 과학기술정보통신부로 명칭을 변경하고 과학기술 혁신의 컨트롤타워 기능을 강화하기 위해 과학기술혁신본부를 차관급 기구로 두었다.
> ㄹ. 일관성 있는 수자원 관리를 위해 환경부가 물관리 일원화를 담당하게 하였다.
> ㅁ. 국가보훈처는 장관급으로 격상하고 대통령경호실은 차관급으로 하향 조정하며 명칭을 대통령경호처로 변경했다.

① ㄱ, ㄴ, ㄷ　　　　　　　　　　　② ㄱ, ㄷ, ㅁ

③ ㄱ, ㄹ, ㅁ　　　　　　　　　　　④ ㄴ, ㄷ, ㄹ

03

⑤ ㄴ, ㅁ, ㅂ이 현재 행정 각부와 그 소속 행정기관으로 옳다.

ㄱ. [X] 관세청은 기획재정부 소속 행정기관이다.

ㄷ. [X] 특허청은 산업통상자원부 소속 행정기관이다.

ㄹ. [X] 산림청은 농림축산식품부 소속 행정기관이다.

04

정답없음

ㄱ. [O] 문재인 정부는 기존의 중소기업청을 중소벤처기업부로 승격하고 신설하였다.

ㄷ. [O] 기존의 미래창조과학부는 과학기술정보통신부로 명칭이 변경되고 과학기술혁신본부를 두어 과학기술 혁신의 컨트롤 타워기능을 강화하고, 이를 차관급 기구로 두었다.

ㅁ. [O] 기존의 국가보훈처를 차관급에서 장관급으로 격상하였고, 대통령경호실은 차관급으로 조정하며 명칭을 대통령경호처로 변경하였다.

ㄹ. [O] 환경부는 일관성 있는 수자원 관리를 위해 물관리 일원화를 담당한다.

ㄴ. [X] 기존의 국민안전처를 해체하고 소방청은 행정안전부로, 해양경찰청은 해양수산부 산하로 재편하였다.

PART 4
인사행정론

단원 핵심 MAP

시험
타당도
신뢰도

고위공무원단
개방형직위

기타
내부고발자 보호
국민권익위

임용
내부·외부

적극적 인사
대표관료제
HRM

공무원단체
공무원노조
직장협의회

공직부패
유형

승진
실적·경력

공직분류
경력직
특수경력직

직업공무원제
안정, 정치중립

공직윤리
국가공무원법
공직자윤리법
부패방지법

연금
기여제
기금제

모집
적극적·소극적

소청심사위원회
고충심사

배치전환
파견
순환보직
전직

중앙인사기관
인사혁신처

발달
엽관주의
실적주의

징계
경징계
중징계

수당
상여수당
지역수당

교육훈련
현장훈련
교육원훈련

인력계획

발달

권익보호

기본급
생활급
직무급

근무성적평정
도표식
BARS
체크리스트

임용

직무관리

성과급

인사평가와
관리

인사행정론

이론

계급제

직위분류제
직무분석
직무평가

01 엽관제의 장점에 해당하지 않는 것을 〈보기〉에서 모두 고른 것은?
2018 서울 7급

> **보기**
>
> ㄱ. 부정부패를 방지하기가 쉽다.
> ㄴ. 행정의 안정성과 지속성을 확보하기 쉽다.
> ㄷ. 정부관료제의 민주화에 기여한다.
> ㄹ. 정치적 책임을 확보하기 용이하다.
> ㅁ. 직업공무원제 정착에 도움이 된다.
> ㅂ. 공무원들의 충성심을 확보하기 용이하다.

① ㄱ, ㄴ, ㅁ   ② ㄴ, ㄷ, ㅂ   ③ ㄷ, ㄹ, ㅁ   ④ ㄱ, ㄴ, ㄹ

02 다음 제시된 〈보기〉 중에서 엽관주의에 대한 설명으로 타당하지 못한 것으로만 바르게 나열한 것은?
2015 해경간부

> **보기**
>
> 가. 학자에 따라서는 미국에서 발달한 엽관주의(Spoils System)와 영국에서 발달한 정실주의(Patronage System)를 구분해서 정의하기도 한다.
> 나. 엽관주의는 행정이 복잡화될수록 적용가능성이 높다.
> 다. 엽관주의는 19세기 초 정치적으로 자유민주주의가 어느 정도 정착된 미국에서 발전했다.
> 라. 엽관주의는 정치적 책임의 확보가 곤란해진다.
> 마. 엽관주의는 선거를 통하여 국민에게 책임을 지는 선출직 지도자들의 직업공무원들에 대한 통제를 용이하게 해준다.
> 바. 행정의 전문성·능률성·안정성·계속성을 제고할 수 있다.
> 사. 오늘날 엽관주의는 종래와 같이 광범위하게 이용되지는 않으며 정책결정을 담당하는 고위직이나 특별한 신임을 요하는 직위 등에 한하여 한정적으로 허용되고 있다.

① 가, 다, 마   ② 나, 마, 사   ③ 다, 라, 마   ④ 나, 라, 바

03 엽관주의(spoils system)에 대한 설명으로 옳은 것은?
2011 국회 9급

① 관료가 정당을 위해서 봉사하기 때문에 행정의 공정성 확보가 용이하다.

② 국민의 지지에 따라서 정부가 구성되므로 정책 추진이 용이하며 의회와 행정부간의 조정이 활성화된다.

③ 모든 사람은 누구나 일정한 자격만 갖추면 공직에 취임할 수 있다는 기회균등의 정신을 구현할 수 있다.

④ 엽관주의를 택한 영국에서는 대대적인 교체가 있었으나, 일단 임용이 되면 종신적 성격을 띠어 신분이 보장되었다.

⑤ 엽관주의란 공직임용기준을 개인의 객관적인 능력, 자격, 성적에 두는 인사행정제도이다.

정답 정밀 해설

01

정답 : ①

① ㄱ, ㄴ, ㅁ이 엽관제의 장점에 해당하지 않는다.

ㄱ. [X] 엽관제는 위인설관 등으로 불필요한 공직이 증설될 수 있으며 부정부패를 초래한다.

ㄴ. [X] 대규모 공직 경질과 교체 등은 행정의 계속성·안정성·지속성을 저해할 수 있다.

ㅁ. [X] 엽관제는 정권교체 시 신분보장이 되지 않으므로 직업공무원제 정착에 불리하다.

ㄷ. [O] 엽관제는 정부 관료제를 대중에 개방하므로 행정의 민주화에 기여한다.

ㄹ. [O] 선거와 정당을 통해 국민에게 정치적 책임을 확보할 수 있다.

ㅂ. [O] 정당에 대한 공헌도와 충성도를 임용기준으로 하기 때문에 선출직 공무원에 대한 공무원들의 충성심을 확보하기 용이하다.

02

정답 : ④

④ 나, 라, 바가 틀린 지문이다.

나. [X] 엽관주의는 행정이 단순할수록 적용가능성이 높다.

라. [X] 국민의 지지를 받은 정당의 당원이 관직에 임명되므로 행정의 민주성과 대응성·참여성·책임성 확보가 가능하다.

바. [X] 불필요한 관직을 남설하는 위인설관현상이 나타나 예산의 낭비와 행정의 비능률이 초래되고 유능한 인재채용이 어려워지므로 전문성도 저해된다.

가. [O] 엽관주의와 정실주의는 거의 동일한 뜻으로 통용되고는 있으나 동일하지는 않다.

다. [O] 1821년 '임기4년법' 제정이 엽관주의의 기반이 되었으며, 정치적으로 승리한 정당의 선거공약이나 정당이념을 강력히 이행하며 참신한 국민의 의사를 국정에 반영할 수 있다는 'Jackson 민주주의'에 입각하여 정권교체시 공직교체도 함께 단행되었다.

마. [O] 정치적으로 승리한 선출직 공무원이나 국정 지도자들이 관료집단에 대한 통제를 용이하게 함으로써 관료제의 대응성을 높이고 정치적 리더십 강화에 기여한다.

사. [O] 우리나라의 경우 실적주의의 소극성을 극복하기 위하여 적극적 인사라는 이름으로 정책결정을 담당하는 고위직이나 특별한 신임을 요하는 직위 등에서 부분적으로 허용되고 있다.

03

정답 : ②

② 엽관주의는 공무원의 인사관리나 공직임용에 있어 그 기준을 당파성(정당에 대한 충성도)에 두는 것으로, 국민의 지지를 받는 정당의 당원이 관직에 임명되므로 정책추진이 용이하며 의회와 행정부 간의 조정이 활발해진다.

① 관료가 정당을 위해서 봉사하기 때문에 행정의 공정성 확보가 곤란하고 정당의 사병으로 전락할 가능성이 있다.

③ 모든 사람은 누구나 일정한 자격만 갖추면 공직에 취임할 수 있다는 기회균등의 정신을 구현할 수 있다는 것은 실적주의에 해당한다.

④ 영국에서는 정실주의가 보편화되었고 정권교체시 대대적인 교체임용보다는 결원을 수시로 보충하는 형식이었고 일단 임용이 되면 종신적 성격을 띠어 신분이 보장되었다.

⑤ 공직임용기준을 개인의 객관적인 능력, 자격, 성적에 두는 인사행정제도는 실적주의이다.

포인트 정리

엽관제의 장단점

장점	• 정당정치 발달에 기여 • 한정된 공직 널리 개방(평등이념 구현) • 관료제의 쇄신 및 정치적 리더십 강화 • 행정의 민주성·대응성·책임성 확보
단점	• 정치적 중립 저해 • 행정의 안정성 및 직업공무원제 저해 • 비능률·무질서·낭비·부패 초래 및 전문화 저해 • 임용의 공평성 상실

정답

01 ① 02 ④ 03 ②

인사행정론 PART 4 해커스공무원 마니행정학 기출 빅데이터 실전편

04 공무원 인사제도에 대한 설명으로 옳지 않은 것은? 2009 국가 9급

① 직업공무원제란 젊은 인재들을 공직에 적극적으로 유치하기 위하여 만든 것으로 공직에 근무하는 것을 명예롭게 생각하면서 일생동안 공무원으로 근무하도록 하기 위한 것이다.

② 직업공무원제를 올바르게 수립하기 위해서는 공직에 대한 높은 사회적 평가가 있어야 한다.

③ 엽관주의는 민주주의 원칙에 반하는 것으로서 민주주의의 진전과 함께 소멸되고 있다.

④ 우리나라의 공무원 인사제도는 기본적으로 계급제의 구조를 가지고 있다.

05 인사제도의 변화에 관한 설명으로 옳지 않은 것은? 2009 국회 8급

① 엽관제는 관료집단에 대한 정치적 통제를 용이하게 한다.

② 영국의 실적주의는 1870년 추밀원령에 의해 제도적인 기틀을 마련하였다.

③ 대표관료제는 기회의 평등보다 결과의 평등을 강조한다.

④ 펜들턴법과 4년 임기법으로 미국의 실적주의가 더욱 강화되었다.

⑤ 계급제는 탄력적인 인사관리를 통해 일반행정가 육성에 기여할 수 있다.

CHAPTER 02 실적주의

실질적 **력**(역량) **업**그레이드

01 실적주의에 대한 설명 중 가장 적절하지 않은 것은? 2019 경정승진

① 1881년 가필드(Garfield) 대통령이 암살당하면서 엽관주의가 쇠퇴하고, 1883년에 제정된 펜들턴법 (Pendleton Act)을 계기로 실적주의가 확립되었다.

② 실적주의의 주요 구성요소로는 공직취임의 기회균등, 공무원 인적구성의 다양화, 신분보장과 정치적 중립 등이 있다.

③ 실적주의는 상대적으로 유능한 인재의 유치라는 적극적인 측면보다는 부적격자의 제거라는 소극적인 측면에 중점을 두게 되었다.

④ 적극적 인사행정은 실적주의의 비용통성을 보완하는 적극적, 분권적, 신축적 인사행정을 의미한다.

04

정답 : ③

③ 엽관주의는 민주주의 및 정당정치와 관련하여 발달한 제도로 최근 실적주의의 소극성을 극복하기 위하여 적극적 인사라는 이름으로 엽관주의가 다시 부분적으로 강조되고 있는 추세이다.

① 직업공무원제는 젊고 유능한 인재들이 공직을 보람있는 직업으로 선택하여 일생을 바쳐 성실히 근무하도록 운영하는 인사제도이다.

② 직업공무원제가 성공적으로 수립되기 위해서는 공직에 대한 사회적 평가가 높아야 한다.

④ 우리나라는 계급제를 기본으로 직위분류제를 가미하고 있다.

05

정답 : ④

④ 펜들턴법(1883)의 제정으로 미국의 실적주의가 확립되었다. 한편 4년 임기법은 미국 먼로 대통령이 고위공직자의 임기를 대통령의 임기와 일치시켜 정치적 운명을 같이 하도록 하기 위해 제정한 것으로, 엽관제의 기반이 되었다.

① 엽관제는 관료집단에 대한 민주통제가 용이하고 정당이념의 실현과 공약의 추진이 가능하다.

② 영국은 1870년 2차 추밀원령에 의해 실적주의를 확립하였다.

③ 대표관료제는 수평적 형평성(기회의 평등)보다는 수직적 형평성(결과의 평등)을 보장하기 위한 장치이다.

⑤ 계급제는 일반행정가 육성에 유리하다.

01

정답 : ②

② 실적주의의 주요 구성요소로는 공직취임의 기회균등, 신분보장과 정치적 중립 등이 있다. 한편 공무원 인적구성의 다양화는 대표관료제의 특징에 해당한다.

① 가필드 대통령의 암살사건은 실적주의 도입의 배경이 되었고, 1883년 펜들턴법을 계기로 실적주의가 확립되었다.

③ 실적주의는 유능한 인재의 유치보다는 부적격자의 제거라는 소극적 측면에 중점을 둔다.

④ 적극적 인사행정은 실적주의의 비융통성과 경직성을 보완하는 적극적·신축적·분권적인 인사행정이다.

포인트 정리

정답

04 ③ 05 ④ 01 ②

실적주의(merit system)에 대한 설명으로 옳지 않은 것은?

2019 지방 7급

① 실적주의의 도입은 중앙인사기관의 권한과 기능을 분산시키는 결과를 가져왔다.

② 사회적 약자의 공직진출을 제약할 수 있다는 점은 실적주의의 한계이다.

③ 미국의 실적주의는 펜들턴법(Pendleton Act)이 통과됨으로써 연방정부에 적용되기 시작하였다.

④ 실적주의에서 공무원은 자의적인 제재로부터 적법절차에 의해 구제받을 권리를 보장 받는다.

엽관제와 실적제에 관한 다음 비교 중 가장 옳지 않은 것은?

2018 경찰간부

구분	엽관제	실적제
① 제도발달의 배경	19C 초 잭슨대통령의 취임	1883년 펜들턴법의 제정
② 기본적 가치	인사행정의 민주성 · 형평성	인사행정의 민주성 · 형평성
③ 수단적 가치	정치적 · 정당적 대응성	능률성과 공무원 권익보호
④ 기여	정부관료제의 민주화	정부관료제의 대표성 증진

엽관주의와 실적주의에 대한 설명으로 가장 적절하지 않은 것은?

2017 경정승진

① 잭슨(Jackson) 대통령이 암살당한 사건은 미국에서 실적주의 도입의 배경이 되었다.

② 엽관주의는 관직을 만인에게 개방함으로써 특정 계층의 공직독점을 타파하고 민주주의의 평등이념에 부합한다.

③ 실적주의는 개인의 자격 · 능력 · 적성 · 실적 중심의 인사제도이다.

④ 실적주의는 정치로부터의 중립을 중시하며, 인사행정을 소극화 · 형식화시켰다.

02

① 실적주의의 도입은 중앙인사기관의 권한과 기능을 집중시킴으로써 인사행정의 집권화를 야기하였다.

② 실적주의는 공직취임의 기회균등을 특징으로 하므로 사회적 약자의 공직진출을 제약할 수 있다.

③ 미국은 펜들턴법의 제정으로 실적주의가 본격적으로 발달하게 되었다.

④ 펜들턴법에서 공무원의 신분보장을 명시하고 있으므로 신분상 불이익을 받을 경우 적법절차에 의해 구제받을 수 있다.

03

정답 : ④

④ 엽관제는 기존의 특권적인 정부관료제를 일반대중에게 공개함으로써 행정의 민주화에 공헌하였고, 실적제는 공직에의 기회균등과 인사행정의 합리화에 기여하였으나 대표성은 저해되었다.

① 엽관제는 4년 임기법을 제정하여 대통령과 공무원을 함께 교체하는 연대책임의 기반을 마련하고 잭슨대통령의 연두교서에 의해 공직의 대중화가 실시되면서 본격적으로 발달하였고, 실적제는 가필드 대통령의 암살 사건의 발생으로 엽관제에 대한 비판이 제기되면서 펜들턴법의 제정으로 실적제가 확립되었다.

② 엽관제는 공직 개방 및 정치적 기여에 따른 공직의 기회 확대로 인해 인사행정의 민주성 및 형평성을 추구하였고, 실적제는 능력과 실적에 따른 기회균등으로 인한 민주성 및 형평성을 추구하였다.

③ 엽관제는 정당에 대한 충성도와 정치적 당파성을 임용기준으로 하고, 실적제는 공개경쟁에 의한 채용과 신분보장을 특징으로 한다.

04

정답 : ①

① 가필드(Garfield) 대통령이 암살당한 사건은 미국에서 실적주의 도입의 배경이 되었으며 1883년 펜들턴법의 제정을 계기로 실적주의 인사제도가 확립되었다. 반면 엽관주의는 1829년 잭슨(Jackson) 대통령이 취임하면서 연두교서를 통해 공직의 대중화를 실시하였다.

② 엽관주의는 정당정치의 발달을 배경으로 선거를 통하여 국민에게 책임을 지는 공직 교체임용주의로 한정된 공직을 만인에게 개방하는 민주적인 제도이다.

③ 실적주의는 공직의 임용기준을 개인의 능력·자격·업적·성적에 두는 인사제도이다.

④ 실적주의는 공무원의 정치로부터의 중립을 중시하였으나 객관적인 인사행정에 주력한 나머지 융통성 있는 인사행정을 저해하며 소극화 및 형식화를 초래하였다.

포인트 정리

실적주의 장단점

장점	• 임용의 기회균등에 따른 민주주의 평등이념 구현 • 행정의 중립성·공정성·자율성 확보 • 행정의 능률성·전문성 제고 • 공직윤리 확립에 기여 • 직업공무원제 확립에 기여
단점	• 대표성 저해(형식적인 형평성 추구) • 인사운영의 형식화·소극화 • 인사행정의 집권화·경직화 • 국민에 대한 대응성·책임성 저해

정답
02 ① 03 ④ 04 ①

인사행정론 PART 4 해커스공무원 만나행정학 기출 빅데이터 실무원

엽관주의와 실적주의에 대한 설명으로 옳지 않은 것은?

2016 지방 7급

① 엽관주의는 행정의 민주화에 공헌한다는 장점이 있다.

② 실적주의는 공무원의 정치적 중립을 강조한다.

③ 잭슨(Jackson) 대통령이 암살당한 사건은 미국에서 실적주의 도입의 배경이 되었다.

④ 엽관주의는 공직의 상품화를 가져올 가능성이 있다.

다음 중 실적주의에 대한 설명으로 가장 옳지 않은 것은?

2015 경찰간부

① 실적주의는 공직의 임용기준을 개인의 능력, 자격, 성적에 두는 제도이다.

② 실적주의는 행정의 효율성과 공정성을 확보할 수 있다.

③ 펜들턴법에는 공무원의 공개경쟁채용시험과 제대군인 임용 시 특혜 등에 대하여 규정하고 있다.

④ 펜들턴법은 대통령 직속 인사위원회를 설치하도록 하고 있다.

엽관주의와 실적주의에 대한 설명으로 옳은 것만을 모두 고르면?

2014 국가 9급

> ㄱ. 엽관주의는 실적 이외의 요인을 고려하여 임용하는 방식으로 정치적 요인, 혈연, 지연 등이 포함된다.
> ㄴ. 엽관주의는 정실임용에 기초하고 있기 때문에 초기부터 민주주의의 실천원리와는 거리가 멀었다.
> ㄷ. 엽관주의는 정치지도자의 국정지도력을 강화함으로써 공공정책의 실현을 용이하게 해 준다.
> ㄹ. 실적주의는 정치적 중립에 집착하여 인사행정을 소극화·형식화시켰다.
> ㅁ. 실적주의는 국민에 대한 관료의 대응성을 높일 수 있다는 장점이 있다.

① ㄱ, ㄷ   ② ㄴ, ㄹ

③ ㄴ, ㅁ   ④ ㄷ, ㄹ

05

③ 잭슨 대통령이 아니라 가필드 대통령이다. 실적주의는 가필드 대통령의 암살사건을 배경으로 도입되었다. 반면, 잭슨 대통령은 엽관주의와 관련된다.

① 엽관주의는 공직경질제로 관직의 특권화가 배제됨으로써 공무원의 특권 집단화와 침체를 방지하여 행정의 민주화에 기여한다.

② 실적주의는 정치적 중립의 기준에 따른 인사행정을 의미하며, 공무원이 국민에 대한 봉사자로서의 역할을 하도록 한 제도이다.

④ 엽관주의는 잭슨 민주주의를 배경으로 선거에서 승리한 정당이 모든 관직을 전리품처럼 획득하고 선거에서의 충성도에 따라 공직을 정당원들에게 임의대로 처분할 수 있는 정치적 인사제도이다.

06

④ 펜들턴법(1883)은 대통령 직속 인사위원회가 아니라 초당적·독립적 연방인사위원회(Civil Service Commission)를 설치하였다.

① 실적주의는 능력·자격·성적 등 중립적·객관적 기준에 따른 인사행정을 말한다.

② 실적주의는 능력·자격·성적 등을 기준으로 하므로 행정의 효율성과 공정성을 확보하기 용이하다.

③ 펜들턴법은 공개경쟁에 의한 임용, 제대군인에 대한 특혜 인정, 공무원의 정치헌금·정치활동 금지(정치적 중립성 최초 규정), 시보(조건부 임용)기간 설정 등을 규정하였다.

07

④ ㄷ, ㄹ이 옳은 설명이다.

ㄷ. [O] 엽관주의는 선거에서 승리한 정당 및 정치지도자의 정치이념을 강력하게 추진할 수 있으므로 공공정책의 실현을 용이하게 한다.

ㄹ. [O] 실적주의는 공무원의 정치적 중립성을 지나치게 강조하였고 이로 인해 인사행정이 소극화·형식화되기도 하였다.

ㄱ. [X] 엽관주의는 정당에의 충성도 등을 고려하여 임용하는 방식으로 정치적 요인을 고려하는 반면, 정실주의는 인사권자와의 개인적 신임이나 친분관계를 고려하여 임용하므로 혈연, 지연 등이 포함된다.

ㄴ. [X] 엽관주의는 정실임용에 기초하고 있는 정실주의와 달리 정당에의 충성도 등을 고려하여 임용하므로 초기부터 민주주의의 실천원리와 밀접한 관계였다.

ㅁ. [X] 엽관주의는 국민에 대한 관료의 대응성을 높일 수 있다는 장점이 있다. 한편 실적주의는 국민의 요구에 둔감하고 대응성이 저해된다는 단점이 있다.

엽관주의와 실적주의

구분	엽관주의	실적주의
궁극적 가치	민주성과 형평성(귀족적·신분적 정부관료제 구성에 반대)	민주성과 형평성(실적에 따라 누구나 공직에 임용)
실현 방법	정치적·정당적 대응성	공개경쟁에 의한 채용, 정치적 중립, 신분보장
문제점	정치적 간섭으로 인한 폐해	비대응성, 경직성, 집권성

정답

05 ③ 06 ④ 07 ④

08 인사행정에 관한 설명 중 가장 적절하지 않은 것은?

2012 경정승진

① 대표관료제(Representative Bureaucracy)는 민주성과 형평성 증진을 목표로 하는 제도로, 귀화자를 공무원으로 채용하는 것은 이를 반영한 사례로 볼 수 있다.

② 실적주의에서 경찰관 임용은 개인의 능력, 지식, 기술, 자격, 업적에 근거해야 한다.

③ 엽관주의는 각 개인이 가지고 있는 능력에는 차이가 있음을 인정하는 인간의 상대적 평등주의를 신봉한다.

④ 엽관주의는 행정의 능률성과 전문성을 저해할 수 있다는 측면이, 실적주의는 인사행정의 경직화와 형식화를 초래할 수 있다는 점이 각각의 한계로 지적된다.

09 다음 중 1883년 미국에서 제정된 Pendleton 법의 내용에 속하는 것으로만 묶인 것은?

2009 서울 7급

㉠ 공무원의 중립성	㉡ Merit Pay System	㉢ 공무원의 교육·훈련 의무
㉣ 인사위원회 설치	㉤ 공개경쟁시험 실시	

① ㉠, ㉡, ㉢   ② ㉠, ㉡, ㉣   ③ ㉠, ㉡, ㉤

④ ㉠, ㉢, ㉤   ⑤ ㉠, ㉣, ㉤

CHAPTER 03 직업공무원제

실질적 력(역량) 업그레이드

01 직업공무원제의 단점을 보완하는 것으로 옳지 않은 것은?

2020 지방, 서울 9급

① 개방형 인사제도   ② 계약제 임용제도

③ 계급정년제의 도입   ④ 정치적 중립의 강화

02 직업공무원제에 대한 설명으로 옳지 않은 것은?

2019 지방 9급

① 젊고 우수한 인재가 공직을 직업으로 선택해 일생을 바쳐 성실히 근무하도록 운영하는 인사제도이다.

② 폐쇄적 임용을 통해 공무원집단의 보수화를 예방하고 전문행정가 양성을 촉진한다.

③ 행정의 안정성을 확보할 수 있고, 높은 수준의 행동규범을 유지하는 데 도움을 준다.

④ 조직 내에 승직적체가 심화되면서 직원들의 불만이 증가할 수 있다.

08

정답 : ③

③ 실적주의는 각 개인이 가지고 있는 능력에는 차이가 있음을 인정하는 인간의 상대적 평등주의를 배경으로 한다.

① 대표관료제는 모든 사회집단들이 한 나라의 인구전체 안에서 차지하는 비율에 맞게 관료조직의 직위들을 차지해야 한다는 원리로, 민주성과 형평성 증진을 목표로 한다.

② 실적주의는 임용에 있어 능력·자격 및 성적을 기준으로 한다.

④ 엽관주의는 위인설관현상으로 인해 행정의 비능률이 초래되며 경험과 능력 있는 전문가를 채용하지 못하므로 전문화가 저해된다는 측면이, 실적주의는 객관적이고 경직된 인사행정에만 주력하므로 형식화가 초래된다는 측면이 각각의 단점에 해당한다.

09

정답 : ⑤

⑤ ㉠, ㉣, ㉤은 옳고, ㉡, ㉢은 틀린 지문이다.

㉠ [O] 정치자금 헌납·정치활동의 금지 등 공무원의 정치적 중립을 최초로 규정했다.

㉣ [O] 초당적·독립적인 인사위원회(CSC)를 설치했다.

㉤ [O] 공무원은 공개경쟁채용시험에 의하여 임용된다.

㉡ [X] Merit Pay System이란 연봉제 등과 같은 성과급 보수제도를 말하는 것으로 과학적 관리론에서 강조되었으며 펜들턴법과는 관련이 없다.

㉢ [X] 공무원의 교육·훈련 의무는 1978년 인사개혁법(CSRA)의 내용이다.

01

정답 : ④

④ 직업공무원제의 단점을 보완하기 위해서는 정치적 중립을 완화하여야 한다.

①, ②, ③ 직업공무원제의 단점을 보완하기 위해서는 개방형 임용제도와 계약제 임용제도 및 계급정년제의 도입이 필요하다.

02

정답 : ②

② 폐쇄적 임용을 통해 공무원집단의 보수화가 초래되고 전문성이 저해된다.

① 직업공무원제는 젊고 유능한 인재들이 공직을 보람 있는 직업으로 선택하여 일생을 바쳐 성실히 근무하도록 운영하는 인사제도로 젊은 인재 채용을 선발할 수 있는 제도적 기반 및 공직에 대한 사회적 평가가 높아야 한다.

③ 공무원의 신분을 보장하므로 행정의 안정성 및 계속성을 확보할 수 있고 공무원의 사명감이나 윤리성을 제고하는데 도움을 준다.

④ 공직사회가 전반적으로 침체화·보수화되면서 승진적체의 문제가 발생할 수 있다.

포인트 정리

펜들턴법의 주요내용

- 초당적·독립적 인사위원회(CSC; Civil Service Commission)의 설치
- 공무원의 정치적 중립을 최초로 규정
- 공개경쟁시험에 의한 임용제도 채택
- 시보(조건부 임용)기간 설정
- 제대군인에 대한 임용 시 특혜의 인정
- 민간과 정부 간의 인사교류를 폭넓게 인정

직업공무원제의 단점

- 지나친 신분보장
- 환경변동에의 저항, 경직성
- 공직임용에의 기회균등 저해
- 참여적 관료제 저해
- 공직사회 전반적인 질 저하
- 행정의 전문성 저해

정답

08 ③ 09 ⑤ 01 ④ 02 ②

직업공무원제와 실적제에 대한 설명으로 옳지 않은 것은?

① 직업공무원제의 신분보장은 젊은 사람이 공직을 본업으로 삼아 일생 동안 열심히 일하게 하려는 적극적인 의미를 지닌다.

② 실적제에서의 신분보장은 공무원의 신분이 정치적 압력이나 정실에 의해 부당하게 영향 받지 않고 실적원리에 의해서 결정되게 한다는 소극적 의미를 지닌다.

③ 직업공무원제는 대체로 실적제에 입각해 운영되며, 실적제는 폐쇄형 충원을 전제로 한다.

④ 실적제는 공무원의 정치적 중립을 기본원칙으로 하지만, 직업공무원제는 반드시 정치적 중립을 요구하지는 않는다.

직업공무원제도에 관한 설명 중 가장 적절하지 않은 것은?

① 공직을 하나의 전문 직업분야로 확립하는 데 기여한다.

② 실적주의가 확립되지 않아도 직업공무원제는 확립될 수 있다.

③ 유럽에서는 일찍이 직업공무원제가 확립되었으나 최근에는 실적주의도 강조되고 있다.

④ 직업공무원제를 올바르게 수립하기 위해서는 공무원 인력계획에 대한 장기적인 계획이 수립되고 운용되어야 한다.

공무원인사제도에 대한 설명 중 옳은 것만을 고른 것은?

> ㄱ. 엽관주의와 실적주의는 제도의 취지나 목적이 서로 다르기 때문에 상호 조화될 수 없어서 양 제도의 혼합 운용이 어렵다.
> ㄴ. 엽관주의는 공무원의 충성심을 확보하기는 용이하나, 행정의 안정성과 지속성을 확보하기 어렵다.
> ㄷ. 직업공무원제도는 일반적으로 폐쇄형 임용체계를 채택하고 있으며, 공무원의 연대감을 높여준다.
> ㄹ. 직업공무원제도는 대체로 실적주의를 전제로 하며, 전문가주의를 지향하고 있다.
> ㅁ. 대표관료제는 정부정책 집행의 효율성, 공정성 및 책임성을 높여준다.

① ㄱ, ㄴ   ② ㄱ, ㅁ

③ ㄴ, ㄷ   ④ ㄷ, ㄹ

03

③ 직업공무원제는 대체로 실적제에 입각해 운영되고, 실적제는 폐쇄형 충원보다 개방형 충원을 지향한다.

04

② 실적제 없이는 직업공무원제가 확립될 수 없으나, 실적제가 확립되었다고 해서 저절로 직업 공무원제가 성립되는 것은 아니다. 따라서 실적제는 직업공무원제의 필요조건이다.

① 직업공무원제의 강한 신분보장에서 기인하는 특징이다.

④ 직업공무원제는 유능한 인재의 유치와 이들의 장기근속을 유도하기 때문에 직업공무원제의 올바른 수립을 위해서는 인력계획에 대한 장기적 계획이 수립, 운용되어야 한다.

05

③ ㄴ, ㄷ은 옳고, ㄱ, ㄹ, ㅁ은 틀린 지문이다.

ㄴ. [O] 엽관주의는 공무원의 충성심과 국민에 대한 대응성 등을 확보하기 용이하지만, 정권이 교체되면 공직도 경질되므로 안정성 및 지속성을 확보하기 어렵다.

ㄷ. [O] 직업공무원제도는 계급제와 폐쇄형 공무원제 및 일반행정가주의를 지향하고 있다.

ㄱ. [X] 엽관주의와 실적주의는 각기 장단점을 지니는 만큼 상호 조화적으로 활용되어야 한다.

ㄹ. [X] 직업공무원제도는 계급제를 전제로 하므로 전문가주의를 저해한다.

ㅁ. [X] 대표관료제는 행정의 공정성 및 책임성을 높여주지만 능력중심의 인사가 아니므로 효율성 및 전문성을 저해한다.

포인트 정리

실적주의 vs 직업공무원제

실적주의	• 주로 개방형 • 임용 시 학력과 연령제한이 없는 완전한 기회균등 • 채용 시의 능력이 임용기준 • 소극적 신분보장 • 전문행정가
직업 공무원제	• 폐쇄형 • 임용 시 연령 · 학력 등의 제한으로 제약된 기회균등 • 잠재능력이 기준 • 적극적 신분보장 • 일반행정가

정답

03 ③ 04 ② 05 ③

06 직업공무원제의 장단점에 관한 설명으로 옳지 않은 것은? 2009 국회 9급

① 행정의 지속성, 안정성, 일관성을 유지하는 데 기여한다.

② 정부 관료제에 대한 정당 및 정치지도자의 지도력과 통솔력을 강화한다.

③ 공직을 하나의 전문 직업분야로 확립하는 데 기여한다.

④ 공무원집단의 폐쇄성과 관료주의화를 초래할 수 있다.

⑤ 공무원의 신분보장으로 인한 무사안일을 초래할 수 있다.

CHAPTER 04 적극적 인사행정

실질적 력(역량) 업그레이드

01 전략적 인적자원관리에 대한 설명으로 옳지 않은 것은? 2017 국가 9급

① 장기적이며 목표·성과 중심적으로 인적자원을 관리한다.

② 개인의 욕구는 조직의 전략적 목표달성을 위해 희생해야 한다는 입장이다.

③ 인사업무 책임자가 조직 전략 수립에 적극적으로 관여한다.

④ 조직의 전략 및 성과와 인적자원관리 활동 간의 연계에 중점을 둔다.

02 전통적인 연공주의 인적자원관리와 비교할 때 성과주의 인적 자원관리의 특징으로 옳지 않은 것은? 2016 국가 7급

① 형식 요건을 중시하고 규격화된 임용 방식을 확대한다.

② 태도와 근속연수보다 성과와 능력 중심의 평가를 강조한다.

③ 직급파괴와 역량에 의한 승진을 강조한다.

④ 조기퇴직 및 전직 지원을 활성화한다.

06

정답 : ②

② 정부 관료제에 대한 정당 및 정치지도자의 지도력과 통솔력을 강화하는 것은 엽관주의의 특징이다.

① 공직에의 장기 근무를 유도하므로 행정의 계속성과 안정성 및 일관성을 유지할 수 있다.

③ 공직의 직업전문 분야 확립에 유리하다.

④ 폐쇄적 임용은 공무원 집단을 보수화, 관료주의화한다.

⑤ 신분보장으로 인하여 관료들이 보수주의나 무사안일주의 등 소극적 행태에 탐닉할 가능성이 있다.

01

정답 : ②

② 전략적 인적관리는 구성원을 자산으로 여기며 조직과 개인 욕구 사이의 조화를 강조한다.

① 전략적 인적자원관리는 적극적이고 장기적이며 성과와 책임을 중시한다.

③ 전략적 인적자원관리는 상향적이며 인사업무 책임자는 인사행정에 있어 정책과 전략중심의 역할을 한다.

④ 전략적 인적자원관리는 조직과 개인목표의 통합을 중시하며 조직의 전략 및 성과와 인적자원활동 간의 연계에 초점을 둔다.

02

정답 : ①

① 연공주의 인적자원관리는 계급과 연공 등의 형식적 요건을 중시하고 정기적이고 일률적이며, 규격화된 공개채용방식을 확대한다.

② 성과주의 인적자원관리는 성과와 능력 중심의 평가를 강조하는 반면, 연공주의 인적자원괴리는 태도와 근속연수를 중심으로 평가한다.

③ 성과주의는 직급파괴와 능력 및 성과중심의 유연한 임용 및 성과와 역량에 기반한 승진을 강조하는 반면, 연공주의는 연공에 기반한 승진을 강조한다.

④ 성과주의는 조기퇴직 및 전직 지원의 활성화를 강조하는 반면, 연공주의는 평생고용 및 신분보장의 활성화를 강조한다.

전통적 인사관리 vs 전략적 인사관리

구분	전통적 인사관리	인적자원관리(HRM)
구성원에 대한 관점	비용(cost), 통제대상	자원(resources), 자산
특징	• 소극적 · 경직적 · 집권적 인사행정 • 절차와 규정 중시 • 하향적, X이론과 통제	• 적극적 · 신축적 · 분권적 인사행정 • 성과(결과)와 책임 중시 • 구성원의 능력개발, 조직몰입, 직무만족 • 조직과 개인 목표의 통합 • 상향적, Y이론과 참여

포인트 정리

정답
06 ② 01 ② 02 ①

2007 경기 9급

① 적극적 조치(Affirmative action)란 소외 계층에게 공무원이 될 수 있는 가치를 증대시키기 위해 일정비율을 할당하는 제도를 의미한다.

② 대표관료제는 행정의 전문성을 떨어뜨리지만 행정의 대응성은 향상시킨다.

③ 행정의 전문성을 높이기 위해서는 공무원의 신분을 보장함으로써 외부 전문가가 공직에 진출하도록 유도하는 직업공무원제가 확립될 필요가 있다.

④ 우리나라 고위공무원단 제도는 고위직 공무원의 계급을 폐지하는 대신 직무등급을 부여하여 직무성과를 강화하기 위해 도입되었다.

04 직무만족과 관련된 내용 중 옳지 않은 것은? 2004 국가 7급

① 직무순환이란 세분화된 업무를 일정한 시간적 간격을 두고서 두루 역임하게 하여 업무의 단조성이나 무의미성을 극복하도록 하는 것이다.

② 근로생활의 질(QWL)은 직무만족의 수준향상과 노동환경의 민주화를 통한 근로생활에 있어서 인간성회복 운동이라 할 수 있다.

③ 근무담당자에게 기존업무에 관리적 요소를 부여하여 자율성과 책임성을 높여주고자 하는 것을 직무확대(Job Enlargement)라 한다.

④ 직무만족도의 측정기법 중 행동경향법은 응답자에게 자기직무와 관련하여 어떻게 행동하고 싶은가를 묻는 방법이다.

CHAPTER 05 대표관료제

실질적 **력**(역량) **업**그레이드

01 다음 제도에 대한 설명으로 옳지 않은 것은? 2020 국가 7급

> 킹슬리(Kingslsey)가 처음 사용한 용어로, 그 사회의 주요 인적 구성에 기반하여 정부관료제를 구성함으로써, 정부관료제 내에 민주적 가치를 주입하려는 의도에서 발달되었다.

① 관료들은 누구나 자신의 사회적 배경의 가치나 이익을 정책과정에 반영시키려고 노력한다는 점을 전제로 한다.

② 크랜츠(Kranz)는 이 제도의 개념을 비례대표(proportional representation)로까지 확대하는 것에 반대한다.

③ 라이퍼(Riper)는 이 제도의 개념을 확대해 사회적 특성 외에 사회적 가치까지도 포함시키고 있다.

④ 현대 인사행정의 기본 원칙인 실적제를 훼손할 뿐 아니라 역차별을 야기할 수 있다는 비판을 받는다.

03

정답 : ③

③ 행정의 전문성을 높이기 위해서는 공무원의 신분보장을 완화시킴으로써 외부전문가가 공직에 진출하도록 유도하는 개방형 인사제도가 확립되어야 한다.

① 적극적 조치는 미국에서 대표관료제를 실현하기 위한 조처로 시행된 것으로서, 1964년 제정된 Civil Rights Act에 근거하고 있다. 사회적 소외계층에 대한 적극적인 고용우대 정책이 주내용이다.

② 대표관료제는 정부관료제를 다양화하여 대응성을 향상시키는 장점이 있는 반면 행정의 전문성과 생산성을 저해시킬 우려가 있다.

④ 고위공무원단은 과거 1∼3급의 계급을 폐지하고 실·국장급에 대해 직무와 직위에 따라 적격자를 임용할 수 있는 제도이다.

04

정답 : ③

③ 하급자로 하여금 직무수행의 자율성과 책임성을 증대시키려는 것은 직무풍요화 내지는 직무충실(Job Enrichment)이다.

① 직무순환에 대한 설명이다.

② 직장생활의 질은 작업 풍토를 변화시켜 궁극적으로 보다 나은 '직장생활의 질'이나 '근로생활의 보람'을 확립하려는 것으로, 직무충실화를 비롯하여 직무 설계와 사회기술적 재설계의 원리를 적용하여 작업상황의 질을 개선하려는 종합적인 노력을 의미한다.

④ 행동경향법에 대한 설명이다.

01

정답 : ②

② 제시문은 대표관료제에 대한 설명으로, 크랜츠는 대표관료제의 개념을 비례대표로까지 확대하였다.

① 대표관료제는 성별, 종교, 인종, 직업 등 여러 기준에서 국민 전체의 인적 구성을 관료제 내부에 반영하려는 제도이다.

③ 라이퍼는 사회적 특성 외에 사회적 가치까지도 대표관료제의 요소로 포함시켜 확대하였다.

④ 대표관료제는 할당제를 강요하는 결과를 초래함에 따라 현대 인사행정의 기본 원칙인 실적주의를 훼손하고 할당제와 역차별의 문제까지 야기할 수 있다고 비판받는다.

포인트 정리

적극적 인사행정을 위한 방안

- 적극적 모집
- 공무원의 능력발전
- 인사권의 분권화
- 인간관리의 민주화
- 정치적 임용 허용
- 엽관제적 요소의 가미
- 대표관료제 가미
- 직위분류제와 계급제의 조화

정답

03 ③ 04 ③ 01 ②

공무원 인사제도에 관한 설명 중 옳은 것으로만 짝지어진 것은?

2018 경찰간부

> 가. 대표관료제는 관료들이 출신집단의 가치와 이익을 대변하리라는 기대에 기반을 둔다.
> 나. 직업공무원제도는 대체로 실적주의를 전제로 하며, 전문가주의를 지향한다.
> 다. 계급제는 직위분류제보다 인력활용의 융통성과 효율성이 높아 탄력적 인사관리가 가능하다.
> 라. 엽관제는 미국에서 인종대표성을 통하여 대도시의 다양한 인종집단에 대한 정치적 사회화에 도움을 준 것으로 평가된다.

① 가, 나　　　　　　　　　　② 나, 다

③ 가, 다　　　　　　　　　　④ 다, 라

대표관료제에 대한 설명으로 옳지 않은 것은?

2017 국가 9급

① 엽관주의의 폐단을 시정하기 위해 등장하였다.

② 관료의 국민에 대한 대응성과 책임성을 향상시킨다.

③ 형평성을 제고할 수 있으나 역차별의 문제가 발생할 수 있다.

④ 우리나라도 대표관료제적 임용정책을 시행하고 있다.

다음 중 대표관료제에 대한 설명으로 옳지 않은 것은?

2016 국회 8급

① 대표관료제는 실적주의의 폐단을 보완하기 위해 도입되었다.

② 대표관료제는 관료 조직 내의 내부통제를 약화시킨다.

③ 대표관료제는 사회경제적 인구구성을 반영토록 하여 해당 관료가 출신집단에 책임을 질 수 있도록 보장하기 위한 제도적 장치다.

④ 대표관료제는 할당제와 역차별로 인한 사회분열을 조장할 수 있다.

⑤ 대표관료제는 사회적 약자를 보호하기 위한 형평성을 지향한다.

다음 중 대표관료제에 대한 설명으로 가장 옳지 않은 것은?

2015 국회 9급

① 임용 이후의 사회화를 통한 동질화 가능성을 간과한다는 비판을 받는다.

② 인간의 존엄과 평등을 중시한다는 점에서 자유주의 이념을 구현하기 위한 인사제도이다.

③ 대표관료제는 공무원의 정치적 중립 윤리와 상호 모순되는 경향이 있다.

④ 다양한 계층을 공직에 입문시켜 공직구성의 다양성과 다양한 관리기법을 촉진시킨다.

⑤ 적절한 능력을 갖춘 인재에 대한 역차별의 문제가 제기될 수 있다.

02

정답 : ③

③ 가, 다가 옳은 지문이다.

가. [O] 대표관료제는 정부관료제가 그 사회의 인적 구성을 반영하도록 구성함으로써 관료제 내에 민주적 가치를 주입시키고자 대두된 제도이다.

다. [O] 계급제는 일반행정가를 중시하므로 전직과 전보가 탄력적으로 이루어지기 때문에, 관리자 입장에서는 탄력적 인사운영이 가능하고 내부적으로 탄력적이고 신축적이다.

나. [X] 직업공무원제는 실적제에 기반을 두고 직위분류제와 개방형 공무원제 및 전문가주의에 입각한 제도로, 계급제와 폐쇄형 공무원제 및 일반능력가주의를 지향한다.

라. [X] 대표관료제에 대한 설명이다.

03

정답 : ①

① 대표관료제는 채용 등에 있어서 불평등한 결과를 초래하는 실적주의의 한계를 극복하기 위해 대두된 이론이다.

② 대표관료제는 정부의 대응성 및 책임성을 제고시킨다.

③ 대표관료제는 유능한 인재가 할당제로 인하여 불합격하는 역차별 사례가 발생한다는 단점이 있다.

④ 우리나라는 양성평등채용목표제, 지역인재추천채용제 등의 대표관료제적 임용정책을 시행하고 있다.

04

정답 : ②

② 대표관료제는 모든 사회집단에 의한 대중통제를 관료제 내부로 내재화시켜 내부통제의 역할을 수행한다.

① 대표관료제는 실적주의의 소극적 측면과 수평적 형평성을 보완하기 위해 도입되었다.

③ 대표관료제는 특정 계층의 권력독점을 막고 국민의 다양한 요구에 대하여 정부의 대응성과 책임성을 제고시킨다.

④ 대표관료제는 유능한 인재가 할당제로 인하여 불합격하는 역차별의 사례가 발생할 수 있다.

⑤ 여성, 장애인 등과 같은 사회적 약자들을 적극적으로 우대함으로써 구조적 차별을 시정하는 수직적 형평성을 도모하고자 한다.

05

정답 : ②

② 개인보다는 집단에 역점을 두는 대표관료제는 자유주의와 배치된다(대표의 집단이기주의화).

① 채용 전과 후의 이해관계가 변화할 수 있고 자기의 신념도 바뀔 수 있다는 재사회화 현상을 고려하지 못한다.

③ 정치적 사회화에 의한 주관적 책임을 인정하므로 정치적 중립 윤리와 어긋날 수 있다.

⑤ 유능한 인재가 할당제로 인하여 불합격하는 역차별 사례가 발생한다.

⟨Q⟩ 포인트 정리

우리나라 대표관료제 요소

- 양성평등채용목표제
- 장애인공무원 인사관리
- 지방인재채용목표제
- 지역인재추천채용제
- 이공계 공무원 인사관리
- 저소득층 공무원 채용

대표관료제 vs 실적제

구분	대표관료제	실적제
임용	할당제	능력, 성적
이념	형평성, 민주성	전문성, 능률성
기준	집단중심	개인중심

정답
02 ③ 03 ① 04 ② 05 ②

06 대표관료제 이론이 상정하는 효과를 모두 고른 것은?

> ㄱ. 다양한 집단을 참여시킴으로써 정부관료제를 민주화하는 데 기여한다.
> ㄴ. 공무원 신분보장을 통해 행정의 안정성과 계속성을 확보한다.
> ㄷ. 기회균등 원칙을 보장함으로써 사회적 형평성을 제고한다.
> ㄹ. 정당의 대중화와 정당정치 발달에 기여한다.
> ㅁ. 국민의 다양한 요구에 대한 대응성을 제고한다.

① ㄱ, ㄴ, ㄷ　　　　　　　　　　　② ㄱ, ㄷ, ㅁ

③ ㄴ, ㄷ, ㄹ　　　　　　　　　　　④ ㄷ, ㄹ, ㅁ

07 다음 중 대표관료제에 대한 설명으로 옳지 않은 것은?

① 대표관료제는 정부관료제가 그 사회의 인적 구성을 반영하도록 구성함으로써 관료제 내에 민주적 가치를 반영시키려는 의도에서 발달하였다.

② 크랜츠(Kranz)는 대표관료제의 개념을 비례대표로까지 확대하여 관료제 내의 출신 집단별 구성 비율이 총인구 구성 비율과 일치해야 할 뿐만 아니라, 나아가 관료제 내의 모든 직무 분야와 계급의 구성 비율까지도 총인구 비율에 상응하게 분포되어 있어야 한다고 주장한다.

③ 대표관료제의 장점은 사회의 인구 구성적 특징을 반영하는 소극적 측면의 확보를 통해서 관료들이 출신 집단의 이익을 위해 적극적으로 행동하는 적극적인 측면을 자동적으로 확보하는 데 있다.

④ 대표관료제는 할당제를 강요하는 결과를 초래해 현대 인사행정의 기본 원칙인 실적주의를 훼손하고 행정 능률을 저해할 수 있다는 비판을 받는다.

⑤ 우리나라의 양성평등 채용목표제나 지역인재 추천 채용제는 관료제의 대표성을 제고하기 위해 도입된 제도로 볼 수 있다.

CHAPTER 06 고위공무원단

실질적 력(역량) 업그레이드

01 고위공무원단제도에 대한 설명으로 가장 옳지 않은 것은?

① 고위공무원단은 계급제가 아닌 직무등급제를 기반으로 운영된다.

② 행정부 전체에 걸쳐 국장급 이상의 공무원으로 구성되며 지방자치단체의 국가고위직은 포함되지 않는다.

③ 미국의 고위공무원단제도에는 엽관주의적 요소가 혼재되어 있다.

④ 원칙적으로 직무성과급적 연봉제를 적용한다.

06

정답 : ②

② ㄱ, ㄷ, ㅁ이 대표관료제의 특징에 해당한다.

ㄱ. [O] 정부관료제의 인적 구성을 다양화함으로써 민주적 가치에 기여한다.

ㄷ. [O] 기회균등을 보다 실질적(적극적)으로 보장하여 형평성(수직적 공평)을 제고한다.

ㅁ. [O] 대표성 있는 정부 구성으로 국민의 다양한 목소리를 정책에 반영할 수 있다.

ㄴ. [X] 공무원 신분보장을 통해 행정의 안정성과 계속성을 확보하는 것은 직업공무원제의 특징이다.

ㄹ. [X] 정당의 대중화와 정당정치 발달에 기여하는 것은 엽관주의의 특징이다.

07

정답 : ③

③ 대표관료제의 소극적 측면이 적극적 측면으로 자동으로 보장되는 것은 아니다.

① 대표관료제는 사회를 구성하는 세력집단들의 수적비율을 관료제 구성에 반영함으로써 국민에 대한 관료의 대응성 및 책임성을 제고한다.

② Kranz는 피동적 대표를 주장한 Kingsley와 달리 대표관료제 개념을 비례대표로까지 확대시키면서 적극적 대표를 지지하였다.

④ 대표관료제는 특정 집단에게 혜택을 주고 공직 임용의 수직적 형평성 제고를 위해 할당제를 통해 임용하므로 실적주의와 상충되는 제도라고 비판받는다.

⑤ 우리나라의 양성채용목표제, 지역인재채용목표제, 장애인의무고용제, 저소득임용할당제 등 모두 관료제의 대표성을 제고하기 위해 도입된 제도이다.

01

정답 : ②

② 고위공무원단에는 실·국장급 이상 일반직·별정직과 국가공무원으로 보하는 부시장, 부지사, 부교육감 등 지방자치단체 등의 고위직이 포함된다.

① 고위공무원단은 계급이 폐지되고 직무중심으로 운영된다.

③ 미국은 직위분류제에 계급제 요소를 도입하였으며 엽관주의적 요소가 포함되어 있다.

④ 고위공무원의 보수는 직무성과급적 연봉제의 적용을 받는다.

🔍 포인트 정리

대표관료제 특징과 한계

특징	한계
• 정부의 대응성·책임성 확보 • 수직적 형평성과 실질적 기회 보장 • 내부통제의 강화 • 적극적인 정치적 중립성	• 임용 후 재사회화와 새로운 준거집단 영향 고려 × • 행정의 능률성·객관성·전문성·합리성 저해 • 역차별 초래 • 실적주의와의 갈등, 상충하는 관계

대표관료제 측면

소극적 대표	출신배경이 태도를 결정한다는 측면, 관료제의 모든 계층과 직위에 각 사회집단이 비례적으로 대표됨 (=구성론적·형식적·피동적 대표)
적극적 측면	출신집단의 이익을 적극 대변하고 책임지는 측면, 비례적으로 구성된 관료들이 출신 집단이 계층을 적극 대변하고 책임짐 (=역할론적·능동적·실질적 대표)

미국과 한국의 고위공무원단제 비교

구분	미국	한국
추진방향	직위분류제+계급제 가미	계급제+직위분류제 가미
공무원자질	전문행정가	일반행정가
보수	직무급 → 직무성과급	연공급 → 직무성과급

정답
06 ② 07 ③ 01 ②

다음 중 우리나라의 고위공무원단에 대한 설명으로 가장 옳지 않은 것은? 2018 해경간부

① 고위공무원단의 대상은 일반직 공무원이며 별정직 공무원은 그 대상에서 제외된다.

② 고위공무원단은 계급제가 아닌 직무등급제를 기반으로 운영된다.

③ 고위공무원단의 일부는 공모직위제도에 의해 충원된다.

④ 고위공무원단제도는 관료제의 폐쇄성을 극복하고 인사관리의 선진화를 추구하는 것이라고 할 수 있다.

03 **고위공무원단제도에 대한 설명으로 옳은 것은?** 2017 국가 7급

① 고위공무원단으로 관리되는 풀(pool)에는 일반직공무원 뿐만 아니라 외무공무원도 포함된다.

② 적격 심사에서 부적격 결정을 받은 경우에 한해서만 직권면직이 가능하므로 제도 도입 전보다 고위공무원의 신분보장이 강화되었다.

③ 고위공무원단 직무 등급이 2009년 2등급에서 5등급으로 변경됨에 따라 계급중심의 인사관리로 회귀할 가능성이 높아졌다.

④ 고위공무원단 구성은 소속 장관별로 개방형 직위 30%, 공모 직위 20%, 기관자율 직위 50%로 이루어져 있다.

04 **우리나라의 고위공무원단에 대한 설명으로 가장 옳지 않은 것은?** 2013 경찰간부

① 고위공무원단은 국정의 전문성과 업무추진의 효율성 차원에서 정책과정에서 일어날 수 있는 갈등가능성을 방지할 수 있다.

② 행정부 전체에 걸쳐 국장급 이상의 공무원으로 구성되며 지방자치단체의 국가고위직은 포함되지 않는다.

③ 고위공무원단의 인사관리는 계급이나 신분보다는 업무중심으로 이루어지며 보수도 계급과 연공서열보다는 직무의 중요도, 난이도 및 성과에 따라 지급된다.

④ 고위공무원단제도는 관료제의 폐쇄성을 극복하고 인사관리의 선진화를 추구하는 것이라고 할 수 있다.

05 **고위공무원단제에 대한 설명이 잘못된 것은?** 2007 서울 9급

① 미국을 필두로 영국, 호주, 캐나다, 네덜란드로 확산되어 우리나라도 2006년부터 채택하고 있다.

② 고위공무원을 범정부 차원에서 통합관리하고 개방과 성과관리를 중시한다.

③ 계급구분 없이 직위와 직무등급을 기준으로 인사관리한다.

④ 개방형 직위제를 통한 민간과의 경쟁(20%), 공모직위를 통한 다른 부처 공무원과의 경쟁(30%), 부처 자율인사(50%)로써 충원된다.

⑤ 매 2년마다 정기 적격심사를 실시하며 부적격사유 발생 시 수시심사를 실시하고 해당자는 직위해제 후 심사를 거쳐 직권면직도 할 수 있다.

02

정답 : ①

① 고위공무원단의 대상은 일반직·별정직·특정직(외무공무원)공무원이다.
② 고위공무원단은 직무등급제를 기반으로 운영된다.
③ 고위공무원단은 개방형임용 방법, 직위공모 방법, 자율임용 방법을 기반으로 운영된다.
④ 고위공무원단은 성과와 경쟁을 강조하며 관료제의 폐쇄성을 극복하고 인사관리의 선진화를 추구한다.

03

정답 : ①

① 고위공무원단제는 전체 정부의 통합적 인사운영을 위해 기존의 1~3급의 계급을 없애고, 범정부적 차원에서 공무원 인사풀(pool)을 만들어 운용하는 인사시스템으로 중앙행정기관의 실·국장급 공무원들로 구성되며 일반직, 별정직, 외무공무원 등이 적용대상이다.
② 고위공무원의 경우 고위공무원임용심사위원회의 적격 심사에서 부적격 결정을 받은 경우 직권면직이 가능하므로 제도 도입 전보다 고위공무원의 신분보장이 완화되었다.
③ 고위공무원단 직무 등급이 2009년 5등급에서 2등급으로 변경되었고 정치적 요소가 가미되었다.
④ 고위공무원단 구성은 소속 장관별로 개방형 직위 20%, 공모 직위 30%, 기관자율 직위 50%로 이루어져 있다.

04

정답 : ②

② 국가의 고위공무원을 범정부적 차원에서 효율적으로 인사관리하고 정부의 경쟁력을 높이기 위하여 고위공무원단을 구성하며 일반직 공무원, 별정직 공무원 및 특정직 공무원을 대상으로 행정부 내 중앙부처 1~3급 실·국장, 지방자치단체의 국가가 임명하는 고위직 공무원이 포함된다.
① 대통령과 장관의 정치력을 통해 정책의 강력한 추진이 가능하며 정책과정에서 발생할 수 있는 갈등을 방지할 수 있다.
③ 고위공무원단 인사관리는 계급이나 연공서열 중심보다는 능력과 성과중심으로 이루어지며 보수도 직무의 중요도, 난이도 및 성과에 따라 지급된다.
④ 공무원의 개방성·성과관리를 특징으로 경쟁력과 서비스 질 향상을 위한 통합적 인사시스템이다.

05

정답 : ⑤

⑤ 정기 적격심사가 삭제되고 수시로 적격성심사를 실시하며 근무성적 평정결과가 총 2년 이상 최하위 등급인 경우 등에는 수시 적격심사 요구와 함께 직위해제를 할 수 있고, 부적격 결정을 받을 경우 직권면직도 할 수 있다.
① 1978년 미국 Carter 행정부에서 개방형 인사제도의 일환으로 처음 도입한 이래(SES), 영국(SCS), 호주(SES), 네덜란드(SPS) 등 주요 국가에서 도입·운영하고 있다. 우리나라는 2006년 노무현 정부 시기에 도입·시행되었다.
② 실·국장급 국가공무원을 범정부 차원에서 적재적소에 활용한다.
③ 과거 1~3급의 계급을 폐지하고 실·국장급을 직무와 직위에 따라 적격자를 임용한다.
④ 고위직의 개방 확대와 경쟁 촉진을 위해 개방형 직위와 공모직위제를 일부 도입하였다.

고위공무원단 제외되는 공무원

구분	제외되는 공무원
직종별	• 지방직 공무원 • 정무직 • 외무공무원 제외한 특정직
기관별	• 국회, 법원, 헌법재판소, 선거관리위원회 등 행정부가 아닌 헌법상 독립기관 • 감사원
지방정부 직위별	• 광역자치단체 정무부시장·정무부지사 • 기초자치단체(시·군·구)의 부단체장

고위공무원단에 포함되는 직위 범위

직종별	• 국가직공무원 • 일반직, 별정직, 계약직 • 특정직 중 외무직
기관별	• 중앙행정기관(소속기관 직위 포함) • 행정부 각급기관
정부별	• 광역자치단체 행정부지사·행정부시장 및 기획관리실장 • 지방교육행정기관 부교육감

정답

02 ① 03 ① 04 ② 05 ⑤

01 중앙인사기관에 대한 설명으로 가장 옳지 않은 것은?

2019 경찰간부

① 독립합의형(위원회형) 중앙인사기관의 장점은 의사결정의 신속화에 있다.

② 한국의 중앙인사기관인 인사혁신처는 비독립단독형(부처조직형)이다.

③ 비독립단독형(부처조직형) 중앙인사기관의 장점은 책임소재의 명확화에 있다.

④ 독립합의형(위원회형) 중앙인사기관을 통해 타 기관과의 밀착을 방지하고 원만한 관계를 설정할 수 있다.

02 중앙인사기관에 대한 설명으로 가장 옳지 않은 것은?

2017 서울 9급

① 우리나라의 중앙인사위원회는 합의제 중앙인사기관으로 1999년부터 2008년까지 존속했다.

② 미국의 연방인사위원회가 독립형 합의제 중앙인사기관의 대표적인 예이다.

③ 일본의 총무성은 중앙인사기관이 행정부의 한 부처로 속해있는 비독립 단독제 기관의 예이다.

④ 현재 우리나라 인사혁신처는 합의제 중앙인사기관으로 설립되어 있다.

03 현재 우리나라와 같은 유형의 중앙인사기관이 갖는 특성으로 적절한 것은?

2014 국가 9급(수정)

① 인사에 대한 의사결정이 신속하고, 책임소재의 명확화가 가능한 유형이다.

② 행정수반의 적극적인 지원을 받고 있어 인사상의 공정성 확보가 용이하다.

③ 복수 위원들 간의 합의에 의한 결정방식을 특징으로 한다.

④ '1883년 펜들톤(Pendleton)법'에 의해 창설된 미국의 연방인사기구가 이 유형에 속한다.

04 중앙인사행정기관의 형태에 관한 설명 중 옳은 것을 모두 고른 것은?

2012 해경간부(수정)

> ㉠ 비독립단독형 인사기관의 기관장은 행정수반이 임명한다.
> ㉡ 독립합의형 인사기관이 실적주의를 발전시키는데 유리하다.
> ㉢ 비독립단독형 인사기관은 인사행정의 일관성을 유지하기 어렵다.
> ㉣ 우리나라 인사혁신처는 비독립단독형 인사기관에 해당한다.
> ㉤ 기관의 독립성과 합의성을 기준으로 분류할 수 있다.

① ㉠, ㉢, ㉤

② ㉡, ㉢, ㉤

③ ㉠, ㉡, ㉢, ㉣

④ ㉠, ㉡, ㉢, ㉣, ㉤

01

정답 : ①

① 독립합의형(위원회형)은 중앙인사기관이 일반행정부처에서 분리되어 있고, 행정수반으로부터 독립된 지위를 가진 합의체로 구성되는 형태로 의사결정이 지연될 수 있다는 단점을 가진다.

② 인사혁신처는 비독립단독형의 중앙인사기관이다.

③ 비독립단독형은 책임소재가 명확하다는 장점이 있다.

④ 독립합의형은 합의제 기관이므로 특정기관과의 밀착 등을 방지하고 원만한 관계를 유지할 수 있다는 장점이 있다.

02

정답 : ④

④ 우리나라 인사혁신처는 비독립 단독형의 중앙인사기관이다.

① 우리나라의 중앙인사위원회는 1999년 김대중 정부 때 설립되었다가 2008년 이명박 정부 때 폐지되었다.

② 미국의 연방인사위원회는 독립형 합의제 기관이다.

③ 일본의 총무성은 비독립 단독형의 기구이다.

03

정답 : ①

① 우리나라는 행정수반에 의해 임명된 한 사람의 기관장에 의해 관리되는 인사기관인 비독립 단독형으로, 의사결정이 신속하게 이루어지고 책임소재가 명확하다.

② 독립합의형은 행정수반의 적극적인 지원을 받으므로 상대적으로 인사상의 공정성 및 중립성이 확보된다.

③ 독립합의형은 행정수반으로부터 독립된 지위를 가지지만 의사결정은 여러 위원들에 의해 이루어지므로 복수 위원들 간의 합의가 상대적으로 중요하다.

④ '1883년 펜들턴(Pendleton)법'에 의해 창설된 미국의 연방인사기구는 독립합의형에 속한다.

04

정답 : ④

④ ㉠, ㉡, ㉢, ㉣, ㉤ 모두 옳다.

㉠ [O] 비독립단독형 인사기관의 기관장은 일반적으로 행정수반이 임명한다.

㉡ [O] 독립합의형 인사기관이 실적주의를 발전시키는데 유리하다.

㉢ [O] 비독립단독형 인사기관은 합의제가 아니므로 인사행정의 일관성을 유지하기 어렵다.

㉣ [O] 우리나라 중앙인사기관인 인사혁신처는 비독립단독형 인사기관에 해당한다.

㉤ [O] 독립합의형과 비독립단독형은 인사기관의 독립성과 합의성을 기준으로 분류한 것이다.

📖 포인트 정리

독립합의형 vs 비독립단독형

독립 합의형 (위원 회형)	• 합의에 의한 결정으로 인사 전횡 방지 • 실적제 확립에 유리 • 인사의 안정성 확보
비독립 단독형 (집행 부형)	• 책임의 명확화 • 집행부 형태로 신속한 결정 가능 • 강력한 인사정책의 추진 가능

비독립단독형의 장단점

장점	• 책임의 명확화 • 집행부 형태로 신속한 결정 가능 • 환경 변화에 신축적 대응 가능
단점	• 인사의 공정성 저해 • 인사행정의 일관성 및 계속성의 결여 • 양당적 · 초당적 문제의 적절한 반영 및 해결 곤란

중앙인사기관 분류

구분		합의성	
		있음 (합의형)	없음 (단독형)
독립성	있음 (독립형)	독립 합의형	독립 단독형
	없음 (비독립형)	비독립 합의형	비독립 단독형

정답

01 ① 02 ④ 03 ① 04 ④

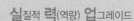
□□
01 전문경력관제도에 대한 설명으로 옳지 않은 것은? 2022 국가 7급

① 계급 구분과 직군 및 직렬의 분류를 적용하지 않는다.

② 직무의 특성, 난이도 및 직무에 요구되는 숙련도 등에 따라 가군, 나군, 다군으로 구분한다.

③ 전직시험을 거쳐 다른 일반직공무원을 전문경력관으로 전직시킬 수 있으나, 전문경력관을 다른 일반직 공무원으로 전직시킬 수는 없다.

④ 소속 장관은 해당 기관의 일반직공무원 직위 중 순환보직이 곤란하거나 장기 재직 등이 필요한 특수 업무 분야의 직위를 인사혁신처장과 협의하여 전문경력관직위로 지정할 수 있다.

□□
02 우리나라 공무원 분류 중 특수경력직 공무원에 해당되지 않는 것은? 2020 행정사

① 국회의원
② 헌법재판소 헌법연구관
③ 대통령 비서실장
④ 국민권익위원회 위원장
⑤ 감사원 사무차장

□□
03 우리나라 인사제도에 대한 설명으로 옳지 않은 것은? 2020 국가 9급

① 인사혁신처는 비독립형 단독제 형태의 중앙인사기관이다.

② 전문경력관이란 직무 분야가 특수한 직위에 임용되는 일반직 공무원을 말한다.

③ 별정직 공무원의 근무상한연령은 65세이며, 일반임기제 공무원으로 채용할 수 있다.

④ 각 부처의 고위공무원을 범정부적 차원에서 효율적으로 관리하고자 고위공무원단 제도를 운영하고 있다.

01

정답 : ③

③ 임용권자는 전직시험을 거쳐 다른 일반직공무원을 전문경력관으로 전직시킬 수 있으며, 전문경력관을 다른 일반직공무원으로 전직시킬 수 있다.

> **전문경력관 규정 제17조(전직)** ① 임용권자는 다음 각 호의 어느 하나에 해당하는 경우에는 전직시험을 거쳐 전문경력관을 다른 일반직공무원으로 전직시키거나 다른 일반직공무원을 전문경력관으로 전직시킬 수 있다.
> 1. 직제나 정원의 개정 또는 폐지로 인하여 해당 직(職)의 인원을 조정할 필요가 있는 경우
> 2. 제7조에 따른 전문경력관 경력경쟁채용시험등의 응시요건을 갖춘 경우(전문경력관이 아닌 일반직공무원이 전문경력관으로 전직하는 경우로 한정한다)

02

정답 : ②, ⑤

② 헌법재판소 헌법연구관은 특정직 공무원이다.
⑤ 감사원 사무차장은 일반직 공무원이다.
① 국회의원은 정무직 공무원이다.
③ 대통령 비서실장은 정무직 공무원이다.
④ 국민권익위원회 위원장은 정무직 공무원이다.

우리나라의 공직분류

경력직	일반직	행정일반, 기술 · 연구, 감사원 사무차장, 시 · 도 선거관리위원회 상임위원
	특정직	법관, 검사, 외무공무원, 경찰공무원, 소방공무원, 교육공무원, 군인, 군무원, 헌법재판소 헌법연구관, 국가정보원 직원, 경찰청장, 검찰총장, 경호공무원
특수 경력직	정무직	• 선출직: 대통령, 국회의원, 자치단체장, 지방의회의원 • 국회임명 동의: 국무총리, 감사원장, 헌법재판소장 • 고도의 정책결정업무: 장 · 차관, 처장, 청장 기타 차관급 공무원 • 법령에서 정무직으로 지정하는 공무원: 대통령실 실장, 대통령 경호처장, 국무조정실장 · 차장, 국무총리 비서실장, 방송통신위원회 위원장 및 위원, 감사원의 감사위원 · 사무총장, 국회사무총장 · 차장 · 도서관장 · 의정연수원장 · 헌법재판소 사무처장, 중앙선거관리위원회 상임위원 · 사무총장 · 차장, 차관급 상당의 보수를 받는 비서관, 국가정보원 원장 · 차장 · 기획조정실장, 국민권익위원회 위원장 · 부위원장 · 사무처장, 국가인권위원회 위원장 · 상임위원 등
	별정직	• 법령: 차관보, 청의 차장, 처의 차장, 국민권익위원회 상임위원, 공정거래위원회 상임위원, 국회수석 전문위원 • 조례: 의회전문위원, 청소년지도사, 문화재관리원 등 • 장관 정책보좌관

03

정답 : ③

③ 별정직 공무원의 근무상한연령은 60세이며, 일반임기제 공무원으로 채용할 수 있다.
① 인사혁신처는 비독립형 단독제의 중앙인사기관이다.
② 전문경력관은 특수 업무분야에 종사하는 일반직 공무원으로 계급 구분과 직군 · 직렬 분류가 적용되지 않는다.
④ 고위공무원단은 전체 정부의 통합적 인사운영을 위해 기존의 1~3급의 계급을 없애고 범정부적 차원에서 공무원 인사풀을 만들어 운용하는 인사시스템을 의미한다.

정답
01 ③ 02 ②, ⑤ 03 ③

04 국가공무원에 대한 설명으로 옳지 않은 것은?
2020 소방간부

① 고위공무원단의 목적은 고위공무원을 범정부적 차원에서 효율적으로 관리하여 정부의 경쟁력을 높이는 것이다.

② 경력직공무원은 실적과 자격에 따라 임용되며 신분보장이 되는 공무원이다.

③ 법관, 검사, 외무공무원은 특정직공무원에 해당한다.

④ 국회에 있어서 중앙인사관장기관의 장은 인사혁신처장이다.

⑤ 대통령과 국회의원은 정무직공무원이다.

05 개방형 직위제도에 관한 설명으로 가장 적절하지 않은 것은?
2020 경정승진

① 정실에 의한 자의적 인사의 우려가 있다.

② 재직자의 능력발전이나 승진 및 경력발전 기회의 제약으로 재직자들의 사기를 저하시킬 수 있다.

③ 폭넓은 지식을 갖춘 일반행정가를 육성하는 데에 효과적이다.

④ 중앙행정기관은 고위공무원단 직위 총수의 100분의 20의 범위에서 개방형 직위를 지정하되, 중앙행정기관과 소속 기관 간 균형을 유지하도록 하여야 한다.

06 다음 중 특정직 공무원에 해당하는 것만을 모두 고르면?
2019 지방 7급

ㄱ. 국가인권위원회 상임위원	ㄴ. 검사
ㄷ. 헌법재판소의 헌법연구관	ㄹ. 도지사의 비서
ㅁ. 국가정보원의 직원	

① ㄱ, ㄷ, ㄹ 　　　　　　　② ㄱ, ㄹ, ㅁ

③ ㄴ, ㄷ, ㄹ 　　　　　　　④ ㄴ, ㄷ, ㅁ

04
정답 : ④

④ 국회의 중앙인사관장기관의 장은 국회사무총장이다. 한편 인사혁신처장은 행정부의 중앙인 사관장기관이다.

① 고위공무원 제도는 각 부처의 고위공무원을 범정부적 차원에서 효율적으로 관리하여 정부의 경쟁력을 제고하려는 것이다.

② 경력직 공무원은 실적과 자격에 의하여 임용되고 신분이 보장되는 공무원을 의미한다.

③ 법관, 검사, 외무공무원은 특수분야의 업무를 담당하는 공무원으로서 다른 법률에서 특정직 으로 지정한 공무원에 해당한다.

⑤ 대통령과 국회의원은 선거에 의하여 취임하거나 임명할 때 국회 동의를 요하는 공무원으로 정무직공무원에 해당한다.

05
정답 : ③

③ 개방형 직위제도는 전문행정가의 확보와 관련된다. 한편 폭넓은 지식을 갖춘 일반행정가를 육성하는 데에 효과적인 것은 직업공무원제나 계급제와 같은 폐쇄형 인사제도의 특징이다.

① 임용권자가 공직 외부에서 개인적으로 친밀한 사람을 임용하므로 자의적 정실인사가 발생할 우려가 있다.

② 내부승진 기회를 감소시켜 승진적체 문제를 악화시키고 직무나 직위의 폐지는 감원으로 인 한 퇴직으로 이어지므로 재직자의 사기를 저하시킨다.

④ 소속장관은 소속 장관별로 고위공무원단 직위 총수의 100분의 20의 범위에서 개방형 직위를 지정하되, 중앙행정기관과 소속 기관 간 균형을 유지하도록 하여야 한다.

06
정답 : ④

④ 특정직 공무원은 특정분야의 업무를 담당하며 개별법률의 적용을 받는 공무원으로 ㄴ, ㄷ, ㅁ이 특정직 공무원에 해당한다.

ㄴ. [O] 검사는 검찰청법의 적용을 받는 특정직 공무원이다.

ㄷ. [O] 헌법재판소의 헌법연구관은 헌법재판소법의 적용을 받는 특정직 공무원이다.

ㅁ. [O] 국가정보원의 직원은 국가정보원직원법의 적용을 받는 특정직 공무원이다.

ㄱ. [X] 국가인권위원회 상임위원은 고도의 정책결정업무를 담당하거나 이러한 업무를 보조하 는 공무원으로, 정무직공무원이다.

ㄹ. [X] 도지사의 비서는 보좌업무 등을 수행하는 공무원으로 별정직 공무원이다.

포인트 정리

국가공무원법 제6조(중앙인사관장기관)
① 인사행정에 관한 기본 정책의 수립 과 이 법의 시행·운영에 관한 사무는 다음 각 호의 구분에 따라 관장(管掌) 한다.
1. 국회는 국회사무총장
2. 법원은 법원행정처장
3. 헌법재판소는 헌법재판소사무처장
4. 선거관리위원회는 중앙선거관리위 원회사무총장
5. 행정부는 인사혁신처장

개방형 직위제

구분	개방형 직위제
대상 직위	전문성이 특히 요구되거나 효율 적인 정책수립을 위하여 필요하 다고 판단되는 직위
공모 대상	• 내·외부 • 고위공무원에 속하는 직위총수 의 20%이내
대상 직종	일반직·특정직·별정직 공무원 으로 보할 수 있는 고위공무원단 직위
임용 기간	최장 5년 범위 내 최소 2년 이상

정답
04 ④ 05 ③ 06 ④

07 다음 중 특수경력직 공무원에 대한 설명으로 옳지 않은 것은?

2018 국회 8급

① 특수경력직 공무원은 경력직 공무원과는 달리 실적주의와 직업공무원제의 획일적 적용을 받지 않는다.

② 특수경력직 공무원도 경력직 공무원과 마찬가지로 「국가공무원법」에 규정된 보수와 복무규율을 적용받는다.

③ 교육·소방·경찰 공무원 및 법관, 검사, 군인 등 특수 분야의 업무를 담당하는 공무원은 특수경력직 중 특정직 공무원에 해당한다.

④ 국회 수석전문위원은 특수경력직 중 별정직 공무원에 해당한다.

⑤ 선거에 의해 취임하는 공무원은 특수경력직 중 정무직 공무원에 해당한다.

08 우리나라의 공무원에 대한 설명으로 옳지 않은 것은?

2017 국가 9급(추)

① 특수경력직 공무원은 경력직 공무원 이외의 공무원으로서 실적주의와 직업공무원제의 획일적인 적용을 받지 않는다.

② 법관, 검사, 외무공무원, 경찰공무원, 소방공무원, 교육공무원, 군인, 군무원, 헌법재판소 헌법연구관, 국가정보원 직원 등은 경력직 공무원 중에서 특정직 공무원에 해당한다.

③ 선거로 취임하거나 임명할 때 국회의 동의가 필요한 공무원은 특수경력직 공무원 중에서 정무직 공무원에 해당한다.

④ 고위공무원단은 중앙행정기관과 지방자치단체의 실장·국장 및 이에 상당하는 보좌기관에 임용되어 재직 중이거나 파견·휴직 등으로 인사관리되고 있는 국가공무원과 지방공무원을 말한다.

09 우리나라의 시간선택제 공무원제도에 대한 설명으로 옳은 것은?

2017 지방 7급

① 2013년에 국가공무원, 2015년에 지방공무원을 대상으로 시간선택제채용공무원 시험이 최초로 실시되었다.

② 시간선택제채용공무원의 주당 근무시간은 40시간으로 한다.

③ 유연근무제도의 일환으로 도입되었으며, 기관 사정이나 정부의 일자리 나누기 정책 구현 등을 위해서는 활용되지 않는다.

④ 시간선택제채용공무원을 통상적인 근무시간 동안 근무하는 공무원으로 임용하는 경우 어떠한 우선권도 인정하지 않는다.

07

③ 교육·소방·경찰 공무원 및 법관, 검사, 군인 등 특수 분야의 업무를 담당하는 공무원은 경력직 중 특정직 공무원에 해당한다.

① 특수경력직 공무원은 실적주의와 직업공무원제의 획일적 적용을 받지 않는다.

② 「국가공무원법」에 규정된 국가공무원은 경력직과 특수경력직으로 구분되며 특수경력직 공무원에 대해서는 이 법 또는 다른 법률에 특별한 규정이 없으면 한정적으로 「국가공무원법」의 적용을 받으며 해당 법에 규정된 보수와 복무규율을 적용받는다.

④ 국회 수석전문위원은 특정업무를 수행하는 직위로 특수경력직 중 별정직 공무원에 해당한다.

⑤ 선거에 의해 취임하는 공무원은 특수경력직 중 정무직 공무원에 해당한다.

08

④ 고위공무원단은 전체 정부의 통합적 인사운영을 위해 기존의 1~3급의 계급을 없애고 범정부적 차원에서 공무원 인사풀을 만들어 운용하는 인사시스템으로, 중앙행정기관의 실·국장급 공무원들로 구성되며 일반직, 별정직, 외무공무원 등이 그 대상이나 지방공무원은 제외된다.

① 특수경력직 공무원은 주로 정치적 혹은 특수한 직무를 수행하기 위해 임용되며 원칙적으로 실적주의나 직업공무원제의 적용을 받지 않는다.

② 법관, 검사, 외무공무원, 경찰공무원, 소방공무원, 교육공무원, 군인, 군무원, 헌법재판소 헌법연구관, 국가정보원 직원은 경력직 공무원 중 특정직 공무원에 해당한다.

③ 정무직 공무원은 주로 정치적 판단이나 정책결정을 필요로 하는 업무를 담당하는 것으로 선거에 의해 취임하는 공무원, 임명시 국회의 동의를 받아야 하는 공무원, 임명시 국회의 인사청문대상 공무원 등이 이에 해당한다.

09

④ 시간선택제채용공무원은 통상적인 근무시간보다 짧은 시간을 근무하는 공무원제도로, 통상적인 근무시간 동안 근무하는 공무원으로 임용하는 경우 어떠한 우선권도 인정하지 않는다.

> **공무원임용령 제3조의2(임기제공무원의 종류)** 임기제공무원의 종류는 다음 각 호와 같다.
> 3. 시간선택제임기제공무원: 법 제26조의2에 따라 통상적인 근무시간보다 짧은 시간(주당 15시간 이상 35시간 이하의 범위에서 임용권자 또는 임용제청권자가 정한 시간을 말한다. 이하 이 조에서 같다)을 근무하는 공무원으로 임용되는 일반임기제공무원(이하 "시간선택제일반임기제공무원"이라 한다) 또는 전문임기제공무원(이하 "시간선택제전문임기제공무원"이라 한다)
> **제3조의3(시간선택제채용공무원의 임용)** ③ 시간선택제채용공무원을 통상적인 근무시간 동안 근무하는 공무원으로 임용하는 경우에는 어떠한 우선권도 인정하지 아니한다.

① 시간선택제 공무원제도는 2013년 국가공무원법과 지방공무원법에 법적근거를 마련하여 도입하였으나 실제 시험은 2014년에 최초로 실시되었다.

② 시간선택제채용공무원의 주당 근무시간은 20시간이 원칙이며 5시간 범위에서 조정 가능하다.

> **동법령 제3조의3(시간선택제채용공무원의 임용)** ② 제1항에 따라 채용된 공무원(이하 "시간선택제채용공무원"이라 한다)의 주당 근무시간은 「국가공무원 복무규정」 제9조에도 불구하고 20시간으로 한다. 다만, 임용권자 또는 임용제청권자는 기관 운영상 필요한 경우에는 5시간의 범위에서 조정할 수 있다.

③ 시간선택제 공무원제도는 유연근무제도의 일환으로 도입되었으며, 기관 사정이나 정부의 일자리 나누기 정책 구현 등을 위해서도 활용되었다.

정답
07 ③ 08 ④ 09 ④

10 다음 중 「국가공무원법」 및 「지방공무원법」상 특수경력직 공무원에 해당하는 사람을 〈보기〉에서 모두 고르면?

2017 국회 8급

> **보기**
>
> ㄱ. A 파출소에 근무 중인 순경 甲   ㄴ. B 국회의원 의원실에 근무 중인 비서관 乙
>
> ㄷ. 국토교통부에서 차관으로 근무 중인 丙   ㄹ. C 병무청에서 근무 중인 군무원 丁
>
> ㅁ. 청와대에서 대통령비서실 민정수석비서관으로 근무하는 戊

① ㄱ, ㄴ, ㄷ   ② ㄱ, ㄷ, ㄹ   ③ ㄱ, ㄹ, ㅁ

④ ㄴ, ㄷ, ㅁ   ⑤ ㄴ, ㄹ, ㅁ

---

11 개방형 임용제에 관한 설명 중 가장 적절하지 않은 것은?

2015 경정승진

① 국가공무원법은 '효율적인 정책수립 또는 관리'를 위하여 적격자를 임용할 필요가 있는 직위에 대하여 개방형 직위로 지정하여 운용할 수 있다고 규정하고 있다.

② 개방형 임용제는 공직사회의 탈관료제화에 기여할 수 있다.

③ 공무원과 민간전문가 사이의 생산적인 경쟁을 유도하여 공무원의 자기계발을 촉진하는 효과를 거둘 수 있다.

④ 전문성이 요구되는 경우 일정한 직무 수행요건을 갖춘 자를 공직 내·외부에서 임용하여 공직의 전문성을 높이기 위한 제도이다.

---

12 국가공무원과 지방공무원과의 비교에 대한 설명으로 적절한 것은?

2013 서울 7급(수정)

① 임기제 지방공무원은 지방자치단체의 채용계약에 따른다.

② 국가공무원과 지방공무원은 법적 근거로 국가공무원법을 따른다.

③ 국가공무원과 지방공무원의 보수재원은 모두 국비로 충당한다.

④ 정무직 지방공무원도 국회의 동의를 얻어야 한다.

⑤ 국가공무원과 지방공무원은 모두 임용권자가 대통령이나 소속 장관이다.

10

④ ㄴ, ㄷ, ㅁ이 특수경력직 공무원에 해당한다.

ㄴ. [O] 보좌업무 등을 수행하는 국회의원 비서관은 특수경력직 공무원 중 별정직 공무원에 해당한다.

ㄷ. [O] 장·차관은 특수경력직 공무원 중 정무직 공무원에 해당한다.

ㅁ. [O] 청와대 대통령비서실 수석비서관은 특수경력직 공무원 중 정무직 공무원에 해당한다.

ㄱ. [X] 경찰은 경력직 공무원 중 특정직 공무원에 해당한다.

ㄹ. [X] 군무원은 경력직 공무원 중 특정직 공무원에 해당한다.

11

정답 : ①

① 「국가공무원법」 제28조의5에 해당하는 공모직위에 대한 규정이다.

② 개방형 직위는 민간전문가에게도 공모기회가 개방되어 있어 공직사회의 탈관료제화에 기여할 수 있다.

③ 개방형 직위제는 공모대상이 행정부 내부뿐만 아니라 행정부 외부(민간)도 포함되어 있어 공무원과 민간전문가 간 생산적 경쟁을 통한 공무원의 자기계발 확대효과를 거둘 수 있다.

④ 전문성이 특히 요구되거나 효율적 정책수립을 위해 필요하다고 판단되는 직위에 개방형 직위제로 지정한다.

12

정답 : ①

① 임기제 공무원은 근무기간을 정하여 임용되는 경력직 공무원으로, 임기제 지방공무원의 임용조건, 임용절차 등은 지방공무원 임용령(대통령령)에 따른다.

② 국가공무원의 경우에는 국가공무원법을 지방공무원의 경우에는 지방공무원법을 따른다.

③ 국가공무원은 국비로, 지방공무원은 지방비로 보수재원을 충당한다.

④ 선출직 공무원의 경우 국회동의를 거칠 필요가 없다.

⑤ 국가공무원은 5급 이상인 경우에는 대통령이 임명하고 6급 이하인 경우는 소속장관이 임명한다. 한편 지방공무원의 임용은 임용권자인 지방자치단체의 장이 한다.

포인트 정리

개방형 직위제와 공모직위제의 비교

구분	개방형 직위제	공모직위제
대상 직위	전문성이 특히 요구되거나 효율적인 정책수립을 위하여 필요하다고 판단되는 직위	효율적 정책수립 또는 관리를 위하여 적격자를 임용할 필요가 있는 직위
공모 대상	• 내·외부 • 고위공무원에 속하는 직위총수의 20% 이내	• 외부 • 고위공무원에 속하는 직위총수의 30% 이내
대상 직종	일반직·특정직·별정직 공무원으로 보할 수 있는 고위공무원단 직위	경력직에 한함 (일반직, 특정직)
임용 기간	최장 5년 범위 내 최소 2년 이상	기간에 별도 제한규정은 없음

국가공무원 vs 지방공무원

구분	국가공무원	지방공무원
임용주체	대통령과 임용권을 위임받은 재(소속장관)	지방자치단체장과 임용권을 위임받은 자
적용법률	국가공무원법	지방공무원법
근무기관	국가기관 (중앙행정기관, 특별행정기관)	지방자치단체
보수부담	국비	지방비
고위공무원 단제도	있음	없음
공무원 연금법	적용	적용
공무원 노조법	적용	적용

정답

10 ④ 11 ① 12 ①

01 직위분류제의 단점은?

① 행정의 전문성 결여

② 조직 내 인력 배치의 신축성 부족

③ 계급 간 차별 심화

④ 직무경계의 불명확성

02 공직의 설계 방식인 계급제와 직위분류제에 대한 설명으로 옳은 것은?

① 직위분류제는 직책을 중심으로 공직을 분류하기 때문에 행정의 전문화를 저해한다는 비판이 있다.

② 직위분류제는 직무의 난이도에 따른 차별적 직무급 수립에는 기여하나 지나친 신분보장으로 공직자를 특권집단화 할 수 있다.

③ 직위분류제를 엄격하게 시행할 경우 업무가 세분화되기 때문에 직무 간 협의와 조정이 용이해진다.

④ 계급제는 차별화된 직무급 체계 확립은 어려우나 인사의 융통성을 확보하기 용이하다.

⑤ 계급제는 일반행정가 양성에는 불리하나 계급이 올라감에 따라 직무 전문성이 축적되기 때문에 한 분야에 특화된 전문가 양성에 적합하다.

03 계급제의 단점에 관한 다음 설명 중 옳은 것은 몇 개인가?

가. 인적자원의 비탄력적 운용	나. 전문행정가 부족
다. 직업공무원제의 확립 저해	라. 행정의 책임성과 대응성 저하
마. 부서간 협력의 곤란	바. 보수와 업무부담의 형평성 결여
사. 인적자원관리에 있어 편의적 기준 개입	

① 3개

② 4개

③ 5개

④ 6개

01

정답 : ②

② 직위분류제는 다른 직위 및 직렬로의 이동이 곤란하여 인사배치의 융통성 및 신축성이 부족하다.

① 직위분류제는 직무를 중심으로 공직을 분류하므로 행정의 전문성이 제고된다.

③ 직위분류제는 인사행정의 합리적 기준을 제공하므로 공정성과 객관성을 확보할 수 있다.

④ 직위분류제는 권한과 책임한계를 명확하게 하므로 갈등을 예방할 수 있다.

02

정답 : ④

④ 계급제는 직무급 체계의 확립이 곤란하고 생활급 등 연공서열에 치우치므로 합리적이고 공평한 보수체계의 확립은 곤란하지만, 인사의 융통성과 탄력성을 확보하기 용이하다.

① 직책을 중심으로 공직을 분류하기 때문에 행정의 전문화를 저해한다는 비판을 받는 것은 계급제이다.

② 직위분류제는 직무의 난이도에 따른 차별적 직무급 수립에는 기여하나 신분보장이 약하므로 특권집단화될 우려가 낮다.

③ 직위분류제를 엄격하게 시행할 경우 직무 간 협의와 조정이 곤란해진다.

⑤ 계급제는 일반행정가 양성에 유리하다. 한편 직위분류제는 일반행정가 양성에는 불리하나 계급이 올라감에 따라 직무 전문성이 축적되기 때문에 한 분야에 특화된 전문가 양성에 적합하다.

03

정답 : ②

② 나, 라, 바, 사가 계급제의 단점에 해당한다.

나. [O] 계급제는 일반능력주의를 지향하므로 전문지식이나 능력에 따른 업무수행이 곤란하고, 행정의 전문화에 기여하지 못한다.

라. [O] 지나친 신분보장 및 폐쇄형 임용체제로 인해 무사안일과 복지부동에 빠지거나 특권집단화의 발생가능성이 매우 높으므로 상대적으로 행정에 대한 책임성 및 국민에 대한 대응성이 저하된다.

바. [O] 동일계급에 대해서 직무의 종류·성격과 관계없이 동일 보수가 지급되므로 직무급 체계의 확립이 곤란하다.

사. [O] 상위계급의 엘리트의식 및 인사권자의 자의적 편견이 개입될 우려가 있으며 사람을 기준으로 하므로 연공서열과 같은 주관적이고 편의적인 기준이 적용될 수 있다.

가. [X] 직무의 종류나 성격에 관계없이 폭넓은 인사이동이 가능하므로 신축적·탄력적으로 운용할 수 있다.

다. [X] 순환보직 등을 통해 다양한 업무능력과 이해 등을 증진시킬 수 있으므로 일반행정가 양성에 유리하다.

마. [X] 분류구조와 보수체계가 단순하고 인력활용의 융통성 및 효율성이 증진되므로 비용이 절감되고 탄력적 인사운용에 유리하다.

🔍 포인트 정리

직위분류제 장단점

장점	• 인사행정 및 보수의 합리화 • 교육훈련수요 및 근무성적평정의 명확화 • 권한과 책임의 명확화 • 행정의 전문성 제고 • 민주통제 용이 • 공직의 경직성 타파
단점	• 협조·조정이 어려움 • 인사배치의 융통성 저해 • 직업공무원제 확립 곤란 • 일반행정가 양성 곤란

계급제와 직위분류제의 비교

구분	계급제 (사람중심)	직위분류제 (직무중심)
분류 기준	개인의 자격, 신분, 능력	직무의 종류, 곤란도, 책임도
행정가	일반행정가 양성	전문행정가 양성
인사 운용· 배치	신축적, 탄력적	경직적, 할거주의 초래
공직의 경직성	경직성 높음	경직성 낮음
보수 체계	자격급, 생활급	직무급
임용	폐쇄형	개방형
신분 보장	강함	약함
적용 계층	상위계층	하위계층

정답

01 ② 02 ④ 03 ②

직무평가방법과 설명이 바르게 연결된 것은?
2016 국가 9급

> A. 서열법(job ranking)
> C. 점수법(point method)
>
> B. 분류법(classification)
> D. 요소비교법(factor comparison)

> ㄱ. 직무 전체를 종합적으로 판단해 미리 정해 놓은 등급기준표와 비교해가면서 등급을 결정한다.
> ㄴ. 대표가 될 만한 직무들을 선정하여 기준직무(key job)로 정해놓고 각 요소별로 평가할 직무와 기준 직무를 비교해가며 점수를 부여한다.
> ㄷ. 비계량적 방법을 통해 직무기술서의 정보를 검토한 후 직무 상호 간에 직무전체의 중요도를 종합적으로 비교한다.
> ㄹ. 직무평가표에 따라 직무의 세부 구성요소들을 구분한 후 요소별 가치를 점수화하여 측정하는데, 요소별 점수를 합산한 총점이 직무의 상대적 가치를 나타낸다.

	A	B	C	D
①	ㄱ	ㄴ	ㄷ	ㄹ
②	ㄱ	ㄷ	ㄹ	ㄴ
③	ㄷ	ㄴ	ㄱ	ㄹ
④	ㄷ	ㄱ	ㄹ	ㄴ

다음 중 직위분류제의 분류와 그 예시의 연결이 가장 옳지 않은 것은?
2016 서울 9급

① 직류 – 일반행정, 법무행정, 국제통상

② 직렬 – 행정, 세무, 관세, 교정

③ 직군 – 행정, 공안, 시설

④ 직위 – 관리관, 이사관, 서기관

직위분류제의 장점에 대한 설명으로 옳지 않은 것은?
2015 국가 7급

① 동일 직렬에서 장기간 근무하기 때문에 전문가 양성에 도움이 된다.

② 동일 직무를 수행하는 직원이 동일한 보수를 받도록 하는 직무급체계를 확립하는 것이 용이하다.

③ 직무의 성질·내용에 따라 공직을 분류하므로 채용·승진 등 인사배치를 위한 합리적 기준을 제공해 준다.

④ 특정 직위에 맞는 사람을 배치하는 제도이기 때문에 직위나 직무의 변화 상황에 신속히 대처할 수 있는 상황적응적인 인사제도라고 할 수 있다.

04

④ A-ㄷ, B-ㄱ, C-ㄹ, D-ㄴ이 옳게 연결되었다.

ㄱ-B. [O] 직무 전체를 종합적으로 판단해 미리 정해 놓은 등급기준표와 비교해가면서 등급을 결정하는 것은 분류법이다.

ㄴ-D. [O] 대표가 될 만한 직무들을 선정하여 기준직무(key job)로 정해놓고 각 요소별로 평가할 직무와 기준 직무를 비교해가며 점수를 부여하는 것은 요소비교법이다.

ㄷ-A. [O] 비계량적 방법을 통해 직무기술서의 정보를 검토한 후 직무 상호 간에 직무전체의 중요도를 종합적으로 비교하는 것은 서열법이다.

ㄹ-C. [O] 직무평가표에 따라 직무의 세부 구성요소들을 구분한 후 요소별 가치를 점수화하여 측정하는 방식으로, 요소별 점수를 합산한 총점이 직무의 상대적 가치를 나타내는 것은 점수법이다.

05

④ 관리관, 이사관, 서기관 등은 등급에 해당한다. 등급은 직무의 종류는 다르지만 직무수행의 책임도와 자격요건이 상당히 유사하여 동일한 보수를 지급할 수 있는 직위의 횡적 군을 의미한다.

① 직류(sub-series)란 동일한 직렬 내에서 담당분야가 유사한 직무의 군으로서 행정의 전문화를 위하여 직렬을 좀 더 세분화한 것이다.

② 직렬(series)이란 직무의 종류는 유사하고 그 책임과 곤란성의 정도가 상이한 직급의 군을 의미한다.

③ 직군(group)이란 직무의 종류가 광범위하게 유사한 직렬의 군을 의미한다.

06

④ 직위분류제는 직무의 종류와 책임의 수준을 종횡으로 구분하여 직위의 분류구조를 형성하는 것으로, 운영절차가 번잡하고 인사배치의 융통성이 부족하여 직위나 직무의 변화 상황에 신속히 대처하지 못한다는 단점이 있다.

① 직무중심적 인사행정을 수행할 수 있게 하여 전문가 양성에 도움이 된다.

② 직위분류제는 자신이 담당하는 직무의 가치에 따라 보수가 다르기 때문에 보수의 공정성이 매우 높다. 동일직무 동일보수의 원칙 확립에 용이하다.

③ 노동의 전문화와 조직설계의 체계화를 촉진함으로써 합리적 인사운영에 기여하게 된다는 특징이 있다.

포인트 정리

직무평가 방법

구분	비계량적 방법	계량적 방법	
직무와 직무의 비교	서열법	요소 비교법	상대 평가
직무와 기준표의 비교	분류법 (등급 기준표)	점수법 (직무평가 기준표)	절대 평가

직위분류제의 구조

직위	한 사람의 근무를 필요로 하는 직무와 책임
직류	동일한 직렬 내에서 담당분야가 동일한 직무의 군
직렬	직무의 종류는 유사하나 곤란도·책임도가 상이한 직급의 군
직군	직무의 성질이 유사한 직렬의 군
직급	직무의 종류·곤란도·책임도가 상당히 유사한 직위의 군
등급	직무의 종류는 다르지만 직무수행의 책임도와 자격요건이 유사하여 동일한 보수를 지급할 수 있는 직위의 횡적인 군

정답

04 ④ 05 ④ 06 ④

07 다음 〈보기〉 중 옳은 것은 모두 몇 개인가?

2012 경찰간부

> **보기**
>
> ㉠ 직위분류제는 미국의 인간관계론의 영향을 받아 동일직무, 동일보수의 원칙을 구현하였다.
> ㉡ 직렬이란 직무의 종류는 유사하나 곤란도·책임도가 상이한 직급의 군을 말한다.
> ㉢ 중앙과 지방에 도입된 고위공무원단 제도는 성과와 경쟁을 강조한다.
> ㉣ 고위공무원단 제도는 인사체제를 개방하기 때문에 행정의 비분절화 현상을 야기한다.
> ㉤ 계급제는 직위분류제에 비해 인사배치의 융통성이 없다.

① 1개　　　　　　　　② 2개
③ 3개　　　　　　　　④ 4개

08 계급제와 직위분류제에 관한 설명으로 가장 옳지 않은 것은?　　　2009 국회 9급

① 계급제에서는 인적자원의 외부로부터의 충원이 제한적이다.
② 직위분류제에서는 인사업무, 예산업무, 정책집행업무 등 서로 다른 직무 간의 상호 이동이 어렵다.
③ 직위분류제에서는 직무의 전문성을 중심으로 운영되기 때문에 신분보장이 강화된다.
④ 계급제에서는 직무에 따른 보수의 형평성이 직위분류제보다 낮다.
⑤ 계급제에서는 인적자원을 탄력적으로 운용할 수 있다.

CHAPTER 10　공무원 임용, 모집

실질적 **력**(역량) **업**그레이드

01 공무원의 임용에 대한 설명으로 옳지 않은 것은?　　　2020 군무원 9급

① 신규채용은 공개경쟁 채용시험을 통해 채용하지만 퇴직 공무원의 재임용의 경우에는 경력경쟁채용시험에 의한다.
② 전입은 국회·행정부·지방자치단체 등 서로 다른 기관에 소속되어 있는 공무원의 인사이동을 의미한다.
③ 고위공무원단이나 그에 상응하는 계급으로의 승진은 능력과 경력을 고려하며, 5급으로의 승진은 별도의 승진시험을 거쳐야 한다.
④ 국가직은 고위공무원단을 포함한 1급~2급에 해당하는 직위 모두를 개방형 직위로 간주한다.

07

① ⓛ만 옳다.

ⓛ [O] 직렬에 대한 설명이다.

㉠ [X] 직위분류제는 엽관주의의 폐해를 극복하기 위한 과학적 관리론 및 실적주의의 영향을 받은 인사 제도로 동일직무, 동일보수의 원칙을 구현하였다.

ⓒ [X] 고위공무원단은 지방에는 도입되지 않은 제도이다.

ⓔ [X] 고위공무원단 제도는 고위직은 정치논리로, 하위직은 기업논리로 운영되어 행정의 분절화 현상이 초래될 수 있다.

ⓜ [X] 인사배치의 융통성 확보는 계급제의 장점이다.

08

정답 : ③

③ 직위분류제는 직무를 중심으로 공무원을 분류하는 제도로서 일반적으로 모든 계층에서 신규채용이 허용되나 종신고용을 전제로 하지 않고 계급제보다 신분보장이 약하다.

① 계급제에서는 폐쇄형 충원체제를 갖기 때문에 외부로부터 인적 자원의 충원이 제한적이다.

② 직위분류제는 전문행정가를 중시하기 때문에 서로 다른 직무 간 상호이동이 어렵다.

④ 직위분류제는 자신이 담당하는 직무의 가치에 따라 보수가 다르며 보수의 공정성이 높은 편이나, 계급제에서는 단순한 보수체계 확립에 도움을 주는 생활급적 요소를 취하기 때문에 보수의 형평성이 직위분류제보다 낮다.

⑤ 계급제는 일반행정가를 중시하므로 전직과 전보가 탄력적으로 이루어지기 때문에, 관리자 입장에서는 탄력적 인사 운영이 가능하다.

01

정답 : ③, ④

③ 5급으로의 승진은 별도의 승진시험을 거치되 필요시 승진심사위원회의 심사만으로도 임용이 가능하다.

④ 국가직 공무원은 1급~3급(일부)의 계급구분을 폐지하고 고위공무원단 제도가 도입되었으며 고위공무원단 직위 중 20% 범위 내에서 개방형 직위를 지정한다.

① 신규채용은 공개경쟁채용시험 또는 경력경쟁채용시험을 통해 채용하며, 퇴직 공무원의 재임용의 경우 경력경쟁채용시험에 의하기도 한다.

② 전입은 인사관할을 달리하는 국회·법원·헌법재판소·선거관리위원회·행정부 간에 이동하는 것으로, 지방자치단체도 포함된다.

📌 포인트 정리

계급제 장단점

장점	• 인사의 융통성 확보 • 신분보장, 경력발전 • 안목과 창의력 계발 • 적재적소 인사배치
단점	• 행정의 전문성 저하 • 특권집단화(폐쇄집단화) • 공직의 경직성 • 집단이익 옹호 • 환경 대응성 저하 • 연공서열에 의한 무능

공무원임용령 제34조(5급 공무원으로의 승진임용) ① 6급 공무원을 5급 공무원으로 승진임용하려는 경우(우정직공무원의 경우에는 우정3급 공무원을 우정2급 공무원으로 승진임용하려는 경우를 말한다)에는 승진시험 또는 보통승진심사위원회의 심사를 거쳐 임용하여야 한다.

정답

07 ① 08 ③ 01 ③, ④

02 우리나라 공무원 시보임용제도에 관한 설명으로 옳지 않은 것은?

2020 행정사

① 공무원시험에 합격한 사람들의 공직 적격성을 심사하고 공무원 실무능력 배양을 위해 존재한다.

② 국가공무원법에 의하면 공무원의 시보기간은 3개월이다.

③ 시보기간 중 근무성적이 좋으면 정규공무원으로 임용한다.

④ 시보기간 중 교육훈련 성적이 나쁘거나 공무원으로서의 자질이 부족하다고 판단되는 경우 면직될 수 있다.

⑤ 시보기간 중 휴직한 기간, 직위해제 기간 및 징계에 따른 정직이나 감봉 처분을 받은 기간은 시보 임용기간에 산입되지 않는다.

03 우리나라 공무원의 시보임용에 관한 설명으로 옳지 않은 것은?

2013 행정사

① 임용권자는 시보임용 기간 중에 있는 공무원의 근무상황을 항상 지도·감독하여야 한다.

② 시보기간 중 근무성적이 좋으면 정규공무원으로 임용한다.

③ 시보기간은 시보공무원에게 행정실무의 습득기회를 제공하는 것이다.

④ 시보임용은 공무원으로서 적격성 여부를 판단하는 선발과정의 일부이다.

⑤ 시보공무원은 일종의 교육훈련 과정으로 교육에만 전념할 수 있도록 정규 공무원과 동일하게 공무원 신분을 보장한다.

04 공무원 임용결격사유에 관한 것 중 틀린 것은?

2004 부산 9급(수정)

① 피성년후견인, 피한정후견인

② 징계에 의하여 파면의 처분을 받은 때로부터 5년을 경과하지 아니한 자

③ 금고 이상의 형을 받고 그 집행이 종료되거나 집행을 받지 아니하기로 확정된 후 5년을 경과하지 아니한 자

④ 금고 이상의 형을 받고 그 집행유예의 기간이 완료된 날로부터 5년을 경과하지 아니한 자

02

② 국가공무원법에 의하면 5급 공무원은 1년, 6급 이하의 공무원은 6개월간 각각 시보로 임용한다.

① 시보제도는 공무원시험에 합격한 사람들의 공직 적격성을 심사하고 공무원 실무능력 배양을 위해 존재하는 것으로 채용의 연장선으로 본다.

③ 시보기간중 근무성적이 좋으면 정규공무원으로 임용한다.

④ 시보기간 중 교육훈련 성적이 나쁘거나 공무원으로서의 자질이 부족하다고 판단되는 경우 면직될 수 있다.

⑤ 시보기간 중 휴직한 기간, 직위해제 기간 및 징계에 따른 정직이나 감봉 처분을 받은 기간은 시보 임용 기간에 산입되지 않는다.

03

⑤ 시보기간 동안에는 신분보장이 제한적이다. 시보기간 중 근무성적이 양호한 경우에 정규공무원으로 임용되며, 시보기간 중 근무성적 및 교육훈련성적이 불량할 경우에는 면직이 가능하고, 면직되어도 소청을 제기할 수 없다.

① 공무원임용령 제23조의 내용으로 임용권자는 시보임용 기간 중에 있는 공무원의 근무상황을 지도·감독하여야 한다.

② 시보기간 중 근무성적이 좋은 경우 정규공무원으로 임용된다.

③ 시보임용은 채용후보자로 하여금 현장에서 실무를 미리 습득하게 함으로써 공직에의 습득기회를 제공하는 것이다.

④ 시보임용은 공무원으로서 적격성 여부를 판단하는 것으로 공무원 선발과정의 연장으로 볼 수 있다.

04

④ 금고 이상의 형을 받고 그 집행유예의 기간이 완료된 날로부터 2년을 경과하지 아니한 자가 임용결격사유에 해당한다.

①, ②, ③ 공무원 임용결격사유에 해당한다.

포인트 정리

국가공무원법 제29조(시보 임용) ① 5급 공무원(제4조제2항에 따라 같은 조 제1항의 계급 구분이나 직군 및 직렬의 분류를 적용하지 아니하는 공무원 중 5급에 상당하는 공무원을 포함한다. 이하 같다)을 신규 채용하는 경우에는 1년, 6급 이하의 공무원을 신규 채용하는 경우에는 6개월간 각각 시보(試補)로 임용하고 그 기간의 근무성적·교육훈련성적과 공무원으로서의 자질을 고려하여 정규 공무원으로 임용한다. 다만, 대통령령등으로 정하는 경우에는 시보 임용을 면제하거나 그 기간을 단축할 수 있다.

③ 시보 임용 기간 중에 있는 공무원이 근무성적·교육훈련성적이 나쁘거나 이 법 또는 이 법에 따른 명령을 위반하여 공무원으로서의 자질이 부족하다고 판단되는 경우에는 제68조와 제70조에도 불구하고 면직시키거나 면직을 제청할 수 있다. 이 경우 구체적인 사유 및 절차 등에 필요한 사항은 대통령령등으로 정한다.

임용결격사유

- 피성년후견인 또는 피한정후견인
- 파산자로서 복권되지 아니한 자
- 금고이상 형을 받고 집행이 종료된 후 5년 미경과자
- 금고이상 형을 받고 집행유예의 기간 완료 후 2년 미경과자
- 금고이상 형의 선고유예기간 중에 있는 자
- 법원의 판결,법률에 의하여 자격 상실 또는 정지된 자
- 직무관련 횡령죄로 300만원 이상 벌금형 확정 후 2년 미경과자
- 해임 처분 후 3년을 경과하지 아니한 자
- 파면 처분 후 5년을 경과하지 아니한 자

정답

02 ② 03 ⑤ 04 ④

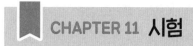
01 다음에서 사용한 신뢰성·타당성의 검증 방법으로 옳은 것은? 2019 국회 9급

> 국회사무처 직원 선발 시험에 합격한 사람들의 채용시험 성적과 1년 후 근무성적을 비교하여 검증한다.

① 내용타당성　　　　　② 재시험법　　　　　③ 동질이형법

④ 기준타당성　　　　　⑤ 구성타당성

02 선발시험의 효용성 기준에 관한 설명으로 옳지 않은 것은? 2017 경찰간부

① 시험문제가 지나치게 어려워 대부분 수험생들의 성적이 거의 60점 이하로 분포되어 우수한 사람과 열등한 사람을 구별하기가 어려웠다면 내용타당성이 낮다고 말할 수 있다.

② 같은 시험을 같은 집단에 시간간격을 두고 두 번 실시하여 성적을 비교한 결과 비슷한 분포를 이루는 것으로 나타났다면 시험의 신뢰도가 높다고 본다.

③ 시험문제가 주관식(서술형)이었는데, 채점위원 A교수의 채점 결과 평균점수와 다른 시험위원 B교수의 채점결과 평균점수가 상당한 차이를 보였다면 시험의 객관도가 낮다고 여겨진다.

④ 우수한 성적을 받고 합격한 사람들이 실제 임용 후에도 일을 잘 하는 것으로 조사되었다면 시험의 기준타당성이 높다고 본다.

03 소방공무원의 선발시험에 대한 신뢰성과 타당성의 검증방법에 대한 연결로 옳지 않은 것은? 2014 지방 7급

① 동질이형법(equivalent forms) – 내용과 난이도에 있어 동질적인 Ⓐ, Ⓑ책형을 중앙소방학교 교육후보생들을 대상으로 시험을 보게 한 후, 두 책형의 성적 간 상관관계를 분석한다.

② 내용타당성 – 소방공무원을 선발하고자 할 때 그 직무에 정통한 전문가의 의견을 들어 선발시험의 내용을 구성한다.

③ 기준타당성 – 소방직 시험에 합격한 사람들에게 3개월 뒤 같은 문제로 시험을 보게 하여 두 점수간의 상관관계를 분석한다.

④ 구성타당성 – 지원자의 근력·지구력 등을 측정하기 위해 새로 만든 시험방법을 통해 측정한 점수와 기존의 시험방법으로 측정한 결과 간의 상관관계를 분석한다.

01

④ 기준타당성은 시험이 측정하려고 하는 바를 실제로 측정할 수 있는 정도로 선발시험성적과 업무수행실적의 상관계수 측정을 통하여 검증한다.

① 내용타당성은 측정하고자 하는 것이 얼마나 시험에 반영되고 있는지의 여부로 직무수행에 필요한 지식, 기술, 태도 등을 제대로 측정할 수 있는 정도를 의미한다.

② 재시험법은 신뢰도를 검증하는 방법의 일종으로 같은 시험을 시간간격을 두고 같은 집단에 두 번 실시하여 성적을 비교하는 방법이다.

③ 동질이형법은 신뢰도를 검증하는 방법의 일종으로 내용과 난이도에 있어 동질적인 A, B책형을 시험 본 뒤 두 책형의 성적 간 상관관계를 분석하는 방법이다.

⑤ 구성타당성은 연구에서 이용된 이론적 구성개념과 이를 측정하는 측정수단 간에 일치하는 정도를 의미한다.

02

① 난이도에 대한 설명이다. 내용타당성은 직무수행에 필요한 능력요소의 내용이 시험문제에 부합하는 정도를 의미한다.

② 시험의 신뢰도는 시험이 측정수단으로서 갖는 일관성을 의미하는 것으로 동일한 사람이 동일한 시험을 다른 시간에 치르는 경우 그 성적 차이가 작을수록 신뢰도는 높다고 본다.

③ 시험의 객관도는 채점자의 편견이나 주관적 판단에 의하여 시험이 영향을 받지 않는 정도를 의미하는 것으로 여러 다른 채점자가 동일 답안을 채점한 결과의 차이가 적을수록 객관도가 높다.

④ 기준타당성은 시험성적과 본래 시험에서 예측하고자 했던 기준 사이에 얼마나 밀접한 상관관계가 있느냐에 대한 것으로 시험성적과 비교할 직무수행실적의 기준을 타당하게 결정하기가 어렵다.

03

③ 소방직 시험에 합격한 사람들에게 3개월 뒤 같은 문제로 시험을 보게 하여 두 점수간의 상관관계를 분석하는 것은 재시험법에 의한 신뢰도 검증방법에 해당한다. 한편 기준타당도는 시험성적과 근무성적을 비교하여 검증하는 방법이다.

① 책형(시험의 형식)을 달리하여 측정결과를 비교하는 것은 동질이형법에 의한 신뢰도 검증방법에 해당한다.

② 내용타당도는 직무수행에 필요한 능력요소와 시험문제의 부합 정도인데, 전문가에 의한 문항검증이나 내용분석 등은 내용타당도 검증이다.

④ 구성타당도는 이론적으로 구성된 능력요소를 얼마나 정확하게 측정할 수 있느냐의 정도로, 근력·지구력 등 추상적인 능력을 측정하기 위해 새로 개발한 시험방법을 통해 측정한 점수와 기존의 시험방법으로 측정한 결과 간의 상관관계를 분석한다.

타당도의 비교

구분	판단기준	검증방법
기준 타당도	시험성적과 업무수행실적 간의 상관관계	• 예측적 검증 • 동시적 검증
내용 타당도	직무수행에 필요한 능력요소와 시험문제의 부합정도	전문가에 의한 내용분석
구성 타당도	이론적으로 추정한 능력요소와 시험문제의 부합정도	• 수렴적 타당도 • 차별적 타당도

정답

01 ④ 02 ① 03 ③

04 공무원 채용시험의 효용도의 기준(요건)에 관한 설명으로 옳은 것은 모두 몇 개인가?

(right top) 2012 해경간부

2012 해경간부

> ⊙ 구성타당성(construct validity)이란 이론적으로 추정한 능력요소와 시험문제의 부합정도를 말한다.
> ⓒ 동시적 타당성 검증과 예측적 타당성 검증은 구성타당성을 검증하는 수단이다.
> ⓒ 내용타당성(content validity)이란 시험내용이 직위의 의무와 책임에 직접적으로 관련되는 능력요소들, 즉 직무수행에 필요한 지식, 기술, 태도 등을 제대로 측정할 수 있는 정도를 말 한다.
> ② 시험의 신뢰성은 시험결과로 나온 성적의 일관성을 의미한다.
> ⑩ 재시험법, 복수양식법, 이분법 등은 신뢰성을 검증하는 수단이다.

① 2개   ② 3개

③ 4개   ④ 5개

05 선발시험의 효용성에 대한 설명으로 옳지 않은 것은?

2010 국회 8급

① 신뢰성은 시험 그 자체의 문제이지만, 타당성은 시험과 기준과의 관계를 말한다.

② 신뢰성이 높다고 해서 반드시 타당성이 높은 시험이라고 할 수 없다.

③ 타당성의 기준 측면이 되는 것은 근무성적, 결근율, 이직률 등이다.

④ 재시험법, 복수양식법, 이분법 등은 신뢰성을 검증하는 수단이다.

⑤ 동시적 타당성 검증과 예측적 타당성 검증은 구성타당성을 검증하는 수단이다.

CHAPTER 12 능력발전

실질적 **력**(역량) **업**그레이드

01 근무성적평정상의 오류에 대한 설명으로 옳지 않은 것은?

2023 지방 9급

① 평정자가 피평정자를 잘 모르는 경우 집중화 경향이 발생할 수 있다.

② 평정자의 평정기준이 일정하지 않은 경우 총계적 오류(total error)가 발생할 수 있다.

③ 연쇄효과(halo effect)는 초기 실적이나 최근의 실적을 중심으로 평가함으로써 발생하는 시간적 오류를 의미한다.

④ 관대화 경향의 폐단을 막기 위해 강제배분법을 활용할 수 있다.

04

③ ㉠, ㉢, ㉣, ㉤이 옳은 내용이다.

㉠ [O] 구성타당도는 이론적으로 구성한 능력요소를 제대로 측정한 정도를 의미한다.

㉢ [O] 내용타당성은 직무수행에 필요한 능력요소를 제대로 측정한 정도를 의미한다.

㉣ [O] 시험의 신뢰성은 시험시기·장소·채점자를 달리하여도 항상 동일한 결과를 얻는 정도이다.

㉤ [O] 시험을 두 차례 실시하는 재시험법·동질이형법과 시험을 한 차례 실시하는 이분법·문항 간 일관성 검증법이 신뢰도 검증방법으로 사용된다.

㉡ [X] 동시적 타당성 검증과 예측적 타당성 검증은 기준타당성을 검증하는 수단이다.

05

⑤ 동시적 타당성 검증과 예측적 타당성 검증은 기준타당성을 검증하는 수단이다.

① 신뢰성은 시험 그 자체의 문제를 의미하고, 타당성은 시험과 기준과의 관계를 의미한다.

② 신뢰성은 타당성의 필요조건이지 충분조건은 아니므로 신뢰성이 낮으면 타당성은 낮아지지만, 타당도가 낮다고 하여 신뢰도가 반드시 낮다고 할 수는 없다.

③ 근무성적, 결근율, 이직률 등은 타당성에서 기준측면에 해당하는 요소이다.

④ 신뢰도 검증방법으로는 시험을 두 차례 실시하는 재시험법, 동질이형법, 시험을 한 차례 실시하는 이분법, 문항 간 일관성 검증 등이 있다.

01

③ 최근의 실적을 중심으로 평가함으로써 발생하는 오류는 근접효과이다.

① 분포상의 오류로서 집중화, 엄격화, 관대화의 경향이 있다.

② 총계적 오류는 불규칙으로 나타나는 오류이다.

④ 관대화 경향 등 분포상의 오류는 강제배분법으로 방지할 수 있다.

포인트 정리

기준타당성 검증방법

예측적 타당성	합격자의 시험성적과 합격 후 일정기간이 흐른 다음 근무성적을 추적하여 비교
동시적 타당성	재직자들에게 시험을 치르게 하여 그들의 근무성적과 시험성적을 비교

시험의 효용도

타당도	시험이 측정하고자 하는 내용(직무수행능력)을 얼마나 정확하게 측정했는지의 정도
신뢰도	시험이 측정도구로써 가지는 일관성의 정도
객관도	채점의 공정성
난이도	쉬운 문제와 어려운 문제의 혼합비율의 적정도
실용도	실시 비용의 저렴성 및 실시와 채점의 용이성

인사행정론

PART 4

해커스공무원 마니행정학 기출 빅데이터 실력업

02 우리나라 다면평정법에 대한 설명으로 가장 적절하지 않은 것은?

2021 경정승진

① 360도 평정법, 집단평정법 등의 용어로 사용되기도 한다.

② 다면평가의 평가자 집단은 다면평가 대상 공무원의 실적 능력 등을 잘 아는 업무 관련자로 구성하되, 소속 공무원의 인적 구성을 고려하여 공정하게 대표되도록 구성하여야 한다.

③ 다면평가 결과는 그 평가 대상 공무원에게 공개할 수 있다.

④ 다면평가의 평가자에 피평가자의 상급 또는 상위 공무원, 동료, 하급 또는 하위 공무원은 포함되지만, 민원인은 참여할 수 없다.

03 근무성적평정 과정상의 오류와 완화방법에 대한 설명으로 옳지 않은 것은?

2021 국가 9급

① 일관적 오류는 평정자의 기준이 다른 사람보다 높거나 낮은 데서 비롯되며 강제배분법을 완화방법으로 고려할 수 있다.

② 근접효과는 전체 기간의 실적을 같은 비중으로 평가하지 못할 때 발생하며 중요사건기록법을 완화방법으로 고려할 수 있다.

③ 관대화 경향은 비공식집단적 유대 때문에 발생하며 평정결과의 공개를 완화방법으로 고려할 수 있다.

④ 연쇄효과는 도표식 평정척도법에서 자주 발생하며 피평가자별이 아닌 평정요소별 평정을 완화방법으로 고려할 수 있다.

04 근무성적평정의 방법에 대한 설명으로 가장 적절하지 않은 것은?

2019 경정승진

① 목표관리제 평정법은 결과중심의 평정방법으로서 개인간 능력이나 성과를 비교하기 곤란하다.

② 평정오류 중 연쇄화경향을 방지하기 위한 방법으로 강제배분법이 효과적으로 활용될 수 있다.

③ 체크리스트법은 평정서에 나열된 평정요소에 대한 설명이나 질문을 보고 평정자가 피평정자에게 해당하는 것을 골라 표시하는 방법으로 이루어진다.

④ 중요사건기록법은 피평정자와의 상담을 촉진하는데 유용하고, 사실에 근거한 평가가 가능하지만, 이례적인 행동을 지나치게 강조하게 될 위험이 있다.

02

정답 : ④

④ 다면평가의 평가자에 피평가자의 상급 또는 상위 공무원, 동료, 하급 또는 하위 공무원 및 민원인 모두 참여할 수 있다.

① 다면평정법은 감독자 뿐 아니라 부하, 동료, 민원인까지 평가자에 참여시키므로 360도 평정법, 집단평정법이라고도 한다.

② 다면평가의 평가자 집단은 익명성을 확보하고 평가 대상 공무원의 실적·능력 등을 잘 아는 업무 유관자로 구성하되 소속 공무원의 인적 구성을 고려하여 공정하게 대표되도록 구성하여야 한다.

③ 다면평가의 결과는 해당 공무원에게 공개하고 통보하여 능력발전을 위한 피드백의 장치로 활용하도록 한다.

03

정답 : ③

③ 관대화 경향은 상관이 부하와의 인간관계를 고려하여 실제보다 후한 점수를 주는 경향으로, 이를 방지하기 위해서는 평정결과를 비공개로 하거나 강제배분법을 활용한다.

① 일관적(규칙적) 오류는 한 평정자가 다른 평정자보다 일관적으로 과대 또는 과소평가하는 것으로, 평정자의 기준이나 가치관에 의해 언제나 좋은 점수 또는 나쁜 점수를 주는 것으로 이를 방지하기 위해 강제배분법을 활용한다.

② 근접효과는 최근의 사건, 평정직전의 실적이나 능력을 중심으로 평가하는 것으로 이를 방지하기 위해 독립된 평가센터의 설치, MBO평정 및 중요사건기록법을 활용한다.

④ 연쇄효과는 특정 평정요소의 결과가 다른 평정요소에 영향을 미치거나 피평정자의 전반적인 인상에 평정에 영향을 주는 것으로 도표식 평정에서 자주 발생하며, 이를 방지하기 위해 요소마다 용지를 달리하거나 한 평정요소에 대하여 피평정자의 전원을 평가한 후에 다음 요소를 평가하는 방식 등을 활용한다.

04

정답 : ②

② 평정오류 중 연쇄화경향을 방지하기 위한 방법으로 강제선택법이 효과적으로 활용될 수 있다. 한편 강제배분법은 분포상의 착오(관대화, 집중화, 엄격화 경향)를 방지하기 위한 방법이다.

① 목표관리제 평정법은 목표설정과정에서 개인의 능력 및 태도가 반영되지만 실제 평가에서는 활동결과만을 대상으로 하는 결과중심의 방법으로, 개인 간의 능력이나 성과를 비교하기 곤란하다는 단점이 있다.

③ 체크리스트법은 평정요소가 구체적이고 명확하여 다른 방법에 비해 평정방법이 비교적 쉬운 편이나 평정요소에 관한 평정항목을 만들기 곤란하다는 단점이 있다.

④ 중요사건기록법은 일정기간 동안 발생한 중요한 사건을 기록해 두었다를 이를 평정하는 방법으로 평정 상담 과정에서 평정대상자의 행동이나 태도 개선 등을 유도할 수 있다.

포인트 정리

다면평정의 장단점

장점	• 공정성 · 객관성 · 신뢰성 제고 • 분권화 촉진 • 민주적 리더십 발전 • 공정한 평가로 동기유발과 자기개발 촉진
단점	• 갈등과 스트레스 • 절차의 복잡성과 시간소모 • 형평성 · 신뢰성 · 정확성 저하 우려 • 포퓰리즘으로 인한 목표의 왜곡

정답

02 ④ 03 ③ 04 ②

05 역량평가에 대한 설명으로 옳은 것만을 모두 고르면?

> ㄱ. 역량은 조직의 평균적인 성과자의 행동특성과 태도를 의미한다.
> ㄴ. 다수의 훈련된 평가자가 평가대상자가 수행하는 역할과 행동을 관찰하고 합의하여 평가결과를 도출한다.
> ㄷ. 고위공무원단 역량평가의 대상은 문제인식, 전략적 사고, 성과지향, 변화관리, 고객만족, 조정·통합의 6가지 역량으로 구성되어 있다.
> ㄹ. 고위공무원단 후보자가 되기 위해서는 역량평가를 거친 후 반드시 고위공무원단 후보자 교육과정을 이수해야 한다.

① ㄱ, ㄴ   ② ㄱ, ㄹ

③ ㄴ, ㄷ   ④ ㄷ, ㄹ

06 성과평가제도에 대한 설명으로 옳은 것은?

① 일반직공무원의 근무성적평정은 크게 5급 이상을 대상으로 한 '성과계약 등 평가'와 6급 이하를 대상으로 한 '근무성적평가'로 구분된다.

② '성과계약 등 평가'는 정기평가와 수시평가로 나눌 수 있으며, 정기평가는 6월 30일과 12월 31일을 기준으로 연 2회 실시한다.

③ 다면평가는 평가의 객관성과 공정성을 제고할 수 있으나 각 부처가 반드시 이를 실시해야 하는 것은 아니다.

④ 역량평가제도는 5급 신규 임용자를 대상으로 업무수행에 충분한 역량을 보유하고 있는지를 평가한다.

07 경력개발의 원칙에 관한 설명으로 옳지 않은 것은?

① 적재적소의 원칙이 준수되기 위해서는 조직 내에 있는 직무의 자격·능력요건과 공무원의 적성·능력구조에 대한 정보를 충분히 파악할 필요가 있다.

② 승진(보직)경로의 원칙은 조직 내의 모든 직위를 수 개의 전문 분야와 공통 분야로 구분하고, 특정 공무원의 경력·전공 등을 종합적으로 고려하여 전문 분야를 지정하여야 한다는 것을 의미한다.

③ 경력개발은 외부충원을 통해 조직에 필요한 인재를 지속적으로 적시에 확보할 수 있는 인재양성의 원칙을 준수해야 한다.

④ 경력개발은 직급이 아닌 직무 중심의 경력계획을 세우고, 직무에서 요구되는 필요 역량의 개발에 중점을 두어야 한다.

05

③ ㄴ, ㄷ이 옳은 내용이다.

ㄴ. [O] 역량평가는 구성원들이 조직에서 직면하는 직무상황과 유사한 모의상황을 평가대상자에게 제시하여 다수의 훈련된 전문 평가자가 주어진 과제에 대해 수행하는 역할과 행동을 관찰하고 합의하여 평가결과를 객관적으로 도출하는 것을 의미한다.

ㄷ. [O] 고위공무원단 인사규칙에 따르면 고위공무원단 평가대상 역량은 문제인식, 전략적 사고, 성과지향, 변화관리, 고객만족 조정·통합의 6가지로 구성되어 있다.

ㄱ. [X] 역량은 조직에서 가장 높은 성과를 나타내는 우수 성과자(고성과자)의 행동특성과 태도를 의미한다.

ㄹ. [X] 고위공무원단 후보자는 고위공무원단 후보자 교육과정을 마치고 역량평가를 통과한 3·4급 공무원이 된다.

06

③ 다면평가제는 보다 공정하고 객관적인 평정을 가능하게 하며, 평정결과에 대한 당사자들의 승복을 받아내기 쉽고 다면평가를 통해 능력과 성과중심의 인사관리가 이루어질 경우, 개인의 행태변화에 긍정적인 역할을 미친다. 다면평가제도는 1999년 임의규정으로 도입된 후 2003년에 강행규정으로 전환되었다가 2008년 다시 임의규정으로 완화되었다.

① 일반직 공무원의 근무성적 평정은 크게 4급 이상을 대상으로 한 '성과계약 등 평가'와 5급 이하를 대상으로 한 '근무성적평가'로 구분된다.

② '근무성적평가'는 정기평가와 수시평가로 나눌 수 있으며, 정기평가는 6월 30일과 12월 31일을 기준으로 연 2회 실시한다. 한편 '성과계약 등 평가'는 12월 31일을 기준으로 연 1회 실시한다.

④ 역량평가제는 고위공무원단제도의 도입에 따라 고위공무원으로서 요구되는 역량을 구비했는지를 사전에 검증하는 제도적 장치로 도입되었으며, 고위공무원의 역량평가는 고위공무원으로 신규채용 되려는 사람 또는 4급 이상 공무원이 고위공무원단 직위로 승진임용되거나 전보되려는 사람을 대상으로 임용 전에 실시하는 제도이다.

07

③ 경력개발은 경력발전 관리에 있어서 원칙적으로 외부충원이 아니라 조직내부에서 자체적으로 후진을 양성하여 인재를 확보할 수 있는 인재육성(양성)의 원칙을 준수해야 한다.

① 적재적소(배치)의 원칙은 적성·능력과 직무간의 조화를 중시하는 원칙이다.

② 승진(보직)경로의 원칙은 적합한 승진경로모형을 적용하는 원칙이다.

④ 경력개발은 직급 중심이 아닌 직무와 역량 중심의 원칙을 기본으로 한다.

📑 포인트 정리

고위공무원단 역량평가 대상

문제인식	정보의 파악 및 분석을 통해 문제를 적시에 감지·확인하고 문제와 관련된 다양한 사안을 분석하여 문제의 핵심을 규명
전략적 사고	장기적인 비전과 목표를 설정하고 이를 실행하기 위한 대안의 우선순위를 명확히 하여 추진방안을 확정
성과지향	주어진 업무의 성과를 극대화하기 위한 다양한 방안을 강구하고, 목표달성과정에서도 효과성과 효율성을 추구
변화관리	환경 변화의 방향과 흐름을 이해하고, 개인 및 조직이 변화상황에 적절하게 적응 및 대응하도록 조치
고객만족	업무와 관련된 상대방을 고객으로 인식하고 고객이 원하는 바를 이해하고 그들의 요구를 충족시키려 노력
조정·통합	이해당사자들의 이해관계 및 갈등상황을 파악하여 균형적 시각에서 판단하여 합리적인 해결책을 제시

경력개발의 원칙

적재적소의 원칙	적성·능력과 직무간 조화
승진경로의 원칙	적합한 승진경로모형 적용
인재양성의 원칙	외부영입이 아닌 인재내부 양성 원칙
직무와 역량중심	직급이 아닌 직무가 요구하는 역량 개발에 중점
개방 및 공정경쟁	경력개발의 기회 균등 부여
자기주도의 원칙	경력목표와 경력계획을 스스로 수립

정답

05 ③ 06 ③ 07 ③

08 다음 설명에 해당하는 공무원 평정제도를 바르게 짝지은 것은?

2015 사복 9급

> ㄱ. 고위공무원단제도의 도입에 따라 고위공무원으로서 요구되는 역량을 구비했는지를 사전에 검증하는 제도적 장치로 도입되었다.
> ㄴ. 직무분석을 통해 도출된 성과책임을 바탕으로 성과목표를 설정·관리·평가하고, 그 결과를 보수 혹은 처우 등에 적용하는 일련의 과정을 거친다.
> ㄷ. 행정서비스에 관한 다방향적 의사전달을 촉진하며 충성심의 방향을 다원화하는 데 기여할 수 있다.
> ㄹ. 공무원의 능력, 근무성적 및 태도 등을 평가해 교육훈련 수요를 파악하고, 승진 및 보수결정 등의 인사관리자료를 얻는 데 활용한다.

	ㄱ	ㄴ	ㄷ	ㄹ
①	역량평가제	직무성과관리제	다면평가제	근무성적평정제
②	다면평가제	역량평가제	근무성적평정제	직무성과관리제
③	역량평가제	근무성적평정제	다면평가제	직무성과관리제
④	다면평가제	직무성과관리제	역량평가제	근무성적평정제

09 다음 중 근무성적평정에 대한 설명으로 옳지 않은 것은?

2014 국회 8급

① 원칙적으로 5급 이상 공무원을 대상으로 하며 평가대상 공무원과 평가자가 체결한 성과계약에 따른 성과목표 달성도 등을 평가한다.

② 정부의 근무성적평정방법은 다원화되어 있으며, 상황에 따라 신축적인 운영이 가능하다.

③ 행태기준척도법은 평정의 임의성과 주관성을 배제하기 위하여 도표식평정척도법에 중요사건기록법을 가미한 방식이다.

④ 다면평가는 보다 공정하고 객관적인 평정이 가능하게 하며, 평정 결과에 대한 당사자들의 승복을 받아내기 쉽다.

⑤ 어느 하나의 평정요소에 대한 평정자의 판단이 다른 평정요소의 평정에 영향을 미치는 현상을 연쇄적 착오라 한다.

08

① ㄱ-역량평가, ㄴ-직무성과관리, ㄷ-다면평가, ㄹ-근무성적평정에 해당한다.

ㄱ. 역량평가 – 각 부처에서 소속 공무원이 직무를 성공적으로 수행하기 위해 필요한 능력과 자질(역량)을 성정하고, 이를 기준으로 과장급(고위공무원단 후보자가 아닌 과장급) 공무원의 승진임용·보직관리 등에 활용하는 제도를 말한다.

ㄴ. 직무성과관리(직무성과계약제) – 장·차관 등 기관의 책임자와 실·국장, 과장, 팀장 간 성과목표의 지표 등에 대해 합의하여 top – down 방식으로 직근상하급자 간 공식적 성과계약을 체결하고 그 이행도를 평가하고, 결과를 성과급, 승진 등에 반영하는 인사관리제도로 우리나라에서는 4급 이상에 적용한다.

ㄷ. 다면평가 – 다면평가제도는 근무성적을 상관·동료·하급자·민원인 등에 의해 다면적·입체적으로 평가받게 하여 인사평정의 객관성과 신뢰성을 제고시킨다.

ㄹ. 근무성적평정 – 우리나라의 근무성적평정제도는 5급 이하에 실시되고 공무원의 능력, 근무성적 및 태도 등을 평가해 교육훈련 수요를 파악하고, 승진 및 보수결정 등의 인사관리자료를 얻는 데 활용한다.

09

① 근무성적평정은 원칙적으로 5급 이하 공무원을 대상으로 한다. 한편 원칙적으로 4급 이상 공무원을 대상으로 하며 평가대상 공무원과 평가자가 체결한 성과계약에 따른 성과목표 달성도 등을 평가하는 것은 성과계약 등 평가제에 대한 설명이다.

② 정부의 근무성적평정 방법은 직급별, 방식별 등으로 다원화되어 있으며 부처 업무의 특성에 따라 평정요소를 달리하는 등 신축적인 운영이 가능하다.

③ 행태기준평정척도법은 도표식평정척도법에 중요사건기록법을 가미한 방식으로 도표식평정척도법의 주관성을 배제하고, 중요사건기록법의 상황비교의 곤란성을 극복한 것이다.

④ 다면평가는 특정 피평가자에 대하여 다양한 사람들로부터 입체적·다면적 평가가 이루어짐으로써 평가의 객관성과 공정성 및 수동성이 높아진다.

⑤ 연쇄적 착오는 어느 하나의 평정요소에 대한 평정자의 판단이 다른 평정요소에 연쇄적으로 영향을 미치는 오류로 도표식 평정척도법에서 많이 나타난다.

정답

08 ① 09 ①

10 근무성적평정 방법과 그 단점에 대한 설명으로 옳지 않은 것은? 2011 지방 7급

① 행태관찰척도법은 도표식 평정척도법이 갖는 등급과 등급간의 모호한 구분과 연쇄효과의 오류가 나타날 수 있다.

② 중요사건기록법은 평정자인 감독자와 피평자인 부하가 해당 사건에 대해 서로 토론하는 과정에서 피평정자의 태도와 직무수행을 개선하기 어렵고, 이례적인 행동을 지나치게 강조하게 될 위험이 있다.

③ 강제배분법은 평정자가 미리 정해진 비율에 따라 평정대상자를 각 등급에 분포시키고, 그 다음에 역으로 등급에 해당하는 점수를 부여하는 역산식 평정을 할 가능성이 높다.

④ 체크리스트평정법은 평정요소에 관한 평정항목을 만들기가 힘들 뿐만 아니라, 질문항목이 많을 경우 평정자가 곤란을 겪게 된다.

11 근무성적평정에 나타나는 오류에 대한 설명 중 가장 옳은 것은? 2011 경찰간부

① 집중화 경향은 상관이 부하와의 인간관계를 고려하여 실제보다 후한 평정을 하는 것을 말한다.

② 방어적 지각의 착오는 근본적 귀속의 착오라고도 하며 타인의 성공을 평가할 때에는 상황적 요인을 높게 평가하고 실패를 평가할 때에는 개인적 요인을 높게 평가하는 경향을 말한다.

③ 논리적 오차는 사람에 대한 경직된 편견이나 선입견 또는 고정관념에 의한 오차를 뜻하는 것으로 이를 방지하기 위해서는 개인의 귀속적 요인에 대한 신상정보를 밝히지 말아야 한다.

④ 연쇄효과란 평정자가 가장 중요시하는 하나의 평정요소에 대한 평가결과가 성격이 다른 평정요소에도 영향을 미치는 것으로 연쇄화의 오류를 방지하기 위해서는 강제선택법을 사용한다.

10

정답 : ②

② 중요사건기록법은 평정자인 감독자와 피평정자인 부하가 해당 사건에 대해 서로 토론하는 과정에서 피평정자의 태도와 직무수행을 개선하기 용이하나, 이례적인 행동을 지나치게 강조할 위험이 있다.

① 행태관찰척도법은 행태기준평정척도법에 도표식평정척도법을 결합한 방식으로 연쇄효과의 오류가 발생할 수 있다.

③ 강제배분법은 우열의 등급에 따라 구분한 뒤 분포비율에 따라 강제로 배치하는 것으로 역산식 평정을 할 우려가 높다.

④ 체크리스트평정법은 표준행동목록을 미리 작성하여 그 목록에 단순히 가부를 표시하는 것으로 평정 항목을 만들기 곤란할 뿐 아니라 질문이 많을 경우 평정자에게 혼란을 유발할 수 있다.

근무성적평정 방법

산출기록법	일정기간 생산고(근무실적)를 수량적으로 평가
주기검사법	주기적으로 특정시기의 생산기록 측정
도표식평정척도법	가장 많이 이용되며 한편에는 실적·능력 등의 평정요소를, 다른 한편에는 우열을 표시 4~5개의 체크리스트 단문 중 강제 선택
강제배분법	집단적 서열법으로 우열의 등급에 따라 구분한 뒤 분포비율에 따라 강제로 배치
중요사건기록법	근무실적에 영향을 주는 중요 사건들을 평정
행태기준척도법	평정의 임의성·주관성을 배제하기 위해 도표식척도법에다 중요사건기록법을 가미
행태관찰척도법	행태기준척도법 + 도표식평정척도법(항목 간 상호 배타성 극복)

11

정답 : ④

④ 연쇄효과는 특정 평정요소의 평정결과 등이 성격이 다른 평정요소에 영향을 주는 것으로, 강제선택법을 통해 연쇄화의 오류를 방지할 수 있다.

① 상관이 부하와의 인간관계를 고려하여 실제보다 후한 평정을 하는 것은 관대화 경향이다.

② 근본적 귀속의 착오라고도 하며 타인의 성공을 평가할 때에는 상황적 요인을 높게 평가하고 실패를 평가할 때에는 개인적 요인을 높게 평가하는 경향은 이기적 착오이다.

③ 사람에 대한 경직된 편견이나 선입견 또는 고정관념에 의한 오차를 뜻하는 것으로 이를 방지하기 위해서 개인의 귀속적 요인에 대한 신상정보를 밝히지 말아야 하는 것은 상동적 착오(stereotyping)이다.

근무성적평정 착오의 유형

연쇄효과	특정 평정요소의 평정결과나 전반적인(막연한) 인상이 평정에 영향을 주는 착오
시간적 오차	최근의 실적·사건이 평정에 영향을 주는 근접오류
집중화 오차	중간에 절대다수가 집중되는 경향
관대화 오차	실제보다 너그럽게 후한 평정을 하는 것
규칙적 오차	지속적으로 과대 or 과소 평정 ↔ 총계적 오차(불규칙)
논리적 오차	평정요소 간에 존재하는 논리적 상관관계에 의한 오류
상동적 오차	유형화(정형화·집단화)의 착오로 선입견·고정관념에 의한 오차

정답

10 ② 11 ④

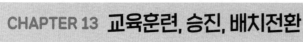

01 공무원의 인사이동에 대한 설명으로 옳은 것은?

2020 국가 9급

① 겸임은 한 사람에게 둘 이상의 직위를 부여하는 것으로 그 대상은 특정직 공무원이며, 겸임 기간은 3년 이내로 한다.

② 전직은 인사 관할을 달리하는 기관 사이의 수평적 인사이동에 해당하며, 예외적인 경우에만 전직시험을 거치도록 하고 있다.

③ 같은 직급 내에서 직위 등을 변경하는 전보는 수평적 인사이동에 해당하며, 전보의 오용과 남용을 방지하기 위해 전보가 제한되는 기간이나 범위를 두고 있다.

④ 예산 감소 등으로 직위가 폐지되어 하위 계급의 직위에 임용하려면 별도의 심사 절차를 거쳐야 하고, 강임된 공무원에게는 강임된 계급의 봉급이 지급된다.

02 교육훈련 방법에 대한 설명으로 옳은 것은?

2019 국가 7급

① 직장내 훈련(OJT: on-the-job training)은 감독자의 능력과 기법에 따라 훈련성과가 달라지며 많은 사람을 동시에 교육하기 어렵다.

② 감수성 훈련(sensitive training)은 원래 정신병 치료법으로 발달한 것으로 전문가의 지원을 받아 과제의 해결책을 도출하는 방법이다.

③ 모의연습(Simulation)은 T-집단훈련으로도 불리며 주어진 사례나 문제에서 어떠한 역할을 실제로 연기해 봄으로써 당면한 문제를 체험해 보는 방법이다.

④ 액션러닝(action learning)은 미국 GE사 전략적 인적자원개발프로그램으로 활용된 것으로 태도와 행동의 변화를 통해 인간관계 기술을 향상하려는 것이 주된 목적이다.

01

③ 전보는 같은 직급 내에서의 보직 등을 변경하는 수평적 인사이동으로, 이를 위해 시험을 거칠 필요는 없지만 오용과 남용을 방지하기 위해 전보가 제한되는 기간인 필수보직기간(일반적으로 3년, 4급 이상 2년)을 두고 있다.

> **공무원임용령 제45조(필수보직기간의 준수 등)** ① 임용권자 또는 임용제청권자는 소속 공무원을 해당 직위에 임용된 날부터 필수보직기간(휴직기간, 직위해제처분기간, 강등 및 정직 처분으로 인하여 직무에 종사하지 않은 기간은 포함하지 않는다.)이 지나야 다른 직위에 전보(소속 장관이 다른 기관으로 전보하는 경우는 제외한다.)할 수 있다. 이 경우 필수보직기간은 3년으로 하되, 「정부조직법」 제2조제3항 본문에 따라 실장 · 국장 밑에 두는 보조기관 또는 이에 상당하는 보좌기관인 직위에 보직된 3급 또는 4급 공무원, 연구관 및 지도관과 고위공무원단 직위에 재직 중인 공무원의 필수보직기간은 2년으로 한다.

① 겸임은 한 사람에게 둘 이상의 직위를 부여하는 것으로 그 대상은 주로 일반직 공무원과 일부 특정직(교육공무원)이며, 겸임기간은 2년 이내로 하며 필요한 경우 2년의 범위에서 연장할 수 있다.

② 전직은 직무의 종류가 서로 다른 직렬 간의 수평적 인사이동으로 직렬이 달라지므로 전직시험을 거쳐야 한다.

④ 직제 또는 정원의 변경이나 예산의 감소 등으로 직위가 폐직되거나 하위의 직위로 변경되어 과원이 된 경우 또는 본인이 동의한 경우 소속 공무원을 강임할 수 있으며, 이와 관련해서는 별도의 심사 절차를 거칠 필요 없다. 또한 강임된 경우라도 강임 전의 봉급액보다 많아질 때까지는 강임되기 전의 봉급을 지급한다.

02

① 직장내 훈련(현장훈련)은 피훈련자가 실제 직무를 수행하면서 직무수행에 관한 지식과 기술을 배우는 것으로 상관이나 선임자의 지도나 훈련 등에 따라 성과가 달라질 수 있지만 다수를 대상으로 교육하기는 곤란하다.

② 감수성 훈련(sensitive training)은 자기 자신과 다른 사람의 태도에 대한 자각과 감수성을 기르는 훈련으로 태도나 행동의 변화를 주된 목적으로 한다.

③ 모의연습(Simulation)은 피훈련자가 업무 중 직면하게 될 상황을 인위적으로 설정해 놓고 피훈련자가 거기에 대처하도록 하는 훈련기법이다.

④ 액션러닝(action learning)은 소규모로 구성된 그룹이 실질적인 업무현장의 문제를 해결해 내고 그 과정에서 성찰을 통해 학습하도록 하는 훈련기법이다.

> **정답**
>
> 01 ③ 02 ①

03 우리나라 공무원의 승진제도에 대한 설명으로 옳지 않은 것은?

2019 국회 8급

① 5급 이하 공무원의 승진후보자명부는 근무성적평정 60%, 경력평정 40%를 고려하여 작성된다.

② 일반직공무원(우정직공무원은 제외)이 승진하려면 7급은 2년 이상, 6급은 3년 6개월 이상 해당 계급에 재직하여야 한다.

③ 근속승진은 승진후보자명부 작성단위기관 직제상의 정원표에 일반직 6급·7급 또는 8급의 정원이 없는 경우에도 근속승진인원만큼 상위직급에 결원이 있는 것으로 보고 승진임용 할 수 있다.

④ 공개경쟁승진은 5급으로 승진에 적용되며, 기관 구분 없이 승진 자격을 갖춘 6급 공무원을 대상으로 하는 공개경쟁승진시험의 성적에 의하여 결정된다.

⑤ 특별승진은 민원봉사대상 수상자, 직무수행능력 우수자, 제안채택 시행자, 명예퇴직자, 공무사망자 등을 대상으로 일정 요건을 충족하는 경우 승진임용하거나, 승진심사 또는 승진시험에 응시할 수 있도록 하는 제도이다.

04 다음 설명에 해당하는 공무원 교육훈련 방법은?

2019 소방간부

> 교육 참가자들이 소그룹 규모의 팀을 구성해 개인, 그룹 또는 조직에 중요한 의미를 갖는 실제 현안 문제를 해결하면서 동시에 문제 해결 과정에 대한 성찰을 통해 학습하도록 지원하는 '행동하면서 학습하는' 교육방식이다. 2005년 중앙공무원교육원 고위정책 과정과 신임관리자 과정에 처음으로 적용되어 현재 주로 관리자 훈련에 사용되고 있다.

① 감수성 훈련　　　　② 학습 동아리　　　　③ 신디케이트
④ 사례 연구　　　　⑤ 액션 러닝

03

① 5급 이하 공무원의 승진후보자명부는 근무성적평정 90%, 경력평정 10%를 고려하여 작성된다.

② 일반직 공무원이 승진하기 위한 최저연수에 대한 설명으로, 7급은 2년 이상, 6급은 3년 6개월 이상 해당 계급에 재직하여야 한다.

> **공무원임용령 제31조(승진소요최저연수)** ① 공무원이 승진하려면 다음 각 호의 구분에 따른 기간 동안 해당 계급에 재직하여야 한다.
> 1. 일반직공무원(우정직공무원은 제외한다)
>   가. 4급: 3년 이상 　　　　　　　나. 5급: 4년 이상
>   다. 6급: 3년 6개월 이상 　　　　라. 7급 및 8급: 2년 이상
>   마. 9급: 1년 6개월 이상

③ 근속승진은 일정 기간 복무한 하위공무원을 대상으로 7급은 11년 이상, 8급은 7년 이상, 9급은 5년 6개월 이상 재직하면 자동 승진시키는 제도이다. 또한 승진후보자명부 작성기관의 직제상 정원표에 하위직급의 정원이 없는 경우에도 상위직급에 결원이 있는 것으로 보고 승진임용 할 수 있다.

④ 5급 승진의 경우 공개경쟁제도를 실시하고, 기관 구분 없이 승진 자격을 갖춘 6급 공무원을 대상으로 하며 공개경쟁승진시험의 성적에 의하여 결정된다.

⑤ 특별승진은 청렴하고 투철한 봉사정신으로 직무에 모든 힘을 다하여 공무집행의 공정성을 유지하고 깨끗한 공직사회를 구현하는 데 기여한 공무원을 대상로 일반승진 조건에 예외를 부여하는 제도이다.

04

⑤ 제시문은 소규모로 구성된 한 집단이 실제 직면하고 있는 실질적인 문제를 해결하면서 동시에 문제해결 과정에 대한 성찰을 통해 학습하는 방식인 액션러닝에 대한 내용이다. 주로 관리자훈련에 사용되며, 우리나라에 도입되어 있으며, 현재 고위공무원 후보자 교육과정에도 활용되고 있다.

① 감수성 훈련은 외부환경과 차단된 상황속에서 10명 내외의 피훈련자끼리 자유로운 토론을 통해 어떤 문제의 해결 방안이나 상대방에 대한 이해를 얻도록 하는 방법으로 성찰과 교류를 통해 자신과 대인관계에 대한 이해 및 감수성을 높이는 데 도움을 준다.

② 학습 동아리는 조직 내 모든 구성원의 학습과 개발을 촉진시키는 조직형태로 새로운 지식의 창출 및 공유하는 교육훈련 방식이다.

③ 신디케이트는 피훈련자들을 10명 내외의 소규모 집단으로 나누어 분반별로 동일한 문제를 토의하여 문제해결방안을 작성한 후 다시 전원이 한 장소에 모여 발표와 토론을 통해 하나의 합리적인 방안을 작성하는 방식이다.

④ 사례 연구는 실제 조직에서 경험한 사례를 사전에 선정하여 사회자의 지도하에 여러 사람이 공동으로 토의·연구하여 그에 대한 대안을 모색하는 방식이다.

정답
03 ① 04 ⑤

05 공무원 교육훈련 방법에 대한 설명으로 옳지 않은 것은?
2016 지방 7급

① 현장훈련(on the job training)은 피훈련자가 실제 직무를 수행하면서 직무수행에 관한 지식과 기술을 배우는 방법이다.

② 강의, 토론회, 시찰, 시청각교육 등은 태도나 행동의 변화를 주된 목적으로 한다.

③ 액션러닝(action learning)은 소규모로 구성된 그룹이 실질적인 업무현장의 문제를 해결해 내고 그 과정에서 성찰을 통해 학습하도록 하는 행동학습(learning by doing) 교육훈련 방법이다.

④ 감수성훈련(sensitivity training)은 대인관계의 이해와 이를 통한 인간관계의 개선을 목적으로 한다.

06 공무원 교육의 중요성이 강조되고 있다. 교육훈련 방법에는 여러 가지가 있는 바, 그에 관한 설명 중 가장 적절하지 않은 것은?
2015 경정승진

① 몇 명의 피훈련자가 실제의 행동으로 연기하고 사회자가 청중들에게 연기내용을 비평·토론하게 한 후 결론적인 설명을 하는 '역할연기'는 참여자들의 태도변화와 민감한 반응을 촉진시킨다.

② 일정한 사례를 공동으로 연구하여 문제점을 도출하고 그에 대한 대안을 모색하는 '사례연구'는 피훈련자의 능동적인 참여를 유도해야 하므로 시간이 많이 걸린다는 단점이 있다.

③ 피훈련자가 직책을 정상적으로 수행하면서 담당 업무의 수행능력을 향상시키기 위하여 상관이나 선임자로부터 지도·훈련을 받는 '현장훈련'은 직장생활을 수행하면서 동시에 진행되기 때문에 사전에 예정된 계획에 따라 실시하기가 용이하다.

④ 몇 사람이 반을 편성하여 문제를 연구하고 전원에게 보고하며 비판을 가하는 '신디케이트(syndicate)'는 참가자의 관심유도와 상대방 의견 존중 등이 장점이나 충분한 시간이 필요하다.

07 정부 내의 인적자원을 효율적으로 활용하기 위한 배치전환의 본질적인 용도와 가장 거리가 먼 것은?
2014 사복 9급

① 선발에서의 불완전성을 보완하여 개인의 능력을 촉진한다.

② 조직 구조 변화에 따른 저항을 줄이고 비용을 절감한다.

③ 부서 간 업무 협조를 유도하고 구성원 간 갈등을 해소한다.

④ 징계의 대용이나 사임을 유도하는 수단으로 사용한다.

05 정답 : ②

② 강의는 전통적인 방법으로서 강사가 일방적으로 피훈련자에게 지식 및 기술을 전달하는 방법이고, 시찰은 훈련을 받는 사람이 실제로 현장에 가서 어떠한 일이 발생하고 있는가를 직접 관찰하는 방식이다. 한편 태도나 행동의 변화를 주된 목적으로 하는 기법으로는 역할연기 등이 있다.

① 피훈련자가 실제 직무를 수행하면서 직무수행에 관한 지식과 기술을 배우는 방법은 실무지도에 해당한다.

③ 액션러닝은 교육 참가자들이 소규모 집단을 구성하여 개인과 집단이 팀워크를 바탕으로 조직 관리상의 실전문제를 정해진 시점까지 해결하도록 하여 문제해결 과정에 대한 성찰을 통해 학습하도록 지원하는 교육방식이다.

④ 감수성 훈련은 대인관계에 대한 이해와 감수성을 높이고 바람직한 행동을 찾게 하는 것으로, 훈련이 민주적이고, 인간관계에 불가결한 가치관·태도·행태의 변화에 도움을 준다.

06 정답 : ③

③ '현장훈련'은 직장생활을 수행하면서 동시에 진행되기 때문에 사전에 예정된 계획에 따라 실시하기 어렵다는 단점이 있다.

① 역할연기는 인간관계의 태도나 행동의 변화에 적합하고 시민의 입장을 가장 잘 이해하는 데 효과적이다.

② 사례연구는 피훈련자의 능동적인 참여가 필요하므로 참여를 유도하는데 많은 시간이 소모된다.

④ 신디케이트(분임연구, Syndicate)는 고급관리자 과정에 많이 활용한다.

07 정답 : ④

④ 징계의 대용이나 사임을 유도하는 수단으로 사용하는 것은 배치전환의 소극적·부정적 용도와 관련된다.

① 시험이나 선발의 불완전성을 보완하여 개인의 능력을 촉진하는 것은 배치전환의 적극적 용도와 관련된다.

② 조직 구조를 변경하지 않고 직무변화를 유도함으로써 능률을 제고하는 것은 배치전환의 적극적 용도와 관련된다.

③ 부서 간 업무 협조를 유도하고 구성원 간의 갈등을 해소하며 교류·협력의 증진과 안목 확대는 배치전환의 적극적·본질적 용도와 관련된다.

📝 포인트 정리

현장훈련의 종류

실무지도	일상근무 중 상관이 부하에게 직무수행과 관련한 기술을 가르쳐 줌
직무순환	여러분야의 직무를 직접 경험하도록 계획순서에 따라 직무를 순환
임시배정	앞으로 맡게 될 임무에 대비하게 함
실무실습	제한된 기간 동안 임시로 고용함

현장훈련 vs 교육원훈련

현장훈련	• 훈련이 실제적임 • 실시가 용이함 • 상사나 동료 간 이해와 협동정신 강화·촉진 • 낮은 비용 • 피훈련자 습득도와 능력에 맞게 훈련 가능
교육원훈련	• 현장 업무수행과 관계없이 예정된 계획에 따라 실시 • 많은 구성원들을 동시에 교육 가능 • 전문적 지식을 갖춘 교관이 실시 • 교육의 효과가 높음

배치전환의 용도

소극적·부정적·전통적	• 징계의 수단 • 사임의 강요수단 • 부정부패의 방지수단 • 개인적 특혜 제공수단 • 개인세력 확장 수단
적극적·합리적·본질적	• 보직 부적응 해소 • 조직·관리상 변동에 따른 배치조정 • 부서·부처 간 갈등해소 및 협조 촉진 • 선발의 불안정성 보완 • 승진의 기회제공

정답

05 ② 06 ③ 07 ④

08 창의적인 의사결정을 위해서 활용되는 창의성 향상 훈련기법으로 옳지 않은 것은?

2011 국회 8급

① 반전기법(reversal technique)

② 비유기법(analogy technique)

③ 프로토콜 분석기법(protocol analysis technique)

④ 형태학적 분석기법(morphological analysis technique)

⑤ 생각하는 탐험여행(thinking expedition)

CHAPTER 14 보수, 연금

실질적 력(역량) 업그레이드

01 다음 중 우리나라 공무원연금제도에 대한 설명으로 옳은 것을 모두 고른 것은?

2020 해경승진

> ㉠ 공무원연금제도는 행정안전부가 관장하고, 그 집행은 공무원연금공단에서 실시하고 있다.
> ㉡ 최초의 공적연금제도로서 직업공무원을 대상으로 하는 특수직역 연금제도이다.
> ㉢ 「공무원연금법」상 공무원연금 대상에는 군인, 공무원 임용 전의 견습직원 등이 포함된다.
> ㉣ 사회보험원리와 부양원리가 혼합된 제도이다.

① ㉠, ㉡

② ㉡, ㉣

③ ㉡, ㉢

④ ㉠, ㉡, ㉣

02 공무원연금제도에 대한 설명으로 옳은 것은?

2019 국가 7급

① 비기금제는 적립된 기금 없이 연금급여가 발생할 때마다 필요한 비용을 조달하여 지급하는 방식으로 미국 등이 채택하고 있다.

② 2009년 연금 개혁으로 공무원연금의 적용대상이 확대됨에 따라 공무원연금공단 직원도 대상에 포함하게 되었다.

③ 공무원연금제도는 행정안전부가 관장하고, 그 집행은 공무원연금공단에서 실시하고 있다.

④ 비기여제는 정부가 연금재원의 전액을 부담하는 제도이다.

08

③ 프로토콜 분석이란 업무수행의 실제를 관찰하여 연구 참가자들로부터 구두보고서들을 도출하게 함으로써 업무수행의 과정, 사용한 지식, 인지적 행동 등을 파악하는 심리학적 연구기법으로 창의성 향상 훈련방법이 아니라 지식관리의 한 방법이다.

① 반전기법은 문제를 뒤집어서 기존의 시각과 반대되는 시각에서 검토하는 기법이다.

② 비유기법은 문제 간의 유사성을 찾아 문제해결의 새로운 아이디어를 안출하도록 하는 기법이다.

④ 형태학적 분석기법은 문제에 내포된 기본적 요소들의 선택과 배합을 체계적으로 바꿔보는 기법이다.

⑤ 생각하는 탐험 여행은 법 일상에서 벗어나 도전적 여행을 통해 기존방식과 다른 창의적인 아이디어를 도출하는 것이다.

01

② ㉡, ㉣이 옳은 내용이다.

㉡ [O] 공적연금에는 국민연금(1988년 시행, 1999년 적용범위를 전국민으로 확대함)과 특수직역연금이 있으며, 특수직역연금에는 공무원연금(1960년 시행), 군인연금(1963년 시행), 사립학교교직원연금(1975년 시행)이 있다.

㉣ [O] 공무원연금은 비용부담은 정부와 공무원이 균등부담하는 사회보험적 성격과 재정수지 부족액을 정부재정으로 보전하는 부양원리의 성격이 혼합된 제도이다.

㉠ [X] 공무원연금제도는 인사혁신처에서 관장하고, 그 집행은 공무원연금공단에서 실시한다.

㉢ [X] 군인은 군인연금법이 적용되고, 공무원 임용 전의 견습직원은 공무원이 아니므로 공무원연금법이 적용되지 않는다.

02

④ 비기여제는 구성원의 재원납부 여부를 기준으로 분류한 것으로 연금급여에 필요한 비용을 정부가 전액 부담하는 형식이다.

① 비기금제는 적립된 기금 없이 연금급여가 발생할 때마다 필요한 비용을 조달하여 지급하는 방식으로 영국, 독일 등이 채택하고 있다. 한편 미국은 기금제의 방식을 채택하고 있다.

② 공무원연금공단 직원은 대상에 포함되지 않는다.

③ 공무원연금제도는 인사혁신처가 관장하고, 그 집행은 공무원연금공단에서 실시하고 있다.

03 공무원연금은 재원의 형성방식에 따라 부과방식과 적립방식으로 나눌 수 있다. 부과방식과 비교한 적립방식의 장점이 아닌 것은?

2017 지방 9급(추)

① 인구구조의 변화나 경기 변동에 영향을 덜 받는다.

② 인플레이션이 심하더라도 연금급여의 실질가치를 유지할 수 있다.

③ 연금재정 및 급여의 안정성을 꾀할 수 있다.

④ 기금 수익을 통해 장기 비용부담을 덜어 제도의 안정적인 운영이 가능하다.

04 2016년 1월 27일부터 시행된 공무원연금제도 내용에 대한 설명으로 옳지 않은 것은?

2016 교행 9급

① 재직기간 상한을 최대 36년까지 인정한다.

② 유족연금 지급률을 모든 공무원에게 60%로 한다.

③ 연금지급개시 연령은 임용 시기 구분 없이 65세로 한다.

④ 연금지급률을 1.9%에서 1.5%로 2025년까지 단계적으로 인하한다.

05 공무원 보수제도 중 연봉제에 대한 설명으로 옳지 않은 것은?

2016 지방 7급

① 직무성과급적 연봉제는 고위공무원단 소속 공무원에게 적용된다.

② 고정급적 연봉제에서 연봉은 기본연봉과 성과연봉으로 구성된다.

③ 직무성과급적 연봉제에서 기본연봉은 기준급과 직무급으로 구성된다.

④ 성과급적 연봉제와 직무성과급적 연봉제의 성과연봉은 전년도의 업무실적에 따른 평가결과에 따라 차등 지급된다는 점에서 유사한 면이 있다.

06 다음 중 우리나라의 총액인건비제도에 대한 설명으로 옳지 않은 것은?

2014 국회 8급

① 성과관리와 관리유인체계를 제공하기 위한 신공공관리적 시각을 반영한다.

② 직급 인플레이션을 발생시킬 수도 있다.

③ 국 단위기구까지 자율성이 인정된다.

④ 계급에 따른 인력 운영 및 기구설치에 대한 재량권이 인건비 총액 한도 내에서 인정된다.

⑤ 성과상여금에 대한 지급액의 증감이 가능하다.

03

정답 : ②

② 적립방식은 장래의 연금급여에 필요한 비용을 미리 기금으로 적립하는 방식으로 기금제라고도 한다. 기금제는 기금 수익을 통해 장기 비용부담을 덜어 제도의 안정적인 운영이 가능하나 인플레이션이 심할 경우 연금급여의 실질적 가치가 하락할 수 있다.

① 적립방식은 경기변동이나 인구구조 변화에 강하므로 영향을 덜 받는다.

③ 적립방식은 연금 재정 및 급여의 안정성이라는 장점이 있다.

④ 적립방식은 기금 수익을 통해 장기 비용의 부담이 완화되므로 안정적으로 운영하는 데 유리하다.

포인트 정리

기금제(적립방식) 장단점

장점	• 경기변동, 인구구조 변화에 강함 • 연금재정 및 급여의 안정성 • 제도의 안정적 운영
단점	• 인플레이션에 취약 • 연금기금 고갈 가능성 큼 • 관리 및 운영 복잡

04

정답 : ④

④ 연금지급률은 재직기간 1년당 평균기준소득월액의 1.9%에서 2035년까지 1.7%로 단계적으로 인하한다.

① 기여금 납부기간의 재직기간 상한을 최대 36년까지 인정한다.

② 유족연금 지급률을 전·현직 공무원 모두에게 60%로 적용한다.

③ 종전에는 퇴직연금의 지급개시 연령을 2010년 1월 1일 이후 임용자부터 65세로 적용하고 있었으나 개정 법령에서는 1996년 1월 1일 이후에 임용된 전체 공무원에 대해서도 2022년부터 2033년까지 단계적으로 65세가 되도록 하였다.

05

정답 : ②

② 고정급적 연봉제는 대통령, 장·차관 등 정무직 공무원들에게 적용되는 연봉제로서, 기본급여의 연액만을 기본연봉으로 지급한다. 한편 기본연봉과 성과연봉으로 구성되는 것은 직무성과급적 연봉제이다.

① 직무성과급적 연봉제의 적용대상은 고위공무원단 소속 공무원이다.

③ 직무성과급적 연봉제는 기본연봉이 기준급과 직무급으로 구성되며, 기본연봉에 성과연봉을 추가하여 지급하는 연봉제이다.

④ 성과연봉은 전년도 업무성과에 대한 평가결과에 따라 평가등급별로 차등하여 해당 연도에 지급되는 금액으로 성과급적 연봉제와 직무성과급적 연봉제의 공통점이다.

06

정답 : ③

③ 국 단위 이상의 기구는 대통령령(직제)에서 규정하고, 과 단위의 기구는 각 부처가 정원의 범위 내에서 총리령 또는 부령에서 자율적으로 설치·운영된다.

① 총액인건비제도는 성과와 보상의 연계가 강화되며, 자율과 책임의 조화 부분은 신공공관리적 시간을 반영한 것이다.

② 총액인건비제도는 무분별한 증원과 상위직 증설 등으로 인해 직급 인플레이션이 유발될 가능성이 높다.

④ 총액인건비제도는 중앙예산기관과 조직관리기관이 총정원과 인건비예산의 총액만을 정해주면, 그 범위 안에서 각 부처는 재량권을 발휘하여 인력운영 및 기구설치에 대한 자율성과 책임성을 보장받는 제도이다.

⑤ 총액인건비제도는 보수의 기본항목인 봉급 등만 인사혁신처가 통제하고, 자율항목인 성과상여금 부분은 부처의 자율에 맡기므로 지급액의 증감이 가능하다.

정답

03 ② 04 ④ 05 ② 06 ③

공무원 보수에 관한 설명으로 옳지 않은 것은?

2012 국회 8급

① 계급제의 경우 직책에 따라 보수액을 결정하는 것이 아니라 능력, 자격에 따라 보수를 결정한다.

② 공무원의 보수를 책정할 때에도 동일 노동에 동일 대가를 지불하는 것을 원칙으로 한다.

③ 공무원은 일반적으로 노동권의 제약을 받고있어 보수 결정이 불리할 수 있다.

④ 공무원 보수 수준의 결정에 있어서 사회윤리적 요인은 공무원은 공공에 대한 봉사직이므로 지나치게 높은 보수를 받아서는 안된다는 관념에 기초를 둔 것이다.

⑤ 미국이나 영국의 공무원 보수 수준 결정은 대내적 상대성을 따르는 경향이 있다.

08 **가계보전수당은 다음 어디에 해당하는가?**

2012 군무원 9급

① 생활보조수당

② 정근수당

③ 직무수당

④ 휴일근무수당

09 **성과급제도에 대한 설명으로 옳지 않은 것은?**

2010 국회 9급

① 정부부문에서 개발한 조직 차원의 성과급은 이윤분배적 성과급과 생산성 향상 성과급으로 구분된다.

② 집단성과급의 핵심 문제는 무임승차자(free rider)들의 발생이다.

③ 추가적 금전지급이 동기유발과 생산성의 향상에 직결되지 않을 수 있는 문제점이 있다.

④ 직무수행의 실적을 보수결정의 기준으로 삼는 제도를 말하며 기본적인 보수 위에 추가하여 지급하는 것이 원칙이다.

⑤ 보수 예산의 제한과 재정적 경직성은 성과급제의 원활한 운용을 방해한다.

10 **인센티브제도에 대한 설명으로 옳지 않은 것은?**

2009 군무원 9급

① 성과보너스는 탁월한 성과를 거둔 구성원에게 금전적 보상을 지급하는 제도이다.

② 제안상제도는 조직의 자원을 절약할 수 있는 우수한 제안을 한 구성원에게 인센티브를 제공하는 제도이다.

③ 행태보상제도는 기관장이나 관리층이 권장하는 특정행동에 대해 인센티브를 제공하는 제도이다.

④ 종업원인정제도는 조직에 대한 특수한 기여를 인정해 금전적 보상을 제공하는 제도이다.

07

정답 : ⑤

⑤ 미국이나 영국 등 대부분의 선진국에서의 공무원 보수수준 결정은 대내적 상대성보다는 일차적으로 대외적 비교성을 따르는 경향이 있다.

① 계급제는 직책에 따라 보수액을 결정하는 것이 아니라 능력, 자격에 따라 보수를 결정한다.

② 직무급의 원칙으로 공무원의 보수는 업무의 곤란도나 책임도에 상응해야 한다.

③ 공무원의 경우 단결권의 제약으로 처우 개선 등 스스로의 권익 증진이 곤란하다.

④ 공무원 보수수준의 결정에 있어서 사회윤리적 요인은 공무원은 공공에 대한 봉사이므로 지나치게 높은 보수를 받아서도 안 되고 정부는 모범적 고용주로서 공무원에게 지나치게 낮은 보수를 지급해도 안 된다는 관념에 기초를 둔 것이다.

08

정답 : ①

① 가계보전수당은 생활비를 보조하기 위한 수당으로 생활보조급적 수당으로 가족수당, 자녀학비보조수당, 주택수당 등 복리후생적 수당 등이 있다.

② 정근수당은 상여수당에 해당한다.

③ 직무수당은 직무급적 수당에 해당된다.

④ 휴일근무수당은 초과근무 수당에 해당된다.

09

정답 : ①

① 조직 차원의 성과급은 조직 전체의 생산성 향상이나 비용절감의 기여도에 따른 성과급으로, 민간부문에서 개발한 조직 수준의 성과급은 이윤분배적 성과급과 생산성 향상 성과급으로 분류할 수 있다. 다만 이윤분배적 성과급을 정부의 집단수준 성과급에 적용하는데는 한계가 있다.

② 집단성과급은 작업집단이나 팀 단위의 성과급으로 작업집단의 응집력과 협동적 업무수행이 강화되지만 무임승차자 성향이 발생할 우려가 있다.

③, ⑤ 성과급제도의 한계이다.

④ 성과급은 직무수행의 성과를 측정하여 그 결과에 따라 보수를 차등적으로 지급하는 방식이다.

10

정답 : ④

④ 종업원인정제도는 조직 내에서 구성원의 존재가치와 역할을 인정해 주어 인정감을 높이는 것이지 금전적 보상을 제공하는 제도가 아니다.

① 성과보너스제도는 성과를 거둔 공무원에게 금전적 인센티브를 제공하는 제도이다.

② 제안상제도는 행정운영 발전에 뚜렷한 실적이 있는 자에게 상여금을 지급할 수 있으며 특별승진이나 특별승급을 시킬 수 있는 제도이다.

③ 행태보상제도는 관리층 등이 권장하는 특정행동에 대해 인센티브를 제공하는 제도이다.

포인트 정리

보수수준 결정요인

경제적 요인	상한선 결정요인(민간임금, 국민담세능력, 정부지불능력, 물가수준, 재정경제정책 등)
사회윤리적 요인	하한선 결정요인(모범적 고용주로서 생계비·생활비 지급 의무)
부가적 요인	보수 이외에 받게 되는 후생복지(연금, 휴가 등)
정책적 요인	성과제고를 위한 인사정책적 수단(성과급 등)

수당(부가급)의 종류

직무급적 수당	직무의 특성을 감안한 위험수당, 특수업무수당, 겸임수당 등
생활보조급적 수당	가족수당, 자녀학비보조수당, 주택수당, 육아휴직수당 등
지역수당	특수지 근무수당 등
초과근무 수당	시간외 근무수당, 휴일근무수당, 야간근무수당 등
능률급적 수당	능률 제고를 위한 성과상여금, 기능장려수당
처우개선 수당	민간임금과 균형을 위한 봉급조정수당 등
기타 수당	대우공무원수당, 정근수당, 업무대행수당, 관리수당 등

정답

07 ⑤ 08 ① 09 ① 10 ④

11 공공부문에 임금피크제를 도입하고자 하는 이유(배경)는 무엇인가?

2008 경기 9급

① 공무원 보수중에서 기본급보다 수당의 비중이 더 큰 기형적인 상태를 개선하기 위해서이다.

② J자 모양의 보수곡선이 초래하는 공무원 인건비 부담(재정상 부담) 때문이다.

③ 적극적인 성과급 제도를 보급하기 위해서이다.

④ 부족한 공무원 보수를 민간부문 수준으로 향상시키기 위한 방안이다.

CHAPTER 15 사기관리

실질적 력(역량) 업그레이드

01 유연근무제도에 대한 설명으로 옳지 않은 것은?

2018 지방 9급

① 유연근무제도에는 시간선택제 전환근무제, 탄력근무제, 원격 근무제가 포함된다.

② 원격근무제는 재택근무형과 스마트워크 근무형으로 구분된다.

③ 심각한 보안위험이 예상되는 업무는 온라인 원격근무를 할 수 없다.

④ 재택근무자의 재택근무일에도 시간외근무수당 실적분과 정액분을 모두 지급하여야 한다.

11

정답 : ②

② 임금피크제란 J모양의 보수곡선 즉, 전통적인 연공서열형 임금구조의 문제점인 인건비 부담(생계비와 임금의 괴리)을 해소하기 위하여 도입을 검토하고 있는 제도이다.

① 수당의 비중이 더 큰 기형적인 형태가 나타나는 이유는 보수행정의 합리화 수준이 낮기 때문이지 임금피크제와는 무관하다.

③ 임금피크제는 직무와 성과 중심의 최근 보수체계 개편방향과 부합하지 못하는 한계가 있다.

④ 임금피크제는 정년을 보장하거나 연장하는 대신 임금을 삭감하는 제도이다.

01

정답 : ④

④ 재택근무자의 재택근무일에는 시간외근무수당 실적분(근무성과를 기준으로 지급하는 수당)은 지급할 수 없으나 정액분(초과근무시간을 기준으로 지급하는 수당)은 지급이 가능하다.

① 유연근무제도에는 시간선택제 전환근무제(시간선택근무제), 탄력근무제, 압축근무제, 원격근무제 등이 있다.

② 원격근무제에는 가정에서 인터넷망을 이용하여 업무처리 및 결재를 하는 재택근무형과 주거지 근처 원격근무사무실에서 인터넷망을 통해 사무를 처리하는 스마트워크형이 있다.

③ 심각한 보안의 위험이 예상되는 업무는 온라인 원격근무가 곤란하다.

유연근무제 유형

유형		의미
시간선택제 전환근무		주당 15~30시간 이하(점심시간 제외) – 1일 최소 3시간 이상, 매일 특정 시간대 근무를 원칙 – 업무공백 및 업무의 연속성을 위해 격주제, 격월제는 금지
탄력근무제		주 40시간 근무하되, 출퇴근시각 · 근무시간 · 근무일을 자율 조정
	시차출퇴근형	1일 8시간 근무체제 유지 – 매일 같은 출근시각(07:00~10:00 선택) – 요일마다 다른 출근시각(07:00~10:00 선택)
	근무시간 선택형	1일 4~12시간 근무, 주 5일 근무
	집약근무형	1일 4~12시간 근무, 주 3.5~4일 근무
	재량근무형	출퇴근 의무 없이 프로젝트 수행으로 주 40시간 인정 ※ 고도의 전문적 지식과 기술이 필요해 업무수행 방법이나 시간배분을 담당자의 재량에 맡길 필요가 있는 분야
원격근무제		모바일 기기를 이용, 사무실이 아닌 장소에서 근무
	재택근무형	부여받은 업무를 사무실이 아닌 집에서 수행
	스마트워크근무형	자택 인근 스마트워크센터 등 별도 사무실에서 근무

정답
11 ② 01 ④

02 공무원의 사기관리에 대한 설명으로 옳은 것은? 2017 지방 9급

① 「공무원 제안 규정」상 우수한 제안을 제출한 공무원에게 인사상 특전을 부여할 수 있지만, 상여금은 지급할 수 없다.

② 소청심사제도는 징계처분과 같이 의사에 반하는 불이익 처분을 받은 공무원이 그에 불복하여 이의를 제기했을 때 이를 심사하여 결정하는 절차이다.

③ 우리나라는 공무원의 고충을 심사하기 위하여 행정안전부에 중앙고충심사위원회를 둔다.

④ 성과상여금제도는 공직의 경직성을 높이기 위하여 공무원 인사와 급여체계를 사람과 연공 중심으로 개편한 것이다.

03 제안제도의 직접적인 효용으로 옳지 않은 것은? 2012 국가 7급

① 행정절차의 간소화, 경비 절감 등의 업무 개선

② 공직의 침체방지와 비공식적 집단의 활성화

③ 조직구성원의 자기개발능력을 자극하여 창의력, 문제해결능력 신장

④ 참여의식의 조장으로 조직구성원의 사기 제고

04 공무원의 사기(Morale)에 관한 설명 중 가장 적절한 것은? 2012 경정승진

① 공무원의 이직률이 낮을수록 사기는 높다고 보아야 한다.

② 공무원의 보수 인상은 공무원의 사기 제고로 이어지며, 공무원의 사기 제고는 곧바로 행정의 생산성 향상으로 이어진다.

③ 사기에 영향을 주는 사회심리적 요인으로 근무여건 개선, 보수 인상 등을 들 수 있다.

④ 사기는 주관적·상대적인 것으로 사기의 수준은 상황의존적이며 가변적이다.

02

정답 : ②

② 소청심사제도는 공무원이 징계처분 기타 그 의사에 반하는 불이익 처분에 대해 이의를 제기하는 경우 이를 심사하여 결정하는 절차이다.

① 우수한 제안을 제출한 공무원에게 인사상 특전을 부여할 수 있으며, 상여금도 지급할 수 있다.

> **공무원 제안 규정 제18조(인사상 특전)** ① 중앙행정기관의 장은 소속 공무원이 제출한 공무원제안이 채택되고 시행되어 국가 예산을 절약하는 등 행정 운영 발전에 뚜렷한 실적이 있을 경우 그 제안자에게 인사 관계 법령에서 정하는 바에 따라 특별승급의 인사상 특전을 부여할 수 있다.
>
> **제19조(상여금의 지급)** ① 중앙행정기관의 장은 다음 각 호의 어느 하나에 해당하는 경우에는 채택 제안의 제안자에게 상여금을 지급할 수 있다.

③ 중앙고충심사위원회는 5급 이상의 공무원을 대상으로 하는 것으로 중앙인사관장기관에 둔다.

> **국가공무원법 제76조의2 (고충처리)** ① 공무원은 누구나 근무조건 또는 인사관리 기타 신상문제 대하여 인사상담이나 고충의 심사를 청구할 수 있으며, 청구를 받은 중앙인사관장기관의 장·임용권자 또는 임용제청권자는 이를 고충심사위원회에 부의하여 심사하게 하고 그 결과에 따라 고충의 해소등 공정한 처리를 위하여 노력하여야 한다.
>
> ② 공무원의 인사상담 및 고충을 심사하기 위하여 중앙인사관장기관에 중앙고충심사위원회를, 임용권자 또는 임용제청권자 단위로 보통고충심사위원회를 두되, 중앙고충심사위원회의 기능은 소청심사위원회에서 관장한다.

④ 성과상여금은 경쟁원리를 도입해 행정의 생산성을 향상하기 위해 전년도 실적을 바탕으로 지급하는 성과급의 일종으로 사람과 연공중심이 아니라 업무실적 및 직무수행 등의 결과를 특정하여 결과에 따라 차등지급한다.

03

정답 : ②

② 제안제도는 업무개선을 통한 능률향상 및 공무원의 사기 앙양과 관련된 것으로, 공직의 침체 방지와 비공식적 집단의 활성화는 제안제도의 직접적인 효용에 해당하지 않는다.

① 제안제도는 직무수행 과정에서 예산의 절약과 행정능률의 향상을 가져올 수 있는 사항에 대하여 이를 제안하도록 하고 공헌 정도에 따라 표창하고 상금을 지급하는 제도로, 행정절차의 간소화를 통한 업무 개선 및 경비예산 절감 등에 기여한다.

③ 직무에 대한 관심 제고를 통해 자기개발 능력을 자극하여 창의력 개발 및 문제해결 능력을 증진시킬 수 있다.

④ 하의상달을 통해 참여의식을 높임으로써 민주화 구현에 기여하고 소속감 및 일체감을 갖게 함으로써 공무원의 근무의욕을 높일 수 있다.

04

정답 : ④

④ 사기는 주관적·상대적·가변적·상황의존적이다.

① 이직률의 경우 너무 높은 것도 좋지 않지만 너무 낮은 것도 조직침체로 인한 사기 저하를 가져올 수 있으므로 이직률이 낮다고 해서 사기가 높다고 할 수는 없다.

② 사기 제고는 조직의 생산성 향상을 위한 필요조건이다. 즉, 생산성 향상을 위해서는 사기 제고가 필요하지만 사기 제고가 곧바로 조직의 생산성 향상으로 이어진다고는 볼 수 없다.

③ 근무여건 개선, 보수 인상 등은 경제적·물질적 요인이다.

정답
02 ② 03 ② 04 ④

01 2022년 10월 14일 기준, 「국가공무원법」상 공무원으로 임용될 수 없는 사람은? (단, 다른 상황은 고려하지 않음)

2022 국가 7급

① 2021년 10월 13일에 성년후견이 종료된 甲
② 파산선고를 받고 2021년 10월 13일에 복권된 乙
③ 2019년 10월 13일에 공무원으로서 징계로 파면처분을 받은 丙
④ 2017년 금고형을 선고받고 그 집행유예기간이 2019년 10월 13일에 끝난 丁

02 「국가공무원법」상 공무원의 인사제도에 대한 설명으로 옳지 않은 것은?

2019 지방 7급

① 특수업무 분야에 종사하는 공무원은 대통령령으로 정하는 바에 따라 일반직공무원의 계급구분과 직군분류를 적용받지 않을 수 있다.
② 인사혁신처장은 필요에 따라 인사교류계획을 수립하고, 국무총리의 승인을 받아 이를 실시할 수 있다.
③ 징계로 해임처분을 받은 때부터 5년이 지나지 아니한 자는 공무원으로 임용될 수 없다.
④ 임용권자는 지역인재의 임용을 위한 수습 기간을 3년의 범위에서 정할 수 있다.

03 「국가공무원법」상 공무원 인사에 대한 설명으로 옳지 않은 것은?

2018 지방 9급

① 당연퇴직은 법이 정한 사유가 발생한 경우 별도의 처분 없이 공무원 관계가 소멸되는 것을 말한다.
② 직권면직은 법이 정한 사유가 발생한 경우 임용권자가 일방적으로 공무원 관계를 소멸시키는 것을 말한다.
③ 직위해제는 직무수행능력이 부족하거나 근무성적이 극히 나쁜 경우 공무원의 신분은 유지하지만 강제로 직무를 담당하지 못하게 하는 것이다.
④ 강임은 한 계급 아래로 직급을 내리는 것으로 징계의 종류 중 하나이다.

01

정답 : ③

③ 징계로 파면처분을 받은 때부터 5년이 지나지 아니한 자는 공무원으로 임용될 수 없으므로 2019년 10월 13일에 징계로 파면처분을 받은 丙의 경우 동법 제33조 제7호에 따라 2022년 10월 14일에 공무원으로 임용될 수 없다.

> **국가공무원법 제33조(결격사유)** 다음 각 호의 어느 하나에 해당하는 자는 공무원으로 임용될 수 없다.
> 1. 피성년후견인
> 2. 파산선고를 받고 복권되지 아니한 자
> 3. 금고 이상의 실형을 선고받고 그 집행이 종료되거나 집행을 받지 아니하기로 확정된 후 5년이 지나지 아니한 자
> 4. 금고 이상의 형을 선고받고 그 집행유예 기간이 끝난 날부터 2년이 지나지 아니한 자
> 5. 금고 이상의 형의 선고유예를 받은 경우에 그 선고유예 기간 중에 있는 자
> 6. 법원의 판결 또는 다른 법률에 따라 자격이 상실되거나 정지된 자
> 7. 징계로 파면처분을 받은 때부터 5년이 지나지 아니한 자
> 8. 징계로 해임처분을 받은 때부터 3년이 지나지 아니한 자

02

정답 : ③

③ 징계로 해임처분을 받은 때부터 3년이 지나지 아니한 자는 공무원으로 임용될 수 없다.

> **국가공무원법 제33조(결격사유)** 다음 각 호의 어느 하나에 해당하는 자는 공무원으로 임용될 수 없다.
> 1. 피성년후견인 또는 피한정후견인
> 2. 파산선고를 받고 복권되지 아니한 자
> 3. 금고 이상의 실형을 선고받고 그 집행이 종료되거나 집행을 받지 아니하기로 확정된 후 5년이 지나지 아니한 자
> 4. 금고 이상의 형을 선고받고 그 집행유예 기간이 끝난 날부터 2년이 지나지 아니한 자
> 5. 금고 이상의 형의 선고유예를 받은 경우에 그 선고유예 기간 중에 있는 자
> 6. 법원의 판결 또는 다른 법률에 따라 자격이 상실되거나 정지된 자
> 7. 징계로 파면처분을 받은 때부터 5년이 지나지 아니한 자
> 8. 징계로 해임처분을 받은 때부터 3년이 지나지 아니한 자

03

정답 : ④

④ 강임은 한 계급 아래로 직급을 내리는 것으로 징계의 종류에 해당하지 않는다.
한편 「국가공무원법」상 징계의 종류에는 파면 · 해임 · 강등 · 정직 · 감봉 · 견책이 있다.

① 당연퇴직은 임용권자의 처분에 의한 것이 아니라 일정한 사유가 발생한 경우 별도의 처분 없이 법률의 규정에 의해 공무원 관계가 소멸되는 것이다.

② 직권면직은 임용권자가 특정한 사유에 해당되는 공무원을 직권으로 면직시키는 것으로 징계에 해당하지 않는다.

③ 직위해제는 공무원에게 직위를 계속 유지시킬 수 없다고 인정될 만한 사유가 있는 경우 이미 부여된 직위를 소멸시키는 제도로, 직위해제를 받게 되면 직무수행을 하지 못할 뿐 공무원의 신분은 유지된다.

> **정답**
> 01 ③ 02 ③ 03 ④

① 소청심사위원회의 결정은 처분 행정청에 대해 권고와 같은 효력이 있다.

② 강임과 면직은 심사대상이나 휴직과 전보는 심사대상에 해당되지 않는다.

③ 지방소청심사위원회는 기초자치단체별로 설치되어 있다.

④ 지방소청심사위원회 위원은 자치단체장이 임명 또는 위촉하나 위원장은 위촉위원 중에서 호선한다.

① 금품수수나 공금횡령 및 유용 등으로 인한 징계의결요구의 소멸시효는 5년이다.

② 징계에 대한 불복시 소청심사위원회에 소청제기가 가능하나 근무성적평정결과나 승진탈락 등은 소청대상이 아니다.

③ 징계의 종류는 파면 · 해임 · 강등 · 정직 · 직위해제 · 감봉 · 견책으로 구분한다.

④ 강등은 공무원 신분은 보유하나 3개월간 직무에 종사하지 못하고 그 기간 중 보수의 전액을 감한다.

04

정답 : ④

④ 지방소청심사위원회 위원은 자치단체장이 임명하거나 위촉하나 위원장은 심사위원회에서 해당하는 심사위원회 위촉위원 중에서 호선한다.

> **지방공무원법 제15조(심사위원회의 위원장)** ① 심사위원회에 위원장 1명을 두며, 위원장은 심사위원회에서 제14조제2항제1호 또는 제2호에 해당하는 심사위원회 위촉위원 중에서 호선한다.

① 소청심사위원회의 결정은 처분행정청을 기속한다.
② 소청심사위원회는 소속 공무원의 징계처분, 그 밖에 그 의사에 반하는 불리한 처분(강임, 휴직, 면직, 전보 등)이나 부작위에 대한 소청을 심사·결정한다.
③ 지방소청심사위원회는 기초자치단체가 아닌 시·도(광역자치단체)에 설치한다.

> **동법 제13조(소청심사위원회의 설치)** 공무원의 징계, 그 밖에 그 의사에 반하는 불리한 처분이나 부작위(不作爲)에 대한 소청을 심사·결정하기 위하여 시·도에 제6조에 따른 임용권자별로(임용권을 위임받은 자는 제외한다) 지방소청심사위원회 및 교육소청심사위원회(이하 "심사위원회"라 한다)를 둔다.

05

정답 : ③

③ 직위해제는 징계의 종류에 해당하지 않는다.
① 징계의결등의 요구 중 금전, 물품, 부동산, 향응 또는 그 밖에 대통령령으로 정하는 재산상 이익을 취득하거나 제공한 경우 5년이 지나면 하지 못한다.
② 근무성적평정결과나 승진탈락 등은 소청대상이 아니다.
④ 강등은 1계급 아래로 직급을 내리고 공무원신분은 보유하나 3개월간 직무에 종사하지 못하며 그 기간 중 보수를 전액 삭감한다.

징계의 종류

경징계	견책	훈계하고 회개함에 그치는 가장 가벼운 처분으로 6개월 간 승진(승급)이 제한
	감봉	1~3개월 동안 보수의 1/3 감함, 12개월 간 승진제한
중징계	정직	1~3개월 동안 직무종사 못함, 보수 전액을 감함, 18개월 간 승진 제한
	강등	1계급 아래로 내림, 3개월 간 직무종사 못함, 보수 전액을 감함, 18개월 간 승진 제한
	해임	강제퇴직 처분, 3년 간 공직취임 제한 ※ 금전적 비리로 해임된 경우 퇴직급여는 5년 미만은 1/8, 5년 이상은 1/4을 감액, 퇴직수당도 1/4을 감액
	파면	강제퇴직 처분, 5년 간 공직취임 제한 ※ 퇴직급여는 5년 미만은 1/4, 5년 이상은 1/2을 감액, 퇴직수당도 1/2을 감액

「국가공무원법」상에 규정된 직위해제 사유에 해당되지 않는 자는?2015 행정사

① 직무수행 능력이 부족한 자

② 휴직 사유가 소멸된 후에도 직무에 복귀하지 않은 자

③ 근무성적이 극히 나쁜 자

④ 파면·해임에 해당하는 징계의결이 요구 중인 자

⑤ 정직에 해당하는 징계의결이 요구 중인 자

공무원 신분의 변경과 소멸에 대한 설명으로 옳은 것은?2014 서울 7급

① 면직 처분에 대하여는 소청심사를 청구할 수 있으나, 승진 탈락에 대하여는 청구할 수 없다.

② 직제와 정원규정이 바뀌어 현재의 공무원 수가 정원을 초과한 경우는 당연퇴직 요건에 해당한다.

③ 권고사직은 의원면직의 형식을 취하므로 강제퇴직이라고 볼 수 없다.

④ 직위해제를 받게 되면 직무를 담당하지 못하게 되어 공무원의 신분을 유지할 수 없다.

⑤ 강임은 승진과 반대로 현 직급보다 낮은 하위 직급에 임용되는 것으로 징계에 해당한다.

06

② 휴직기간이 만료되었음에도 불구하고 직무에 복귀하지 않는 경우는 직권면직사유에 해당한다.

①, ③, ④, ⑤ 직위해제 사유에 해당한다.

직위해제와 직권면직 비교

구분	직위해제	직권면직
개념	일정기간(3개월 이내) 직위를 부여하지 않을 수 있는 처분	직권으로 면직(신분박탈)하는 인사 처분
사유	• 직무수행 능력이 부족하거나 근무성적이 극히 나쁜 자 • 파면 · 해임 · 강등 또는 정직에 해당하는 징계 의결이 요구 중인 자 • 형사 사건으로 기소된 자(약식명령이 청구된 자는 제외) • 고위공무원단에 속하는 일반직공무원으로서 적격심사를 요구받은 자 • 금품비위, 성범죄 등 대통령령으로 정하는 비위행위로 인하여 감사원 및 검찰 · 경찰 등 수사기관에서 조사나 수사 중인 자로서 비위의 정도가 중대하고 이로 인하여 정상적인 업무수행을 기대하기 현저히 어려운 자	• 직제와 정원의 개폐 또는 예산의 감소 등에 따라 폐직 · 과원 되었을 때 • 휴직 기간이 끝나거나 휴직 사유가 소멸된 후에도 직무에 복귀하지 아니하거나 직무를 감당할 수 없을 때 • 대기 명령을 받은 자가 그 기간에 능력 또는 근무성적의 향상을 기대하기 어렵다고 인정된 때 • 전직시험에서 세 번 이상 불합격한 자로서 직무수행 능력이 부족하다고 인정된 때 • 병역판정검사 · 입영 또는 소집의 명령을 받고 정당한 사유 없이 이를 기피하거나 군복무를 위하여 휴직 중에 있는 자가 군복무 중 군무를 이탈하였을 때 • 해당 직급 · 직위에서 직무를 수행하는데 필요한 자격증의 효력이 없어지거나 면허가 취소되어 담당 직무를 수행할 수 없게 된 때 • 고위공무원단에 속하는 공무원이 적격심사 결과 부적격 결정을 받은 때

07

① 면직처분에 대하여는 소청심사를 청구할 수 있으나 승진탈락에 대하여는 청구할 수 없다.

② 직제와 정원규정이 바뀌어 현재의 공무원 수가 정원을 초과한 경우는 직권면직 사유에 해당한다.

③ 권고사직은 형식상 임의퇴직의 유형이지만 사실상 강제퇴직의 성격을 지닌다.

④ 직위해제를 받게 되면 직위를 부여하지 않고 일정 기간동안 직무에서 격리시키는 처분으로 공무원의 신분은 유지된다.

⑤ 강임은 직제와 정원의 개폐 또는 예산의 감소 등으로 직위가 폐지되거나 과원이 된 때 또는 본인이 동의한 경우 하위직급으로 하향이동 하는 것으로서 징계에 해당하지 않는다.

정답
06 ② 07 ①

08 우리나라 공무원의 내부임용에 관한 설명으로 옳지 않은 것은?

2011 국회 8급(수정)

① 승진은 특정한 직책에 적합한 자를 선별해 내는 방법의 하나로 상위직으로 이동하여 종전보다 무거운 직책을 담당하게 되는 것을 의미한다.

② 파견은 국가적 사업의 수행을 위해 공무원의 소속을 바꾸지 않고 일시적으로 다른 기관이나 국가기관 이외의 기관 및 단체에서 근무하게 하는 것을 말한다.

③ 정직은 중징계 처분의 하나로 정직의 기간은 1개월 이상 3개월 이하이며 정직 기간 중에는 보수의 전액을 감하도록 되어 있다.

④ 해임은 중징계 처분의 하나로 연금법상의 불이익은 없으나 해임된 경우에는 5년 동안 공무원으로 임용될 수 없다.

⑤ 권고사직은 인사권자의 자의에 의해 이루어지는 것으로 징계대상 공무원에 대해 가혹한 징계를 모면하게 하는 수단으로 이용되기도 한다.

CHAPTER 17 공무원단체, 정치적 중립

실질적 력(역량) 업그레이드

01 공무원 노동조합에 대한 설명으로 옳은 것은?

2022 국회 8급

① 노동조합과 그 조합원은 정치활동이 허용된다.

② 6급 이하의 일반직 공무원만 노동조합에 가입할 수 있다.

③ 퇴직공무원도 노동조합에 가입할 수 있다.

④ 소방공무원과 교원은 노동조합 가입이 허용되지 않는다.

⑤ 교정·수사 등에 관한 업무에 종사하는 공무원은 노동조합에 가입할 수 있다.

08

정답 : ④

④ 해임은 원칙적으로 공무원 연금법상 불이익은 없으나 3년간 공직에 재임용될 수 없으며, 파면은 연금의 일부가 지급 제한되며 5년간 재임용될 수 없다.

① 승진은 수직적 인사이동의 한 종류로 특정한 직책에 적합한 자를 선별해 내는 방법의 하나로 상위직으로 이동하여 종전보다 무거운 직책을 담당하게 하는 제도이다.

② 파견은 임시적 배치전환의 일종으로 원래 소속기관에 소속된 상태에서 보수를 받으며 일시적으로 국가적 사업을 지원하거나 개인의 능력발전을 위하여 다른 기관에 근무하는 것을 말한다.

③ 정직의 경우 보수의 전액을 감한다.

⑤ 권고사직은 형식상 임의퇴직의 유형이지만 사실상 강제퇴직의 성격을 지니는 것으로, 인사권자의 자의에 의해 이루어지며 징계대상 공무원에 대해 가혹한 징계를 모면하게 하는 수단으로 악용되기도 한다.

01

정답 : ③

①
> **공무원의 노동조합 설립 및 운영 등에 관한 법률제4조(정치활동의 금지)** 노동조합과 그 조합원은 정치활동을 하여서는 아니 된다.

② 6급 이상도 노동조합에 가입할 수 있다.

④
> **공무원의 노동조합 설립 및 운영 등에 관한 법률 제6조(가입 범위)** ① 노동조합에 가입할 수 있는 사람의 범위는 다음 각 호와 같다.
>   1. 일반직공무원
>   2. 특정직공무원 중 외무영사직렬 · 외교정보기술직렬 외무공무원, 소방공무원 및 교육공무원 (다만, 교원은 제외한다)
>   3. 별정직공무원
>   4. 제1호부터 제3호까지의 어느 하나에 해당하는 공무원이었던 사람으로서 노동조합 규약으로 정하는 사람
> ② 제1항에도 불구하고 다음 각 호의 어느 하나에 해당하는 공무원은 노동조합에 가입할 수 없다.
>   1. 업무의 주된 내용이 다른 공무원에 대하여 지휘 · 감독권을 행사하거나 다른 공무원의 업무를 총괄하는 업무에 종사하는 공무원
>   2. 업무의 주된 내용이 인사 · 보수 또는 노동관계의 조정 · 감독 등 노동조합의 조합원 지위를 가지고 수행하기에 적절하지 아니한 업무에 종사하는 공무원
>   3. 교정 · 수사 등 공공의 안녕과 국가안전보장에 관한 업무에 종사하는 공무원

정답
08 ④ 01 ③

02 우리나라 공무원 노동조합에 대한 설명으로 옳지 않은 것은? 2020 국회 8급

① 공무원 노동조합 활동을 전담하는 전임자는 인정되지 않는다.

② 공무원 노동조합은 고용노동부장관에게 설립신고를 하여야 한다.

③ 공무원 노동조합은 2개 이상의 단위에 걸치는 노동조합이나 그 연합단체도 허용하고 있다.

④ 단체교섭의 대상은 조합원의 보수·복지, 그 밖의 근무조건 등에 관한 사항이다.

⑤ 5급 이상의 일반직공무원은 공무원 노동조합에 가입할 수 없다.

03 공무원직장협의회 제도에 대한 설명으로 가장 적절하지 않은 것은? 2018 경정승진

① 국가기관, 지방자치단체 및 그 하부기관에 근무하는 공무원은 직장협의회를 설립할 수 있다.

② 협의회는 기관 단위로 설립하며, 하나의 기관에 복수의 협의회를 설립할 수 있지만 전국 단위 결성은 금지된다.

③ 6급 이하의 일반직 공무원 및 이에 준하는 일반직 공무원은 가입 대상이나, 지휘·감독의 직책에 있는 공무원은 가입이 금지된다.

④ 공무원노조와 달리 협의회의 업무를 전담하는 공무원은 둘 수 없다.

04 「공무원의 노동조합 설립 및 운영 등에 관한 법률」상 단체교섭 대상은? 2017 국가 7급

① 기관의 조직 및 정원에 관한 사항

② 조합원의 보수에 관한 사항

③ 예산·기금의 편성 및 집행에 관한 사항

④ 정책의 기획 등 정책결정에 관한 사항

02

정답 : ① (현재는 법 개정됨)

① 공무원 노동조합의 전임자는 임용권자의 동의를 받아 노동조합의 업무에만 종사할 수 있다.

② 공무원 노동조합의 설립신고는 고용노동부장관에게 한다.

③ 공무원 노동조합은 2개 이상의 설립단위에 걸치는 노동조합이나 그 연합단체도 허용하고 있다.

④ 노동조합원의 보수·복지 및 기타 근무조건에 대해서만 교섭할 수 있다.

⑤ 일반직공무원, 별정직공무원, 특정직공무원 중 외무영사직렬·외교정보기술직렬 외무공무원, 소방공무원 및 교육공무원 등은 노동조합에 가입할 수 있다.

> **공무원노조법 제6조(가입 범위)** ① 노동조합에 가입할 수 있는 사람의 범위는 다음 각 호와 같다.
> 1. 일반직공무원
> 2. 특정직공무원 중 외무영사직렬·외교정보기술직렬 외무공무원, 소방공무원 및 교육공무원(다만, 교원은 제외한다)
> 3. 별정직공무원
> 4. 제1호부터 제3호까지의 어느 하나에 해당하는 공무원이었던 사람으로서 노동조합 규약으로 정하는 사람

03

정답 : ②, ③

② 협의회는 기관 단위로 설립하되, 하나의 기관에는 하나의 협의회만 설립할 수 있고, 전국 단위의 결성은 금지된다.

③ 일반직공무원은 가입 대상이다.

> **동법 제3조(가입 범위)** ① 협의회에 가입할 수 있는 공무원의 범위는 다음 각 호와 같다.
> 1. 일반직공무원
> 2. 특정직공무원 중 다음 각 목의 어느 하나에 해당하는 공무원
>   가. 외무영사직렬·외교정보기술직렬 외무공무원
>   나. 경찰공무원
>   다. 소방공무원
> 5. 별정직공무원
> ② 다음 각 호의 어느 하나에 해당하는 공무원은 협의회에 가입할 수 없다.
> 2. 업무의 주된 내용이 지휘·감독권을 행사하거나 다른 공무원의 업무를 총괄하는 업무에 종사하는 공무원
> 3. 업무의 주된 내용이 인사, 예산, 경리, 물품출납, 비서, 기밀, 보안, 경비 및 그 밖에 이와 유사한 업무에 종사하는 공무원

① 국가기관, 지방자치단체 및 그 하부기관에 근무하는 공무원도 직장협의회를 설립할 수 있다.

④ 협의회의 경우 업무를 전담하는 공무원은 둘 수 없다.

비교섭 사항

> 1. 정책의 기획 또는 계획의 입안 등 정책결정에 관한 사항
> 2. 공무원의 채용·승진 및 전보 등 임용권의 행사에 관한 사항
> 3. 기관의 조직·정원에 관한 사항
> 4. 예산·기금의 편성 및 집행에 관한 사항
> 5. 행정기관이 당사자인 쟁송(불복신청을 포함한다)에 관한 사항
> 6. 기관의 관리·운영에 관한 그 밖의 사항

04

정답 : ②

② 단체교섭 대상은 조합과 관련되는 사항 또는 조합원의 보수·복지, 그 밖의 근무조건이 있다.

①, ③, ④ 단체교섭의 제외대상으로는 기관의 조직 및 정원에 관한 사항, 예산·기금의 편성 및 집행에 관한 사항, 정책의 기획 등 정책결정에 관한 사항으로서 근무조건과 직접 관련 없는 사항은 교섭대상이 될 수 없다.

교섭사항

> • 해당 노동조합에 관한 사항
> • 조합원의 보수·복지 그 밖의 근무조건에 관한 사항
> • 근무조건과 직접 관련되는 정책결정에 관한 사항, 임용권의 행사 등 기관의 관리·운영에 관한 사항

정답

02 ① 03 ②, ③ 04 ②

① 정치적 중립을 확보해야 할 필요성으로 공무원의 대표성 확보를 들 수 있다.

② 실적주의와 행정의 능률성·전문성 확보에 필요하다.

③ 공무원 집단의 정치세력화를 방지하기 위해 필요하다.

④ 정치적 중립은 엽관제의 폐단을 극복하고 실적주의를 확립하기 위한 핵심가치였다.

① 단체협약의 내용 중 법령, 조례, 예산에 의하여 규정되는 내용은 단체협약으로서의 효력을 인정하지 아니한다.

② 공무원노조를 설립하고자 하는 경우에는 고용노동부장관에게 노조설립신고서를 제출하여야 한다.

③ 인사·보수에 관한 업무를 수행하는 공무원 등 노동조합과의 관계에서 행정기관의 입장에서 업무를 수행하는 공무원은 노동조합에 가입할 수 없다.

④ 단체교섭이 결렬된 경우에는 당사자 일방 또는 쌍방은 중앙노동위원회의 조정을 신청할 수 있다. 중앙노동위원회는 조정신청을 받은 날부터 20일 이내에 조정을 마쳐야 한다.

⑤ 정부교섭대표는 정부교섭대표가 아닌 관계 기관의 장으로 하여금 교섭에 참여하게 할 수 있고, 다른 기관의 장이 관리하거나 결정할 권한을 가진 사항에 대해서 해당 기관의 장에게 교섭 및 단체협약 체결 권한을 위임할 수 있다.

05

정답 : ①

① 일반적으로 정치적 중립을 강조하는 실적관료제는 정치적 사회화나 출신집단의 정치적 안배를 중시하는 대표관료제와는 상충되므로 공무원의 대표성 확보와는 관련 없다.

② 정치적 중립은 행정에 대한 정치권력의 개입을 방지하고 비능률과 낭비를 극복함으로써 실적제에 의한 행정의 능률성 및 전문성을 확보하기 위해 필요하다.

③ 공무원집단의 정치세력화나 관료제와 정치권력과의 밀착을 방지하기 위해 공무원의 정치적 중립이 필요하다.

④ 정치적 중립은 엽관주의에 의한 부정부패를 막고 실적주의를 확립하기 위한 중요한 가치이다.

06

정답 : ④

④ 단체교섭이 결렬된 경우에는 당사자 어느 한쪽 또는 양쪽은 중앙노동위원회에 조정을 신청할 수 있고 중앙노동위원회는 조정신청을 받은 날부터 30일 이내에 마쳐야 한다.

① 단체협약의 내용 중 법령·조례 또는 예산에 의하여 규정되는 내용은 단체협약으로서의 효력을 가지지 않는다.

> **동법 제10조(단체협약의 효력)** ① 제9조에 따라 체결된 단체협약의 내용 중 법령·조례 또는 예산에 의하여 규정되는 내용과 법령 또는 조례에 의하여 위임을 받아 규정되는 내용은 단체협약으로서의 효력을 가지지 아니한다.

② 공무원노조를 설립하고자 하는 경우에는 고용노동부장관에게 설립신고서를 제출하여야 한다.

③ 인사·보수에 관한 업무를 수행하는 공무원 등 노동조합과의 관계에서 행정기관의 입장에서 업무를 수행하는 공무원은 노동조합에 가입할 수 없다.

> **동법 제6조(가입 범위)** ② 제1항에도 불구하고 다음 각 호의 어느 하나에 해당하는 공무원은 노동조합에 가입할 수 없다.
> 1. 업무의 주된 내용이 다른 공무원에 대하여 지휘·감독권을 행사하거나 다른 공무원의 업무를 총괄하는 업무에 종사하는 공무원
> 2. 업무의 주된 내용이 인사·보수 또는 노동관계의 조정·감독 등 노동조합의 조합원 지위를 가지고 수행하기에 적절하지 아니한 업무에 종사하는 공무원
> 3. 교정·수사 등 공공의 안녕과 국가안전보장에 관한 업무에 종사하는 공무원

⑤ 정부교섭대표는 필요한 경우 정부교섭대표가 아닌 관계 기관의 장으로 하여금 교섭에 참여하게 할 수 있고, 다른 기관의 장이 관리하거나 결정할 권한을 가진 사항에 대하여는 해당 기관의 장에게 교섭 및 단체협약 체결 권한을 위임할 수 있다.

인사행정론

PART 4

해커스공무원 더 내행정학 기출 빅데이터 실전동형

포인트 정리

공무원직장협의회

가입 금지	• 노동운동이 허용되는 공무원(관계법령에 의한 사실상 노무종사자) • 지휘·감독의 직책에 있는 공무원 • 인사·예산·경리·물품출납·비서·기밀·보안·경비·자동차 운전 및 그 밖에 이와 유사한 업무에 종사하는 공무원

정답

05 ① 06 ④

국가공무원법 제65조에서 규정하고 있는 공무원의 정치운동 금지조항 가운데 잘못된 것은?

① 서명운동을 기도, 주재하거나 권유하는 것

② 문서 또는 도서를 공공시설 등에 게시하거나 게시하게 하는 것

③ 정치적 행위의 금지에 관한 한계를 국회규칙, 대법원규칙, 헌법재판소규칙, 중앙선관위규칙 또는 국무총리령으로 정한 것

④ 기부금을 모집 또는 모집하게 하거나 공공자금을 이용 또는 이용하게 하는 것

우리나라의 현행 인사행정제도에 관한 설명으로 옳지 않은 것은?

① 국가공무원법에 의거한 징계의 종류에는 파면·해임·강등·정직·감봉·견책이 있다.

② 고위공무원단에는 정부조직법상 중앙행정기관의 실장·국장 등 보조기관뿐 아니라 이에 상당하는 보좌기관도 포함된다.

③ 정당법에 의한 정당의 당원은 소청심사위원회의 위원이 될 수 없다.

④ 사실상 노무에 종사하는 공무원으로서 노동조합에 가입된 자가 조합 업무에 전임하려면 고용노동부장관의 허가를 받아야 한다.

07

정답 : ③

③ 정치적 행위의 금지에 관한 한계는 대통령령등으로 정한다. 대통령령등은 대통령령, 국회규칙, 대법원규칙, 헌법재판소규칙, 중앙선관위규칙을 의미하며 국무총리령은 이에 포함되지 않는다.

①, ②, ④ 국가공무원법 제65조 제2항의 각 호에서 명시하고 있는 사항이다.

> **국가공무원법 제65조(정치 운동의 금지)** ① 공무원은 정당이나 그 밖의 정치단체의 결성에 관여하거나 이에 가입할 수 없다.
> ② 공무원은 선거에서 특정 정당 또는 특정인을 지지 또는 반대하기 위한 다음의 행위를 하여서는 아니 된다.
> 1. 투표를 하거나 하지 아니하도록 권유 운동을 하는 것
> 2. 서명 운동을 기도(企圖)·주재(主宰)하거나 권유하는 것
> 3. 문서나 도서를 공공시설 등에 게시하거나 게시하게 하는 것
> 4. 기부금을 모집 또는 모집하게 하거나, 공공자금을 이용 또는 이용하게 하는 것
> 5. 타인에게 정당이나 그 밖의 정치단체에 가입하게 하거나 가입하지 아니하도록 권유 운동을 하는 것
> ③ 공무원은 다른 공무원에게 제1항과 제2항에 위배되는 행위를 하도록 요구하거나, 정치적 행위에 대한 보상 또는 보복으로서 이익 또는 불이익을 약속하여서는 아니 된다.
> ④ 제3항 외에 정치적 행위의 금지에 관한 한계는 대통령령등으로 정한다.

08

정답 : ④

④ 사실상 노무에 종사하는 공무원은 공무원노조에 가입할 수 없다. 한편 노동조합에 가입된 자가 조합 업무에 전임하려면 임용권자의 동의를 받아야 한다.

① 국가공무원법상 징계의 종류에는 파면·해임·강등·정직·감봉·견책이 있다.

② 고위공무원단에는 정부조직법상 중앙행정기관의 실장·국장 등 보조기관 뿐 아니라 이에 상당하는 보좌기관도 포함된다.

③ 정당법에 의한 정당의 당원은 소청심사위원회의 위원이 될 수 없다.

소청심사위원회위원의 결격사유 (국가공무원법 제10조의2)

- 공무원 임용결격사유(국가공무원법 제33조)에 해당하는 자
- 정당의 당원
- 선거에 후보자로 등록한 자

정답

07 ③ 08 ④

01 공직자의 이해충돌에 대한 설명으로 옳지 않은 것은?

2023 국가 9급

① 우리나라는 2021년 5월 「공직자의 이해충돌 방지법」을 제정하였다.

② 이해충돌은 그 특성에 따라 실제적, 외견적, 잠재적 형태로 분류할 수 있다.

③ 이해충돌 회피에 있어서는 '어느 누구도 자신이 연루된 사건의 재판관이 되어서는 안 된다'라는 원칙이 적용된다.

④ 「공직자의 이해충돌 방지법」의 위반행위는 감사원, 수사기관, 국민권익위원회 등에 신고할 수 있으나 위반행위가 발생한 기관은 제외된다.

02 공직윤리에 대한 설명으로 옳은 것은?

2021 국회 8급

① 품위 유지의 의무와 영리업무 및 겸직금지는 「공직자윤리법」에 규정되어 있다.

② 재산등록의무자였던 퇴직공직자는 퇴직 전 5년 동안 소속하였던 부서 또는 기관의 업무와 밀접한 관련성이 있는 기관에 퇴직일로부터 5년간 취업이 제한된다.

③ 육군 소장과 강원도 소방정감은 「공직자윤리법」상 재산공개의무가 있다.

④ 「부정청탁 및 금품 등 수수의 금지에 관한 법률 시행령」상 사립학교 교직원의 외부강의 사례금 상한액은 시간당 50만원이다.

⑤ 총경 이상의 경찰공무원과 경기도의 교육장은 「공직자윤리법」상 재산등록의무가 있다.

03 우리나라의 행정윤리에 대한 설명으로 옳은 것만을 모두 고르면?

2020 국가 7급

> ㄱ. 「공직자윤리법」상 지방의회 의원은 외국 정부 등으로부터 받은 선물의 신고 의무가 없다.
> ㄴ. 우리나라에서는 내부고발자보호제도를 법률로 규정하고 있다.
> ㄷ. 「공직자윤리법」에 따르면 총경 이상의 경찰공무원과 소방정 이상의 소방공무원은 재산을 등록해야 한다.
> ㄹ. 공무원의 주식백지신탁 의무는 「부패방지 및 국민권익위원회의 설치와 운영에 관한 법률」에 규정되어 있다.

① ㄱ, ㄴ

② ㄱ, ㄷ

③ ㄴ, ㄷ

④ ㄷ, ㄹ

01

④ 공직자의 이해충돌 방지법의 위반행위가 발생한 공공기관 또는 그 감독기관에도 신고할 수 있다.

> **공직자의 이해충돌 방지법 제18조(위반행위의 신고 등)** ① 누구든지 이 법의 위반행위가 발생하였거나 발생하고 있다는 사실을 알게 된 경우에는 다음 각 호의 어느 하나에 해당하는 기관에 신고할 수 있다.
> 1. 이 법의 위반행위가 발생한 공공기관 또는 그 감독기관
> 2. 감사원 또는 수사기관
> 3. 국민권익위원회

① 「공직자의 이해충돌 방지법」은 2022.5.19.에 시행되었다.

② 이해충돌의 종류에는 실질적 이해충돌(과거뿐만 아니라 현재에도 발생하고 있는 이해충돌), 외견상 이해충돌(공직자의 사익이 부적절하게 공적 의무의 수행에 영향을 미칠 가능성이 있는 상태로서 부정적 영향이 현재화된 것은 아님), 잠재적 이해충돌(공무원이 미래에 공적 책임에 관련되는 일에 연루되는 경우)이 있다.

③ 이해충돌 회피의 기본적인 원칙은 "누구도 자신의 사건에 대해 판결할 수 없다."이다.

02

⑤ 총경 이상의 경찰공무원과 시·도의 교육감 및 교육장은 재산등록의무가 있다.

① 품위 유지의 의무와 영리업무 및 겸직 금지는 「국가공무원법」에 규정되어 있다.

② 재산등록의무자인 취업심사대상자는 퇴직일부터 3년간 취업심사대상기관에 취업할 수 없다. 다만, 관할 공직자윤리위원회로부터 퇴직 전 5년 동안 소속하였던 부서 또는 기관의 업무와 취업심사대상기관 간에 밀접한 관련성이 없다는 확인을 받은 때에는 취업할 수 있다.

③ 군인의 경우 재산공개대상자는 중장 이상의 장교이므로 육군 소장은 재산공개의무가 없다.

④ 각급 학교의 장과 교직원 및 학교법인의 임직원의 경우 외부강의 등 사례금 상한액은 시간당 100만원이고, 공무원과 공직유관단체 임직원은 시간당 40만원이다.

03

③ ㄴ, ㄷ이 옳은 내용이다.

ㄴ. [O] 우리나라는 「부패방지 및 국민권익위원회의 설치와 운영에 관한 법률」에 내부고발자보호제도를 규정하고 있다.

ㄷ. [O] 공직자윤리법 제3조에 따라 총경 이상의 경찰공무원과 소방정 이상의 소방공무원은 재산을 등록해야 한다.

ㄱ. [X] 공직자윤리법 제15조에 따라 지방의회의원을 포함한 공무원 등은 외국 정부 등으로부터 받은 선물을 신고해야할 의무를 지닌다.

> **동법 제15조(외국 정부 등으로부터 받은 선물의 신고)** ① 공무원(지방의회의원을 포함한다. 이하 제22조에서 같다) 또는 공직유관단체의 임직원은 외국으로부터 선물(대가 없이 제공되는 물품 및 그 밖에 이에 준하는 것을 말하되, 현금은 제외한다. 이하 같다)을 받거나 그 직무와 관련하여 외국인(외국단체를 포함한다. 이하 같다)에게 선물을 받으면 지체 없이 소속 기관·단체의 장에게 신고하고 그 선물을 인도하여야 한다. 이들의 가족이 외국으로부터 선물을 받거나 그 공무원이나 공직유관단체 임직원의 직무와 관련하여 외국인에게 선물을 받은 경우에도 또한 같다.

ㄹ. [X] 공무원의 주식백지신탁 의무는 공직자윤리법에 규정되어 있다.

정답
01 ④ 02 ⑤ 03 ③

04 「국가공무원법」상 공직윤리에 위배되는 행위는?

2020 지방 7급

① 공무원 甲은 소속 상관에게 직무상 관계가 없는 증여를 하였다.

② 공무원 乙은 소속 기관장의 허가를 받아 다른 직무를 겸하였다.

③ 수사기관이 현행범인 공무원 丙을 소속 기관의 장에게 미리 통보하지 않고 구속하였다.

④ 공무원 丁은 대통령의 허가를 받고 외국 정부로부터 증여를 받았다.

05 공직자윤리법상 재산등록 및 공개에 대한 설명으로 가장 옳지 않은 것은?

2020 군무원 9급

① 공직유관 단체에는 공기업이 포함된다.

② 재산등록의무자는 5급 이상의 국가공무원 및 지방공무원과 이에 상당하는 보수를 받는 별정직 공무원이다.

③ 등록할 재산에는 본인의 직계존속 것도 포함된다.

④ 등록할 재산에 혼인한 직계비속인 여성 것은 제외한다.

06 공무원 부패의 원인에 대한 접근방법을 설명한 것 중 가장 옳지 않은 것은?

2020 경찰간부

① 거버넌스적 접근 – 부패란 정부주도의 독점적 통치구조에서 비롯된 것으로 정부와 시민간의 동등한 참여나 상호보완적 감시에 의한 협력적 네트워크에 의하여 해결될 수 있다고 본다.

② 체제론적 접근 – 법과 제도상의 결함이나 운영의 미숙 등이 부패의 원인으로 작용한다고 본다.

③ 사회문화적 접근 – 특정한 지배적 관습이나 경험적 습성과 같은 것이 부패를 조장한다고 보며 부패를 사회문화적 환경의 종속변수로 본다.

④ 도덕적 접근 – 부패는 개인의 비도덕성과 같은 윤리의식의 부재 때문에 발생한다고 본다.

07 다음 「공직자윤리법」의 내용으로 적절한 것을 모두 고른 것은?

2019 경정승진

㉠ 퇴직공직자의 취업제한	㉡ 비위면직자의 취업제한	㉢ 이해충돌 방지 의무
㉣ 품위 유지의 의무	㉤ 공직자의 부패행위 신고의무	

① ㉠, ㉢

② ㉠, ㉤

③ ㉡, ㉢

④ ㉡, ㉣

04

정답 : ①

① 공무원은 청렴의 의무에 따라 직무상의 관계가 있든 없든 그 소속 상관에게 증여하거나 소속 공무원으로부터 증여를 받을 수 없다.

② 공무원은 소속 기관장의 허가 없이 다른 직무를 겸할 수 없지만, 소속 기관장의 허가를 받아서 다른 직무를 겸하였으므로 위배되는 행위가 아니다.

③ 현행범일 경우 수사기관은 소속 기관의 장에게 미리 통보하지 않고 구속할 수 있다.

> **동법 제58조(직장 이탈 금지)** ② 수사기관이 공무원을 구속하려면 그 소속 기관의 장에게 미리 통보하여야 한다. 다만, 현행범은 그러하지 아니하다.

④ 공무원이 외국 정부로부터 영예나 증여를 받을 경우에는 대통령의 허가를 받아야 한다.

05

정답 : ②

② 재산등록의무자는 4급 이상의 국가공무원 및 지방공무원과 이에 상당하는 보수를 받는 별정직 공무원이다.

① 공직유관단체에는 공기업이 포함된다.

③ 등록할 재산에는 본인의 배우자 및 직계존속, 직계비속 것도 포함된다.

④ 등록할 재산에 혼인한 직계비속인 여성과 외증조부모, 외조부모, 외손자녀 및 외증손자녀는 제외한다.

06

정답 : ②

② 법과 제도상의 결함이나 운영의 미숙 등이 부패의 원인으로 작용한다고 보는 것은 제도적 접근법이다.

① 거버넌스적 접근은 부패를 정부주도적 통치체제에서 비롯된 것으로 보고 다양한 주체들의 참여에 의해 수평적 체제로 전환함으로써 부패를 줄일 수 있다고 본다.

③ 사회문화적 접근은 특정한 지배적 관습이나 경험적 습성이 부패를 조장한다고 본다.

④ 도덕적 접근은 부패의 원인을 개인의 윤리나 자질의 탓으로 본다.

07

정답 : ①

① ㉠, ㉢만 공직자윤리법에 있는 내용이다.

㉠ [O] 퇴직공직자의 취업제한은 공직자윤리법 제17조에 있다.

㉢ [O] 이해충돌 방지의무는 공직자윤리법 제2조의2에 있다.

㉡ [X] 비위면직자의 취업제한은 부패방지 및 국민권익위원회의 설치와 운영에 관한 법률 제82조에 있다

㉣ [X] 품위 유지의 의무는 국가공무원법 제63조에 있다.

㉤ [X] 공직자의 부패행위 신고의무는 부패방지 및 국민권익위원회의 설치와 운영에 관한 법률 제56조에 있다.

포인트 정리

부패에 대한 접근법

구조적 분석	공직의 사유관과 권력남용에 의해 유발
제도적 · 거시적 분석	행정제도의 결함과 미비, 행정통제의 부적합
사회문화의 환경적 분석	특정한 지배적 관습이나 경험적 습성이 부패를 조장
정치경제학적 분석	정격유착에 의한 타락과 부패
도덕적 접근법	관료 개인의 윤리 의식과 자질의 탓으로 봄
체제론적 접근법	제도상 결함, 관료의 도덕의식 결여 등 다양한 요인에 의해 복합적으로 나타남
거버넌스적 접근법	정부주도의 일방적 통치체제에서 비롯됨

공직자윤리법 vs 부패방지법

공직자 윤리법	① 재산등록 · 공개 의무 ② 외국정부 등으로부터 받은 선물 신고 및 신고된 선물의 국고귀속 ③ 퇴직공직자의 취업제한 ④ 이해충돌방지의무 ⑤ 주식백지신탁의무
부패 방지법	① 부패행위 신고의무 및 신고자 보호 ② 신고자의 성실의무 ③ 비위면직자 취업제한

정답

04 ① 05 ② 06 ② 07 ①

08 공직윤리와 관련한 설명으로 가장 옳지 않은 것은?
2018 서울 9급

① 정무직 공무원과 일반직 4급 이상 공무원은 재산등록의무가 있다.

② 공무원이 직무와 관련하여 외국인으로부터 10만원 또는 100달러 이상의 선물을 받은 때에는 소속 기관·단체의 장에게 신고하고 그 선물을 인도하여야 한다.

③ 세무·감사·건축·토목·환경·식품위생 분야의 대민업무 담당부서에 근무하는 일반직 7급 이상의 경우 재산등록대상에 해당한다.

④ 4급 이상 공무원과 공직유관단체 임직원은 퇴직일로부터 2년간, 퇴직 전 5년 간 소속 부서 또는 기관 업무와 밀접한 관련이 있는 사기업체에 취업할 수 없다.

09 다음 중 공직윤리에 대한 설명으로 가장 옳지 않은 것은?
2018 해경간부

① 공직윤리의 가치 기준으로서 공익의 과정설은 어떤 과정이나 절차를 통해 공익을 달성할 수 있는가에 주목한다.

② 공직에서 이해 충돌의 회피가 중요시되는 이유는 공직자가 국민의 대리인이기 때문이다.

③ 「공직자윤리법」에 의하면 취업심사대상자 중 퇴직공직자는 퇴직일로부터 2년간 퇴직 전 5년 동안 소속하였던 부서의 업무와 밀접한 관련이 있는 기관에 취업할 수 없다.

④ 「부패방지 및 국민권익위원회의 설치와 운영에 관한 법률」에서 내부고발자 보호제도를 도입하여 운영하고 있다.

10 내부고발자보호제도에 대한 설명으로 가장 적절하지 않은 것은?
2018 경정승진

① 내부고발은 조직구성원인 개인 또는 집단(퇴직자도 포함)이 비윤리적이라고 판단되는 조직내의 일을 대외적으로 폭로하는 행위를 말한다.

② 우리나라에서는 「부패방지 및 국민권익위원회의 설치와 운영에 관한 법률」에서 내부고발자보호제도를 명시하고 있으며, 내부고발은 기명 또는 익명의 문서로 할 수 있다.

③ 공직자는 그 직무를 행함에 있어 다른 공직자가 부패행위를 한 사실을 알게 되었거나 부패행위를 강요 또는 제의받은 경우에는 지체 없이 이를 수사기관·감사원 또는 국민권익위원회에 신고하여야 한다.

④ 내부고발자에 대하여 신분상 불이익이나 근무조건상의 차별을 한 자가 국민권익위원회의 적절한 조치 요구를 이행하지 아니한 때에는 형사처벌을 받는다.

08

정답 : ④

④ 4급 이상 공무원과 공직유관단체 직원은 퇴직일부터 3년간 취업심사대상기관에 취업할 수 없다. 다만 관할 공직자윤리위원회로부터 퇴직 전 5년 동안 소속하였던 부서 또는 기관의 업무와 취업심사대상기관 간에 밀접한 관련성이 없다는 확인을 받거나 취업승인을 받은 때에는 취업할 수 있다.

① 정무직 공무원과 4급 이상 일반직 국가공무원은 재산등록의무가 있다.

② 공무원이 그 직무와 관련하여 외국인으로부터 10만원 또는 100달러 이상의 선물을 받으면 지체 없이 소속기관·단체의 장에게 신고하고 그 선물을 인도하여야 한다.

③ 중앙행정기관 소속 공무원이나 지방자치단체 소속공무원 중 세무·감사·건축·토목·환경·식품위생 분야의 대민업무를 담당하는 부서에 근무하는 5급 이하 7급 이상의 일반직공무원의 경우 재산등록대상에 해당한다.

09

정답 : ③

③ 「공직자윤리법」에 의하면 국회규칙, 대법원규칙, 헌법재판소규칙, 중앙선거관리위원회규칙 또는 대통령령으로 정하는 공무원과 공직유관단체의 직원은 퇴직일부터 3년간 취업심사대상기관에 취업할 수 없다.

① 어떤 과정이나 절차를 통해 공익을 달성할 수 있는가에 주목하는 것은 공직윤리의 가치 기준으로서의 과정설에 해당한다.

② 이해충돌 방지의 의무란 공무 외에 영리를 목적으로 하는 업무에 종사하지 못하며 소속 기관장의 허가 없이 다른 직무를 겸할 수 없다는 것으로 공직자가 국민의 대리인이고 봉사자이므로 이해 충돌의 회피가 중요시 된다.

④ 「부패방지 및 국민권익위원회의 설치와 운영에 관한 법률」에서는 내부고발자보호제도를 명시하고 있다.

10

정답 : ②

② 우리나라에서는 「부패방지 및 국민권익위원회의 설치와 운영에 관한 법률」에서 내부고발자보호제도를 명시하고 있으나, 내부고발은 익명의 문서로 할 수 없다. 즉, 내부고발시에는 신고자의 인적사항과 신고취지 등을 기재한 문서로 하여야 하며 증거 등을 함께 제출하여야 한다.

① 내부고발은 조직구성원이 조직 내부의 비리나 불법행위·부당행위 등을 대외적으로 폭로하는 행위를 말한다.

③ 공직자는 부패행위를 신고할 의무가 있다.

> **동법 제56조(공직자의 부패행위 신고의무)** 공직자는 그 직무를 행함에 있어 다른 공직자가 부패행위를 한 사실을 알게 되었거나 부패행위를 강요 또는 제의받은 경우에는 지체 없이 이를 수사기관·감사원 또는 위원회에 신고하여야 한다.

④ 내부고발자는 신변보호를 요구할 수 있으며 신분상 불이익이나 근무조건상의 차별을 하지 못하며 적절한 조치 요구를 이행하지 않은 경우에는 형사처벌을 받는다.

> **동법 제62조(신분보장 등)** ① 누구든지 이 법에 따른 신고나 이와 관련한 진술 그 밖에 자료 제출 등을 한 이유로 소속기관·단체·기업 등으로부터 징계조치 등 어떠한 신분상 불이익이나 근무조건상의 차별을 받지 아니한다.
> ② 누구든지 신고를 한 이유로 신분상 불이익이나 근무조건상의 차별을 당하였거나 당할 것으로 예상되는 때에는 위원회에 해당 불이익처분의 원상회복·전직·징계의 보류 등 신분보장조치와 그 밖에 필요한 조치를 요구할 수 있다.

포인트 정리

공직자윤리법 제17조(퇴직공직자의 취업제한) ① 제3조제1항제1호부터 제12호까지의 어느 하나에 해당하는 공직자와 부당한 영향력 행사 가능성 및 공정한 직무수행을 저해할 가능성 등을 고려하여 국회규칙, 대법원규칙, 헌법재판소규칙, 중앙선거관리위원회규칙 또는 대통령령으로 정하는 공무원과 공직유관단체의 직원(이하 이 장에서 "취업심사대상자"라 한다)은 퇴직일부터 3년간 다음 각 호의 어느 하나에 해당하는 기관(이하 "취업심사대상기관"이라 한다)에 취업할 수 없다. 다만, 관할 공직자윤리위원회로부터 취업심사대상자가 퇴직 전 5년 동안 소속하였던 부서 또는 기관의 업무와 취업심사대상기관 간에 밀접한 관련성이 없다는 확인을 받거나 취업승인을 받은 때에는 취업할 수 있다.

정답
08 ④ 09 ③ 10 ②

11 다음 중 현행 「부정청탁 및 금품등 수수의 금지에 관한 법률」 적용 대상인 공공기관의 범주에 포함되지 않는 것은?

2017 국회 9급

① 「은행법」에 따른 은행
② 「공공기관의 운영에 관한 법률」에 따른 기관
③ 「공직자윤리법」에 따른 공직유관단체
④ 「언론중재 및 피해구제 등에 관한 법률」에 따른 언론사
⑤ 「사립학교법」에 따른 학교법인

12 다음 중 공직윤리 확보를 위해 우리나라에서 시행하고 있는 제도에 관한 설명으로 가장 옳지 않은 것은?

2017 서울 7급

① 공직자 재산등록 및 공개 제도는 공직자, 공직후보자의 재산정보를 등록 및 공개하는 제도로 우리나라 「공직윤리법」에 시행근거를 두고 있다.
② 고위공직자의 직무 관련 주식 보유에 따른 공·사적 이해충돌 방지를 위해 주식백지신탁제도를 도입, 운용하고 있다.
③ 현행 「부정청탁 및 금품등 수수의 금지에 관한 법률」에 의하면 공직자는 직무관련 여부와 관계없이 동일인으로부터 1회에 100만원 또는 매 회계연도에 300만원을 초과하는 금품 등을 받을 수 없다.
④ 퇴직공직자 취업제한제도는 적용대상 공직자의 퇴직 후 5년 간 그가 퇴직이전에 3년 간 속해있던 소속 부서나 기관과 밀접한 업무관련성이 있는 기관으로의 취업을 제한한다.

13 공직부패 원인의 접근방법에 대한 설명으로 가장 적절하지 않은 것은?

2017 경정승진

① 사회문화적 접근은 관료 부패를 사회문화적 환경의 독립변수로 본다.
② 체제론적 접근은 관료부패 현상을 관료 개인의 속성과 제도, 사회문화 환경 등 여러 요인이 복합적으로 상호 작용한 결과로 이해한다.
③ 부패에 대한 시장적 접근은 정치경제학적 접근이라고도 하며, 이는 부패가 정치·경제엘리트 간 야합과 이권 개입에 의한 공직 타락을 중시한다.
④ 거버넌스적 접근은 부패란 정부주도적 통치구조에서 비롯된 것으로, 일방적 외부통제로는 척결이 어려우므로 정부와 시민간의 상호보완적 감시에 의한 협력적 네트워크에 의하여 해결 가능하다고 본다.

11

정답 : ①

① 「부정청탁 및 금품등 수수의 금지에 관한 법률」에 따르면 「은행법」에 따른 은행은 공공기관의 범주에 포함되지 않는다.

②, ③, ④, ⑤ 공공기관, 공직유관단체, 언론사, 학교법인 등은 「부정청탁 및 금품등 수수의 금지에 관한 법률」에 따른 공공기관의 범주에 포함된다.

> **동법 제2조(정의)** 이 법에서 사용하는 용어의 뜻은 다음과 같다.
> 1. "공공기관"이란 다음 각 목의 어느 하나에 해당하는 기관·단체를 말한다.
>   가. 국회, 법원, 헌법재판소, 선거관리위원회, 감사원, 국가인권위원회, 고위공직자범죄수사처, 중앙행정기관(대통령 소속 기관과 국무총리 소속 기관을 포함한다)과 그 소속 기관 및 지방자치단체
>   나. 「공직자윤리법」 제3조의2에 따른 공직유관단체
>   다. 「공공기관의 운영에 관한 법률」 제4조에 따른 기관
>   라. 「초·중등교육법」, 「고등교육법」, 「유아교육법」 및 그 밖의 다른 법령에 따라 설치된 각급 학교 및 「사립학교법」에 따른 학교법인
>   마. 「언론중재 및 피해구제 등에 관한 법률」 제2조제12호에 따른 언론사

12

정답 : ④

④ 퇴직공직자 취업제한제도는 적용대상 공직자의 퇴직일부터 3년간 취업심사대상기관에 취업할 수 없다. 다만 관할 공직자윤리위원회로부터 퇴직 전 5년 동안 소속하였던 부서 또는 기관의 업무와 취업심사대상기관 간에 밀접한 관련성이 없다는 확인을 받거나 취업승인을 받은 때에는 취업할 수 있다.

① 공직자윤리법에는 공직자 재산등록 및 공개의무가 명시되어 있다.

② 주식백지신탁제도는 재산공개 대상자 등 및 그 이해관계인이 보유하고 있는 주식의 직무관련성을 심사·결정하기 위한 제도로 우리나라는 직무 관련 주식 보유에 따른 공·사적 이해충돌 방지를 위해 도입하고 있다.

③ 공직자는 직무 관련 여부 및 기부·후원·증여 등 그 명목에 관계없이 동일인으로부터 1회에 100만원 또는 매 회계연도에 300만원을 초과하는 금품 등을 받을 수 없다.

13

정답 : ①

① 사회문화적 접근은 관료 부패를 사회문화적 환경의 종속변수로 보며, 부정부패를 사회의 특정한 지배적인 관습이나 경험적 습성으로 인해 발생하는 접근방법이다.

② 체제론적 접근은 관료부패 현상을 관료 개인의 속성과 제도, 사회문화 환경 등 여러요인이 복합적으로 상호작용한 결과로 이해하며 부패는 하나의 변수가 아니라 다양한 요인에 의해 복합적으로 나타난다고 본다.

③ 부패에 대한 시장(교환)적 접근은 정치경제학적 접근이라고도 하며, 정경유착에 의한 타락과 부패를 의미하며 부패를 공직자와 민간인 사이에 자신의 이익 증대를 위한 거래 또는 교환행위로 파악하는 접근방법이다.

④ 거버넌스적 접근은 정부주도의 일방적 통치체제에서 비롯된 것으로, 정부 내부노력이나 일방적 외부통제로는 척결이 힘들기 때문에 정부와 시민간의 동등한 참여나 상호보완적 감시에 의한 협력적 네트워크에 의하여 해결될 수 있다고 보는 접근방법이다.

정답
11 ① 12 ④ 13 ①

14 다음에서 설명하는 부패의 종류는?

> ○ 부패행위로 규정될 수 있으나 사회구성원의 다수가 어느 정도 용인하는 관례화된 부패로서 사회 체제에 심각한 파괴적 영향을 미치지 않는다.
> ○ 금융위기가 심각함에도 불구하고 국민들의 동요나 기업활동의 위축을 방지하기 위해 금융위기가 전혀 없다고 관련 공무원이 거짓말을 하는 것과 같이 공무원이 사적인 이익을 취하기 위해서가 아니라, 경제안정 등과 같이 공익을 위한 목적으로 행한다.

① 백색 부패   ② 일탈형 부패
③ 흑색 부패   ④ 제도화된 부패
⑤ 회색 부패

15 다음 중 현행 「국가공무원법」상 공무원의 의무에 대한 내용으로 옳지 않은 것은?

① 공무원은 직무와 관련하여 직접적이든 간접적이든 사례·증여 또는 향응을 주거나 받을 수 없다.
② 공무원은 재직 중은 물론 퇴직 후에도 직무상 알게 된 비밀을 엄수하여야 한다.
③ 공무원은 직무상의 관계가 있든 없든 그 소속 상관에게 증여하거나 소속공무원으로부터 증여를 받아서는 아니된다.
④ 수사기관이 현행범인 공무원을 구속하려면 그 소속 기관의 장에게 미리 통보하여야 한다.
⑤ 공무원은 소속 상관의 허가 또는 정당한 사유가 없으면 직장을 이탈하지 못한다.

16 공직(행정부패의 유형에 관한 설명 중 가장 적절하지 않은 것은?

① 가장 전형적인 부패의 형태인 뇌물수수는 '사기형 부패'에 해당된다.
② 부패의 용인가능성을 기준으로 '흑색부패, 백색부패, 회색부패'로 나눌 수 있다.
③ '회색부패'는 윤리강령에는 규정할 수 있지만 법률로 규정하는 것은 논란이 되는 부패를 말한다.
④ 민원처리 과정에서 소위 급행료가 당연시 되는 관행은 '제도화된 부패'에 해당된다.

14

① 제시문은 백색부패에 해당한다. 백색부패는 사회적 용인 가능성에 따라 분류된 것으로 구성원의 다수가 어느 정도 용인하는 관례화된 부패이며, 구성원 모두가 처벌을 원하지 않는 부패를 말한다.

② 일탈형 부패는 부패의 제도화 정도에 따른 유형 구분으로 개인부패에서 많이 발생한다.

③ 흑색부패는 명백히 비난받고 사회구성원 모두가 처벌을 인정하는 부패이다.

④ 제도화된 부패는 행정체제 내에서 조직의 임무수행에 필요하나 행동규범이 예외적인 것으로 전락되는 것으로, 부패가 일상적으로 만연화되어 있는 상황을 지칭하는 부패이다.

⑤ 회색부패는 부패 처벌에 대해 사회구성원의 견해가 대립되는 유형으로 윤리강령에는 규정할 수 있지만 법률로 규정하는 것은 논란이 되는 부패이다.

15

④ 수사기관이 공무원을 구속하려면 그 소속 기관의 장에게 미리 통보하여야 하나, 현행범인 경우에는 미리 통보하지 않아도 된다.

① 직무와 관련하여 직·간접을 불문하고 사례·증여·향응을 주거나 받을 수 없다는 의무는 청렴의 의무(국가공무원법 제61조 제1항)에 해당한다.

② 재직 중은 물론 퇴직 후에도 직무상 알게 된 비밀을 엄수하여야 하는 의무는 비밀엄수의 의무(동법 제60조)에 해당한다.

③ 직무상의 관계가 있든 없든 소속 상관에게 증여하거나 소속 공무원으로부터 증여를 받아서는 안된다고 보는 의무는 청렴의 의무(동법 제61조 제2항)에 해당한다.

⑤ 소속 상관의 허가 또는 정당한 사유가 없으면 직장을 이탈할 수 없다는 의무는 직장이탈 금지의무(동법 제58조 제1항)에 해당한다.

16

① 가장 전형적인 부패의 형태는 거래형 부패로서, 공무원과 시민이 뇌물을 매개로 이권이나 특혜 등을 불법적으로 거래하는 것을 말한다.

② 흑색부패·백색부패·회색부패로 나누는 것은 부패의 용인가능성 여부에 따라 나눌 수 있다.

③ 회색부패는 수용과 비난 사이에서 일치점을 찾기 어려운 부패로서, 사회 전체에 파괴적인 영향을 미칠 수 있는 잠재성을 지닌 부패이며 사회구성원 일부는 처벌을 원하지만 일부는 원하지 않는다.

④ 제도화된 부패는 부패가 일상화되고 제도화되어 행정체제 내에서 부패가 실질적인 규범이 되고 바람직한 행동규범은 예외적인 것으로 전락되는 것을 말한다.

백색부패 vs 회색부패 vs 흑색부패

백색부패	사회적으로 용인되는 관례화된 부패로 구성원 모두가 처벌을 원하지 않는 부패
회색부패	사회에 영향력을 미치는 잠재력을 가진 부패로 일부는 처벌을 원하고 일부는 처벌을 원하지 않는 부패
흑색부패	명백히 비난받는 부패로 구성원 모두가 처벌을 원하는 부패

정답

14 ① 15 ④ 16 ①

17 행정윤리 및 행정통제 제도에 대한 설명으로 옳지 <u>않은</u> 것은? 2013 지방 7급

① 행정절차법 – 국민의 권익을 제한하는 처분을 할 경우에는 당사자에게 사전 통지해야 한다.

② 내부고발자 보호제도 – 조직의 불법행위를 언론이나 국회 등 외부에 알린 조직구성원을 보호한다.

③ 옴부즈만(ombudsman) – 행정이 잘못된 경우 해당 공무원에게 설명을 요구하고 필요한 사항을 조사하여 그 결과를 민원인에게 알려 준다.

④ 백지신탁 – 4급 이상 공무원은 이해의 충돌을 막기 위해 보유한 부동산을 수탁기관에 신탁해야 한다.

18 다음 중 「공직자윤리법」에 근거하여 재산공개 의무가 있는 공직자에 해당하지 <u>않는</u> 것은? 2013 국회 8급

① 소방감 이상의 소방공무원
② 중장 이상의 장관급 장교

③ 치안감 이상의 경찰공무원
④ 고등법원 부장판사급 이상의 법관

⑤ 국가정보원의 기획조정실장

19 행정윤리에 대한 설명으로 옳은 것을 모두 고르면? 2009 국가 7급

ㄱ. 정치와 행정의 상호작용이 활발해지면 행정윤리의 확보가 어려워질 가능성이 높아진다.
ㄴ. 국가공무원법, 공직자윤리법은 부정부패 방지 등을 위한 구체적이고 적극적인 행정윤리를 강조한다.
ㄷ. 정무직 공무원, 4급 이상 일반직 고위공무원은 재산등록 대상이지만 정부출연기관의 임원은 제외된다.
ㄹ. 공무원의 개인적 윤리기준은 공공의 신탁(public trust)과 관련된다.
ㅁ. 행정윤리는 공무원이 수행하는 행정업무와 관련된 윤리를 의미한다.

① ㄱ, ㄴ, ㄷ
② ㄱ, ㄹ, ㅁ

③ ㄴ, ㄹ, ㅁ
④ ㄷ, ㄹ, ㅁ

17

정답 : ④

④ 백지신탁제도는 일반직 1급 국가공무원과 지방공무원 및 이에 상응하는 별정직공무원, 기획재정부 및 금융위원회 소속 공무원들이 보유한 주식을 수탁기관에 신탁해야 하는 제도로 공직자윤리법에 규정되어 있다.

① 행정절차법 제21조의 내용이다.

② 내부고발자 보호제도는 조직의 불법행위를 언론이나 국회 등 외부에 알린 구성원을 보호하는 정책으로 부패방지 및 국민권익위원회의 설치와 운영에 관한 법률에 명시되어 있다.

③ 옴부즈만 제도는 행정이 잘못된 경우 해당 공무원에게 설명을 요구하고 필요사항을 조사하여 그 결과를 민원인에게 알려주는 제도로 부패방지 및 국민권익위원회의 설치와 운영에 관한 법률에 명시되어 있다.

18

정답 : ①

① 경찰공무원은 치안감 이상이 공개대상이지만, 소방직은 소방감이 아니라 소방정감 이상이 공개대상이다.

19

정답 : ②

② ㄱ, ㄹ, ㅁ은 옳고 ㄴ, ㄷ은 틀리다.

ㄱ. [O] 정치와 행정의 상호작용이 활발해지면 정치적 후원이 증가하고 이는 공직자의 정치화를 초래하며 공직윤리의 확립을 어렵게 한다.

ㄹ. [O] 공무원의 개인적 윤리기준에 대한 설명이다.

ㅁ. [O] 공직윤리는 공무원이 국가에 대한 봉사자로서 행정업무와 관련하여 공무를 수행하는 과정이나 신분상 지켜야 할 가치규범이나 행동기준이다.

ㄴ. [X] 법령상 윤리는 민주성·합리성·자주성의 이념을 적극 실현하려는 적극적 규범이라기보다는 공무원들이 하지 말아야 할 사항들만을 열거한 소극적 규정에 불과하다.

ㄷ. [X] 정부의 출자·출연·보조를 받는 공직유관단체(공기업 등)의 임원도 재산등록대상에 포함하도록 하고 있다.

정답

17 ④ 18 ① 19 ②

01 현행 우리나라 인사청문회제도에 관한 설명으로 가장 적절한 것은?

2020 경정승진

① 인사청문회는 원칙적으로 국회윤리특별위원회에서 실시하고 예외적으로 인사청문특별위원회에서 실시한다.

② 국회 인사청문회 진행은 비공개가 원칙이며, 위원회의 의결로 공개할 수 있다.

③ 국정원장, 경찰청장, 검찰총장의 인사청문회는 인사청문특별위원회에서 실시한다.

④ 국회에서 선출하는 헌법재판소 재판관 및 중앙선거관리위원회 위원의 인사청문회는 인사청문특별위원회에서 실시한다.

02 우리나라 고위공직자의 인사청문제도에 대한 설명 중 옳은 내용을 모두 고른 것은?

2020 경찰간부

가. 인사청문특별위원회 위원장은 인사청문경과를 국회 본회의에 보고한 후, 대통령에게 인사청문경과보고서를 송부한다.
나. 국회는 임명동의안이 제출된 날로부터 20일 이내에 인사청문을 마쳐야 한다.
다. 소관상임위원회 인사청문에서 상임위원회가 경과보고서를 채택하지 않는 경우에, 대통령이 후보자를 임명하는 것은 실정법으로 금지된다.
라. 대법원장·헌법재판소장·국무총리·감사원장 및 대법관은 인사청문특별위원회에서 인사청문이 이루어진다.

① 가, 나, 라　　　　　　　　　　② 가, 다
③ 나, 다　　　　　　　　　　　　④ 나, 라

01

정답 : ④

④ 국회에서 선출하는 헌법재판소 재판관 및 중앙선관위 위원은 인사청문특별위원회에서 인사청문회를 한다.

① 인사청문회는 청문 대상에 따라 국회인사청문특별위원회 또는 소관상임위원회에서 실시한다.

② 공개하는 것이 원칙이나 예외적으로 법정 사유시 위원회 의결로 비공개 할 수 있다.

③ 국정원장, 경찰청장, 검찰총장의 인사청문회는 소관상임위원회에서 실시한다.

국회 인사청문회 대상

인사청문특별위원회 인사청문	국회 동의 要	대법원장, 대법관, 헌법재판소장, 국무총리, 감사원장 및 대법관
	국회선출	헌법재판관 3인, 중앙선거관리위원 3인, 국무총리후보자
소관상임위원회 인사청문		헌법재판관 6인(대통령 임명 3명, 대법원장 지명 3인), 중앙선거관리위원 6인(대통령 임명 3인, 대법원장 지명 3인), 국무위원(각부 장관), 국세청장, 검찰총장, 경찰청장, 국정원장, 방통위ㆍ공정거래위ㆍ금융위ㆍ국가인권위 위원장, 합동참모의장, 특별감찰관, 한국은행 총재, 한국방송공사 사장, 고위공직자 범죄수사처장
인사청문 제외대상		중앙선거관리위원회 위원장(호선함), 감사위원, 국민권익위원회 위원장, 금융통화위원회 위원장, 해양경찰청장

02

정답 : ④

④ 나, 라가 옳은 내용이다.

나. [O] 국회는 임명동의안 등이 제출된 날부터 20일 이내에 그 심사 또는 인사청문을 마쳐야 한다(인사청문회법 제6조 제2항).

라. [O] 국회는 헌법에 의하여 그 임명에 국회의 동의를 요하는 대법원장ㆍ헌법재판소장ㆍ국무총리ㆍ감사원장 및 대법관과 국회에서 선출하는 헌법재판소 재판관 및 중앙선거관리위원회 위원에 대한 임명동의안 또는 의장이 각 교섭단체대표의원과 협의하여 제출한 선출안등을 심사하기 위하여 인사청문특별위원회를 둔다(국회법 제46조의3).

가. [X] 국회의장은 공직후보자에 대한 인사청문경과가 보고되면 지체 없이 인사청문경과보고서를 대통령 등에게 송부하여야 한다.

다. [X] 인사청문회의 결과는 임명동의와는 달리 결과 그 자체로서 대통령을 법적으로 구속할 수 없다.

인사행정론

인사청문회 효력

소관상임위원회 인사청문에서 상임위원회가 경과보고서를 채택하지 않는 경우에, 대통령이 해당 후보자를 임명하는 것을 실정법으로 막을 수 없다. 또한 인사청문 자체는 구속력이 없으나 헌법상 국회의 임명동의가 필요하여 본회의 표결을 거쳐야 하는 경우에 본회의의 표결은 구속력이 있다.

정답

01 ④ 02 ④

PART 5
재무행정론

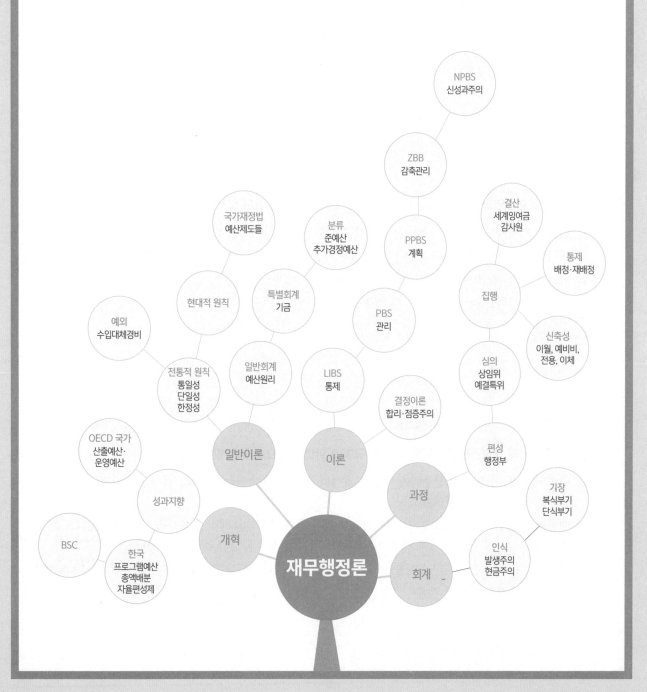

01 **예산과 재정 관리에 대한 설명으로 옳지 않은 것은?**

2018 국가 9급

① 우리나라의 예산은 행정부가 제출하고 국회가 심의·확정하지만, 미국과 같은 세출예산법률의 형식은 아니다.

② 조세는 현 세대의 의사결정에 대한 재정 부담을 미래 세대로 전가하지 않는다는 장점이 있다.

③ 성과주의 예산제도의 도입에도 불구하고 품목별 예산제도는 우리나라에서 여전히 활용되고 있다.

④ 추가경정예산은 예산의 신축성 확보를 위한 제도로서, 최소 1회의 추가경정예산을 편성하도록 「국가재정법」에 규정되어 있다.

02 **우리나라의 예산안과 법률안의 의결방식에 대한 설명으로 가장 옳지 않은 것은?**

2018 서울 9급

① 법률에 대해서는 대통령의 거부권 행사가 가능하지만 예산은 거부권을 행사할 수 없다.

② 예산으로 법률의 개폐가 불가능하지만, 법률로는 예산을 변경할 수 있다.

③ 법률과 달리 예산안은 정부만이 편성하여 제출할 수 있다.

④ 예산안을 심의할 때 국회는 정부가 제출한 예산안의 범위 내에서 삭감할 수 있고, 정부의 동의 없이 지출예산의 각 항의 금액을 증가하거나 새 비목을 설치할 수 없다.

03 **공공지출관리의 재정건전성을 위한 세 가지 규범에 관한 설명으로 옳지 않은 것은?**

2017 경찰간부

① 총량적 재정규율이란 예산총액에 대한 효과적인 통제를 의미 하는 것으로, 거시적 예산결정을 토대로 자원배분을 이루려는 개념이다.

② 배분적 효율성은 각 재정부문 간 재원배분을 통한 재정지출의 총체적 효율성을 도모하는 개념으로, 예산지출의 편익이 큰 분야에 예산액을 집중할 때 배분적 효율성이 높아질 수 있다.

③ 배분적 효율성이 부문 내의 배분을 중시하는 효율성이라면, 운영상 효율성은 부문 간의 효율성을 말한다.

④ 운영상 효율성을 높이기 위해서는 투입에 대한 산출의 비율을 높여야 한다.

정답 정밀 해설

01
정답 : ④

④ 추가경정예산은 예산의 신축성 확보를 위한 제도로서, 추가경정예산을 편성하도록 헌법 제56조에 규정되어 있으며, 횟수에 대한 제한은 없다.

① 우리나라는 행정부가 편성한 예산을 매년 국회가 의결하고 심의·확정하는 예산주의(의결주의)의 형식을 가진다. 한편 미국은 세입과 세출예산을 매년 의회가 법률로서 확정하는 법률주의의 형식을 가진다.

② 조세는 현 세대가 부담하는 것으로 재정부담이 미래 세대로 전가되지 않는다.

③ 품목별 예산제도는 행정부의 재정활동을 입법부가 효율적으로 통제하여 재정민주주의를 실현하기 위한 것으로, 우리나라뿐 아니라 세계적으로도 가장 많이 활용되는 기본적인 예산제도이며 새로운 제도가 등장한다고 하더라도 계속 유지하고 병존하게 될 제도라고 할 수 있다.

02
정답 : ②

② 예산으로 법률의 개폐가 불가능하며, 법률로 예산을 변경할 수 없다.

① 법률안에 대해서는 대통령의 거부권 행사가 가능하나 예산은 법률이 아니므로 거부권을 행사할 수 없다.

③ 법률은 정부와 국회 모두 제출할 수 있으나 예산은 정부만이 편성하여 제출할 수 있다.

④ 예산은 국회의 삭감이 자유롭지만 정부의 동의 없이 지출예산 각 항의 금액을 증가하거나 새 비목을 설치할 수 없다.

예산 vs 법률

구분	예산	법률
제출권자	정부	정부와 국회
제출기한	회계연도 개시 120일 전	제한없음
심의기한	회계연도 개시 30일 전	제한없음
거부권 행사	대통령의 거부권 행사 불가	대통령의 거부권 행사 가능
공포	공포 불필요, 의결로 확정	공포로써 효력 발생
시간적 효력	회계연도에만 효력	계속적 효력 발생
대인적 효력	국가기관만 구속	국가기관· 국민 모두 구속
지역적 효력	국내외 불구하고 효력 발생	원칙상 국내에만 한정
형식적 효력	예산으로 법률 개폐 불가	법률로써 예산변경 불가

03
정답 : ③

③ 반대로 서술되어 있다. 배분적 효율성이 부문 간의 배분을 중시하는 효율성이라면, 운영상 효율성은 부문 내의 효율성을 말한다.

① 총량적 재정규율이란 예산 총액의 효과적인 통제를 의미하는 것으로 예산편성 단계에서뿐만 아니라 예산 집행 단계에서도 적용되며 정부의 재정 및 경제정책과 관련한 예산 운영 전반에 대한 거시적 예산결정을 의미한다.

② 배분적 효율성은 부문 간 효율성을 의미하는 것으로 부문 간 재원배분을 통한 재정지출의 총체적 효율성을 도모하며, 파레토 최적을 달성하는 것이다.

④ 운영상 효율성은 부문 내의 효율성을 의미하는 것으로 기술적 효율성을 나타내기도 한다. 운영상 효율성을 높이기 위해서는 투입에 대한 산출의 비율을 높여야 하며 성과정보의 이용이 필요하다.

정답

01 ④ 02 ② 03 ③

04 정부예산 기초이론에 대한 다음 설명 중 옳은 것은 모두 몇 개인가?

2011 경찰간부

> ⊙ 머스그레이브(Musgrave)는 재정의 3대 기능으로 효율적인 자원배분, 형평성 있는 분배, 성장과 안정의 균형 등을 제시하였다.
> ⓒ 윌다브스키(A. Wildavsky)의 예산결정문화론에서는 예측력이 높고 경제력이 풍부한 경우 점증주의 예산이 나타난다.
> ⓒ 바람직한 예산은 총량규모에 관한 재정규율, 배분적 효율성, 운영상 효율성과 같은 기능을 잘 수행하는 것이라고 쉬크(A. Shick)는 지적하였다.
> ② 노이마르크(Neumark)의 예산원칙은 예산을 통제수단으로 파악하였다.
> ⑩ 린드블롬(Lindblom)은 "어떠한 근거로 X 달러를 B사업 대신 A사업에 배분하도록 결정하는가?"라는 질문을 통해 예산결정 이론의 필요성을 역설하였다.
> ⑭ 쉬크(A. Shick)는 예산의 기능을 통제기능, 관리기능, 계획기능으로 분류한 바 있다.

① 3개   ② 4개

③ 5개   ④ 6개

05 다음은 우리나라의 예산에 관한 설명이다. 옳지 않은 설명은?

2014 서울 7급

① 예산은 정부만이 제안권을 갖고 있고 국회는 제안권을 갖고 있지 않다.

② 예산안을 심의할 때 국회는 정부가 제출한 예산안의 범위 내에서 삭감할 수 있으나, 정부의 동의 없이 지출예산 각 항의 금액을 증액할 수 없다.

③ 예산은 국가기관만을 구속한다.

④ 예산은 국회의 의결로 성립하지만 정부의 수입 지출의 권한과 의무는 별도의 법률로 규정된다.

⑤ 국회에서 의결된 예산에 대해서 대통령이 거부권을 행사할 수 있다.

06 배분기구로서의 정부 예산에 대한 설명으로 옳지 않은 것은?

2012 서울 9급

① 예산의 본질적 모습은 예산을 통해 추진하고자 하는 정책과 사업이라고 할 수 있다.

② 예산에는 정책결정자의 사실판단에 근거하며 가치판단은 배제되어 있다.

③ 공공부문의 희소성은 공공자원을 사용할 수 있는 제약 상태를 반영한 개념이다.

④ 거시적 배분은 민간부문과 공공부문 간의 자원 배분에 관한 결정이다.

⑤ 미시적 배분은 주어진 예산의 총액 범위 내에서 각 대안 간에 자금을 배분하는 것이다.

04

정답 : ③

③ ⑩을 제외한 ㉠, ㉡, ㉢, ㉣, ㉤이 옳다.

㉠ [O] 머스그레이브는 재정 3대 기능으로 자원배분 기능(효율성), 소득재분배 기능(형평성), 경제안정화 기능(안정과 성장)을 제시하였다.

㉢, ㉤ [O] A.Schick는 처음에 예산의 기능을 통제, 관리, 기획기능으로 구분(1962)하였지만, 나중에 예산의 신기능론(1998)에서 바람직한 예산은 총량규모에 관한 재정규율, 배분적 효율성, 운영상 효율성과 같은 기능을 잘 수행하는 것이라고 지적하였다.

㉣ [O] 노이마르크(F.Neumark)는 19세기 입법국가 시대의 대표적 재무학자로서 그의 주장은 행정통제의 수단으로 마련된 예산의 원칙, 입법부 우위론적 예산원칙이라고도 한다. 집행에 있어서 국민의 대표기관인 의회가 감독권을 충분히 발휘함으로써 행정부의 독주를 견제하기 위해 수립된 것으로 본다.

㉤ [X] 예산결정에 있어서 X달러라는 금액이 A활동 대신에 B활동에 배정되었는가를 밝혀 주는 이론이 없다고 지적함으로써 예산이론의 필요성을 강조한 것은 V.O.Key의 예산이론부재론에 해당한다.

05

정답 : ⑤

⑤ 우리나라는 대통령이 예산에 대해서 거부권을 행사할 수 없다.

① 우리나라의 예산은 의결주의로 행정부가 예산의 제안권을 갖고 있다.

② 헌법에 규정된 사항으로 국회는 정부의 동의 없이 정부가 제출한 지출예산 각 항의 금액을 증가하거나 새 비목을 설치할 수 없다.

③ 예산은 국가기관만 구속하는 대인적 효력을 갖고 있다.

④ 예산은 국회의 의결로 성립되고, 정부의 수입 지출의 권한과 의무는 법률로 규정된다.

06

정답 : ②

② 예산은 희소한 공공재원의 배분에 관한 계획으로, 기회비용 등을 고려하는 합리적 접근을 통해 우선순위를 분석하므로 가치판단과 사실판단 등의 다양한 형태의 정보가 집적된다.

① 예산은 국가의 사업계획을 구체화시키는 역할을 하므로 국가정책의 회계적 표현이라고 할 수 있다.

③ 공공자원의 희소성은 사회구성원의 욕망에 비해 그 욕망을 충족시켜 줄 수단인 공공자원이 제약되어 있는 상태이며, 희소성은 정부가 얼마나 원하는가에 대해서 얼마나 보유하고 있는가의 양면적 관계이다.

④ 거시적 배분은 예산총액의 적정규모와 관련된 것으로 공공부문과 민간부문 간의 적절한 자원배분을 의미하며 합리주의에 입각한 예산결정방식이다.

⑤ 미시적 배분은 합리주의 예산으로, 공공부문 내의 자원배분문제를 의미하며 주어진 예산 총액의 범위 내에서 각 사업 간의 자금을 배분하는 것으로 한계효용균등의 원리가 적용된다고 본다.

포인트 정리

정부의 재정기능(Musgrave)

구분	중앙정부	지방정부
자원배분	국가공공재 공급	지방공공재 공급
소득 재분배	조세, 현금급부 중심	중앙정부와 역할분담, 현물급부 중심
경제 안정화	강함	약함

예산의 특징(성격)

- 자원배분
- 정치적·권력적 상호작용
- 다양한 정책정보의 창출
- 책임성 확보 수단
- 공공정책의 회계적 표현

정답

04 ③ 05 ⑤ 06 ②

07 Allen Schick이 제시하고 있는 예산의 희소성에 대해서 그 연결이 잘못된 것은? 2007 전남 9급

① 완화된 희소성 - 사업개발에 역점

② 급격한 희소성 - 사업의 분석 평가 소홀

③ 만성적 희소성 - 지출통제보다 관리개선에 역점

④ 총체적 희소성 - 회피형 예산편성

CHAPTER 02 예산관련 법률·재무행정조직

실질적 **력**(역량) **업**그레이드

---

01 재무행정 조직에 대한 설명으로 가장 적절하지 않은 것은? 2018 경정승진

① 중앙예산기관과 국고수지총괄기관의 분리 여부에 따라 삼원체제와 이원체제로 구분된다.

② 미국은 관리예산처, 재무부, 연방준비은행이 분리된 삼원체제에 해당한다.

③ 우리나라는 현재 중앙예산기관과 국고수지총괄기관이 기획재정부에 통합되어 있는 이원체제에 해당되며, 이는 세입·세출의 유기적 연계성을 높인다.

④ 효과적인 행정관리 수단, 분파주의 등은 삼원체제의 장점이다.

---

02 「국가재정법」 제1조에 규정된 재정운영 목적과 그에 대한 설명으로 옳지 않은 것은? 2014 지방 7급

① 재정운영의 형평성은 구성원 사이의 재화와 서비스를 공평하게 나누는 것을 의미하며, 이를 위하여 성인지 예산제도를 규정 하고 있다.

② 재정의 투명성이란 재정의 편성부터 심의, 집행에 이르는 과정에서의 제반 사항 및 경과를 일반 국민들이 확인할 수 있는 정도를 의미한다.

③ 재정 건전성은 지출이 수입의 범위 내에서 충당되어 국채발행이나 차입이 없는 재정운용 또는 다소 적자가 발생하더라도 장기적으로 상환 가능할 정도로 크지 않은 재정운용을 의미한다.

④ 성과지향성이란 투입을 중심으로 하는 전통적인 재정운용방식에서 벗어나 성과를 중심으로 재정사업을 평가·관리하는 것을 의미하며, 재정지출뿐만 아니라 조세지출에도 적용된다.

07

정답 : ②

② 사업의 분석 평가에 소홀한 것은 만성적 희소성에 해당된다. 한편 급성 희소성은 가용재원이 점증적 증가분을 충당하지 못하는 상태로 예산관련 기획은 거의 없으며 관리상 효율성을 재강조한다.

① 완화된 희소성은 자원이 충분한 상태로 잉여예산으로 사업개발에 초점을 두고 통제기능에서 계획기능으로, 사업 분석과 다년도 예산편성에 대한 관심을 갖는다.

③ 만성적 희소성은 일상적 예산부족 상태로 지출통제보다 관리개선에 초점을 두며, 영기준예산결정에 관심을 갖는다.

④ 총체적 희소성은 계속사업에 대한 비용마저 충당하지 못하는 상태로 통제와 관리기능이 무의미하며 회피형 예산편성을 한다.

01

정답 : ④

④ 효과적인 행정관리 수단, 분파주의 방지 등은 삼원체제의 장점이다. 한편 분파주의 발생은 이원체제의 단점이다.

① 이원체제와 삼원체제는 중앙예산기관과 국고수지총괄기관의 분리에 따라 분류된다.

② 미국은 중앙예산기관인 관리예산처, 수입지출 총괄기관인 재무부, 중앙은행인 연방준비은행이 분리된 삼원체제에 해당한다.

③ 우리나라의 경우 재무행정기관인 기획재정부와 중앙은행인 한국은행으로 구분된 이원체제에 해당하며, 이원체제는 세입과 세출의 유기적 연계성을 높인다.

02

정답 : ①

① 현행 국가재정법은 재정운용의 효율성, 성과지향성, 투명성 및 건전성은 규정되어 있으나 형평성과 관련된 내용은 규정되어 있지 않다.

> **국가재정법 제1조(목적)** 이 법은 국가의 예산·기금·결산·성과관리 및 국가채무 등 재정에 관한 사항을 정함으로써 효율적이고 성과 지향적이며 투명한 재정운용과 건전재정의 기틀을 확립하는 것을 목적으로 한다.

② 재정 투명성에 대한 설명이다.

③ 재정 건전성에 대한 설명이다.

④ 성과지향성에 대한 설명이다.

03 다음 중에서 「국가재정법」의 주요 내용으로 옳은 것은 모두 몇 개인가?

2011 경찰간부

⊙ 회계 및 기금 간 여유재원의 신축적 운용	ⓒ 성인지 예결산제도 도입
ⓒ 공기업·준정부기관 경영평가단 구성 운영	ⓔ 국가채무관리계획의 국회 제출
ⓜ 예산증액 및 새 비목 설치 제한	ⓑ 기금운용계획의 변경 가능 범위 확대

① 2개   ② 3개

③ 4개   ④ 5개

04 우리나라 국가재정법 제16조에 규정된 예산운용의 기본원칙이 아닌 것은?

2009 국가전환특채

① 정부는 재정건전성의 확보를 위하여 최선을 다하여야 한다.

② 정부는 국민부담의 최소화를 위하여 최선을 다하여야 한다.

③ 정부는 예산과정의 투명성과 예산과정에의 국민참여를 제고하기 위하여 노력하여야 한다.

④ 정부는 예산이 여성과 남성에게 미치는 효과를 평가할 필요는 없다.

CHAPTER 03 예산의 원칙과 예외

실질적 **력**(역량) **업**그레이드

01 예산의 원칙과 내용을 가장 옳게 짝지은 것은?

2019 서울 9급(2월)

① 예산단일성의 원칙-예산은 모든 국민이 알기 쉽게 분류, 정리되어야 한다는 원칙

② 예산완전성의 원칙-모든 수입과 지출은 예산에 계상되어야 한다는 원칙

③ 예산엄밀성의 원칙-정해진 목표를 위해서 정해진 금액을 정해진 기간 내에 사용해야 한다는 원칙

④ 예산한정성의 원칙-국가의 예산은 하나로 존재해야 한다는 원칙

03

정답 : ②

② ㉠, ㉡, ㉣이 옳은 내용이다.

㉠ [O] 회계 및 기금 간 여유재원의 신축적인 운용은 국가재정법 제13조에 규정되어 있다.

㉡ [O] 성인지 예·결산제도는 국가재정법 제26조에 규정되어 있다.

㉣ [O] 국가채무관리계획의 국회 제출은 국가재정법 제91조에 규정되어 있다.

㉢ [X] 공기업·준정부기관 경영평가단 구성 및 운영은 공공기관의 운영에 관한 법률에 규정되어 있다.

㉤ [X] 예산증액 및 새 비목 설치 제한은 헌법 제57조에 규정되어 있다.

㉥ [X] 기금운용계획의 변경 가능 범위 축소는 국가재정법에 규정되어 있다.

04

정답 : ④

④ 정부는 예산이 여성과 남성에게 미치는 효과를 평가하고 그 결과를 예산편성에 반영하기 위하여 노력하여야 한다는 남녀평등의 원칙을 규정하고 있다.

① 재정건전성의 원칙에 해당한다.

② 국민부담 최소화의 원칙에 해당한다.

③ 투명성과 참여성의 원칙에 해당한다.

01

정답 : ②

② 예산완전성의 원칙은 모든 수입과 지출은 예산에 계상되어야 한다는 원칙이다.

① 예산명확성의 원칙은 예산은 모든 국민이 알기 쉽게 분류, 정리되어야 한다는 원칙이다.

③ 예산한정성의 원칙은 정해진 목표를 위해서 정해진 금액을 정해진 기간 내에 사용해야 한다는 원칙이다.

④ 예산단일성의 원칙은 국가의 예산은 하나로 존재해야 한다는 원칙이다.

포인트 정리

「국가재정법(제16조)」상 예산의 원칙

- 재정건전성의 원칙
- 투명성과 참여성의 원칙
- 국민부담 최소화의 원칙
- 남녀평등의 원칙
- 재정성과의 원칙

예산의 원칙

공개성 원칙	국민에게 공개
명료성 원칙	국민이 이해하기 쉽게 편성
정확성 원칙	예산 = 결산(수지균형)
명세성 원칙	구체적 항목화
완전성(포괄성) 원칙	모두 예산에 계상
통일성 원칙	국고로 통합, 국고에서 지출
사전의결 원칙	의회가 사전 심의 및 의결
한정성 원칙	목적 외 사용금지(질적)
	초과지출 금지(양적)
	연도경과 금지(시간적)
단일성 원칙	재정활동을 단일예산으로 편성

정답

03 ② 04 ④ 01 ②

02 다음 중 예산 원칙의 예외를 옳게 짝지은 것은?

	한정성 원칙	단일성 원칙
①	목적세	특별회계
②	예비비	목적세
③	이용과 전용	수입대체경비
④	계속비	기금

03 〈보기〉에서 예산집행의 시간적 제약을 완화하기 위해 도입한 제도를 모두 고른 것은?

> **보기**
>
> ㄱ. 총액계상예산제도　　　　　　　ㄴ. 이용
> ㄷ. 전용　　　　　　　　　　　　　ㄹ. 이월제도
> ㅁ. 계속비제도　　　　　　　　　　ㅂ. 국고채무부담행위

① ㄱ, ㄴ, ㄷ　　　　　　　　　② ㄴ, ㄷ, ㄹ
③ ㄹ, ㅁ, ㅂ　　　　　　　　　④ ㄴ, ㄹ, ㅁ

04 자원관리의 효율성과 계획성을 강조하는 현대적 예산제도의 원칙에 해당하지 않는 것은?

① 행정부에 의한 책임부담의 원칙
② 예산관리수단 확보의 원칙
③ 공개의 원칙
④ 다원적 절차채택의 원칙

02

정답 : ④

④ 한정성의 원칙은 주어진 목적, 규모, 시간에 따라 예산이 집행되어야 한다는 것으로, 한정성 원칙의 예외로는 이용, 전용, 예비비, 추가경정예산, 이월, 계속비, 국고채무부담행위 등이 있다.
한편, 단일성의 원칙은 모든 재정활동을 포괄하는 단이의 예산으로 편성되어야 한다는 것으로, 단일성 원칙의 예외로는 추가경정예산, 기금, 특별회계 공기업예산이 있다.

예산의 원칙과 예외

원칙	내용	예외
공개성 원칙	국민에게 공개	신임예산
명료성 원칙	국민이 이해하기 쉽게 편성	총액예산
정확성 원칙	예산 = 결산(수지균형)	적자예산, 흑자예산
명세성 원칙	구체적 항목화	총액예산
완전성(포괄성) 원칙	모두 예산에 계상	순계예산, 기금, 현물출자, 외국차관의 전대, 수입대체경비
통일성 원칙	국고로 통합, 국고에서 지출	특별회계, 기금, 수입대체경비, 목적세
사전의결 원칙	의회가 사전 심의 및 의결	준예산, 예비비, 전용, 사고이월, 재정상 긴급명령, 선결처분
한정성 원칙	목적 외 사용금지(질적)	이용, 전용
	초과지출 금지(양적)	예비비
	연도경과 금지(시간적)	이월, 계속비, 과년도 수입 및 지출, 국고채무부담행위
단일성 원칙	재정활동을 단일예산으로 편성	특별회계, 기금, 추가경정예산, 공기업예산

03

정답 : ③

③ 예산집행의 시간적 제약을 완화하기 위한 제도는 회계연도 독립의 원칙인 시간적 한정성에 대한 예외를 의미하는 것으로 이월제도, 계속비제도, 국고채무부담행위(ㄹ, ㅁ, ㅂ)가 예외에 해당한다.

04

정답 : ③

③ 공개성의 원칙은 모든 예산은 공개되어야 한다는 것으로 예산은 국민에게 공개되고 누구나 알 수 있어야 한다는 원칙을 의미하는 것으로 이는 전통적 예산원칙에 해당한다.
① 행정부에 의한 책임부담의 원칙은 현대적 예산원칙으로 행정부는 국민의 요구에 따라 수행해야 하며 예산운영은 이러한 행정부의 책임의 수행에 도움이 되어야 한다는 원칙이다.
② 예산관리수단 확보의 원칙은 현대적 예산원칙으로 예산에 관한 책임을 다하기 위해서는 행정부가 적절한 예산운영의 수단을 구비해야 한다는 원칙이다.
④ 다원적 절차채택의 원칙은 현대적 원칙으로 현대정부의 활동은 매우 다원적이므로 이러한 활동을 효율적으로 관리하게 위해서 다원적 예산절차가 필요하다는 원칙이다.

포인트 정리

고전적 예산원칙 vs 현대적 예산원칙

고전적 예산원칙	현대적 예산원칙
• 명확성의 원칙 • 완전성의 원칙 • 통일성의 원칙 • 사전의결의 원칙 • 한정성의 원칙 • 단일성의 원칙 • 명세성의 원칙 • 공개성의 원칙 • 정확성의 원칙	• 계획의 원칙 • 책임의 원칙 • 보고의 원칙 • 적절한 수단의 원칙 • 다원적 절차의 원칙 • 재량의 원칙 • 시기신축성의 원칙 • 예산기구 상호성의 원칙

정답

02 ④ 03 ③ 04 ③

다음은 예산의 원칙에 대한 설명이다. 바르게 짝지어진 것은? 2015 서울 9급

A : 한 회계연도의 세입과 세출은 모두 예산에 계상하여야 한다.
B : 모든 수입은 국고에 편입되고 여기에서부터 지출이 이루어져야 한다.

	A	B
①	예산 단일의 원칙	예산 총계주의 원칙
②	예산 총계주의 원칙	예산 단일의 원칙
③	예산 통일의 원칙	예산 총계주의 원칙
④	예산 총계주의 원칙	예산 통일의 원칙

06 예산 한정성 원칙의 예외로 볼 수 없는 것은? 2014 국가 7급

① 예비비 편성 ② 추가경정예산
③ 특별회계 운용 ④ 예산의 이용 및 전용

07 다음은 전통적 예산의 원칙에 관한 설명이다. 괄호 안에 들어갈 내용으로 가장 바르게 연결한 것은? 2012 해경간부

가. 수입대체경비의 초과수입, 현물출자와 외국차관을 정부 이름으로 대신 빌려서 실제 그 돈을 사용할 차관사업 수행자에게 그대로 넘겨주는 전대차관(轉貸借款)은 (㉠)의 예외이다.
나. 목적세, 수입대체경비, 특별회계, 기금은 (㉡)의 예외이다.
다. 준예산, 전용, 사고이월, 재정상의 긴급명령, 선결처분은 (㉢)의 예외이다.
라. 추가경정예산의 편성, 예산의 이월, 계속비 등은 (㉣)의 예외이다.

	㉠	㉡	㉢	㉣
①	예산총계주의	단일성의 원칙	공개성의 원칙	한계성의 원칙
②	초과지출금지의 원칙	통일성의 원칙	공개성의 원칙	단일성의 원칙
③	예산총계주의	통일성의 원칙	사전의결의 원칙	한계성의 원칙
④	초과지출금지의 원	단일성의 원칙	사전의결의 원칙	한계성의 원칙

05

정답 : ④

④ A: 예산 총계주의 원칙, B: 예산 통일의 원칙이 옳은 내용이다.

한 회계연도의 세입과 세출을 모두 예산에 계상하여야 한다는 원칙은 예산의 완전성의 원칙(예산 총계주의)에 해당되며, 모든 수입은 국고에 편입되고 여기에서부터 지출이 이루어져야 한다는 원칙은 예산의 통일의 원칙에 해당한다.

06

정답 : ③

③ 특별회계 운용은 통일성의 원칙, 단일성의 원칙의 예외이다.
① 예비비 편성은 한정성의 원칙 중 양적 한정성의 예외이다.
② 추가경정예산은 한정성의 원칙 중 양적 한정성의 예외이다.
④ 예산의 이용 및 전용은 목적 외로 사용할 수 있는 제도로 질적 한정성의 예외이다.

07

정답 : ③

③ ㉠-예산총계주의, ㉡-통일성의 원칙, ㉢-사전의결의 원칙, ㉣-한계성의 원칙이 옳게 연결되었다.

정답
05 ④ 06 ③ 07 ③

재무행정론

PART 5

해커스공무원 마니행정학 기출 빅데이터 실작업

08 통일성 원칙이란 특정 수입과 특정 지출이 연계되어서는 안 된다는 예산의 원칙이다. 〈보기〉에서 통일성 원칙의 예외와 관련된 제목을 모두 바르게 묶은 것은? 2011 국회 9급

> **보기**
> ㄱ. 법인세　　　　　　ㄴ. 교통·에너지·환경세　　　　　ㄷ. 교육세
> ㄹ. 지방교육세　　　　ㅁ. 농어촌특별세　　　　　　　　　ㅂ. 소득세

① ㄱ, ㄴ, ㄷ　　　　　　　　② ㄱ, ㄴ, ㄹ, ㅁ　　　　　　　③ ㄴ, ㄷ, ㄹ
④ ㄴ, ㄷ, ㄹ, ㅁ　　　　　　⑤ ㄴ, ㄷ, ㄹ, ㅂ

09 연말에 사용하지 않은 예산을 한꺼번에 써버리는 낭비를 줄이기 위한 대책이 필요하다. 만약 당해 연도에 절약을 통하여 집행하지 않고 축적된 예산의 일정부분을 차년도에 해당부서가 자율적으로 사용할 수 있는 제도를 도입한다면 다음 설명 중 맞는 것은? 2007 서울 7급

① 회계연도 독립의 원칙에 위배되나, 보고의 원칙에 부합된다.
② 사전의결의 원칙에 위배되나, 재량원칙에 부합된다.
③ 회계연도 독립의 원칙에 위배되나, 재량원칙에 부합된다.
④ 사전의결의 원칙에 위배되나, 보고의 원칙에 부합된다.
⑤ 완전성 원칙에 위배되나, 재량의 원칙에 부합된다.

CHAPTER 04 예산의 종류 – 일반회계, 특별회계, 기금 실질적 력(역량) 업그레이드

01 특별회계 예산과 기금에 대한 설명으로 옳지 않은 것은? 2021 지방, 서울 9급

① 기금은 특정 수입과 지출의 연계가 강하다.
② 특별회계 예산은 세입과 세출이라는 운영 체계를 지닌다.
③ 특별회계 예산은 합목적성 차원에서 기금보다 자율성과 탄력성이 강하다.
④ 특별회계 예산과 기금은 모두 결산서를 국회에 제출하여야 한다.

08
정답 : ④

④ ㄴ, ㄷ, ㄹ, ㅁ이 통일성 원칙의 예외에 해당한다.

ㄴ, ㄷ, ㄹ, ㅁ. [O] 교통·에너지·환경세, 교육세, 지방교육세, 농어촌특별세는 목적세로 통일성 원칙의 예외에 해당한다.

ㄱ, ㅂ. [X] 법인세, 소득세는 직접세로 내국세에 해당한다.

09
정답 : ③

③ 당해 회계연도 예산의 일정액을 다음 연도에 넘겨서 사용하는 것으로서, 시기적인 집행상의 신축성을 유지해 주는 제도는 이월제도에 대한 설명이며, 이월제도는 회계연도 독립원칙에 위배되나 재량원칙에는 부합된다.

01
정답 : ③

③ 특별회계 예산은 합목적성 차원에서 기금보다 자율성과 탄력성이 약하다.

① 기금은 조세수입이 아닌 출연금·부담금 등을 주요 재원으로 하여 특정 목적의 사업을 추진하므로 수입과 지출의 연계가 강하게 나타난다.

② 특별회계 예산도 일반회계와 마찬가지로 세입과 세출의 운영체계를 갖는다.

④ 특별회계와 기금 모두 결산서를 국회에 제출하여야 한다.

일반회계, 특별회계, 기금의 비교

구분	일반회계	특별회계	기금
설치사유	국가고유의 일반적인 재정 활동	• 특정사업 운영 • 특정자금 보유 운용 • 특정 세입으로 특정 세출에 충당	특정 목적을 위하여 특정 자금을 운용할 필요가 있을 때
재원조달 및 운용형태	조세수입과 무상급부 원칙	일반회계와 기금의 운용형태 혼재	출연금과 부담금 등을 수입원으로 하여 융자사업 등 유상급부 제공
집행절차 (자율성)	합법성에 입각한 엄격한 통제	합법성에 입각한 엄격한 통제	합목적성 차원에서 상대적으로 자율성과 탄력성 보장
결산	국회의 결산심의	국회의 결산심의	국회의 결산심의

02 우리나라의 특별회계에 대한 설명으로 옳지 않은 것은?

2020 지방 7급

① 설치근거가 되는 법률을 별도로 정하고 있다.

② 세출예산뿐 아니라 세입예산도 일반회계와 특별회계로 구분한다.

③ 특별회계의 설치요건 중에는 특정한 세입으로 특정한 세출에 충당함으로써 일반회계와 구분하여 회계 처리할 필요가 있을 경우도 포함한다.

④ 예산의 이용 및 전용과 마찬가지로 예산 한정성의 원칙이 적용되지 않는다.

03 예산의 종류에 대한 설명으로 가장 적절하지 않은 것은?

2019 경정승진

① 일반회계는 조세수입 등을 주요 세입으로 하고 국가의 일반적인 세출에 충당하기 위하여 설치한다.

② 특정한 세입으로 특정한 세출에 충당하기 위하여 일반회계와 별도로 구분할 필요가 있을 때 특별회계 예산을 설치한다.

③ 기금이란 국가가 특정한 목적을 위하여 특정한 자금을 신축적으로 운용할 필요가 있을 때에 한하여 법률로써 설치하되, 기금은 세입세출예산에 의하지 아니하고는 운용할 수 없다.

④ 통합재정(또는 통합예산)은 회계간 내부거래와 보전거래를 제외한 예산순계 개념으로 작성된다.

04 「국가재정법」상 기금에 관한 설명으로 옳지 않은 것은?

2015 행정사

① 기금관리주체는 지출계획의 주요항목 지출금액의 범위 안에서 대통령령이 정하는 바에 따라 세부항목 지출금액을 변경할 수 있다.

② 정부는 주요항목 단위로 마련된 기금운용계획안을 회계연도 개시 90일 전까지 국회에 제출하여야 한다.

③ 국회는 정부가 제출한 기금운용계획안의 주요항목 지출금액을 증액하거나 새로운 과목을 설치하고자 하는 때에는 미리 정부의 동의를 얻어야 한다.

④ 정부는 기금이 여성과 남성에 미칠 영향을 미리 분석한 보고서를 작성하여야 한다.

⑤ 국가가 특정한 목적을 위하여 특정한 자금을 신축적으로 운용할 필요가 있을 때에 한하여 법률로써 설치한다.

02

정답 : ④

④ 특별회계는 예산 단일성 및 통일성의 원칙이 적용되지 않는다. 한편 한정성의 원칙은 적용된다.

① 정부가 특정한 사업을 영위하기 위해 설치하는 기업특별회계와 그 밖의 목적으로 개별법에 근거하여 설치된 기타특별회계로 구분되므로 특별회계는 설치근거가 되는 법률을 별도로 정하고 있다.

② 특별회계도 세입과 세출의 운영체계를 가지므로 세출예산뿐 아니라 세입예산도 일반회계와 특별회계로 구분한다.

③ 특별회계는 국가가 특정사업을 추진할 경우, 특정한 자금을 운영하고자 할 경우, 특정한 세입으로 특정한 세출에 충당함으로써 일반회계와 구분하여 계리할 필요가 있을 경우를 설치요건으로 하고 있다.

03

정답 : ③

③ 기금이란 국가가 특정한 목적을 위하여 특정한 자금을 신축적으로 운용할 필요가 있을 때에 한하여 법률로써 설치하되, 기금은 세입세출예산에 의하지 아니하고도 운용할 수 있다.

① 일반회계는 국가고유의 일반적 재정활동으로 조세수입 등을 주요 세입으로 하고 국가의 일반적인 세출에 충당하기 위해 설치한다.

② 특별회계는 국가가 특정사업을 추진하거나 특정한 자금을 운영하고자 할 때, 또는 특정한 세입으로 특정한 세출에 충당함으로써 일반회계와 구분하여 계리할 필요가 있을 때 법률에 근거하여 설치한다.

④ 통합재정은 중앙정부와 지방정부의 일반회계와 특별회계 및 기금을 모두 포함하는 개념으로, 회계 간 내부거래와 보전거래를 제외한 예산 순계기준으로 산출한다.

04

정답 : ②

② 정부는 주요항목 단위로 마련된 기금운용계획안을 회계연도 개시 120일 전까지 국회에 제출하여야 한다.

> **동법 제68조(기금운용계획안의 국회제출 등)** ① 정부는 제67조 제3항의 규정에 따른 주요항목 단위로 마련된 기금운용계획안을 회계연도 개시 120일 전까지 국회에 제출하여야 한다.

① 기금관리주체는 지출계획의 주요항목 지출금액의 범위 안에서 대통령령이 정하는 바에 따라 세부항목 지출금액을 변경할 수 있다(동법 제70조 제1항).

③ 국회는 정부가 제출한 기금운용계획안의 주요항목 지출금액을 증액하거나 새로운 과목을 설치하고자 하는 때에는 미리 정부의 동의를 얻어야 한다(동법 제69조).

④ 정부는 기금이 여성과 남성에게 미칠 영향을 미리 분석한 보고서인 성인지 기금운용계획서를 작성하여야 한다.

⑤ 기금은 국가가 특정한 목적을 위하여 특정한 자금을 신축적으로 운용할 필요가 있을 때에 한하여 법률로써 설치한다(동법 제5조 제1항).

정답

02 ④ 03 ③ 04 ②

05 예산 외 공공재원으로서의 기금에 대한 설명으로 옳지 않은 것은?

2014 국가 7급

① 정부는 매년 기금운용계획안을 마련하여 국무회의의 의결을 받아야 하며, 국회에 제출할 필요는 없다.

② 출연금, 부담금 등 다양한 재원으로 융자 사업 등을 수행한다.

③ 특정 수입과 지출을 연계한다는 점에서 특별회계와 공통점이 있다.

④ 합목적성 차원에서 예산에 비하여 운영의 자율성과 탄력성이 높다.

06 다음 중 특별회계에 대한 설명으로 옳지 않은 것은?

2014 국회 8급

① 「국가재정법」에 따르면 특별회계는 국가에서 특정한 사업을 운영하고자 할 때나 특정한 자금을 보유하여 운용하고자 할 때 대통령령으로 설치할 수 있다.

② 「국가재정법」에 따르면 기획재정부장관은 특별회계 신설에 대한 타당성을 심사한다.

③ 일반회계는 특정 수입과 지출의 연계를 배제하지만, 특별회계는 특정 수입과 지출을 연계하는 것이 원칙이다.

④ 특별회계는 일반회계와 기금의 혼용 방식으로 운용할 수 있다.

⑤ 특별회계는 예산 단일성 및 통일성의 원칙에 대한 예외가 된다.

07 우리나라 특별회계에 대한 설명으로 옳지 않은 것은?

2013 지방 7급

① 특별회계 설립 주체에 따라 중앙정부 특별회계와 지방자치단체 특별회계로 구분한다.

② 특정한 사업을 운영하기 위한 중앙정부 특별회계의 일례로 교육비특별회계가 있다.

③ 「지방공기업법」에 따라 설립된 모든 지방직영기업은 지방자치단체 공기업특별회계 대상이다.

④ 중앙정부의 기업특별회계에는 책임운영기관특별회계와 「정부기업예산법」의 적용을 받는 우편사업·우체국예금·양곡관리·조달특별회계가 있다.

05

① 정부는 매년 기금운용계획안을 마련하여 국무회의의 의결을 받아야 하며, 국회에 제출하여야 한다.

② 기금은 다른 회계로부터 전출입, 출연금, 부담금 등 다양한 세입을 재원으로 한다.

③ 기금은 통일성 원칙의 예외라는 점에서 특별회계와 공통점을 가진다.

④ 기금은 합법성이 아닌 합목적성 차원에서 자율적으로 운영되므로 탄력성이 상대적으로 높은 편이다.

06

① 「국가재정법」에 따르면 특별회계는 국가에서 특정한 사업을 운영하고자 할 때나 특정한 자금을 보유하여 운용하고자 할 때 법률로써 설치할 수 있다.

② 중앙관서의 장은 소관 사무와 관련하여 특별회계 또는 기금을 신설하고자 하는 때에는 해당 법률안을 입법예고하기 전에 특별회계 또는 기금의 신설에 관한 계획서를 기획재정부장관에게 제출하여 그 신설의 타당성에 관한 심사를 요청하여야 한다.

③ 특별회계는 통일성 원칙의 예외이다. 여기서 수입과 지출의 연계란 통일성의 배제를 의미한다.

④ 특별회계는 일반회계와 기금의 혼용 방식으로 운용할 수 있으며 일반회계와 함께 예산에 포함되므로 합법성에 입각한 엄격한 통제를 받기도 한다.

⑤ 특별회계는 예산 단일성 원칙과 통일성 원칙의 예외에 해당한다.

07

② 교육비특별회계는 중앙정부가 아니라 지방정부의 특별회계이다. 이는 목적세인 지방교육세를 재원으로 운영되는 광역자치단체 특별회계이다.

① 특별회계는 설립주체에 따라 중앙정부 특별회계와 지방자치단체 특별회계로 구분한다.

③ 지방공기업법에 따라 설립된 모든 지방직영기업은 지방자치단체 공기업특별회계 대상에 해당한다.

④ 중앙정부의 기업특별회계에는 책임운영기관특별회계와 정부기업예산법의 적용을 받는 우편사업, 우체국예금, 양곡관리, 조달특별회계가 있다.

정답
05 ① 06 ① 07 ②

08 기금, 일반회계, 특별회계에 대한 다음 설명 중 가장 적절하지 않은 것은?

2011 서울 9급

① 일반회계는 국가고유의 일반적 재정활동을, 기금은 특정한 세입으로 특정한 사업을 운용하기 위해 설치된다.

② 특별회계는 일반회계와 기금 운용 형태가 혼재되어 있다.

③ 기금과 예산 모두 국회 심의 및 의결·확정절차를 따른다.

④ 기금과 특별회계는 특정수입과 지출이 연계되어 있다.

⑤ 기금은 주요항목 지출금액의 20% 이상 변경운용시 국회의 의결이 필요하다.

09 우리나라 정부기금에 관한 설명으로 옳은 것은?

2018 교행 9급

① 세입·세출예산 내에서 운영해야 한다.

② 재원의 자율적 운영을 위하여 국회의 심의를 거치지 않는다.

③ 기금운용계획안은 국무회의의 심의와 대통령의 승인이 필요하다.

④ 기금은 법률로써 설치하며 출연금, 부담금 등은 기금의 재원으로 활용할 수 없다.

10 다음 중 특별회계예산의 특징으로 가장 옳지 않은 것은?

2016 서울 9급

① 특별회계예산은 세입과 세출의 수지가 명백하다.

② 특별회계예산에서는 행정부의 재량이 확대된다.

③ 특별회계예산은 국가재정의 전체적인 관련성을 파악하기 곤란하다.

④ 특별회계예산에서는 입법부의 예산통제가 용이해진다.

11 우리나라 정부의 예산구조에 관한 기술로 틀린 것은?

2015 교행 9급

① 특별회계와 기금은 법률로써 설치한다.

② 기금운용계획의 확정 및 기금의 결산은 국회의 심의·의결을 거친다.

③ 일반회계는 조세수입 등을 주요 세입으로 하여 국가의 일반적인 세출에 충당하기 위하여 설치한다.

④ 특별회계는 국가가 특정한 목적을 위하여 특정한 자금을 신축적으로 운용할 필요가 있을 때 설치한다.

08

정답 : ①

① 일반회계는 국가고유의 일반적 재정활동을 위하여, 기금은 특정한 자금을 신축적으로 운용할 필요가 있을 때 설치한다. 한편 특정한 세입으로 특정한 사업을 운용하기 위해 설치되는 것은 특별회계이다.

② 일반회계는 조세수입이 주요재원인 반면, 특별회계는 일반회계와 출연금, 부담금 등 다양한 재원으로 운용되는 기금과 혼재되어 있다.

③ 일반회계, 특별회계, 기금 모두 국회의 심의·의결 및 확정절차를 따른다.

④ 기금과 특별회계는 특정수입과 지출이 연계되어 있기 때문에 통일성 원칙에 위배된다.

⑤ 기금관리 주체는 기금운용 계획의 주요항목 지출금액을 변경하고자 하는 때에는 기획재정부장관과 협의·조정하여 마련한 기금운용계획변경안을 국무회의의 심의를 거쳐 대통령의 승인을 얻은 후 국회에 제출하여야 한다. 다만 주요항목 지출금액의 10분의 2(금융성 기금은 10분의 3)이하의 범위 안에서는 기금운용계획변경안을 국회에 제출하지 않고 대통령령으로 정하는 바에 따라 변경할 수 있다.

09

정답 : ③

③ 국가재정법 제66조 제6항에 해당하는 내용으로 기금운용계획안은 국무회의의 심의와 대통령의 승인이 필요하다.

> **국가재정법 제66조(기금운용계획안의 수립)** ⑥기획재정부장관은 제출된 기금운용계획안에 대하여 기금관리주체와 협의·조정하여 기금운용계획안을 마련한 후 국무회의의 심의를 거쳐 대통령의 승인을 얻어야 한다.

① 기금은 세입·세출예산 외로 운영된다.

② 기금은 예산과 마찬가지로 국회의 심의를 거쳐야 한다.

④ 기금은 법률로써 설치하며, 출연금, 부담금 등도 기금의 재원으로 활용할 수 있다.

10

정답 : ④

④ 특별회계는 일반회계보다 행정부의 재량이 확대되는 영역이기 때문에, 입법부의 예산통제 또한 어려워지게 된다.

① 특별회계는 기업적 성격의 사업을 구분하여 정부 재정수지를 명확하게 하고 경영성과 파악을 용이하게 한다.

② 특별회계는 재정운영의 자율성을 인정하여 능률향상을 추구한다.

③ 특별회계는 특정세입의 특정세출의 연결로 인해 재정운영이 경직적일 뿐만 아니라 국가재정 전체적인 관련성을 고려하기 어렵다.

11

정답 : ④

④ 국가가 특정한 목적을 위하여 특정한 자금을 신축적으로 운용할 필요가 있을 때 설치하는 것은 기금이다. 한편 특별회계는 국가가 특정한 사업이나 특정한 자금을 운용하거나, 기타 특정한 세입으로 특정한 세출에 충당할 필요가 있을 때 법률로써 설치한다.

① 특별회계와 기금은 법률로써 설치한다.

② 기금운용계획안은 회계연도 개시 120일 전까지 국회에 제출해야 하며, 기금결산보고서는 다음 연도 5월 31일까지 국회에 제출해야 한다.

③ 일반회계는 원칙적으로 조세수입(90%)을 재원으로 한다.

재무행정론

PART 5

해커스공무원 마니행정학 기출 빅데이터 실력업

일반회계, 특별회계, 기금의 비교

구분	일반회계	특별회계	기금
설치 사유	국가고유의 일반적인 재정활동	• 특정사업 운영 • 특정자금 보유 운용 • 특정세입으로 특정세출에 충당	특정목적을 위하여 특정자금을 운용할 필요가 있을 때
재원 조달 및 운용 형태	조세수입과 무상급부 원칙	일반회계와 기금의 운용형태 혼재	출연금과 부담금 등을 수입원으로 하여 융자사업 등 유상급부 제공

01 예산 불성립에 따른 예산 종류에 대한 설명으로 옳지 않은 것은?

① 준예산은 전년도 예산을 기준으로 예산을 편성해 운영하는 제도이다.

② 현재 우리나라는 준예산제도를 채택하고 있다.

③ 가예산은 1개월분의 예산을 국회의 의결을 거쳐 집행하는 것으로 우리나라가 운영한 경험이 있다.

④ 잠정예산은 수개월 단위로 임시예산을 편성해 운영하는 것으로 가예산과 달리 국회의 의결이 불필요하다.

02 우리나라의 통합재정에 대한 설명으로 옳지 않은 것은?

① 세입과 세출은 경상거래와 자본거래로 구분하여 작성한다.

② 통합재정의 범위에는 일반정부와 공기업 등 공공부문 전체가 포함된다.

③ 정부의 재정이 국민 경제에 미치는 효과를 파악하고자 하는 예산의 분류체계이다.

④ 통합재정 산출 시 내부거래와 보전거래를 제외함으로써 세입·세출을 순계 개념으로 파악한다.

03 조세지출 예산제도에 대한 설명으로 옳지 않은 것은?

① 세제 지원을 통해 제공한 혜택을 예산지출로 인정하는 것이다.

② 예산지출이 직접적 예산 집행이라면 조세지출은 세제상의 혜택을 통한 간접지출의 성격을 띤다.

③ 직접 보조금과 대비해 눈에 보이지 않는 숨겨진 보조금이라고 이해할 수 있다.

④ 세금 자체를 부과하지 않는 비과세는 조세지출의 방법으로 볼 수 없다.

01

④ 잠정예산도 국회의 의결이 필요하다. 준예산은 국회 의결이 필요 없다.

준예산 · 가예산 · 잠정예산의 비교

구분		준예산	가예산	잠정예산
유사점		모두 예산안이 회계연도 개시일까지 성립되지 아니한 경우에 사용한다.		
차이점	채택국가	우리나라, 독일	프랑스, 우리나라 제1공화국 시기	영미계 국가, 일본
	지출가능 경비	한정적	전반적	전반적
	국회의결 여부	의결 없이 자동적으로 사용	의결 필요	의결 필요
	사용기간 제한	제한 없음	1개월	제한 없음

02

정답 : ②

② 통합재정의 범위에 공기업 등 공공부문 전체가 아니라, 정부 외에 비영리공공기관이 포함된다.

① 통합재정은 재정의 국민 경제적 효과를 분석할 수 있도록 세입과 세출을 경상거래와 자본거래로 구분한다.

③ 통합재정은 정부의 재정활동을 포괄하여 재정이 국민소득·통화·국제수지에 미치는 효과를 파악하기 위하여 개발된 지표이다.

④ 통합재정에서는 회계·기금 간의 내부 거래와 국채 발행이나 채무상환 등 보전거래를 제외한다.

03

정답 : ④

④ 세금 자체를 부과하지 않는 비과세도 조세지출의 유형에 해당한다. 이밖에도 면세, 소득공제, 특혜세율, 세액공제 등이 있다.

① 조세지출 예산은 조세지출로 인한 세수 감소액을 종합·분류해 체계적으로 나타낸 것으로 세제 지원을 통해 제공한 혜택 등을 예산지출로 인정하는 제도이다.

② 예산상의 지출이 직접적 지출의 성격이라면 조세지출은 간접적 지출의 성격을 띤다.

③ 조세지출은 특정 부문에 대한 사실상의 보조금으로 세출예산상의 보조금과 같은 경제적 효과를 초래하므로 숨겨진 보조금이라고도 한다.

정답

01 ④ 02 ② 03 ④

04 우리나라 예산제도에 대한 설명으로 옳지 않은 것은?

2021 국가 9급

① 국회는 정부의 동의 없이 정부가 제출한 지출예산 각 항의 금액을 증가시킬 수 없다.

② 정부가 예산안 편성 시 감사원의 세출예산요구액을 감액하고자 할 때에는 국무회의에서 감사원장의 의견을 구하여야 한다.

③ 정부는 회계연도 개시 전까지 예산안이 의결되지 못한 때에는 전년도 예산에 준해 모든 예산을 편성해 운영할 수 있다.

④ 국회는 감사원이 검사를 완료한 국가결산보고서를 정기회 개회 전까지 심의·의결을 완료해야 한다.

05 우리나라의 성인지 예산제도에 대한 설명으로 옳지 않은 것은?

2018 국가 9급

① 정부는 예산이 여성과 남성에게 미치는 효과를 평가하고, 그 결과를 정부의 예산편성에 반영하기 위하여 노력하여야 한다.

② 성인지 예산서는 기획재정부 장관이 각 중앙관서의 장과 협의하여 제시한 작성기준 및 방식 등에 따라 여성가족부 장관이 작성한다.

③ 성인지 예산서에는 성인지 예산의 개요, 규모, 성평등 기대효과, 성과목표 및 성별 수혜 분석 등의 내용이 포함되어야 한다.

④ 성인지 결산서에는 집행실적, 성평등 효과분석 및 평가 등이 포함되어야 한다.

06 준예산제도에 대한 설명으로 옳지 않은 것은?

2017 국회 9급

① 국회의 의결을 필요로 하지 않는다.

② 헌법상 준예산으로 지출 가능한 경비를 제한하고 있다.

③ 이미 예산으로 승인된 사업의 계속 목적으로 집행할 수 있다.

④ 헌법이나 법률에 의해 설치된 기관 또는 시설의 유지·운영 경비 공무원의 보수와 사무처리에 관한 기본 경비를 포함하지 않는다.

⑤ 지출이 가능한 기간의 제한은 없으며, 당해연도 예산이 성립할 때까지 유효하다.

04

정답 : ③

③ 정부는 회계연도 개시 전까지 예산안이 의결되지 못한 때에는 모든 예산이 아닌 헌법 제54조 제3항의 규정에 있는 경비만 전년도 예산에 준해 집행할 수 있다.

> **헌법 제54조** ③ 새로운 회계연도가 개시될 때까지 예산안이 의결되지 못한 때에는 정부는 국회에서 예산안이 의결될 때까지 다음의 목적을 위한 경비는 전년도 예산에 준하여 집행할 수 있다.
> 1. 헌법이나 법률에 의하여 설치된 기관 또는 시설의 유지 · 운영
> 2. 법률상 지출의무의 이행
> 3. 이미 예산으로 승인된 사업의 계속

05

정답 : ②

② 성인지 예산서의 작성에 관한 구체적인 사항은 대통령령으로 정하는데, 기획재정부장관이 여성가족부장관과 협의하여 제시한 작성기준 및 방식 등에 따라 각 중앙관서의 장이 작성한다.

> **국가재정법 시행령 제9조(성인지 예산서의 내용 및 작성기준 등)** ② 성인지 예산서는 기획재정부장관이 여성가족부장관과 협의하여 제시한 작성기준(성인지 예산서 작성 대상사업 선정 기준을 포함한다) 및 방식 등에 따라 각 중앙관서의 장이 작성한다.

① 정부는 예산이 여성과 남성에게 미칠 영향을 미리 분석한 보고서를 작성하여야 하며 정부예산과 기금이 남녀에게 미치는 효과를 평가하고 그 결과를 예산편성에 반영하도록 하고 있다.
③ 성인지 예산서에는 성인지예산의 개요와 규모, 성평등 기대효과, 성과목표, 성별수혜분석 등을 포함하여야 한다.
④ 성인지 결산서에는 집행실적, 성평등 효과분석 및 평가 등이 포함되어야 한다.

06

정답 : ④

④ 준예산은 헌법이나 법률에 의하여 설치된 기관 또는 시설의 유지 · 운영 경비(공무원 보수와 사무처리에 관한 기본경비 등)를 포함한다.
① 준예산은 새로운 회계연도가 개시될 때까지 예산이 성립되지 못할 경우 의회의 승인 없이 특정 경비를 전년도에 준하여 지출할 수 있는 제도로, 사전의결을 필요로 하지 않으므로 사전의결 원칙에 위배된다.
② 헌법 제54조에 준예산으로 지출 가능한 경비를 제한하고 있다.
③ 준예산은 헌법이나 법률에 의하여 설치된 기관 또는 시설의 유지 · 운영, 법률상 지출의무의 이행, 이미 예산으로 승인된 사업의 계속의 목적으로 집행할 수 있다.
⑤ 지출이 가능한 기간의 제한이 없으므로 예산이 성립할 때까지 유효하며, 당해연도 예산이 성립되면 준예산은 그 효력을 상실한다.

정답

04 ③ 05 ② 06 ④

07 추가경정예산을 통한 재정의 방만한 운영 가능성을 줄이기 위해 「국가재정법」 제89조에서는 추가경정예산안을 편성할 수 있는 경우를 제한하고 있다. 다음 중 위 법 조항에 명시된 추가경정예산안을 편성할 수 있는 경우가 아닌 것은?

2015 서울 9급

① 부동산 경기 등 경기부양을 위하여 기획재정부 장관이 필요하다고 판단하는 경우

② 전쟁이나 대규모 자연재해가 발생한 경우

③ 경기침체, 대량실업, 남북관계의 변화, 경제협력 같은 대내·외 여건에 중대한 변화가 발생하였거나 발생할 우려가 있는 경우

④ 법령에 따라 국가가 지급하여야 하는 지출이 발생하거나 증가하는 경우

08 통합재정 또는 통합예산에 대한 설명으로 가장 옳지 않은 것은?

2015 서울 7급

① 국가예산의 세입·세출을 총계 개념으로 파악하여 재정 건전성을 판단한다.

② 중앙재정을 일반회계와 특별회계 외에 기금 및 세입세출외 자금을 포함해 파악한다.

③ 통합재정은 중앙재정, 지방재정, 지방교육재정(교육비특별회계)을 포함한다.

④ 재정이 국민 경제에 미치는 효과를 효과적으로 파악하게 한다.

09 예산분류 방식의 특징에 대한 다음 설명 중 옳은 것은?

2015 국회 8급

① 기능별 분류는 시민을 위한 분류라고도 하며 행정수반의 사업계획 수립에 도움이 되지 않는다.

② 조직별 분류는 부처 예산의 전모를 파악할 수 있어 지출의 목적이나 예산의 성과파악이 용이하다.

③ 품목별 분류는 사업의 지출성과와 결과에 대한 측정이 곤란하다.

④ 경제 성질별 분류는 국민소득, 자본형성 등에 관한 정부활동의 효과를 파악하는 데 한계가 있다.

⑤ 품목별 분류는 예산집행기관의 재량을 확대하는 데 유용하다.

07

정답 : ①

① 추가경정예산은 예산이 국회의 심의·의결을 통과하여 성립된 후 새로 발생한 사유로 예산을 변경할 필요가 있을 때 국회에 제출하여 승인을 받는 것으로 부동산 경기 등 경기부양을 위하여 기획재정부장관이 필요하다고 판단하는 경우는 추가경정예산의 편성요건에 해당하지 않는다.

포인트 정리

추가경정예산 편성요건

- 전쟁이나 대규모 자연재해가 발생한 경우
- 경기침체, 대량실업, 남북관계의 변화, 경제협력과 같은 대내·외 여건에 중대한 변화가 발생하였거나 발생할 우려가 있는 경우
- 법령에 따라 국가가 지급하여야 하는 지출이 발생하거나 증가하는 경우

08

정답 : ①

① 통합예산(통합재정)은 순수 재정활동만을 대상으로 하므로 순수한 재정활동이 아닌 내부거래와 보전거래를 제외하고 국가예산의 세입·세출을 순계개념을 사용하는 제도로, 재정적자의 보전 또는 흑자처분을 위한 거래는 제외되므로 재정의 건전성 판단이 가능하다.
② 통합재정은 일반회계와 특별회계, 기금 등을 모두 포함하여 파악하며 정부의 재정활동을 체계적으로 분류한다.
③ 통합재정은 중앙은 물론 지방재정 및 지방교육재정인 교육비특별회계를 포함한다.
④ 통합재정은 통합재정수지를 작성함으로써 재정의 순계 규모를 확인하고 재정건전성 등을 분석할 수 있으며, 재정이 국민 경제에 미치는 영향을 분석할 수 있다.

09

정답 : ③

③ 품목별 분류는 회계검사가 용이하고 회계책임이 명확하다는 장점이 있지만 사업의 지출성과와 결과에 대한 측정이 곤란하다는 단점이 있다.
① 기능별 분류는 시민을 위한 분류로서의 성격을 지니고 정부계획의 성격변화나 중점의 변동을 파악하기 용이하다는 장점이 있으나, 지나친 융통성으로 의회의 통제가 곤란하고 회계책임이 명확하지 못하다는 단점이 있다.
② 조직별 분류는 경비지출의 책임소재와 예산과정의 단계를 명확히 한다는 장점이 있으나 예산지출의 목적을 알 수 없으며 예산의 경제적 효과를 파악하기 어렵다는 단점이 있다.
④ 경제성질별 분류는 예산이 국민경제에 미치는 영향을 파악하기 용이하고 경제정책 및 재정정책의 수립이 용이하다는 장점이 있으나 소득배분에 대한 영향을 밝혀주지 못하고 경제활동에 대한 정부의 영향을 일부만 근사치로서 측정할 수 있다는 단점이 있다.
⑤ 품목별 분류는 예산통제가 주목적이므로 예산집행기관의 재량을 통제하는데 유용하다.

예산과목 분류

유형	조직별 분류	품목별 분류	기능별 분류	경제성질별 분류
의의	• 누가 얼마를 쓰느냐 • 기본적 분류방식	• 무엇(품목)을 구입하느냐 • 통제가 주 목적	• 무슨일을 하는데 얼마를 쓰느냐(세출예산만 해당) • 시민을 위한 분류	• 국민경제적 효과가 있느냐(통계적 성격)
장점	책임 명확	책임 명확, 인사관리 자료로 활용	정부계획 성격파악 용이	경제정책 수립 용이
단점	지출목적, 성과 등 평가 곤란	경직적, 성과파악 곤란	통제 약함. 책임 약함	근사치 측정일 뿐 일선공무원이 활용하기 곤란

정답

07 ① 08 ① 09 ③

10 우리나라 정부예산의 과목구조에 대한 설명으로 옳은 것은?

2013 서울 7급

① 우리나라 예산은 소관별로 구분된 후 목별로 분류되고 마지막으로 기능을 중심으로 분류된다.

② 성질별로 분류할 때 물건비는 목(성질)에 해당하고, 운영비는 세목에 해당한다.

③ 기능을 중심으로 장은 부문, 관은 분야, 항은 프로그램, 세항은 단위사업을 의미한다.

④ 장 사이의 상호융통(전용)은 국회의 통제를 받는다.

⑤ 세항의 경우 입법과목이고, 목은 행정과목이다.

11 다음 〈보기〉의 우리나라 예산제도에 대한 설명 중 옳은 것은 모두 몇 개인가?

2013 국회 9급

보기

ㄱ. 우리나라는 성인지예산제도를 국가재정법에 명문화하였다.

ㄴ. 지출통제예산제도는 예산 개개의 항목에 대한 통제를 통해 집행부의 자의적 예산집행을 최대한 통제하기 위한 예산제도이다.

ㄷ. 일반회계, 특별회계, 기금을 모두 포괄한 국가전체 재정을 통합재정이라고 하며 우리나라는 1979년부터 통합재정수지를 작성하고 있다.

ㄹ. 통합재정은 재정이 국민경제에 미치는 영향을 분석하기에 용이하지만 내부거래와 보전거래를 차감하지 않으므로 순수한 재정활동규모를 파악하는 데 한계가 있다.

① 없음   ② 1개   ③ 2개
④ 3개   ⑤ 4개

12 다음 중 조세지출 예산의 내용이 아닌 것은?

2007 인천 9급

① 국회 차원에서 조세감면의 내역을 관리, 감독하는 것이다.

② 미국에서 처음 도입하였으며, 우리나라도 1999년부터 이를 도입하였다.

③ 숨겨진 보조금의 일종으로 간접지출에 해당한다.

④ 조세지출이란 개인이나 기업의 특정 활동을 지원하기 위한 세제상의 보조 및 장려활동이다.

⑤ 조세지출은 형식은 조세이지만 실질은 보조금과 같은 경제적 효과를 발생한다.

10

정답 : ②

② 과거에는 인건비나 물건비 등 품목별 대항목이 관, 항 등의 분류기준으로 사용되었으나, 2008년 프로그램예산 도입 이후 품목별 분류는 목에서만 활용되고 있다. 목에서는 물건비 (목) 〉 운영비(세목) 등으로 구분된다.

① 우리나라 예산은 소관별로 구분된 후 기능별로 분류되고 마지막으로 품목을 중심으로 분류 된다.

③ 프로그램예산 측면에서 볼 때 기능을 중심으로 장은 분야, 관은 부문, 항은 프로그램(정책사 업), 세항은 단위사업을 각각 의미한다.

④ 장 사이의 상호융통(이용)은 입법과목 간 융통이므로 국회의 통제를 받는다.

⑤ 장, 관, 항은 입법과목, 세항과 목은 행정과목이다.

11

정답 : ③

③ ㄱ, ㄷ만 옳고 ㄴ, ㄹ은 틀리다.

ㄱ. [O] 성인지예산제도는 예산이 여성과 남성에게 미치는 효과를 평가하고 예산편성에 반영함 으로써 예산에 있어 남녀차별이 없도록 하는 제도로 이는 국가재정법에 명문화되어 있다.

ㄷ. [O] 통합재정은 일반회계, 특별회계, 기금을 모두 포괄한 국가재정 전체를 의미한다. 우리나 라는 1979년부터 IMF의 권고에 의해 도입하였다.

ㄴ. [X] 지출통제예산제도는 개개 항목별 구분을 없애고 총액에 대한 통제를 통해 집행부의 자 율적 예산집행을 최대한 보장하려는 예산제도이다.

ㄹ. [X] 통합재정은 내부거래와 보전거래를 차감하는 예산순계형식을 취하므로 순수한 재정활 동 규모를 파악하는 데 용이하다.

12

정답 : ②

② 조세지출예산은 서독에서 처음 도입되었으며, 우리나라는 1999년 이후 '조세지출보고서'를 도입·운영하다가 2011년 정식으로 조세지출예산제도를 도입하였다.

① 조세지출예산제도는 조세감면과 같은 조세지출의 구체적인 내역을 예산구조에 밝히고 국회 의 심의·의결을 받도록 하는 제도로써 행정부에 일임되어 있는 국세감면의 집행을 국회차 원에서 통제하고 투명성을 높이자는 것이다.

③ 조세지출은 세법에 의하여 당연히 거두어들여야 함에도 불구하고 각종 세금감면 규정들 때 문에 거두어들이지 못하는 세수 상실분으로 간접지출, 조세특혜, 합법적 탈세, 숨은 보조금 등으로 불리기도 한다.

④ 조세지출은 비과세 또는 감면을 통하여 특정 산업을 보호하거나 육성하기 위한 정책적 수단 으로 보조금 지급과 동일한 경제적 효과를 발생시킨다.

⑤ 조세지출은 조세감면에 의한 간접지출을 말하는 것으로 조세지출은 형식적으로는 조세의 일 종이지만 실제로는 지출의 성격을 갖는다.

포인트 정리

조세지출예산 장단점

장점	• 불공정한 조세지출의 폐지 • 재정부담의 형평성 및 투명성 제고 • 세수 인상을 위한 정책자료 • 조세감면에 대한 통제로 국고수 입 증대
단점	• 조세지출에 대한 신축성 저하 • 시대적 상황에 따른 능동적 대 처 곤란 • 대외적 공개 시 무역마찰 발생 가능성

정답

10 ② 11 ③ 12 ②

13 예산불성립 시 헌법규정에 의해 전년도 예산에 준하여 집행할 수 있는 경비로 볼 수 없는 것은? 2006 경남 9급

① 공무원 보수

② 명시이월비

③ 예산상 승인된 계속비

④ 법률상 지출의무가 있는 경비

14 우리나라의 수정예산에 대한 설명이 틀린 것은? 2004 울산 9급

① 우리나라에서는 한 번도 사용한 적이 없다.

② 정부가 예산을 제출한 후 최종 의결되기 전에 예산안의 일부를 변경할 필요가 있을 때 편성한다.

③ 정부는 국무회의 심의를 거쳐 대통령의 승인을 얻어 수정예산안을 국회에 제출할 수 있다.

④ 수정예산안은 상임위원회와 예산결산특별위원회의 심의를 거쳐야 한다.

⑤ 이미 제출한 예산안이 예비심사나 종합심사 중에 있을 때에는 수정예산을 함께 심사하고, 심사가 종료된 경우에는 별도로 심사를 거쳐야 한다.

CHAPTER 06 재정민주주의(계획과 예산 등)

실질적 력(역량) 업그레이드

01 우리나라 참여예산제도에 대한 설명으로 옳은 것만을 〈보기〉에서 모두 고르면? 2020 국회 8급

> **보기**
>
> ㄱ. 국민참여예산제도는 2019년도 예산편성부터 시행되었다.
> ㄴ. 국민참여예산제도에서 각 부처는 소관 국민제안사업에 대한 적격성 점검을 실시하고 기획재정부, 국민참여예산지원협의회와 협의하여 최종적으로 사업예산편성 여부를 결정한다.
> ㄷ. 지방자치단체는 주민참여예산제도의 운영에 대한 평가를 실시한다.
> ㄹ. 주민참여예산제도의 구체적인 내용은 대통령령으로 정한다.

① ㄱ, ㄴ

② ㄱ, ㄷ

③ ㄴ, ㄷ

④ ㄴ, ㄹ

⑤ ㄷ, ㄹ

13

② 예산불성립 시 헌법규정에 의해 전년도 예산에 준하여 집행할 수 있는 경비는 준예산을 의미하는 것으로, 명시이월비는 준예산의 지출용도에 해당하지 않는다.

① 공무원 보수는 헌법이나 법률에 의해 설치된 기관 및 시설의 유지비와 운영비로 준예산의 지출용도에 해당한다.

③ 이미 예산으로 승인된 계속비는 새로운 회계연도가 개시될 때까지 예산이 성립되지 못할 경우 의회의 승인 없이 특정 경비를 전년도에 준하여 지출할 수 있는 경비에 해당한다.

④ 법률상 지출의무가 있는 경비는 새로운 회계연도가 개시될 때까지 예산이 성립되지 못할 경우 의회의 승인 없이 특정 경비를 전년도에 준하여 지출할 수 있는 경비에 해당한다.

14

① 준예산은 우리나라에서 한 번도 사용된 적은 없지만, 수정예산은 1970년도와 1981년도, 2009년도 예산의 경우에 제출된 적이 있다.

② 수정예산은 예산이 성립되어 국회를 통과하기 전에 예산안의 일부를 변경할 필요가 있을 때 편성한다.

③ 수정예산은 국무회의의 심의를 거쳐 대통령의 승인을 얻어 수정예산안을 국회에 제출할 수 있다.

④ 수정예산안도 상임위원회와 예산결산특별위원회의 심의를 거쳐야 한다.

📌 포인트 정리

준예산 vs 가예산 vs 잠정예산

구분	채택국가	지출 가능 경비	기간
준예산	우리나라, 독일	한정적	무제한
가예산	프랑스, 우리나라 1공화국	전반적	1개월
잠정예산	영미계 국가, 일본	전반적	무제한

01

① ㄱ, ㄴ만 옳다.

ㄱ. [O] 국민참여예산제도는 2018년 국가재정법의 개정으로 2019년부터 예산편성부터 시행·적용되었다.

ㄴ. [O] 국민참여예산 운영절차로, 각 부처는 국민제안사업에 대한 적격성 심사를 하고 기획재정부와 국민참여예산지원협의회와 협의하여 최종적으로 사업예산편성 여부를 결정한다.

ㄷ. [X] 행정안전부장관은 지방자치단체의 재정적·지역적 여건 등을 고려하여 대통령령으로 정하는 바에 따라 지방자치단체별 주민참여예산제도의 운영에 대하여 평가를 실시할 수 있다.

ㄹ. [X] 주민참여예산기구의 구성·운영과 그 밖에 필요한 구체적인 사항은 대통령령이 아니라 해당 지방자치단체의 조례로 정한다.

정답

13 ② 14 ① 01 ①

02 다음 중 시민에 의한 예산 참여에 대한 설명으로 가장 옳지 않은 것은?

2015 경찰간부

① 시민에 의한 예산 참여는 재정민주주의 발전 과정상 예산감시에서 시작해 직접 예산을 편성하는 참여예산제도로 발전하였다.

② 정부의 지출을 통제하고 책임성을 제고하기 위해 최근 '함께하는 시민행동', '경실련 예산감시위원회' 등 시민단체의 예산활동이 다양하게 이루어지고 있다.

③ 납세자 소송제도는 민중소송 및 공익소송의 일종이며, 우리나라에서도 중앙정부를 대상으로 한 국민소송제를 도입·시행중이다.

④ 주민참여예산제를 최초로 실시한 도시는 브라질의 포르투 알레그레(Porto Alegre)시이며, 예산을 편성할 때 공공투자 예산안을 시민들의 직접 참여를 통해 결정한다.

03 재정 민주주의에 대한 설명으로 옳지 않은 것은?

2013 국가 9급

① 재정 민주주의는 '대표 없이 과세 없다'라는 표현에서 나타나듯이 재정 주권이 납세자인 국민에게 있다는 의미를 내포하고 있다.

② 납세자인 시민이 국가 또는 지방자치단체의 재정지출과 관련된 부정과 낭비를 감시하는 납세자 소송제도는 재정 민주주의의 본질을 잘 반영하고 있다.

③ 주민참여 예산제도는 예산편성과정에 주민참여를 확대함으로써 지방재정 운영의 투명성 및 공정성을 제고하여 재정 민주주의에 기여한다.

④ 정부 예산집행의 신축성을 확대하기 위하여 만들어진 예산의 전용제도는 국회의 동의를 구해야 하므로 재정 민주주의 확보에 기여하는 제도적 장치이다.

CHAPTER 07 예산결정이론

실질적 력(역량) 업그레이드

01 서메이어(K. Thumaier)와 윌로비(K. Willoughby)의 예산 운영의 다중합리성모형에 대한 설명으로 가장 옳은 것은?

2019 서울 7급(2월)

① 정부예산의 결과론적 접근방법에 근거한다.

② 미시적 수준의 예산상의 의사결정을 설명하고 탐구한다.

③ 정부 예산의 성공을 위해서는 예산과정 각 단계에서 예산활동과 행태를 구분해서는 안 된다고 주장하였다.

④ 예산과정과 정책과정 간의 연계점의 인식틀을 제시하기 위해 킹던(J.W. Kingdon)의 정책결정모형과 그린과 톰슨(Green & Thompson)의 조직과정 모형을 통합하고자 하였다.

02

③ 우리나라는 지방자치단체를 대상으로 하는 주민소송제도를 지방자치법에 근거하여 시행하고 있으나 중앙정부를 대상으로 하는 국민소송제는 도입·시행하고 있지 않다.

① 시민에 의한 예산참여는 예산결정과정에 시민이 직접 참여하는 것으로서 예산편성단계에서의 공청회·청문회·토론회, 시민대표의 위원회 참여, 재정수요의 조사,주민투표제 등이 그 방법이다.

② 예산에 시민의 재정선호가 제대로 반영되었는지를 시민이 감시하고 통제하는 것으로서 예산관련 정보공개청구, 예산낭비 등에 대한 주민감사청구, 예산불법지출에 대한 내부고발자 보호, 주민소환제, 예산의 불법·부당 지출에 대한 반환을 요구하는 납세자 소송 등이 있다.

④ 주민참여예산제는 브라질의 포르투 알레그레시가 1989년 최초로 시행하였으며, 예산편성과정에 주민참여를 확대함으로써 지방재정 운영의 투명성 및 공정성을 제고하여 재정 민주주의에 기여하는 제도이다.

03

④ 예산의 전용은 행정과목 간의 융통으로 이용과 전용 등은 예산집행의 신축성을 유지하는 제도로 재정민주주의를 저해한다. 한편 재정민주주의는 실효성 있는 재정통제 장치를 통하여 구현된다.

① 협의의 재정민주주의는 국가의 재정활동이 국민의 대표기관인 국회의 의결에 의하여 행하여져야 한다는 것으로서, "대표 없는 과세 없다."라는 원칙이며 정부의 재정 주권이 국민에게 있다는 의미이다.

② 납세자 소송제도는 국가나 지방자치단체의 예산이 위법·부당하게 사용된 경우 이를 환수할 수 있는 소송 제기권을 납세자에게 부여하는 제도를 말한다.

③ 주민참여예산제도는 지방의회가 예산안을 의결하기 전에 집행부의 예산편성과정에 시민이 지역별·주제별 총회 등을 통하여 참여하여 주제별·사업별 우선순위를 선정한다는 점에서 재정민주주의를 잘 반영한 제도이다.

01

② 다중합리성모형은 정부예산에 대한 과정적 접근에 근거하며 복수의 합리성 기준이 중앙예산기관의 예산분석가들에게 어떤 영향을 미치는지 미시적으로 분석하였다.

① 정부예산의 과정론적 접근방법에 근거한다.

③ 정부예산의 성공을 위해서는 예산과정 각 단계에서 발생하는 예산활동과 행태를 구분해야한다고 주장하였다.

④ 예산과정과 정책과정 간의 연계점의 인식틀을 제시하기 위해 킹던의 정책결정모형과 루빈의 실시간 예산결정모형을 통합하였다.

정답

02 ③ 03 ④ 01 ②

02 점증주의에 대한 설명으로 옳지 않은 것은?

2019 국회 8급

① 정책을 결정할 때 현존의 정책에서 약간만 변화시킨 대안을 고려한다.

② 고려하는 정책대안이 가져올 결과를 모두 분석하지 않고, 제한적으로 비교·분석하는 방법을 사용한다.

③ 경제적 합리성보다는 정치적 합리성을 추구하여 타협과 조정을 중요시한다.

④ 일단 불완전한 예측을 전제로 하여 정책대안을 실시하여 보고 그때 나타나는 결과가 잘못된 점이 있으면 그 부분만 다시 수정·보완하는 방식을 택하기도 한다.

⑤ 수단과 목표가 명확히 구분되지 않으므로 흔히 목표-수단의 분석이 부적절하거나 제한되는 경우가 많으며, 정책목표달성을 극대화하는 정책을 최선의 정책으로 평가한다.

03 예산 관련 모형에 관한 설명으로 옳은 것은?

2017 교행 9급

① 점증주의모형을 적용한 대표적인 예산제도에는 영기준예산제도가 있다.

② 단절균형모형은 예산의 단절균형 발생 시점을 예측할 수 있기 때문에 미래지향성을 지닌다.

③ 예산극대화모형은 관료들이 사회적 효용의 극대화를 위해 소속 부서의 예산을 증가시키려는 현상을 설명한다.

④ 합리주의모형은 대안의 선정 시에 순현재가치, 내부수익률, 비용편익비율 등과 같은 분석기준을 주로 사용한다.

04 예산이론에 대한 설명으로 옳은 것은?

2017 국가 7급

① 루이스(Lewis)는 예산배분결정에 경제학적 접근법을 적용하여, '상대적 가치', '증분분석', '상대적 효과성'이라는 세 가지 분석명제를 제시한다.

② 니스카넨(Niskanen)의 예산극대화 모형은 의회 의원들이 재선 가능성을 높이기 위해 지역구 예산을 극대화하는 행태에 분석초점을 둔다.

③ 윌로비와 서메이어(Willoughby & Thurmaier)의 다중합리성 모형은 의원들의 복수의 합리성 기준이 의회의 예산결정에 미치는 영향을 주로 분석한다.

④ 단절균형예산이론(Punctuated Equilibrium Theory)은 급격한 단절적 예산변화를 설명하고, 나아가 그러한 변화를 예측할 수 있는 장점이 있다.

02

정답 : ⑤

⑤ 점증주의는 수단과 목표가 명확히 구분되지 않으므로 흔히 목표–수단의 분석이 부적절하거나 제한되는 경우가 많으며 정책목표달성의 극대화보다는 정치인의 동의나 정치적 지지를 극대화하는 것을 최선의 정책으로 평가한다. 한편 정책목표달성을 극대화하는 정책을 최선의 정책으로 평가하는 것은 합리모형과 관련된다.

03

정답 : ④

④ 합리모형은 부분적 최적화가 아닌 전체적 최적화를 위해 체계적·포괄적 대안탐색과 분석을 실시하여 포괄적인 가치변화를 추구하고 비용편익분석 등을 사용하여 대안의 우선순위를 분석한다.

① 점증주의모형을 적용한 대표적인 예산제도에는 품목별예산이나 성과주의 예산이 있으며, 영기준예산이나 계획주의 예산은 합리주의모형을 적용한 대표적인 예산제도이다.

② 단절균형모형은 예산재원의 배분 형태가 항상 일정하게 유지되는 것이 아니라 특정사건이 상황에 따라 균형 상태에서 급격한 변화가 발생하는 단절 현상이 발생한 후 다시 균형을 지속한다는 예산이론으로, 사후적인 분석으로는 적절하지만 단절균형이 발생할 수 있는 시점을 예측하지 못하기 때문에 미래 지향성 측면에서는 한계가 있다.

③ 예산극대화모형은 관료들의 행태에 자기이익 극대화 가정을 도입하여 관료들은 승진·명성 등의 이익을 극대화하기 위하여 예산을 극대화한다는 것이다.

04

정답 : ①

① 루이스(Lewis)는 기회비용에 입각한 상대적 가치, 상이한 목표 간 비교평가를 위한 증분분석, 공통 목표에 대한 상대적 효과성을 제시하였다.

② 니스카넨(Niskanen)의 예산극대화 모형은 부처 관료들이 자신의 효용을 극대화시키기 위해 예산을 극대화하는 행태에 분석초점을 둔다.

③ 윌로비와 서메이어(Willoughby & Thurmaier)의 다중합리성 모형은 중앙예산기관의 예산분석가들이 예산결정을 할 때 복수의 합리성 기준을 적용하며, 관료들의 정부 예산 역할을 중심으로 과정적 접근방법에 미치는 영향을 분석한다.

④ 단절균형예산이론(Punctuated Equilibrium Theory)은 사후적인 분석으로는 적절하지만, 단절 균형이 발생할 수 있는 시점을 예측하지 못하기 때문에 미래 지향성 측면에서는 한계가 있는 접근법이다.

포인트 정리

합리주의와 점증주의 비교

구분	합리주의	점증주의
분석 결과	신규사업과 대폭적이고 체계적인 변화	전년도 예산의 소폭적인 변화
적용 원리	• 경제원리	• 정치원리
특징	• 이상적 · 규범적 · 경제적 · 개혁적 • 목표–수단 분석(목표는 주어진 것) • 거시적 · 하향적 결정 • 체계적 · 포괄적 탐색	• 현실적 · 기술적 · 정치적 · 부분적 • 목표–수단 미실시(목표 조정 가능) • 미시적 · 상향적 결정 • 단편적 · 제한적 탐색
적용	계획예산(PPBS), 영기준예산(ZBB)	품목별예산(LIBS), 성과주의예산(PBS)

루이스(Lewis)의 이론

상대적 가치	기회비용 관점에서 대안별 상대적 가치 비교
증분 분석	한계효용 개념을 활용하여 상이한 목적 간의 상대적 가치를 비교
상대적 효과성	공통의 목표달성을 위한 대안들의 상대적 효과성을 비교

정답

02 ⑤ 03 ④ 04 ①

05 예산정책결정이론 중 합리적 분석에 의한 과정(합리모형)에 관한 설명으로 적합하지 않은 것은? 2016 서울 7급v

① 이러한 접근의 예산편성방법은 기획예산(PPBS)과 영기준예산(ZBB)을 들 수 있다.

② 정치적 합리성의 가치를 간과하기 쉽다.

③ 보수적 성향의 예산담당관은 합리모형에 입각한 예산결정에 긍정적이다.

④ 항상 계량화의 문제가 발생한다.

⑤ 실제 예산과정에서 현실성과 괴리가 있다.

06 예산결정 이론은 크게 총체주의와 점증주의로 구분할 수 있다. 다음에 제시된 총체주의와 점증주의에 관한 설명 중 가장 적절하지 않은 것은? 2011 서울 7급

① 총체주의 : 목표에 대한 사회적 합의가 도출되지 않은 경우에도 적용할 수 있다는 장점을 가지고 있다.

② 총체주의 : 예산담당관이 보수적 성향을 가질 경우 합리적 모형에 따른 예산결정은 현실적으로 힘들어진다.

③ 총체주의 : 합리적 모형을 적용하면 계획 기능이 강화되는 효과를 창출하는데 이는 집권화의 병리를 초래할 위험이 있다.

④ 점증주의 : 예산결정은 예산배분을 둘러싼 이해당사자들의 갈등을 완화하고 해결한다는 의미의 정치적 합리성을 특징으로 한다.

⑤ 점증주의 : 행정개혁의 시기에서는 소극적인 측면에서 저항 혹은 관료병리로 평가될 수도 있다.

CHAPTER 08 품목별 예산제(LIBS)

실질적 력(역량) 업그레이드

01 품목별예산제도에 대한 설명으로 옳지 않은 것은? 2016 지방 9급

① 재정민주주의 구현에 유리한 통제지향 예산제도이다.

② 정부활동의 중복방지와 통합·조정에 유리한 예산제도이다.

③ 지출 대상에 따라 자세히 예산이 표시되어 있으므로 예산심의가 용이하다.

④ 정부가 수행하는 사업과 그 효과에 대한 명확한 정보를 제공하지 못한다.

05

③ 현상을 유지하려는 보수적 예산은 점증주의와 연관된다. 한편 합리모형에 의한 예산결정은 이상적인 모형이므로 현실과 괴리가 있을 수 있고 계량화 가능성에도 문제가 있다.

① 합리주의는 총체주의라고도 하며, 계획예산제도와 영기준예산이 체제분석을 사용하는 대표적인 합리주의예산이다.

② 합리주의에서는 경제적 합리성을 강조한 나머지 정치적·사회적 현실성을 간과하기 쉽다.

④ 합리주의는 각 대안들에 투입될 비용과 산출되는 편익을 계량하여 비교하는 경제적 합리성을 중시하므로 계량화의 문제가 발생할 수 있다.

⑤ 합리주의에서는 경제적 합리성을 강조한 나머지 사회정치적으로 복잡한 문제를 너무 단순화시켜 분석하는 경향으로 인해 정치적·사회적 현실성이 부족하다는 비판을 받는다.

06

① 총체주의는 합리주의 예산으로 목표-수단분석을 전제로 하기 때문에 목표에 대한 사회적 합의가 도출될 수 있다는 가정하에 적용할 수 있는 이론이다.

② 예산담당관이 보수적 성향을 가질 경우, 점증주의적 예산제도가 될 가능성이 높다.

③ 합리모형 적용 시 계획기능이 강화되므로 집권화의 병리를 초래할 수 있다.

④ 점증주의는 예산과정 참여자들의 역할과 기대를 안정시켜 갈등의 소지를 줄인다.

⑤ 점증주의는 행정개혁의 저항 또는 관료병리로 평가될 수 있다.

01

② 정부활동의 중복방지와 통합·조정에 유리한 예산제도는 계획예산제도로, 통합적 관점에서 예산을 편성함으로써 부처 또는 부서 간 갈등조정 및 부처할거주의를 타파하는 효과가 있다.

① 품목별 예산제도는 회계책임이 명확하고 통제가 용이하여 재정민주주의 구현에 유리하다.

③ 품목별 예산제도는 세출예산의 최종 단위인 목(目)을 중심으로 편성되므로 의회의 예산심의가 용이하다.

④ 품목별 예산제도는 투입측면에만 초점을 두고 편성되므로 지출에 따른 성과나 효과를 파악하기 곤란하다.

포인트 정리

예산결정이론

점증주의	총체주의
• 정치적 합리성(정치원리)	• 경제적 합리성(경제원리)
• 계속사업 인정	• 계속사업 불인정
• 계속사업 검토 제외	• 계속사업도 검토
• 미시적·상향적·과정적	• 거시적·하향적·체제적
• 세부사업 지향적	• 총액지향적
• 입법부 중심	• 행정부 중심
• 목표-수단분석 하지 않음	• 목표-수단분석 실시

점증주의의 장단점

장점	• 예산과정에 대한 참여와 이익표출의 촉진 • 지출대안의 탐색과 분석에 소요되는 결정비용의 절감 • 협상과 타협에 의한 갈등 조정 • 예산결정의 간결성 및 책임성 확보 • 정치적 가치 고려 가능
한계	• 이론적 설명 및 분석기능의 결여 • 개혁적·규범적 이론으로서의 한계 • 보수주의적 성격 • 예산의 재정정책 기능 약화

품목별 예산제도 장단점

장점	• 책임확보 및 통제 용이 • 합법성 위주의 회계검사 용이 • 절차가 간편함 • 인사행정상 유용한 자료 제공
단점	• 융통성 저해 • 사업의 목적이나 성과 불분명 • 국민경제에 미치는 영향을 알 수 없음

정답

05 ③ **06** ① **01** ②

02 품목별예산제도에 관한 설명으로 옳지 않은 것은?

2015 행정사

① 예산의 유용이나 남용을 방지하는 데 도움이 된다.

② 투입지향적 예산제도이다.

③ 정부사업의 우선순위 파악이 용이하다.

④ 기획지향적이라기 보다는 통제지향적이다.

⑤ 의회의 예산심의가 용이하다.

CHAPTER 09 성과주의 예산제(PBS)

실질적 력(역량) 업그레이드

01 성과주의 예산제도(PBS: Performance Budgeting System)의 장점에 대한 설명으로 가장 옳지 않은 것은?

2018 서울 7급

① 평가 대상 업무 단위가 중간 산출물인 경우가 많아 예산성과의 질적인 측면까지 평가할 수 있다.

② 계량화된 정보를 통해 합리적인 의사결정과 관리 개선에 기여할 수 있다.

③ 입법부의 예산심의를 간편하게 만든다.

④ 사업 또는 활동별로 예산이 편성되기 때문에 국민들이 정부의 추진사업을 쉽게 이해할 수 있다.

02 성과주의 예산제도에 관한 설명으로 옳은 것을 모두 고른 것은?

2012 해경간부

> ㄱ. 예산서에는 사업의 목적과 목표에 대한 기술서가 포함되며, 재원은 활동 단위를 중심으로 배분된다.
> ㄴ. 사업의 대안들을 제시하도록 하고 가장 효과적인 프로그램에 대해 재원배분을 선택하도록 한다.
> ㄷ. 예산의 배정과정에서 필요 사업량이 제시되므로 예산과 사업을 연계시킬 수 있다.
> ㄹ. 장기적인 계획과의 연계보다는 단위사업만을 중시하기 때문에 전략적인 목표의식이 결여될 수 있다.

① ㄱ, ㄴ

② ㄱ, ㄷ, ㄹ

③ ㄱ, ㄴ, ㄷ

④ ㄴ, ㄷ, ㄹ

02

정답 : ③

③ 정부사업의 우선순위 파악이 용이한 것은 영기준예산이다. 한편 품목별예산제도는 정부사업의 우선순위 파악이 곤란하다.

① 관료의 재량을 줄임으로써 부정과 예산의 남용을 방지한다.

② 투입측면에 초점을 둔다.

④ 최종단위인 목을 중심으로 배분되므로 통제지향적인 성격을 지닌다.

01

정답 : ①

① 성과주의 예산제도는 업무단위의 선정이 곤란하고, 업무단위가 중간산출물인 경우가 많아 집행성과에 그칠 뿐 질적인 성과까지는 평가할 수 없다는 단점이 있다.

② 성과주의 예산제도는 상향적·분권적 의사결정으로 의사결정력이 제고되며 계량화된 정보를 통해 합리적인 의사결정과 관리개선에 기여할 수 있다.

③ 사업별 산출근거가 제시되므로 입법부의 예산심의가 용이하다.

④ 예산서에 사업의 목적 및 목표에 대한 기술서가 포함되므로 일반국민이나 입법부가 정부사업의 목적을 쉽게 이해할 수 있다.

02

정답 : ②

② ㄱ, ㄷ, ㄹ이 옳은 내용이다.

ㄱ. [O] 성과주의 예산제도는 예산서에 사업의 목적·목표에 대한 기술서가 포함되므로 일반국민이나 입법부가 정부사업의 목적을 용이하게 이해할 수 있으므로 재정의 투명성 및 신뢰성이 증진된다.

ㄷ. [O] 업무단위 선정과 단위원가의 과학적 계산으로 자원배분의 합리화가 가능하고 필요한 사업량이 제시되어 재원과 사업계획의 연계가 가능하다.

ㄹ. [O] 구체적이고 개별적인 단위사업만 나타나 있으므로 PPBS에 비해 전략적인 목표 의식이 부족하고 장기계획과의 연계보다는 개별적인 단위사업만 중시한다.

ㄴ. [X] 계획예산은 사업의 대안들을 제시하도록 하고 가장 효과적인 프로그램에 대해 재원배분을 선택하도록 한다.

📝 포인트 정리

성과주의 예산제도 장단점

장점	• 관리통제의 합리화 • 입법부 예산심의 용이 • 예산과 사업의 연계 • 집행성과 파악 가능
단점	• 의회통제(재정통제) 곤란 • 장기적·전략적 목표 의식 결여 • 단위원가 계산 및 업무단위 선정 곤란

정답
02 ③ 01 ① 02 ②

03 성과주의 예산(Performance Budget)을 가장 바르게 설명한 것은? 2007 서울 7급

① 제한된 재원을 효율적으로 배분하기 위하여 각 부처에서 추진해 오던 사업을 당연한 것으로 인정하지 않는 특징이 있다.

② 1912년 대통령위원회가 추천한 것에서 보듯이, 미국 정부의 지출을 체계적으로 구조화한 최초의 예산제도이다.

③ 구체적으로 완성한 이후의 모습을 보여줌으로써, 재원과 사업을 직접적으로 연계시키는 예산제도이다.

④ 지난 80년대 기업가형 정부개혁이 강조되면서, 통제보다는 결과에 대한 책임을 확보하는 새로운 예산제도이다.

⑤ 예산제도를 설계하는데 따라서 기능 비중이 달라지는데 이는 통제나 관리보다는 기획의 기능을 상대적으로 강조하는 제도이다.

04 A 기관에서는 다음과 같은 사업을 수행하기 위하여 성과주의 예산방식으로 예산을 편성하고자 한다. 적정 예산액으로 옳은 것은? 2005 경기 7급

사업	단위원가
도로건설 10km	100만원
거리청소 5km	20만원
방역사업 2회	10만원

① 11,200,000원　　　　　　② 9,500,000원

③ 10,000,000원　　　　　　④ 10,500,000원

CHAPTER 10 계획예산제(PPBS)

실질적 **력**(역량) **업**그레이드

01 A 예산제도에서 강조하는 기능은? 2020 지방, 서울 9급

A 예산제도는 당시 미국의 국방장관이었던 맥나마라(McNamara)에 의해 국방부에 처음 도입되었고, 국방부의 성공적인 예산계획에 공감한 존슨(Johnson) 대통령이 1965년에 전 연방정부에 도입하였다.

① 통제　　　　　　② 관리

③ 기획　　　　　　④ 감축

03

정답 : ③

③ 성과주의 예산은 예산을 기능별(사업별·활동별)로 분류하여, 업무단위 원가와 업무량을 계산하여 편성하는 것으로 예산의 통제보다는 성과에 초점을 두며, 정보의 계량화를 통하여 관리의 능률성을 향상시키고자 하는 관리지향적 예산이다.

① 영기준예산은 모든 예산사업을 재검토하여 지출의 타당성이 입증되어야만 예산을 배정함으로써 기존 점증적 예산의 폐단을 극복하고 경제적 합리성을 제도화한다.

② 미국 정부의 지출을 체계적으로 구조화한 최초의 예산제도이며 예산을 지출대상(품목)별로 분류하여 편성하는 통제지향적 예산제도는 품목별 예산에 해당한다.

④ 1980년대 신행정국가를 배경으로 통제보다는 결과에 대한 책임을 확보하는 새로운 대안제도이며 집행의 자율성과 성과를 통한 책임성 확보를 추구하는 신공공관리론적 예산 개혁은 신성과주의 예산제도에 해당한다.

⑤ 통제나 관리보다는 기획의 기능을 상대적으로 강조하는 제도이며 장기적인 계획을 수립하고(planning), 그 계획을 달성할 수 있는 실시계획을 짜며(programming), 이를 연차적으로 단기적 예산에 반영하는(budgeting) 예산제도는 계획예산제도에 해당한다.

04

정답 : ①

① (세부사업의 업무량 × 단위원가)의 합을 계산하면 된다.

(도로건설 10km×100만원)+(거리청소 5km×20만원)+(방역사업 2회×10만원)=11,200,000원

01

정답 : ③

③ 제시문은 기획기능을 강조한 계획예산제도에 대한 설명이다.

① 통제를 강조한 것은 지출대상을 기준으로 분류·편성하는 품목별예산제도이다.

② 관리를 지향한 것은 예산을 사업별·활동별로 구분하여 편성하는 성과주의예산제도이다.

④ 감축기능을 강조하는 것은 의사결정과 우선순위에 관심을 가지고 감축을 지향하는 영기준예산제도이다.

예산제도 비교

구분	LIBS	PBS	PPBS	ZBB
방향(지향)	통제	관리	기획	우선순위 결정 / 감축
주요정보	지출대상	부처활동	부처목표	조직목표
정책결정유형	점증적	점증적	총체적	부분적/총체적
결정흐름	상향적	상향적	하향적	상향적

포인트 정리

정답

03 ③ 04 ① 01 ③

02 다음 중 계획예산제도(PPBS)에 관한 설명으로 가장 옳은 것은?

① 미국 연방정부 차원에서 도입되었으나 전반적으로 실패한 것으로 평가되고 있다.

② 품목별 예산과는 달리 정책별로 예산을 배분하지 않고 부서별로 예산을 배정한다.

③ 부서별로 일정하게 배분되는 시스템으로 개별 부서들은 예산확보를 위해 사업에 대한 영향을 분석할 필요성을 느끼지 못하며, 구조화된 분석의 역할은 중시되지 않는다.

④ 프로그램 예산 형식을 취하고 있으며 예산편성에서 계량기법의 도입에 대해서는 적극적이지 못했다.

03 예산제도에 관한 설명으로 가장 적절하지 않은 것은?

① 계획예산제도란 장기적인 기획과 단기적인 예산을 유기적으로 연결시켜 합리적인 자원배분을 이루려는 것으로서 정치적 협상을 중시한다.

② 품목별예산제도는 예산을 지출대상별로 분류하여 편성하는 것이다.

③ 성과주의예산제도는 정부사업과 활동에 대한 국민들의 이해를 증진시킬 수 있다.

④ 영기준예산제도는 모든 지출제안서를 영점 기준에서 검토한다.

CHAPTER 11 영기준예산제(ZBB)

실질적 력(역량) 업그레이드

01 영기준예산(ZBB)에 대한 설명 중 가장 옳지 않은 것은?

① 과거연도의 예산지출이 참고자료로 고려되지 않는다.

② 국방비, 공무원의 보수, 교육비와 같은 경직성 경비가 많으면 영기준예산제도의 효용이 제약된다.

③ 영기준예산제도는 미국 카터 행정부에서 채택되었던 것으로, 전년도 예산의 답습이 아니라 백지 상태에서 현행 사업을 재검토하고자 한 것이다.

④ 영기준예산은 기획의 책임이 집권화되어 있다.

02

정답 : ①

① 계획예산제도는 미국 Johnson 대통령에 의해 연방정부에 도입되었다가 1971년에 중단되었는데 많은 시간과 노력 및 비용 소요, 집권화 우려 등의 문제로 10년 정도만 유지되었다가 ZBB 시대로 넘어갔다.

② 품목별 예산과는 달리 계획예산은 부서별로 예산을 배정하지 않고 정책별로 예산을 배분한다.

③ 계획예산제도는 정책별로 배분되는 시스템으로 부서 간 장벽을 타파한 상태에서 분석 및 검토를 통해 합리적 자원배분을 하며 프로그램 중심으로 분석한다.

④ 계획예산제도는 체제분석이나 비용편익분석 등 계량기법을 적극적으로 사용한다.

03

정답 : ①

① 계획예산제도는 장기적인 계획을 수립하고(planning), 그 계획을 달성할 수 있는 실시계획을 짜며(programming), 이를 연차적으로 단기적 예산에 반영하는(budgeting) 예산제도로 정치적 협상을 중시하지는 않는다.

② 품목별 예산제도는 예산을 지출대상(품목)별로 분류하여 편성하는 통제지향적 예산제도이다.

③ 성과주의 예산제도는 예산을 기능별(사업별·활동별)로 분류하여, 업무단위 원가와 업무량을 계산하여 편성하는 것으로 예산의 통제보다는 성과에 초점을 두며, 정보의 계량화를 통하여 관리의 능률성을 향상시키고자 하는 관리지향적 예산이며, 정부가 무엇을 하는지 국민이 이해하기 쉽고 의회에서 심의하기가 용이하다.

④ 영기준예산제도는 매년 제로(0) 기준에서 정책의 우선순위를 엄격히 사정하여 예산을 편성하는 방법이다.

01

정답 : ④

④ 영기준예산은 기획의 책임이 분산되어 있다.

① 영기준예산제도는 매년 '0'의 기준 상태에서 근본적인 재평가를 바탕으로 검토하므로 과거연도의 예산지출이 참고자료로 고려되지 않는다.

② 공공부문에 있어 국방비, 공무원의 보수, 교육비와 같은 경직성 업무와 경직성 경비, 법령상 제약 등은 영기준예산제도의 적용을 어렵게 할 수 있다.

③ 영기준예산제도는 긴축재정 정책의 일환으로 미국 카터 행정부에 도입되었으며, 전년도 예산의 답습이 아닌 백지상태에서 현행 사업을 근본적으로 재검토하고자 한 것이다.

영기준 예산제도(Zero-Base Budgeting)에 대한 설명으로 가장 옳지 않은 것은?

① 자원의 효율적인 배분 및 예산절감의 효과를 얻을 수 있다.

② 예산과정에서 상향적 의사결정이 이루어지므로 실무자의 참여가 확대된다.

③ 예산과정에서 정치적 고려 및 관리자의 가치관이 반영될 가능성이 높다.

④ 현 시점 위주로 분석하므로 장기적인 목표가 경시될 수 있다.

예산제도에 대한 설명으로 가장 적절하지 않은 것은?

① 품목별예산제도는 인사행정에 유용한 자료를 제공하며, 이익집단의 저항회피라는 정치적 이점이 있다.

② 성과주의예산제도는 예산과 사업을 연계시킬 수 있으며 정부가 무슨 사업을 추진하는지 국민들이 쉽게 이해할 수 있다.

③ 계획예산제도는 목표·계획·사업의 연계성을 높일 수 있으나, 과도한 정보를 필요로 한다는 단점이 있다.

④ 영기준예산제도는 신속한 예산조정 등 변동 대응성, 유연성, 신축성을 향상시켜 실제 적용에 있어서 점증주의를 극복하게 하였다는 평가를 받았다.

영기준 예산제도(ZBB)의 장점으로 옳지 않은 것은?

① 국방비, 공무원의 보수, 교육비와 같은 경직성 경비가 많으면 영기준 예산제도의 효용이 커진다.

② 최고관리자는 각 기관의 업무수행에 대한 보다 상세한 자료를 입수할 수 있다.

③ 예산과정에 대한 관리자 및 실무자의 참여를 촉진한다.

④ 전년도 답습주의로 인한 재정의 경직성을 완화할 수 있다.

02

③ 영기준예산은 우선순위를 결정하는 것에만 초점을 둔 것으로 정치적 요인이나 가치판단 등의 비경제적 요인이 경시된다.

① 자원난 시대에 감축관리를 위한 예산제도이다.

② 영기준예산은 실무자의 상향적 참여가 이루어진다.

03

④ 영기준예산제도는 신속한 예산조정 등 변동 대응성. 유연성. 신축성을 향상시키기 위한 목적으로 도입되었으나 예산팽창의 억제에 크게 기여하지 못하였고, 경직성 있는 경비의 존재 등으로 인해 실제 적용에 있어서는 점증주의를 극복하지 못하였다는 비판을 받았다. 이를 보고 Wildavsky는 실제로는 영기준이 아니라 90% 예산이라고 비판하였다.

① 품목별예산제도는 정부운영에 필요한 인력자료와 인건비에 관한 정보 및 자료를 얻을 수 있으므로 인사행정에 유용한 자료를 제공하며, 이익집단의 저항을 덜 받는다는 정치적 이점이 있다.

② 성과주의예산제도는 사업 또는 활동별로 예산이 편성되므로 정부가 무슨 사업을 추진하는지 국민들이 쉽게 이해할 수 있다.

③ 계획예산제도는 목표·사업·대안·비용 등을 고려하고 목표와 수단이 연계되나, 분석과정에 있어 많은 시간 및 노력과 정보를 필요로 한다는 단점이 있다.

04

① 국방비, 공무원의 보수. 교육비 등의 공공업무의 특성상 지속적 업무가 많고 법령상 제약이 심해 사업의 축소·폐지가 곤란하여 영기준예산의 적용이 제한적이다.

② 모든 계층의 구성원과 관리자가 의사결정 패키지 개발에 참여하는 상향적·분권적 결정방식으로 관리자는 보다 상세한 정보를 접할 수 있다.

③ 우선순위의 상향적 결정방식으로 업무를 관장하는 상급관리자가 구성원의 참여하에 단위별 패키지를 통합하여 순위를 결정하고 이와 동일한 방법으로 최고관리자까지 결정하는 방식을 취하기 때문에 관리자 및 실무자의 참여가 촉진된다.

④ 사업의 우선순위를 정기적으로 새로이 결정함으로써 중복이나 낭비를 배제할 수 있고, 우선순위가 낮은 사업은 축소 내지 폐지되어 재정운용상의 탄력성을 확보할 수 있다.

⬡ **포인트 정리**

정답
02 ③ 03 ④ 04 ①

05 영기준 예산제도의 단점으로 옳은 것만을 모두 고른 것은? 2014 지방 7급

ㄱ. 계산전략의 한계	ㄴ. 정보획득의 애로
ㄷ. 예산통제의 애로	ㄹ. 경직성 경비로 인한 한계
ㅁ. 재정구조의 경직화	ㅂ. 비경제적 요인의 간과

① ㄱ, ㄴ, ㄹ, ㅂ
② ㄱ, ㄷ, ㄹ, ㅁ
③ ㄱ, ㄷ, ㄹ, ㅂ
④ ㄴ, ㄷ, ㅁ, ㅂ

06 ZBB에 대한 설명 중 옳지 않은 것은? 2010 경정승진

① ZBB의 목적은 어떤 수준에서 각 사업 혹은 활동이 수행되어져야만 하는가를 결정하는 것이다.

② ZBB는 연구와 예산준비에 과다한 노력을 필요로 한다는 단점에도 불구하고 실제 적용에 있어서 점증주의를 극복하게 하였다는 평가를 받았다.

③ ZBB는 매우 유동적이며 또한 사업평가에 근거하고 있으므로 조직이 변동하는 상황에 적응할 수 있게 한다.

④ ZBB는 결정패키지의 순위 매김 과정에만 너무 초점을 두어 외부의 영향을 고려하는데 실패했다.

CHAPTER 12 기타 예산이론-일몰법 등

실질적 력(역량) 업그레이드

01 다음 특징에 해당하는 예산관리제도는? 2017 지방 7급

○ 사업 시행 후 기존 사업과 지출에 대한 입법기관이 재검토한다.
○ 정부의 불필요한 행위나 활동을 폐지하고 효율적인 정부를 추구하려는 노력이다.
○ 특정 조직이나 사업에 대해 존속시킬 타당성이 없다고 판명되면 자동적으로 폐지하는 제도이다.
○ 매 회계연도마다 반복적으로 예산과정에서 비교적 독립적으로 진행할 수 있다.

① 영기준예산제
② 일몰제
③ 계획예산제
④ 성과주의 예산제

05

① ㄱ, ㄴ, ㄹ, ㅂ은 옳고, ㄷ, ㅁ은 틀리다.

ㄱ. [O] 영기준예산은 시간·비용·노력을 과다하게 요구되고 계산능력의 한계로 인해 성공적으로 정착되기 어렵다.

ㄴ. [O] 필요한 정확한 정보획득에 애로가 있다.

ㄹ. [O] 축소가 불가능한 경직성 경비(비탄력적 경비)가 많을 경우 효용이 저하된다.

ㅂ. [O] 정치적 이해관계, 관리자의 가치관 등 정치적·심리적 요인의 영향을 간과하였다.

ㄷ. [X] 영기준예산은 모든 사업을 원점에서부터 검토하도록 함으로써 예산·계획·통제기능의 연계를 강조한다.

ㅁ. [X] 재정구조의 경직성을 타파하고 탄력성을 확보할 수 있다.

포인트 정리

영기준예산제도의 장단점

장점	• 합리적 의사결정 • 재정의 탄력성 확보 • 예산운영의 다양성 및 신축성 • 구성원의 참여(상향적)
단점	• 우선순위 결정 곤란 • 정치적·심리적 요인 등 비경제적 요인 미고려 • 관료들의 저항과 소규모 조직의 희생 • 경직성 경비 축소 곤란

06

② ZBB는 합리주의를 지향하는 예산제도이므로 예산의 합리성을 제고하는데 어느 정도 기여하였으나, 점증주의의 한계를 극복하지는 못하였다.

① 의사결정패키지 작성을 통해 예산편성 시 우선순위를 결정한다.

③ ZBB는 매년 재검토를 통해 신속한 예산조정 등 변동대응성 증진에 기여한다.

④ ZBB는 예산결정에 영향을 미치는 정치적 요인이나 각급 관리자의 가치관 등 비경제적 요인이 경시된다.

01

② 제시문은 일몰법에 대한 설명이다. 일몰법은 특정한 정부사업이나 공공기관에 대하여 일정한 기간이 지나면 그 동안 부여했던 권한을 폐지하고 그 사업이나 기구의 유용성과 존속여부를 재검토하여 불필요한 것을 폐지하도록 하는 강제 감축 장치의 일종이다.

① 영기준예산은 계속사업과 신규 사업 모두를 원점에서 분석하여 예산을 편성하는 우선순위 또는 감축중심의 예산을 의미한다.

③ 계획예산제는 계획과 예산을 프로그래밍에 의하여 연결시키는 계획 중심의 연동예산으로 자원의 합리적 배분을 특징으로 한다.

④ 성과주의 예산제는 재원을 사업에 연계시켜 편성한 사업 중심의 예산으로 예산관리 기능의 집권화를 추구하며 행정 관리 작용의 능률성을 지향한다.

02 예산제도에 대한 다음 설명 중 틀린 것은?

2013 교행 9급

① 성과주의 예산은 효율성, 효과성을 고려하지만 자원의 최적배분, 사업의 필요성과 타당성 여부는 알 수 없다.

② 품목별 예산은 지출항목을 엄격하게 분류하며, 산출중심 예산편성이지만 재정지출의 구체적인 목표의식은 결여되어 있다.

③ 계획예산은 프로그램 중심의 예산으로서 정책목표를 설정하는 계획수립을 거쳐 구체적인 연차별 프로그램화를 한 다음 예산을 편성하는 단계로 진행된다.

④ 자본예산제도는 경우에 따라서는 무리한 재정팽창을 유발하여 재정의 안정화 효과를 감소시켜 인플레이션이 조장될 우려가 있으며 재정적자의 은폐수단으로 악용될 우려가 있다.

03 다음 중 일몰법과 영기준예산에 대한 설명으로 옳지 않은 것은?

2009 서울 7급

① 일몰법은 정책과 관련된 입법적 과정이며, 영기준예산은 행정부예산제도로 행정적 과정과 관련이 크다.

② 일몰법과 영기준 예산은 사업의 능률성과 효과성을 검토하여 사업의 계속 여부를 결정하기 위한 재심사의 성격을 갖는다

③ 일몰법은 조직의 최상위 계층부터 중·하위 계층 모두와 관련되어 있는 반면, 영기준예산은 조직의 최상위 계층과 관련이 있다.

④ 일몰법과 영기준예산의 시행을 통해 자원의 합리적 배분을 꾀할 수 있다.

⑤ 일몰법과 영기준예산은 자원난시대에 대 비하는 감축관리를 강조하고 있다는 점에서 공통점을 지닌다.

CHAPTER 13 예산과정

실질적 **력**(역량) **업**그레이드

01 우리나라의 예산과정에 대한 설명으로 옳지 않은 것은?

2017 국가 7급(추)

① 기획재정부는 매년 당해 연도부터 5회계연도 이상의 기간에 대한 재정운용계획을 수립하여 회계연도 개시 120일 전까지 국회에 제출하여야 한다.

② 예산안편성지침에 중앙관서별 지출한도를 포함하여 통보할 수 있는 총액배분·자율편성제도가 도입되어서, 기획재정부의 사업별 예산통제 기능이 상실되었다.

③ 국회 본회의 중심이 아니라 국회 상임위원회와 예산결산특별위원회 중심으로 예산이 심의된다.

④ 예산의 이용(移用)과 전용, 예산의 이체(移替), 예비비, 계속비는 예산집행의 신축성을 보장하기 위한 것이다.

02

정답 : ②

② 품목별 예산은 산출이 아닌 투입중심의 예산으로 구체적인 목표의식이 결여되어 있다.

① 성과주의 예산은 합리주의가 아니므로 정책목표를 달성하기 위한 사업의 평가와 선택에는 기여하지 못한다.

③ 계획예산은 장기기획과 단기예산을 연계시킨다.

④ 자본예산제도는 적자재정의 은폐로 악용될 수 있다.

03

정답 : ③

③ 일몰법은 조직의 최상위 계층과 관련이 있는 반면, 영기준예산은 조직의 최상위 계층부터 중·하위 계층 모두와 관련되어 있다.

① 일몰법은 예산심의를 특징으로 하는 입법과정적 성격이며, 영기준예산은 예산편성을 특징으로 하는 행정과정적 성격이다.

② 일몰법과 영기준예산 모두 사업의 능률성과 효과성을 검토하여 사업의 계속 여부를 결정하기 위해 재심사를 한다.

④ 일몰법과 영기준예산 모두 자원의 합리적 배분을 강조하는 특징이 있다.

⑤ 일몰법과 영기준예산 모두 자원난 시대에 대비하는 감축관리를 강조한다는 유사점이 있다.

01

정답 : ②

② 총액배분·자율편성제도는 전에 결정된 예산의 지출한도 내에서 각 부처가 자율적으로 예산을 편성해 운영하는 제도로 예산편성은 하향적 흐름을 지니며, 분야별·부처별 재원배분계획을 국무회의에서 결정하기 때문에 예산결정과정의 투명성이 높아진다.

① 정부는 매년 당해 회계연도부터 5회계연도 이상의 기간에 대해 재정운용계획을 수립하여 회계연도 120일 전까지 국회에 제출하여야 한다.

> **국가재정법 제7조(국가재정운용계획의 수립 등)** ① 정부는 재정운용의 효율화와 건전화를 위하여 매년 당해 회계연도부터 5회계연도 이상의 기간에 대한 재정운용계획(이하 "국가재정운용계획"이라 한다)을 수립하여 회계연도 개시 120일 전까지 국회에 제출하여야 한다.

③ 우리나라는 본회의보다 상임위원회와 예산결산특별위원회를 중심으로 예산이 심의된다.

④ 이용, 전용, 이체, 이월, 계속비, 예비비 등은 예산집행의 신축성을 보장하기 위한 제도이다.

포인트 정리

영기준예산 vs 일몰법

구분	영기준예산	일몰법
제도 성격	행정과정	입법과정
의사 결정 흐름	상향식	하향식
실시 주기	매년	주기적 검토
대상	조직 최상위부터 중하위계층까지 모두 대상	조직 최상위 계층

정답

02 ② 03 ③ 01 ②

02 우리나라의 예산과정에 대한 설명으로 옳지 않은 것은?

2015 국가 9급

① 각 중앙관서의 장은 매년 1월 31일까지 당해 회계연도부터 5회계연도 이상의 기간 동안의 신규사업 및 기획 재정부장관이 정하는 주요 계속사업에 대한 중기사업계획서를 기획재정부장관에게 제출하여야 한다.

② 국가가 특정한 목적을 위하여 특정한 자금을 신축적으로 운용할 필요가 있을 때에 법률로써 설치하는 기금은, 세입세출예산에 의하지 아니하고 운용할 수 있다.

③ 예산안편성지침은 부처의 예산 편성을 위한 것이기 때문에 국무회의의 심의를 거쳐 대통령의 승인을 받아야 하지만 국회 예산결산특별위원회에 보고할 필요는 없다.

④ 정부는 회계연도마다 예산안을 편성하여 회계연도 90일 전까지 국회에 제출하도록 헌법에 규정되어 있다.

03 우리나라 예산과정에 대한 설명으로 옳은 것은?

2015 지방 9급

① 정부는 회계연도마다 예산안을 편성하여 회계연도 개시 60일 전까지 국회에 제출해야 한다.

② 예산총액배분 자율편성제도는 중앙예산기관과 정부 부처 사이의 정보 비대칭성을 완화하려는 목적을 갖고 있다.

③ 예산집행의 신축성을 확보하기 위한 제도로써 이용, 총괄예산, 계속비, 배정과 재배정 제도가 있다.

④ 예산불성립 시 조치로써 가예산 제도를 채택하고 있다.

04 우리나라 예산과정과 관련된 기술로 맞는 것은?

2015 교행 9급

① 기획재정부장관의 예산안편성지침 통보에 따라 각 중앙관서의 장은 중기사업계획서와 예산요구서를 작성하여 기획재정부에 제출한다.

② 국회의 예산안 심의는 정부 예산안 제출 → 국회 소관 상임위원회의 예비심사 → 국회 예산결산특별위원회의 종합심사 → 시정연설 → 본회의 의결 순으로 진행된다.

③ 기획재정부장관은 분기별 예산배정계획을 작성하여 국무회의 심의와 대통령 승인 후 각 중앙관서의 장에게 예산을 배정하며, 중앙관서의 장은 배정된 예산을 다시 하급기관에 재배정한다.

④ 국회는 결산에 대한 심의·의결을 정기회 폐회 전까지 완료해야 한다.

02

정답 : ③

③ 예산안편성지침은 부처의 예산 편성을 위한 것으로 기획재정부장관은 예산안편성지침을 각 중앙관서의 장에게 통보하고, 기획재정부장관은 각 중앙관서의 장에게 통보한 예산안편성지침을 국회 예산결산특별위원회에 보고한다.

① 각 중앙관서의 장은 5회계연도 이상의 신규사업 및 기재부장관이 정한 주요 계속사업에 대한 중기사업계획서를 기획재정부 장관에 제출하여야 한다.

② 기금은 국가가 특정한 목적을 위하여 특정한 자금을 신축적으로 운용할 필요가 있을 때에 한하여 법률로써 설치하고, 세입세출예산에 의하지 아니하고 운용할 수 있다.

④ 「헌법」에서는 예산안을 회계연도 개시 90일 전까지 국회에 제출하도록 규정되어 있는 반면, 「국가재정법」에는 회계연도 120일 전까지 국회에 제출하도록 규정되어 있다.

03

정답 : ②

② 예산총액배분 자율편성제도는 중앙예산기관이 전략적 배분과 부처의 예산 총액만 결정하고 사업의 우선순위나 전문성 등 정보 측면에서는 각 정부부처가 자율적으로 편성하고 책임을 지도록 하는 제도이다.

① 정부는 회계연도마다 예산안을 편성하여 회계연도 개시 120일 전까지 국회에 제출해야 한다.

③ 예산집행의 신축성을 확보하기 위한 제도로써 이용, 총괄예산, 계속비 등이 있고, 배정과 재배정은 예산집행의 통제를 확보하기 위한 제도이다.

④ 현재 우리나라는 예산불성립 시 조치로서 준예산 제도를 채택하고 있다.

04

정답 : ③

③ 중앙관서의 장이 기획재정부장관에게 예산배정요구서를 제출하면 기획재정부장관은 예산배정계획서를 작성하여 국무회의 심의와 대통령의 승인을 받은 후 중앙관서의 장에게 예산을 배정하면 각 중앙관서의 장은 다시 산하기관의 장에게 예산을 재배정한다.

① 중기사업계획서는 예산안편성지침 전 각 중앙관서의 장이 매년 1월 31일까지 기획재정부장관에게 제출해야 하고, 예산요구서는 매년 5월 31일까지 제출해야 한다.

② 국회의 예산안 심의는 정부 예산안 제출 → 정부의 시정연설 → 소관상임위원회 예비심사 → 예산결산특별위원회 종합심사 → 본회의 심의·의결 순으로 진행된다.

④ 국회는 결산에 대한 심의·의결을 정기회 개회 전까지 완료해야 한다.

정답
02 ③ 03 ② 04 ③

□□
05 우리나라의 예산과정에 대한 설명으로 옳은 것은?   2010 국가 9급

> ㄱ. 결산은 정부의 예산집행의 결과가 정당한 경우 집행 책임을 해제하는 법적 효과를 가진다.
> ㄴ. 결산심의에서 위법하거나 부당한 지출이 지적되면 그 정부활동은 무효나 취소가 된다.
> ㄷ. 국회 심의과정에서 증액된 부분은 부처별 한도액 제한을 받는다.
> ㄹ. 국회심의 후의 예산은 당초 행정부 제출예산보다 증액되기도 한다.
> ㅁ. 예산집행의 신축성을 확보하기 위한 장치로는 회계연도 개시 전 예산배정, 국고채무부담행위 등이 있다.

① ㄱ, ㄷ, ㄹ   ② ㄱ, ㄹ, ㅁ

③ ㄴ, ㄷ, ㅁ   ④ ㄴ, ㄹ, ㅁ

□□
06 다음 중 우리나라의 예산과정에 관한 설명으로서 가장 옳지 않은 것은?   2005 국회 8급

① 우리나라의 중앙예산기구는 국무총리 소속이 아니다.

② 예산결산특별위원회가 소관 상임위원회에서 삭감한 세출예산 각 항의 금액을 증액하거나 새 비목을 설치할 경우 소관 상임위원회의 동의를 얻어야 한다.

③ 회계검사기관은 감사원으로서 헌법적 지위를 지닌 대통령 소속기구이다.

④ 예산결산특별위원회는 상설위원회의 지위를 지닌다.

⑤ 예산안, 결산, 기금, 재정운용 및 주요 국가사업 평가에 관한 연구 및 분석을 위하여 국회사무총장 소속하에 국회예산정책처가 설립되었다.

CHAPTER 14 예산편성   실질적 **력**(역량) **업**그레이드

□□
01 현행 「국가재정법」에 의한 우리나라 예산편성절차에 관한 설명으로 관한 설명으로 가장 옳은 것은?   2018 서울 7급

① 중앙관서의 장은 매년 3월 31일까지 다음 회계연도의 신규 사업계획서를 기획재정부장관에게 제출한다.

② 기획재정부장관은 국무총리의 승인을 얻어 예산안편성지침을 4월 31일까지 중앙관서의 장에게 통보한다.

③ 중앙관서의 장은 6월 31일까지 예산요구서를 기획재정부장관과 국회예산결산특별위원회에 제출한다.

④ 행정부 예산안은 대통령의 승인을 거쳐 회계연도 개시 120일 전까지 국회에 제출한다.

05

② ㄱ, ㄹ, ㅁ이 옳은 내용이다.

ㄱ. [O] 결산은 한 회계연도 동안 수입·지출의 실적을 확정적 수치로 표시하여 검증받는 행위로, 지출이 적법·정당한 경우 정부의 책임이 해제되는 법적 효력이 있다.

ㄹ. [O] 국회심의 후의 예산은 당초예산보다 증액되기도 한다.

ㅁ. [O] 회계연도 개시 전 예산배정, 국고채무부담행위, 수입대체경비 등은 예산집행의 신축성을 확보하기 위한 방안에 해당한다.

ㄴ. [X] 결산심의에서 위법하거나 부당한 지출이 발견되어도 그 정부활동은 무효나 취소가 되지 않으므로, 결산은 법적인 효력보다는 정치적인 효력을 갖는다.

ㄷ. [X] 국회심의 과정에서 증액된 부분은 부처별 한도액의 제한을 받지 않는다.

06

⑤ 2003년 신설된 예산정책처는 종래의 국회사무총장 소속하에 있던 예산정책국을 국회의장 소속으로 확대 개편한 것이다.

① 우리나라의 중앙예산기구는 기획재정부로서, 기획재정부는 국무총리 소속이 아니다.

② 상임위에서 증액한 내용은 예결위에서 상임위의 동의 없이 삭감할 수 있으나 상임위가 삭감한 세출예산의 금액을 증가하거나 새 비목을 설치할 경우에는 소관 상임위의 동의가 필요하다.

③ 감사원은 대통령 소속의 헌법기관으로 직무상 독립적 지위를 가지고 회계검사 및 직무감찰 업무를 담당하는 합의제 기관이다.

④ 예산결산특별위원회는 상설위원회이다.

01

④ 대통령의 승인을 얻은 예산안을 정부는 회계연도 개시 120일 전까지 국회에 제출하여야 한다.

① 중앙관서의 장은 매년 1월 31일까지 다음 회계연도의 신규 사업계획서를 기획재정부장관에게 제출한다.

② 기획재정부장관은 국무회의의 심의를 거쳐 대통령의 승인을 얻어 예산안편성지침을 3월 31일까지 중앙관서의 장에게 통보한다.

③ 중앙관서의 장은 5월 31일까지 예산요구서를 기획재정부장관에게 제출한다.

정답
05 ② 06 ⑤ 01 ④

02 「국가재정법」상의 예산안 편성과정에 관한 설명으로 옳지 않은 것은? 2017 교행 9급

① 기획재정부장관은 국가재정운용계획과 예산편성을 연계하기 위하여 예산안편성지침에 중앙관서별 지출 한도를 포함하여 통보할 수 있다.

② 기획재정부장관은 제출된 예산요구서가 예산안 편성지침을 부합하지 아니하는 때에는 기한을 정하여 이 를 수정 또는 보완하도록 요구할 수 있다.

③ 기획재정부장관은 대통령의 승인을 얻은 다음 각 중앙관서의 장에게 예산안편성지침을 통보하고 이 지 침을 국회 상임위원회에 보고하여야 한다.

④ 각 중앙관서의 장이 기획재정부장관에게 제출하는 예산요구서에는 대통령령이 정하는 바에 따라 예산의 편성 및 예산관리기법의 적용에 필요한 서류를 첨부하여야 한다.

03 각 부처의 예산요구에 대해 중앙예산기관이 사용할 수 있는 대응전략들에 대한 내용으로 옳지 않은 것은? 2011 국가 7급

① 한도액 설정법(fixed-ceiling budgeting) - 각 부처에 예산편성의 자율성을 부여 할 수 있고 중앙예산 기관은 예산사정 과정에서 도움을 받을 수 있다.

② 우선순위명시법(priority listing) - 각 부처는 예산사업 간의 우선순위를 책정 함으로써 중앙예산기관 이 예산을 사정하는데 도움을 줄 수 있다.

③ 항목별 통제법(item-item control) - 전체 사업의 관점에서 개별 사업을 검토하기가 힘들다는 문제점 이 있다.

④ 증감분석법(increase-decrease analysis) - 모든 예산항목을 매년 재검토할 필요는 없지만, 각 기관에 필요한 기본 예산액이 얼마인지에 대한 충분한 검토가 이루어질 수 있다.

04 「국가재정법」상 예산편성 시 정부가 세출예산요구액을 감액하는 경우 해당기관의 장의 의견을 구하여야 하는 기 관이 아닌 것은? 2007 국가 7급

① 감사원

② 중앙선거관리위원회

③ 국회

④ 공정거래위원회

506 해커스공무원 학원·인강 gosi.Hackers.com

02

③ 기획재정부장관은 대통령의 승인을 얻은 후 각 중앙관서의 장에게 예산안편성지침을 통보하고 이를 국회 예산결산특별위원회에 보고하여야 한다.

> **국가재정법 제30조(예산안편성지침의 국회보고)** 기획재정부장관은 제29조제1항의 규정에 따라 각 중앙관서의 장에게 통보한 예산안편성지침을 국회 예산결산특별위원회에 보고하여야 한다.

① 기획재정부장관은 국가재정운용계획과 예산편성을 연계하기 위하여 예산안편성지침에 중앙관서별 지출한도를 포함하여 통보할 수 있다.

② 기획재정부장관은 제출된 예산요구서가 예산안 편성지침을 부합하지 아니하는 때에는 기한을 정하여 이를 수정 또는 보완하도록 요구할 수 있다.

④ 각 중앙관서의 장이 기획재정부장관에게 제출하는 예산요구서에는 대통령령이 정하는 바에 따라 예산의 편성 및 예산관리기법의 적용에 필요한 서류를 첨부하여야 한다.

03

④ 증감분석법은 전년도 예산과 대비하여 증가 또는 감소된 항목과 금액을 예산안에 밝히고 비교해 보는 방법으로 손쉽게 사용할 수 있다는 장점이 있으나, 각 기관에 필요한 기본 예산액이 얼마인지에 대한 충분한 검토가 이루어지기 곤란하다는 단점이 있다.

① 한도액 설정법은 신성과주의 예산과 관련이 있으며 무제한 예산법과 정반대로서, 예산사정기관(또는 상급 기관)이 한도액을 사전에 설정해 주고, 하급 기관의 예산 요구는 이 한도를 초과할 수 없게 한다.

② 우선순위 명시법은 영기준예산과 관련되며 예산요구서에 포함된 각 항목의 우선순위를 표시하게 하는 방법이다.

③ 항목별 통제는 품목별 예산과 관련되며 경비의 개별 항목별로 상급자가 승인하는 것이다.

04

④ 공정거래위원회는 헌법상·국가재정법상 독립기관이 아니다.

①, ②, ③ 예산의 감액 시 해당기관장의 의견을 구해야 하는 것은 헌법상 독립기관(국회, 법원, 헌법재판소, 중앙선거관리위원회)과 감사원이다.

포인트 정리

예산사정기법과 예산확보전략

예산사정기법	예산확보전략
• 무제한예산법 • 한도액설정법 • 증감분석방법 • 우선순위표시법 • 항목별통제법 • 업무량 측정 및 단위원가 계산법	• 수혜자 동원 • 역점사업임을 강조 • 우선순위조정법 • 정치적 중요성을 강조하여 해결 • 인맥활용법 • 인기사업에 끼워 팔기식

01 우리나라의 예산결산특별위원회에 대한 설명으로 옳지 않은 것은?

① 예산안 및 결산 심사는 제안설명과 전문위원의 검토보고를 듣고, 종합정책질의, 부별 심사 또는 분과위원회 심사 및 찬반토론을 거쳐 표결한다.

② 국회의장이 기간을 정하여 회부한 예산안과 결산에 대하여 상임위원회가 이유 없이 그 기간 내에 심사를 마치지 아니한 때에는 이를 바로 예산결산특별위원회에 회부할 수 있다.

③ 예산안과 결산뿐 아니라 관계 법령에 따라 제출·회부된 기금운용계획안도 심사한다.

④ 소관 상임위원회에서 삭감한 세출예산 각 항의 금액을 증가하게 할 경우에 소관 상임위원회의 동의를 받지 않아도 된다.

02 다음 중 예산심의와 관련된 법령에 대한 설명으로 옳은 것을 〈보기〉에서 모두 고르면?

> **보기**
>
> ㄱ. 세목 또는 세율과 관계있는 법률의 제정 또는 개정을 전제로 하여 미리 제출된 세입예산안은 소관상임위원회에서 심사한다.
> ㄴ. 국회는 정부의 동의 없이 정부가 제출한 지출예산 각 항의 금액을 증가하거나 새 비목을 설치할 수 없다.
> ㄷ. 예산결산특별위원회는 소관상임위원회에서 삭감한 세출예산 각 항의 금액을 증가하게 할 경우에는 소관상임위원회의 동의를 얻어야 한다.
> ㄹ. 예산결산특별위원회는 그 활동기한을 1년으로 한다.
> ㅁ. 의원이 예산 또는 기금상의 조치를 수반하는 의안을 발의하는 경우에는 그 의안의 시행에 수반될 것으로 예상되는 비용에 대한 재정소요를 추계하여야 한다.

① ㄱ, ㄴ, ㄷ
② ㄱ, ㄴ, ㄹ
③ ㄱ, ㄷ, ㅁ
④ ㄴ, ㄷ, ㅁ
⑤ ㄴ, ㄹ, ㅁ

01

정답 : ④

④ 소관 상임위원회에서 삭감한 세출예산 각 항의 금액을 증가하게 할 경우에 소관 상임위원회의 동의를 얻어야 한다.

① 국회 내의 심의 절차는 전문위원 검토보고와 종합질의, 분과 심사 등의 과정을 거친다.

③ 기금운용계획안도 함께 심사한다.

02

정답 : ④

④ ㄴ, ㄷ, ㅁ이 옳은 지문이고 ㄱ, ㄹ은 틀린 지문이다.

ㄴ. [O] 국회는 정부의 동의 없이 정부가 제출한 지출예산 각 항의 금액을 증가하거나 새 비목을 설치할 수 없다(헌법 제57조).

ㄷ. [O] 예산결산특별위원회는 소관상임위원회에서 삭감한 세출예산 각 항의 금액을 증가하게 할 경우에는 소관상임위원회의 동의를 얻어야 한다(국회법 제84조 제5항).

ㅁ. [O] 의원이 예산 또는 기금상의 조치를 수반하는 의안을 발의하는 경우에는 그 의안의 시행에 수반될 것으로 예상되는 비용에 대한 재정소요를 추계하여야 한다(국회법 제79조의2 제2항).

ㄱ. [X] 세목 또는 세율과 관계있는 법률의 제정 또는 개정을 전제로 하여 미리 제출된 세입예산안은 예산결산특별위원회, 상임위원회 모두 이를 심사할 수 없다.

> **동법 제84조(예산안·결산의 회부 및 심사)** ⑧ 위원회는 세목 또는 세율과 관계있는 법률의 제정 또는 개정을 전제로 하여 미리 제출된 세입예산안은 이를 심사할 수 없다.

ㄹ. [X] 예산결산특별위원회는 다른 특별위원회와 달리 연중 활동하므로 활동기한이 따로 정해져 있지 않다.

> **동법 제44조(특별위원회)** ②제1항의 규정에 의한 특별위원회를 구성할 때에는 그 활동기한을 정하여야 한다. 다만, 본회의의 의결로 그 기간을 연장할 수 있다.
> **동법 제45조(예산결산특별위원회)** ⑤ 제44조제2항 및 제3항의 규정은 예산결산특별위원회에 적용되지 아니한다.

포인트 정리

03 국회의 예산심의에 대한 설명으로 옳지 않은 것은?

① 상임위원회의 예비심사를 거친 정부예산안은 예산결산특별위원회에 회부되고, 예산결산특별위원회에서 종합심사가 종결되면 본회의에 부의된다.

② 예산결산특별위원회는 소관 상임위원회의 동의 없이 상임위원회에서 삭감한 세출예산 각 항의 금액을 증액할 수 있다.

③ 국회는 정부의 동의 없이 정부가 제출한 지출예산 각 항의 금액을 증가하거나 새 비목을 설치할 수 없다.

④ 국회의장은 예산안을 소관 상임위원회에 회부할 때에는 심사 기간을 정할 수 있으며, 상임위원회가 이유 없이 그 기간 내에 심사를 마치지 아니한 때에는 이를 바로 예산결산특별위원회에 회부할 수 있다.

04 국회의 예산심의에 대한 설명으로 옳은 것만을 모두 고른 것은?

ㄱ. 상임위원회의 예비심사를 거친 예산안은 예산결산특별위원회에 회부된다.
ㄴ. 예산결산특별위원회의 심사를 거친 예산안은 본회의에 부의된다.
ㄷ. 예산결산특별위원회를 구성할 때에는 그 활동기한을 정하여야 한다. 다만, 본회의의 의결로 그 기간을 연장할 수 있다.
ㄹ. 예산결산특별위원회는 소관상임위원회의 동의 없이 새 비목을 설치할 수 있다.

① ㄱ, ㄴ

② ㄱ, ㄴ, ㄷ

③ ㄱ, ㄷ, ㄹ

④ ㄴ, ㄹ

05 우리나라 예산심의에 대한 설명으로 잘못된 것은?

① 예산편성권은 행정부가 갖고 있으나, 심의는 국회에서 이루어진다.

② 대통령중심제로 인해 예산심의가 상대적으로 엄격하다.

③ 입법과정이며 정치과정인 예산심의과정에서 의원, 정당, 국회, 행정부가 영향을 미친다.

④ 예산심의는 정책결정기능이자 행정부에 대한 관리통제기능이다.

⑤ 예산심의를 통하여 예산이 법률과 동일한 형식으로 총액이 확정된다.

03

정답 : ②

② 소관상임위원회에서 증액한 내용은 예산결산특별위원회에서 상임위원회의 동의 없이 삭감할 수 있으나, 상임위원회가 삭감한 세출예산의 금액을 증가하거나 새 비목을 설치할 경우에는 소관 상임위원회의 동의가 필요하다.

> **국회법 제84조(예산안 · 결산의 회부 및 심사)** ⑤ 예산결산특별위원회는 소관 상임위원회의 예비심사 내용을 존중하여야 하며, 소관 상임위원회에서 삭감한 세출예산 각 항의 금액을 증가하게 하거나 새 비목(費目)을 설치할 경우에는 소관 상임위원회의 동의를 받아야 한다.

① 국회의 예산심의는 상임위원회의 예비심사를 거친 후 예산결산특별위원회의 종합심사를 거쳐 본회의에 부의된다.

③ 국회는 정부의 동의없이 정부가 제출한 지출예산 각 항의 금액을 증가하거나 새 비목을 설치할 수 없다.

④ 의장은 예산안을 소관상임위원회에 회부할 때에는 심사기간을 정할 수 있으며, 상임위원회가 이유 없이 그 기간 내에 심사를 마치지 아니한 때에는 이를 바로 예산결산특별위원회에 회부할 수 있다.

04

정답 : ①

① ㄱ, ㄴ만 옳은 지문이다.

ㄱ. [O] 소관상임위원회는 예비심사를 거친 예산안을 예산결산특별위원회에 회부한다.

ㄴ. [O] 예산결산위원회의 심사가 끝난 후 본회의에 부의한다.

ㄷ. [X] 예산결산위원회는 특별위원회지만 상설위원이므로 활동기간을 정하지 않는다.

ㄹ. [X] 예산결산특별위원회는 소관상임위원회가 삭감한 세출예산 금액을 증액하거나 새 비목을 설치한 경우에는 소관상임위원회의 동의가 필요하며, 소관상임위원회의 동의 없이 증액하거나 새 비목을 설치할 수 없다.

05

정답 : ⑤

⑤ 우리나라의 경우 예산은 법률보다 하위의 효력인 예산의 형식으로 의결되므로 예산이 법률과 동일한 형식으로 총액이 확정되지 않는다.

① 우리나라는 예산의 편성은 행정부에서 이루어지나 예산의 심의는 의회에서 이루어진다.

② 대통령중심제는 행정부와 입법부가 견제와 균형의 관계에 있으므로 의회의 예산심의 권한이 막강하고 엄격하게 이루어진다.

③ 예산심의는 입법과정이며 정치과정이므로 의원, 정당, 국회, 행정부 모두에 영향을 미친다.

④ 예산심의는 의회가 행정부의 예산안을 분석 · 검토하여 확정하는 과정으로 정책결정기능과 동시에 행정부에 대한 통제관리기능의 역할을 한다.

우리나라 예산심의의 특징

- 대통령 중심제
  (상대적으로 엄격한 심의)
- 단원제 국회(신속함)
- 위원회 중심주의
- 법률의 형식이 아닌 예산의 형식
- 예결특위는 상설위원회
- 전문성 저해
- 정부의 동의 없이 증액이나 새 비목 설치 불가

01 다음 중 (가), (나) 안에 들어갈 예산집행의 신축성 유지방안으로 올바르게 짝지어진 것은?　2020 경찰간부

> (가) 용역 또는 시설을 제공하여 발생하는 수입과 관련된 경비로서 수입이 예산을 초과할 때에 그 초과수입에 직접 관련
>   되는 경비 및 이에 수반되는 초과경비를 의미한다.
> (나) 정부조직 등에 관한 법령의 제정 또는 폐지로 인하여 그 직무와 권한에 변동이 있을 때에 책임소관이 변경되는 것
>   을 의미한다.

	(가)	(나)
①	수입대체경비	예산의 이체
②	수입대체경비	예산의 이월
③	예비비	예산의 이체
④	예비비	예산의 이월

02 예산의 집행에 대한 설명으로 옳은 것은?　2020 국가 9급

① 기획재정부장관은 각 중앙관서의 장에게 예산을 배정한 때에는 감사원에 통지하여야 한다.

② 기획재정부장관은 반기별 예산배정계획을 작성하여 국회의 심의를 받은 뒤에 예산을 배정한다.

③ 중앙관서의 장에게 자금을 사용할 수 있는 권한을 부여하는 것을 예산 재배정이라고 한다.

④ 기획재정부장관은 매년 2월 말까지 예산집행지침을 각 중앙관서의 장과 국회예산정책처에 통보하여야
한다.

03 다음의 예산집행의 목표를 구현하는 수단 중 신축성 확보방안은 모두 몇 개인가?　2019 경찰간부

가. 예산의 재배정	나. 총액계상예산
다. 예산의 전용	라. 계속비
마. 총사업비 관리	바. 예비타당성 조사

① 1개　　　　　　　　　　　　　　② 2개

③ 3개　　　　　　　　　　　　　　④ 4개

01

정답 : ①

① 가–수입대체경비, 나–예산의 이체가 옳은 내용이다.

가. 수입대체경비: 일정 사업에서 수입이 예산을 초과하면 그 초과수입을 직접 관련된 경비에 비용으로 지출할 수 있도록 한 것을 말한다.

나. 예산의 이체: 정부조직 등에 관한 법령의 제정.개정.폐지로 직무와 권한의 변동 시 예산도 이에 따라 책임소관을 변경하여 사용하는 것을 말한다.

02

정답 : ①

① 기획재정부장관이 각 중앙관서의 장에게 예산을 배정한 경우 감사원에 통지하여야 한다.

> **국가재정법 제43조(예산의 배정)** ① 기획재정부장관은 제42조의 규정에 따른 예산배정요구서에 따라 분기별 예산배정계획을 작성하여 국무회의의 심의를 거친 후 대통령의 승인을 얻어야 한다.
> ② 기획재정부장관은 각 중앙관서의 장에게 예산을 배정한 때에는 감사원에 통지하여야 한다.

② 기획재정부장관은 분기별 예산배정계획을 작성하여 국무회의의 심의를 거친 후 대통령의 승인을 얻어야 한다.

③ 중앙관서의 장에게 자금을 사용할 수 있는 권한을 부여하는 것을 예산 배정이라고 한다.

④ 기획재정부장관은 매년 3월 말까지 예산집행지침을 각 중앙관서의 장에게 통보하여야 한다.

03

정답 : ③

③ 나, 다, 라가 신축성 확보방안에 해당한다.

나, 다, 라. [O] 총액계상예산, 예산의 전용, 계속비는 예산집행의 신축성 확보방안이다.

가, 마, 바. [X] 예산의 재배정, 총사업비 관리, 예비타당성 조사는 예산집행의 재정통제 제도이다.

포인트 정리

예산집행의 통제 vs 신축성 확보

재정통제수단	신축성 확보수단
• 예산의 배정 · 재배정	• 이용 · 전용 · 이체
• 지출원인행위에 대한 통제	• 이월(명시이월, 사고이월)
• 정원 · 보수에 대한 통제	• 예비비 지출
• 예산안편성지침	• 추가경정예산
• 표준예산제도	• 준예산
• 총사업비관리제도	• 수입대체경비, 수입금마련지출
• 계약의 통제	• 총액계상사업
• 기록 및 보고제도	• 긴급재정경제 명령권
	• 총괄배정예산

정답
01 ① 02 ① 03 ③

예산집행의 신축성을 유지하기 위한 방안에 대한 설명 중 가장 옳지 않은 것은?

① 이체란 정부조직 등에 관한 법령의 제정·개정 또는 폐지로 인하여 중앙관서의 직무와 권한에 변동이 있을 때 관련 예산을 이동하는 것이다.

② 전용이란 입법 과목 간 상호 융통으로, 각 중앙관서의 장은 예산의 목적범위 안에서 재원의 효율적 활용을 위하여 기획재정부장관의 승인을 얻어 각 세항 또는 목의 금액을 전용할 수 있다.

③ 이월이란 당해 연도 예산액의 일정 부분을 다음 연도로 넘겨서 사용할 수 있는 제도이다.

④ 계속비란 완성에 수년도를 요하는 사업에 대해 그 경비의 총액과 연도별 지출액을 정하여 미리 국회의 의결을 얻은 범위 안에서 수년도에 걸쳐 지출하는 경비이다.

예산집행과 관련된 기술로 옳지 않은 것은?

① 예산집행은 재정통제와 재정신축성이라는 상반된 목표를 동시에 추구한다.

② 중앙관서의 장은 대통령령이 정하는 바에 따라 기획재정부장관의 승인을 얻어 세항 또는 목의 금액을 전용할 수 있다.

③ 예비비로 공무원의 보수 인상을 위한 인건비를 충당하기 위해서는 예산총칙 등에 따라 미리 사용 목적을 지정하여야 한다.

④ 중앙관서의 장은 완성에 2년 이상 소요되고 총사업비가 일정 규모 이상인 사업에 대해서는 사전에 기획재정부장관과 협의하여야 한다.

예산집행의 신축성을 유지하는 방법에 대한 설명으로 옳지 않은 것은?

① 계속비의 지출 기간은 5년 이내이며 필요한 경우 국회의 의결을 얻어 연장할 수 있는데, 매년 연부액은 국회의 의결을 받아야 한다.

② 사고이월은 지출원인행위를 하였으나 연도 내에 지출하지 못한 경비와 지출원인 행위를 하지 않은 부대경비를 다음 연도에 지출하는 것을 말한다.

③ 예산의 전용(轉用)은 행정 과목 간의 융통을 뜻하며, 이용(移用)은 입법 과목 간의 융통을 뜻한다.

④ 이체(移替)는 정부조직 등에 관한 법령의 제정, 개정 또는 폐지로 인하여 그 직무와 권한의 변동이 있을 때, 중앙관서장의 요구에 의하여 기획재정부 장관이 허용하는 제도이다.

⑤ 국고채무부담행위는 법률에 의한 것, 세출예산금액, 그리고 계속비 범위 이외의 것에 한하여 사전에 국회의 의결을 얻어 지출할 수 있는 권한이다.

04

정답 : ②

② 전용은 행정 과목 간 상호 융통으로 각 중앙관서의 장은 예산의 목적 범위 안에서 재원의 효율적 활용을 위하여 대통령령이 정하는 바에 따라 기획재정부장관의 승인을 얻어 각 세항 또는 목의 금액을 전용할 수 있다. 한편 입법 과목 간 상호 융통은 이용과 관련된 내용이다.

① 이체는 정부조직 등에 관한 법령의 개정 또는 폐지로 인하여 그 직무와 권한에 변동이 있을 때에 예산도 이에 따라 변경시키는 것이다.

③ 이월이란 당해 회계연도 예산의 일정액을 다음 연도에 넘겨서 사용하는 것으로 시기적인 집행상의 신축성을 유지해 주는 제도이다.

④ 계속비란 완성에 수년을 요하는 공사나 제조 및 연구개발 사업은 경비의 총액과 연부액을 정하여 미리 국회의 의결을 얻은 범위 안에서 수년에 걸쳐서 지출하는 예산이다.

05

정답 : ③

③ 예비비의 사용목적으로 공무원의 보수 등 인건비를 정할 수 있으나, 공무원 보수 인상을 위해 예비비를 지정할 수는 없다.

① 예산집행은 두 가지 목표를 내포하고 있는데, 재정통제가 주된 목표이고 재정의 신축성 확보는 보완적 목표에 해당한다.

② 각 중앙관서의 장은 예산의 목적범위 안에서 재원의 효율적 활용을 위하여 대통령령이 정하는 바에 따라 기획재정부장관의 승인을 얻어 각 세항 또는 목의 금액을 전용할 수 있다.

④ 완성에 수년도를 요하는 공사나 제조 및 연구개발사업은 그 경비의 총액과 연부액(年賦額)을 정하여 미리 국회의 의결을 얻은 범위 안에서 수년도에 걸쳐서 지출할 수 있다.

06

정답 : ⑤

⑤ 국고채무부담행위의 의결은 지출권한을 인정한 것이 아니고 국가의 채무부담의무만 인정하거나 국고채무부담행위를 할 수 있는 권한만 인정한 것이다.

① 계속비는 완성에 수년을 요하는 공사나 제조 및 연구개발사업을 위하여 총액과 연부액을 정해 미리 국회의 의결을 얻어 수년에 걸쳐 지출하는 경비로, 지출권한은 부여하지 않으며 매년 연부액은 국회의 의결을 따로 받아야 한다.

② 사고이월은 예산 성립 후 연도 내 지출원인행위를 하고 불가피한 사유로 지출하지 못한 경비와 지출원인행위를 하지 않은 부대경비금액을 다음 연도에 사용하는 것이다.

③ 예산의 이용은 입법과목 간의 상호융통을 의미하는 것으로 국회의 의결을 거쳐 기획재정부 장관의 승인을 얻어야 하지만, 전용은 행정과목 간의 상호융통으로 국회의결이 필요하지 않다.

④ 이체는 정부조직 등에 관한 법령의 개정 또는 폐지로 인해 그 직무와 권한에 변동이 있을 때 예산을 변경시키는 것이다.

포인트 정리

정답
04 ② 05 ③ 06 ⑤

07 우리나라의 경우 기획재정부 장관이 회계연도 개시 전에 예산을 배정할 수 없는 경비는? 2014 서울 7급

① 과년도 지출

② 외국에서 지급하는 경비

③ 여비

④ 선박의 운영·수리 등에 소요되는 경비

⑤ 각 관서에서 필요한 부식물의 매입경비

08 우리나라 행정부의 예산집행 통제장치에 해당하지 않는 것은? 2012 경찰간부

① 정원 및 보수를 통제하여 경직성 경비의 증대를 억제한다.

② 정부조직 등에 관한 법령의 제정, 개정 폐지로 인해 그 직무권한에 변동이 있을 때 예산도 이에 따라서 변동시킬 수 있다.

③ 각 중앙관서의 장은 2년 이상 소요되는 사업 중 대통령령이 정하는 대규모사업에 대해 사업규모, 총사업비, 사업기간을 정해 미리 기획재정부장관과 협의해야 한다.

④ 각 중앙관서의 장은 월별로 기획재정부장관에게 사업집행보고서를 제출해야 한다.

09 다음 중 국회의 의결을 필요로 하는 예산집행의 신축성 확보 방안으로만 묶여진 것은? 2006 국가 9급

ㄱ. 수입대체경비	ㄴ. 이용
ㄷ. 명시이월	ㄹ. 계속비
ㅁ. 이체	ㅂ. 국고채무부담행위
ㅅ. 사고이월	ㅇ. 전용
ㅈ. 예비비	

① ㄱ, ㄴ, ㅅ, ㅇ

② ㄱ, ㄷ, ㅁ, ㅈ

③ ㄴ, ㄷ, ㄹ, ㅂ

④ ㄹ, ㅁ, ㅂ, ㅅ

07
정답 : ①

① 회계연도 개시 전에 예산을 배정하는 제도는 긴급배정으로, 과년도 지출은 회계연도를 경과하여 지출하는 것이므로 긴급배정과 관련이 없다.

②, ③, ④, ⑤ 외국에서 지급하는 경비, 여비, 선박의 운영·수리 등에 소요되는 경비, 각 관서에서 필요한 부식물의 매입경비 등은 긴급배정 대상경비에 해당한다.

08
정답 : ②

② 예산의 이체에 해당하며, 이는 신축성 유지방안에 해당한다.
① 정원·보수에 대한 통제에 대한 설명이다.
③ 총사업비제도에 대한 설명이다.
④ 회계기록·보고에 대한 설명이다.

09
정답 : ③

③ ㄴ, ㄷ, ㄹ, ㅂ이 국회의 의결을 필요로 하는 신축성 확보 방안에 해당한다.
ㄱ. [X] 수입대체경비는 사전의결이 불필요하다.
ㅁ. [X] 중앙관서의 장의 요구에 의해 기획재정부장관이 이체할 경우 사전의결이 불필요하다.
ㅅ. [X] 사고이월은 사전의결이 불필요하다.
ㅇ. [X] 전용은 사전의결이 불필요하다.
ㅈ. [X] 예비비의 경우 설치 시에는 국회의 사전의결을 거치지만 지출 후 사후승인을 얻어야 집행에 대한 책임이 최종 해제되므로 사전의결인지 사후승인인지 논란이 있을 수 있으나 대체로 사후승인으로 본다.

긴급배정 대상경비
(국가재정법 시행령 제16조)

1. 외국에서 지급하는 경비
2. 선박의 운영·수리 등에 소요되는 경비
3. 교통이나 통신이 불편한 지역에서 지급하는 경비
4. 각 관서에서 필요한 부식물의 매입경비
5. 범죄수사 등 특수활동에 소요되는 경비
6. 여비
7. 경제정책상 조기집행을 필요로 하는 공공사업비
8. 재해복구사업에 소요되는 경비

예산과 국회의결

사전의결 필요	• 세입세출예산 • 계속비 • 이용 • 국고채무부담행위 • 기금 • 명시이월 • 예비비 설치
사전의결 불필요	• 준예산 • 사고이월 • 재정상 긴급명령 • 이체 • 예비비 지출 • 전용
사후승인 필요	• 세입세출결산 • 계속비 결산(완성연도) • 예비비 지출(예비비 사용명세서)

정답

07 ① 08 ② 09 ③

01 세계잉여금에 대한 설명으로 옳은 것만을 모두 고르면?

2020 국가 9급

> ㄱ. 일반회계, 특별회계가 포함되고 기금은 제외된다.
> ㄴ. 적자 국채 발행 규모와 부(-)의 관계이며, 국가의 재정건전성을 파악하는데 효과적이다.
> ㄷ. 결산의 결과 발생한 세계잉여금은 전액 추가경정예산에 편성하여야 한다.

① ㄱ

② ㄷ

③ ㄱ, ㄴ

④ ㄴ, ㄷ

02 국가채무에 대한 설명으로 옳지 않은 것은?

2019 지방 9급

① 기획재정부장관은 국가채무관리계획을 수립하여야 한다.

② 국채를 발행하고자 할 때에는 국회의 승인을 얻어야 한다.

③ 우리나라가 발행하는 국채의 종류에 국고채와 재정증권은 포함되지 않는다.

④ 우리나라의 GDP 대비 국가채무비율은 일본과 미국보다 낮은 상태이다.

03 헌법상 독립기관에 대한 통제와 자율성에 대한 설명이 틀린 것은?

2014 군무원

① 감사원은 입법부와 사법부에 대하여 회계감사를 실시할 수 있다.

② 감사원은 입법부와 사법부의 직원에 대하여 직무감찰을 실시할 수 있다.

③ 기획재정부는 입법부와 사법부의 예산을 사정하고 배정할 수 있다.

④ 감사원은 입법부와 사법부에 대하여 결산을 확인할 수 있다.

01

정답 : ①

① ㄱ만 옳은 내용이다.

ㄱ. [O] 세계잉여금은 매 회계연도 세입세출의 결산상에서 생긴 잉여금으로 일반회계와 특별회계는 포함하나 기금은 제외된다.

ㄴ. [X] 세계잉여금이 적자국채 발행규모와 반드시 부의 관계인 것은 아니다. 즉, 세계잉여금은 사용우선순위가 정해져 있고 세계잉여금이 증가해도 긴급한 재정수요가 발생하면 적자국채 발행규모도 늘어날 수 있으므로 세계잉여금만으로는 국가의 재정건전성을 파악할 수 없다.

ㄷ. [X] 결산의 결과 발생한 세계잉여금은 교부세 정산, 공적자금 상환, 채무상환, 추가경정예산에 편성순으로 처리하고 남은 잔액은 다음 연도 세입에 이입한다.

02

정답 : ③

③ 우리나라가 발행하는 국채의 종류에는 주로 국고채가 대부분을 차지한다. 한편 재정증권은 국가채무에 포함되지 않는다.

> **국가재정법 제91조(국가채무의 관리)** ③ 제2항의 규정에 불구하고 다음 각 호의 어느 하나에 해당하는 채무는 국가채무에 포함하지 아니한다.
> 1. 「국고금관리법」 제32조제1항의 규정에 따른 재정증권 또는 한국은행으로부터의 일시차입금
> 2. 제2항제1호에 해당하는 채권 중 국가의 회계 또는 기금이 인수 또는 매입하여 보유하고 있는 채권
> 3. 제2항제2호에 해당하는 차입금 중 국가의 다른 회계 또는 기금으로부터의 차입금

① 기획재정부장관은 매년 국가채무관리계획을 수립하여야 한다.
② 국채를 모집하거나 예산외에 국가의 부담이 될 계약을 체결하려 할 때 정부는 미리 국회의 의결을 얻어야 한다.
④ 우리나라의 GDP 대비 국가채무비율은 2018년 기준 38.2%로 일본(233%)과 미국(136%)보다 낮은 상태이다.

03

정답 : ②

② 감사원은 권력분립의 원칙에 의해 입법부와 사법부의 직원에 대한 직무감찰은 실시할 수 없으나, 행정부 직원에 대한 직무감찰은 가능하다.
① 감사원은 정부 각 기관(입법부 및 사법부 포함)과 관련기관의 회계를 상시 검사·감독할 수 있다.
③ 기획재정부는 입법부 및 사법부의 예산을 사정하고 배정할 수 있다.
④ 감사원은 행정부뿐만 아니라 국회의 세출·세입결산, 사법부의 결산 등을 매년 검사하여 대통령과 차년도 국회에 보고하는 등 결산확인 대상기관에 해당한다.

> **정답**
> 01 ① 02 ③ 03 ②

국회의 결산심사에 대한 설명으로 옳지 않은 것은?

① 예산집행과정에서 위법 또는 부당한 지출이 있었는지의 여부를 확인하는 통제기능과, 예산운용에 대한 평가결과를 다음 연도 예산 심의에 반영하는 환류기능을 수행한다.

② 예산결산특별위원회의 결산심사는 제안설명과 전문위원의 검토보고를 듣고, 종합정책질의, 부별심사 또는 분과위원회심사 및 찬반토론을 거쳐 표결한다.

③ 결산의 심사결과 위법 또는 부당한 사항이 있는 때에 국회는 본회의 의결 후 정부 또는 해당기관에 변상 및 징계조치 등 그 시정을 요구하고, 정부 또는 해당기관은 시정요구를 받은 사항을 지체 없이 처리하여 그 결과를 국회에 보고하여야 한다.

④ 예산결산특별위원회 위원장은 결산을 소관상임위원회에 회부할 때에 심사기간을 정할 수 있으며, 상임위원회가 이유 없이 그 기간 내에 심사를 마치지 아니한 때에는 이를 바로 예산 결산특별위원회에 회부할 수 있다.

예산의 결산과정에 관한 설명으로 옳지 않은 것은?

① 한 회계연도에 속하는 세입·세출의 출납에 관한 사무는 다음 연도 2월 10일까지 완결하여야 한다.

② 각 중앙관서의 장은 매 회계연도에 그 소관에 속하는 결산보고서를 작성하여 다음 연도 2월 말까지 기획재정부장관에게 제출한다.

③ 기획재정부장관은 각 중앙관서의 장이 제출하는 결산보고서에 의거하여 총결산보고서를 작성하여 다음 연도 4월 말일까지 감사원에 제출한다.

④ 감사원은 결산 확인이 끝나면 그 보고서를 다음 연도 5월 20일까지 기획재정부장관에게 송부한다. 그리고 정부는 감사원의 검사를 거친 결산보고서를 다음 연도 5월 말일까지 국회에 제출한다.

⑤ 국회는 제출된 결산보고서를 각 상임위원회와 예산결산특별위원회의 심의를 거쳐 본회의에 보고하여 처리한다.

교량건설사업에 대한 감사원의 기능 중 전통적 감사에 해당되지 않는 질문은?

① 교량구조물은 관계 법규에 어긋난 점이 없는가?

② 교량건설이 계획된 기간 내에 완공되었는가?

③ 교량의 이용률은 기대했던 수준인가?

④ 사업비 지출이 예산범위 내에서 이루어졌는가?

04

정답 : ④

④ 결산심의를 상임위원회에 회부하는 것은 예산결산특별위원회 위원장이 아니라 국회의장의 권한이다.

① 결산은 예산과정의 마지막 단계로서 1회계연도 동안의 세입·세출 실적을 확정적 계수로 표시하고 이를 검증하는 행위로, 예산집행과정에서 위법 또는 부당한 지출이 있었는지의 여부를 확인하는 통제기능과 예산운용에 대한 평가결과를 다음 연도 예산심의에 반영하는 환류기능을 수행한다.

② 예산결산특별위원회의 예산안 및 결산의 심사는 제안설명과 전문위원의 검토보고를 듣고 종합정책 질의, 부별심사 또는 분과위원회심사 및 찬반토론을 거쳐 표결한다(국회법 제84조 제3항).

③ 결산의 심사결과 위법 또는 부당한 사항이 있는 때에 국회는 본회의 의결 후 정부 또는 해당기관에 변상 및 징계조치 등 그 시정을 요구하고, 정부 또는 해당기관은 시정요구를 받은 사항을 지체 없이 처리하여 그 결과를 국회에 보고하여야 한다(동법 제84조 제2항).

📖 포인트 정리

결산의 의의

지출이 적법·적당한 경우	정부의 책임이 해제되는 법적 효력 있음
지출이 불법·부당한 경우	무효·취소가 되지 않으므로 법적 효력 없음

05

정답 : ③

③ 기획재정부장관은 세입세출의 결산을 작성하여 국무회의 심의와 대통령 승인을 얻은 후 다음 연도 4월 10일까지 감사원에 제출하여야 한다.

① 한 회계연도의 세입세출 출납사무 완결 및 세입세출부의 마감은 다음 연도 2월 10일까지 완결하여야 한다.

② 각 중앙관서의 장은 부처별 세입세출결산보고서를 작성하여 다음연도 2월 말까지 기획재정부장관에게 제출하여야 한다.

④ 감사원은 결산의 검사 및 확인 후 검사보고서를 다음연도 5월 20일까지 기획재정부장관에게 송부하여야 하고, 정부는 감사원의 결산 검사를 거친 결산보고서 및 첨부서류를 다음 연도 5월 말까지 국회에 제출하여야 한다.

⑤ 국회는 제출된 결산보고서를 각 상임위원회 예비심사와 예산결산특별위원회의 종합심사를 거쳐 본회의에 보고하여 처리한다.

06

정답 : ③

③ 교량이용률 확인은 교량건설 이후 그 교량을 얼마나 이용하는지 교량건설사업의 효과를 알아보기 위한 성과감사이다.

①, ②, ④ 합법성 위주의 전통적 감사에 해당한다.

정답
04 ④ 05 ③ 06 ③

01 현금주의 회계방식과 발생주의 회계방식에 대한 설명으로 옳은 것은?

2022 국회 8급

① 현금주의 회계방식은 재정상태표에 해당하며, 발생주의 회계방식은 재정운영표에 해당한다.

② 현금주의 회계방식은 정보의 적시성을 확보할 수 있으며, 발생주의 회계방식은 회계처리의 객관성 확보에 용이하다.

③ 현금주의 회계방식은 재정 건전성 확보가 가능하며, 발생주의 회계방식은 이해와 통제가 용이하다.

④ 현금주의 회계방식은 의회통제를 회피하기 위해 악용될 가능성이 있으며, 발생주의 회계방식 또한 의회통제와는 거리가 있다.

⑤ 현금주의 회계방식은 화폐자산과 차입금을 측정대상으로 하며, 발생주의 회계방식은 재무자원, 비재무자원을 포함한 모든 경제자원을 측정대상으로 한다.

02 정부회계에 대한 설명으로 가장 옳지 않은 것은?

2019 경찰간부

① 복식부기는 대차평균의 원리에 의해 자기검증기능을 갖는다.

② 현금주의는 자의적인 회계처리가 불가능하여 통제가 용이하다.

③ 복식부기에서 자산의 감소는 대변에 위치한다.

④ 발생주의는 무상거래를 비용으로 인식한다.

03 정부회계에 관한 설명으로 옳지 않은 것은?

2019 행정사

① 복식부기는 거래의 이중성에 따라 장부의 차변과 대변에 각각 계상하고 차변의 합계와 대변의 합계의 일치여부로 자기 검증 기능을 갖는다.

② 미지급비용은 현금주의에서는 인식되지 않으나 발생주의에서는 부채로 인식된다.

③ 현행 정부회계는 발생주의·복식부기 방식을 채택하여 재무제표를 작성한다.

④ 국가회계법상 중앙정부의 대표적 재무제표는 재정상태보고서, 재정운영보고서, 현금흐름보고서, 순자산변동보고서로 구성된다.

⑤ 발생주의·복식부기의 정부회계는 성과중심의 정부개혁에 유용한 정보를 제공한다.

01

정답 : ⑤

⑤ 발생주의 회계방식은 현금의 수불과 관계없이 거래가 발생된 시점에 거래를 인식하는 방식으로 자산, 부채, 자본의 상태를 정확하게 파악할 수 있다.

① 재정상태표는 특정 시점의 정부 재정 상태를 나타내는 재무제표이고, 재정운영표는 회계연도 기간동안 수행한 사업의 원가와 재정 운영에 따른 재정운영결과를 나타내는 재무제표다.

② 반대로 서술되었다.

③ 발생주의 회계방식은 현금주의에 비해 절차가 복잡하다.

④ 발생주의는 주관성으로 인해 의회통제를 회피할 가능성이 크고, 현금주의는 자의적 회계처리가 이루어지지 않으므로 통제가 용이하다.

포인트 정리

발생주의 vs 현금주의

발생주의	• 재정의 실질적 건전성 확보 • 비용·편익 등 경영성과 파악용이 • 자기검증기능으로 회계오류 시정 • 재정의 투명성·신뢰성·책임성 확보
현금주의	• 절차가 간편하고 이해와 통제가 용이 • 회계처리의 객관성

거래의 8요소

차변	대변
자산의 증가 부채의 감소 자본(순자산)의 감소 비용의 발생	자산의 감소 부채의 증가 자본(순자산)의 증가 수익의 발생

02

정답 : ④

④ 무상거래는 현금주의에서는 인식되지 않으며, 발생주의에서는 이중거래로 인식된다.

① 복식부기는 자산, 부채, 자본을 인식하여 거래의 이중성에 따라 차변과 대변을 나누어 동시에 계상하므로 부정이나 오류 발견이 쉽고 자기검증기능을 갖는다.

② 현금주의는 자의적인 회계처리가 불가능하므로 상대적으로 통제가 용이하다.

③ 복식부기에서 차산의 감소는 대변에 기재한다.

03

정답 : ④

④ 국가회계법상 중앙정부의 대표적 재무제표는 재정상태보고서, 재정운영보고서, 순자산변동보고서로 구성된다. 현금흐름보고서는 포함되지 않으며 현재 우리나라는 현금흐름표를 작성하지 않고 있다.

① 복식부기는 거래의 이중성을 회계처리에서 반영해 기록하는 것으로, 하나의 거래를 대차평균의 원리에 따라 차변과 대변으로 이중기록하고, 차변의 합계와 대변의 합계가 반드시 일치해야 하는 자기검증의 기능을 갖는 방식이다.

② 현금주의는 현금을 수취하거나 지급한 시점에 거래를 인식하는 방식으로 미지급비용이나 감가상각 등을 인식하기 곤란한 반면, 발생주의는 현금의 수불과는 관계없이 거래가 발생된 시점을 거래로 인식하므로 미지급비용을 부채로 인식한다.

③ 현재 우리나라는 발생주의·복식부기 방식으로 정부 재무제표를 작성한다.

⑤ 발생주의·복식부기 정부회계는 발생한 비용과 수익을 모두 기록하여 회계연도 말에 보다 정확하고 종합적인 재무정보를 제공하므로 성과를 중시하는 사업중심 예산제도에서 유용하게 활용된다.

정부재무제표의 종류

재정상태표	재정상태 작성일 현재의 자산과 부채의 명세 및 상호관계 등 재정상태를 나타내는 재무제표로서 자산, 부채 및 순자산(자산-부채)으로 구성(기업의 대차대조표에 해당)
재정운영표	회계연도 동안 수행한 정책 또는 사업의 원가와 재정운영에 따른 원가의 회수명세 등을 포함한 재정운영결과 (수익-비용)를 나타내는 재무제표(기업의 손익계산서에 해당)
순자산변동표	회계연도 동안 순자산(자산-부채)의 변동명세를 표시하는 재무제표

정답

01 ⑤ 02 ④ 03 ④

04 우리나라의 국가재무제표에 대한 설명으로 옳지 않은 것은?

2017 국가 7급(추)

① 재무제표는 국가결산보고서에 포함되어 국회에 제출하도록 하고 있다.

② 「국가회계법」에 따르면 재무제표는 재정상태표, 재정운영표, 순자산변동표로 구성된다.

③ 재정상태표는 재정상태표일 현재 국가 재정상태를 보여주는 것이다.

④ 재정상태표에는 현금주의와 단식부기가, 재정운영표에는 발생주의와 복식부기가 각각 적용되고 있다.

05 우리나라 정부회계의 장부 기장 방식 중 현금주의와 발생주의에 관한 설명으로 옳지 않은 것은?

2014 행정사

① 전통적으로 지방정부의 일반회계는 현금주의를, 중앙정부 기업특별회계는 발생주의 회계방식을 적용하였다.

② 현금주의 회계방식은 경영성과 파악이 용이하며, 발생주의 회계방식은 절차와 운용이 간편하다.

③ 현금주의 회계방식은 이해와 통제가 용이하며, 발생주의 회계방식은 재정 건전성 확보가 용이하다.

④ 현금주의 회계방식은 일반행정 부분에 적용가능하며, 발생주의 회계방식은 사업적 성격이 강한 회계 부분에 적용이 가능하다.

⑤ 현금주의 회계방식은 손해배상 비용이나 부채성 충당금 등에 대한 인식이 어렵지만, 발생주의 회계방식은 미지급비용과 미수수익을 각각 부채와 자산으로 인식한다.

06 발생주의 회계제도에 대한 설명으로 옳지 않은 것은?

2013 지방 7급

① 거래나 사건이 발생하는 시점에서 인식하는 것으로 자산·부채·수입·지출을 정확하게 측정하기 위한 회계기법이다.

② 미지급금·부채성충당금 등을 포함하여 부채를 정확하게 측정한다.

③ 산출에 대한 원가 산정이 가능하기 때문에 분권화된 조직의 자율과 책임을 구현할 수 있는 중요한 수단이다.

④ 이 제도를 사용하더라도 현금흐름보고서를 통해 현금흐름을 파악할 수 있으며, 부채를 과소평가하는 현금주의 회계제도의 단점을 극복할 수 있다.

04

정답 : ④

④ 우리나라의 정부회계제도는 기본적으로 복식주의와 발생주의를 기본으로 하며, 재정상태표와 재정운영표에는 발생주의와 복식부기가 적용된다.

① 국가결산보고서에는 결산개요, 세입세출결산, 재무제표, 성과보고서로 구성되며 이를 국회에 제출하여야 한다.

> **국가회계법 제14조(결산보고서의 구성)** 결산보고서는 다음 각 호의 서류로 구성된다.
> 1. 결산 개요
> 2. 세입세출결산(중앙관서결산보고서 및 국가결산보고서의 경우에는 기금의 수입지출결산을 포함하고, 기금결산보고서의 경우에는 기금의 수입지출결산을 말한다)
> 3. 재무제표
>   가. 재정상태표
>   나. 재정운영표
>   다. 순자산변동표
> 4. 성과보고서

② 재무제표는 재정상태표, 재정운영표, 순자산변동표로 구성된다.

③ 재정상태표는 재정상태표일 현재의 자산과 부채의 명세 및 상호관계 등 재정상태를 나타내는 재무제표로 자산, 부채 및 순자산으로 구성된다.

05

정답 : ②

② 현금주의 회계방식은 경영성과를 파악하기 어렵지만, 절차와 운영이 간편하다는 장점이 있다.

① 전통적으로 일반회계는 현금주의를 기업특별회계는 발생주의 회계방식을 적용하였다.

③ 현금주의 회계방식은 절차가 간편하고 이해와 통제가 용이하고, 발생주의 회계방식은 재정의 실질적 건전성 확보에 용이하다.

④ 현금주의 회계방식은 일반행정 부분에, 발생주의 회계방식은 사업적 성격이 강한 특별회계에 적용이 가능하다.

⑤ 현금주의 회계방식은 재화나 용역을 제공하더라도 현금으로 회수하기 전까지는 수익으로 처리하지 않고, 현금을 지불하기 전까지는 비용으로 인식하지 않는다.

06

정답 : ①

① 발생주의는 현금의 수입 · 지출과는 관계없이 거래나 사건이 발생하는 시점에 수익과 비용을 인식하는 것으로 물건을 판매하여 현금을 회수할 권리가 발생했을 때 수익으로 인식하고 재화나 서비스를 인도하여 사용할 수 있게 되었을 때 비용으로 인식한다.

② 현금주의는 감가상각과 미지급금을 인식하지 못하지만 발생주의는 감가상각을 비용으로 인식하고, 미지급금을 자산과 부채로 인식한다.

③ 발생주의 회계제도는 재정의 실질적 객관성 확보가 가능하고 산출물에 대한 원가산정이 가능하다.

④ 발생주의 회계제도에서는 현금흐름표를 통해 현금의 흐름을 파악할 수 있다.

발생주의 장단점

장점	• 자산 · 부채규모 파악으로 재정의 실질적 건전성 확보 • 비용 · 편익 등 재정성과 파악 용이 • 자기검정기능으로 회계오류 시정 • 재정의 투명성 · 신뢰성 · 책임성 확보
단점	• 채권 · 채무의 자의적 추정 불가피 • 의회통제 회피 악용 가능성 • 절차가 복잡하고, 현금흐름 파악 곤란

정답
04 ④ 05 ② 06 ①

07 최근 정부회계제도 개혁의 일환으로 도입되고 있는 복식부기의 장점이 아닌 것은? 2012 국가 7급

① 정부재정활동의 효율성, 투명성, 책임성을 제고할 수 있다.

② 정부재정에 있어 미래지향적 재정관리의 기반을 조성할 수 있다.

③ 공공부문의 생산성 향상을 위한 유용한 회계정보의 활용을 기대할 수 있다.

④ 상당액의 부채가 존재해도 현금으로 지출되지 않은 경우 재정건전 상태로 결산이 가능하다.

08 복식부기 제도하에서 정부보유 현금자산이 200조, 고정자산이 300조, 유동부채가 100조, 재정수익이 300조, 비용이 200조라면, 회계기간 중 특정 시점의 재정상태를 나타내는 보고서상에 순자산으로 보고될 액수는? 2009 국가 9급

① 400조   ② 100조

③ 500조   ④ 200조

CHAPTER 19 조달(구매) 행정   실질적 력(역량) 업그레이드

01 정부기관의 구매는 크게 분산구매와 집중구매로 나눌 수 있다. (분산구매와 비교한) 집중구매에 관한 설명 중 가장 적절하지 않은 것은? 2015 경정승진

① 구매조직의 관료화를 방지하고 중소기업보호 측면에서 유리하다.

② 부패나 부당거래 통제에 용이하고 재정적 통제체계를 향상시킬 수 있다.

③ 중앙구매기관을 경유하여 구매해야 하므로 구입절차가 복잡하고 적기에 물품을 공급하기 어렵다.

④ 조달업무의 전문성을 확보할 수 있다.

07

정답 : ④

④ 현금주의–단식부기에서 나타나는 현상이다. 현금주의하에서는 이미 발생했지만 아직 지불되지 않은 채무에 관한 정보를 제공하지 않기 때문에 가용재원에 대한 과대평가가 이루어지기 쉽고 재정적자가 초래될 가능성이 높다.

① 기장내용에 대한 자기검증기능(회계오류나 회계부정에 대한 통제기능)으로 신뢰성과 투명성이 제고된다.

② 복식부기는 대차평균의 원리를 통하여 거래의 인과관계나 내용을 파악할 수 있어 단식부기의 단점을 보완할 수 있는 발전적 회계제도이며 발생주의에서 주로 사용한다.

③ 개별 데이터 중심의 단식부기와 달리 복식부기는 별도의 작업 없이 항상 최근의 총량 데이터(종합적 재무정보)를 확보할 수 있으므로 최고경영자나 정책결정자에게 유용한 정보의 즉시적 제공이 가능하다.

08

정답 : ①

① 2009년 전면 도입된 발생주의·복식부기에 의한 정부재무제표(자산상태 재정상태표는 작성기준일 현재의 "자산 – 부채 = 순자산"을 의미한다.

순자산은 총자산(현금 등 유동자산 및 고정자산)에서 부채(유동부채 및 비유동부채)를 차감한 금액이므로 (200 + 300) – 100 = 400조가 된다. 비용과 수익은 재정운영표(수익 – 비용)를 작성할 때 사용하는 회계요소이므로 재정상태표와 관계가 없다.

01

정답 : ①

① 집중구매는 중소기업보다 대기업에 유리하며 구매과정에서 정치적 압력이 작용할 우려가 있고, 구매행정에 있어 형식주의에 얽매이기 쉽다.

② 구매물자 규격 등을 표준화함으로써 물품검사의 신속화와 입찰업무의 능률화를 높일 수 있으며 경쟁을 통한 구매로 부패나 부당거래 통제에 용이하고 재정적 통제체계를 향상시킬 수 있다.

③ 집중구매는 많은 시간과 절차가 필요하므로 수요기관에 적기 공급이 곤란하다는 단점이 있다.

④ 집중구매는 구매업무의 전문화 및 공급자 편익을 증대시킬 수 있다.

포인트 정리

집중구매의 장단점

장점	단점
• 대량구매로 구매 단가를 낮춤	• 특수품목에는 부적합
• 구매업무의 전문화 및 공급자의 편익 증대	• 중소기업보다 대기업에 유리
• 구매물자 규격 표준화	– 구매과정에서 정치적 압력 작용 우려
– 물품검사의 신속화, 입찰업무의 능률화	• 수요기관에 적기공급 곤란
• 긴급수요나 예상 외의 수요에 신속히 대응	• 납품업체 간 부정 개입이 쉬움
• 종합적 구매정책 수립에 도움	• 구매행정에 있어서 형식주의에 얽매이기 쉬움

정답

07 ④ 08 ① 01 ①

02 집중구매제도의 장점에 대한 설명으로 옳지 않은 것은?

2012 지방 7급

① 재정적 통제체계를 향상시킬 수 있다.

② 긴급수요나 예상외의 수요에 신속히 대처할 수 있다.

③ 대량구매의 이점을 활용할 수 있다.

④ 일괄구매를 통해 구입절차를 단순화할 수 있다.

03 품질, 성능, 효율성이 유사한 물품들을 생산하는 다수의 공급자와 정부가 복수계약을 한 뒤, 각 수요기관이 공급할 업체를 직접 선택할 수 있는 방식으로서 최근 우리나라에서 도입하고 있는 제도는?

2005 서울 7급

① 성과관리제도

② 나라장터(G2B)

③ 제한적 입찰제도

④ 일괄(Turn-Key) 입찰제도

⑤ 다수공급자계약제도(MAS: Multiple Award Schedule)

CHAPTER 20 최근 예산제도개혁 - 신성과주의 등 　실질적 **력**(역량) **업**그레이드

01 우리나라의 재정사업 성과관리에 대한 설명으로 옳지 않은 것은?

2023 국가 9급

① 재정사업 성과관리의 내용은 성과목표관리와 성과평가로 구성된다.

② 재정사업 성과평가 결과는 지출 구조조정 등의 방법으로 재정운용에 반영될 수 있다.

③ 재정사업 심층평가 결과 기획재정부장관이 필요하다고 판단하면 재정사업 자율평가를 실시할 수 있다.

④ 재정사업 자율평가는 미국 관리예산처(OMB)의 PART(Program Assessment Rating Tool)를 우리나라 실정에 맞게 도입한 제도이다.

02

④ 집중구매는 일괄구매를 통한 비용절감은 가능하지만 구입절차는 복잡하다.

① 집중구매제도는 중앙구매기관에 의해 재정통제가 가능하다.

② 집중구매는 집중보관을 통하여 긴급수요나 예상 외의 수요에 대응하기 쉽고, 잉여물품을 부처 간에 신축적으로 활용할 수 있어 구매물량을 최소화할 수 있다는 장점이 있다.

③ 대량구매로 구매단가를 낮출 수 있다.

03

⑤ 해당 내용은 2005년부터 우리나라 정부가 도입한 다수공급자계약제도에 대한 설명이다.

① 성과관리제도는 재정사업의 목표와 성과지표를 설정하고 지표에 의한 평가결과를 재정운영에 반영하는 제도이다.

② 나라장터(G2B; 국가종합전자조달시스템)는 조달업무 전 과정을 온라인으로 처리하는 선진 전자조달시스템으로 모든 공공기관의 입찰정보가 공고되고 1회 등록으로 어느 기관 입찰에나 참가할 수 있는 공공조달 단일창구 역할을 수행한다.

③ 제한적 입찰제도는 계약의 목적·성질 등에 비추어 필요한 경우 경쟁참가자의 자격을 일정한 기준(시공능력, 실적, 기술보유상황 등)에 의하여 제한하여 입찰하게 하는 방법이다.

④ 일괄(Turn-Key) 입찰제도는 토목·건설분야 등에서 조사·설계에서부터 시설을 완성하여 점검을 끝낸 상태로 인도하는 제도로, 사업 일체를 일괄계약방식으로 하는 방법이다.

01

③ 재정사업 심층평가는 기획재정부장관의 재량이 아니다. 대상사업은 재정사업 자율평가 결과 추가적인 평가가 필요하다고 판단되는 사업에 대해서이다.

> **국가재정법 시행령 제39조의3(재정사업의 성과평가 등)** ① 기획재정부장관은 법 제85조의8제1항에 따라 각 중앙관서의 장과 기금관리주체에게 기획재정부장관이 정하는 바에 따라 주요 재정사업을 스스로 평가(이하 "재정사업자율평가"라 한다)하도록 요구할 수 있으며, 다음 각 호의 어느 하나에 해당하는 사업에 대해서는 심층평가를 실시할 수 있다. 다만, 「과학기술기본법」 제11조에 따른 국가연구개발사업에 대한 평가는 「국가연구개발사업 등의 성과평가 및 성과관리에 관한 법률」에 따른 성과평가로 재정사업자율평가 또는 심층평가를 대체할 수 있다.
> 1. 재정사업자율평가 결과 추가적인 평가가 필요하다고 판단되는 사업
> 2. 부처간 유사·중복 사업이나 비효율적인 사업추진으로 예산낭비의 소지가 있는 사업
> 3. 향후 지속적 재정지출 급증이 예상되어 객관적 검증을 통해 지출효율화가 필요한 사업
> 4. 그 밖에 심층적인 분석·평가를 통해 사업추진 성과를 점검할 필요가 있는 사업

① 국가재정법 제85조의2

② 국가재정법 제85조의10

④ 재정사업 자율평가제도는 미국의 PART 제도를 이용하여 도입하였다. 미국의 PART는 성과지표중심의 정부성과관리법 체제의 한계를 비판하며 미국 관리예산처(OMB) 주도로 2002년 도입하였다.

정답
02 ④ 03 ⑤ 01 ③

02 우리나라 중앙예산부서의 재정관리 혁신에 대한 설명으로 옳지 않은 것은? 2021 국회 8급

① 총사업비가 500억원 이상이고 국가재정 지원 규모가 300억원 이상인 신규사업 중 지능정보화사업은 예비타당성조사의 대상사업이 될 수 있다.

② 사회간접자본(SOC)에 대한 대규모 민간투자사업은 기획재정부가 결정한다.

③ 예산 절감이나 국가 수입 증대에 기여한 자에게 제공하는 예산성과금은 공무원뿐만 아니라 일반국민에게도 지급될 수 있다.

④ 총사업비가 500억원 이상인 토목사업과 총사업비가 200억원 이상인 건축사업은 총사업비 관리제도의 대상사업이 될 수 있다.

⑤ 기획재정부는 정부예산 및 기금의 불법지출에 대한 국민감시를 위해 예산낭비신고센터를 운영하고 있다.

03 신성과주의예산(New Performance Budgeting)의 특징으로 가장 옳지 않은 것은? 2020 경찰간부

① 성과관리를 위해 발생주의 회계제도를 사용한다.

② 과거의 성과주의예산과 비교하여 프로그램 구조와 회계제도에 미치는 영향이 훨씬 광범위하고 포괄적이다.

③ 성과계획 수립, 예산편성 및 집행, 성과 측정·평가의 기본 구조를 가지고 있다.

④ 모든 조직에 공통적으로 적용할 수 있는 표준적 성과측정지표를 개발하기 어렵다는 점은 신성과주의예산제도의 단점으로 지적된다.

04 예비타당성조사에 대한 설명으로 옳은 것은? 2019 지방 9급

① 기존에 유지된 타당성조사의 문제점을 보완하기 위해 2013년부터 도입하였다.

② 신규 사업 중 총사업비가 300억 원 이상인 사업은 예비타당성 조사대상에 포함된다.

③ 중앙행정기관의 장은 예비타당성조사를 실시하고 기획재정부장관과 그 결과를 협의해야 한다.

④ 조사대상 사업의 경제성, 정책적 필요성 등을 종합적으로 검토하여 그 타당성 여부를 판단한다.

02

② 사회기반시설에 대한 민간투자와 관련된 주요 정책의 수립 등의 사항은 기획재정부장관 소속 민간투자사업심의위원회의 심의를 거치지만, 민간투자대상사업의 지정은 기획재정부장관이 아니라 주무관청이 한다(사회기반시설에 대한 민간투자법 제8조의2).

① 총사업비가 500억원 이상이고 국가재정 지원규모가 300억원 이상인 신규사업 중 지능정보화사업이나 연구개발사업 등은 예비타당성조사의 대상사업이 된다.

③ 예산성과금은 예산 절감이나 국가 수입 증대에 기여한 자에게 제공하는 것으로 공무원뿐 아니라 일반 국민에게도 지급할 수 있다.

④ 총사업비가 500억원 이상인 토목사업과 총사업비가 200억원 이상인 건축사업이나 연구개발사업은 총사업비 관리제도의 대상사업이 될 수 있다.

⑤ 예산낭비신고센터는 정부예산 및 기금의 불법지출에 대한 국민감시를 위해 기획재정부에서 운영하고 있는 기관이다.

포인트 정리

03

② 신성과주의는 예산 과정에서 성과정보의 활용을 예산개혁의 목표로 삼는 경향이 있으므로 성과주의 예산보다 프로그램 구조와 회계제도에 미치는 영향이 좁은 편이다.

① 신성과주의 예산은 성과측정을 위해 발생주의 회계제도를 사용한다.

③ 신성과주의예산은 성과계획 수립, 예산편성 및 집행, 성과 측정·평가의 기본구조를 가지고 있다.

④ 신성과주의 예산제도는 기관별 노력과 성과 사이의 인과관계가 다르고, 성과측정의 난이도도 다르므로 표준적인 성과측정지표를 개발하기도 어렵고 정부기관 간 또는 사업 간 성과비교가 어렵다는 점이 단점으로 지적된다.

04

④ 예비타당성조사는 기획재정부의 주도로 경제적·정책적 측면에서 실시한다.

① 기존에 유지된 타당성조사의 문제점을 보완하기 위해 1999년에 도입하여 2000년부터 시행하였다.

② 신규 사업 중 총사업비가 500억 원 이상인 신규 사업의 경우 예비타당성 대상사업에 포함된다.

③ 기획재정부장관은 예비타당성조사를 실시하고, 그 결과를 요약하여 국회 소관 상임위원회와 예산결산특별위원회에 제출하여야 한다.

정답
02 ② 03 ② 04 ④

05 재정·예산제도에 대한 설명으로 옳은 것은?

① 조세지출예산제도는 조세지출의 투명성과 항구성·지속성을 제고하는 장점이 있다.

② 통합재정은 일반회계, 특별회계, 기금을 모두 포괄하며, 재정 활동의 전모를 파악할 수 있도록 융자지출을 통합재정수지의 계산에 포함하고 있다.

③ 성인지 예산제도는 각 지출부처가 기획재정부와 여성가족부의 지휘 아래 대부분의 재정사업에 대해 성인지 예산서·결산서를 작성하도록 하고 있다.

④ 예비타당성조사는 대규모 건설사업, 정보화사업, 연구개발사업 등을 대상으로 하며, 교육·보건·환경 분야 등에는 아직 적용되지 않고 있다.

06 1980년대 이후 주요 국가들의 예산개혁에 대한 설명으로 옳은 것은?

① 성과주의 예산제도는 재정사업에 대한 투입보다는 그 결과에 대한 관심을 강조하고 있으나, 정작 성과측정, 사업원가 산정, 성과-예산의 연계 등에서 여전히 많은 난관이 있다.

② 중기재정계획은 단년도 예산의 장점인 안전성과 일관성보다는 재정건전성 등 중장기적 거시 재정목표의 효과적인 추구를 위해 도입되었다.

③ 하향식 예산편성제도는 추계한 예산총량을 전략적 우선순위에 따라 먼저 부문별·부처별로 배분하여 예산의 기술적 효율성(technical efficiency)의 제고를 우선적인 목적으로 한다.

④ 총액배분자율편성예산제도는 기획재정부가 부문별·부처별로 예산상한을 할당하는 집권화된 예산편성 방식으로, 부처의 사업별 재원배분에 대한 보다 세밀한 관리·통제 필요성에 따라 도입되었다.

05

② 통합재정은 일반회계, 특별회계, 기금 등을 모두 포함하여 정부의 재정활동을 체계적으로 분류하고 파악하는 예산으로, 중앙정부와 지방정부의 비금융공공부문(금융성격을 띠는 공공금융부문은 제외)으로 구성되고 재정활동의 융자지출까지도 통합재정수지의 계산에 포함한다.

① 조세지출예산제도는 조세감면과 같은 조세지출의 구체적인 내역을 밝히고 국회의 심의·의결을 받도록 하는 제도로, 조세지출의 항구성·지속성·경직성을 타파하고 투명성·가시성을 제고한다.

③ 성인지 예산서는 기획재정부장관이 여성가족부장관과 협의하여 제시한 작성기준 및 방식 등에 따라 각 중앙관서의 장이 작성하므로 '기획재정부와 여성가족부의 지휘 아래'라는 표현은 옳지 않다. 또한 성인지 예산서 작성 대상사업은 부처 성평등 목표 달성에 직접적으로 기여하는 직접목적 사업(양성평등정책 기본계획추진사업)과 간접목적 사업(성별영향분석평가 결과 개선이 필요한 사업, 기타 성별영향분석이 가능한 사업)에 대해 실시하므로 '대부분의 재정사업에 대해' 라는 표현도 옳지 않다.

④ 예비타당성조사는 대규모 건설사업, 정보화사업, 연구개발사업뿐 아니라 교육·보건·환경분야 등에도 적용하고 있다.

예비타당성조사 대상사업

건설공사가 포함된 사업, 정보화 사업, 국가연구개발사업	총사업비 500억원 이상, 국가의 재정지원규모 300억 원 이상
사회복지, 보건, 교육, 노동, 문화 및 관광, 환경 보호, 농림해양수산, 산업·중소기업 분야의 사업	중기재정지출 500억원 이상

06

① 성과주의 예산제도는 재정사업에 대한 투입보다는 산출·성과·결과를 중시하지만, 성과측정이나 사업원가 산정 및 성과–예산의 연계 등 실제 운영과정에서 많은 어려움이 있다는 비판을 받는다.

② 국가재정운용계획은 단년도 예산의 단점을 극복하고 사업의 안정성·일관성 및 재정건전성 등 중장기적 거시 재정목표의 효과적인 추구를 위해 도입되었다.

③ 하향식 예산편성제도는 추계한 예산총량을 전략적 우선순위에 따라 먼저 부문별·부처별로 배분하여 예산의 배분적 효율성을 제고를 우선적인 목적으로 한다. 한편 기술적 효율성은 개별적 지출 차원의 효율성으로 운영상 효율성, 생산적 효율성이라고 한다.

④ 총액배분자율편성예산제도는 기획재정부가 부문별·부처별로 예산상한을 할당하면 각 부처에서 그 범위내로 구체적인 사업별 재원배분을 결정하는 것으로, 분권적·자율적인 동시에 사전에 지출한도를 정하여 하향적으로 제시하므로 통제가 완화된 제도라고 볼 수 있다.

07 균형성과표(BSC, Balanced Score Card)에 대한 설명으로 가장 옳지 않은 것은? 2019 서울 7급(2월)

① BSC는 관리자의 성과정보가 재무적 정보에 국한된 약점을 극복하고자 다양한 측면의 정보를 제공하며, 재무적 정보 외에 고객, 내부 절차, 학습과 성장 등 조직운영에 필요한 관점을 추가한 것이다.

② BSC의 장점은 거시적이고 추상적인 조직목표와 실천적 행동지표 간 인과관계를 확보함으로써 조직의 전략과 기획을 실행에 옮길 수 있게 한다는 것이다.

③ BSC는 조직 구성원 학습, 내부절차 및 성장과 함께, 정책 관련 고객의 중요성을 강조하지만, 고객이 아닌 이해당사자들에 대한 의사소통 채널에 대해서는 관심의 정도가 낮아 한계로 지적되고 있다.

④ BSC의 기본틀은 성과관리 체계로 이전의 관리 방식인 TQM이나 MBO와 크게 다르지 않고, 다만 거기에서 진화된 종합모형이라 평가 받고 있다.

08 신성과주의 예산(New Performance Budgeting)의 특징으로 가장 옳지 않은 것은? 2018 서울 7급(3월)

① 투입요소 중심이 아니라 산출 또는 성과를 중심으로 예산을 운용하는 제도이다.

② 과거의 성과주의 예산과 비교하여 프로그램 구조와 회계제도에 미치는 영향이 훨씬 광범위하고 포괄적이다.

③ 책임성 확보를 위해 시행되고 있는 성과관리를 예산과 연계시킨 제도이다.

④ 예산집행에서의 자율성을 부여하되, 성과평가와의 연계를 통해 책임성을 확보하고자 한다.

09 자본예산제도에 대한 설명으로 가장 적절한 것은? 2018 경정승진

① 경기침체 시 흑자예산을 편성하고, 경기과열 시에는 적자예산을 편성하여 경기변동의 조절에 도움을 준다.

② 공채차입금으로 미래운영비에 직접 충당할 수 있다.

③ 자본예산제도는 자본적 지출에 대한 특별한 분석과 예산사정을 가능하게 한다.

④ 자본예산제도는 중장기 예산운용, 부채의 정당화, 재정안정화 효과를 증진시킬 수 있다.

534 해커스공무원 학원·인강 gosi.Hackers.com

정답 : ③

③ BSC는 조직 구성원 학습, 내부절차 및 성장과 함께 정책 관련 고객의 중요성을 강조하고 이해당사자를 포함한 의사소통 채널에 대해서도 관심의 정도가 높은 편이다.

① BSC는 성과평가가 재무적 관점만을 반영함으로써 조직이 소유하고 있는 무형의 비재무적 가치를 성과평가에 포함할 것을 강조하면서 재무적 정보 외에 고객, 내부절차, 학습과 성장 등 조직운영에 필요한 것을 추가하였다.

② BSC는 조직의 목표를 달성하기 위해 개발된 핵심 성과지표 간 인과관계를 확보함으로써 조직의 전략과 기획을 실행에 옮길 수 있게 하고, 거시적·장기적 측면의 조직문화 형성과 함께 미시적·단기적 목표와 계획 및 전략을 중시한다.

④ BSC의 기본틀은 이전의 관리방식인 TQM이나 MBO와 크게 다르지 않지만 기존 모형보다 거시적·포괄적인 성격을 가진 종합모형이라 할 수 있다.

정답 : ②

② 신성과주의 예산은 과거의 성과주의 예산과 비교하여 프로그램 구조와 회계제도의 변경 등 큰 틀의 제도개혁보다는 성과정보의 예산과정에서의 활용을 개혁의 목표로 삼는다. 반면 과거의 성과주의는 신성과주의보다 예산의 형식 및 회계제도의 변경 등 개혁의 범위가 광범위하고 포괄적이다.

① 신성과주의 예산제도는 투입중심이 아니라 산출 및 성과를 중심으로 운용하는 제도이다.

③ 신성과주의 예산제도는 책임성 확보를 위해 시행되고 있는 성과관리를 연계시킨 제도이다.

④ 신성과주의 예산은 자율성과 융통성을 부여하되 책임성을 확보하고자 한다.

정답 : ③

③ 자본예산제도는 경상계정과 자본계정을 구분한 복식예산으로서, 자본계정에 대한 특별한 분석과 예산 사정을 통해 정부의 부채에 대한 관리 용이성을 장점으로 한다.

① 경기침체 시 적자예산을 편성하고, 경기과열 시에는 흑자예산을 편성하여 경기변동의 조절에 도움을 준다.

② 공채차입금으로 미래운영비에 직접 충당할 수는 없다.

④ 자본예산제도는 중장기적 관점의 예산운용을 특징으로 하지만, 부채의 정당화와 재정불안정의 문제점을 유발하는 한계를 가진다.

포인트 정리

MBO vs BSC

MBO	BSC
개별 또는 팀별(단위별)의 구체적·단기적 목표 추구	거시적·장기적 관점의 궁극적인 목표 추구
사업목표 달성	사업목표 달성을 기관목표 달성으로 연결
좁은 범위	넓은 범위

자본예산제도의 장단점

장점	• 국가재정구조에 대한 명확한 이해 • 자본지출에 대한 특별한 심사 및 분석 • 장기적 재정계획수립에 도움 • 수익자부담원칙 구현
단점	• 적자재정 은폐수단 • 자본재의 축적 또는 공공사업에 치중 • 인플레이션 조장 우려 • 계정구분의 불명확성

dBrain System에 대한 설명으로 옳지 않은 것은?

① UN 공공행정상을 수상하는 등 국제적으로 호평을 받고 있다.

② dBrain 구축이 완료됨에 따라 총액배분 자율편성 예산제도의 도입이 가능해졌다.

③ 예산편성, 집행, 결산, 사업관리 등 재정업무 전반을 종합적으로 연계 처리하도록 하는 통합재정정보시스템이다.

④ 노무현 정부 당시 재정개혁의 일환으로 구축이 추진되었다.

11 **다음 중 국가예산제도 개혁에 관한 설명으로 가장 옳지 않은 것은?**

① 디지털예산회계시스템(BAR) : 성과중심형 예산시스템으로 발생주의·복식부기 회계제도를 기반으로 한 과학적 예산 관리 제도

② 조세지출예산제도 : 예산지출을 절약하거나 조세를 통해 국고수입을 증대시킨 경우 그 성과의 일부를 기여자에게 인센티브로 지급하는 제도

③ 총액배분·자율편성(top-down) 예산제도 : 각 부처가 국가재정운용계획에 의해 설정된 1년 예산상한선 내에서 자율적으로 예산을 편성하는 제도

④ 주민참여예산제도 : 예산편성권을 지역사회와 지역주민에게 분권화함으로써 예산편성과정에 해당 지역주민들이 직접 참여하는 제도

12 **우리나라의 프로그램 예산제도에 대한 설명으로 옳지 않은 것은?**

① 세부업무와 단가를 통해 예산금액을 산정하는 상향식 방식을 사용하고 단년도 중심의 예산이다.

② 프로그램은 동일한 정책을 수행하는 단위사업의 묶음이다.

③ 예산 운용의 초점을 투입중심보다는 성과중심에 둔다.

④ '프로그램-단위사업-세부사업'은 품목별 예산체계의 '항-세항-세세항'에 해당한다.

10

정답 : ②

② 총액배분 자율편성제도는 2004년에 도입되어 2005년부터 실시된 제도이고, 디지털예산회계 시스템은 2007년에 구축된 제도이다.

① UN 공공행정상은 공공행정의 중요성을 알리고 세계 각국의 공공행정발전을 이끌기 위해 우수 공공정책과 제도를 선정하는 것으로, 디지털예산회계시스템은 2013년 UN 공공행정상에서 대상에 선정되었다.

③ 디지털예산회계시스템은 예산편성 · 집행 · 회계결산 · 성과관리 등 재정활동의 전 과정이 수행되고, 그 결과 생성된 정보가 관리되는 통합재정정보시스템이다.

④ 디지털예산회계시스템은 노무현 정부 시기 재정혁신을 뒷받침하기 위해 2005년~2006년 구축이 추진되었고 2007년 개통함에 따라 본격적으로 실시되었다.

11

정답 : ②

② 예산지출을 절약하거나 조세를 통해 국고수입을 증대시킨 경우 그 성과의 일부를 기여자에게 인센티브로 지급하는 제도를 예산성과금 제도라 한다. 한편 조세지출예산제도는 조세지출의 내용과 규모를 예산서 작성을 통해 체계적으로 분류하고 주기적으로 공표하여 행정부에 일임된 조세지출을 입법부 차원에서 통제하고 정책효과를 판단하고자 하는 제도이다.

① 디지털예산회계시스템(BAR)은 2007년 성과중심의 재정기반을 확충하기 위하여 2007년 도입된 범정부적인 예산회계 정보 시스템으로, 발생주의 · 복식부기 회계제도를 기반으로 한 성과중심형 예산시스템이다.

③ 총액배분 · 자율편성예산제도는 1년 간 지출한도를 정해주고 한도 내에서 각 부처가 자율적으로 예산을 편성하는 제도로 2005년에 도입하였고, 각 부처가 국가재정운용계획에 의해 설정된 예산상한선 내에서 자율적으로 예산을 편성하는 제도이다.

④ 주민참여예산제도는 예산편성과정에 주민들이 직접 참여하는 제도로 2007년 지방재정법 개정으로 도입되었으며, 예산편성권을 지역사회와 주민에게 분권화함으로써 예산편성과정에 지역주민들이 직접 참여하는 제도이다.

품목별 예산구조 vs 프로그램예산구조

구분	품목별 예산구조	프로그램 예산구조
기본 구조	품목중심(인건비, 물건비 등)	프로그램(정책 수행 최소단위)
관리 목적	투입관리와 통제 중심	성과와 자율 중심
우선 가치	규정과 감사	자율과 책임
정책 연계성	예산편성 후 사후적 연계 및 조정	예산편성시부터 체계적으로 연계
주요 성과	예산절감, 합법성	성과, 효율성, 투명성

12

정답 : ①

① 프로그램예산제도는 품목별 예산을 탈피하고 프로그램 중심의 하향식 방식을 사용하며 장기사업 등 다년도 중심의 예산과 연계되어 운영된다.
한편 세부업무와 단가를 통해 예산금액을 산정하는 상향식 방식을 사용하고 단년도 중심의 예산은 품목별 예산제도이다.

정답

10 ② 11 ② 12 ①

13 우리나라의 재정정책 관련 예산제도에 대한 설명으로 옳은 것은?

① 지출통제예산은 구체적 항목별 지출에 대한 집행부의 재량 행위를 통제하기 위한 예산이다.

② 우리나라의 통합재정수지에 지방정부예산은 포함되지 않는다.

③ 우리나라의 통합재정수지에서는 융자지출을 재정수지의 흑자 요인으로 간주한다.

④ 조세지출예산제도는 국회 차원에서 조세감면의 내역을 통제하고 정책효과를 판단하기 위한 제도이다.

14 예산성과금에 대한 설명으로 옳지 않은 것은?

① 각 중앙관서의 장은 예산낭비신고센터를 설치·운영하여야 한다.

② 각 중앙관서의 장은 예산의 집행방법 또는 제도의 개선 등으로 인하여 수입이 증대되거나 지출이 절약된 때에는 이에 기여한 자에게 성과금을 지급할 수 있다.

③ 각 중앙관서의 장은 직권으로 성과금을 지급하거나 절약된 예산을 다른 사업에 사용할 수 있다.

④ 예산낭비신고, 예산절감과 관련된 제안을 받은 중앙관서의 장 또는 기금관리주체는 그 처리결과를 신고 또는 제안을 한 자에게 통지하여야 한다.

⑤ 예산 낭비를 신고하거나 예산 낭비 방지방안을 제안한 일반 국민도 성과금을 받을 수 있다.

13

④ 조세지출예산제도는 조세감면과 같은 조세지출의 구체적인 내역을 예산구조에 밝히고 입법부 차원에서 통제하기 위한 제도이다.

① 지출통제예산은 중앙예산기관이 총괄적으로 자원배분을 한 뒤, 각 부처가 재원 범위 내에서 자율적으로 예산편성하게 하고 다시 중앙예산기관이 이를 총괄 조정하는 신성과주의 예산의 핵심제도이다.

② 우리나라의 통합재정수지에 2004년부터 지방정부 예산까지 포함하여 편성하고 있다.

③ 융자지출은 회수되는 시점에는 흑자요인이 됨에도 불구하고, 당해 연도의 적자요인으로 파악하는 문제점이 있다.

14

③ 각 중앙관서의 장은 직권으로 성과금을 지급하거나 절약된 예산을 다른 사업에 사용할 수 없으며, 이를 사용하기 위해서는 예산성과금 심사위원회의 심사를 거쳐야 한다.

① 각 중앙관서의 장 등은 예산·기금의 불법지출에 대한 국민의 시정요구, 예산낭비신고 등을 접수·처리하기 위해 예산낭비신고센터를 설치·운영하여야 한다.

> **국가재정법 시행령 제51조(예산낭비신고센터의 설치·운영)** ① 각 중앙관서의 장 또는 기금관리주체는 법 제100조제1항에 따른 예산·기금의 불법지출에 대한 국민의 시정요구, 예산낭비신고, 예산절감과 관련된 제안 등을 접수·처리하기 위해 예산낭비신고센터를 설치·운영하여야 한다.

② 각 중앙관서의 장은 예산의 집행방법 또는 제도의 개선 등으로 인하여 수입이 증대되거나 지출이 절약된 때에는 이에 기여한 자에게 성과금을 지급할 수 있다.

④ 예산낭비신고, 예산절감과 관련된 제안을 받은 중앙관서의 장 또는 기금관리주체는 그 처리 결과를 신고 또는 제안을 한 자에게 통지하여야 한다.

⑤ 지출절약 또는 수입증대에 기여한 자에는 국민제안을 한 국민도 포함되므로 예산성과금을 받을 수 있다.

> **국가재정법 제100조(예산·기금의 불법지출에 대한 국민감시)** ① 국가의 예산 또는 기금을 집행하는 자, 재정지원을 받는 자, 각 중앙관서의 장(그 소속기관의 장을 포함한다) 또는 기금관리주체와 계약 그 밖의 거래를 하는 자가 법령을 위반함으로써 국가에 손해를 가하였음이 명백한 때에는 누구든지 집행에 책임 있는 중앙관서의 장 또는 기금관리주체에게 불법지출에 대한 증거를 제출하고 시정을 요구할 수 있다.
> ③ 중앙관서의 장 또는 기금관리주체는 제2항의 규정에 따른 처리결과에 따라 수입이 증대되거나 지출이 절약된 때에는 시정요구를 한 자에게 제49조의 규정에 따른 예산성과금을 지급할 수 있다.

15 예산총액배분자율편성제도에 대한 설명으로 가장 옳은 것은? 2013 국회 9급

① 재정운용의 분권화를 목적으로 상향식 의사결정구조를 강조한다.

② 예산과정상 과다예산요구 - 대폭삭감의 악순환을 해결하는데 도움이 된다.

③ 국회가 예산 지출한도를 정하면 정부는 지출한도 범위에서 예산을 편성한다.

④ 예산의 한도가 사전에 결정되므로 전통적 예산편성방식(Bottom-up)에 비해 각 부처의 전문성이 활용되기는 어렵다.

⑤ 중기적 재정운영보다는 단년도 재정운영과 잘 어울리는 경향이 있어 개별 사업위주의 분석에 적합한 예산제도다.

16 최근 선진국의 예산제도 개혁에 대한 설명으로 옳지 않은 것은? 2010 국가 7급

① 지출총액에 대한 통제를 강화하는 추세에 있으며, 이를 위하여 품목별 예산과 단년도 예산제도를 도입하였다.

② 예산집행의 자율성과 재량권을 확대하는 대신 절약에 대한 통제도 강화하기 위하여 매년 일정 비율로 국고에 반납토록 하는 효율성 배당제도를 도입하고 있다.

③ 권한의 위임과 융통성을 부여하기 위하여 운영예산제도를 도입하고 총액으로 예산을 결정하며 항목 간 전용을 인정하고 있다.

④ 기존의 현금주의를 보완하기 위하여 발생주의를 도입하고 있다.

15

② 예산총액배분자율편성제도는 지출한도를 사전에 정해서 시달하므로 대폭삭감의 악순환을 해결하는 데 유리하다.

① 재정운용의 분권화를 목적으로 하지만 지출한도 등 거시적인 요소는 재정당국이 통제하므로 하향식(top-down) 의사결정구조를 강조한다.

③ 국회가 아니라 중앙예산기관이 예산 지출한도를 정하면 각 부처가 지출한도 범위에서 예산을 편성한다.

④ 예산의 한도가 사전에 결정되지만 각 부처가 예산을 자율적으로 편성하기 때문에 전통적 예산편성방식(Bottom-up)에 비해 각 부처의 전문성이 활용하기 쉽다.

⑤ 개별 사업위주의 단년도 재정운영보다는 중기적 재정운영에 적합한 예산제도이다.

기존 예산제도와의 비교

기존 예산제도	총액배분자율편성제
단년도 예산편성 중심	국가재정운용계획과 연계
상향식(Bottom-up)	하향식(Top-down)
예산투입에 치중	성과관리에 중점

16

① 지출총액에 대한 통제를 강화하는 지출통제예산제도나 다년도 예산제도를 도입하고 있다. 한편 품목별 예산과 단년도 예산제도는 재정에 대한 통제를 강화하려는 전통적인 예산제도들이다.

② 효율성배당제도에 대한 설명이다.

③ 운영예산제도는 각종 행정경비(봉급·공공요금·장비비·여비 등)를 운영경비로 통합하고 행정경비 간의 전용을 보다 용이하게 하여 재정운영의 탄력성과 자율성을 높인 제도이다.

④ 선진국 예산개혁의 대표적인 흐름은 정부부문에 발생주의 회계를 도입하는 것이다.

정답

15 ② 16 ①

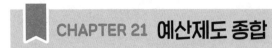
01 우리나라의 예산제도에 대한 설명으로 옳지 않은 것은? 2017 국가 9급(추)

① 통합재정은 일반회계, 특별회계, 기금 등을 포괄한 국가 전체 재정을 의미한다.

② 조세지출예산제도는 세금을 징수하기 위해 지출한 예산을 통합적으로 관리하기 위한 예산제도이다.

③ 성인지예산서는 예산이 남성과 여성에 미칠 영향을 미리 분석한 보고서로 정부가 예산안과 함께 국회에 제출해야 하는 첨부서류이다.

④ 각 중앙관서의 장은 예산요구서를 제출할 때에 다음 연도 예산의 성과계획서 및 전년도 예산의 성과보고 서를 기획재정부장관에게 함께 제출하여야 한다.

02 우리나라 정부재정에 대한 설명으로 옳지 않은 것은? 2016 국가 7급

① 일반회계예산의 세입은 원칙적으로 조세수입을 재원으로 하고 세출은 국가사업을 위한 기본적 경비지출 로 구성된다.

② 실질적인 정부의 총예산 규모를 파악하는 데에는 예산순계 기준보다 예산총계 기준이 더 유용하다.

③ 중앙관서의 장은 특별회계를 신설하고자 하는 때에는 해당 법률안을 입법예고하기 전에 특별회계 신설 에 관한 계획서를 기획재정부장관에게 제출하며 그 신설의 타당성에 관한 심사를 요청하여야 한다.

④ 중앙정부의 통합재정 규모는 일반회계, 특별회계, 기금, 세입 세출 외 항목을 포함하지만 내부거래와 보 전거래는 제외한다.

03 다음 중 우리나라의 예산에 대한 설명으로 옳지 않은 것은? 2016 국회 8급

① 정부는 예측할 수 없는 예산 외의 지출 또는 예산초과지출에 충당하기 위하여 일반회계 예산총액의 100 분의 1 이내의 금액을 예비비로 세입세출예산에 계상할 수 있다.

② 완성에 수년도를 요하는 공사나 제조 및 연구개발사업은 그 경비의 총액과 연부액을 정하여 미리 국회의 의결을 얻는 범위 안에서 그 회계연도부터 10년 이내로 정하여 수년도에 걸쳐서 지출할 수 있다고 보는 것이 원칙이다.

③ 매 회계연도의 세출예산은 다음 연도에 이월하여 사용할 수 없는 것이 원칙이다.

④ 각 중앙관서의 장은 세출예산이 정한 목적 외에 경비를 사용할 수 없는 것이 원칙이다.

⑤ 각 중앙관서의 장은 예산의 목적범위 안에서 재원의 효율적 활용을 위하여 대통령령이 정하는 바에 따라 기획재정부 장관의 승인을 얻어 각 세항 또는 목의 금액을 전용할 수 있다.

01

② 조세지출예산제도는 불공정한 조세지출의 방지를 목적으로 조세지출로 인한 세수 감소액을 종합·분류해 체계적으로 나타낸 것으로 정부가 특정 목적을 달성하기 위해 당연히 징수해야 할 세금을 거두지 않는 세제상의 특혜적 지원책으로 간접지출에 해당한다.

① 통합재정은 일반적으로 일반회계, 특별회계, 기금 등을 포함한 전체의 재정을 의미한다.

③ 성인지예산서는 국회에 제출해야 하는 첨부 서류에 해당한다.

④ 각 중앙관서의 장은 기획재정부장관에게 예산요구서를 제출할 때에 다음 연도 예산의 성과계획서 및 전년도 예산의 성과보고서를 포함하여야 한다.

02

정답 : ②

② 실질적인 정부의 총예산 규모를 파악하는 데에는 예산총계 기준보다 예산순계 기준이 더 유용하다.

한편 예산총계란 일반회계와 특별회계를 합한 것으로 중복분을 포함한다. 반면에 예산순계란 총세입에서 필요경비를 공제하고 순세입만 계상한 예산으로서 실질적인 정부의 총예산 규모를 파악하는 데 더 효과적이다.

① 일반회계예산의 세입은 조세수입에 의존하며 세출은 국가사업을 위한 기본적 경비지출로 구성된다.

③ 중앙관서의 장은 특별회계를 신설하고자 하는 때에는 해당 법률안을 입법예고하기 전에 특별회계 신설에 관한 계획서를 기획재정부장관에게 제출하며 그 신설의 타당성에 관한 심사를 요청하여야 한다.

④ 통합재정은 일반회계, 특별회계, 기금, 세입세출외 항목을 포함하지만 내부거래와 보전거래는 제외한다.

03

정답 : ②

② 계속비에 대한 설명으로, 완성에 수년도를 요하는 공사나 제조 및 연구개발사업은 그 경비의 총액과 연부액을 정하여 미리 국회의 의결을 얻은 범위 안에서 국가가 지출할 수 있는 연한은 그 회계연도부터 5년 이내로 한다. 다만 사업규모 및 국가재원 여건상 필요한 경우에는 예외적으로 10년 이내로 할 수 있다는 단서조항이 있다.

① 예비비에 대한 설명으로, 정부는 예측할 수 없는 예산 외의 지출 또는 예산초과지출에 충당하기 위하여 일반회계 예산총액의 100분의 1 이내의 금액을 예비비로 세입세출예산에 계상할 수 있다.

③ 세출예산의 이월에 대한 설명으로, 매 회계연도의 세출예산은 다음 연도에 이월하여 사용할 수 없다.

④ 예산의 목적 외 사용금지에 대한 설명으로, 각 중앙관서의 장은 세출예산이 정한 목적 외에 경비를 사용할 수 없다.

⑤ 예산의 전용에 대한 설명으로, 각 중앙관서의 장은 예산의 목적범위 안에서 재원의 효율적 활용을 위하여 대통령령이 정하는 바에 따라 기획재정부장관의 승인을 얻어 각 세항 또는 목의 금액을 전용할 수 있다.

정답

01 ② 02 ② 03 ②

재무행정론

PART 5

해커스공무원 미니행정학 기출 빅데이터 실전

PART 5 재무행정론 **543**

04 각종 예산제도의 특성과 발달에 대한 설명으로 옳은 것은?

2010 지방 7급

① 예산개혁의 정향은 주로 통제지향 → 기획지향 → 관리지향 → 참여지향 → 감축지향 순으로 진행되었다.

② 자본예산은 케인즈 경제학이나 후생경제학의 영향으로 성립된 예산제도로서 장기기획과 예산의 연계를 강조하게 된다. 그러나 행정부에 의한 기획중심적 성향으로 인하여 의회 예산심의 기능의 약화를 초래할 수 있다.

③ 계획예산제도는 사업단위뿐만 아니라 조직단위도 의사결정단위가 될 수 있다는 점에서 영기준예산보다 더 융통성 있는 제도라 할 수 있다.

④ 성과주의 예산은 단위원가를 근거로 신축적으로 예산을 수립하기 때문에 행정관리에 있어서 능률성을 추구한다. 따라서 장기적인 계획과의 연계보다는 구체적인 개별사업만을 중시하는 경향이 있다.

05 예산제도에 관한 설명으로 옳은 것은?

2009 국회 8급

① 품목별 예산제도(LIBS)는 예산집행의 유연성이 높아 환경변화가 심할 때 능동적 대처가 가능하다.

② 성과주의 예산제도(PBS)는 정부가 하고 있는 일에 중점을 두며 예산운용에서 능률성과 효과성은 중시되지 않는다.

③ 계획예산제도(PPBS)는 계획과 예산을 연계시키고 있으나 예산과정의 객관성보다 주관적 효율성을 추구한다.

④ 영기준예산제도(ZBB)는 1970년대 미국 카터(Carter) 대통령 당시 긴축재정정책의 일환으로 도입되었다.

⑤ 성과주의 예산제도는 '어떻게 할 것인지(how to do)'에, 영기준예산제도는 '무엇을 할 것인지(What to do)'에 주된 관심을 둔다.

04

정답 : ④

④ 성과주의 예산은 예산을 기능별(사업별·활동별)로 분류하여, 업무단위 원가와 업무량을 계산하여 편성하는 것으로 단위원가를 근거로 신축적으로 예산을 수립하기 때문에 행정관리에 있어서 능률성을 제고시키지만 단위사업만 중시해 장기적 계획과의 연계가 약하다.

① 예산개혁은 통제지향(LIBS) → 관리지향(PBS) → 기획지향(PPBS) → 감축지향(ZBB) → 참여지향의 순으로 주로 진행되었다.

② Keynes적 재정정책이 불황극복에 효과적이었다는 인식하에 예산의 정책적 기능에 대한 관심으로 인해 성립되었으며 장기적 계획과 단기적 예산을 유기적으로 연관시킴으로써 자원배분의 합리적·일관적 의사결정을 도모하고 행정부의 기획중심적 성향의 예산제도는 계획예산제도(PPBS)이다.

③ 의사결정단위란 관리자가 독자적인 업무 범위 및 예산편성의 결정권을 갖는 것으로 사업단위 뿐만 아니라 조직단위도 의사결정단위가 될 수 있는 것은 영기준예산제도(ZBB)로 계획예산제도보다 더 융통성 있는 제도이다.

05

정답 : ④

④ 영기준예산제도(ZBB)는 매년 제로(0) 기준에서 정책의 우선순위를 엄격히 사정하여 예산을 편성하는 방법으로 1970년대 석유파동과 스태그플레이션 등 장기적인 경기침체에 의한 재정위기에 대처하기 위해 카터 행정부에서 긴축재정의 일환으로 도입하였다.

① 품목별 예산제도(LIBS)는 예산을 지출대상(품목)별로 분류하여 편성하는 통제지향적 예산제도로 예산집행의 유연성이 낮아 환경변화가 심할 때 능동적 대처가 불가능하다.

② 성과주의 예산제도(PBS)는 예산의 통제보다는 성과에 초점을 두며, 정보의 계량화를 통하여 관리의 능률성을 향상시키고자 하는 관리지향적 예산제도로 단위원가를 근거로 신축적으로 예산을 수립하기 때문에 행정관리에 있어서 능률성을 제고한다.

③ 계획예산제도(PPBS)는 장기적 계획과 단기적 예산을 유기적으로 연관시킴으로써 자원배분의 합리적·일관적 의사결정을 도모하는 계획지향적 예산제도로, 예산과정에서 주관적 판단을 배제하고 비용편익분석 등 객관적 접근을 중시한다.

⑤ 성과주의 예산제도는 '어떻게 할 것인지(how to do)'에, 계획예산제도는 '무엇을 할 것인지(what to do)'에 주된 관심을 둔다.

정답
04 ④ 05 ④

PART 6
행정통제·개혁론

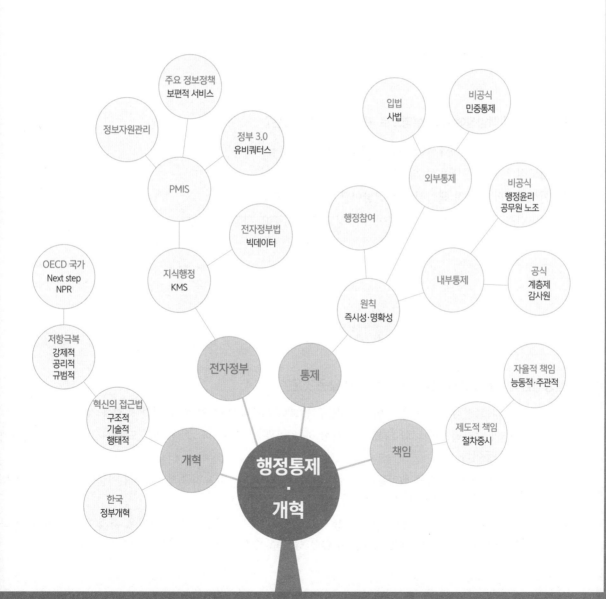

01 행정의 책임성에 대한 설명으로 가장 옳지 않은 것은?

2018 서울 7급(3월)

① 행정의 책임성에는 결과에 대한 책임과 함께 과정에 대한 책임도 포함된다.

② 신공공관리론(NPM)에서 강조하고 있는 시장책임성은 고객만족에 의한 행정책임을 포함한다.

③ 법적 책임의 확보 방법은 시대에 따라 변하고 있다.

④ 제도적 책임성은 공무원의 자율적이고 능동적인 행정책임을 의미한다.

02 다음 중 행정 책임성에 대한 설명으로 가장 옳지 않은 것은?

2015 해경간부

① 베버의 관료제 이론에서는 계층적 책임성이 강조된다.

② 제도적 책임성은 대응성 개념에 기초한 행정책임론이다.

③ 신행정학의 정치적 책임성은 시민참여를 주요 내용으로 한다.

④ 거버넌스의 정치적 책임성은 참여자간 상호학습을 주요 내용으로 한다.

03 행정책임의 유형에 관한 설명으로 가장 옳지 않은 것은?

2013 해경간부

① H. Finer의 고전적 책임론은 사법부·입법부 등 제도화된 외부적인 힘에 의한 통제를 강조한다.

② H. Finer의 고전적 책임론의 대표적인 것이 바로 법률이나 규칙에 대한 책임, 국민에 대한 책임, 의회에 대한 책임 등이다.

③ C. J. Friedrich의 현대적 책임론은 공무원들의 직업윤리나 전문 기술적·과학적 기준에 따라야 할 기능적 책임과 국민의 요구에 따르는 정치적 책임을 강조하였다.

④ Dubnick과 Romzek은 통제의 정도와 통제의 원천이 기관내부인지 외부인지에 따라 네 가지로 유형화하였고, 외부에서 내부로, 낮은 통제에서 높은 통제로 중점이 변화되어 왔다고 주장하였다.

정답 정밀 해설

01

정답 : ④

④ 자율적 책임성은 공무원의 자율적이고 능동적인 행정책임을 의미한다. 반면 제도적 책임성은 외부로부터 부과되는 기준에 따라 행동하여야 할 의무를 의미한다.

① 행정의 책임성은 결과에 대한 책임뿐 아니라 과정에 대한 책임도 포함한다.

② 시장책임성은 신공공관리론에서 강조하는 것으로 고객과 시장에 대한 책임 및 성과에 대한 책임을 의미한다.

③ 법적 책임은 시대에 따라 그 의미와 확보 방법 등이 변화하고 있다.

제도적 책임성과 자율적 책임성

구분	제도적 책임	자율적 책임
내용	• 문책자의 외재성 • 판단기준과 절차의 객관화 • 제재의 존재 • 공식적 · 제도적 통제 가능 • 절차의 중시	• 문책자의 내재성 또는 부재 • 객관적 기준의 부재 • 제재의 부재 • 공식적 · 제도적 통제 곤란 • 절차의 준수와 책임의 완수는 별개

02

정답 : ②

② 제도적 책임성은 대응성보다는 일반적으로 합법성 개념에 기초한 행정책임론이다.

① 계층구조적 책임은 상급자의 지시나 부여된 목표에 대해 직접 지는 책임으로 베버의 관료제 이론에서 강조된다.

③ 정치적 책임은 국민에 대하여 지는 민주적 · 응답적 책임으로 신행정학에서 강조한다.

④ 거버넌스에서는 참여자간 소통과 상호학습에 의한 책임을 강조하는 정치적 책임성을 특징으로 한다.

행정책임성의 유형과 변천

시기	유형	주요 내용
1940년대 이전 고전기	법적 책임성	의회의 관료통제(W.Wilson)
	계층적 책임성	관료제적 구조에 의한 책임(M.Weber)
1960년대 신행정학	전문가적 책임성	관료들의 문제해결 역량
	정치적 책임성	시민참여
1980년대 신공공관리론	시장 책임성	고객과 시장에 대한 책임, 성과에 대한 책임
	법적 책임성	계약 기반 책임
1990년대 거버넌스	정치적 책임성	참여자간 소통과 상호학습에 의한 책임

03

정답 : ④

④ Dubnick과 Romzek은 통제의 정도와 통제의 원천이 기관내부인지 외부인지에 따라 네 가지로 유형화 하였고, 행정국가로 이행하면서 외부에서 내부로, 높은 통제에서 낮은 통제로 중점이 변화되어 왔다고 주장하였다.

① Finer의 고전적 책임론은 자율적 · 비제도적 통제의 한계를 지적하면서 사법부 · 입법부 등 제도화된 외부적인 힘에 의한 통제를 강조한다.

② Finer의 고전적 책임론의 대표적인 것으로 법률이나 규칙에 대한 책임, 상급자와 부하 등 계층구조에 대한 책임, 정책에 대한 책임, 국민에 대한 책임, 의회에 대한 책임 등이 있다.

③ Friedrich의 현대적 책임론은 '통제'되거나 제도화 · 객관화할 수 있는 것이 아니며 공무원들의 직업윤리나 전문 기술적 · 과학적 기준에 따라야 할 기능적 책임과 국민의 요구에 따르는 정치적 책임 두 가지를 강조하였다.

Dubnick & Romzek 책임성의 종류

구분		통제의 기초	
		내부	외부
통제의 정도	강함	위계적 (hierarchical)	법적 (legal)
	약함	전문가적 (professional)	정치적 (political)

정답

01 ④ 02 ② 03 ④

□□
01 행정통제에 대한 설명으로 가장 옳지 않은 것은?

2019 서울 9급

① 행정 권한의 강화 및 행정재량권의 확대가 두드러지면서 행정책임 확보의 수단으로서 행정통제의 중요성이 커지고 있다.

② 의회는 국가의 예산을 심의하고 승인하거나 혹은 지출을 금지하거나 제한하는 등의 조치를 통하여 행정부를 통제한다.

③ 행정이 전문성과 복잡성을 띠게 된 현대 행정국가 시대에는 내부 통제보다 외부 통제가 점차 강조되고 있다.

④ 일반 국민은 선거권이나 국민투표권의 행사를 통하여 행정을 간접적으로 통제한다.

□□
02 행정통제에 대한 설명으로 옳은 것만을 〈보기〉에서 모두 고르면?

2019 국회 8급

> ┌─ **보기** ───
> │ ㄱ. 행정통제는 통제시기의 적시성과 통제내용의 효율성이 고려되어야 한다.
> │ ㄴ. 옴부즈만제도는 공무원에 대한 국민의 책임 추궁의 창구 역할을 하며 입법·사법통제의 한계를 보완하는 제도이다.
> │ ㄷ. 외부통제는 선거에 의한 통제와 이익집단에 의한 통제를 포함한다.
> │ ㄹ. 입법통제는 합법성을 강조하므로 위법행정보다 부당행정이 많은 현대행정에서는 효율적인 통제가 어렵다.
> └──

① ㄱ, ㄴ   ② ㄴ, ㄹ

③ ㄱ, ㄴ, ㄷ   ④ ㄱ, ㄷ, ㄹ

⑤ ㄴ, ㄷ, ㄹ

□□
03 행정통제에 대한 설명으로 옳지 않은 것은?

2017 지방 9급

① 독립통제기관(separate monitoring agency)은 일반행정기관과 대통령령 그리고 외부적 통제중추들의 중간 정도에 위치하며, 상당한 수준의 독자성과 자율성을 누린다.

② 헌법재판제도는 헌법을 수호하고 부당한 국가권력으로부터 국민의 권리와 자유를 보호하는 과정에서 행정에 대한 통제 기능을 수행한다.

③ 교차기능조직(criss-cross organizations)은 행정체제 전반에 걸쳐 관리작용을 분담하여 수행하는 참모적 조직단위들로서 내부적 통제체제로부터 완전히 독립되어 있다.

④ 국무총리 소속 국민권익위원회는 옴부즈만적 성격을 가지며, 국민권익위원회의 위원장과 부위원장은 국무총리의 제청으로 대통령이 임명한다.

01

정답 : ③

③ 행정이 전문성과 복잡성을 띠게 된 현대 행정국가 시대에는 외부 통제보다 내부 통제가 점차 강조되고 있다.

① 행정국가화 현상이 나타나면서 행정통제의 중요성도 커지고 있다.

② 삼권분립을 전제로 의회는 행정부를 통제한다.

02

정답 : ③

③ ㄱ, ㄴ, ㄷ이 옳은 내용이다.

ㄱ. [O] 행정통제는 중대한 과오나 차질을 적시에 발견할 수 있는 시점을 선택하여야 하는 통제 시기의 적정성(적시성)과 통제의 효과가 비용보다 더 큰 부분을 선택하여야 하는 통제 내용의 효율성이 모두 고려되어야 한다.

ㄴ. [O] 옴부즈만제도는 공무원의 위법·부당한 행위로 인하여 권리를 침해 받은 시민이 제기하는 민원이나 불평을 조사하여 관계기관에 권고함으로써 국민의 권리를 구제하는 제도로 공무원에 대한 국민의 책임 추궁의 창구역할 뿐 아니라 입법·사법통제의 한계를 보완하는 역할도 한다.

ㄷ. [O] 선거에 의한 통제나 이익집단에 의한 통제는 외부·비공식 통제로 국민이 행정에 대한 통제의 궁극적 주체로서의 역할을 담당하는 통제방식이다.

ㄹ. [X] 사법통제는 합법성을 강조하므로 위법행정보다 부당행정이 많은 현대행정에서는 효율적인 통제가 어렵다.

03

정답 : ③

③ 교차기능조직은 행정체제 전반에 걸쳐 횡적지원 및 조정기능을 통한 관리작용을 분담하여 수행하는 참모조직단위로 기획재정부, 행정안전부, 인사혁신처, 조달청, 법제처 등이 여기에 해당한다. 즉 교차기능조직은 내부통제기구로 완전히 독립되어 있지 않으며 계선기관의 의사결정 등에 동의·협의함으로써 사전적 통제기능을 수행한다.

① 독립통제기관은 행정체제의 중앙통제조직을 의미하며, 독립성과 자율성의 성격을 지닌다.

④ 국민권익위원회는 국무총리 소속으로 두며 위원장과 부위원장은 국무총리의 제청으로 대통령이 임명하고, 국민권익위원회는 옴부즈만적 성격을 지니는 기구이다.

포인트 정리

부패방지 및 국민권익위원회의 설치와 운영에 관한 법률 제11조(국민권익위원회의 설치) 고충민원의 처리와 이에 관련된 불합리한 행정제도를 개선하고, 부패의 발생을 예방하며 부패행위를 효율적으로 규제하도록 하기 위하여 국무총리 소속으로 국민권익위원회(이하 "위원회"라 한다)를 둔다.

제13조(위원회의 구성) ③ 위원장 및 부위원장은 국무총리의 제청으로 대통령이 임명하고, 상임위원은 위원장의 제청으로 대통령이 임명하며, 상임이 아닌 위원은 대통령이 임명 또는 위촉한다.

정답

01 ③ 02 ③ 03 ③

04 행정통제 중 내부통제에 해당하는 것만을 모두 고른 것은?

2016 국가 7급

ㄱ. 입법부에 의한 통제	ㄴ. 사법부에 의한 통제
ㄷ. 감사원에 의한 통제	ㄹ. 시민에 의한 통제
ㅁ. 공무원으로서 직업윤리	

① ㄱ, ㄴ   ② ㄴ, ㄷ

③ ㄷ, ㅁ   ④ ㄹ, ㅁ

05 행정통제의 유형과 사례를 연결한 것으로 옳지 않은 것은?

2013 국가 9급

① 외부·공식적 통제 – 국회의 국정감사

② 내부·비공식적 통제 – 국무조정실의 직무감찰

③ 외부·비공식적 통제 – 시민단체의 정보공개 요구 및 비판

④ 내부·공식적 통제 – 감사원의 정기 감사

06 행정통제의 과정을 순서대로 바르게 나열한 것은?

2013 국가 7급

ㄱ. 실제 행정 과정에 대한 정보의 수집	ㄴ. 목표와 계획에 따른 통제기준의 확인
ㄷ. 통제주체의 시정조치	ㄹ. 과정평가, 효과평가 등의 실시

① ㄱ→ㄴ→ㄹ→ㄷ   ② ㄴ→ㄱ→ㄹ→ㄷ

③ ㄴ→ㄷ→ㄱ→ㄹ   ④ ㄷ→ㄴ→ㄱ→ㄹ

07 다음과 같은 행정현실에서 가장 적합한 행정통제 방안은?

2012 지방 9급

현재 지방관서에서 하루속히 척결해야 할 것은 관급공사와 관련한 비리이다. 드물지만 간판도 없는 유령회사가 관급공사를 따내는 경우도 있다. 전관예우라고나 할까? 전직기관장이 공사를 따내는 경우인데, 그들은 공사를 맡고 난 다음에 회사를 설립하기도 한다. 관급공사를 시의원이나 구의원이 맡는 것도 큰 문제이다. 행정을 감시해야 할 사람에게 시정을 맡기는 것은 어불성설이다. 이런 실태는 행정경험과 해당분야에 대한 전문성을 갖고 합법성과 합목적성을 구별 할 수 있는 전문가만이 발견해 낼 수 있다.

① 시민에 의한 통제   ② 입법부에 의한 통제

③ 사법부에 의한 통제   ④ 감사원에 의한 통제

04

③ ㄷ, ㅁ이 내부통제에 해당한다.

ㄷ, ㅁ. [O] 감사원에 의한 통제는 내부·공식통제이고, 공무원으로서 직업윤리는 내부·비공식 통제이다.

ㄱ, ㄴ. [X] 입법부에 의한 통제, 사법부에 의한 통제는 모두 외부·공식 통제이다.

ㄹ. [X] 시민에 의한 통제는 외부·비공식 통제이다.

05

② 국무조정실에 의한 통제는 내부·공식통제이며, 직무감찰은 국무조정실이 아닌 감사원의 기능이다.

통제주체에 따른 분류: 내부통제와 외부통제(Gilbert)

구분	내부통제	외부통제
공식	• 행정수반(대통령) 및 국무조정실에 의한 통제 • 계층제 및 인사관리제도를 통한 통제 • 교차기능조직에 의한 통제 • 독립통제기관(감사원, 국민권익위원회 등)에 의한 통제 • 정부업무평가에 의한 통제	• 입법부에 의한 통제 • 사법부에 의한 통제 • 옴부즈만에 의한 통제
비공식	• 행정윤리에 의한 통제 • 대표관료제 • 내부고발자보호제 • 공무원노조, 비공식집단, 행정문화	• 민중통제 • 시민에 의한 통제 • 이익집단에 의한 통제 • 여론 등에 의한 통제 • 정당에 의한 통제

06

② 행정통제의 과정은 ㄴ → ㄱ → ㄹ → ㄷ 순으로 이루어진다.

ㄴ. 통제기준의 확인(설정): 통제기준을 확인하는 단계에서는 통제기준이 무엇이며, 그것이 피통제자에게 제대로 전달되었는지 피통제자는 그것을 이해하고 실행에 옮길 수 있는 기회를 가졌는지에 대해 확인한다.

ㄱ. 정보의 수집: 통제기준을 확인한 다음에는 통제기준에 대응한 실천상황에 관한 정보를 수집하고 선별한다.

ㄹ. 성과의 측정·평가: 평가의 단계에서는 통제기준과 실적에 관한 정보를 평가하여 기준과 실적의 차질유무를 확인하고 시정의 필요성에 관한 결정을 한다.

ㄷ. 시정조치: 평가의 결과에 따라 통제주체는 시정행동을 하고 이러한 시정조치의 결과는 통제중추에 환류되는 과정을 거친다.

07

④ 제시문은 행정을 감시하고 시정해야 할 외부기관에게 행정을 맡기는 것은 곤란하다는 내용으로 행정부 내부 전문 감사기관인 감사원에 의한 통제의 중요성을 강조하고 있다.

정답 ———
04 ③ 05 ② 06 ② 07 ④

08 행정통제에 관한 설명으로 옳지 않은 것은?

2011 국회 8급

① 길버트(E. Gilbert)에 의하면 행정통제의 방법은 통제자가 행정조직 내부에 위치하는가 그렇지 않은가에 따라 공식적 통제와 비공식적 통제로 구분된다.

② 프리드리히(C. Friedrich)는 행정국가의 불가피성과 외부통제의 어려움으로 인해 내부통제가 더 강조되어야 한다고 보았다.

③ 정치행정이원론적 입장에 따르면 외부통제가 더 바람직하다.

④ 사법부에 의한 통제는 일차적으로 사후적 조치라는 점에서 한계를 지닌다.

⑤ 옴부즈만제도는 융통성과 비공식성이 높은 제도이며 법적이라기보다는 사회적·정치적 성격이 강한 제도이다.

CHAPTER 03 옴부즈만 및 행정참여

실질적 **력**(역량) **업**그레이드

01 옴부즈만(Ombudsman)제도에 대한 설명으로 옳지 않은 것은?

2020 군무원 9급

① 스웨덴에서 처음 도입된 제도이다.

② 행정 내부 통제의 한계를 보완하는 제도이다.

③ 시정을 촉구하거나 건의함으로써 국민의 권리를 구제하는 제도이다.

④ 대부분의 국가에서는 입법부에 소속되어 있다.

02 일반적인 옴부즈만 제도에 대한 설명으로 가장 적절하지 않은 것은?

2019 경정승진

① 1800년대 초반 스웨덴에서 처음 채택되어 실시된 제도이다.

② 옴부즈만은 행정행위의 합법성뿐만 아니라 합목적성 여부도 다룰 수 있다.

③ 옴부즈만은 행정기관의 결정이나 행위를 무효로 할 수는 없지만, 취소 또는 변경할 수 있다.

④ 옴부즈만은 시민의 요구 신청 고발에 의하여 활동을 개시하는 것이 일반적이나, 직권으로 조사활동을 하는 경우도 있다.

08
정답 : ①

① Gilbert는 행정통제자가 행정조직내부에 있는지 밖에 있는지에 따라 내부통제와 외부통제로, 공식화된 기구와 절차에 의존하는지 아닌지에 따라 공식통제와 비공식통제로 구분하였다.

② Finer는 외재적 책임을 강조하였고, Friedrich는 내재적 책임을 강조하였다.

③ 정치행정이원론에서는 외부통제가, 정치행정일원론에서는 내부통제가 정당화된다.

④ 사법통제는 소극적인 사후규제이다.

⑤ 옴부즈만은 공식통제로 분류되지만 사법부나 입법부에 비하여 비공식적이고 융통성이 높은 통제제도이다.

01
정답 : ②

② 옴부즈만은 행정 외부 통제의 한계를 보완하는 제도이다.

① 옴부즈만은 스웨덴에서 처음으로 도입된 제도이다.

③ 옴부즈만은 공무원의 위법·부당한 행위로 인해 권리를 침해받은 시민이 제기하는 민원 및 불평을 조사하여 관계기관에서 시정을 권고함으로써 국민의 권리를 구제하는 행정감찰관제도이다.

④ 대부분의 국가는 의회소속이다.

02
정답 : ③

③ 옴부즈만은 행정기관의 결정이나 행위를 무효로 할 수 없으며, 취소 또는 변경할 수도 없다.

① 옴부즈만 제도는 1809년 스웨덴에서 처음으로 채택·실시되었다.

② 옴부즈만은 행정행위의 합법성뿐 아니라 합목적성 여부도 다룰 수 있다.

④ 옴부즈만은 국민의 요구나 신청에 의해 활동을 개시하는 것이 일반적이며, 예외적으로 직권으로 조사활동을 개시할 수 있다.

정답

08 ① 01 ② 02 ③

03 국민권익위원회에 대한 설명으로 옳지 않은 것을 모두 고른 것은?

> ㉠ 공공기관의 부패행위로 인하여 공익을 현저히 해하는 경우, 국민권익위원회에 감사를 청구할 수 있는 국민감사청구 제도가 시행되고 있다.
>
> ㉡ 국민권익위원회의 위원장과 위원의 임기는 각각 3년으로 하되, 1차에 한하여 연임할 수 있다.
>
> ㉢ 국민권익위원회는 국무총리 소속이며, 부위원장은 국무총리의 제청으로 대통령이 임명한다.
>
> ㉣ 국민권익위원회에 접수된 고충민원은 접수일로부터 60일 이내에 처리하여야 한다.

① ㉠

② ㉠, ㉡

③ ㉡, ㉢

④ ㉢, ㉣

---

04 국민권익위원회에 관한 설명으로 옳지 않은 것은?

① 국무총리 소속 기관이다.

② 국민권익위원회 위원의 임기는 3년이며, 연임할 수 없다.

③ 국민권익위원회 위원은 재직 중 지방의회의원직을 겸임할 수 없다.

④ 고충민원의 조사와 처리 및 이와 관련된 시정권고 업무를 수행한다.

⑤ 정당의 당원은 국민권익위원회의 위원이 될 수 없다.

---

05 민원에 대한 설명으로 옳지 않은 것은?

① 복합민원은 5세대 이상의 공동이해와 관련하여 5명 이상이 연명으로 제출하는 민원이다.

② 고충민원은 행정기관 등의 위법·부당하거나 소극적인 처분 및 불합리한 행정제도로 인하여 국민의 권리를 침해하거나 국민에게 불편 또는 부담을 주는 사항에 관한 민원이다.

③ 질의민원은 법령·제도·절차 등 행정업무에 관하여 행정 기관의 설명이나 해석을 요구하는 민원이다.

④ 건의민원은 행정제도 및 운영의 개선을 요구하는 민원이다.

03

① ㉠만 틀리고 ㉡㉢㉣은 옳다.

㉠ [X] 공공기관의 부패행위로 인하여 공익을 현저히 해하는 경우, 감사원에 청구설 수 있는 국민감사청구제도가 시행되고 있다.

> **부패방지 및 국민권익위원회의 설치와 운영에 관한 법률 제72조(감사청구권)** ① 18세 이상의 국민은 공공기관의 사무처리가 법령위반 또는 부패행위로 인하여 공익을 현저히 해하는 경우 대통령령으로 정하는 일정한 수 이상의 국민의 연서로 감사원에 감사를 청구할 수 있다. 다만, 국회ㆍ법원ㆍ헌법재판소ㆍ선거관리위원회 또는 감사원의 사무에 대하여는 국회의장ㆍ대법원장ㆍ헌법재판소장ㆍ중앙선거관리위원회 위원장 또는 감사원장(이하 "당해 기관의 장"이라 한다)에게 감사를 청구하여야 한다.

㉡ [O] 위원장과 위원의 임기는 각각 3년으로 하되 1차에 한하여 연임할 수 있다.

㉢ [O] 국민권익위원회는 국무총리 소속이며 위원장 및 부위원장은 국무총리의 제청으로 대통령이 임명한다.

㉣ [O] 국민권익위원회는 접수된 신고사항을 접수일로부터 60일 이내에 처리하여야 한다.

04

② 국민권익위원회의 위원장과 위원의 임기는 각각 3년으로 하되 1차에 한하여 연임할 수 있다.

① 국민권익위원회는 고충민원의 처리와 이에 관련된 불합리한 행정제도를 개선하고 부패의 발생을 예방하며 부패행위를 효율적으로 규제하기 위하여 설치된 국무총리 소속의 행정위원회이다.

③ 국민권익위원회의 위원은 재직 중 지방의회의원직을 겸임할 수 없다.

④ 국민권익위원회는 고충민원의 조사와 처리 및 시정권고와 의견표명과 관련된 고충처리 업무를 수행한다.

⑤ 국민권익위원회의 위원은 정당의 당원이 될 수 없다.

05

① 복합민원은 하나의 민원 목적을 실현하기 위하여 관계법령 등에 따라 여러 관계 기관 또는 관계 부서의 인가ㆍ허가ㆍ승인ㆍ추천ㆍ협의 또는 확인 등을 거쳐 처리되는 법정민원을 의미한다. 한편 5세대 이상의 공동이해와 관련되어 5명 이상이 연명으로 제출하는 민원은 다수인 관련민원에 해당한다.

② 고충민원은 행정기관등의 위법ㆍ부당하거나 소극적인 처분 및 불합리한 행정제도로 인하여 국민의 권리를 침해하거나 국민에게 불편 또는 부담을 주는 사항에 관한 민원을 의미한다.

③ 질의민원은 법령ㆍ제도ㆍ절차 등 행정업무에 관하여 행정기관의 설명이나 해석을 요구하는 민원을 의미한다.

④ 건의민원은 행정제도 및 운영의 개선을 요구하는 민원을 의미한다.

> **정답**
>
> 03 ① 04 ② 05 ①

06 시민의 행정참여로 인한 역기능으로 가장 적절하지 않은 것은?

2016 경정승진

① 잘못된 정책에 대한 책임을 시민에게 전가시키는 빌미로 활용될 수 있다.

② 행정에 참여하는 시민의 전문성 결여로 인한 의사결정의 지연과 부실의 우려가 있다.

③ 집행과정에서 시민의 정책순응과 협조를 확보할 수 없다.

④ 공동체 전체의 이익보다는 지엽적인 특수이익에 집착할 가능성이 있다.

07 옴부즈만제도에 관한 설명으로 옳은 것은?

2009 국회 8급

① 1809년 덴마크에서 처음으로 채택되어 실시된 제도로 입법부의 행정부 통제 수단으로 활용된다.

② 전형적인 내부 행정통제의 하나로 행정권의 남용이나 부당행위로 인한 국민의 권익침해를 구제한다.

③ 부당한 행정행위에 대해 시정조치를 법적으로 강제하고 취소하는 권한을 갖는 것이 원칙이다.

④ 융통성과 신속성이 높은 제도로 기존의 경직된 관료제 구조를 보완하기 위해 활용되며 국가마다 동일한 형태를 지닌다.

⑤ 국민의 고발에 의해 임무수행이 수동적으로 시작되는 것이 일반적이나 직권에 의해 조사를 하는 경우도 있다.

CHAPTER 04 행정개혁

실질적 력(역량) 업그레이드

01 우리나라의 적극행정에 대한 설명으로 가장 적절하지 않은 것은?

2021 경정승진

① 적극행정은 공무원이 불합리한 규제를 개선하는 등 공공의 이익을 위해 창의성과 전문성을 바탕으로 적극적으로 업무를 처리하는 행위를 말한다.

② 적극행정은 행정적 재량권을 가진 관료들을 전제로 논의되는 개념이다.

③ 감사기관은 사전컨설팅을 통해 감사대상기관의 적극행정을 지원할 수 있다.

④ 공무원과 대상 업무 사이에 사적 이해관계가 있더라도 사전컨설팅에서 제시된 의견대로 적극행정을 추진한 경우 징계 등에 대한 면책을 받는다.

06

정답 : ③

③ 시민의 행정참여의 역기능에 해당되지 않으며, 집행과정에서 시민의 정책순응과 협조를 확보할 수 있다.

① 정부가 잘못된 정책에 대한 책임을 시민에게 전가시키는 빌미가 될 수 있다.

② 시민들은 전문지식과 경험의 부족으로 행정의 전문성이나 실현가능성이 저하될 우려가 있다.

④ 조직화된 활동적 소수의 폐단으로 인하여 특수이익만 반영될 뿐 조직화되지 않은 일반시민이나 잠재집단의 이익대변이 곤란하다.

포인트 정리

주민참여(행정참여)의 장단점

장점	• 대의민주주의 미비점 보완 • 정책의 정당성과 대응성 도모 • 정책의 신뢰성 향상 • 정책의 현실성 및 실질성을 높임 • 시민에 대한 행정책임 확보
단점	• 행정의 전문성 저하우려 • 특수이익만 반영 • 시민에게 책임 전가 • 행정의 능률성 저해

07

정답 : ⑤

⑤ 옴부즈만은 국민의 고발에 의해 임무수행이 수동적으로 시작되는 것이 일반적이나 직권에 의해 조사를 하는 경우도 있다.

① 1809년 스웨덴에서 처음으로 채택되어 실시된 제도이다.

② 일반적으로 전형적인 외부 행정통제의 하나이다.

③ 부당한 행정행위를 무효·취소하는 권한을 갖지는 않는다.

④ 융통성과 신속성이 높은 제도로 기존의 경직된 관료제 구조를 보완하기 위해 활용되며 국가마다 형태가 동일하지는 않다.

01

정답 : ④

④ 감사원이나 자체감사기구에 사전컨설팅을 신청하여 사전컨설팅 의견대로 업무를 처리한 경우에는 특별한 사유가 없는 한 적극행정 면책기준을 충족한 것으로 추정한다. 다만 공무원과 대상 업무 사이에 사적 이해관계가 존재하는 경우에는 면책 기준을 충족한 것으로 보지 않는다.

① 적극행정은 공무원이 불합리한 규제를 개선하는 등 공공의 이익을 위해 창의성과 전문성을 바탕으로 적극적으로 업무를 처리하는 행위를 의미한다.

② 적극행정은 행정적 재량권을 가진 관료들을 대상으로 한다.

③ 사전컨설팅제도는 제도나 규정이 불분명하거나 선례가 없어 행정처리가 지연되는 경우 감사기관이 컨설팅을 해주고 그에 따라 업무를 처리하면 책임을 면제해 주는 제도이다.

정답

06 ③ 07 ⑤ 01 ④

02 행정개혁 저항에 대한 사회적·규범적 극복방안으로 옳은 것을 모두 고른 것은?

2019 행정사

ㄱ. 교육훈련	ㄴ. 임용상 불이익 방지
ㄷ. 경제적 보상	ㄹ. 긴장조성
ㅁ. 의사소통과 참여 촉진	

① ㄱ, ㄹ   　　　　　　② ㄱ, ㅁ
③ ㄴ, ㄷ   　　　　　　④ ㄴ, ㄹ
⑤ ㄷ, ㅁ

03 행정개혁에 대한 저항을 극복하는 방법에 대한 설명으로 가장 적절하지 않은 것은?

2018 경정승진

① 강제적 방법은 저항을 근본적으로 해결하기보다는 단기적으로 또는 피상적으로 해결하는 방법으로써, 장래에 더 큰 저항을 야기할 위험이 있다.

② 공리적·기술적 방법에는 개혁의 시기조절, 경제적 손실에 대한 보상, 개혁 지도자의 신망 또는 카리스마 개선 등이 있다.

③ 규범적·사회적 방법에는 의사소통과 참여의 원활화, 사명감 고취와 자존적 욕구의 충족, 불만해소 기회 제공 등이 있다.

④ 저항을 가장 근본적으로 해결하는 방법은 규범적·사회적 방법이다.

04 행정개혁을 추진하는 접근방법 중 구조적 접근법에 관한 설명으로 가장 적절하지 않은 것은?

2016 경정승진

① 원리전략과 분권화전략으로 세분할 수 있다.

② 최적의 구조가 업무의 최적수행을 가져온다는 가장 고전적인 전략이다.

③ 기능 중복의 제거, 책임의 재규정, 조정 및 통제절차의 개선 등은 분권화 전략에 해당한다.

④ 조직내부구조 개선에는 유리하지만 환경과의 관계, 조직 내 인간관계, 조직의 동태적 측면을 소홀히 한다는 평가가 있다.

02

② ㄱ, ㅁ이 사회적·규범적 극복방안에 해당한다.

ㄱ, ㅁ. [O] 교육훈련, 의사소통과 참여 촉진은 사회적·규범적 극복방안이다.

ㄴ, ㄷ. [X] 임용상 불이익 방지, 경제적 보상은 공리적·기술적 전략이다.

ㄹ. [X] 긴장조성은 강제적·물리적 전략이다.

포인트 정리

저항의 극복방안

규범적·사회적 전략	• 참여의 확대 • 의사소통의 촉진 • 카리스마나 상징의 활용 • 충분한 시간 부여
공리적·기술적 전략	• 개혁의 점진적 추진 • 적절한 범위와 시기의 선택 • 개혁방법·기술의 수정 • 적절한 인사배치 • 손실의 최소화와 보상의 명확화
강제적·물리적 전략	• 의식적인 긴장 조성 • 물리적 제재나 압력 사용 • 상급자의 권력행사

03

정답 : ②

② 공리적·기술적 방법에는 개혁의 시기조절, 경제적 손실에 대한 보상이 해당한다. 한편 개혁지도자의 신망 또는 카리스마 개선은 규범적·사회적 방법에 해당한다.

행정개혁 접근방법

구조적 접근	• 조직의 구조적 설계 개선 • 분권화의 확대, 통솔범위의 조정, 의사전달체계의 수정, 명령계통의 효율화 등
기술적 접근	• 기술적 쇄신을 통하여 조직 내 운영과정이나 일의 흐름을 개선 • 새로운 장비의 도입, 계량화 기법(관리과학, 전산화 등) 활용
행태적 접근	• 구성원에게 초점을 두고 인간 행태의 변혁을 추구(OD) • 감수성훈련, 태도조사, MBO 등
통합적 접근	통합적·총체적 개선(구조, 기술, 행태)

04

정답 : ③

③ 기능 중복의 제거, 책임의 재규정, 조정 및 통제절차의 개선 등은 원리전략에 해당하며, 분권화전략은 구조의 분권화에 의해 조직을 개선하려는 것이다.

① 구조적 접근법의 특징은 원리전략과 분권화 전략으로 구분할 수 있다.

② 공식적·합리적 조직관에 바탕을 두는 전통적인 접근법으로, 조직의 구조적 설계를 개선함으로써 행정개혁의 목적을 달성하는 접근방법이다.

④ 조직 구조설계의 변화가 기능 개선과 운영의 효율성을 제고할 것으로 보며, 조직의 내부구조 개선에는 유리하지만 조직과 환경과의 관계, 조직 내의 인간관계, 조직의 동태적 성격 등을 소홀히 한다는 평가가 있다.

행정개혁의 접근방법에 대한 설명으로 옳지 않은 것은?

① 사업(산출)중심적 접근방법은 행정활동의 목표를 개선하고 서비스의 양과 질을 개선하려는 접근방법으로 분권화의 확대, 권한 재조정, 명령계통 수정 등에 관심을 갖는다.

② 과정적 접근방법은 행정체제의 과정 또는 일의 흐름을 개선하려는 접근방법이다.

③ 행태적 접근방법의 하나인 조직발전(OD: Organizational Development)은 의식적인 개입을 통해서 조직 전체의 임무수행을 효율화하려는 계획적이고 지속적인 개혁활동이다.

④ 문화론적 접근방법은 행정문화를 개혁함으로써 행정체제의 보다 근본적이고 장기적인 개혁을 성취하려는 접근방법이다.

---

06 **행정개혁의 추진전략과 성패와 관련하여 보다 저항이 약하고 성공가능성이 높은 전략끼리 모여 있는 것은?**

① 포괄적·급진적 개혁, 외부주도형 개혁, 명령적·하향적 개혁

② 포괄적·급진적 개혁, 내부주도형 개혁, 참여적·상향적 개혁

③ 부분적·점진적 개혁, 내부주도형 개혁, 명령적·하향적 개혁

④ 부분적·점진적 개혁, 내부주도형 개혁, 참여적·상향적 개혁

---

07 **정부혁신의 일반적 특징으로 옳지 않은 것은?**

① 행정을 인위적·의식적·계획적으로 변화시키려는 것이므로, 개혁 주도자들에 의해 계획적이고 전략적으로 추진되어야 한다.

② 조직관리의 기술적인 속성과 함께 권력투쟁, 타협, 설득이 병행되는 정치적·사회심리적 과정으로, 행정 내부에서만 이루어지는 것이 아니라 행정 외부의 정치세력들과 상호 연결되어 있다.

③ 반드시 의도한 결과만을 초래하는 것이 아니라 의도하지 않는 결과를 초래할 수도 있으며, 부작용과 저항, 나아가 개혁의 실패까지도 나타날 수 있다.

④ 생태적 속성을 지닌 비연속적 과정으로, 새로운 개혁 조치들이 개혁집단에 의해 주도되어 집행되는 제도로서 정착되기 위해서는 단기 집약적인 노력이 필요하다.

05

정답 : ①

① 분권화의 확대, 권한 재조정, 명령계통 수정 등에 관심을 갖는 접근방법은 구조적 접근방법에 해당한다. 구조적 접근방법은 공식적·합리적 조직관에 바탕을 두는 전통적 접근법으로, 조직의 구조적 설계를 개선함으로써 행정개혁의 목적을 달성하는 접근방법이다.

② 과정적 접근방법은 기술적 쇄신을 통하여 조직 내 운영과정이나 일의 흐름을 개선하려는 접근방법을 말한다.

③ 행태적 접근방법은 구성원에게 초점을 두고 인간행태의 변화를 추구하는 접근방법이다.

④ 문화론적 접근방법은 행정문화를 개혁함으로써 장기적인 개혁을 성취하려는 접근방법이다.

06

정답 : ④

④ 부분적·점진적 개혁, 내부주도형 개혁, 참여적·상향적 개혁이 전면적·급진적 개혁, 외부주도형 개혁, 명령적·하향적 개혁보다 저항이 약하고 성공가능성도 높다.

07

정답 : ④

④ 행정개혁은 단속적·일시적 변화노력이 아니라 연속적·지속적인 변화노력이므로 개혁의 결과에 대한 평가와 환류 등 변화의 정착을 위한 지속적인 노력이 필요하다.

① 행정개혁은 인위적·계획적·동태적·의도적·지속적인 과정이다.

② 개혁은 정치적 상황이나 정치적 지지에 의존한다.

③ 개혁은 저항 및 부작용을 수반하므로 저항 극복에 대한 전략이 필요하다.

포인트 정리

행정개혁의 추진전략과 성패

저항이 약하고 성공 가능성이 높은 전략	저항이 강하고 성공 가능성이 낮은 전략
부분적·점진적 개혁	포괄적·급진적 개혁
내부주도형 개혁	외부주도형 개혁
참여적·상향적 개혁	명령적·하향적 개혁

정답

05 ① 06 ④ 07 ④

08 다음 중 행정개혁의 특징으로 옳게 짝지어진 것은?

2006 대구 9급

> 가. 이는 행정을 인위적, 의식적, 계획적으로 변화시키는 것이다.
> 나. 이는 매우 역동적이고 의식적인 과정이다.
> 다. 권력투쟁, 타협, 설득이 병행되는 정치적, 사회심리적 과정이다.
> 라. 특성상 계속적인 과정이라기보다는 단시간에 결과를 보는 일시적 과정이다.

① 가, 나, 다, 라　　　　　　　　　② 가, 나, 다
③ 가, 다, 라　　　　　　　　　　　④ 나, 다, 라

09 행정서비스헌장에 대한 설명으로 가장 적절한 것은?

2006 대전 9급

① 공공서비스 공급의 경쟁화를 통한 서비스 질 향상을 목적으로 한다.
② 공공서비스의 내용, 수준, 제공방법, 불이행시 조치와 보상을 명문화하고 있다.
③ 정보통신기술을 활용한 고객지향적 서비스 제공방법의 하나이다.
④ 국민의 행정서비스 이용 시간대를 확대하고자 하는 노력이다.
⑤ 책임운영기관에서 주로 작성되고 있다.

CHAPTER 05 OECD 국가 및 한국의 행정개혁

실질적 력(역량) 업그레이드

01 미국의 행정개혁과 관련하여 (　　) 안에 들어갈 것으로 알맞은 것은?

2015 행정사

> (　　)에서 제안한 정부재창조의 기본원칙은 관료적 문서주의(red tape) 제거, 고객우선주의, 성과산출을 위한 권한 위임, 기본원칙으로의 복귀 등이다.

① 시장성 테스트(Market Testing)
② 넥스트 스텝(Next Step)
③ 국정성과팀(Nation Performance Review)
④ 클리블랜드위원회(Cleveland Committee)
⑤ 브라운로위원회(Brownlow commission)

08

② 가, 나, 다가 옳다.

가, 나. [O] 행정체제를 현 상태에서 그보다 나은 상태로 변동시키는 인위적, 계획적, 동태적, 의도적, 지속적인 과정이다.

다. [O] 아울러 행정개혁은 여러 세력들 간의 권력투쟁, 타협, 설득이 병행되는 정치적, 사회심리적 과정이다.

라. [X] 행정개혁은 단시간에 결과를 보려는 일시적, 단발적 변화노력이 아니라 그 변화의 효과가 정착되어야 하는 다발적이고 지속적인 변화노력이다.

09

② 행정서비스헌장이란 정부로부터 제공받을 서비스수준을 국민에게 약속하고 불이행시 시정과 보상조치를 명문화하는 일종의 행정서비스 약정제도이다.

① 공급의 경쟁화가 아니라 서비스의 표준화를 통한 서비스 질 향상을 목적으로 한다.

③ 정보통신기술의 활용과 관련없다.

④ 행정서비스 이용 시간대 확대는 Non-stop 행정서비스와 관련된다.

⑤ 책임운영기관 등에 대표적으로 적용될 수 있지만 책임운영기관에서만 작성되는 것은 아니며, 순수 공공재를 공급하는 일반행정기관에서도 작성되고 있다.

01

③ 미국 클린턴 행정부 때 설치된 국정성과평가위원회(NPR)에서 제안한 행정개혁백서의 내용이다.

①, ② 시장성 테스트와 넥스트 스텝은 영국의 행정개혁에 해당한다.

④ 클리블랜드위원회(Cleveland Committee)는 능률과 절약에 관한 대통령위원회로 행정부 예산편성제도 강조, 예산회계법 제정, 직위분류제법 제정 등을 건의하였다.

⑤ 브라운로위원회(Brownlow commission)는 대통령의 권한을 강화하는 방편으로 막료를 대통령 직속으로 할 것을 건의·채택한 것이다.

포인트 정리

행정서비스헌장제도 7대 원칙

- 고객중심일 것
- 서비스의 내용이 구체적이고 명확할 것
- 가장 높은 수준의 서비스를 제공할 것
- 비용과 편익이 합리적으로 고려된 서비스 기준을 설정할 것
- 관련 정보와 자료를 쉽고 신속하게 얻을 수 있을 것
- 시정 및 보상조치를 명확히 할 것
- 고객의 여론을 수렴하여 서비스의 개선에 반영할 것

정답

08 ② 09 ② 01 ③

02 1980년대~1990년대에 주요 국가들에서 진행된 행정개혁에 대한 설명 중 가장 적절한 것은? 2005 국가 9급

① 1980년대~1990년대에 영국과 뉴질랜드에서는 정부의 기능을 정책기능과 집행기능을 분리하여 정책기능을 담당하는 기관을 책임운영기관으로 전환해 왔다.

② 신공공관리론에 근거해서 추진된 행정개혁들은 정부기능의 대표적인 원리로서 기업가적 정부, 촉매적 정부를 강조하였다.

③ 신공공관리론에 근거하여 행정개혁을 진행한 국가들의 행정개혁 추진 기구에는 공통적으로 정부, 시민단체, 의회, 민간기업 등 다양한 국가 구성원들의 적극적 참여가 활발히 이루어졌다.

④ 1990년대 미국은 NPR(National Performance Review)을 중심으로 하여 행정개혁을 추진함에 있어서 산출과 성과중심의 행정보다는 투입의 최소화와 절차상의 합법성을 강조하였다.

CHAPTER 06 정보화 실질적 력(역량) 업그레이드

01 4차 산업혁명에 대한 설명으로 가장 옳지 않은 것은? 2019 서울 7급(2월)

① 산업과 산업 간의 초연결성을 바탕으로 초지능성을 창출한다.

② 3차 산업혁명의 연장선상이며 근본적인 특성을 공유하고 있다.

③ 사이버 물리 시스템(cyber-physical system) 혁명이라고 할 수 있다.

④ IoT, 인공지능, 빅데이터 등의 신기술을 기존 제조업과 융합해 생산능력과 효율을 극대화시킨다.

02 다음 글의 (ㄱ)에 해당하는 것은? 2019 국회 8급

> (ㄱ)은(는) 정부업무, 업무수행에 필요한 데이터, 업무를 지원하는 응용서비스 요소, 데이터와 응용시스템의 실행에 필요한 정보기술, 보안 등의 관계를 구조적으로 연계한 체계로서 정보자원관리의 핵심수단이다. (ㄱ)은(는) 정부의 정보시스템 간의 상호운용성 강화, 정보자원 중복투자 방지, 정보화 예산의 투자효율성 제고 등에 기여한다.

① 블록체인 네트워크   ② 정보기술아키텍처

③ 제3의 플랫폼   ④ 클라우드-클라이언트 아키텍처

⑤ 스마트워크센터

02

② 신공공관리론에 바탕을 둔 선진국의 정부혁신에 대한 설명이다.

① 책임운영기관은 정책기능이 아니라 집행기능을 담당하는 기관이다.

③ 신공공관리론이 아닌 뉴거버넌스를 설명하는 지문이다.

④ 투입이나 절차보다는 산출과 성과중심의 행정을 강조하였다.

01

정답 : ②

② 4차 산업혁명은 3차 산업혁명의 연장선이 아닌 공공정보를 이용하여 민관이 함께 개발하는 플랫폼 정부를 지향하는 것이다.

① 기존의 3.0과는 전혀 다른 새로운 패러다임으로 초연결성, 초지능성, 초융합성 등을 특징으로 한다.

③ 4차 산업혁명은 사이버 물리 시스템 혁명이라고도 한다.

④ 4차 산업혁명은 IoT(사물인터넷), 인공지능, 빅데이터 등의 신기술을 기존의 다른 사업과 융합하여 생산능력과 효율을 극대화시키는 정부 4.0을 의미한다.

02

정답 : ②

② 제시문은 정보기술아키텍처에 대한 설명이다. 정보기술아키텍처는 일정한 기준과 절차에 따라 조직 전체의 구성요소들을 통합적으로 분석한 뒤 이들 간의 관계를 구조적으로 정리한 체제 또는 이를 바탕으로 정보시스템을 효율적으로 구성하기 위한 방법을 의미한다. 이는 조직의 비전, 전략, 업무 및 정보기술 간 관계에 대한 현재의 상태와 미래의 목표를 문서화한 것이라고 할 수 있다.

> **전자정부법 제2조(정의)** 이 법에서 사용하는 용어의 뜻은 다음과 같다.
> 12. "정보기술아키텍처"란 일정한 기준과 절차에 따라 업무, 응용, 데이터, 기술, 보안 등 조직 전체의 구성요소들을 통합적으로 분석한 뒤 이들 간의 관계를 구조적으로 정리한 체제 및 이를 바탕으로 정보화 등을 통하여 구성요소들을 최적화하기 위한 방법을 말한다.

① 블록체인 네트워크는 블록에 데이터를 담아 체인 형태로 연결하고 이를 복제하여 저장하는 분산형 데이터 저장기술을 의미한다.

③ 제3의 플랫폼이란 모바일, 소셜, 클라우드 및 빅데이터를 토대로 한 차세대 IT 환경을 의미하는 것으로 기존의 서버나 스토리지 등 ICT 산업을 기반으로 하는 제2세대 플랫폼과 대비되는 개념이다.

④ 클라우드–클라이언트 아키텍처는 인터넷상에 자료를 저장해 두고 사용자가 필요한 자료나 프로그램을 자신의 컴퓨터에 설치하지 않고도 인터넷 접속을 통해 언제 어디서나 이용할 수 있는 서비스로, 사용자들은 데스크톱, 랩톱, 태블릿, 스마트폰 및 홈 오토메이션 가젯 등의 이더넷 장치와 같이 네트워크화된 클라이언트 장치를 이용하여 클라우드 컴퓨팅에 접근하는 것을 의미한다.

⑤ 스마트워크센터는 이용자가 원격근무용 업무에 필요한 IT 인프라 및 정보통신기기를 갖춘 업무환경에서 시간과 장소의 제약없이 업무를 수행하는 유연근무시스템을 의미한다.

🅠 포인트 정리

3차 산업혁명 vs 4차 산업혁명

구분	3차 산업혁명	4차 산업혁명
정부 형태	정부 1.0~3.0	정부 4.0
혁신 기제	지식 · 정보	초연결성 · 초지능성 · 초예측성
특징	• 온라인 혁명 • 컴퓨터, 인터넷	• O2O(online 2 offline), CPS(사이버물리시스템) • 빅데이터, 인공지능(AI), 사물인터넷(IoT), 블록체인, 지능형 모바일, 융합현실, 5G 통신, 3D 프린팅 등

정답

02 ② 01 ② 02 ②

03 정보격차에 대한 설명으로 옳지 않은 것은?

2017 국가 9급(추)(수정)

① 경제협력개발기구(OECD)는 정보 격차를 '개인, 가정, 기업 및 지역들 간에 상이한 사회·경제적 여건에서 비롯된 정보통신기술에 대한 접근 기회와 다양한 활동을 위한 인터넷 이용에서의 차이'로 정의했다.

② '정보화마을'은 우리나라에서 도농 간 정보 격차 해소를 위해 시행한 지역정보화정책의 사례이다.

③ 「지능정보화 기본법」은 국가기관과 지방자치단체뿐 아니라 민간기업에 대해서도 정보격차 해소 시책을 마련할 의무를 규정하고 있다.

④ 「장애인차별금지 및 권리구제 등에 관한 법률」은 정보통신·의사소통 등에서의 정당한 편의제공의무에 관한 규정을 두고 있다.

04 행정정보화에 관한 설명으로 옳지 않은 것은?

2012 국회 8급

① 정보통신기술을 행정과정에 도입하여 내부적인 행정업무 프로세스 개선을 꾀한다.

② 대국민 행정서비스의 질적 향상을 통해 행정의 대응성을 높이고 국민의 서비스 만족도를 향상시킨다.

③ 적절한 리더십을 활용하면 행정업무 처리프로세스와 행정조직을 근본적으로 재구성하여 행정 혁신을 이룰 수 있다.

④ 정보통신기술을 활용하여 작지만 효율적인 정부를 이루고 클라우드(cloud) 컴퓨팅을 통해 효율적인 중앙집권적 시스템을 구축할 수 있다.

⑤ 시민들에게 행정정보를 용이하게 제공할 수 있어 개방성을 높일 수 있다.

05 지식정보사회를 반영하는 새로운 조직형태를 설명한 것 중 옳지 않은 것은?

2008 국가 9급

① 후기기업가조직(post-entrepreneurial organization)은 신속한 행동, 창의적 탐색, 더 많은 신축성, 직원과 고객과의 밀접한 관계 등을 강조하는 조직형태이다.

② 삼엽조직(shamrock organization)은 소규모 전문직 근로자들, 계약직 근로자들, 신축적인 근로자들로 구성된 조직형태이다.

③ 혼돈조직(chaos organization)은 혼돈이론, 비선형동학, 복잡성이론 등을 적용한 조직형태이다.

④ 공동화조직(hollowing organization)은 조정, 기획 등의 기능을 제3자에게 위임 또는 위탁하여 업무를 축소한 조직형태이다.

03

정답 : ③

③ 「지능정보화 기본법」에 따르면 정보격차 해소 시책을 마련하여야 하는 주체는 국가기관과 지방자치단체이다. 민간기업은 해당하지 않는다.

> **지능정보화 기본법 제45조(정보격차 해소 시책의 마련)** 국가기관과 지방자치단체는 모든 국민이 지능정보서비스에 원활하게 접근하고 이를 유익하게 활용할 기본적 권리를 누구나 격차 없이 실질적으로 누릴 수 있도록 필요한 시책을 마련하여야 한다.

① OECD는 정보격차를 개인, 가정, 기업 및 지역들 간에 상이한 사회·경제적 여건에서 비롯된 정보통신기술에 대한 접근 기회와 다양한 활동을 위한 인터넷 이용에서의 차이로 정의하였다.
② 정보화마을은 2001년부터 행정안전부가 도·농간 정보 격차 해소를 위해 추진해 온 제도이다.
④ 장애인차별금지 및 권리구제 등에 관한 법률에는 정보통신·의사소통 등에서의 정당한 편의제공의무에 관한 규정을 두고 있다.

04

정답 : ④

④ 클라우드 컴퓨팅이란 인터넷을 통해 IT자원을 서비스형태로 제공 받는 방식으로, 이를 통해 기존의 중앙집권적인 행정시스템을 분권화시킬 수 있다.
① 정보통신기술의 도입은 행정업무 프로세스를 개선함으로써 대내적으로 조직의 효율성을 높인다.
② 대외적으로는 국민에 대한 대응성과 민주성을 높인다.
③ 지식정보화사회에서는 상호연계적 리더십, 공유된 비전과 학습의지, 최고관리자의 지원과 관심 등이 필요하다(Tapscott).
⑤ 컴퓨터와 원격통신기술의 발달로 전자 정보공개제도를 활성화시킨다.

05

정답 : ④

④ 공동화 조직(네트워크 조직)은 전략·계획·통제 등 핵심기능 위주로 합리화하고 다른 기능은 아웃소싱을 통하여 다른 조직의 자원을 저렴한 비용으로 활용하는 '분권화된 공동조직'으로 업무를 축소하고 조직을 간소화시킨 조직형태이다.
① 후기 기업가 조직은 경직적인 구조와 절차에 얽매이지 않고 보다 유연한 신축적 관리를 하는 조직으로서 핵심적 역량에의 집중, 신속한 행동, 보다 창의적인 탐색, 보다 많은 신축성, 직원과 고객과의 밀접한 관계 등을 강조한다.
② 삼엽조직은 3가지 근로자집단(소규모 전문직 근로자·계약직 근로자·신축적인 근로자)로 구성되어 있는 조직으로서 계층 수와 직접적인 직원 수가 적으면서도 산출을 극대화하는 조직으로 이 중 전문직 근로자는 조직의 신경중추역할을 하는 두뇌와 같이 중요한 집단으로서 수평적 관계가 지배적이며 역할과 업적에 따라 보상을 받는다.
③ 혼돈조직은 카오스이론, 복잡성이론, 비선형동학 등을 적용한 조직형태로, 무질서, 불안정, 혼란, 변동원리를 조직 분석에 응용하는 조직모형이라고 할 수 있다.

> **정답**
> 03 ③ 04 ④ 05 ④

01 우리나라의 전자정부에 대한 설명으로 옳지 않은 것은?

2023 국가 9급

① 정부는 '지능정보사회 종합계획'을 3년 단위로 수립하여야 한다.

② 과학기술정보통신부장관은 5년마다 행정기관등의 기관별 계획을 종합하여 '전자정부기본계획'을 수립하여야 한다.

③ 「전자정부법」상 '전자화문서'는 종이문서와 그 밖에 전자적 형태로 작성되지 아니한 문서를 정보시스템이 처리할 수 있는 형태로 변환한 문서를 말한다.

④ 중앙행정기관의 장과 지방자치단체의 장은 해당기관의 지능정보사회 시책의 효율적 수립·시행과 대통령령이 정하는 업무를 총괄하는 '지능정보화책임관'을 임명하여야 한다.

02 「전자정부법」상 전자정부에 대한 설명으로 가장 옳지 않은 것은?

2020 서울속기 9급

① 행정기관등은 전자정부의 구현을 위해 중복투자의 방지 및 상호운용성 증진 등을 우선적으로 고려하여야 한다.

② 행정기관등의 장은 5년마다 해당 기관의 전자정부의 구현·운영 및 발전을 위한 기본계획을 수립하여 중앙 사무관장기관의 장에게 제출하여야 한다.

③ 행정기관등의 장은 해당 기관의 전자정부서비스에 대한 이용실태 등을 주기적으로 조사하여야 한다.

④ 행정기관등의 장이 행정안전부장관에게 데이터 활용을 신청한 경우 행정안전부장관은 비공개대상정보라도 반드시 제공하여야 한다.

03 전자정부의 역기능에 해당하는 내용과 그 요인을 〈보기〉에서 모두 고른 것은?

2018 서울 7급

> **보기**
>
> ㄱ. 인포데믹스(infordemics)   ㄴ. 집단극화(group polarization)
> ㄷ. 선택적 정보접촉(selective exposure to information)   ㄹ. 정보격차(digital divide)

① ㄱ, ㄴ

② ㄷ, ㄹ

③ ㄱ, ㄴ, ㄹ

④ ㄱ, ㄴ, ㄷ, ㄹ

01

② 행정안전부이다.

> **전자정부법 제5조(전자정부기본계획의 수립)** ① 중앙사무관장기관의 장은 전자정부의 구현·운영 및 발전을 위하여 5년마다 제5조의2 제1항에 따른 행정기관 등의 기관별 계획을 종합하여 전자정부기본계획을 수립하여야 한다. 제2조(정의) 이 법에서 사용하는 용어의 뜻은 다음과 같다. 4. "중앙사무관장기관"이란 국회 소속 기관에 대하여는 국회사무처, 법원 소속 기관에 대하여는 법원행정처, 헌법재판소 소속 기관에 대하여는 헌법재판소사무처, 중앙선거관리위원회 소속 기관에 대하여는 중앙선거관리위원회사무처, 중앙행정기관 및 그 소속 기관과 지방자치단체에 대하여는 행정안전부를 말한다.

① 지능정보화 기본법 제6조
③ 전자정부법 제2조 제8호
④ 지능정보화 기본법 제8조

02

④ 행정안전장관은 신청한 행정정보가 비밀 또는 비공개 사항으로 규정된 경우에는 이를 제공하여서는 아니 된다.

① 행정기관등은 전자정부의 구현·운영 및 발전을 위해 중복투자의 방지 및 상호운용성 증진 등을 우선적으로 고려하여야 한다.

② 행정기관등의 장은 5년마다 해당 기관의 기관별 계획을 수립하여 중앙 사무관장기관의 장에게 제출하여야 한다.

③ 행정기관등의 장은 전자정부서비스에 대한 이용실태 등을 주기적으로 조사하여야 한다.

03

④ ㄱ, ㄴ, ㄷ, ㄹ 모두 전자정부 역기능에 해당한다.

ㄱ. [O] 인포데믹스는 정보의 무차별 확산으로 인한 사생활침해 등의 부작용을 의미하는 것으로 전자정부의 역기능이라고 볼 수 있다.

ㄴ. [O] 집단극화는 집단의 의사결정이 개인의 의사결정보다 더 극단적인 방향으로 이행하는 현상으로 정치적 극단주의자들에 의해 네티즌들이 쉽게 동원 및 조직됨으로써 집단극화가 높아진다.

ㄷ. [O] 선택적 정보접촉은 정보의 범람 속에 유리한 정보만을 선별적으로 취하는 행태를 말한다.

ㄹ. [O] 정보격차는 인터넷을 이용하는 사람과 그렇지 않은 사람들 간에 정보접근능력의 차이로 인해 발생되는 혜택의 격차이다.

포인트 정리

> **전자정부법 제4조(전자정부의 원칙)** ① 행정기관등은 전자정부의 구현·운영 및 발전을 추진할 때 다음 각 호의 사항을 우선적으로 고려하고 이에 필요한 대책을 마련하여야 한다.
> 1. 대민서비스의 전자화 및 국민편익의 증진
> 2. 행정업무의 혁신 및 생산성·효율성의 향상
> 3. 정보시스템의 안전성·신뢰성의 확보
> 4. 개인정보 및 사생활의 보호
> 5. 행정정보의 공개 및 공동이용의 확대
> 6. 중복투자의 방지 및 상호운용성 증진

정답

01 ② 02 ④ 03 ④

04 우리나라의 공공부문 빅데이터 정책에 대한 설명으로 옳지 않은 것은? 2017 국가 7급(추)

① 과거 국가정보화전략위원회에서는 공공부문의 빅데이터 활용 시나리오를 제시하였다.

② 빅데이터의 유통 활성화를 위해서는 데이터 보안, 암호화, 비식별화 등 개인정보보호를 위한 기술 개발이 중요하다.

③ 우리나라는 현재 빅데이터 활성화를 목표로 한 기본법이 시행되고 있지만 아직 지방자치단체의 조례는 제정되지 않았다.

④ 반정형화된 데이터나 비정형 데이터에 이르기까지 활용하는 데이터의 수준이나 폭이 확대되고 있다.

05 정보통신기술을 활용한 행정개선 사례로 옳지 않은 것은? 2017 국가 7급

① 정부서울청사 등에 스마트워크센터를 설치하여 운영하고 있다.

② 민원서비스를 통합적으로 제공하는 '민원24'를 도입하였다.

③ 정부에 대한 불편사항 제기, 국민제안, 부패 및 공익 신고 등을 위해 '국민신문고'를 도입하였다.

④ 공공기관의 공사, 용역, 물품 등의 발주정보를 공개하고 조달절차를 인터넷으로 처리하도록 '온나라시스템'을 도입하였다.

06 전자민주주의 혹은 전자정부의 부정적 효과와 연관된 개념을 〈보기〉에서 모두 고르면? 2015 국회 9급

> **보기**
>
> ㄱ. 모자이크 민주주의(mosaic democracy)   ㄴ. 전자 파놉티콘(electronic panopticon)
> ㄷ. 정보격차(digital divide)   ㄹ. 프라이버시(privacy)

① ㄱ, ㄴ, ㄷ

② ㄱ, ㄴ, ㄹ

③ ㄱ, ㄷ, ㄹ

④ ㄴ, ㄷ, ㄹ

⑤ ㄱ, ㄴ, ㄷ, ㄹ

04

정답 : ③

③ 우리나라는 현재 빅데이터 활성화를 목표로 한 기본법으로 「공공데이터의 제공 및 이용 활성화에 관한 법률」이 시행되고 있으며 지방자치단체에서도 조례를 제정·시행하고 있다.

① 2011년 국가정보화전략위원회에서는 빅데이터를 활용한 스마트정부구현안을 제시하였다.

② 빅데이터의 유통 활성화를 위해서는 개인정보보호가 중요하며, 이를 위해서는 데이터 보안, 암호화, 비식별화 등의 기술 개발이 중요하다.

④ 빅데이터는 반정형화된 데이터뿐 아니라 비정형 데이터에 이르기까지 데이터의 수준이나 폭이 점점 확대되고 있다.

05

정답 : ④

④ 공공기관의 공사, 용역, 물품 등의 발주정보를 공개하고 조달절차를 인터넷으로 처리하도록 '나라장터(국가종합전자조달시스템)'을 도입하였다. 한편 온나라시스템은 정부 부처, 정부 산하기관, 지방자치단체 공무원 등이 사용하는 업무처리 전산화 시스템이다.

① 스마트워크는 영상회의 등 정보통신기술을 이용해 시간과 장소의 제약 없이 업무를 수행하는 유연한 근무형태이다.

② 민원24는 정부와 국민 간 업무의 전자적 처리를 의미하는 것으로 민원서비스를 통합적으로 제공한다.

③ 국민신문고는 정부에 대한 불편사항을 제기하거나 국민제안, 부패 및 공익 신고 등을 위해 도입된 것으로 정부 서비스의 전자적 처리를 의미한다.

06

정답 : ④

④ ㄴ, ㄷ, ㄹ이 전자정부의 부정적 효과이고 ㄱ은 긍정적 효과이다.

ㄴ. [O] 전자 파놉티콘은 전자 기기를 이용한 감시 체계를 가리키는 말로써 감시가 강화되는 부정적 효과를 갖는다.

ㄷ. [O] 정보격차는 정보화사회에서 중심적인 정보자원의 이용과 점유기회의 차이에서 발생하는 성, 세대, 계층, 지역 간 불평등을 의미한다.

ㄹ. [O] 개인정보에 관한 정부의 데이터베이스가 개인에 대한 감시 도구로 사용될 수 있으며, 정보오용에 따른 프라이버시를 침해할 수 있다.

ㄱ. [X] 모자이크 민주주의는 다수결에 기반을 둔 대중민주주의가 아닌 소수세력의 다양성과 조화로움을 추구하는 전자민주주의와도 상통하는 개념으로 전자정부의 긍정적 효과에 해당한다.

포인트 정리

우리나라 전자정부 형태

유형		특징
G2B	정부와 기업 간	• 정부와 기업 간 업무 처리의 효율성 향상, 정보시스템 활용 • 나라장터, 전자통관시스템(UNI-PASS)
G2C, G4C	대국민 서비스	• 행정능률 향상(정부기관 간 정보공유 및 문서의 전자적 유통 등) • 온나라 시스템
G2G	정부 기관 간	• 언제, 어디서나, 원하는 서비스를 한번에 받을 수 있는 행정실현 추구 • 민원 24, 국민신문고

전자정부(행정정보화) 역기능

인포데믹스	정보의 무차별 확산으로 인한 사생활침해 등의 부작용을 의미
집단 극화	• 집단의 의사결정이 개인의 의사결정보다 더 극단적인 방향으로 이행하는 현상 • 정치적 극단주의자들에 의해 네티즌들이 쉽게 동원 및 조직됨으로써 집단극화가 높아짐
전자 파놉티콘	전자 기기를 이용한 감시 체계로, 감시가 더욱 강화될 수 있음
선택적 정보 접촉	정보의 범람 속에 유리한 정보만을 선별적으로 취하는 행태
정보 격차	정보화 사회에서 중심적인 정보자원의 이용과 점유기회의 차이에서 발생하는 성, 세대, 계층, 지역 간 불평등

정답

04 ③ 05 ④ 06 ④

행정통제·개혁론

PART 6

해커스공무원 마니행정학 기출 빅데이터 실전편

07 행정정보의 효율적 운영을 위하여 등장한 유비쿼터스(ubiquitous)시스템에 관한 설명으로 옳지 않은 것은?

2012 국회 8급

① 기존의 정보통신기술인 인터넷기반 전자정부가 지닌 한계를 극복하고 정부서비스에 무한한 기회를 창출할 수 있게 하는 새로운 전자정부기술 패러다임이다.

② 유비쿼터스 컴퓨팅은 인간을 복잡하고 불편한 컴퓨터작업으로부터 해방시키고 인간의 존엄성을 회복시킨다는 비전을 가지고 있다.

③ 데스크탑에 기반한 인터넷시대의 표준화를 뛰어넘는 개념으로서 인간과 인간, 인간과 컴퓨터 그리고 컴퓨터와 컴퓨터가 완전히 통합되는 기반환경의 조성을 가능하게 한다.

④ 유비쿼터스 시스템은 언제, 어디서나 정보를 활용 가능하도록 지원함으로써 지식재산행정의 혁신 기반을 마련하였다.

⑤ 국내에서는 1996년 「전자정부 구현을 위한 행정업무 등의 전자화촉진에 관한 법률」에서 유비쿼터스를 처음 언급하였으며 초고속 통신망의 개발과 보급을 위주로 하는 전자정부의 핵심내용을 담았다.

08 전자정부의 구현으로 기대할 수 있는 장점이 아닌 것은?

2012 경찰간부

① 행정서비스의 효과적 공급 및 민원인의 비용절감

② 국민 참여 증진을 통한 민주주의의 발전

③ 대고객 관계의 인간화 촉진

④ 행정의 생산성 향상

09 전자정부의 미래 모습을 나타내는 요인들을 모두 고르면?

2009 국가 9급

ㄱ. Zero-Stop 서비스	ㄴ. 전자정부 대표 포털
ㄷ. 접근수단의 단일화	ㄹ. 조직구조 · 프로세스 혁신
ㅁ. 부처별 · 기관별 업무처리	ㅂ. e-Governance의 구현
ㅅ. 정부중심의 전자정부	ㅇ. 백오피스와 프런트오피스 간격확대

① ㄱ, ㄴ, ㄷ, ㄹ   ② ㄱ, ㄴ, ㄹ, ㅂ

③ ㄴ, ㄹ, ㅂ, ㅅ   ④ ㄴ, ㄹ, ㅂ, ㅇ

07

⑤ 국내에서는 2001년 제정된 「전자정부 구현을 위한 행정업무 등의 전자화촉진에 관한 법률」에서 온라인을 기반으로 하는 초기 전자정부인 정부 1.0의 핵심내용을 담았다.

① 유비쿼터스는 전자정부의 발전 형태로 언제, 어디서나 중단 없는 정보서비스를 제공하여 부가가치를 제공하는 전자정부기술패러다임을 말한다.

② 유비쿼터스 컴퓨팅은 인간의 존엄성을 회복시키고 복잡하고 불편한 컴퓨터작업으로부터의 해방을 특징으로 한다.

③ 유비쿼터스는 인간과 인간, 인간과 컴퓨터, 컴퓨터와 컴퓨터가 완전히 통합되는 기반환경의 조성을 가능하게 하는 차세대 전자정부이다.

④ 유비쿼터스 시스템은 지능적인 업무수행과 실시간성 및 지능성을 특징으로 하여 지식재산행정의 기반을 마련하였다.

08

정답 : ③

③ 전자정부는 대고객 관계에서 인간소외 및 정보격차 현상을 초래할 수 있다.

① 전자조달 등의 전자민원 처리로 인해 민원행정비용이 절감되고 행정서비스를 효과적으로 공급할 수 있게 된다.

② 전자민주주의(전자투표, 전자토론 등)에 의하여 국민의 참여가 증진되고 직접민주주의의 가능성이 제고되며 행정의 투명성을 향상시킨다.

④ 사무자동화, 전자결재, 서식표준화 등 규제지향적 절차가 간소화됨으로써 중복투자를 막고 행정의 효율성 및 생산성을 향상시킨다.

우리나라 전자정부 발달내용

1978년	행정전산화 사업
1987년	행정전산망 사업
1994년	초고속 정보통신망 사업
1996년	• 정보화촉진 기본계획 확정 • 작지만 효율적인 전자정부의 구현을 포함하는 정보화 촉진 10대 중점과제를 선정
1998년	전자정부 구현을 위한 구체적 사업 추진
2001년	전자정부 구현을 위한 행정업무 등의 전자화 촉진에 관한 법률 제정 · 시행

09

정답 : ②

② ㄱ, ㄴ, ㄹ, ㅂ만 옳다.

ㄷ. [X] 접근수단이 다양화된다.

ㅁ. [X] 정보공유에 의한 one—stop 서비스가 이루어진다.

ㅅ. [X] 고객이나 소비자중심의 전자정부를 지향한다.

ㅇ. [X] 백오피스와 프런트오피스의 간격이 오히려 좁아진다.

PART 7
지방행정론

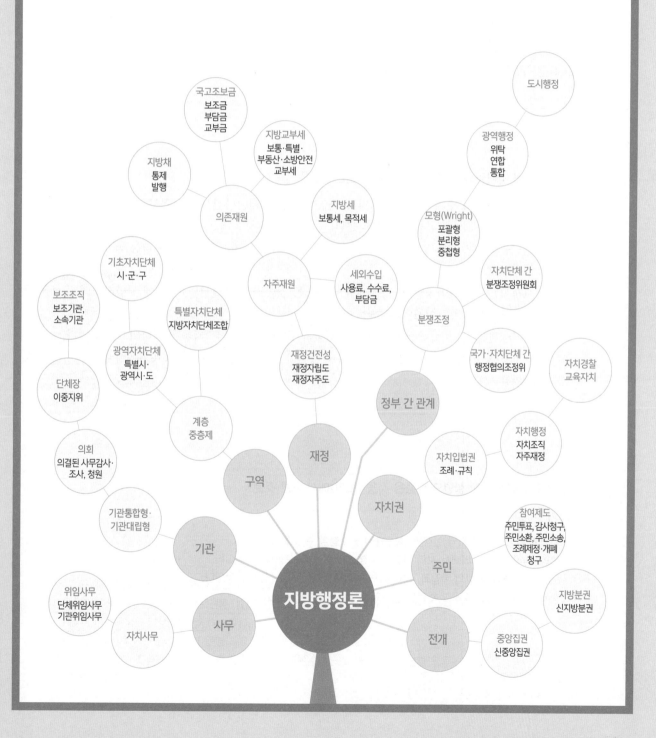

01 우리나라 지방자치의 역사에 대한 설명으로 옳은 것은?

2022 국가 7급

① 제헌의회가 성립하면서 1949년 전국에서 도의회의원 선거가 실시되었다.

② 1991년 지방선거에서 지방의회의원을 선출하였으나, 지방자치단체장 선거는 실시되지 않았다.

③ 1995년부터 주민직선제에 의한 시·도교육감 선거가 실시되면서 실질적 의미의 교육자치가 시작되었다.

④ 1960년 지방선거에서는 서울특별시장·도지사 선거는 실시되었으나, 시·읍·면장 선거는 실시되지 않았다.

02 지방자치단체의 자치권에 관한 설명으로 옳지 않은 것은?

2019 행정사

① 고유권설(지방권설)에서 자치권은 국가와 관계없이 인간이 태어나면서부터 천부의 인권을 갖는 것과 마찬가지로 지방자치단체의 고유한 권리로 본다.

② 전래권설(국권설)에서 자치권은 주권적 통일국가의 통치구조 일환으로 형성된다는 의미에서 국법으로 부여된 권리로 본다.

③ 제도적 보장설은 자치권이 국가의 통치권에서 나오는 것이라고 하면서도, 헌법에 지방자치의 규정을 둠으로써 지방자치제도가 보장된다고 본다.

④ 고유권설(지방권설)은 주로 헤겔(Hegel)의 영향을 받은 독일의 공법학자들에 의하여 주장되었다.

⑤ 제도적 보장설에서의 보장은 지방자치제도의 일반적인 보장이지, 개별적인 지방자치단체의 존립을 계속 보장하는 것은 아니다.

03 지방분권의 장점에 관한 설명으로 옳은 것을 〈보기〉에서 고른 것은?

2018 교행 9급

> **보기**
>
> ㄱ. 지역의 특성을 살려 지역 실정에 맞는 행정을 수행할 수 있을 것이다.
> ㄴ. 중앙정부의 조정에 의해서 지역 간의 격차를 해소하는 데 도움이 될 것이다.
> ㄷ. 노사 간의 대립, 사회의 복잡화, 실업 등의 사회문제 해결에 도움이 될 것이다.
> ㄹ. 정치훈련을 가능하게 하고 주민의 정치의식 수준이 향상될 것이다.

① ㄱ, ㄴ

② ㄱ, ㄹ

③ ㄴ, ㄷ

④ ㄷ, ㄹ

01

정답 : ②

② 1991년 총선거를 통해 기초의원과 광역의원 선거가 실시되었으나 지방자치단체장 선거는 실시되지 않았다. 한편 지방의회의원과 지방자치단체장 선거가 동시에 실시된 것은 1995년이다.

① 1949년 지방자치법이 제정된 이후 1952년에 일부 지역에서 시·읍·면의회에서 의원선거 및 도의회 의원 선거를 실시하였다.

③ 2007년 주민직선제로 변경되었고, 2010년부터 전국적으로 동시에 시·도교육감 선거가 실시되었다.

④ 1960년 지방자치법의 개정으로 인해 서울특별시장·도지사 및 시·읍·면장과 지방의원 모두 주민직선으로 선출되었다.

02

정답 : ④

④ 고유권설은 뚜레가 제창한 것으로 자연법사상에 근거를 두며 자치권은 입법.사법.행정에 이어 자치단체가 본래적으로 가지고 있는 제4권으로 보는 견해이다. 한편 독일의 공법학자들에 의해 주장된 것은 전래권설이다.

① 고유권설은 지방자치권은 지방의 고유한 권리라고 보는 것으로, 사람이 천부의 기본권을 가진 것과 마찬가지로 지방자치단체도 고유한 지방권을 갖는다고 본다.

② 전래권설은 지방자치권은 국권으로부터 유래한 것이라고 보는 것으로, 지방자치단체는 법률의 창조물이며 자치권은 국가로부터 전래된 권리라고 주장한다.

③ 제도적 보장설은 보다 현실적이고 규범적 관점에서 자치권을 인식하는 관점으로 지방자치단체를 국가에 의해 법적으로 승인된 것으로 보면서도 법적으로 승인된 지방자치제도는 반드시 보장되어야 한다고 본다.

⑤ 제도적 보장설에 따르면 지방자치제도의 일반적인 보장만을 의미할 뿐 개별적인 존립을 계속해서 보장하는 것은 아니다.

중앙집권 vs 지방분권

중앙집권	• 행정의 전국적 통일성 및 일관성, 안정성 확보 가능 • 규모의 경제와 기계적 능률성 향상 • 강력한 행정추진으로 위기에 신속히 대처 가능 • 행정의 기능별 전문화로 인한 고도의 행정능력 발휘 • 행정 기능상의 중복 방지 • 전국적·광역적 사업의 추진 용이 • 지역 간 재정력 격차 조정이 가능
지방분권	• 주민통제가 용이하여 행정의 민주화 구현 가능 • 지역 간 갈등을 해소하고 사회적 능률성 향상 • 지역경제와 지역문화의 활성화에 기여 • 고려하여 지역실정에 맞는 행정구현에 용이 • 행정의 책임성 및 행정대응성 제고

03

정답 : ②

② ㄱ, ㄹ이 옳은 지문이다.

ㄱ. [O] 지방분권은 지역의 특성을 살리고 지역실정에 적응하는 행정이 가능하여 근린행정을 가능하게 해준다.

ㄹ. [O] 지방분권을 정치훈련을 가능하게 하고 주민의 민주적 정치의식을 확립시켜줄 수 있다.

ㄴ. [X] 중앙정부의 조정에 의해서 지역 간의 격차를 해소하는 것은 중앙집권을 초래한다.

ㄷ. [X] 노사 간의 대립, 사회의 복잡화, 실업 등의 전국적으로 공통된 사회문제 해결은 중앙집권을 통해 해결해야 하며 이는 신중앙집권화를 초래하는 요인에 해당한다.

정답

01 ② 02 ④ 03 ②

04 신중앙집권화 촉진 요인으로 적절하지 않은 것은?

2012 국가 7급

① 유엔의 '리우선언'(1992)에 따른 환경보존행동계획
② 정보통신기술 및 교통의 발달로 인한 생활권역의 확대
③ 경제력 및 세원의 편재로 인한 지방자치단체 간 재정력 격차의 확대
④ 환경문제, 보건문제 등 전국적인 문제의 발생

05 단체자치와 주민자치에 관한 설명 중 옳은 것은?

2006 대전 9급

① 단체자치는 주민의 참여와 지방정부와 주민과의 관계를, 그리고 주민자치는 중앙정부로부터의 독립을 강조한다.
② 단체자치는 자치권을 국가로부터 부여받은 권리로, 그리고 주민자치는 자치권을 국가 이전의 고유권으로 인식한다.
③ 주민자치는 프랑스, 독일 등을 중심으로 하는 대륙형 지방자치, 그리고 단체자치는 영국형 지방자치이다.
④ 주민자치에서의 중앙정부의 통제는 주로 행정적 통제이고, 단체자치에서의 중앙정부의 통제는 주로 입법적 통제이다.

CHAPTER 02 자치권(자치행정, 자치입법 등)

실질적 력(역량) 업그레이드

01 우리나라 지방자치단체의 자치입법권에 관한 설명으로 옳지 않은 것은?

2017 행정사

① 지방자치단체는 법령의 범위 안에서 자치에 관한 규정을 제정할 수 있다.
② 지방자치단체는 지방자치단체의 장에게 위임하여 행하는 국가사무에 관하여 조례를 제정할 수 없다.
③ 지방자치단체는 법률의 구체적인 위임이 없더라도 조례를 위반한 행위에 대하여 벌금을 부과하는 조례를 제정할 수 있다.
④ 특별시·광역시·도·특별자치도는 해당 지역의 환경적 특수성을 고려하여 필요하다고 인정할 때에는 해당 시·도의 조례로 대통령령으로 정하는 환경기준보다 확대·강화된 별도의 환경기준을 설정할 수 있다.
⑤ 교육감은 법령 또는 조례의 범위 안에서 그 권한에 속하는 사무에 관하여 교육규칙을 제정할 수 있다.

04

정답 : ①

① 리우선언은 환경과 개발에 관한 기본원칙을 담은 선언문으로 지구환경을 지키기 위해 지속 가능한 개발 및 지구 동반자관계의 형성을 추구하며, 지방자치의 활성화와 관련된다.

② 정보통신기술 및 교통의 발달, 과학기술의 발달은 신중앙집권화를 촉진한다.

③ 지역간의 행정적·재정적 격차의 조정 및 균형적인 개발을 도모하기 위해 신중앙집권화가 더욱 촉진된다.

④ 환경문제나 보건문제와 같은 전국적 문제의 발생은 신중앙집권화를 더욱 촉진한다.

05

정답 : ②

② 단체자치는 국가로부터 전래된 자치권을 토대로 국가와 자치단체와의 관계에 중점을 두는 자치제도이며, 주민자치는 자연적·천부적 권리(고유권)인 자치권을 토대로 지방정부와 주민의 관계에 중점을 두는 자치제도로 본다.

① 단체자치는 지방자치를 국가로부터 독립된 법인격을 가진 단체의 행정으로 보는 반면, 주민자치는 지방자치를 중앙 및 지방의 모든 사무를 주민 자신이 자주적으로 처리하는 행정으로 본다.

③ 주민자치는 영미계 국가에서 발달되었으며 단체자치는 독일과 프랑스 등 대륙계 국가에서 발달되었다.

④ 주민자치에서 중앙정부의 통제는 입법적·사법적 통제로, 단체자치에서 중앙정부의 통제는 행정적 통제로 본다.

01

정답 : ③

③ 지방자치단체는 법률의 구체적인 위임이 있어야 하며 조례를 위반한 행위에 대하여 벌금을 부과하는 조례를 제정할 수 없다.

> **지방자치법 제22조(조례)** 지방자치단체는 법령의 범위 안에서 그 사무에 관하여 조례를 제정할 수 있다. 다만, 주민의 권리 제한 또는 의무 부과에 관한 사항이나 벌칙을 정할 때에는 법률의 위임이 있어야 한다.

📝 포인트 정리

신중앙집권화 촉진요인

- 행정기능의 확대 및 전문화
- 과학기술 및 교통통신의 발달
- 생활권역의 확대 및 광역행정
- 복지국가의 국민적 최저 실현
- 국제정세의 불안정과 긴장 고조
- 국가경제에서 공공재정기능의 확대

주민자치와 단체자치

구분	주민자치	단체자치
자치의 의미	정치적 의미	법률적 의미
자치권 본질	고유권설	전래권설
자치의 중점	주민에 의한 행정	자치단체에 의한 행정
권한 부여	개별적 수권형	포괄적 수권형
중앙통제	입법·사법 통제 중심	행정통제 중심
고유·위임 사무 구분	구분하지 않음	엄격히 구분함
자치단체 성격	단일적 성격	이중적 성격
지방 세제	독립세주의	부가세주의
주요 국가	영국, 미국 등 영미계	독일, 프랑스 등 대륙계

02 다음 중 우리나라 지방자치단체의 자치권에 대한 설명으로 옳지 않은 것은? 2017 국회 8급

① 지방자치단체는 자치재정권이 인정되어 조례를 통해서 독립적인 지방 세목을 설치할 수 있다.

② 행정기구의 설치는 대통령령이 정하는 범위 안에서 지방자치단체의 조례로 정한다.

③ 자치사법권이 부여되어 있지 않다.

④ 중앙정부가 분권화시킨 결과가 지방정부의 자치권 확보라고 할 수 있다.

⑤ 중앙과 지방의 기능배분에 있어서 포괄적 예시형 방식을 적용한다.

03 우리나라 자치입법권에 관한 설명으로 옳은 것은? 2015 교행 9급

① 규칙과 조례가 충돌할 때는 지방자치단체장의 입법권인 규칙이 조례에 우선한다.

② 지방자치단체는 조례로 주민의 권리 제한에 관한 사항을 법률의 위임 없이 제정할 수 있다.

③ 지방자치단체는 조례를 위반한 행위에 대하여 조례로써 1천만 원 이하의 과태료를 정할 수 있다.

④ 지방자치단체의 격이 변경된 경우, 그 단체장은 필요한 사항에 대하여 종래 그 지역에 시행되던 조례나 규칙을 시행할 수 없기 때문에 새로운 규칙과 조례를 제정하여야 한다.

04 조례와 규칙의 제정에 대한 설명으로 옳지 않은 것은? 2015 지방 7급

① 조례안이 지방의회에서 의결되면 의장은 의결된 날부터 10일 이내에 그 지방자치단체의 장에게 이를 이송하여야 한다.

② 지방자치단체의 장은 이송받은 조례안에 대하여 이의가 있으면 20일 이내에 이유를 붙여 지방의회로 환부(還付)하고 재의(再議)를 요구할 수 있다.

③ 확정조례가 지방자치단체의 장에게 이송된 후 5일 이내에 지방자치단체의 장이 공포하지 아니하면 지방의회의 의장이 이를 공포한다.

④ 시·군 및 자치구의 조례나 규칙은 시·도의 조례나 규칙을 위반하여서는 아니 된다.

02

정답 : ①

① 우리나라의 경우 조세법률주의를 채택하고 있어 조례를 통해서 독립적인 지방 세목을 설치할 수 없다. 다만, 지방세 탄력세율과 같은 자치재정권은 인정된다.

② 행정기구의 설치와 지방공무원의 정원은 대통령령으로 정하는 기준에 따라 그 지방자치단체의 조례로 정한다.

> **지방자치법 제112조(행정기구와 공무원)** ① 지방자치단체는 그 사무를 분장하기 위하여 필요한 행정기구와 지방공무원을 둔다.
> ② 제1항에 따른 행정기구의 설치와 지방공무원의 정원은 인건비 등 대통령령으로 정하는 기준에 따라 그 지방자치단체의 조례로 정한다.

③ 우리나라의 경우 자치사법권은 인정하지 않고 있다.

④ 지방자치권은 국가의 전체적 통일을 전제로 하지만, 국가의 무제한의 간섭을 배제하고 그 존립목적을 실현하기 위하여 갖는 일정한 범위의 권한으로 국가 또는 중앙정부와의 관계속에서 그 지방의 문제를 주민이 스스로 처리하도록 하는 권리를 의미한다.

⑤ 우리나라의 경우 1988년 이후 지방자치법 규정에 의해 예시적 포괄수권방식을 적용한다.

03

정답 : ③

③ 지방자치단체는 조례로써 조례위반행위에 대하여 1천만 원 이하의 과태료를 정할 수 있다.

① 규칙과 조례가 충돌할 때는 조례가 우선한다.

② 지방자치단체의 조례는 주민의 권리를 제한하는 사항에 대해서는 개별 법률의 위임이 있는 경우에만 가능하다.

④ 지자체의 격이 변경된 경우, 단체장은 필요한 사항에 대해 새로운 규칙과 조례가 제정될 때까지 종래 그 지역에 시행되던 조례나 규칙을 시행할 수 있다.

04

정답 : ①

① 조례안이 지방의회에서 의결되면 의장은 의결된 날부터 5일 이내에 그 지방자치단체의 장에게 이를 이송하여야 한다.

② 지방자치단체장은 이송받은 조례안에 대해 이의가 있으면 20일 이내에 지방의회에 재의를 요구할 수 있다.

③ 확정조례가 지방자치단체장에게 이송된 후 5일 이내에 지자체장이 공포하지 않으면 지방의회 의장이 대신 공포한다.

④ 시·군 및 자치구의 조례나 규칙은 시·도의 조례나 규칙을 위반할 수 없다.

> **정답**
> 02 ① 03 ③ 04 ①

05 지방자치단체의 조례에 관한 설명으로 옳은 것을 모두 고른 것은?

> ㄱ. 지방자치단체의 장은 법령이나 조례가 위임한 범위에서 그 권한에 속하는 사무에 관하여 규칙을 제정할 수 있다.
> ㄴ. 지방의회에서 의결된 조례안은 10일 이내에 지방자치단체의 장에게 이송되어야 한다.
> ㄷ. 재의요구를 받은 조례안은 재적의원 과반수의 출석과 출석의원 과반수의 찬성으로 재의요구를 받기 전과 같이 의결되면, 조례로 확정된다.
> ㄹ. 지방자치단체의 장은 재의결된 조례가 법령에 위반된다고 판단되면 재의결된 날부터 20일 이내에 대법원에 제소할 수 있다.

① ㄱ, ㄴ   ② ㄴ, ㄹ

③ ㄱ, ㄹ   ④ ㄷ, ㄹ

06 다음 중 현행 「지방자치법」의 내용에 부합하는 것은?

① 광역시는 그 대부분이 도시의 형태를 갖추고 인구 100만 이상이 되어야 한다.

② 지방자치단체는 조례를 위반한 행위에 대하여 조례로써 1천만원 이하의 벌금을 정할 수 있다.

③ 지방의회는 매년 1회 정례회를 개최한다.

④ 특별시의 부시장의 정수는 3명을 넘지 아니하는 범위에서 대통령령으로 정한다.

07 우리나라의 지방자치제도에 대한 설명으로 옳지 않은 것은?

① 행정기구는 대통령령에 따라 조례로 설치할 수 있다.

② 단체장의 직속기관은 대통령령에 따라 조례로 설치할 수 있다.

③ 사업소는 대통령령에 따라 조례로 설치할 수 있다.

④ 출장소는 대통령령에 따라 조례로 설치할 수 있다.

⑤ 합의제 행정기관은 대통령령에 따라 조례로 설치할 수 있다.

05

③ ㄱ, ㄹ만 옳다.

ㄱ. [O] 지방자치단체장은 법령이나 조례가 위임한 범위에서 그 권한에 속하는 사무에 관하여 규칙을 제정할 수 있다.

ㄹ. [O] 지방자치단체장은 재의결된 조례가 법령에 위반된다고 판단되면 재의결된 날부터 20일 이내에 대법원에 제소할 수 있다.

ㄴ. [X] 지방의회에서 의결된 조례안은 5일 이내에 지방자치단체의 장에게 이송되어야 한다.

ㄷ. [X] 재의요구를 받는 조례안은 재적의원 과반수의 출석과 출석의원 2/3 이상으로 찬성으로 재의요구를 받기 전과 같이 의결하면, 그 조례안은 조례로서 확정된다.

06

④ 지방자치단체 부단체장의 정수 범위는 지방자치법에서 정하고 구체적인 정수와 직급 등은 대통령으로 정하도록 하고 있다.

① 광역시의 요건은 지방자치법에 법정화되어 있지 않다. 한편 그 대부분이 도시의 형태를 갖추고 인구 5만 이상이 되어야 하는 것은 지방자치법상 시(市)이다.

② 지방자치단체는 조례를 위반한 행위에 대하여 조례로써 1천만원 이하의 과태료를 정할 수 있다. 형벌의 일종인 벌금을 부과할 수는 없다.

③ 지방의회는 매년 2회 정례회의를 개최한다.

07

⑤ 지방자치단체는 그 소관 사무의 일부를 독립하여 수행할 필요가 있으면 법령이나 그 지방자치단체의 조례로 정하는 바에 따라 합의제행정기관을 설치할 수 있다. 합의제행정기관의 설치·운영에 관하여 필요한 사항은 대통령령이나 그 지방자치단체의 조례로 정한다.

정답
05 ③ 06 ④ 07 ⑤

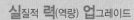
01 서울특별시 등 대도시와 세종특별자치시 및 제주특별자치도의 행정특례에 대한 설명으로 가장 옳은 것은?

2016 서울 7급

① 특별시장 등은 관할 구역 안의 자치구 상호 간의 재원을 조정해서는 안 된다.

② 서울특별시의 지위·조직·운영에 대하여는 수도의 특수성을 고려하여 조례로 정하는 바에 따라 특례를 둘 수 있다.

③ 서울특별시는 수도로서의 특수한 지위를 고려하여 정부의 직할로 두지 않는다.

④ 서울특별시·광역시 및 특별자치시를 제외한 인구 50만 이상의 대도시의 행정, 재정운영 등에 대하여는 그 특성을 고려하여 특례를 둘 수 있다.

02 「지방자치법」상 보조기관과 하부 및 소속행정기관에 대한 설명으로 가장 옳은 것은?

2016 서울 7급

① 자치구가 아닌 구에 읍, 면, 동을 직속기관으로 둘 수 있다.

② 서울특별시를 제외한 광역지방자치단체는 인구와 관계 없이 2명의 부단체장을 둔다.

③ 서울특별시는 3명의 범위 내에서 부단체장을 둔다.

④ 지방자치단체는 보조기관으로 소방 및 교육훈련기관을 설치할 수 있다.

03 우리나라 지방행정체제와 관련된 내용으로 옳지 않은 것은?

2013 국가 9급

① 자치구의 자치권 범위는 시·군의 경우와 같다.

② 특별시·광역시·도는 같은 수준의 자치행정계층이다.

③ 광역시가 아닌 시라도 인구 50만 이상의 경우에는 자치구가 아닌 구를 둘 수 있다.

④ 군은 광역시나 도의 관할 구역 안에 둔다.

04 최근 마산, 창원, 진해를 통합한 창원시가 출범하는 등 행정계층 구조에 대한 많은 논의가 진행되고 있다. 우리 나라의 행정계층 구조에 대한 설명 중 가장 옳지 않은 것은?

2011 경정승진

① 다층 구조로 인해 행정비용이 증대되고 의사전달 왜곡이 발생한다.

② 동일 지역 내 행정기관의 난립으로 인해 책임성의 확보가 어렵다.

③ 도와 시(또는 군) 간 엄격한 기능분리로 인해 행정의 비효율성이 발생한다.

④ 행정계층은 행정적 효율성을 중심으로 하는 개념이며, 자치계층은 정치적 민주성을 중심으로 하는 개념 이다.

01

④ 대도시에 대한 특례인정에 대한 설명으로, 서울특별시·광역시 및 특별자치시를 제외한 인구 50만 이상의 대도시의 행정, 재정운영 등에 대하여는 그 특성을 고려하여 특례를 둘 수 있다.

① 서울특별시장은 관할 구역 안의 자치구 상호 간의 재원을 조정하여야 한다.

② 서울특별시의 지위·조직 및 운영에 대하여는 조례가 아닌 법률로 정하는 바에 따라 특례를 둘 수 있다.

③ 특별시는 정부의 직할로 둔다.

02

③ 인구 800만 이상의 광역시나 도는 3명의 부단체장을 두며, 서울특별시는 3명을 넘지 아니하는 범위에서 대통령령으로 정한다.

① 자치구가 아닌 구에 두는 읍, 면, 동은 직속기관이 아니라 하부행정기구에 해당한다(지방자치법 제120조).

② 광역지방자치단체라 하더라도 800만 이상인 경우 3인 이내, 그 외의 경우는 2인의 범위 내에서 두도록 되어 있어 인구에 따른 차이가 존재한다.

④ 소방 및 교육훈련기관은 직속기관에 해당한다(지방자치법 제113조).

03

① 자치권은 지방자치단체가 그 존립목적을 실현하기 위하여 가지는 일정한 범위의 권리(권한)로 자치구는 시·군 기초자치단체에 비해 자치권의 범위를 제한하고 있다.

② 특별시·광역시·도는 모두 광역자치단체로 같은 수준의 자치행정계층이다.

③ 특별시·광역시 및 특별자치시가 아닌 인구 50만 이상의 시에는 자치구가 아닌 구를 둘 수 있고, 군에는 읍·면을 두며, 시와 구(자치구를 포함한다)에는 동을, 읍·면에는 리를 둔다(지방자치법 제3조).

④ 시는 도의 관할 구역 안에, 군은 광역시, 특별자치시나 도의 관할 구역 안에 두며, 자치구는 특별시와 광역시, 특별자치시의 관할 구역 안에 둔다(지방자치법 제3조).

중층제의 장단점

장점	• 행정기능의 분담으로 효율적 수행이 가능 • 기초자치단체의 능력과 기능 보완 • 기초자치단체 간 갈등과 대립 조정 • 국가의 감독기능 유지 • 민주주의 원리 확산에 기여
단점	• 행정기능의 중복으로 행정의 지연 및 비능률 • 이중감독 폐단 • 기능배분의 불명확성으로 인한 행정책임의 모호 • 기초자치단체와 중앙정부의 의사소통이 원활하지 못함 • 지역의 특수성 및 개별성 도외시

04

③ 우리나라는 예시적 포괄주의 방식을 취하고 있어 국가와 지방자치단체 간, 광역과 기초 간, 단체위임사무와 고유사무 간 기능배분이 모호하여 비효율성이 발생한다.

① 우리나라는 다단계의 계층구조이므로 행정비용이 증대되고 의사전달의 왜곡이 발생한다.

② 유사 업무를 여러 기관이 수행하고 있어 책임 소재가 모호하다.

④ 행정계층은 효율성을 위한 개념이고, 자치계층은 민주성을 위한 개념이다.

정답

01 ④ 02 ③ 03 ① 04 ③

05 제주특별자치도에 대한 설명으로 옳지 않은 것은?
2010 지방 7급

① 도에 두는 시는 행정시로서 지방자치단체가 아니다.

② 도의 자치경찰단장은 제주특별도지사의 추천으로 대통령이 임명한다.

③ 별정직 지방공무원으로 보하는 부지사에 대하여 도의회는 인사청문회를 실시한다.

④ 도는 타 시·도에 두지 않는 감사위원회를 설치·운영하고 있다.

06 우리나라 지방자치제도의 계층구조의 문제점이 아닌 것은?
2008 서울 9급

① 시 - 도, 시 - 군 간 협력 행정이 미흡하여 갈등을 증대시킨다.

② 도와 시 - 군 간 엄격한 기능분리로 인해 행정의 비효율성이 발생한다.

③ 시 - 군 - 구에 대한 시-도의 통제기능으로 인해 갈등이 발생한다.

④ 동일 지역 내 행정기관의 난립으로 인해 책임성의 확보가 어렵다.

⑤ 다층 구조로 인해 행정비용이 증대되고 의사전달 왜곡이 발생한다.

07 우리나라 행정계층 구조에 대한 다음의 설명 중 옳지 않은 것은?
2007 전북 9급

① 기초자치단체인 시가 인구 50만 이상일 때에는 구를 두어 별도의 세원을 갖는다.

② 우리나라의 행정계층은 3~4계층으로 필요 이상으로 세분되어 있다고 볼 수 있다.

③ 우리나라 행정계층 구조의 문제점으로는 계층구조의 중복으로 인한 비효율성을 들 수 있다.

④ 행정계층은 행정적 효율성을 중심으로 하는 개념이며, 자치계층은 정치적 민주성을 중심으로 하는 개념이다.

⑤ 우리나라에서 행정계층이나 구역 설정은 인구를 가장 중요한 기준으로 삼고 있다.

05

② 제주특별자치도의 자치경찰단장은 제주특별도지사가 임명한다.

① 제주특별자치도의 서귀포시와 제주시는 행정시로서 지방자치단체에 해당하지 않는다.

③ 도지사는 별정직 공무원으로 보하는 부지사에 관해서는 도의회의 인사청문회를 실시한다.

④ 제주특별자치도는 도지사 소속으로 감사위원회를 설치·운영하고 있다.

06

정답 : ②

② 우리나라는 중층제로 국가와 지방자치단체 간, 광역과 기초자치단체 간, 단체위임사무와 고유사무 간 기능배분이 모호하여 비효율성이 나타난다.

① 동일 관할구역 내 유사 또는 동일 업무의 중첩적 수행이 발생하고 하급기관에 대한 지시와 감독의 중복으로 갈등이 발생한다.

③ 지방자치제 실시 이후 시·도와 시·군·구 간의 관계가 수직적 관계에서 수평적이고 대등한 관계로 전환됨에 따라 정책 추진과 인사교류, 지도·감독 등에서 마찰과 갈등이 증대되고 있다.

④ 동일한 관할구역 내에서 도, 시·군, 특별지방행정기관 등이 유사 또는 동일 업무를 동시적으로 추진하고 있어 행정의 책임성 확보가 어렵다.

⑤ 이중행정으로 인해 비용이 증가하고, 의사전달의 왜곡이 발생한다.

07

정답 : ①

① 인구 50만 이상 특례시는 자치구가 아닌 구를 둘 수 있으나, 그 경우 구는 자치구가 아닌 '행정구'이므로 별도의 세원을 가질 수는 없다.

② 우리나라 행정계층의 경우 특별시·광역시·도 등에서 3~4계층제로 세분화되어 있다.

③ 행정계층이 3~4계층이므로 단층제에 비해서 계층구조의 중복으로 인한 비효율성을 갖는다.

④ 행정계층은 행정의 효율성을, 자치계층은 민주성을 위한 성격을 가진다.

⑤ 우리나라에서의 행정계층이나 관할구역은 인구를 기준으로 구분한다.

자치계층 vs 행정계층

구분	자치계층	행정계층
성격	민주성을 위한 계층	효율성(능률성)을 위한 계층
분권여부	지방분권의 논리	중앙집권의 논리
계층	1~2계층 • 1계층: 특별자치도 • 2계층: 특별시·광역시·특별자치시·도-시·군·자치구	3~4계층 • 3계층: 특별시·광역시·특별자치시·도-시·군·자치구-읍·면·동 • 4계층: 도-시(50만 이상)-구(행정구)-동

정답

05 ② 06 ② 07 ①

PART 7 지방행정론 **589**

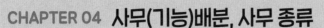
01 단체위임사무와 기관위임사무에 대한 설명으로 가장 옳지 않은 것은?　　　　　2020 서울속기 9급

① 단체위임사무는 법령에 의하여 국가 또는 상급 지방자치단체로부터 지방자치단체에 위임된 사무이고, 기관위임사무는 법령 등에 의하여 국가 또는 상급 지방자치단체로부터 지방자치단체의 장에게 위임된 사무이다.

② 단체위임사무의 경비는 지방자치단체와 위임기관이 공동으로 부담하며, 기관위임사무의 경비는 그 전액을 위임기관이 부담하는 것이 원칙이다.

③ 단체위임사무는 지방의회가 관여하는 것이 불가능하고, 기관위임사무는 지방의회가 관여할 수 있다.

④ 단체위임사무의 예로는 예방접종, 보건소의 운영 등이 있고, 기관위임사무의 예로는 국민투표 사무, 선거사무 등이 있다.

02 단체위임사무와 기관위임사무에 대한 설명으로 옳지 않은 것은?　　　　　2020 국가 9급

① 지방의회는 기관위임사무에 대해 조례제정권을 행사할 수 없다.

② 보건소의 운영업무와 병역자원의 관리업무는 대표적인 기관위임사무이다.

③ 중앙정부는 단체위임사무에 대해 사전적 통제보다 사후적 통제를 주로 한다.

④ 기관위임사무의 처리를 위한 비용은 국가가 부담한다.

03 「지방자치법」상 지방자치단체의 사무범위에 해당하지 않는 것은?　　　　　2019 서울 9급(2월)

① 농림·상공업 등 산업 진흥에 관한 사무

② 교육·체육·문화·예술의 진흥에 관한 사무

③ 축산물·수산물 및 양곡의 수급 조절과 수출입 사무

④ 지역민방위 및 지방소방에 관한 사무

01

정답 : ③

③ 반대이다. 단체위임사무는 국가와 지방의 이해관계가 공존하므로 지방의회가 관여할 수 있지만, 기관위임사무는 지방적 이해관계가 없으므로 지방의회가 관여하거나 지휘할 수 없다.

① 단체위임사무는 개별법령에 의하여 국가 또는 상급 지방자치단체로부터 지방자치단체에 위임된 사무이고, 기관위임사무는 법령 등에 의하여 집행기관인 지방자치단체의 장에게 위임된 사무이다.

② 단체위임사무는 국가와 지방적 이해관계가 공존하므로 경비를 지방자치단체와 위임기관이 공동으로 부담하지만, 기관위임사무는 지방과는 관계없는 사무이므로 그 경비를 전액 위임기관이 부담하는 것이 원칙이다.

④ 단체위임사무의 예로는 재해구호, 예방접종, 보건소의 운영 등이 있고, 기관위임사무의 예로는 국민투표 사무, 선거사무, 여권발급사무 등이 있다.

02

정답 : ②

② 보건소의 운영업무는 단체위임사무에 해당한다. 한편 병역자원의 관리업무는 대표적인 기관위임사무이다.

① 기관위임사무는 원칙적으로 조례 제정 대상에 해당하지 않으며 지방의회가 관여할 수도 없다. 다만 기관위임사무에 있어 그에 관한 개별 법령에서 일정한 사항을 조례로 정하도록 위임하고 있는 경우에는 위임받은 사항에 관하여 위임조례를 제정할 수 있다.

③ 중앙정부는 단체위임사무에 대해 합법성과 합목적성 차원의 사후적 통제를 주로 한다.

④ 기관위임사무의 처리를 위한 비용은 위임기관에서 전액 부담하므로 국가위임사무의 경우에는 전액 국가가 부담한다.

03

정답 : ③

③ 축산물·수산물 및 양곡의 수급 조절과 수출입 사무는 국가사무에 해당한다.

> **동법 제11조(국가사무의 처리제한)** 지방자치단체는 다음 각 호에 해당하는 국가사무를 처리할 수 없다. 다만, 법률에 이와 다른 규정이 있는 경우에는 국가사무를 처리할 수 있다.
> 1. 외교, 국방, 사법(司法), 국세 등 국가의 존립에 필요한 사무
> 2. 물가정책, 금융정책, 수출입정책 등 전국적으로 통일적 처리를 요하는 사무
> 3. 농산물·임산물·축산물·수산물 및 양곡의 수급조절과 수출입 등 전국적 규모의 사무
> 4. 국가종합경제개발계획, 국가하천, 국유림, 국토종합개발계획, 지정항만, 고속국도·일반국도, 국립공원 등 전국적 규모나 이와 비슷한 규모의 사무
> 5. 근로기준, 측량단위 등 전국적으로 기준을 통일하고 조정하여야 할 필요가 있는 사무
> 6. 우편, 철도 등 전국적 규모나 이와 비슷한 규모의 사무
> 7. 고도의 기술을 요하는 검사·시험·연구, 항공관리, 기상행정, 원자력개발 등 지방자치단체의 기술과 재정능력으로 감당하기 어려운 사무

> **정답**
> 01 ③ 02 ② 03 ③

04 「지방자치법」상 지방자치단체의 사무처리에 관한 설명으로 가장 옳지 않은 것은? 2018 서울 9급

① 지방자치단체는 법령을 위반하여 그 사무를 처리할 수 없다.

② 행정처리 결과가 2개 이상의 시·군 및 자치구에 미치는 광역적 사무는 시·도가 처리한다.

③ 시·도와 시·군 및 자치구의 사무가 서로 경합하면 시·도에서 먼저 처리한다.

④ 지방자치단체는 법률에 다른 규정이 있는 경우를 제외하고 외교, 국방, 사법, 국세 등 국가의 존립에 필요한 사무를 처리할 수 없다.

05 우리나라 지방자치단체의 사무구분에 대한 설명으로 옳은 것은? 2014 국가 9급

① 자치사무와 단체위임사무는 자치단체가 전액 경비를 부담하며, 기관위임사무는 원칙적으로 자치단체와 위임기관이 공동으로 부담한다.

② 단체위임사무는 법령에 의해 하급 자치단체장에게 위임된 사무이며, 기관위임사무는 법령에 의해 국가 또는 다른 자치단체로부터 위임된 사무이다.

③ 자치사무와 단체위임사무의 처리를 위해 자치단체는 조례를 제정하는 것이 가능한데, 기관위임사무는 원칙적으로 조례제정 대상이 아니다.

④ 자치사무는 지방의회의 관여(의결, 사무감사 및 사무조사) 대상이지만, 단체위임사무와 기관위임사무는 관여 대상이 아니다.

06 「지방자치법」상 사무배분기준에 의한 시·도의 사무에 해당하지 않는 것은? 2014 지방 7급

① 시·도 단위로 동일한 기준에 따라 처리되어야 할 성질의 사무

② 시·군 및 자치구가 독자적으로 처리하기에 적당한 사무

③ 국가와 시·군 및 자치구 사이의 연락·조정 등의 사무

④ 지역적 특성을 살리면서 시·도 단위로 통일성을 유지할 필요가 있는 사무

04

정답 : ③

③ 시·도와 시·군 및 자치구의 사무가 서로 경합하면 시·군 및 자치구에서 먼저 처리한다.

> **지방자치법 제10조(지방자치단체의 종류별 사무배분기준)** ③ 시·도와 시·군 및 자치구는 사무를 처리할 때 서로 경합하지 아니하도록 하여야 하며, 사무가 서로 경합하면 시·군 및 자치구에서 먼저 처리한다.

① 지방자치단체는 법령이나 상급 지방자치단체의 조례를 위반하여 그 사무를 처리할 수 없다.

② 시·도는 행정처리 결과가 2개 이상의 시·군 및 자치구에 미치는 광역적 사무를 처리한다.

> **동법 제10조(지방자치단체의 종류별 사무배분기준)** ① 제9조에 따른 지방자치단체의 사무를 지방자치단체의 종류별로 배분하는 기준은 다음 각 호와 같다. 다만, 제9조제2항제1호의 사무는 각 지방자치단체에 공통된 사무로 한다.
>   1. 시·도
>   가. 행정처리 결과가 2개 이상의 시·군 및 자치구에 미치는 광역적 사무
>   나. 시·도 단위로 동일한 기준에 따라 처리되어야 할 성질의 사무
>   다. 지역적 특성을 살리면서 시·도 단위로 통일성을 유지할 필요가 있는 사무
>   라. 국가와 시·군 및 자치구 사이의 연락·조정 등의 사무
>   마. 시·군 및 자치구가 독자적으로 처리하기에 부적당한 사무
>   바. 2개 이상의 시·군 및 자치구가 공동으로 설치하는 것이 적당하다고 인정되는 규모의 시설을 설치하고 관리하는 사무

④ 지방자치단체는 법률에 다른 규정이 있는 경우를 제외하고 외교, 국방, 사법, 국세 등 국가의 존립에 필요한 사무를 처리할 수 없다.

05

정답 : ③

③ 자치사무는 지방자치단체의 본질적 사무로 조례에 의한 제정이 가능하고, 단체위임사무 또한 국가 또는 상급 자치단체로부터 위임받아 처리하는 사무로 조례에 의한 제정이 가능하지만, 기관위임사무는 지방자치단체와 직접적 이해관계가 없는 사무를 자치단체장에게 위임한 것으로 조례로 제정할 수 없다.

① 국가나 위임기관이 전액부담한다.

② 단체위임사무는 법령에 의해 국가 또는 다른 자치단체로부터 위임된 사무이며, 기관위임사무는 법령에 의해 하급 자치단체장에게 위임된 사무이다.

④ 자치사무와 단체위임사무는 지방의회의 관여(의결, 사무감사 및 사무조사) 대상이지만, 기관위임사무는 국가사무와 관련되므로 지방의회가 관여할 수 없다.

06

정답 : ②

② 시·도 및 자치구가 독자적으로 처리하기에 적당한 사무는 시·군 및 자치구의 사무이다. 한편 2개 이상의 시·군 및 자치구가 공동으로 설치하는 것이 적당하다고 인정되는 규모의 시설을 설치하고 관리하는 사무가 시·도의 사무에 해당한다.

① 시·도 단위로 동일한 기준에 따라 처리되어야 할 성질의 사무는 광역자치단체 사무인 시·도의 사무에 해당한다.

③ 국가와 시·군 및 자치구 사이의 연락·조정 등의 사무는 광역자치단체 사무인 시·도의 사무에 해당한다.

④ 지역적 특성을 살리면서 시·도 단위로 통일성을 유지할 필요가 있는 사무는 광역자치단체 사무인 시·도의 사무에 해당한다.

> **정답**
>
> 04 ③ 05 ③ 06 ②

중앙정부와 지방자치단체 간의 포괄적 사무배분방식에 대한 설명으로 옳지 않은 것은?   2010 지방 7급

① 우리나라는 1988년 「지방자치법」 개정 이전까지 포괄적 사무배분방식을 택하였다.

② 실제에 있어 개별적 사무배분방식보다 지방자치단체 사무를 더 폭넓게 보장해주는 경향이 있다.

③ 사무배분의 방식이 간편하고, 상황에 따른 사무처리 주체의 유연한 결정이 가능하다.

④ 국가사무와 자치사무 간 명확한 구별이 모호하여 행정주체 간에 혼란이 야기될 수 있다.

지방자치의 이론적 기초 중에서 적극적 보충성의 원리를 옳게 설명한 것은?   2009 지방 7급

① 개인 및 지역 간의 과도한 격차를 줄이기 위해 상급 공동체는 필요한 최소수준을 정하고 이에 미달하는 개인 및 지역의 삶을 보장하여야 한다.

② 주민들의 자발적 참여가 전제된 상태에서 상향적 의사결정을 통해 공동이익을 실현하는 방식이다.

③ 개인이나 하급 공동체가 할 수 있는 일을 상급 공동체가 과도하게 개입하여 처리하는 것은 옳지 않다.

④ 강력한 통치권을 가진 국가(중앙정부)로부터 일정한 자치권을 부여받아 지방자치를 실시하는 전통을 말한다.

공공선택론의 관점에서 본 중앙-지방정부 간 기능배분에 관한 설명으로 옳지 않은 것은?   2008 국가 9급

① 재분배정책을 통하여 주민들에게 제공되는 편익은 그들의 조세 부담과는 역으로 결정되며, 주로 지방정부에서 담당해야 한다.

② 개발정책은 지역경제성장을 촉진시키기 위한 정책으로, 원칙적으로 정책의 수혜자가 그 비용을 부담해야 한다.

③ 중앙-지방정부 간의 기능배분문제는 개인후생을 극대화하고자 하는 시민과 공직자 개개인들의 합리적인 선택행동에서 비롯되는 것이다.

④ 배당정책(allocational policy)은 치안, 소방, 쓰레기 수거, 공공매립지 제공 등이며, 주로 지방정부에서 담당해야 한다.

07

정답 : ②

② 포괄적 예시주의는 예시에 불과하므로 사무의 지방이양률이 낮고 자치권이 제약되어 개별적 사무배분방식보다 지방자치단체사무를 제한적으로 인정해 주는 경향이 있다.

① 1988년 이전의 지방자치법 규정은 포괄적 수권방식으로 자치단체는 그 지방의 공공사무와 법령에 의하여 그 단체에 소속된 사무를 처리한다고 보았다.

③ 포괄적 사무배분방식은 상황에 따른 사무처리 주체의 융통성과 탄력성이 높다.

④ 국가사무(위임사무)와 자치사무의 한계가 모호하여 행정주체 간 혼란이 야기될 수 있다.

08

정답 : ①

① 보충성의 원칙은 하급단위에서 잘 처리할 수 있는 업무를 상급단위에서 직접 처리해서는 안 된다는 원칙으로서, 지방자치의 기본단위인 시·군·구의 권한을 중심으로 시·도와 중앙정부의 권한 범위가 정해져야 한다는 것을 말하며 적극적 보충성은 상급정부는 기초정부가 일차적으로 활동할 수 있는 조건을 갖추도록 재정적 여건 등을 지원해 주어야 한다는 것이다.

② 주민들의 자발적 참여가 전제된 상태에서 상향적 의사결정을 통해 공동이익을 실현하는 방식은 주민자치이다.

③ 기초정부가 할 수 있는 일을 상급정부가 관여해서는 안 되며 기초정부가 할 수 없는 기능만 상급정부가 보완적으로 수행해야 한다는 것은 소극적 보충성에 해당한다.

④ 강력한 통치권을 가진 국가(중앙정부)로부터 일정한 자치권을 부여받아 지방자치를 실시하는 전통은 단체자치를 의미한다.

09

정답 : ①

① 재분배정책은 중앙정부가, 개발정책은 수혜자가 비용을 부담하는 것이 바람직하고, 배당정책은 지방정부가 일반재정에서 비용을 충당하는 것이 바람직하다고 보았다.

② 개발정책은 지역경제성장을 촉진시키기 위한 정책으로 원칙적으로 정책의 수혜자가 비용을 부담해야 한다.

③ 공공선택론적 관점은 중앙과 지방정부 간의 기능배분 문제는 개인후생을 극대화하고자 시민과 공직자들의 합리적인 선택에서 비롯된다고 본다.

④ 배당정책은 지방정부가 모든 주민에게 편익을 제공하기 위해 실시하는 것으로 치안, 쓰레기 수거 등이 있다.

포인트 정리

포괄적 사무배분방식 vs 개별적 사무배분방식

구분	포괄적 수권방식	개별적 수권방식
장점	• 배분방식 간편 • 사무를 상황에 따라 주체를 달리할 수 있으므로 운영상의 융통성·탄력성 제고	• 자치단체별 특수성 고려 • 개별적으로 주어진 사무에 대해서는 중앙정부의 간섭이 배제됨(∴자율성 제고)
단점	• 자치단체의 특수성 저해 • 명확한 구별이 없으므로 사무 간 중복·혼란 발생	• 통일성 저해 • 개별법 제정에 따른 업무부담 과중

보충성의 원칙

소극적 의미	기초공동체 또는 기초정부가 할 수 있는 일을 상급정부나 상급공동체가 관여해서는 안된다는 것을 의미
적극적 의미	상급정부 또는 상급공동체가 기초정부 또는 기초공동체가 일차적으로 활동할 수 있는 조건을 갖출 수 있도록 지원해 주어야 한다는 것을 의미

정답
07 ② 08 ① 09 ①

지방행정론 PART 7 해커스공무원 미니행정학 기출 빅데이터 실전암

10 중앙정부와 지방정부 간의 기능 배분을 신우파론적 관점에서 설명한 것은?

① 역사적으로 오랜 시일 진화과정을 거치면서 점진적으로 제도화되어 왔다.

② 합리적 인간관과 엄격한 방법론적 개체주의 입장을 취하면서 기능배분문제도 개인후생을 극대화하고자 하는 시민과 공직자 개개인들의 합리적 선택행동에서 비롯된다.

③ 정부의 기능배분에 관한 구체적인 기준에는 별로 관심을 가지지 않는다.

④ 정부수준 간 기능배분에 관한 '이원국가론'을 주장하고 있다.

⑤ 정부수준 간의 상이한 의사결정방식에 관한 신베버주의의 입장을 근간으로 하고 있다.

CHAPTER 05 자치기관(집행기관, 지방의회)

실질적 력(역량) 업그레이드

01 「지방공무원법」상 인사위원회의 위원으로 임명되거나 위촉될 수 없는 사람은?

① 지방의회의원

② 법관·검사 또는 변호사 자격이 있는 사람

③ 공무원으로서 20년 이상 근속하고 퇴직한 사람

④ 초등학교·중학교·고등학교 교장 또는 교감으로 재직하는 사람

02 지방정부의 기관구성 형태에 대한 설명으로 옳지 않은 것은?

① 강시장 – 의회(strong mayor-council) 형태에서는 시장이 강력한 정치적 리더십을 행사한다.

② 위원회(commission) 형태에서는 주민 직선으로 선출된 의원들이 집행부서의 장을 맡는다.

③ 약시장–의회(weak mayor-council) 형태에서는 일반적으로 의회가 예산을 편성한다.

④ 의회–시지배인(council-manager) 형태에서는 시지배인이 의례적이고 명목적인 기능을 수행한다.

10

② 신우파론적 관점을 설명해 준다.
① 역사적으로 오랜 시일 진화과정을 거치면서 점진적으로 제도화되어 온 것은 다원주의 관점에 해당한다.
③ 정부의 기능배분에 관한 구체적인 기준에 별로 관심을 가지지 않는 것은 계급정치론 관점에 해당한다.
④ 정부수준 간 기능배분에 관한 이원국가론을 주장한 것은 엘리트이론 관점에 해당한다.
⑤ 정부수준 간의 상이한 의사결정방식에 관한 신베버주의의 입장을 근간으로 하는 것은 엘리트이론 관점에 해당한다.

01

> **지방공무원법 제7조(인사위원회의 설치)** ⑤ 지방자치단체의 장과 지방의회의 의장은 각각 소속 공무원(국가공무원을 포함한다) 및 다음 각 호에 해당하는 사람으로서 인사행정에 관한 학식과 경험이 풍부한 사람 중에서 위원을 임명하거나 위촉하되, 위원의 자격요건에 관하여 필요한 사항은 대통령령으로 정한다. 다만, 시험위원은 시험실시기관의 장이 따로 위촉할 수 있다.
> 1. 법관·검사 또는 변호사 자격이 있는 사람
> 2. 대학에서 조교수 이상으로 재직하거나 초등학교·중학교·고등학교 교장 또는 교감으로 재직하는 사람
> 3. 공무원(국가공무원을 포함한다)으로서 20년 이상 근속하고 퇴직한 사람
> ⑥ 다음 각 호의 어느 하나에 해당하는 사람은 위원으로 <u>위촉될 수 없다.</u>
> 1. 제31조 각 호의 어느 하나에 해당하는 사람
> 2. 「정당법」에 따른 정당의 당원
> 3. 지방의회의원

02

④ 의회-시지배인 형태는 절충형으로, 의회의 결정을 시지배인이 책임지고 실질적 집행을 하는 형태로 의회중심 체제를 유지하면서도 행정의 전문성이 향상된다는 장점이 있다.
① 강시장-의회 형태는 기관대립형의 가장 보편적인 유형으로, 집권권을 가진 시장이 강력한 정치적 권한을 행사한다.
② 위원회 형태는 기관통합형의 유형으로, 주민의 직선에 의해 3~5인의 위원으로 구성된 위원회가 입법권과 행정권 모두를 행사한다.
③ 약시장-의회 형태는 기관대립형의 유형으로, 의회가 입법권을 행사할 뿐 아니라 직접 집행 업무에 관여하고 시장은 제한된 범위의 행정권한을 가지므로, 일반적으로 의회가 예산을 편성한다.

정답
10 ② 01 ① 02 ④

03 「지방자치법」상 지방의회 의원이 받을 수 있는 징계의 사례가 아닌 것은?

2020 국가 7급

① A 의원은 45일간 출석정지를 내용으로 하는 징계를 받았다.

② B 의원은 공개회의에서 사과를 하는 징계를 받았다.

③ C 의원은 재적의원 3분의 2 이상 찬성에 따라 제명되는 징계를 받았다.

④ D 의원은 공개회의에서 경고를 받는 징계를 받았다.

04 우리나라 지방의회의 권한(기능)으로 가장 적절하지 않은 것은?

2020 경정승진

① 조례의 제정 및 개폐

② 행정사무 감사 및 조사권

③ 선결처분

④ 예산의 의결 및 결산의 승인

05 2018년 전국동시지방선거 개표 후에 한 팀원들이 티타임에 나눈 대화이다. 다음 2018년 전국동시지방선거 당시 대화자들의 주민등록지를 고려할 때, 대화내용이 우리나라 지방자치의 실제와 맞지 않는 사람은?

2020 행정사

○ 세종특별자치시 : A, D	○ 서울특별시 관악구 : B
○ 성남시 분당구 : C	○ 대전광역시 유성구 : E

① A : "제가 투표한 후보가 시장으로 당선되었는데 서울특별시장과 등급 자치계층 시장이라고 우쭐대더군요."

② B : "제 고향 제주시에 사시는 부모님은 원하시는 후보들이 제주시의원과 제주도의원으로 당선되었다네요. 제가 보기에도 역량 있는 지역일꾼들로 고향 발전이 기대됩니다."

③ C : "분당구는 웬만한 시 규모 이상의 인구가 사는데 구의원 선거투표하려니 투표대상이 아니라고 해서 당황했어요. 제정신 차려서 성남시의원과 경기도의원 후보들 중 제대로 된 인물에 투표했습니다."

④ D : "제 고향은 기장군입니다. 그곳 친구들 말을 들어보니 기장군의원과 부산시의원이 잘 선출되어 제 고향 발전도 기대됩니다."

⑤ E : "저는 대전광역시 유성구에 사는데 시의원은 내가 투표한 분이, 구의원은 내가 투표하지 않은 분이 당선되었어요."

03

① 출석정지는 30일 이내로 하므로, A 의원은 30일간 출석정지를 내용으로 하는 징계를 받았다.

②, ③, ④ 공개회의에서 사과, 재적의원 3분의 2 이상 찬성에 따른 제명, 공개회의에서 경고는 모두 지방의회 의원이 받을 수 있는 징계에 해당한다.

> **지방자치법 제88조(징계의 종류와 의결)** ① 징계의 종류는 다음과 같다.
> 1. 공개회의에서의 경고
> 2. 공개회의에서의 사과
> 3. 30일 이내의 출석정지
> 4. 제명
> ② 제명에는 재적의원 3분의 2 이상의 찬성이 있어야 한다.

04

③ 선결처분권은 지방자치단체장의 권한에 해당한다.

지방자치단체장과 지방의회의 관계

자치단체장이 지방의회에 대해 갖는 권한	지방의회가 자치단체장에 대해 갖는 권한
• 지방의회 의결에 대한 재의요구 및 제소권 • 자치단체장의 선결처분권 • 의안발의권 • 임시회 소집요구권 • 우리나라는 의회 해산권 없음	• 서류제출 요구권 • 행정사무 감사 및 조사권 • 행정사무처리상황의 보고와 질문, 응답권 • 예산 · 결산 승인권 • 우리나라는 불신임의결권 없음

05

② B의 제주도는 단층제이므로 제주도 의원만 선출할 수 있으며, 행정시인 제주시에 제주시장을 도지사가 임명할 수 있으나 시의원은 두지 않는다.

① A는 세종시에 살고 있는데, 세종시는 광역지자체이므로 서울시장과 동급의 자치계층이다.

③ 성남시는 인구 50만 이상의 대도시이기 때문에 성남시 밑에 행정구로서 분당구를 두고 있다. 따라서 분당구에서 구의원을 선출할 수 없다.

④ 기장군은 광역지자체인 부산광역시 아래에 있는 기초지자체이므로 기장군의원과 부산시의원을 주민이 선출할 수 있다.

⑤ 유성구는 광역지자체인 대전시 아래의 기초지자체이다. E는 대전광역시 유성구에 거주하고 있으므로 유성구 의원과 대전시 의원선거에 투표할 수 있다.

06 지방자치단체의 기관구성에 대한 설명으로 옳은 것은? 2019 지방 7급

① 우리나라는 시장의 권한이 지방의회의 권한에 비해 상대적으로 약한 기관대립형을 유지하고 있다.

② 영국의 의회형에서는 집행기관의 장을 주민이 직선으로 선출한다.

③ 미국의 위원회형은 기관대립형의 특수한 형태로 볼 수 있다.

④ 기관통합형의 집행기관은 기관대립형에 비해 행정의 전문성이 높지 않을 가능성이 크다.

07 「지방자치법」상 지방의회에 대한 내용으로 옳지 않은 것은? 2018 국가 9급

① 지방의회는 조례로 정하는 바에 따라 위원회를 둘 수 있으며, 위원회의 종류는 상임위원회와 특별위원회로 한다.

② 지방의회는 그 의결로 소속 의원의 사직을 허가할 수 있다. 다만, 폐회 중에는 의장이 허가할 수 있다.

③ 의장은 의결에서 표결권을 가지지 못하며, 찬성과 반대가 같으면 부결된 것으로 본다.

④ 지방의회에서 부결된 의안은 같은 회기 중에 다시 발의하거나 제출할 수 없다.

08 지방자치에 관한 설명으로 옳지 않은 것은? 2017 교행 9급

① 지방의회의 사무직원의 정수는 지방의회가 조례로 정하고, 사무직원은 지방자치단체장의 승인을 얻어 지방의회의 의장이 임명한다.

② 인구 50만 명 이상의 기초자치단체인 시에 대하여는 광역자치단체인 도가 처리하는 사무의 일부를 직접 처리하게 할 수 있다.

③ 지방자치단체의 장은 지방의회의 쟁의를 요구한 사항이 재의결된 경우, 재의결된 사항이 법령에 위반된다고 인정되면 재의결된 날부터 20일 이내에 대법원에 소를 제기할 수 있다.

④ 지방의회의 의원에 대한 징계의 종류로는 '공개회의에서의 경고, 공개회의에서의 사과, 30일 이내의 출석정지, 제명'이 있으며, 제명의 경우 재적의원 3분의 2 이상의 찬성이 있어야 한다.

06

④ 기관대립형의 집행기관은 기관통합형에 비해 행정의 전문성이 높지 않을 가능성이 크다.

① 우리나라는 집행기관 우위의 기관대립형인 강시장형을 취하고 있다.

② 영국의 의회형은 지방의회가 의결기능뿐 아니라 집행기능까지 담당하는 기관통합형에 해당한다.

③ 미국의 의회형은 집행기관은 수장과 의결기관인 의회를 분리하고 이들을 주민이 직접 선출하는 형태로 기관통합형의 특수한 형태라고 할 수 있다.

07

정답 : ③

③ 의장은 의결에서 표결권을 가지며, 가부동수인 때에는 부결된 것으로 간주한다.

① 지방의회는 조례로 정하는 바에 따라 위원회를 둘 수 있으며, 소관 의안과 청원 등을 심사·처리하는 상임위원회와 특정한 안건을 일시적으로 심사·처리하는 특별위원회로 구분된다.

② 지방의회는 그 의결로 소속 의원의 사직을 허가할 수 있으나 폐회 중에는 의장이 허가할 수 있는 자율권을 가진다.

④ 일사부재의의 원칙에 따라 지방의회에서 부결된 의안은 같은 회기 중에 다시 발의하거나 제출할 수 없다.

08

정답없음

①
> **지방자치법 제103조(사무직원의 정원과 임면 등)** ① 지방의회에 두는 사무직원의 수는 인건비 등 대통령령으로 정하는 기준에 따라 조례로 정한다.
> ② 지방의회의 의장은 지방의회 사무직원을 지휘·감독하고 법령과 조례·의회규칙으로 정하는 바에 따라 그 임면·교육·훈련·복무·징계 등에 관한 사항을 처리한다.

② 인구 50만 명 이상의 기초자치단체인 시에 대하여는 광역자치단체인 도가 처리하는 사무의 일부를 직접 처리하게 할 수 있다.

③ 지방자치단체장은 재의결된 사항이 법령에 위반된다고 판단되면 재의결된 날부터 20일 이내에 대법원에 소를 제기할 수 있다.

④ 지방의회 의원에 대한 징계로는 공개회의에서의 경고·사과, 30일 이내의 출석정지, 제명이 있으며, 제명의 경우에는 재적의원 3분의 2 이상의 찬성이 필요하다.

정답
06 ④ 07 ③ 08 정답없음

09 다음 중 지방자치단체의 장과 지방의회와의 관계에 대한 설명으로 가장 옳지 않은 것은? 2015 서울 7급

① 지방자치단체의 장은 지방의회의 의결이 공익을 현저히 해친다고 인정되면 재의를 요구할 수 있다.

② 지방의회에서 재의한 결과 재적의원 과반수의 출석과 출석의원 3분의 2 이상의 찬성으로 전과 같은 의결을 하면 그 의결사항은 확정된다.

③ 지방자치단체의 장은 지방의회에서 재의결된 사항에 대해서는 대법원에 소(訴)를 제기할 수 없다.

④ 지방자치단체의 장은 지방의회의 의결이 예산상 집행할 수 없는 경비를 포함하고 있다고 인정되면 재의를 요구할 수 있다.

10 우리나라의 지방의회의원에 대한 설명으로 옳지 않은 것은? 2015 지방 7급

① 지방의회의원은 4년 임기의 선출직 지방공무원이다.

② 지방의회의원에게는 의정활동비, 여비, 월정수당이 지급된다.

③ 지방의회의원은 재산등록의 의무를 지니고 있지 않다.

④ 지방의회의원의 제명에는 재적의원 3분의 2 이상의 찬성이 있어야 한다.

11 지방자치단체장의 선결처분에 대한 설명으로 옳지 않은 것은? 2014 전북 9급

① 지방의회의 의결에 속하는 사항에 대해 특별한 경우 지방자치단체장이 의회를 대신하여 의결되어야 할 사건을 미리 처분하는 것이다.

② 지방자치단체장은 재해복구, 전염병의 예방 등 주민의 생명과 재산보호를 위하여 긴급하게 필요한 경우나 국가 안보상 긴급한 지원이 필요한 사항에 선결처분을 할 수 있다.

③ 지방자치단체장이 선결처분을 행한 후 지방의회의 사후승인을 얻지 못하더라도 그 행위는 유효하다.

④ 지방의회와 자치단체장 간 갈등을 해결하는 임시적 수단으로 활용되기도 한다.

09
정답 : ③

③ 지방자치단체의 장은 지방의회에서 재의결된 사항이 법령에 위반된다고 판단되면 재의결된 날부터 20일 이내에 대법원에 소를 제기할 수 있다.

① 지방의회의 의결이 법령에 위반되거나 공익을 현저히 해친다고 판단되면 시·도에 대하여는 주무부장관이, 시·군 및 자치구에 대하여는 시·도지사가 재의를 요구하게 할 수 있고, 재의 요구를 받은 지방자치단체의 장은 의결사항을 이송받은 날부터 20일 이내에 지방의회에 이유를 붙여 재의를 요구하여야 한다.

② 재의의 결과 재적의원 과반수의 출석과 출석의원 3분의 2 이상의 찬성으로 전과 같은 의결을 하면 그 의결사항은 확정된다.

④ 지방자치단체의 장은 지방의회의 의결이 예산상 집행할 수 없는 경비를 포함하고 있다고 인정되면 그 의결사항을 이송받은 날부터 20일 이내에 이유를 붙여 재의를 요구할 수 있다.

📖 포인트 정리

지방자치단체장과 지방의회의 관계

자치단체장이 지방의회에 대해 갖는 권한	지방의회가 자치단체장에 대해 갖는 권한
• 지방의회 의결에 대한 재의요구 및 제소권 • 자치단체장의 선결처분권 • 의안발의권 • 임시회 소집요구권 • 우리나라는 의회 해산권 없음	• 서류제출 요구권 • 행정사무 감사 및 조사권 • 행정사무처리상황의 보고와 질문, 응답권 • 예산·결산 승인권 • 우리나라는 불신임의결권 없음

10
정답 : ③

③ 지방의회의원은 재산등록의 의무를 지닌다.

> **공직자윤리법 제3조(등록의무자)** ① 다음 각 호의 어느 하나에 해당하는 공직자(이하 "등록의무자"라 한다)는 이 법에서 정하는 바에 따라 재산을 등록하여야 한다.
> 2. 지방자치단체의 장, 지방의회의원 등 지방자치단체의 정무직공무원

① 지방의회의원의 임기는 4년이며, 선출직 지방공무원이다.

② 지방의회의원에게 의정활동비, 여비, 월정수당을 지급한다.

④ 지방의회의원을 제명하려면 재적의원 3분의 2 이상의 찬성이 있어야 한다.

11
정답 : ③

③ 선결처분은 지체없이 지방의회에 보고하여 승인을 얻어야 하며, 승인을 얻지 못하면 그때부터 효력이 상실된다.

① 일정한 경우 의회를 대신하여 결정권을 행사하는 것이다.

② 자치단체장은 지방의회가 소집되지 아니하거나 의회의 의결을 기다릴 시간적 여유가 없을 때 재해복구나 감염병의 예방 등 주민의 생명과 재산보호를 위하여 긴급히 필요하거나 국가안보상 긴급한 지원이 필요한 사항에 대하여 지방의회 의결 전에 미리 선결처분을 할 수 있다.

④ 지방의회와 지자체장 간 갈등해결을 위한 임시적 수단으로도 활용되고 있다.

정답
09 ③ 10 ③ 11 ③

12 「지방자치법」상 지방의회의 의결사항으로 옳은 것만을 모두 고른 것은?

> ㄱ. 예산의 심의·확정
> ㄴ. 법령에 규정된 수수료의 부과 및 징수
> ㄷ. 외국 지방자치단체와의 교류협력에 관한 사항

① ㄱ, ㄴ
② ㄱ, ㄷ
③ ㄱ, ㄴ, ㄷ
④ ㄴ, ㄷ

13 지방의회의 의결에 대한 지방자치단체장의 재의 요구 사유가 아닌 것은?

① 지방의회의 의결이 월권이거나 법령에 위반된다고 인정되는 경우

② 지방의회의 의결이 국제관계에서 맺은 국제교류업무 수행에 드는 경비를 축소할 경우

③ 지방의회의 의결이 예산상 집행 불가능한 경비를 포함하고 있다고 인정되는 경우

④ 지방의회의 의결이 비상재해로 인한 시설의 응급 복구를 위하여 필요한 경비를 축소한 경우

CHAPTER 06 교육자치와 자치경찰

실질적 력(역량) 업그레이드

01 자치경찰제에 대한 설명으로 가장 적절한 것은?

① 자치경찰제는 경찰기관 상호간의 협조가 용이하여 경찰행정의 능률성을 확보할 수 있다.

② 일본은 국가경찰제를 중심으로 자치경찰제를 가미한 절충형을 채택하고 있다.

③ 「제주특별법」에 의해 운영되는 자치경찰단장은 자치경무관으로 임명하며, 정치적 중립성을 확보하기 위해 도지사는 임의대로 자치경찰단장을 개방형직위로 지정하여 운영할 수 없다.

④ 「제주특별법」에 의해 제주자치도와 국가경찰의 치안행정 업무협조를 위하여 도지사 소속으로 치안행정위원회를 둔다.

12

정답 : ②

② ㄱ, ㄷ만 옳다.

ㄱ, ㄷ. [O] 예산의 심의·확정과 외국 지방자치단체와의 교류협력에 관한 사항이 지방의회의 의결사항에 해당한다.

ㄴ. [X] 법령에 규정된 수수료의 부과 및 징수는 법에 근거하여 징수하므로 지방의회의 의결을 거칠 필요가 없다.

지방의회 의결사항

1. 조례의 제정·개정 및 폐지
2. 예산의 심의·확정
3. 결산의 승인
4. 법령에 규정된 것을 제외한 사용료·수수료·분담금·지방세 또는 가입금의 부과와 징수
5. 기금의 설치·운용
6. 대통령령으로 정하는 중요 재산의 취득·처분
7. 대통령령으로 정하는 공공시설의 설치·처분
8. 법령과 조례에 규정된 것을 제외한 예산 외의 의무부담이나 권리의 포기
9. 청원의 수리와 처리
10. 외국 지방자치단체와의 교류협력에 관한 사항

13

정답 : ②

② 국제관계에서 맺은 국제교류업무 수행에 드는 경비를 축소할 경우는 재의요구 사유에 해당하지 않는다.

①, ③, ④ 모두 지방자치단체장의 재의 요구 사유에 해당하며, 재의요구사항에 대하여 지방의회가 재적과반수의 출석과 출석 3분의 2 이상의 찬성으로 재의결하면 그 사항은 확정되며 이 경우 자치단체장은 대법원에 제소가 가능하다.

01

정답 : ④ (현재 법 개정됨)

④ 제주특별법에 따르면 자치경찰사무를 처리하기 위해 제주특별자치도 자치경찰위원회 소속으로 자치경찰단을 둔다.

> **제주특별자치도 설치 및 국제자유도시 조성을 위한 특별법 제88조(자치경찰기구의 설치)** ① 제90조에 따른 자치경찰사무를 처리하기 위하여 「국가경찰과 자치경찰의 조직 및 운영에 관한 법률」 제18조에 따라 설치되는 제주특별자치도자치경찰위원회(이하 "자치경찰위원회"라 한다) 소속으로 자치경찰단을 둔다.

① 자치경찰제는 경찰기관 상호간의 협조가 곤란하여 경찰행정의 능률성을 저해할 수 있으나 주민 의견을 반영하므로 민주성은 확보될 수 있다.

② 일본은 자치경찰제를 중심으로 하는 절충형을 채택하고 있다.

③ 자치경찰단장은 자치경무관으로 임명하며, 도지사는 개방형직위로 지정하여 운영할 수 있다.

> **동법 제89조(자치경찰단장의 임명)** ① 자치경찰단장은 도지사가 임명하며, 자치경찰위원회의 지휘·감독을 받는다.
> ② 자치경찰단장은 자치경무관으로 임명한다. 다만, 도지사는 필요하다고 인정하면 개방형직위로 지정하여 운영할 수 있다.

포인트 정리

지방자치단체장의 재의요구사유

- 조례안에 이의가 있는 경우
- 지방의회의 의결이 월권 또는 법령에 위반되거나 공익을 현저히 해한다고 인정된 때
- 지방의회의 의결에 예산상 집행할 수 없는 경비가 포함되어 있는 경우, 의무적 경비나 비상재해복구비를 삭감한 경우
- 지방의회의 의결이 법령에 위반되거나 공익을 현저히 해한다고 판단되어 주무부장관 또는 시·도지사가 재의요구를 지시한 경우

정답

12 ② 13 ② 01 ④

02 우리나라의 교육자치에 대한 설명으로 옳지 않은 것은?

2015 지방 7급(수정)

① 국가행정사무 중 시·도에 위임하여 시행하는 사무로서 교육·학예에 관한 사무는 교육감에게 위임하여 행한다.

② 시·도의 교육·학예에 관한 사무의 집행기관으로 시·도에 교육감을 둔다.

③ 정당은 교육감선거에 후보자를 추천할 수 있다.

④ 주민은 교육감을 소환할 권리를 가진다.

CHAPTER 07 지방재정(1) – 지방세, 세외수입

실질적 **력**(역량) **업**그레이드

01 지방재정에 대한 설명으로 가장 옳지 않은 것은?

2019 서울 7급(2월)

① 지방수입에 있어서 자주재원의 핵심은 지방세와 세외수입으로 지방세는 법률이 정하는 바에 따라 강제적으로 징수하고, 세외수입은 지방세 외의 모든 수입을 포함하는 개념이다.

② 의존재원은 지방교부세, 국고보조금, 조정교부금, 지방채로 구성되며, 지방자치단체에서 필요로 하거나, 부족한 재원을 외부에서 조달한다는 특징이 있다.

③ 지방자치단체 지방수입의 구조에서 가장 두드러진 특징 중 하나는 자주재원에 비해 의존재원이 매우 많다는 점으로, 지방자치단체의 국가재정에 대한 의존도가 상당히 크다 할 수 있다.

④ 재정자립도는 지방자치단체 총 예산규모 중 자주재원이 차지하는 비율로 그 산식에 있어서 분모와 분자에 모두 자주재원이 존재함으로 인해 재정자립도를 결정하는 데에 중요한 요인은 의존재원이 된다.

02 우리나라의 지방재정에 대한 설명으로 가장 옳지 않은 것은?

2017 서울 9급

① 지방자치단체의 세입재원은 크게 자주재원과 의존재원으로 나눌 수 있는데, 자주재원에는 지방세와 세외수입이 있고 의존재원에는 국고보조금과 지방교부세 등이 있다.

② 지방세 중 목적세로는 담배소비세, 레저세, 자동차세, 지역자원시설세, 지방교육세 등이 있다.

③ 지방교부세는 지방자치단체 간 재정력의 불균형을 조정하는 재원으로, 보통교부세·특별교부세·부동산교부세 및 소방안전교부세로 구분한다.

④ 지방재정자립도를 높이기 위해 국세의 일부를 지방세로 전환할 경우 지역 간 재정불균형이 심화될 수 있다.

02

③ 정당은 교육감선거에 후보자를 추천할 수 없다.
① 교육·학예에 관한 사무는 교육감이 담당한다.
② 교육감은 시·도의 교육·학예에 관한 사무의 집행기관이다.
④ 주민은 교육감을 소환할 수 있다.

01

정답 : ②

② 의존재원은 지방교부세, 국고보조금, 조정교부금으로 구성되며, 지방채는 지방자치단체에서 발행하는 채권으로 과거에는 자주재원에 포함하였으나 현재에는 자주재원에서 제외되었고, 이후 의존재원에도 포함되지 않았다.
① 자주재원에는 법률에 근거하여 지방정부가 강제로 부과·징수하는 지방세와 지방자치단체의 자체 세입 중에서 지방세 수입을 제외한 세외수입이 있다.
③ 자주재원에 비해 의존재원이 매우 많다는 것은 지방자치단체가 국가재정에 의존하는 정도가 크다고 볼 수 있다.
④ 재정자립도는 지방자치단체의 총세입에서 자주재원이 차지하고 있는 비율로, 자주재원은 분자와 분모 모두에 존재하므로 결국 재정자립도를 결정하는 주요한 요인은 의존재원이라고 할 수 있다.

02

정답 : ②

② 지방세 중 목적세로는 지역자원시설세, 지방교육세가 있고 담배소비세, 레저세, 자동차세 등은 보통세에 해당한다.
① 지방세와 세외수입은 자주재원에 해당하고, 국고보조금과 지방교부세는 의존재원에 해당한다.
③ 지방교부세의 종류로는 보통교부세, 특별교부세, 부동산교부세, 소방안전교부세가 있고 지방교부세는 지방자치단체 간 재정력의 불균형을 조정하는 기능을 한다.
④ 국세의 일부를 지방세로 전환하게 되면 자치단체의 세원이 골고루 분포되어 있지 않기 때문에 오히려 지역 간 재정불균형이 심화될 수 있다.

정답
02 ③ 01 ② 02 ②

PART 7 지방행정론 **607**

지방행정론

PART 7

해커스공무원 **마니행정학** 기출 **박데이터** 실력업

03 지방세 체계에 대한 설명 중 옳지 않은 것은? 2016 교행 9급

① 광역시의 경우에는 주민세 재산분 및 종업원분은 광역시세가 아니고 구세로 한다.

② 광역시의 군 지역은 광역시세와 자치구세의 세목 구분이 적용되지 않고 도세와 시·군세의 세목 구분이 적용된다.

③ 시·도는 지방교육세를 매 회계연도 일반회계예산에 계상하여 교육비특별회계로 전출하여야 한다.

④ 특별시의 재산세는 특별시분과 자치구분으로 구분하고, 특별시분은 구의 지방세수 등을 고려하여 자치구에 차등 분배하고 있다.

04 지방세제에 대한 설명으로 옳지 않은 것은? 2015 지방 9급

① 지방소비세는 국세인 부가가치세의 일부를 일정한 기준에 따라 광역지방자치단체에 이전하는 일종의 세원공유 방식의 지방세이다.

② 지역자원시설세와 지방교육세는 목적세이다.

③ 레저세는 국세인 개별소비세와 지방세인 경주·마권세의 일부가 전환된 세목이다.

④ 지방세는 재산과세의 비중이 높으며 중앙정부의 부동산 정책과 지역경제 상황에 따라 영향을 받는다.

05 서울시의 공동세 제도를 설명한 것 중 적절하지 못한 것은? 2013 서울 7급

① 서울시 자치구간 재정력의 형평화에 기여할 수 있다.

② 지방자치제의 본래의 의미를 훼손할 수 있다는 비판을 받기도 한다.

③ 25개 자치구의 취득세의 50%를 서울시가 형평화의 논리에 따라 배분하는 것이다.

④ 기초지방자치단체 간 갈등을 야기할 수 있다.

⑤ 양여금과 비슷한 원리의 제도라고 할 수 있다.

03

정답 : ④

④ 특별시분 재산세 전액은 관할구역의 구에 교부하여야 하고, 교부 기준 및 교부 방법 등은 특별시의 조례로 정하되 교부기준을 정하지 않은 경우에는 구에 균등배분 하여야 한다.

① 광역시의 경우에는 주민세 재산분 및 종업원분은 자치구세로 한다.(지방세 기본법 제11조)

② 광역시의 군 지역에서는 도세항목을 광역시세로 한다.

③ 시·도는 지방교육세를 매 회계연도 일반회계예산에 계상하여 교육비특별회계로 전출하여야 한다.

04

정답 : ③

③ 레저세는 종전의 경주·마권세가 개칭된 세목으로 지방세에 해당하고, 개별소비세는 종전의 특별소비세가 개칭된 세목으로 국세에 해당한다.

① 지방소비세는 국세인 부가가치세액의 일부를 지방세로 전환한 것으로, 재화와 용역을 소비하는 자에 대해 주소지 또는 소재지의 자치단체가 부과한다.

② 목적세에는 지역자원시설세와 지방교육세가 있다.

④ 지방세는 재산과세 비중이 높아 소비과세나 소득과세에 비해 경제성장이나 소득증가에 따른 세수의 신장성을 기대하기 어렵다.

05

정답 : ③

③ 서울시의 공동세 제도는 강남·북 간의 재정격차를 완화하기 위하여 2008년에 도입한 공동 재산세 제도로, 취득세가 아니라 재산세를 대상으로 하며 재산세의 50%를 특별시가 확보하여 25개 자치구에 균등하게 배분하는 것이다.

① 서울시 자치구 간의 재정불균형을 완화함으로써 형평화에 기여할 수 있다.

② 자신의 사무는 자신의 재정책임 하에 처리해야 한다는 지방자치제의 본래 정신을 훼손할 수 있다는 비판을 받는다.

④ 이 제도의 도입을 둘러싸고 강남·북구 간 갈등을 초래하였다.

⑤ 상급정부가 하급정부의 재원을 흡수하여 다시 하급정부에 교부한다는 점에서 과거의 지방양여금과 비슷한 원리의 제도라고 볼 수 있다.

포인트 정리

국세 종류

내국세	직접세	소득세, 법인세, 상속세, 증여세, 종합부동산세
	간접세	부가가치세, 개별소비세, 주세, 인지세, 증권거래세
목적세		교육세, 농어촌특별세, 교통·에너지·환경세
관세		–

국세 또는 지방세가 서로 옳지 않게 연결된 것은?

① 국세-개별소비세, 농어촌특별세

② 서울특별시 강남구세-등록면허세, 재산세

③ 부산광역시 기장군세-지방소득세, 지방교육세

④ 제주특별자치도세-취득세, 지역자원시설세

⑤ 경상남도 창원시세-재산세, 자동차세

지방세가 갖추어야 할 요건과 그 설명이 잘못된 것은?

① 부담보편의 원칙: 동등한 지위에 있는 자에게는 동등하게 과세하고 조세감면의 폭이 너무 넓어서는 안 된다.

② 국지성(지역성)의 원칙: 지방세의 과세 객체는 가능한 한 지방자치단체 간의 이동이 적고 그 자치단체의 관할 구역 내에 국지화·지역화되어 있어야 한다.

③ 안정성의 원칙: 지방세가 지방재정의 건전성과 관련이 깊으므로 지방세는 경기변동에 민감하지 않도록 안정적으로 유지되어야 한다.

④ 응익성의 원칙: 행정주체가 제공하는 공공서비스와 주민의 납세액이라는 반대급부 사이에 대가관계가 성립되어야 한다.

⑤ 부담분임의 원칙: 지방세의 세원은 특정한 자치단체에만 편재되어서는 안 되며 지방자치단체별로 차이가 없도록 가능한 한 모든 자치단체에 골고루 분포되어 있어야 한다.

06

③ 지방교육세는 목적세에 해당하며 도세와 특별시·광역시세에만 목적세가 있다. 따라서 부산광역시 기장군은 자치구에 해당하기 때문에 목적세 부과 주체에 해당되지 않는다.

① 국세기본법상 개별소비세, 농어촌특별세는 국세에 해당한다.

② 서울특별시 강남구는 자치구에 해당하므로 자치구세인 등록면허세, 재산세가 세목에 해당된다.

④ 제주특별자치도는 도세로서 보통세와 목적세의 세목이 있으며 보통세의 일부인 취득세와 목적세의 일부인 지역자원시설세가 있다.

⑤ 경상남도 창원시는 시·군세에 해당하는 주민세, 재산세, 자동차세, 담배소비세, 지방소득세 부과 주체에 해당한다.

지방세목 체계

구분		특별시·광역시	도세	자치구세	시·군세
보통세		취득세, 주민세, 자동차세, 레저세, 담배소비세, 지방소비세, 지방소득세	취득세, 레저세, 등록면허세, 지방소비세	등록면허세, 재산세	주민세, 재산세, 자동차세, 담배소비세, 지방소득세
목적세		지방교육세, 지역자원시설세	지방교육세, 지역자원시설세	–	–

07

⑤ 지방세의 세원이 특정한 자치단체에만 편재되어서는 안 되며 지방자치단체별로 차이가 없도록 가능한 한 모든 자치단체에 골고루 분포되어 있어야 한다는 것은 보편성의 원칙에 대한 설명이다. 한편 부담분임의 원칙은 지방자치단체 영역 내에 거주하는 주민은 그 행정에 소요되는 경비인 공통비용을 그 지방자치단체의 구성원으로서 상호 분담하여야 한다는 원칙이다.

① 부담보편의 원칙은 동등한 지위에 있는 자에게는 동등하게 과세하여야 하고 조세감면의 폭은 너무 넓혀서는 안된다는 원칙이다.

② 국지성(지역성)의 원칙은 정착성의 원칙이라고도 하는데 세원은 가급적 이동이 적고 일정한 지역 내에 정착하고 있어야 한다는 원칙이다.

③ 안정성의 원칙은 세수가 매년 한정적으로 수입되어야 하고 연도 간 세수의 변동이 적어야 한다는 원칙이다.

④ 응익성의 원칙은 지방자치단체가 제공하는 공공서비스로부터 주민이 받는 이익에 따라 지방세를 부담하도록 하는 것으로, 행정주체가 제공하는 공공서비스와 주민의 담세액이라는 반대급부 사이에 대가관계가 성립하여야 한다는 원칙이다.

01 **지방교부세에 대한 설명으로 옳지 않은 것은?**

2022 국가 9급

① 지역 간 재정력 격차를 완화시키는 재정 균등화 기능을 수행한다.

② 보통교부세, 특별교부세, 부동산교부세, 소방안전교부세로 구분한다.

③ 신청주의를 원칙으로 하며 각 중앙관서의 예산에 반영되어야 한다.

④ 부동산교부세는 종합부동산세를 재원으로 하며 전액을 지방자치단체에 교부한다.

02 **「지방공기업법」에 근거한 지방공기업에 대한 설명으로 가장 옳지 않은 것은?**

2019 서울 7급(2월)

① 지방공기업은 수도사업(마을상수도사업은 제외한다), 공업용수도사업, 주택사업, 토지개발사업, 하수도사업, 자동차운송사업, 궤도사업(도시철도사업을 포함한다)을 할 수 있다.

② 지방공기업에 관한 경영평가는 원칙적으로 행정안전부 장관의 주관으로 이루어진다.

③ 공사의 운영을 위하여 필요한 경우에는 자본금의 2분의 1을 넘지 아니하는 범위에서 지방자치단체 외의 자로 하여금 공사에 출자하게 할 수 있다. 단, 외국인 및 외국법인은 제외한다.

④ 지방공기업에 대한 경영평가, 관련정책의 연구, 임직원에 대한 교육 등을 전문적으로 지원하기 위하여 지방공기업평가원을 설립한다.

03 **우리나라 지방자치단체의 세입 · 세출에 대한 설명으로 옳지 않은 것은?**

2017 국가 9급(추)

① 의존재원의 비중이 높아지면 재정분권이 취약해질 수 있다.

② 보통교부세는 중앙정부가 용도를 제한하여 지방자치단체의 재량권이 없는 재원이다.

③ 지방세와 세외수입은 자주재원에 속하고, 보조금은 의존재원에 속한다.

④ 현행법상 지방자치단체의 관할구역 자치사무에 필요한 경비는 그 지방자치단체가 전액을 부담한다.

01

정답 : ③

③ 신청주의를 원칙으로 하며 각 중앙관서의 예산에 반영되어야 하는 것은 국고보조금에 대한 설명이다. 한편 지방교부세는 지방자치단체의 신청 없이 미리 정해진 법정교부세율에 따라 확보된 재원으로 교부하는 조정재원이다.

① 지방자치단체 간 재정력의 불균형을 조정하는 기능을 한다.

② 지방교부세의 종류로는 보통교부세, 특별교부세, 부동산교부세, 소방안전교부세가 있다.

④ 부동산교부세는 종합부동산세를 전액을 재원으로 한다.

02

정답 : ③

③ 공사의 운영을 위하여 필요한 경우에는 자본금의 2분의 1을 넘지 아니하는 범위에서 지방자치단체 외의 자로 하여금 공사에 출자하게 할 수 있으며, 여기에는 외국인 및 외국법인도 포함한다.

> **지방공기업법 제53조(출자)** ② 제1항에도 불구하고 공사의 운영을 위하여 필요한 경우에는 자본금의 2분의 1을 넘지 아니하는 범위에서 지방자치단체 외의 자(외국인 및 외국법인을 포함한다)로 하여금 공사에 출자하게 할 수 있다. 증자(增資)의 경우에도 또한 같다.

03

정답 : ②

② 특별교부세는 중앙정부가 용도를 제한하여 지방자치단체의 재량권이 없는 재원이다. 한편 보통교부세는 용도가 제한되지 않는 일반재원이다.

① 보조금 등 의존재원은 국가나 상급 지방자치단체의 결정·실현되는 재원으로 의존재원이 높아지면 재정상의 통제가 수반되어 재정자립도가 저하되고 재정분권이 취약해질 수 있다.

③ 지방세와 세외수입은 자주재원에 속하고, 지방교부세와 보조금은 의존재원에 속한다.

④ 자치사무는 해당 지방자치단체가 경비를 전액 부담하는 것이 원칙이다.

> **지방재정법 제20조(자치사무에 관한 경비)** 지방자치단체의 관할구역 자치사무에 필요한 경비는 그 지방자치단체가 전액을 부담한다.

정답

01 ③ 02 ③ 03 ②

04 「지방재정법」상 지방자치단체의 예산에 대한 설명으로 옳지 않은 것은?

2015 지방 7급

① 예산안에는 성인지 예산서가 첨부되어야 한다.

② 한 회계연도의 모든 수입을 세입으로 하고 모든 지출을 세출로 한다.

③ 지방자치단체의 장은 매년 다음 회계연도부터 5회계연도 이상의 기간에 대한 중기지방재정계획을 수립하여 지방의회에 제출하여야 한다.

④ 지방의회의 소속으로 설치하여야 하는 지방재정투자심사위원회는 다른 위원회가 그 기능을 대신할 수 없다.

05 우리나라 지방교부세에 관한 설명으로 옳지 않은 것은?

2014 행정사

① 지방교부세는 본질적으로 지방자치단체의 공유적 독립재원에 속한다.

② 보통교부세는 사용용도가 정해져 있지 않은 일반재원이다.

③ 지방자치단체간 재정불균형의 조정은 가능하나 중앙정부와 지방자치단체간 수평적 재정균형기능은 미흡하다.

④ 지방자치단체들은 재정자립도 향상 차원에서 지방교부세의 증액을 위해 노력하고 있다.

⑤ 현행 제도상 보통교부세를 교부받지 않는 지방자치단체도 존재하고 있다.

06 우리나라 지방재정조정제도 중의 하나인 조정교부금제도에 대한 설명으로 옳은 것만을 모두 고른 것은?

2014 사복 9급

> ㄱ. 특별시·광역시 내 자치구 사이의 재정격차를 해소하여 균형적인 행정서비스를 제공하기 위해 도입되었다.
> ㄴ. 중앙정부가 지방정부의 재정수요와 재정수입을 비교하여 부족한 재원을 보전할 목적으로 내국세의 적정 비율에 해당하는 금액을 지방정부에 교부하는 것이다.
> ㄷ. 지방정부가 수행하는 업무 중에서 국가사업과 지방사업의 연계를 강화하고자, 중앙정부가 지방정부의 특정 사업에 대하여 경비 일부의 용도를 지정하여 부담한다.
> ㄹ. 특별시장이나 광역시장은 시세 수입 중의 일정액을 확보하여 조례로 정하는 바에 따라 해당 지방자치단체의 관할 구역 안의 자치구 상호 간의 재원을 조정하여야 한다.

① ㄱ, ㄴ   ② ㄱ, ㄹ

③ ㄴ, ㄷ   ④ ㄷ, ㄹ

04

정답 : ④

④ 지방재정투자심사위원회의 기능을 담당하기에 적합한 다른 위원회가 있고 그 위원회의 위원이 지방재정 또는 투자심사에 관한 학식이나 전문성을 갖춘 경우에는 조례로 정하는 바에 따라 그 위원회가 지방재정투자심사위원회의 기능을 대신할 수 있다.

① 지방자치단체도 성인지 예산제도를 실시한다.

05

정답 : ④

④ 지방교부세는 자주재원이 아니라 중앙정부가 교부하는 의존재원이므로 지방교부세가 늘어날수록 재정자립도는 낮아진다. 재정자립도는 총세입 중에서 자주재원이 차지하는 비율을 말한다. 따라서 자치단체장들은 국세의 지방세화 등 자주재원의 확충을 원하며, 지방교부세의 증액을 위해 노력하고 있다고는 볼 수 없다.

06

정답 : ②

② ㄱ, ㄹ이 옳은 설명이다.

ㄱ. [O] 조정교부금 제도는 특별시·광역시 내 자치구 사이의 재정격차를 해소하기 위하여 도입된 제도이다.

ㄹ. [O] 특별시장이나 광역시장은 대통령령으로 정한 보통세 수입 중 일정액을 확보하여 자치구 상호 간 재원을 조정해야 한다.

ㄴ. [X] 중앙정부가 지방정부의 재정수요와 재정수입을 비교하여 부족한 재원을 보전할 목적으로 내국세의 적정 비율에 해당하는 금액을 지방정부에 교부하는 것은 지방교부세 중 보통교부세에 해당한다.

ㄷ. [X] 부담금은 지방정부가 수행하는 업무 중에서 국가사업과 지방사업의 연계를 강화하고자, 중앙정부가 지방정부의 특정 사업에 대하여 경비 일부의 용도를 지정하여 부담한다.

정답
04 ④ 05 ④ 06 ②

07 우리나라 지방자치단체의 재정에 대한 설명으로 옳은 것은?

2014 국가 7급

① 지방세는 재산보유에 대한 과세보다 재산거래에 대한 과세의 비중이 상대적으로 높다.

② 재정력지수는 지방자치단체의 전체 재원에 대한 자주재원(지방세 수입, 지방세 외 수입)의 비율을 의미한다.

③ 재정자립도란 일반회계 세입에서 자주재원과 지방교부세를 합한 일반재원의 비중으로 생계급여 등 사회복지 분야에서 차등보조율을 설계할 때 사용된다.

④ 지방재정조정제도는 크게 지방자치단체에 재원 사용의 자율성을 전적으로 부여하는 국고보조금과 특정한 사업에 사용할 것을 조건으로 선택적으로 지원하는 지방교부세로 구분한다.

08 지방자치단체의 세입구조에 대한 설명으로 옳지 않은 것은?

2012 인천 9급

① 지방재정에서 중요시하는 지표로는 재정자립도, 재정자주도 그리고 재정력지수가 있다.

② 지방자치단체의 재원은 지방세, 세외수입의 자주재원과 지방교부세, 국고보조금 등의 의존재원으로 나눌 수 있다.

③ 재정자주도는 지방자치단체의 전체 재원에 대한 자주재원의 비율을 의미한다.

④ 재정력지수는 지방교부세제도에서 규정되어 있는 '기준재정수요액' 대비 '기준재정수입액'의 비율이다.

09 지방재정에 관한 다음 〈보기〉 중 옳은 것은 모두 몇 개인가?

2012 경찰간부

> **보기**
>
> ⊙ 교부공채는 지방정부가 채권을 발행하여 차량이나 주택구입 및 인·허가자에게 강제로 구입하도록 하는 채권이다.
> ⓒ 지방교부세의 재원은 내국세 총액의 19.24%이다.
> ⓒ 지방교부세는 모두 일반재원의 성격을 가지고 있다.
> ⓔ 현행 지방세 중 지방교육세와 지역자원시설세는 목적세이다.

① 0개　　　　　　　　　　　② 1개

③ 2개　　　　　　　　　　　④ 3개

07

정답 : ①

① 취득세, 등록면허세가 대표적인 거래과세에 해당하고 재산세는 보유과세에 해당한다. 기존에는 종합토지세가 지방세로서 보유과세의 성격을 띠었지만 종합부동산세로 개정되면서 국세로 전환되었으므로 전반적으로 보유과세보다 거래과세의 비중이 더 높은 편이다.

② 재정자립도는 지방자치단체의 전체 재원에 대한 자주재원(지방세 수입, 지방세 외 수입)의 비율을 의미한다.

③ 재정자주도란 일반회계 세입에서 자주재원과 지방교부세를 합한 일반재원의 비중으로 생계급여 등 사회복지 분야에서 차등보조율을 설계할 때 사용된다.

④ 지방재정조정제도는 크게 지방자치단체에 재원 사용의 자율성을 전적으로 부여하는 일반지원금의 지방교부세와 특정한 사업에 사용할 것을 조건으로 선택적으로 지원하는 특정지원금의 국고보조금으로 구분한다.

08

정답 : ③

③ 지방자치단체의 전체 재원에 대한 자주재원의 비율을 말하는 것은 재정자립도이고, 재정자주도는 지방자치단체의 전체 재원에 대한 일반재원의 비율을 의미한다.

① 재정자립도, 재정자주도, 재정력지수는 지방재정에서 중요시하는 3대 지표에 해당한다.

② 지방자치단체의 재원은 지방세, 세외수입의 자주재원과 지방교부세, 국고보조금 등의 의존재원으로 나눌 수 있다.

④ 재정력지수(=기준재정수입액/기준재정수요액)는 보통교부세 교부여부 판단과 교부금액 산정기준이다.

09

정답 : ②

② ㄹ만 옳다.

㉠ [X] 지방정부가 채권을 발행하여 차량이나 주택구입 및 인·허가자에게 강제로 구입하도록 하는 채권은 매출공채에 대한 설명이다. 한편 교부공채는 자치단체가 시공업체나 토지소유자 등에 대하여 채무이행에 갈음하여 지방채 증권을 교부하는 방식이다.

㉡ [X] 지방교부세의 재원은 내국세의 19.24%에 해당하는 금액과 종합부동산세 전액, 담배개별소비세의 45% 총액 및 각 정산액이다.

㉢ [X] 지방교부세 중 특별교부세는 특별재원으로서의 성격을 갖는다.

포인트 정리

의존재원

지방 교부세	보통 교부세	재정력 지수 1을 기준으로 함
	특별 교부세	재해복구 등 특별한 재정수요에 지급
	소방 안전 교부세	지자체의 소방 및 안전시설 확충 등을 위하여 지급
	부동산 교부세	종합부동산세 전액을 재원으로 함
국고 보조금	장려적 보조금	자치사무에 대한 지원
	부담금	단체위임사무에 대한 보조금
	교부금	기관위임사무에 대한 보조금

정답

07 ① 08 ③ 09 ②

□□

10 지방채에 관한 설명으로 옳지 않은 것은?

2006 경기 9급

① 지방자치단체가 과세권을 담보로 증서차입 또는 증권 발행을 통하여 자금을 조달하는 방식이다.

② 지방채 발행 재원은 주로 항만, 도로, 주택 등 내구연한이 긴 시설의 투자비에 한한다.

③ 내구연수가 긴 공공시설의 건설에 소요되는 재원을 조달할 때 주로 사용되므로 세대 간 공평한 부담을 실현할 수 있다.

④ 주민과 밀접한 관계에 있으므로 국채에 비하여 통화신용창출 등 거시 경제적 대책기능이 강하다.

CHAPTER 09 주민참여와 주민통제

실질적 력(역량) 업그레이드

□□

01 우리나라 참여예산제도에 대한 설명으로 옳은 것만을 〈보기〉에서 모두 고르면?

2020 국회 8급

> **보기**
>
> ㄱ. 국민참여예산제도는 2019년도 예산편성부터 시행되었다.
> ㄴ. 국민참여예산제도에서 각 부처는 소관 국민제안사업에 대한 적격성 점검을 실시하고 기획재정부, 국민참여예산지원협의회와 협의하여 최종적으로 사업예산편성 여부를 결정한다.
> ㄷ. 지방자치단체는 주민참여예산제도의 운영에 대한 평가를 실시한다.
> ㄹ. 주민참여예산제도의 구체적인 내용은 대통령령으로 정한다.

① ㄱ, ㄴ   ② ㄱ, ㄷ   ③ ㄴ, ㄷ

④ ㄴ, ㄹ   ⑤ ㄷ, ㄹ

□□

02 우리나라 지방자치단체 주민투표제도에 대한 설명으로 가장 옳은 것은?

2019 서울 9급

① 1994년 「지방자치법」 개정에서 도입된 이래 지금까지 시행되고 있다.

② 주민투표에 부쳐진 사항은 법에서 정한 경우를 제외하고는 주민투표권자 총수의 3분의 1 이상의 투표와 유효 투표 수 과반수의 득표로 확정된다.

③ 지방자치단체의 장은 주민 또는 지방의회의 청구에 의한 경우가 아닌 자신의 직권으로 주민투표를 실시할 수 없다.

④ 일반 공직선거와 마찬가지로 외국인은 어떠한 경우에도 주민투표에 참여할 수 없다.

10

정답 : ④

④ 거시 경제적 대책기능은 국가재정이 수행해야 할 기능이다.

① 지방채는 지방자치단체가 부족한 재원을 보전하기 위하여 외부로부터 조달하는 차입금으로, 과세권을 담보로 증서차입이나 증권발행을 통해 자금을 조달하는 방식이다.

② 지방채는 지방자치단체의 사회간접자본구축이나 재해복구 등을 위해 발행된다.

③ 상수도·지하철·도로 등 주로 내구연수가 긴 공공시설의 확충에 이용하므로 세대 간 부담을 공평하게 실현할 수 있다.

01

정답 : ①

① ㄱ, ㄴ만 옳다.

ㄱ. [O] 국민참여예산제도는 2018년 국가재정법의 개정으로 2019년부터 예산편성부터 시행·적용되었다.

ㄴ. [O] 국민참여예산 운영절차로, 각 부처는 국민제안사업에 대한 적격성 심사를 하고 기획재정부와 국민참여예산지원협의회와 협의하여 최종적으로 사업예산편성 여부를 결정한다.

ㄷ. [X] 행정안전부장관은 지방자치단체의 재정적·지역적 여건 등을 고려하여 대통령령으로 정하는 바에 따라 지방자치단체별 주민참여예산제도의 운영에 대하여 평가를 실시할 수 있다.

ㄹ. [X] 주민참여예산기구의 구성·운영과 그 밖에 필요한 구체적인 사항은 대통령령이 아니라 해당 지방자치단체의 조례로 정한다.

02

정답없음

① 2004년 「주민투표법」 개정에서 도입된 이래 지금까지 시행되고 있다.

② 주민투표의 결과는 주민투표권자 총수의 4분의 1 이상의 투표와 유효투표수 과반수의 득표로 확정된다.

> **주민투표법 제24조(주민투표결과의 확정)** ① 주민투표에 부쳐진 사항은 주민투표권자 총수의 4분의 1 이상의 투표와 유효투표수 과반수의 득표로 확정된다. 다만, 다음 각 호의 어느 하나에 해당하는 경우에는 찬성과 반대 양자를 모두 수용하지 아니하거나, 양자택일의 대상이 되는 사항 모두를 선택하지 아니하기로 확정된 것으로 본다.
> 1. 전체 투표수가 주민투표권자 총수의 4분의 1에 미달되는 경우
> 2. 주민투표에 부쳐진 사항에 관한 유효득표수가 동수인 경우

③ 지방자치단체의 장은 미리 지방의회의 동의를 얻어 직권으로 주민투표를 실시할 수 있다.

④ 외국인도 일정한 자격을 갖춘 때에는 조례가 정하는 바에 따라 주민투표를 할 수 있다.

정답
10 ④ 01 ① 02 정답없음

03 다음 중 현행 법률상 허용되지 않는 것만을 모두 고르면?

2019 지방 7급

> ㄱ. 비례대표 지방의회의원에 대한 주민소환
> ㄴ. 수사에 관여하게 되는 사항에 대한 주민감사청구
> ㄷ. 수수료 감면을 위한 주민의 조례 개정 청구
> ㄹ. 지방공무원의 정원에 관한 주민투표

① ㄱ, ㄷ

② ㄱ, ㄴ, ㄹ

③ ㄴ, ㄷ, ㄹ

④ ㄱ, ㄴ, ㄷ, ㄹ

04 주민참여예산제도에 대한 설명으로 옳지 않은 것은?

2019 지방 7급

① 지방자치단체의 장은 주민참여예산제도를 통하여 수렴한 주민의 의견서를 지방의회에 제출하는 예산안에 첨부하여야 한다.

② 주민참여예산기구의 구성·운영과 그 밖에 필요한 사항은 해당 지방자치단체의 조례로 정한다.

③ 2011년 「지방자치법」의 개정으로 모든 지방자치단체가 의무적으로 이행해야 하는 제도가 되었다.

④ 행정안전부장관은 지방자치단체의 재정적 여건을 고려하여 지방자치단체별 주민참여예산제도의 운영을 평가할 수 있다.

05 우리나라의 지방자치제도에 대한 설명으로 가장 옳은 것은?

2019 경찰간부

① 우리나라 주민참여제도는 「주민조례개폐청구제 → 주민투표제 → 주민소환제 → 주민소송제」 순으로 법제화되었다.

② 주민투표의 효력에 대해 이의가 있는 경우 투표결과가 공표된 날부터 20일 이내에 소청을 제기할 수 있다.

③ 주민소환은 지방자치단체의 장 및 비례대표 시·도의원을 대상으로 하며, 임기개시일로부터 1년 이내에는 청구할 수 없다.

④ 주민소송은 주민의 감사청구를 전심절차로 하며, 다수 주민의 연서를 필요로 하지 않는다.

03

④ 현행 법률상 ㄱ, ㄴ, ㄷ, ㄹ 모두 허용되지 않는다.

ㄱ. [X] 비례대표 시·도의원 및 비례대표 자치구·시·군의원은 주민소환 제외대상이다.

ㄴ. [X] 수사나 재판에 관여하게 되는 사항은 주민감사청구 제외 사항이다.

ㄷ. [X] 부담금의 부과·징수 또는 감면에 관한 사항은 주민 조례 개정 청구 제외 대상에 해당한다.

ㄹ. [X] 정원이나 신분, 보수 등과 같은 인사관련 사항에 대해서는 주민투표에 부칠 수 없는 예외대상이다.

04

③ 2011년 3월 「지방재정법」 개정으로 모든 지방자치단체가 의무적으로 주민참여예산제도를 이행하여야 하고, 이에 따라 각 자치단체들이 조례 제정을 추진하면서 본격적으로 추진하게 되었다.

05

④ 주민소송은 주민의 감사청구를 전심절차로 하며, 다수 주민의 연서로써 하는 것이 아니라 주민 개개인의 청구로도 할 수 있으므로 연서를 필요로 하지 않는다.

① 우리나라 주민참여제도는 주민조례제정개폐청구제(1999) → 주민투표제(2004) → 주민소송제(2005) → 주민소환제(2007) 순으로 법제화되었다.

② 주민투표의 효력에 관하여 이의가 있는 주민투표권자는 주민투표결과가 공표된 날부터 14일 이내에 소청을 제기할 수 있다.

③ 비례대표 지방의회의원은 제외한다.

06 우리나라의 주민참여제도에 대한 설명으로 옳지 않은 것은? 2017 국가 9급(추)

① 지방자치단체의 장은 주민에게 과도한 부담을 주거나 중대한 영향을 미치는 지방자치단체의 주요 결정 사항 등에 대하여 주민투표에 부칠 수 있다.

② 개인의 사생활을 침해할 우려가 있는 사항이라도, 사무의 처리가 법령에 위반되거나 공익을 현저히 해친 다고 인정되면 주민 감사청구를 할 수 있다.

③ 주무부장관이나 시·도지사는 주민 감사청구를 처리(각하 포함)할 때 청구인의 대표자에게 반드시 증거 제출 및 의견 진술의 기회를 주어야 한다.

④ 지방자치단체의 장은 대통령령으로 정하는 바에 따라 지방예산편성 과정에 주민이 참여할 수 있는 절차 를 마련하여 시행하여야 한다.

07 우리나라 주민소환제도에 관한 설명으로 옳은 것은? 2017 경찰간부

① 주민소환의 대상자는 지방자치단체의 장 및 지방의회의원이지만 비례대표 지방의회의원은 제외된다.

② 주민소환투표를 실시한 후 2년 미만인 경우에는 주민소환을 실시할 수 없다.

③ 주민소환투표결과의 확정은 주민소환투표권자 총수의 3분의 1이상의 투표와 유표투표 총수 3분의 1 이 상의 찬성을 요한다.

④ 소환투표의 효력에 이의가 있는 경우 투표결과가 공표된 날부터 30일 이내 관할 선거관리위원회 위원장 을 피소청인으로 하여 소청 제기가 가능하다.

08 주민참여예산제에 대한 설명으로 옳은 것을 모두 고른 것은? 2016 서울 7급

> ㄱ. 예산과정의 투명성 및 공정성을 제고할 수 있다.
> ㄴ. 중앙정부의 입법에 의해 처음 지방자치단체에서 실시되었다.
> ㄷ. 주민의 참여 절차는 「지방자치법」에 규정되어 있다.
> ㄹ. 지방의회의 예산심의권과 충돌할 수 있다.

① ㄱ, ㄷ ② ㄱ, ㄹ

③ ㄴ, ㄹ ④ ㄷ, ㄹ

06

② 개인의 사생활을 침해할 우려가 있는 사항은 감사청구 대상에서 제외되는 사항으로 사무의 처리가 법령에 위반되거나 공익을 현저히 해친다고 인정되더라도 감사를 청구할 수 없다.

① 주민에게 과도한 부담을 주거나 중대한 영향을 미치는 지방자치단체의 주요 결정사항 등에 대하여 주민투표에 부칠 수 있다.

> **지방자치법 제14조(주민투표)** ① 지방자치단체의 장은 주민에게 과도한 부담을 주거나 중대한 영향을 미치는 지방자치단체의 주요 결정사항 등에 대하여 주민투표에 부칠 수 있다.
> **주민투표법 제7조(주민투표의 대상)** ① 주민에게 과도한 부담을 주거나 중대한 영향을 미치는 지방자치단체의 주요결정사항으로서 그 지방자치단체의 조례로 정하는 사항은 주민투표에 부칠 수 있다.

③ 주민 감사청구를 처리(각하 포함)할 때 주무부장관이나 시·도지사는 청구인의 대표자에게 반드시 증거제출 및 의견 진술의 기회를 주어야 한다.

④ 지방자치단체장은 지방예산 편성 등 예산과정에 주민이 참여할 수 있는 제도를 마련하여 시행하여야 한다.

07

① 주민소환투표 대상은 선출직 지방공직자인 해당 지방자치단체의 장 및 지방의회의원을 대상으로 한다. 비례대표 시·도의원 및 비례대표 자치구·시·군의원은 제외한다.

② 2년이 아니라 1년이다. 해당 선출직 지방공직자에 대한 주민소환투표를 실시한 날부터 1년 이내인 때는 주민소환을 실시할 수 없다.

③ 주민소환투표권자 총수의 1/3 이상의 투표와 유효투표 총수 과반수의 찬성으로 확정된다.

④ 30일이 아니라 14일이다. 소환투표의 효력에 이의가 있는 경우 투표결과가 공표된 날부터 14일 이내에 관할 선거관리위원회 위원장을 피소청인으로 하여 소청을 제기할 수 있다.

08

② ㄱ, ㄹ이 옳은 내용이다.

ㄱ. [O] 주민참여예산제도는 예산의 투명성과 공정성을 높이고 예산에 대한 시민사회의 지지를 획득할 수 있다.

ㄹ. [O] 지방예산 편성과정에의 주민참여는 지방의회의 예산심의권과 충돌될 수 있다.

ㄴ. [X] 우리나라의 주민참여예산제도는 광주광역시 북구에서 2004년에 처음 도입한 후 지방재정법에 주민참여의 법적 근거와 절차를 규정하였다.

ㄷ. [X] 주민의 참여 절차는 「지방재정법」에 규정되어 있다.

포인트 정리

주민감사청구 제외사항(지방자치법 제16조)

1. 수사나 재판에 관여하게 되는 사항
2. 개인의 사생활을 침해할 우려가 있는 사항
3. 다른 기관에서 감사하였거나 감사 중인 사항

정답
06 ② 07 ① 08 ②

PART 7 지방행정론 **623**

우리나라의 주민참여제도에 대한 연결로 옳지 않은 것은?

2014 지방 7급

① 주민투표제도－주민에게 과도한 부담을 주거나 중대한 영향을 미치는 지방자치단체의 주요 결정사항으로서, 그 지방자치단체의 조례로 정하는 사항을 주민이 직접 결정하는 제도이다.

② 주민참여예산제도－법령이 정하는 절차에 따라 수렴된 주민의 의견을 검토하고, 그 결과를 예산편성에 반영하지 않을 수도 있다.

③ 주민발의제도－주민이 직접 조례의 제정 및 개폐를 청구할 수 있는 제도로, 주민은 지방의회에 이를 청구하게 되어 있다.

④ 주민소환제도－주민은 그 지방자치단체의 장 및 지방의회의원을 소환할 수 있다. 단, 비례대표의원은 제외된다.

10 다음 중 주민소송을 제기할 수 있는 경우는?

2012 서울전환특채

① 자치단체장이 부당하게 특정인을 승진시킨 경우

② 자치단체장이 지방세의 징수를 게을리하여 재산상 손실을 끼친 경우

③ 자치단체장의 주민 동의 없이 지역 내에 원자력발전소를 유치한 경우

④ 자치의회가 부당한 조례를 제정하였을 때

⑤ 자치단체의 명칭 및 구역을 변경하고자 할 때

11 아른슈타인(S.R.Arnstein)이 분류한 주민참여수준에 대한 설명으로 옳지 않은 것은?

2011 국가 7급

① 회유(placation)는 주민이 정보를 제공받고, 각종 위원회 등에서 의견을 제시, 권고하는 등의 역할은 하지만, 주민이 정책 결정에 영향력을 행사하는 능력은 갖지 못하는 수준이다.

② 정보제공(informing)은 행정기관과 주민 간의 정보회로가 쌍방향적이어서 환류를 통한 협상과 타협에 연결되는 수준이다.

③ 대등협력(partnership)은 행정기관이 최종결정권을 가지고 있지만 주민이 필요하다고 판단될 경우 행정기관에 맞서서 자신의 주장을 내세울 만큼의 영향력을 갖고 있는 수준이다.

④ 권한위임(delegated power)은 주민이 정책의 결정·실시에 우월한 권력을 가지고 참여하는 경우로, 주민의 영향력이 강하여 행정기관은 문제해결을 위하여 주민을 협상으로 유도하는 수준이다.

09

정답없음

① 주민투표는 주민에게 과도한 부담을 주거나 중대한 영향을 미치는 지방자치단체의 주요 결정사항으로, 그 지방자치단체의 조례로 정하는 사항을 주민이 직접 결정하는 제도라고 할 수 있다.

② 예산편성시 주민이 참여할 절차를 마련해야 하는 것은 자치단체장의 의무사항이지만 수렴된 주민의견의 반영은 임의사항이다.

③ 지방자치법 개정으로 주민조례 발안제도가 도입되었다. 18세 이상 주민으로서 당해 지방자치단체 관할구역에 주민등록되어 있는 사람은 해당 지방자치단체의 지방의회에 조례를 제정하거나 개정 또는 폐지할 것을 청구할 수 있다.

④ 주민소환은 비례대표 시·도의원 및 비례대표 자치구·시·군의원은 제외한다.

10

정답 : ②

② 감사청구한 주민은 감사청구한 사항과 관련이 있는 위법한 행위나 업무를 게을리한 사실에 대하여 해당 지방자치단체장을 상대방으로 하여 소송을 제기할 수 있으며, 감사청구 대상에는 지방세·사용료·수수료·과태료 등 공금의 부과·징수를 게을리한 사항이 포함된다.

11

정답 : ②

② 정보제공은 행정기관과 주민 간의 정보회로가 쌍방적이 아닌, 행정기관에서 주민으로 통하는 일방적인 것이어서 환류를 통한 협상과 타협에 연결되지 못하는 수준이다.

① 회유(유화)는 주민들이 정보를 제공받고 각종 위원회 등에 참여하여 의견을 제시하는 등의 채널은 존재하지만, 최종 결정권은 행정기관에 있으므로 정책결정에 영향력을 행사하는 능력이 거의 없는 수준이다.

③ 대등협력(동반자, 협력관계)은 행정기관이 최종결정권을 가지고 있지만 주민도 필요하다고 판단할 경우에 행정기관에 맞서서 자신의 주장을 내세울 만큼의 영향력을 갖고 있는 수준으로, 그들의 주장을 협상으로 유도할 수 있다.

④ 권한위임은 주민이 우월한 권력을 가지면서 정책결정권을 행사하고 집행단계에서도 강력한 권한을 행사할 수 있는 것으로, 행정기관은 문제해결을 위해 주민을 협상으로 유도하는 수준이다.

주민감사청구 대상사항

- 공금의 지출에 관한 사항
- 재산의 취득·관리·처분에 관한 사항
- 해당 지방자치단체를 당사자로 하는 매매·임차·도급 계약이나 그 밖의 계약의 체결·이행에 관한 사항
- 지방세·사용료·수수료·과태료 등 공금의 부과·징수를 게을리한 사항

Arnstein의 주민참여 유형

참여단계	참여형태
시민통제(Citizen control)	주민권력의 단계 (실질적 참여)
권한위임 (Delegated power)	
공동협력(Partnership)	
회유(설득 : Placation)	명목적 참여 단계 (형식적 참여)
자문(상담 : Consulting)	
정보제공(Informing)	
치료(교정 : Therapy)	비참여 단계
조작(제도 : Manipulation)	

정답

09 정답없음 10 ② 11 ②

12 우리나라의 주민소환제도에 관한 설명으로 옳지 않은 것은?

2008 국가 7급

① 주민소환의 방식은 해당 관할구역의 주민들이 자율적으로 정한다.

② 지방자치에 관한 주민의 직접참여를 확대하고, 지방행정의 민주성과 책임성을 제고함을 목적으로 한다.

③ 2007년에 경기도 하남시에서 주민소환투표가 최초로 실시되었다.

④ 주민소환의 대상자는 지방자치단체의 장 및 지방의회의원이지만 비례대표 지방의회의원은 제외된다.

CHAPTER 10 정부 간 관계론, 광역행정, 일선기관

실질적 **력**(역량) **업**그레이드

01 특별지방자치단체에 대한 설명으로 옳지 않은 것은?

2022 국가 9급

① 2개 이상의 지방자치단체가 공동으로 특정한 목적을 위하여 광역적으로 사무를 처리할 필요가 있을 때에는 특별지방자치단체를 설치할 수 있다.

② 보통의 지방자치단체와 같이 법인격을 갖는다.

③ 특별지방자치단체의 의회는 규약으로 정하는 바에 따라 구성 지방자치단체의 의회 의원으로 구성한다.

④ 구성 지방자치단체의 장은 「지방자치법」상 겸임 제한 규정에 의해 특별지방자치단체의 장을 겸할 수 없다.

02 광역행정에 대한 설명으로 옳지 않은 것은?

2019 국회 8급

① 광역행정의 방식 중 통합방식에는 합병, 일부사무조합, 도시공동체가 있다.

② 광역행정은 지방자치단체 간의 재정 및 행정서비스의 형평적 배분을 도모한다.

③ 광역행정은 규모의 경제를 실현할 수 있다.

④ 광역행정은 지방자치단체 간의 갈등해소와 조정의 기능을 수행한다.

⑤ 행정협의회에 의한 광역행정은 지방자치단체 간의 동등한 지위를 기초로 상호협조에 의하여 광역행정사무를 처리하는 방식이다.

12
정답 : ①

① 주민소환의 방식은 「주민소환에 관한 법률」에 규정되어 있으므로 관할구역의 주민들이 자율적으로 정할 수 없다.

② 주민소환제도는 간접민주주의에 대한 보완적 제도로 선출직 지방공직자의 위법이나 부당행위, 직권남용 등을 통제하는 직접민주주의 제도이다.

③ 우리나라는 2007년 경기도 하남시에서 주민소환투표가 최초로 실시되었다.

④ 주민소환의 대상자로는 해당 지방자치단체장 및 지방의회의원이 있고, 비례대표 지방의회의원은 제외된다.

01
정답 : ④

④ 구성 특별지방자치단체의 장은 「지방자치법」상 겸임 제한 규정(제109조)에도 불구하고 특별지방자치단체의 장을 겸할 수 있다.

> **지방자치법 제205조(집행기관의 조직 등)** ① 특별지방자치단체의 장은 규약으로 정하는 바에 따라 특별지방자치단체의 의회에서 선출한다.
> ② 구성 지방자치단체의 장은 제109조에도 불구하고 특별지방자치단체의 장을 겸할 수 있다.

① 특별지방자치단체는 2개 이상의 지방자치단체가 공동으로 특정한 목적을 위하여 광역적으로 사무를 처리할 필요가 있을 때 설치할 수 있다.

② 특별지방자치단체는 법인으로 하며, 법인격을 갖는다.

> **동법 제199조(설치)** ① 2개 이상의 지방자치단체가 공동으로 특정한 목적을 위하여 광역적으로 사무를 처리할 필요가 있을 때에는 특별지방자치단체를 설치할 수 있다. 이 경우 특별지방자치단체를 구성하는 지방자치단체(이하 "구성 지방자치단체"라 한다)는 상호 협의에 따른 규약을 정하여 구성 지방자치단체의 지방의회 의결을 거쳐 행정안전부장관의 승인을 받아야 한다.
> ③ 특별지방자치단체는 법인으로 한다.

③ 특별지방자치단체의 의회는 규약으로 정하는 바에 따라 구성 지방자치단체 의회의 의원으로 구성한다.

> **동법 제204조(의회의 조직 등)** ① 특별지방자치단체의 의회는 규약으로 정하는 바에 따라 구성 지방자치단체의 의회 의원으로 구성한다.

02
정답 : ①

① 광역행정의 방식 중 통합방식에는 합병, 흡수통합, 전부사무조합이 있고, 일부사무조합은 공동처리방식에, 도시공동체는 연합방식에 해당한다.

② 광역행정은 기존 지방자치단체의 행정구역을 초월하여 둘 이상의 지방자치단체 관할구역에 걸쳐 공동적 또는 통일적으로 수행되는 행정으로 지방자치단체 간 불균형 상태를 해결하고 행정서비스의 균형적 제공을 도모한다.

③ 광역행정은 도시화의 진전과 인구집중으로 인한 과다인원을 방지하고 지방자치단체 간의 중복투자로 인한 예산의 낭비를 막기 위해 필요하며 통일적 행정 처리를 통해 규모의 경제를 실현할 수 있다.

④ 광역행정은 지역 간 할거주의를 극복할 수 있으며 지방자치단체 간 갈등을 해소하고 조정하는 역할을 한다.

⑤ 행정협의회에 의한 광역행정은 여러 지방자치단체가 공동의 이해관계가 걸려 있는 사무를 처리하기 위해 협의기관을 설치하는 것으로 각 지방자치단체는 동등한 지위를 기반으로 하여 독립성을 유지하고 상호협조를 통해 광역행정사무를 처리한다.

📑 포인트 정리

주민소환투표청구권자 서명인 수

특별시장, 광역시장, 도지사	당해 지방자치단체의 주민소환투표청구권자 총수의 100분의 10 이상
시장, 군수, 자치구의 구청장	당해 지방자치단체의 주민소환투표청구권자 총수의 100분의 15 이상
지역구 시·도의원 및 지역구 자치구·시·군의원	당해 지방의회의원의 선거구 안의 주민소환투표청구권자 총수의 100분의 20 이상

> **정답**
> 12 ① 01 ④ 02 ①

03 정부 간 관계(IGR) 모형에 대한 설명으로 옳은 것만을 모두 고른 것은?

2016 지방 9급

> ㄱ. 로즈(Rhodes) 모형에서 지방정부는 중앙정부에 완전히 예속되는 것도 아니고 완전히 동등한 관계가 되는 것도 아닌 상태에서 상호 의존한다.
> ㄴ. 로즈(Rhodes)는 지방정부는 법적 자원, 재정적 자원에서 우위를 점하며, 중앙정부는 정보자원과 조직자원의 측면에서 우위를 점한다고 주장한다.
> ㄷ. 라이트(Wright)는 정부 간 관계를 포괄형, 분리형, 중첩형의 세 유형으로 나누고, 각 유형별로 지방정부의 사무내용, 중앙·지방간 재정관계와 인사관계의 차이가 있음을 밝히고 있다.
> ㄹ. 라이트(Wright) 모형 중 포괄형에서는 정부의 권위가 독립적인데 비하여, 분리형에서는 계층적이다.

① ㄱ, ㄴ
② ㄴ, ㄷ, ㄹ
③ ㄱ, ㄷ
④ ㄱ, ㄴ, ㄷ

04 특별지방행정기관에 대한 설명으로 옳지 않은 것은?

2015 국가 9급

① 관할지역 주민들의 직접적인 통제와 참여가 용이하기 때문에 책임행정을 실현할 수 있다.

② 출입국관리, 공정거래, 근로조건 등 국가적 통일성이 요구되는 업무를 수행한다.

③ 현장의 정보를 중앙정부에 전달하거나 중앙정부와 지방자치단체 사이의 매개 역할을 수행하기도 한다.

④ 국가의 사무를 집행하기 위해 중앙정부에서 설치한 일선행정기관으로 자치권을 가지고 있지 않다.

05 다음 중 라이트(Deil Wright)의 정부간 관계모형에 대한 설명으로 옳은 것은?

2014 서울 7급

① 중첩권위형은 미국의 연방정부와 주정부가 동등한 권한을 가지고 있고, 지방정부는 주정부에 귀속되어 있는 형식이다.

② 중첩권위형은 미국의 지방정부가 주정부에 주정부는 중앙정부에 내포되어 큰 원과 작은 원의 동심원을 그리고 있는 상태이다.

③ 동등권위형은 미국의 연방정부, 주정부, 지방정부의 공적기능과 권한이 분산되어 있어, 세 정부가 동시에 관여하는 일이 벌어진다.

④ 중첩권위형은 미국의 연방정부, 주정부, 지방정부가 경쟁과 협력의 관계를 맺는다.

⑤ 내포권위형은 미국의 연방정부, 주정부, 지방정부가 합의하는 과정에서 협상과 협의가 계속된다.

03

③ ㄱ, ㄷ이 옳은 내용이다.

ㄱ. [O] 로즈(Rhodes)는 지방정부와 중앙정부 간 모형으로 전략적 협상모형을 제시하였다. 전략적 협상 모형에 따르면 지방정부는 중앙정부로부터 완전독립도 예속도 아닌 상호의존관계라고 본다.

ㄷ. [O] 라이트(Wright)는 지방정부의 사무구성, 중앙·지방 간 재정관계 및 인사관계에 차이가 있다 고 보면서 정부 간 관계를 포괄권위형, 조정권위형(분리권위형), 중첩권위형으로 구분하였다.

ㄴ. [X] 로즈(Rhodes)는 전략적 협상모형에서 지방정부는 현장에 서비스를 제공하기 때문에 정 보자원과 조직자원의 측면에서 우위를 점하고, 중앙정부는 지방정부보다 재정자원을 더 많 이 보유하고 있고, 법률을 제정하는 권한이 있으므로 법적 자원과 재정적 자원의 측면에서 우위를 점한다고 주장한다.

ㄹ. [X] 라이트(Wright) 모형 중 분리형은 정부의 권위가 독립적인 반면, 포괄형은 계층적이다.

라이트(Wright)의 IGR이론

포괄형(내포형)	분리형(대등형)	중첩형
• 포괄·종속적 정부관계	• 분리·독립적 정부관계	• 상호의존적 정부관계
• 계층제적 권리	• 독립적 권리	• 협상적 권위
• 기관위임사무 중심	• 고유사무 중심	• 고유사무＋위임사무
• 완전종속적 재정·인사	• 완전분리된 재정·인사	• 상호의존적 재정·인사

04

① 특별지방행정기관은 국가사무를 처리하게 하기 위하여 국가가 지역별로 설치한 일선기관으 로, 관할지역 주민들의 직접적인 통제와 참여가 곤란하므로 책임행정을 저해한다.

② 국가적으로 통일성이 요구되는 행정업무를 수행한다.

③ 현장의 정보를 중앙정부에 전달하거나 중앙정부와 지방자치단체 사이의 매개 역할을 수행하 기도 한다.

④ 국가의 사무를 집행하기 위해 중앙정부에서 설치한 일선행정기관으로 자치권을 가지고 있지 않다.

05

④ 중첩권위형은 중앙과 지방이 분리 또는 종속관계가 아니라 상호의존관계를 가지고 정치적 타협과 협상의 관계를 맺는 것으로, 중앙과 지방정부가 일부 기능을 공유하며, 인사·재정상 교류하고 협력하지만 각 정부는 어디까지나 독립된 실체라고 보는 모형이다.

① 분리권위형(조정권위형)은 연방정부와 주정부가 동등한 권한을 가지고 있고 지방정부는 주 정부에 귀속되어 있는 형식이다.

② 포괄권위형은 지방정부가 주정부에, 주정부는 연방(중앙)정부에 내포되어 큰 원과 작은 원의 동심원을 그리는 상태이다.

③ 중첩권위형은 미국의 연방정부, 주정부, 지방정부의 공적 기능과 권한이 분산되어 있어 세 정부가 동시에 관여하는 일이 벌어진다.

⑤ 중첩권위형은 미국의 연방정부, 주정부, 지방정부가 합의하는 과정에서 협상과 협의가 계속 된다. 한편 포괄권위형은 협상과 협의가 아닌 일방적 지시·명령이 나타난다.

📋 포인트 정리

Rhodes의 전략적 협상모형

지방정부는 중앙정부로부터 완전독립도 예속도 아닌 상호의존관계로 정부가 보 유하는 4가지 자원에도 상호우위가 있다 고 봄

중앙정부 우위	지방정부 우위
• 법적 자원	• 정보자원
• 재정적 자원	• 조직자원

특별지방행정기관 장단점

장점	• 국가의 업무부담 경감 • 지역별 특성을 확보하는 정책 집행: 근린행정 • 신속한 업무처리 및 통일적 행정 수행 • 중앙과 지역 간 협력 및 광역행정의 수단 • 전문행정
단점	• 책임성의 결여와 자치행정의 저해 • 기능 중복으로 인한 비효율성 • 종합행정 및 현지행정 저해 • 경비 증가 및 중앙통제의 강화 수단 • 자치단체와 수평적 협조 및 조정 곤란

정답

03 ③ 04 ① 05 ④

특별지방행정기관에 해당하지 않는 것은?

2013 지방 9급

① 농촌진흥청
② 유역환경청
③ 국립검역소
④ 지방국토관리청

다음은 지방자치단체 상호간 관계에 대한 설명이다. (   )에 들어갈 말을 순서대로 바르게 나열한 것은?

2013 국가 7급(수정)

○ 2개 이상의 지방자치단체가 하나 또는 둘 이상의 사무를 공동으로 처리할 필요가 있을 때에는 규약을 정하여 그 지방의회의 의결을 거쳐 시·도는 행정안전부장관의, 시·군 및 자치구는 시·도지사의 승인을 받아 (㉠)을(를) 설립할 수 있다.
○ 지방자치단체의 장이나 지방의회의 의장은 상호 간의 교류와 협력을 증진하고 공동의 문제를 협의하기 위하여 전국적 (㉡)을(를) 설립할 수 있다.
○ 지방자치단체 상호간이나 지방자치단체의 장 상호 간 사무를 처리할 때 의견이 달라 생긴 분쟁의 조정과 행정협의회에서 합의가 이루어지지 아니한 사항의 조정에 필요한 사항을 심의·의결하기 위하여 행정안전부에 (㉢)을(를) 둔다.
○ 지방자치단체는 2개 이상의 지방자치단체에 관련된 사무의 일부를 공동으로 처리하기 위하여 관계 지방자치단체 간의 (㉣)을(를) 구성할 수 있다.

	㉠	㉡	㉢	㉣
①	행정협의회	지방자치단체장 협의체	지방자치단체 지방분쟁조정위원회	협의체
②	지방자치단체조합	행정협의회	지방자치단체 지방분쟁조정위원회	협의체
③	행정협의회	협의체	지방자치단체 중앙분쟁조정위원회	지방자치단체장 협의회
④	지방자치단체조합	협의체	지방자치단체 중앙분쟁조정위원회	행정협의회

06

① 농촌진흥청은 중앙행정기관인 청(廳)에 해당한다.
② 유역환경청은 환경부 소속 특별지방행정기관이다.
③ 국립검역소는 보건복지부 산하 질병관리청 소속 특별지방행정기관이다.
④ 지방국토관리청은 국토교통부 소속 특별지방행정기관이다.

포인트 정리

07

④ ㉠–지방자치단체조합, ㉡–협의체, ㉢–지방자치단체 중앙분쟁조정위원회, ㉣–행정협의회가 옳은 내용이다.

㉠ 지방자치단체조합은 2개 이상의 지방자치단체가 구성원이 되어 하나 또는 둘 이상의 사무를 공동으로 처리할 목적으로 설립된 법인체로 「지방자치법」 제159조에 근거한다.

㉡ 협의체(지방자치단체장 등의 협의체)는 시·도지사, 시·도의회 의장 등 지방자치단체의 장이나 지방의회 의장 상호간의 교류와 협력을 증진하고 공동의 문제를 협력하기 위해 구성된 협의체로 「지방자치법」 제165조에 근거한다.

㉢ 지방자치단체 중앙분쟁조정위원회는 지방자치단체 상호 간이나 지방자치단체의 장 상호 간 사무를 처리할 때 의견이 달라 분쟁이 생기는 경우 행정안전부장관이나 시·도지사가 당사자의 신청에 따라 분쟁을 조정하는 것으로, 「지방자치법」 제148조 내지 제150조에 근거한다.

㉣ 행정협의회는 지방자치단체가 2개 이상의 지방자치단체와 관련된 특정 사무의 일부를 공동으로 처리하기 위하여 설치하는 협의기구로 광역계획 및 그 집행, 공공시설의 설치, 행·재정 업무의 조정 등의 필요를 고려하여 관계 지방자치단체 간에 구성되는 것으로, 「지방자치법」 제152조 제1항에 근거한다.

정답

06 ① 07 ④

08 다음 중 광역행정의 방식에 대한 설명으로 옳지 않은 것은?
2013 국회 8급

① 공동처리방식은 둘 이상의 지방자치단체가 상호 협력관계를 형성하여 광역적 행정사무를 공동으로 처리하는 방식이다.

② 연합방식은 둘 이상의 지방자치단체가 독립적인 법인격을 그대로 유지하면서 연합단체를 새로 창설하여 광역행정에 관한 사무를 그 연합단체가 처리하게 하는 방식이다.

③ 연합방식은 새로 창설된 연합단체가 기존 자치단체의 독립성을 존중하면서 스스로 사업의 주체가 된다는 점에서 공동처리방식과 구별된다.

④ 통합방식은 일정한 광역권 안에 여러 자치단체를 포괄하는 단일의 정부를 설립하여 그 정부의 주도로 광역사무를 처리하는 방식이다.

⑤ 통합방식은 각 자치단체의 개별적 특수성을 반영함으로써 지방분권화를 촉진하고 주민참여를 용이하게 하는 장점이 있어 발전도상국보다 선진 민주국가에서 많이 채택하고 있다.

09 지방자치단체와는 별도로 특별지방행정기관을 설치하는 경우 나타나는 장점으로 옳은 것은?
2013 행정사

① 주민들의 직접참여와 통제가 용이하여 책임행정 확보가 가능하다.

② 광역적인 국가 업무를 효율적으로 처리할 수 있다.

③ 유사중복기능의 수행 인력과 조직으로 행정의 중복성을 통하여 효율성을 강화할 수 있다.

④ 관할범위가 넓어 현지성이 확보됨으로써 지역주민을 위한 행정이 가능하다.

⑤ 특별지방행정기관 증가로 이원적 업무수행이 가능하여 주민들의 행정만족도가 높아지고 혼란을 방지할 수 있다.

10 현행 지방자치법상 지방자치단체 상호 간 협력방식에 대한 설명으로 가장 적합하지 않은 것은?
2010 국가 9급

① 사무위탁은 사무처리비용의 절감, 공동사무처리에 따른 규모의 경제 등의 장점이 있으나, 위탁처리비용의 산정문제 등으로 인해 광범위하게 이용되지 못하고 있다.

② 2개 이상의 지방자치단체가 그 사무 중 일부를 공동 처리할 필요가 있을 때에는 규약을 정하고 일정한 절차를 거쳐 지방자치단체조합을 설립할 수 있다.

③ 행정협의회를 구성한 관계 지방자치단체는 반드시 협의회의 결정에 따라 사무를 처리할 필요는 없다.

④ 지방자치단체는 다른 지방자치단체로부터 사무의 공동처리에 관한 요청이나 사무처리에 관한 협의·조정·승인 또는 지원의 요청을 받으면 법령의 범위에서 협력하여야 한다.

08

⑤ 통합방식은 기존의 자치단체가 독립된 법인격을 상실하는 것이므로 자치단체의 개별적 특수성이 무시된 채 주민참여를 저해하고 중앙집권화를 초래한다는 점에서 선진국보다 발전도상국에서 많이 사용한다.

① 공동처리방식은 둘 이상의 지방자치단체가 상호협력관계를 형성하여 광역적 행정사무를 함께 처리하는 방식으로 행정협의회, 일부사무조합, 사무위탁, 직원파견 등이 활용된다.

② 연합방식은 둘 이상의 지방자치단체가 그 고유의 독립적인 법인격은 그대로 가지면서, 그 전역에 걸친 단체를 새로 창설하여 광역행정에 관한 일체의 사무를 그 단체에서 처리하는 방식을 말한다.

③ 연합방식은 기존 자치단체의 독자성을 존중하면서 연합체 스스로가 사업의 주체가 된다는 점에서 공동처리방식과 구별된다.

④ 통합방식은 일정한 광역권 안에 여러 지방자치단체를 포괄하는 단일의 정부를 설립하여 그 정부의 주도로 잡다한 광역사무를 처리하는 방식을 말한다.

09

② 특별지방행정기관이란 국가의 특정한 중앙행정기관에 소속되어, 당해 관할구역 내에서 소속 중앙행정기관의 사무에 속하는 특수한 전문분야의 행정사무를 처리하는 지방행정기관으로 전국적 통일성을 요하는 사무에 적합하다.

① 주민들의 직접참여가 곤란하고 주민에 의한 통제와 책임 확보의 곤란으로 자치행정과 책임행정을 저해한다.

③ 특별지방행정기관과 지방자치단체간의 기능이 중복되어 인력과 예산낭비 등의 비효율성을 초래한다.

④ 관할범위가 자치단체보다 넓어 광역행정에는 도움이 되나 현지성이 결여되므로 지역주민을 위한 행정이 곤란하다.

⑤ 특별지방행정기관이 증가하게 되면 일선기관의 설치 및 운영하는데 드는 경비의 증가 및 중앙통제가 강화될 우려가 있다.

10

③ 행정협의회의 경우 협의회의 결정이 관계 자치단체를 실질적으로 구속하지는 못하지만, 지방자치법 제174조에 의하면 '관계 자치단체는 협의회의 결정을 따라야 한다'는 선언적 규정이 있으므로 따라야 한다. 다만 그 결정을 따르지 않을 경우 이를 강제(이행)할 수 있는 구속력 있는 수단이 없을 뿐이다.

① 사무위탁은 사무의 일부를 다른 자치단체의 계약에 의하여 위탁하는 것으로 사무처리비용의 절감이나 규모의 경제효과 등의 장점이 있으나, 위탁처리비용의 산정문제, 위탁문화의 부재 등으로 광범위하게 이용되지 못하고 있다.

② 일부사무조합에 대한 설명으로, 일부사무조합은 법인격을 지니며 협의회보다 협력의 효과가 크다.

④ 다른 지방자치단체로부터 사무의 공동처리에 관한 요청이나 사무처리에 관한 협의·조정·승인 또는 지원의 요청을 받으면 지방자치단체는 법령의 범위에서 협력하여야 한다.

동법 제174조(협의회의 협의 및 사무처리의 효력) ① 협의회를 구성한 관계 지방자치단체는 협의회가 결정한 사항이 있으면 그 결정에 따라 사무를 처리하여야 한다.

② 제173조제1항에 따라 행정안전부장관이나 시·도지사가 조정한 사항에 관하여는 제165조제3항부터 제6항까지의 규정을 준용한다.

③ 협의회가 관계 지방자치단체나 그 장의 명의로 한 사무의 처리는 관계 지방자치단체나 그 장이 한 것으로 본다.

정답

08 ⑤ 09 ② 10 ③

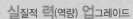
□□
01 **지방자치단체(서울시장)의 직무이행명령에 대한 설명 중 가장 옳지 않은 것은?** 2018 서울 7급(3월)

① 서울시장이 국가위임사무의 관리와 집행을 명백히 게을리하고 있다고 인정되면 주무부장관이 기간을 정하여 서면으로 이행할 사항을 명령할 수 있다.

② 주무부장관은 서울시장이 국가위임사무에 대한 이행명령을 이행하지 아니하면 서울시의 비용부담으로 대집행하거나 행정상·재정상 필요한 조치를 할 수 있다.

③ 서울시장은 주무부장관의 이행명령에 이의가 있으면 이행명령서를 접수한 날부터 20일 이내에 대법원에 소를 제기할 수 있다.

④ 위 ③의 경우 서울시장은 이행명령의 집행을 정지하게 하는 집행정지결정을 신청할 수 있다.

□□
02 **우리나라 지방자치단체에 대한 국가의 지도·감독에 관한 설명으로 옳은 것은?** 2015 서울 7급(수정)

① 지방자치단체의 자치사무라고 하더라도 공익을 해친다고 인정되면 행정안전부장관이 회계를 감사할 수 있다.

② 지방자치단체장의 위법한 명령·처분에 대해 주무부장관이 취소하기 위해서는 대법원에 소(訴)를 제기하여 위법성을 확인하여야 한다.

③ 지방의회의 의결이 법령에 위반된다고 판단되면 주무부장관이 직접 지방의회에 이유를 붙여 재의를 요구할 수 있다.

④ 시·도지사가 국가위임사무에 대한 이행명령을 서면 고지한 기간 안에 이행하지 아니하면 주무부장관이 그 지방자치단체의 비용부담으로 대집행할 수 있다.

□□
03 **중앙정부와 지방정부 간 갈등관계에 대한 설명으로 가장 옳지 않은 것은?** 2015 서울 7급

① 중앙정부와 지방정부 간 공식적인 갈등조정 기구는 대통령 소속의 행정협의조정위원회이다.

② 중앙정부와 지방정부 간 국책사업 갈등에는 지역주민이 갈등의 당사자로 참여하는 경우가 있다.

③ 중앙정부와 지방정부는 사무권한과 관련한 갈등의 경우 헌법재판소에 권한쟁의심판을 청구할 수 있다.

④ 취득세 감면조치는 중앙정부와 지방정부의 갈등요인으로 작용할 수 있다.

01

정답 : ③

③ 서울시장은 주무부장관의 이행명령에 이의가 있으면 이행명령서를 접수한 날부터 15일 이내에 대법원에 소를 제기할 수 있다.

> **지방자치법 제189조(지방자치단체의 장에 대한 직무이행명령)** ① 지방자치단체의 장이 법령에 따라 그 의무에 속하는 국가위임사무나 시·도위임사무의 관리와 집행을 명백히 게을리하고 있다고 인정되면 시·도에 대해서는 주무부장관이, 시·군 및 자치구에 대해서는 시·도지사가 기간을 정하여 서면으로 이행할 사항을 명령할 수 있다.
> ② 주무부장관이나 시·도지사는 해당 지방자치단체의 장이 제1항의 기간에 이행명령을 이행하지 아니하면 그 지방자치단체의 비용부담으로 대집행 또는 행정상·재정상 필요한 조치(이하 이 조에서 "대집행등"이라 한다)를 할 수 있다. 이 경우 행정대집행에 관하여는 「행정대집행법」을 준용한다.
> ③ 주무부장관은 시장·군수 및 자치구의 구청장이 법령에 따라 그 의무에 속하는 국가위임사무의 관리와 집행을 명백히 게을리하고 있다고 인정됨에도 불구하고 시·도지사가 제1항에 따른 이행명령을 하지 아니하는 경우 시·도지사에게 기간을 정하여 이행명령을 하도록 명할 수 있다.
> ④ 주무부장관은 시·도지사가 제3항에 따른 기간에 이행명령을 하지 아니하면 제3항에 따른 기간이 지난 날부터 7일 이내에 직접 시장·군수 및 자치구의 구청장에게 기간을 정하여 이행명령을 하고, 그 기간에 이행하지 아니하면 주무부장관이 직접 대집행등을 할 수 있다.
> ⑤ 주무부장관은 시·도지사가 시장·군수 및 자치구의 구청장에게 제1항에 따라 이행명령을 하였으나 이를 이행하지 아니한 데 따른 대집행등을 하지 아니하는 경우에는 시·도지사에게 기간을 정하여 대집행등을 하도록 명하고, 그 기간에 대집행등을 하지 아니하면 주무부장관이 직접 대집행등을 할 수 있다.
> ⑥ 지방자치단체의 장은 제1항 또는 제4항에 따른 이행명령에 이의가 있으면 이행명령서를 접수한 날부터 15일 이내에 대법원에 소를 제기할 수 있다. 이 경우 지방자치단체의 장은 이행명령의 집행을 정지하게 하는 집행정지결정을 신청할 수 있다.

02

정답 : ④

④ 시·도지사가 이행명령을 서면 고지한 기간에 이행하지 않으면 주무부장관은 그 지방자치단체의 비용부담으로 대집행하거나 행·재정상 필요한 조치를 할 수 있다.

① 자치사무의 경우 법령위반사항에 대하여만 행정안전부장관이 회계를 감사할 수 있다.

② 주무부장관은 이행명령 후 필요한 행·재정상의 필요한 조치를 취할 수 있다. 따라서 대법원의 위법성 판단을 받아야 하는 것은 아니다.

③ 시·도에 대하여는 주무부장관이, 시·군 및 자치구에 대하여는 시·도지사가 지방의회에 재의를 요구하게 할 수 있다.

03

정답 : ①

① 중앙정부와 지방정부 간 공식적인 갈등조정 기구인 행정협의조정위원회는 대통령 소속이 아닌 국무총리소속하에 있다.

분쟁조정

구분	자치단체 간 분쟁조정	국가-자치단체 간 분쟁조정
조정자	• 시·도 간 분쟁 : 중앙분쟁조정위원회의 의결에 따라 행정자치부장관이 조정결정 • 시·군·구 간 분쟁 : 지방분쟁조정위원회의 의결에 따라 시·도지사가 조정결정	국무총리 소속 행정협의조정위원회
조정시기	당사자의 신청 또는 직권	당사자의 신청
구속력	실질적 구속력 강함	실질적 구속력 약함

정답
01 ③ 02 ④ 03 ①

04 「지방자치법」상 지방자치단체에 대한 국가의 지도·감독에 대한 설명으로 옳지 않은 것은? 2014 지방 9급(수정)

① 중앙행정기관의 장이나 시·도지사는 지방자치단체의 사무에 관하여 조언 또는 권고하거나 지도할 수 있으며, 이를 위하여 필요하면 지방자치단체에 자료의 제출을 요구할 수 있다.

② 지방자치단체의 자치사무에 관한 그 장의 명령이나 처분이 법령에 위반되거나 현저히 부당하여 공익을 해친다고 인정되면 시·도에 대하여는 주무부장관이, 시·군 및 자치구에 대하여는 시·도지사가 기간을 정하여 서면으로 시정할 것을 명하고, 그 기간에 이행하지 아니하면 이를 취소하거나 정지할 수 있다.

③ 지방자치단체의 장이 법령의 규정에 따라 그 의무에 속하는 국가위임사무나 시·도위임사무의 관리와 집행을 명백히 게을리 하고 있다고 인정되면 시·도에 대하여는 주무부장관이, 시·군 및 자치구에 대하여는 시·도지사가 기간을 정하여 서면으로 이행할 사항을 명령할 수 있다.

④ 행정안전부장관이나 시·도지사는 지방자치단체의 자치사무에 관하여 보고를 받거나 서류·장부 또는 회계를 감사할 수 있다.

05 우리나라의 지방정부에 대한 중앙통제로 가장 적절하지 않은 것은? 2014 경정승진

① 감사원은 지방공무원에 대해서도 직무감찰을 실시할 수 있다.

② 중앙정부는 위법·부당한 명령·처분의 시정명령 및 취소·정지를 할 수 있고, 지방자치단체의 장이 이에 이의가 있을 때에는 행정법원에 소를 제기할 수 있다.

③ 오늘날 입법적 통제나 사법적 통제에 비하여 행정적 통제가 보다 일반적으로 활용되고 있다.

④ 중앙행정기관의 장과 지방자치단체의 장이 사무를 처리할 때 의견을 달리하는 경우 이를 협의·조정하기 위하여 국무총리 소속으로 행정협의조정위원회를 둔다.

06 지방자치단체 상호 간의 분쟁조정에 관한 설명으로 옳지 않은 것은? 2008 지방 7급(수정)

① 지방자치단체 상호 간에 분쟁이 발생할 경우 행정안전부장관 또는 시·도지사가 당사자의 신청에 의하여 이를 조정할 수 있다.

② 지방자치단체 상호 간 분쟁이 공익을 현저히 저해하여 조속한 조정이 필요하다고 인정될 경우에는 당사자의 신청이 없어도 행정안전부장관 또는 시·도지사가 직권으로 이를 조정할 수 있다.

③ 조정결정사항 중 예산이 수반되는 경우에 관계 지방자치단체는 이에 필요한 예산을 우선적으로 편성하여야 한다.

④ 동일 광역자치단체 내 기초자치단체 간의 분쟁은 중앙분쟁조정위원회에서 조정한다.

04

② 자치사무는 부당한 경우가 아닌 위법한 경우에 한해 시정명령을 내릴 수 있다.

① 중앙행정기관의 장이나 시·도지사는 지방자치단체의 사무에 관하여 조언 또는 권고하거나 지도할 수 있으며, 이를 위하여 필요하면 지방자치단체에 자료의 제출을 요구할 수 있다.

③ 지방자치단체의 장이 법령의 규정에 따라 그 의무에 속하는 국가위임사무나 시·도위임사무의 관리와 집행을 명백히 게을리하고 있다고 인정되면 시·도에 대하여는 주무부장관이, 시·군 및 자치구에 대하여는 시·도지사가 기간을 정하여 서면으로 이행할 사항을 명령할 수 있다.

④ 행정안전부장관이나 시·도지사는 지방자치단체의 자치사무에 관하여 보고를 받거나 서류·장부 또는 회계를 감사할 수 있다. 이 경우 감사는 법령위반사항에 대하여만 실시한다.

05

② 중앙정부는 위법·부당한 명령·처분의 시정명령 및 취소·정지를 할 수 있고, 지방자치단체의 장이 이에 이의가 있을 때에는 대법원에 소를 제기할 수 있다.

① 지방공무원도 감사원의 직무감찰 대상이다.

③ 현대 행정국가에서는 행정의 전문성, 고도화에 따라 행정적 통제가 보다 활용된다.

06

④ 중앙분쟁조정위원회는 시·도 간 또는 시·도와 시·군·구 간, 시·도를 달리하는 시·군 및 자치구 간의 분쟁조정을 담당한다.

포인트 정리

시정명령 vs 이행명령

시정명령	이행명령
• 지자체 사무(고유 +위임) 대상	• 국가위임사무 대상
• 위법·부당한 처분을 한 때 – 자치사무는 위법한 것에 한함	• 관리 및 집행을 명백히 게을리한 때
• 기간 정하여 문서로 시정명령	• 기간 정하여 문서로 이행명령
• 명령 불이행시 주무부장관 or 시·도지사가 명령이나 처분을 취소·정지할 수 있음	• 명령 불이행시 주무부장관 or 시·도지사가 그 지자체의 비용부담으로 대집행 or 행·재정상 조치할 수 있음
• 불복 시 대법원에 소 제기 가능	• 불복 시 대법원에 소 제기 가능

중앙지방협력회의 설치

> 제186조(중앙지방협력회의의 설치) ① 국가와 지방자치단체 간의 협력을 도모하고 지방자치 발전과 지역 간 균형발전에 관련되는 중요 정책을 심의하기 위하여 중앙지방협력회의를 둔다.
> ② 제항에 따른 중앙지방협력회의의 구성과 운영에 관한 사항은 따로 법률로 정한다.

정답
04 ② 05 ② 06 ④

01 분권화된 지방정부에서 발에 의한 투표(vote by feet)가 가능해지기 위한 전제조건들에 대한 설명으로 가장 옳지 않은 것은?

2019 서울 7급(2월)

① 지방정부의 시민들은 그들의 선호체계에 가장 적합한 지역으로 이동하는 것이 가능하다.

② 시민들이 지방정부들의 세입 세출 형태에 관해 완전한 정보를 가지고 있어야 한다.

③ 시민들이 배당수입에 의존하여 생활해야 한다.

④ 공급되는 공공재도 외부비용과 외부효과 문제를 가지고 있을 수 있다.

02 도시규모의 경제이론과 관련된 설명 중 옳지 않은 것은?

2003 국가 7급

① 티부가설은 주민의 이동성을 전제로 지방정부서비스에 대한 주민들의 선택을 통해 그들의 선호를 표명함으로써 시장과 유사한 방법으로 주민들의 공공 서비스에 대한 수요를 파악할 수 있다는 것이다.

② 최소비용접근방법은 지방정부의 1인당 공공서비스 공급비용이 가장 적게 드는 인구수를 최적 규모로 본다.

③ 편익/비용분석방법은 도시민이 지불하는 다양한 세금과 개인이 얻는 금전적 이득을 비교해 볼 때, 편익/비용비가 가장 적은 지역을 최적의 도시규모로 본다.

④ 오츠(Oates)는 조화의 원칙(Correspondence Principle)을 들어 지방정부의 적정규모는 누출효과(spillover effect)를 최소화할 수 있을 정도로 커야 하고, 주민들의 선호를 충족시킬 수 있을 만큼 작아야 한다는 상충된 목표를 조화시킨다는 점에서 결정되어야 한다.

01

정답 : ④

④ 발에 의한 투표에 따르면 각 지방정부 간에는 공공서비스로 인한 외부경제나 외부불경제가 없다고 가정한다.

포인트 정리

티부가설의 기본가정

- 다수의 지역사회(지방정부) 존재
- 완전한 정보
- 지역 간 자유로운 이동 – 완전한 이동
- 단위당 평균비용 동일 – 규모의 경제 작용 X 규모수익불변
- 외부효과의 부존재
- 배당수입에 의한 소득
- 한 가지 이상의 고정적 생산요소 존재
- 최적규모의 추구 – 규모가 크면 주민 유출, 작으면 주민 유입

02

정답 : ③

③ 편익/비용비가 최대인 경우를 최적 도시규모로 보는 것이다.

①, ②, ④ 이외에도 도시 적정규모의 경제이론으로 사회학적 접근이론, 규모제한이론, 도시규모 등급이론, 규모의 경제이론, 대도시 집적이론 등이 있다.

정답

01 ④ 02 ③

MEMO

김만희

약력

서울대학교 행정학 석사 졸업
현 | 해커스공무원 행정학/지방자치론 선생님
전 | 공단기 행정학 대표강사
전 | 프라임법학원 경찰학
전 | 경기도 공무원 연수원 전공교수 역임
전 | 노량진 윌비스 행정학 대표강사
전 | 위포트 공기업 행정학 전공 교수
전 | 김영편입학원 행정학 전공 교수
전 | 서울시정개발연구원 도시행정연구원 역임
전 | 법문사, 대한교과서 등 출판저자
전 | 다수 대학교 특강강사 역임
전 | 전국모의고사 출제위원

저서

해커스공무원 마니행정학 기출 빅데이터
해커스공무원 마니행정학 핵심테마 SWOT 119
마니행정학 기본서, 가치산책컴퍼니
마니행정학 또또, 가치산책컴퍼니
마니행정학 실전모의고사 파이널 600제, 가치산책컴퍼니
마니행정학 핵심테마 기출OX 총정리, 가치산책컴퍼니
마니행정학 지방자치론, 가치산책컴퍼니
마니행정학 법령집, 가치산책컴퍼니
마니행정학 군무원 기출 빅데이터, 가치산책컴퍼니
김만희 공기업 행정학 핵심이론+문제풀이 300제, 가치산책컴퍼니
팩트 경찰학, 가치산책컴퍼니

2025 대비 최신판

해커스공무원
마니행정학
기출 빅데이터

2권 실력업 – 실질적**역**랑**업**그레이드

초판 2쇄 발행 2024년 8월 8일
초판 1쇄 발행 2023년 7월 10일

지은이	김만희 편저
펴낸곳	해커스패스
펴낸이	해커스공무원 출판팀

주소	서울특별시 강남구 강남대로 428 해커스공무원
고객센터	1588-4055
교재 관련 문의	gosi@hackerspass.com
	해커스공무원 사이트(gosi.Hackers.com) 교재 Q&A 게시판
	카카오톡 플러스 친구 [해커스공무원 노량진캠퍼스]
학원 강의 및 동영상강의	gosi.Hackers.com

ISBN	2권: 979-11-6999-371-5 (14350)
	세트: 979-11-6999-369-2 (14350)
Serial Number	01-02-01

공무원 교육 1위,
해커스공무원 gosi.Hackers.com

해커스공무원

· 해커스공무원 학원 및 인강(교재 내 인강 할인쿠폰 수록)
· 정확한 성적 분석으로 약점 극복이 가능한 **합격예측 모의고사**(교재 내 응시권 및 해설강의 수강권 수록)
· 해커스 스타강사의 **공무원 행정학 무료 동영상강의**